RAFTER LENGTH MANUAL

BENJAMIN E. WILLIAMS

CRAFTSMAN BOOK COMPANY
6058 Corte del Cedro, P.O. Box 6500, Carlsbad, CA 92008

©1979, 1990 Craftsman Book Company

Roof Framing Terms

Barge rafter—An exposed rafter at the end of a gable roof, sometimes called a verge rafter

Collar tie—A horizontal tie connecting two opposite rafters near the ridge

Common rafter—One of a series of roof supports connecting the top wall plate and the ridge and at right angles to the ridge

Dormer—A projection from the roof for a window

End rafter—A common rafter in line with the ridge

Gusset—A bracket of either wood or metal attached at framed intersections to add strength and stiffness

Hip rafter—The rafter extending from the top plate at an exterior corner to the ridge

Jack rafter—A short rafter which fits between the plate and the hip or valley rafter or between the ridge and hip or valley rafter. When fitted between hip and valley rafter, it is called a cripple

O.C.—On center, this distance from the center of one member to the center of the next

Pitch—The angle or degree of slope of a roof

Purlin—Horizontal timbers supporting the common rafters in roofs

Ridge board—The incline or pitch of a roof expressed in terms of inches per one foot of run

Run—The horizontal distance that underlies the slope of the roof from a wall to the ridge, one-half of the span

Seat—A cutout at the lower end of a rafter which fits over the top wall plate

Seat cut—The cut at the lower end of a rafter that rests horizontally on the plate

Valley rafter—The rafter extending from the top plate at an interior corner to the ridge

Roof Framing Fundamentals

This volume gives the actual lengths of common, hip, and valley rafters for roof pitches from 1 in 12 to 25 in 12. The length of jack rafters are also given for spacings up to 50 inches. Experienced roof framers can turn directly to the rafter tables without further explanation. A guide to using the tables and essential roof framing techniques are also included here for those less experienced in this field.

Tables for common, hip and valley rafters begin on page 27 with short runs and go to page 339. The table for common rafters is at the left of each page and the table for hip and valley rafters is at the right of each page. The run of common rafter is shown in bold face type at the top of each page. Roof pitches from 1 in 12 to 25 in 12 are listed down the left side of the page.

Turn to page 185. Note that the four columns under "13 foot 2 inch Run — Common Rafter Lengths" are headed 13' 2", 13' 2 1/4", 13' 2 1/2", 13' 2 3/4". These are the run (one-half the span) dimensions. The common rafter lengths for each pitch are listed under the four run columns. For example, the table shows that a 19 in 12 pitch roof with a run of 13' 2" would require a rafter 24 feet 7 and 14 sixteenths inches long. (Reduce 14/16" to 7/8" for convenience.) On the same roof, the hip and valley rafters would be 21 feet 11 and 7 sixteen-

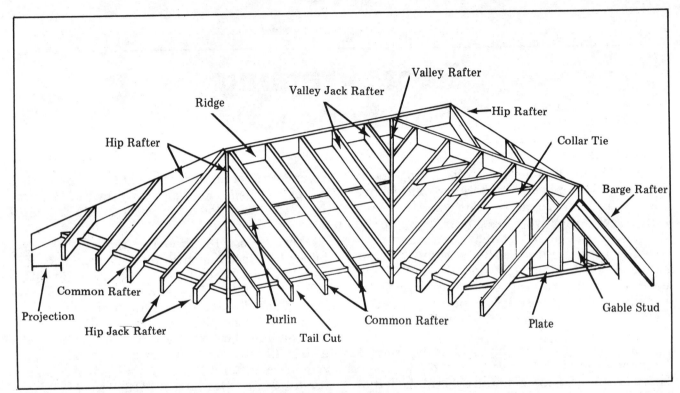

Roof Framing Terms
Figure 1

ths inches long. This is the figure on page 185 under the column 13' 2'' for hip and valley rafters. Find this length opposite 19 in 12 pitch.

Jack rafter length tables begin on page 341 and are arranged in ascending order by the on-center spacing between jacks. The spacing is given at the top of each column. Again, the pitches are arranged down the left side of the page. For example, on page 352 the length of the first jack for 24'' O.C. spacing on a 4 in 12 roof would be 2 feet 1 and 5 sixteenths inches.

Roof Pitch

The pitch of a roof is generally expressed in inches of vertical rise in 12 inches of horizontal run. The rise is given first. For example, Figure 2 shows a cross-section of a 7 in 12 roof. Note the symbol to the left of the ridge board indicating the pitch.

A 7 in 12 pitch means that there are 7 inches of rise for every 12 inches of run of common rafter. If the span were 20 feet, the run of each common rafter would be half of 20, or 10 feet.

The rise of each rafter would be 10 feet times 7 inches, or 70 inches.

Expressing the slope in terms of inches of rise per foot of run is very convenient for roof framers because these same figures are used on the steel square when making the seat and vertical cuts for common rafters.

Pitch can also be expressed as the ratio of the rise of the rafter to the width of the building. For example, assume that the span of a roof is 24 feet and the rise is 7 feet. The ratio of the rise to the span is 7 to 24, or 7/24. This would be expressed as a 7/24 pitch. A 1/4 pitch would be the same as a 6 in 12 roof. To convert a pitch expressed as a fraction to inches of rise per foot of run or cuts for the steel square, multiply the fraction by 24. The result is the rise per 12 inches of run. For example, a 1/2 pitch is the same as a 12 in 12 roof. (24 times 1/2 equals 12.)

If neither the pitch nor the rise per foot of run are given on the plans, calculate the pitch and cuts for the steel square from the roof rise. The total rise in inches divided by the run of

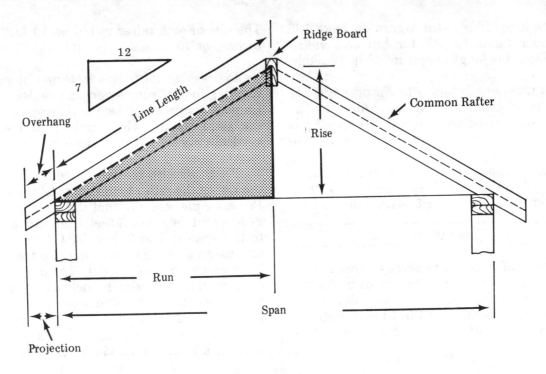

Common Rafter Layout
Figure 2

common rafter in feet is the rise per foot of run. For example, assume that the total rise is shown as 60 inches and the span from the outside of one wall to the outside of the opposite wall is 40 feet. The common rafter run would be 20 feet, one-half the span. 60 inches divided by 20 equals 3. This is a 3 in 12 or 3/24 pitch roof.

In some cases the plans may show the roof slope only in degrees. Use Table 3 to convert degrees and minutes into inches of rise per foot of run.

Common Rafters

Roof framing is a somewhat complicated procedure. It is important to form some definite habits on the order in which the various steps of the layout work are performed. When laying out rafters, the lumber should always be placed in the same position. The crowned edge, which is the top edge, should be toward you as you are laying out the rafter. You will use a steel framing square to cut the rafter ends. The short end or tongue of the square should be held in your left hand. The long end or body of the square is in your right. If the square is imagined

Degrees	Minutes	Pitch	Degrees	Minutes	Pitch
4°	46'	1 in 12	42°	31'	11 in 12
9°	28'	2 in 12	45°	0'	12 in 12
11°	46'	2.5 in 12	47°	17'	13 in 12
14°	2'	3 in 12	49°	24'	14 in 12
16°	16'	3.5 in 12	51°	20'	15 in 12
18°	26'	4 in 12	53°	8'	16 in 12
20°	33'	4.5 in 12	54°	47'	17 in 12
22°	37'	5 in 12	56°	19'	18 in 12
24°	37'	5.5 in 12	57°	43'	19 in 12
26°	34'	6 in 12	59°	2'	20 in 12
28°	27'	6.5 in 12	60°	15'	21 in 12
30°	15'	7 in 12	61°	23'	22 in 12
33°	41'	8 in 12	62°	27'	23 in 12
36°	52'	9 in 12	63°	26'	24 in 12
39°	48'	10 in 12	64°	22'	25 in 12

Converting Degrees into Roof Pitch
Table 3

as greatly enlarged, the tongue would form the vertical or top cut of the rafter and the body would be the horizontal or seat cut (Figure 4).

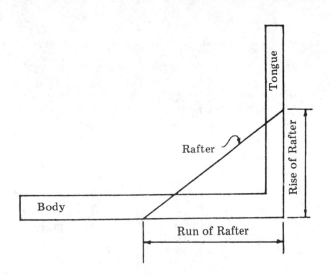

Holding the Steel Square
Figure 4

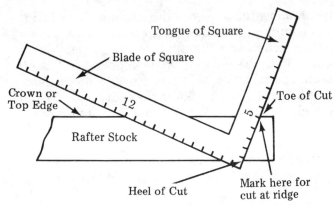

Marking a Common Rafter for the Vertical
Cut at the Ridge
Figure 5

Assume that the roof is to have a 5 in 12 pitch. For this pitch you will use the 5 inch and 12 inch points on the square when marking for the cuts on the ends of the common rafter. Place the square across the end of the board as shown in Figure 5. Mark a line from the toe to the heel of the vertical cut. Be sure that the toe of the vertical cut is on the crown edge of the rafter. Now measure from the toe of the vertical cut along the top rafter edge to find the location of the seat cut. This length is found in the rafter tables in this book. Assume that the run of the common rafters on this 5 in 12 pitch roof is 13 feet 2 inches. On page 185 you will see that a rafter for a 5 in 12 pitch roof with a run of 13 feet

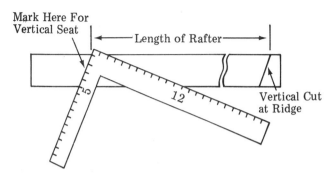

Marking a Common Rafter for the Vertical
Cut at the Seat
Figure 6

2 inches should be fourteen feet three and three sixteenth inches (14'-3-3/16'') long. Measure back from the toe of the vertical cut 14'-3-3/16'' and mark this point. See Figure 6. Position the framing square as shown in Figure 6 and mark along the outside edge of the tongue. This is the vertical cut for the rafter seat. Next, reverse the square as shown in Figure 7. Mark this time along the outside edge of the square body. The depth of this seat would normally be not over

one-third the rafter thickness. All rafter seats on the roof will not have the same depth if the thickness of the rafters varies. The rafter thickness left after cutting the seat must be the same for all rafters. See Figure 8. Cut the seat

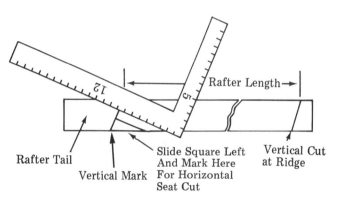

Marking a Common Rafter for the Horizontal
Cut at the Seat
Figure 7

Note: Slide the framing square left until the depth of the seat cut is not more than one-third the rafter thickness.

9

very accurately. Begin with an electric saw but finish with a hand saw to avoid overcutting the vertical and horizontal lines. Note that if sheathing or siding is to extend up the wall and into the rafter seat, the rafter span should be taken as the span plus the thickness of the sheathing.

The rafter tail can be cut by measuring again from the toe of the vertical cut at the ridge. Read on the plan the horizontal distance the rafter should extend beyond the wall. Add this distance to the run dimension you used in locating the seat. For example, if the run to the outside of the wall as 13'-2'' and the projection past the wall is to be 2 feet, the correct run to the end of the rafter tail would be 15'-2''. See page 209 opposite the roof pitch 5 in 12. The rafter tail can be cut square with the edge of the rafter or parallel to the ridge cut as shown in Figure 8.

The final step is to shorten the rafter slightly to allow for the ridge board. Note in Figure 2 that the ridge board occupies part of the space which is the theoretical length of the rafter. For nearly all jobs it is sufficient to shorten the rafter

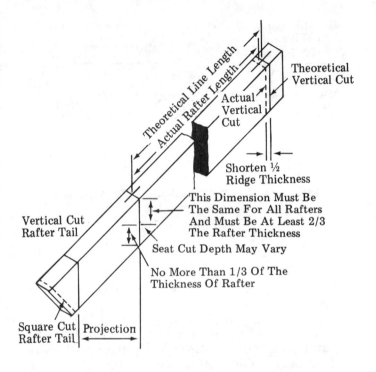

Finished Common Rafter
Figure 8

by one-half the thickness of the ridge board. Figure 8 shows the line for the actual ridge cut. To lay out this line, slide the square back away from the first line, keeping the run in inches on the tongue on the upper edge of the rafter. When the square has been moved back half the thickness of the ridge board from this last line, mark the vertical cut along the edge of the tongue. This line should be one-half the thickness of the ridge inside of and parallel to the original line marking the end of the rafter.

Cutting a 3 to 4 foot long pattern rafter with the correct vertical and seat cuts will simplify marking for rafter cuts. See Figure 9.

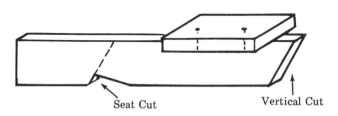

Seat Cut   Vertical Cut

Pattern Common Rafter
Figure 9

Hip and Valley Rafters

The method of measuring and cutting hip and valley rafters is very similar to the method described for common rafters. The major difference is that hip and valley rafters meet the wall plate at 45 degrees rather than 90 degrees. The tables in this book give hip and valley rafter lengths per foot of run of *common* rafter.

Assume that the roof pitch is 5 in 12 and the run of common rafter to the outside wall is 13'-2". As you did for the common rafters, lay the board you plan to use across two saw horses with the crowned edge toward you. Place the square across one end of the board as shown in Figure 10. Note that you used the 5 inch point on the tongue and 12 inch point on the body when cutting the common rafter for a 5 in 12 pitch roof. For a hip or valley rafter with the same 5 in 12 pitch, the cut is marked with the body at 17 and the tongue again at 5. The square is at 17 on the body because hip and valley rafters are longer than common rafters on the same roof. Thus the actual pitch is less and the cut at the ridge is more nearly square. The inch measurement you use on the body of a framing square

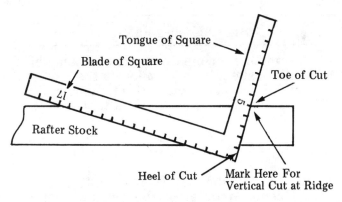

Marking a Hip or Valley Rafter for the
Vertical Cut at the Ridge
Figure 10

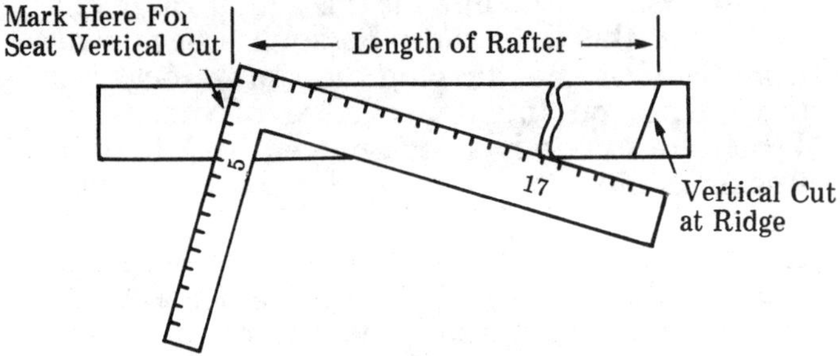

Marking a Hip or Valley Rafter for the
Vertical Cut at the Seat
Figure 11

when marking hip and valley rafter cuts will always be 17.

On page 185 opposite 5 in 12 pitch under hip and valley rafters for a run of 13'-2" you will see the numbers 19' 4" 15. This means that the hip rafter should be 19'-4-15/16" long. Measure back from the toe of the vertical cut 19'-4-15/16" and mark this point. See Figure 11. Position the framing square as shown and mark

along the outside edge of the tongue. Again use the 5 inch and 17 inch points on the square. This is the vertical cut for the rafter seat. Next, reverse the square as shown in Figure 12. Mark this time along the outside of the square body. The depth of this seat cut should leave the same rafter thickness as at the common rafter seat cuts. Again, cut this seat very carefully. The inch measurement on the body is always 17 for hip and valley rafters. The inch measurement on the tongue is always the inches of pitch in 12.

12

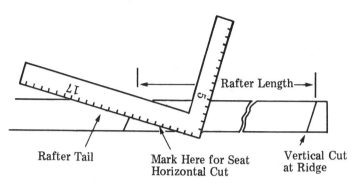

Marking a Hip or Valley Rafter for the
Horizontal Cut at the Seat
Figure 12

The next step is to shorten the rafter slightly to allow for the thickness of the ridge board. It is accurate enough to shorten hip or valley rafters one-half the thickness of the ridge board. Figure 13 shows the line for the actual ridge cut. The actual cut line is one-half the thickness of the ridge inside and parallel to the first line you made for the ridge board.

Measure and cut the hip rafter tail for the projection shown on the plans. The procedure is the same as on common rafter tails except that the 17 inch mark is used on the body of the square.

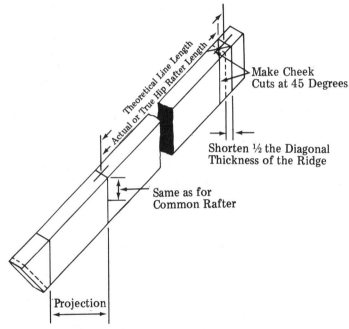

Finished Hip or Valley Rafter
Figure 13

13

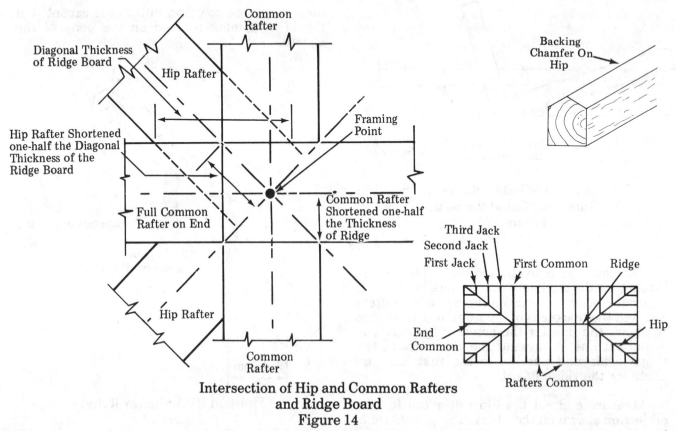

Intersection of Hip and Common Rafters
and Ridge Board
Figure 14

14

Next, make cheek cuts on the hip or valley rafter so it makes a perfect joint with the common rafters and the ridge board. These cheek cuts are made at 45 degrees because the hip or valley rafter rests at a 45 degree angle to the ridge board. Figure 13 shows these cheek cuts and Figure 14 shows how the ridge board and rafters are joined. When all the cuts have been made, use this rafter as the pattern for cutting all hip and valley rafters with the same run and pitch.

If the seat cut of the hip rafter is cut no deeper than the seat cut of the common rafters, the shoulders of the hip near the plate will raise the sheathing above the level of the jack rafters. The true roof level lies at the center line of the hip. Both top edges of the hip are above this line. Some roofers chamfer the top edges of the hip as shown in the upper right illustration in Figure 14 so the sheathing is not raised above the jack rafters. This is called a backing chamfer.

A faster and more practical method is known as *dropping the hip*. On most jobs it will be

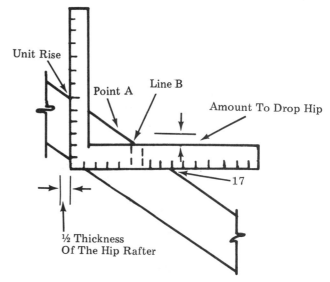

Finding The Drop For A Hip
Figure 15

enough to make the seat cut on the hip 1/4'' deeper than originally measured. On steeper pitch roofs or where accuracy is important, use the steel square to calculate the exact drop required. Lay the square across a board as

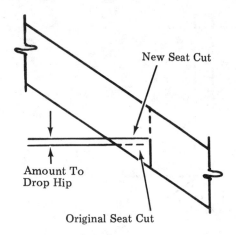

New Seat Cut

Amount To
Drop Hip

Original Seat Cut

Dropping The Hip
Figure 16

shown in Figure 15. Mark point A on the board. Move the square down and to the right one-half the thickness of the hip rafter and mark line B. Measure the vertical distance between point A and the new location of the square. This is the amount to drop the hip. Make the hip seat cut that much deeper. See Figure 16. Valley rafters

are not dropped because the valley rafter shoulders are below the level of the roof surface.

Jack Rafters

Jack rafters that extend from the ridge to a valley rafter are called valley jacks. Jack rafters that connect the wall plate and a hip rafter are called hip jacks. The lengths of both hip and valley jacks are measured the same way. If you know the roof pitch and the center to center (O.C.) spacing between jack rafters, the table beginning on page 341 gives you the length of the first or shortest jack on that hip or valley. The second jack is twice as long as the first, the third is three times as long and so on.

Begin laying out hip jacks by placing a board across two saw horses. Lay your pattern common rafter over this board and mark the tail and seat cuts on the board from the pattern.

Turn to page 352 and note that for a 5 in 12 pitch with jacks spaced 24 inches center to center, the first jack is 2'-2'' long. Extend the line of the vertical seat cut up to the top of the

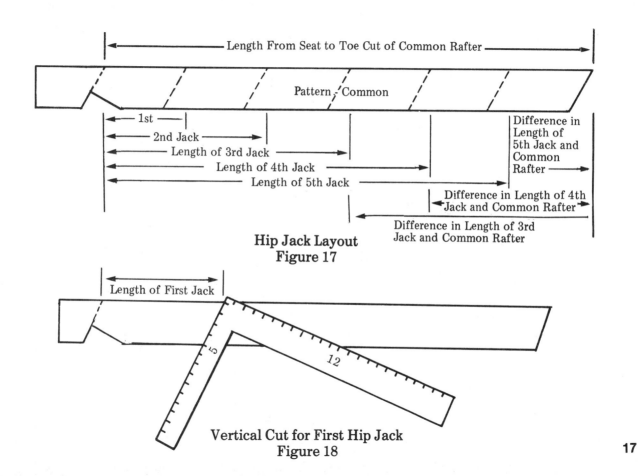

Length From Seat to Toe Cut of Common Rafter

Pattern Common

1st

2nd Jack

Length of 3rd Jack

Length of 4th Jack

Length of 5th Jack

Difference in Length of 5th Jack and Common Rafter

Difference in Length of 4th Jack and Common Rafter

Difference in Length of 3rd Jack and Common Rafter

**Hip Jack Layout
Figure 17**

Length of First Jack

5

12

**Vertical Cut for First Hip Jack
Figure 18**

17

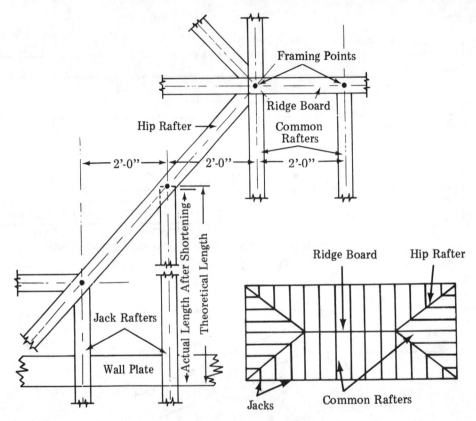

Shortening Jack Rafters
Figure 19

Figure 20

rafter and measure from this point 2'-2'' along the crown of the jack rafter and make a mark. This is the toe of the vertical cut at the ridge for the first jack rafter. Mark the length of this jack by placing a square across the board as shown in Figure 18. The inches on the tongue are the same as the inches of roof pitch per foot of run. The measurement on the square body is always 12 for jack rafters.

The jack rafters must also be shortened by one-half the thickness of the ridge. But note in Figure 19 that hip and valley jacks are also cut on the side at 45 degrees to fit against the hip or valley. Mark the center line of the top of the jack for shortening by one-half the thickness of the hip or valley. Then lay out a 45 degree angle

through this mark at the center line. Cut on this angle parallel to the line you laid out for the vertical cut. In most cases where extreme accuracy is not essential, simply making the side cut on the rafter end at a 45 degree angle will shorten it enough so that any discrepancy will be unnoticeable.

Measure and cut the remainder of the hip jacks in the same way. The next jack on that hip is twice as long as the first. The third jack on that hip is three times as long as the first jack, and so on. For every jack on the left side of a hip there will be jack on the right side. When the left and right pair are held back to back, the side cuts form an angle as shown in Figure 20.

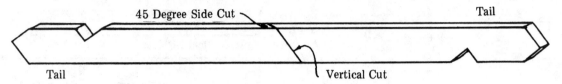

Layout of Jack Rafters in Left and Right Pair
Figure 21

Several hip jacks on most jobs will be identical and the shortest and longest hip jack together will be as long as a common rafter. A convenient way to cut the jacks in left and right pairs is to make the side cuts in the center of the board and the seat cuts at the ends. See Figure 21.

Valley Jacks

Valley jacks extend from the ridge board to the valley rafter. Their lengths are found in the same way as those of the hip jacks. Use the ridge cut of the common rafter as a pattern for the ridge cut of the valley jack and the side and vertical cut of the hip jack as the pattern for the

bottom cut. These jacks can also be laid out in pairs.

Cutting The Ridge

When the common, hip, valley and jack rafters have been cut to size, cut the ridge board to the length required. If you are working on a gable roof, place the ridge board on top of the plate approximately in position and cut it to the distance between the outside of the two walls it spans. Be sure to allow a projection for barge rafters if any roof overhang is shown on the plans. If you are working on a hip roof, the ridge board is shorter than the distance between the exterior of the two opposite side walls by the

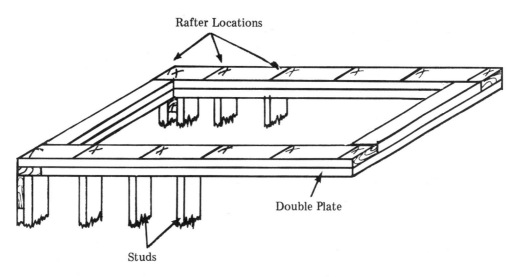

Rafter Locations

Double Plate

Studs

Marking Rafter Locations for a Gable Roof
Figure 22

distance between the outside of the two end walls. Subtract the distance between the outside of the end walls from the distance between the side walls to find the true length of the ridge line.

Positioning the rafters for a gable roof is simple. Mark the location of the common rafters on the plate. Begin at one end wall and mark for

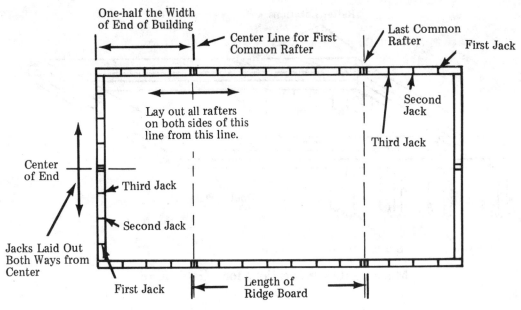

One-half the Width
of End of Building

Center Line for First
Common Rafter

Last Common
Rafter

First Jack

Second
Jack

Third Jack

Lay out all rafters
on both sides of this
line from this line.

Center
of End

Third Jack

Second Jack

Jacks Laid Out
Both Ways from
Center

First Jack

Length of
Ridge Board

Rafter Locations on a Hip Roof
Figure 23

the first rafter flush with the end of the plate. Hook the end of a tape measure over the top of the wall at this point and extend the tape along the top of the plate. Draw a line at each rafter interval and place an X to the right of each mark. See Figure 22. Repeat this process for the opposite plate but be sure you begin from the same end wall. Place the ridge board on edge on top of the plate with equal projection over each side wall for the barge rafters. Transfer the marks on the plate to both sides of the ridge board. Use a framing square to square these lines across the face of the ridge board at each mark and place an X to the side of the line where the rafter will be anchored.

Marking rafter positions on a hip roof is slightly different. Measure one-half the width of the building from one side wall along the top plate. See Figure 23. Mark this spot. This is the center point for the first common rafter. One-half the thickness of the first common rafter falls on each side of this line. Measure the other rafter positions both ways from this line. Square the line across the plate and mark an X at each spot where the rafters will rest. Repeat this procedure for the opposite wall. Find the center of the end wall and mark this point. This is the center of the jacks on the end wall. Mark the position of jack rafters each direction from this center point. Repeat this procedure for the

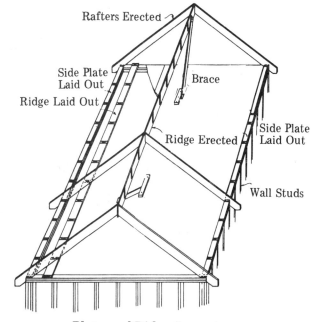

Plate and Ridge Layout
Figure 24

opposite end wall. Finally, transfer the plate markings to the ridge board by holding it on

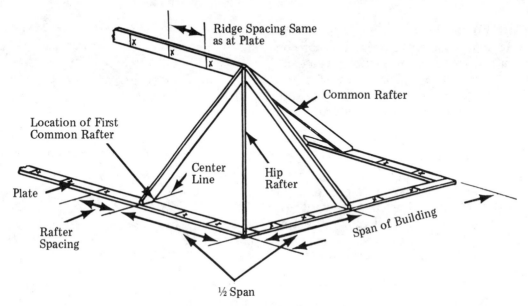

Ridge Spacing Same as at Plate

Common Rafter

Location of First Common Rafter

Center Line

Hip Rafter

Plate

Rafter Spacing

Span of Building

½ Span

Placing the Hip Rafter
Figure 25

edge on the plate. One end of the plate should be flush with the outside mark for the first common rafter. Mark each location on both sides, square the lines across the ridge and

make an *X* where the rafters will rest.

Begin raising the roof by leaning all rafters against the side of the building at the mark where they will be placed. The vertical cut should be up. Hold two end common rafters in place against the ridge board and nail them in place. Raise the ridge board and the first two common rafters into place. Three people should be able to handle this if braces are used to hold the ridge in position. See Figure 24. Be sure that the tops of the rafters are flush with the top of the ridge and that the vertical cut on each seat is snug against the side wall. Then erect the common rafters on the opposite end of the ridge board. Continue putting up the rafters in pairs, but be careful to avoid bending the ridge board out of line. Run a length of string between the two ends of the ridge if necessary to keep the ridge board straight. When the common rafters are up, erect the hip rafters. See Figure 25. Again, be careful to keep the vertical and seat cuts snug with the ridge and plate. When the hip and valley rafters are up, place the hip and valley jacks in pairs along each side of each hip and valley rafter. See Figure 26.

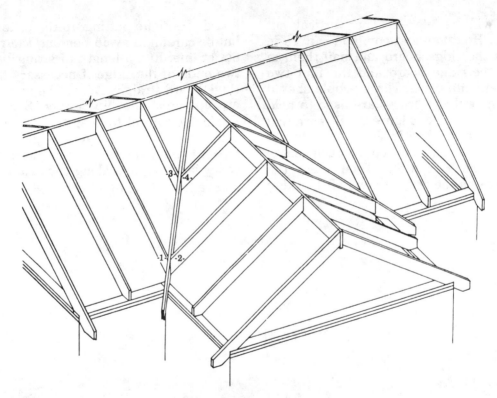

Assembly of Valley Jacks
Figure 26

0 Foot 0 Inch Run — Common Rafter Lengths

Pitch	Run - 0' 0" Ft	In	16th"	0' 0 1/4" Ft	In	16th"	0' 0 1/2" Ft	In	16th"	0' 0 3/4" Ft	In	16th"
1 IN 12	0'	0"	0	0'	0"	4	0'	0"	8	0'	0"	12
2 IN 12	0'	0"	0	0'	0"	4	0'	0"	8	0'	0"	12
2.5 IN 12	0'	0"	0	0'	0"	4	0'	0"	8	0'	0"	12
3 IN 12	0'	0"	0	0'	0"	4	0'	0"	8	0'	0"	12
3.5 IN 12	0'	0"	0	0'	0"	4	0'	0"	8	0'	0"	13
4 IN 12	0'	0"	0	0'	0"	4	0'	0"	8	0'	0"	13
4.5 IN 12	0'	0"	0	0'	0"	4	0'	0"	9	0'	0"	13
5 IN 12	0'	0"	0	0'	0"	4	0'	0"	9	0'	0"	13
5.5 IN 12	0'	0"	0	0'	0"	4	0'	0"	9	0'	0"	13
6 IN 12	0'	0"	0	0'	0"	4	0'	0"	9	0'	0"	13
6.5 IN 12	0'	0"	0	0'	0"	5	0'	0"	9	0'	0"	14
7 IN 12	0'	0"	0	0'	0"	5	0'	0"	9	0'	0"	14
8 IN 12	0'	0"	0	0'	0"	5	0'	0"	10	0'	0"	14
9 IN 12	0'	0"	0	0'	0"	5	0'	0"	10	0'	0"	15
10 IN 12	0'	0"	0	0'	0"	5	0'	0"	10	0'	1"	0
11 IN 12	0'	0"	0	0'	0"	5	0'	0"	11	0'	1"	0
12 IN 12	0'	0"	0	0'	0"	6	0'	0"	11	0'	1"	1
13 IN 12	0'	0"	0	0'	0"	6	0'	0"	12	0'	1"	2
14 IN 12	0'	0"	0	0'	0"	6	0'	0"	12	0'	1"	2
15 IN 12	0'	0"	0	0'	0"	6	0'	0"	13	0'	1"	3
16 IN 12	0'	0"	0	0'	0"	7	0'	0"	13	0'	1"	4
17 IN 12	0'	0"	0	0'	0"	7	0'	0"	14	0'	1"	5
18 IN 12	0'	0"	0	0'	0"	7	0'	0"	14	0'	1"	6
19 IN 12	0'	0"	0	0'	0"	7	0'	0"	15	0'	1"	6
20 IN 12	0'	0"	0	0'	0"	8	0'	1"	0	0'	1"	7
21 IN 12	0'	0"	0	0'	0"	8	0'	1"	0	0'	1"	8
22 IN 12	0'	0"	0	0'	0"	8	0'	1"	1	0'	1"	9
23 IN 12	0'	0"	0	0'	0"	9	0'	1"	1	0'	1"	10
24 IN 12	0'	0"	0	0'	0"	9	0'	1"	2	0'	1"	11
25 IN 12	0'	0"	0	0'	0"	9	0'	1"	2	0'	1"	12

0 Foot 0 Inch Run — Hip Or Valley Rafter Lengths

Pitch	Run - 0' 0" Ft	In	16th"	0' 0 1/4" Ft	In	16th"	0' 0 1/2" Ft	In	16th"	0' 0 3/4" Ft	In	16th"
1 IN 12	0'	0"	0	0'	0"	6	0'	0"	11	0'	1"	1
2 IN 12	0'	0"	0	0'	0"	6	0'	0"	11	0'	1"	1
2.5 IN 12	0'	0"	0	0'	0"	6	0'	0"	11	0'	1"	1
3 IN 12	0'	0"	0	0'	0"	6	0'	0"	11	0'	1"	1
3.5 IN 12	0'	0"	0	0'	0"	6	0'	0"	12	0'	1"	1
4 IN 12	0'	0"	0	0'	0"	6	0'	0"	12	0'	1"	1
4.5 IN 12	0'	0"	0	0'	0"	6	0'	0"	12	0'	1"	2
5 IN 12	0'	0"	0	0'	0"	6	0'	0"	12	0'	1"	2
5.5 IN 12	0'	0"	0	0'	0"	6	0'	0"	12	0'	1"	2
6 IN 12	0'	0"	0	0'	0"	6	0'	0"	12	0'	1"	2
6.5 IN 12	0'	0"	0	0'	0"	6	0'	0"	12	0'	1"	2
7 IN 12	0'	0"	0	0'	0"	6	0'	0"	12	0'	1"	2
8 IN 12	0'	0"	0	0'	0"	6	0'	0"	13	0'	1"	3
9 IN 12	0'	0"	0	0'	0"	6	0'	0"	13	0'	1"	3
10 IN 12	0'	0"	0	0'	0"	7	0'	0"	13	0'	1"	4
11 IN 12	0'	0"	0	0'	0"	7	0'	0"	13	0'	1"	4
12 IN 12	0'	0"	0	0'	0"	7	0'	0"	14	0'	1"	5
13 IN 12	0'	0"	0	0'	0"	7	0'	0"	14	0'	1"	5
14 IN 12	0'	0"	0	0'	0"	7	0'	0"	15	0'	1"	6
15 IN 12	0'	0"	0	0'	0"	8	0'	0"	15	0'	1"	7
16 IN 12	0'	0"	0	0'	0"	8	0'	1"	0	0'	1"	7
17 IN 12	0'	0"	0	0'	0"	8	0'	1"	0	0'	1"	8
18 IN 12	0'	0"	0	0'	0"	8	0'	1"	0	0'	1"	9
19 IN 12	0'	0"	0	0'	0"	8	0'	1"	1	0'	1"	9
20 IN 12	0'	0"	0	0'	0"	9	0'	1"	1	0'	1"	10
21 IN 12	0'	0"	0	0'	0"	9	0'	1"	2	0'	1"	11
22 IN 12	0'	0"	0	0'	0"	9	0'	1"	3	0'	1"	12
23 IN 12	0'	0"	0	0'	0"	10	0'	1"	3	0'	1"	13
24 IN 12	0'	0"	0	0'	0"	10	0'	1"	4	0'	1"	13
25 IN 12	0'	0"	0	0'	0"	10	0'	1"	4	0'	1"	14

0 Foot 1 Inch Run — Common Rafter Lengths   0 Foot 1 Inch Run — Hip Or Valley Rafter Lengths

Run -	0' 1"			0' 1 1/4"			0' 1 1/2"			0' 1 3/4"			0' 1"			0' 1 1/4"			0' 1 1/2"			0' 1 3/4"		
Pitch	Ft	In	16th"	Ft	In	16th"	Ft	In	16th"	Ft	In	16th"	Ft	In	16th"	Ft	In	16th"	Ft	In	16th"	Ft	In	16th"
1 IN 12	0'	1"	0	0'	1"	4	0'	1"	8	0'	1"	12	0'	1"	7	0'	1"	12	0'	2"	2	0'	2"	8
2 IN 12	0'	1"	0	0'	1"	4	0'	1"	8	0'	1"	12	0'	1"	7	0'	1"	12	0'	2"	2	0'	2"	8
2.5 IN 12	0'	1"	0	0'	1"	4	0'	1"	9	0'	1"	13	0'	1"	7	0'	1"	13	0'	2"	2	0'	2"	8
3 IN 12	0'	1"	0	0'	1"	5	0'	1"	9	0'	1"	13	0'	1"	7	0'	1"	13	0'	2"	2	0'	2"	8
3.5 IN 12	0'	1"	1	0'	1"	5	0'	1"	9	0'	1"	13	0'	1"	7	0'	1"	13	0'	2"	3	0'	2"	8
4 IN 12	0'	1"	1	0'	1"	5	0'	1"	9	0'	1"	14	0'	1"	7	0'	1"	13	0'	2"	3	0'	2"	9
4.5 IN 12	0'	1"	1	0'	1"	5	0'	1"	10	0'	1"	14	0'	1"	7	0'	1"	13	0'	2"	3	0'	2"	9
5 IN 12	0'	1"	1	0'	1"	6	0'	1"	10	0'	1"	14	0'	1"	8	0'	1"	13	0'	2"	3	0'	2"	9
5.5 IN 12	0'	1"	2	0'	1"	6	0'	1"	10	0'	1"	15	0'	1"	8	0'	1"	14	0'	2"	4	0'	2"	10
6 IN 12	0'	1"	2	0'	1"	6	0'	1"	11	0'	1"	15	0'	1"	8	0'	1"	14	0'	2"	4	0'	2"	10
6.5 IN 12	0'	1"	2	0'	1"	7	0'	1"	11	0'	2"	0	0'	1"	8	0'	1"	14	0'	2"	4	0'	2"	10
7 IN 12	0'	1"	3	0'	1"	7	0'	1"	12	0'	2"	0	0'	1"	8	0'	1"	15	0'	2"	5	0'	2"	11
8 IN 12	0'	1"	3	0'	1"	8	0'	1"	13	0'	2"	2	0'	1"	9	0'	1"	15	0'	2"	6	0'	2"	12
9 IN 12	0'	1"	4	0'	1"	9	0'	1"	14	0'	2"	3	0'	1"	10	0'	2"	0	0'	2"	6	0'	2"	13
10 IN 12	0'	1"	5	0'	1"	10	0'	1"	15	0'	2"	4	0'	1"	10	0'	2"	1	0'	2"	7	0'	2"	14
11 IN 12	0'	1"	6	0'	1"	11	0'	2"	1	0'	2"	6	0'	1"	11	0'	2"	2	0'	2"	8	0'	2"	15
12 IN 12	0'	1"	7	0'	1"	12	0'	2"	2	0'	2"	8	0'	1"	12	0'	2"	3	0'	2"	10	0'	3"	0
13 IN 12	0'	1"	8	0'	1"	13	0'	2"	3	0'	2"	9	0'	1"	13	0'	2"	4	0'	2"	11	0'	3"	2
14 IN 12	0'	1"	9	0'	1"	15	0'	2"	5	0'	2"	11	0'	1"	13	0'	2"	5	0'	2"	12	0'	3"	3
15 IN 12	0'	1"	10	0'	2"	0	0'	2"	6	0'	2"	13	0'	1"	14	0'	2"	6	0'	2"	13	0'	3"	5
16 IN 12	0'	1"	11	0'	2"	1	0'	2"	8	0'	2"	15	0'	1"	15	0'	2"	7	0'	2"	15	0'	3"	6
17 IN 12	0'	1"	12	0'	2"	3	0'	2"	10	0'	3"	1	0'	2"	0	0'	2"	8	0'	3"	0	0'	3"	8
18 IN 12	0'	1"	13	0'	2"	4	0'	2"	11	0'	3"	2	0'	2"	1	0'	2"	9	0'	3"	1	0'	3"	10
19 IN 12	0'	1"	14	0'	2"	5	0'	2"	13	0'	3"	4	0'	2"	2	0'	2"	10	0'	3"	3	0'	3"	11
20 IN 12	0'	1"	15	0'	2"	7	0'	2"	15	0'	3"	6	0'	2"	3	0'	2"	12	0'	3"	4	0'	3"	13
21 IN 12	0'	2"	0	0'	2"	8	0'	3"	0	0'	3"	8	0'	2"	4	0'	2"	13	0'	3"	6	0'	3"	15
22 IN 12	0'	2"	1	0'	2"	10	0'	3"	2	0'	3"	10	0'	2"	5	0'	2"	14	0'	3"	8	0'	4"	1
23 IN 12	0'	2"	3	0'	2"	11	0'	3"	4	0'	3"	13	0'	2"	6	0'	3"	0	0'	3"	9	0'	4"	3
24 IN 12	0'	2"	4	0'	2"	13	0'	3"	6	0'	3"	15	0'	2"	7	0'	3"	1	0'	3"	11	0'	4"	5
25 IN 12	0'	2"	5	0'	2"	14	0'	3"	7	0'	4"	1	0'	2"	8	0'	3"	2	0'	3"	12	0'	4"	7

0 Foot 2 Inch Run — Common Rafter Lengths   0 Foot 2 Inch Run — Hip Or Valley Rafter Lengths

Run -	0' 2"			0' 2 1/4"			0' 2 1/2"			0' 2 3/4"			0' 2"			0' 2 1/4"			0' 2 1/2"			0' 2 3/4"		
Pitch	Ft	In	16th"	Ft	In	16th"	Ft	In	16th"	Ft	In	16th"	Ft	In	16th"	Ft	In	16th"	Ft	In	16th"	Ft	In	16th"
1 IN 12	0'	2"	0	0'	2"	4	0'	2"	8	0'	2"	12	0'	2"	13	0'	3"	3	0'	3"	9	0'	3"	14
2 IN 12	0'	2"	0	0'	2"	4	0'	2"	9	0'	2"	13	0'	2"	14	0'	3"	3	0'	3"	9	0'	3"	14
2.5 IN 12	0'	2"	1	0'	2"	5	0'	2"	9	0'	2"	13	0'	2"	14	0'	3"	3	0'	3"	9	0'	3"	15
3 IN 12	0'	2"	1	0'	2"	5	0'	2"	9	0'	2"	13	0'	2"	14	0'	3"	4	0'	3"	9	0'	3"	15
3.5 IN 12	0'	2"	1	0'	2"	6	0'	2"	10	0'	2"	14	0'	2"	14	0'	3"	4	0'	3"	10	0'	4"	0
4 IN 12	0'	2"	2	0'	2"	6	0'	2"	10	0'	2"	14	0'	2"	14	0'	3"	4	0'	3"	10	0'	4"	0
4.5 IN 12	0'	2"	2	0'	2"	6	0'	2"	11	0'	2"	15	0'	2"	15	0'	3"	5	0'	3"	11	0'	4"	0
5 IN 12	0'	2"	3	0'	2"	7	0'	2"	11	0'	3"	0	0'	2"	15	0'	3"	5	0'	3"	11	0'	4"	1
5.5 IN 12	0'	2"	3	0'	2"	8	0'	2"	12	0'	3"	0	0'	3"	0	0'	3"	6	0'	3"	11	0'	4"	1
6 IN 12	0'	2"	4	0'	2"	8	0'	2"	13	0'	3"	1	0'	3"	0	0'	3"	6	0'	3"	12	0'	4"	2
6.5 IN 12	0'	2"	4	0'	2"	9	0'	2"	13	0'	3"	2	0'	3"	0	0'	3"	7	0'	3"	13	0'	4"	3
7 IN 12	0'	2"	5	0'	2"	10	0'	2"	14	0'	3"	3	0'	3"	1	0'	3"	7	0'	3"	13	0'	4"	3
8 IN 12	0'	2"	6	0'	2"	11	0'	3"	0	0'	3"	5	0'	3"	2	0'	3"	8	0'	3"	15	0'	4"	5
9 IN 12	0'	2"	8	0'	2"	13	0'	3"	2	0'	3"	7	0'	3"	3	0'	3"	10	0'	4"	0	0'	4"	6
10 IN 12	0'	2"	10	0'	2"	15	0'	3"	4	0'	3"	9	0'	3"	5	0'	3"	11	0'	4"	2	0'	4"	8
11 IN 12	0'	2"	11	0'	3"	1	0'	3"	6	0'	3"	12	0'	3"	6	0'	3"	13	0'	4"	3	0'	4"	10
12 IN 12	0'	2"	13	0'	3"	3	0'	3"	9	0'	3"	14	0'	3"	7	0'	3"	14	0'	4"	5	0'	4"	12
13 IN 12	0'	2"	15	0'	3"	5	0'	3"	11	0'	4"	1	0'	3"	9	0'	4"	0	0'	4"	7	0'	4"	14
14 IN 12	0'	3"	1	0'	3"	7	0'	3"	13	0'	4"	4	0'	3"	11	0'	4"	2	0'	4"	9	0'	5"	1
15 IN 12	0'	3"	3	0'	3"	10	0'	4"	0	0'	4"	6	0'	3"	12	0'	4"	4	0'	4"	11	0'	5"	3
16 IN 12	0'	3"	5	0'	3"	12	0'	4"	3	0'	4"	9	0'	3"	14	0'	4"	6	0'	4"	14	0'	5"	6
17 IN 12	0'	3"	7	0'	3"	14	0'	4"	5	0'	4"	12	0'	4"	0	0'	4"	8	0'	5"	0	0'	5"	8
18 IN 12	0'	3"	10	0'	4"	1	0'	4"	8	0'	4"	15	0'	4"	2	0'	4"	10	0'	5"	2	0'	5"	11
19 IN 12	0'	3"	12	0'	4"	3	0'	4"	11	0'	5"	2	0'	4"	4	0'	4"	12	0'	5"	5	0'	5"	13
20 IN 12	0'	3"	14	0'	4"	6	0'	4"	14	0'	5"	6	0'	4"	6	0'	4"	15	0'	5"	7	0'	6"	0
21 IN 12	0'	4"	0	0'	4"	9	0'	5"	1	0'	5"	9	0'	4"	8	0'	5"	1	0'	5"	10	0'	6"	3
22 IN 12	0'	4"	3	0'	4"	11	0'	5"	4	0'	5"	12	0'	4"	10	0'	5"	3	0'	5"	13	0'	6"	6
23 IN 12	0'	4"	5	0'	4"	14	0'	5"	6	0'	5"	15	0'	4"	12	0'	5"	6	0'	5"	15	0'	6"	9
24 IN 12	0'	4"	8	0'	5"	0	0'	5"	9	0'	6"	2	0'	4"	14	0'	5"	8	0'	6"	2	0'	6"	12
25 IN 12	0'	4"	10	0'	5"	3	0'	5"	12	0'	6"	6	0'	5"	1	0'	5"	11	0'	6"	5	0'	6"	15

0 Foot 3 Inch Run — Common Rafter Lengths   0 Foot 3 Inch Run — Hip Or Valley Rafter Lengths

Run -	0' 3"	0' 3 1/4"	0' 3 1/2"	0' 3 3/4"	0' 3"	0' 3 1/4"	0' 3 1/2"	0' 3 3/4"
Pitch	Ft In 16th"	Ft In 16th"	Ft In 16th"	Ft In 16th"	Ft In 16th"	Ft In 16th"	Ft In 16th"	Ft In 16th"
1 IN 12	0' 3" 0	0' 3" 4	0' 3" 8	0' 3" 12	0' 4" 4	0' 4" 10	0' 4" 15	0' 5" 5
2 IN 12	0' 3" 1	0' 3" 5	0' 3" 9	0' 3" 13	0' 4" 4	0' 4" 10	0' 5" 0	0' 5" 5
2.5 IN 12	0' 3" 1	0' 3" 5	0' 3" 9	0' 3" 13	0' 4" 5	0' 4" 10	0' 5" 0	0' 5" 6
3 IN 12	0' 3" 1	0' 3" 6	0' 3" 10	0' 3" 14	0' 4" 5	0' 4" 11	0' 5" 0	0' 5" 6
3.5 IN 12	0' 3" 2	0' 3" 6	0' 3" 10	0' 3" 15	0' 4" 5	0' 4" 11	0' 5" 1	0' 5" 7
4 IN 12	0' 3" 3	0' 3" 7	0' 3" 11	0' 3" 15	0' 4" 6	0' 4" 12	0' 5" 1	0' 5" 7
4.5 IN 12	0' 3" 3	0' 3" 8	0' 3" 12	0' 4" 0	0' 4" 6	0' 4" 12	0' 5" 2	0' 5" 8
5 IN 12	0' 3" 4	0' 3" 8	0' 3" 13	0' 4" 1	0' 4" 7	0' 4" 13	0' 5" 3	0' 5" 8
5.5 IN 12	0' 3" 5	0' 3" 9	0' 3" 14	0' 4" 2	0' 4" 7	0' 4" 13	0' 5" 3	0' 5" 9
6 IN 12	0' 3" 6	0' 3" 10	0' 3" 15	0' 4" 3	0' 4" 8	0' 4" 14	0' 5" 4	0' 5" 10
6.5 IN 12	0' 3" 7	0' 3" 11	0' 4" 0	0' 4" 4	0' 4" 9	0' 4" 15	0' 5" 5	0' 5" 11
7 IN 12	0' 3" 8	0' 3" 12	0' 4" 1	0' 4" 5	0' 4" 9	0' 5" 0	0' 5" 6	0' 5" 12
8 IN 12	0' 3" 10	0' 3" 14	0' 4" 3	0' 4" 8	0' 4" 11	0' 5" 1	0' 5" 8	0' 5" 14
9 IN 12	0' 3" 12	0' 4" 1	0' 4" 6	0' 4" 11	0' 4" 13	0' 5" 3	0' 5" 10	0' 6" 0
10 IN 12	0' 3" 14	0' 4" 4	0' 4" 9	0' 4" 14	0' 4" 15	0' 5" 5	0' 5" 12	0' 6" 2
11 IN 12	0' 4" 1	0' 4" 7	0' 4" 12	0' 5" 1	0' 5" 1	0' 5" 8	0' 5" 14	0' 6" 5
12 IN 12	0' 4" 4	0' 4" 10	0' 4" 15	0' 5" 5	0' 5" 3	0' 5" 10	0' 6" 1	0' 6" 8
13 IN 12	0' 4" 7	0' 4" 13	0' 5" 3	0' 5" 8	0' 5" 6	0' 5" 13	0' 6" 4	0' 6" 11
14 IN 12	0' 4" 10	0' 5" 0	0' 5" 6	0' 5" 12	0' 5" 8	0' 5" 15	0' 6" 7	0' 6" 14
15 IN 12	0' 4" 13	0' 5" 3	0' 5" 10	0' 6" 0	0' 5" 11	0' 6" 2	0' 6" 10	0' 7" 1
16 IN 12	0' 5" 0	0' 5" 7	0' 5" 13	0' 6" 4	0' 5" 13	0' 6" 5	0' 6" 13	0' 7" 5
17 IN 12	0' 5" 3	0' 5" 10	0' 6" 1	0' 6" 8	0' 6" 0	0' 6" 8	0' 7" 0	0' 7" 8
18 IN 12	0' 5" 7	0' 5" 14	0' 6" 5	0' 6" 12	0' 6" 3	0' 6" 11	0' 7" 3	0' 7" 12
19 IN 12	0' 5" 10	0' 6" 1	0' 6" 9	0' 7" 0	0' 6" 6	0' 6" 14	0' 7" 7	0' 7" 15
20 IN 12	0' 5" 13	0' 6" 5	0' 6" 13	0' 7" 5	0' 6" 9	0' 7" 2	0' 7" 10	0' 8" 3
21 IN 12	0' 6" 1	0' 6" 9	0' 7" 1	0' 7" 9	0' 6" 12	0' 7" 5	0' 7" 14	0' 8" 7
22 IN 12	0' 6" 4	0' 6" 13	0' 7" 5	0' 7" 13	0' 6" 15	0' 7" 8	0' 8" 2	0' 8" 11
23 IN 12	0' 6" 8	0' 7" 0	0' 7" 9	0' 8" 2	0' 7" 2	0' 7" 12	0' 8" 5	0' 8" 15
24 IN 12	0' 6" 11	0' 7" 4	0' 7" 13	0' 8" 6	0' 7" 6	0' 7" 15	0' 8" 9	0' 9" 3
25 IN 12	0' 6" 15	0' 7" 8	0' 8" 1	0' 8" 11	0' 7" 9	0' 8" 3	0' 8" 13	0' 9" 7

0 Foot 4 Inch Run — Common Rafter Lengths

0 Foot 4 Inch Run — Hip Or Valley Rafter Lengths

Run -	0' 4"			0' 4 1/4"			0' 4 1/2"			0' 4 3/4"			0' 4"			0' 4 1/4"			0' 4 1/2"			0' 4 3/4"		
Pitch	Ft	In	16th"	Ft	In	16th"	Ft	In	16th"	Ft	In	16th"	Ft	In	16th"	Ft	In	16th"	Ft	In	16th"	Ft	In	16th"
1 IN 12	0'	4"	0	0'	4"	4	0'	4"	8	0'	4"	12	0'	5"	11	0'	6"	0	0'	6"	6	0'	6"	12
2 IN 12	0'	4"	1	0'	4"	5	0'	4"	9	0'	4"	13	0'	5"	11	0'	6"	1	0'	6"	7	0'	6"	12
2.5 IN 12	0'	4"	1	0'	4"	5	0'	4"	10	0'	4"	14	0'	5"	11	0'	6"	1	0'	6"	7	0'	6"	13
3 IN 12	0'	4"	2	0'	4"	6	0'	4"	10	0'	4"	14	0'	5"	12	0'	6"	2	0'	6"	7	0'	6"	13
3.5 IN 12	0'	4"	3	0'	4"	7	0'	4"	11	0'	4"	15	0'	5"	12	0'	6"	2	0'	6"	8	0'	6"	14
4 IN 12	0'	4"	3	0'	4"	8	0'	4"	12	0'	5"	0	0'	5"	13	0'	6"	3	0'	6"	9	0'	6"	14
4.5 IN 12	0'	4"	4	0'	4"	9	0'	4"	13	0'	5"	1	0'	5"	14	0'	6"	3	0'	6"	9	0'	6"	15
5 IN 12	0'	4"	5	0'	4"	10	0'	4"	14	0'	5"	2	0'	5"	14	0'	6"	4	0'	6"	10	0'	7"	0
5.5 IN 12	0'	4"	6	0'	4"	11	0'	4"	15	0'	5"	4	0'	5"	15	0'	6"	5	0'	6"	11	0'	7"	1
6 IN 12	0'	4"	8	0'	4"	12	0'	5"	0	0'	5"	5	0'	6"	0	0'	6"	6	0'	6"	12	0'	7"	2
6.5 IN 12	0'	4"	9	0'	4"	13	0'	5"	2	0'	5"	6	0'	6"	1	0'	6"	7	0'	6"	13	0'	7"	3
7 IN 12	0'	4"	10	0'	4"	15	0'	5"	3	0'	5"	8	0'	6"	2	0'	6"	8	0'	6"	14	0'	7"	4
8 IN 12	0'	4"	13	0'	5"	2	0'	5"	7	0'	5"	11	0'	6"	4	0'	6"	10	0'	7"	1	0'	7"	7
9 IN 12	0'	5"	0	0'	5"	5	0'	5"	10	0'	5"	15	0'	6"	6	0'	6"	13	0'	7"	3	0'	7"	10
10 IN 12	0'	5"	3	0'	5"	9	0'	5"	14	0'	6"	3	0'	6"	9	0'	7"	0	0'	7"	6	0'	7"	13
11 IN 12	0'	5"	7	0'	5"	12	0'	6"	2	0'	6"	7	0'	6"	12	0'	7"	3	0'	7"	9	0'	8"	0
12 IN 12	0'	5"	11	0'	6"	0	0'	6"	6	0'	6"	11	0'	6"	15	0'	7"	6	0'	7"	13	0'	8"	4
13 IN 12	0'	5"	14	0'	6"	4	0'	6"	10	0'	7"	0	0'	7"	2	0'	7"	9	0'	8"	0	0'	8"	7
14 IN 12	0'	6"	2	0'	6"	8	0'	6"	15	0'	7"	5	0'	7"	5	0'	7"	13	0'	8"	4	0'	8"	11
15 IN 12	0'	6"	6	0'	6"	13	0'	7"	3	0'	7"	10	0'	7"	9	0'	8"	0	0'	8"	8	0'	8"	15
16 IN 12	0'	6"	11	0'	7"	1	0'	7"	8	0'	7"	15	0'	7"	12	0'	8"	4	0'	8"	12	0'	9"	4
17 IN 12	0'	6"	15	0'	7"	6	0'	7"	13	0'	8"	4	0'	8"	0	0'	8"	8	0'	9"	0	0'	9"	8
18 IN 12	0'	7"	3	0'	7"	11	0'	8"	2	0'	8"	9	0'	8"	4	0'	8"	12	0'	9"	4	0'	9"	13
19 IN 12	0'	7"	8	0'	7"	15	0'	8"	7	0'	8"	14	0'	8"	8	0'	9"	0	0'	9"	9	0'	10"	1
20 IN 12	0'	7"	12	0'	8"	4	0'	8"	12	0'	9"	4	0'	8"	12	0'	9"	5	0'	9"	13	0'	10"	6
21 IN 12	0'	8"	1	0'	8"	9	0'	9"	1	0'	9"	9	0'	9"	0	0'	9"	9	0'	10"	2	0'	10"	11
22 IN 12	0'	8"	6	0'	8"	14	0'	9"	6	0'	9"	15	0'	9"	4	0'	9"	13	0'	10"	7	0'	11"	0
23 IN 12	0'	8"	10	0'	9"	3	0'	9"	12	0'	10"	4	0'	9"	8	0'	10"	2	0'	10"	11	0'	11"	5
24 IN 12	0'	8"	15	0'	9"	8	0'	10"	1	0'	10"	10	0'	9"	13	0'	10"	7	0'	11"	0	0'	11"	10
25 IN 12	0'	9"	4	0'	9"	13	0'	10"	6	0'	11"	0	0'	10"	1	0'	10"	11	0'	11"	5	0'	11"	15

Run -	0' 5"	0' 5 1/4"	0' 5 1/2"	0' 5 3/4"	0' 5"	0' 5 1/4"	0' 5 1/2"	0' 5 3/4"
Pitch	Ft In 16th"	Ft In 16th"	Ft In 16th"	Ft In 16th"	Ft In 16th"	Ft In 16th"	Ft In 16th"	Ft In 16th"
1 IN 12	0' 5" 0	0' 5" 4	0' 5" 8	0' 5" 12	0' 7" 1	0' 7" 7	0' 7" 13	0' 8" 2
2 IN 12	0' 5" 1	0' 5" 5	0' 5" 9	0' 5" 13	0' 7" 2	0' 7" 8	0' 7" 13	0' 8" 3
2.5 IN 12	0' 5" 2	0' 5" 6	0' 5" 10	0' 5" 14	0' 7" 2	0' 7" 9	0' 7" 14	0' 8" 4
3 IN 12	0' 5" 2	0' 5" 7	0' 5" 11	0' 5" 15	0' 7" 3	0' 7" 9	0' 7" 14	0' 8" 4
3.5 IN 12	0' 5" 3	0' 5" 8	0' 5" 12	0' 6" 0	0' 7" 4	0' 7" 9	0' 7" 15	0' 8" 5
4 IN 12	0' 5" 4	0' 5" 9	0' 5" 13	0' 6" 1	0' 7" 4	0' 7" 10	0' 8" 0	0' 8" 6
4.5 IN 12	0' 5" 5	0' 5" 10	0' 5" 14	0' 6" 2	0' 7" 5	0' 7" 11	0' 8" 1	0' 8" 7
5 IN 12	0' 5" 7	0' 5" 11	0' 5" 15	0' 6" 4	0' 7" 6	0' 7" 12	0' 8" 2	0' 8" 8
5.5 IN 12	0' 5" 8	0' 5" 12	0' 6" 1	0' 6" 5	0' 7" 7	0' 7" 13	0' 8" 3	0' 8" 9
6 IN 12	0' 5" 9	0' 5" 14	0' 6" 2	0' 6" 7	0' 7" 8	0' 7" 14	0' 8" 4	0' 8" 10
6.5 IN 12	0' 5" 11	0' 6" 0	0' 6" 4	0' 6" 9	0' 7" 9	0' 7" 15	0' 8" 5	0' 8" 11
7 IN 12	0' 5" 13	0' 6" 1	0' 6" 6	0' 6" 11	0' 7" 10	0' 8" 1	0' 8" 7	0' 8" 13
8 IN 12	0' 6" 0	0' 6" 5	0' 6" 10	0' 6" 15	0' 7" 13	0' 8" 3	0' 8" 10	0' 9" 0
9 IN 12	0' 6" 4	0' 6" 9	0' 6" 14	0' 7" 3	0' 8" 0	0' 8" 6	0' 8" 13	0' 9" 3
10 IN 12	0' 6" 8	0' 6" 13	0' 7" 3	0' 7" 8	0' 8" 3	0' 8" 10	0' 9" 0	0' 9" 7
11 IN 12	0' 6" 13	0' 7" 2	0' 7" 7	0' 7" 13	0' 8" 7	0' 8" 14	0' 9" 4	0' 9" 11
12 IN 12	0' 7" 1	0' 7" 7	0' 7" 12	0' 8" 2	0' 8" 11	0' 9" 1	0' 9" 8	0' 9" 15
13 IN 12	0' 7" 6	0' 7" 12	0' 8" 2	0' 8" 8	0' 8" 15	0' 9" 6	0' 9" 13	0' 10" 4
14 IN 12	0' 7" 11	0' 8" 1	0' 8" 7	0' 8" 13	0' 9" 3	0' 9" 10	0' 10" 1	0' 10" 9
15 IN 12	0' 8" 0	0' 8" 6	0' 8" 13	0' 9" 3	0' 9" 7	0' 9" 15	0' 10" 6	0' 10" 14
16 IN 12	0' 8" 5	0' 8" 12	0' 9" 3	0' 9" 9	0' 9" 11	0' 10" 3	0' 10" 11	0' 11" 3
17 IN 12	0' 8" 11	0' 9" 2	0' 9" 9	0' 10" 0	0' 10" 0	0' 10" 8	0' 11" 0	0' 11" 8
18 IN 12	0' 9" 0	0' 9" 7	0' 9" 15	0' 10" 6	0' 10" 5	0' 10" 13	0' 11" 5	0' 11" 14
19 IN 12	0' 9" 6	0' 9" 13	0' 10" 5	0' 10" 12	0' 10" 10	0' 11" 2	0' 11" 11	1' 0" 3
20 IN 12	0' 9" 11	0' 10" 3	0' 10" 11	0' 11" 3	0' 10" 15	0' 11" 8	1' 0" 0	1' 0" 0
21 IN 12	0' 10" 1	0' 10" 9	0' 11" 1	0' 11" 9	0' 11" 4	0' 11" 13	1' 0" 6	1' 0" 15
22 IN 12	0' 10" 7	0' 10" 15	0' 11" 8	1' 0" 0	0' 11" 9	1' 0" 2	1' 0" 12	1' 1" 5
23 IN 12	0' 10" 13	0' 11" 6	0' 11" 14	1' 0" 7	0' 11" 15	1' 0" 8	1' 1" 2	1' 1" 11
24 IN 12	0' 11" 3	0' 11" 12	1' 0" 5	1' 0" 14	1' 0" 4	1' 0" 14	1' 1" 8	1' 2" 1
25 IN 12	0' 11" 9	1' 0" 2	1' 0" 11	1' 1" 5	1' 0" 9	1' 1" 4	1' 1" 14	1' 2" 8

0 Foot 6 Inch Run — Common Rafter Lengths   0 Foot 6 Inch Run — Hip Or Valley Rafter Lengths

Run -	0' 6"		0' 6 1/4"		0' 6 1/2"		0' 6 3/4"		0' 6"		0' 6 1/4"		0' 6 1/2"		0' 6 3/4"	
Pitch	Ft	In 16th"	Ft	In 16th"	Ft	In 16th"	Ft	In 16th"	Ft	In 16th"	Ft	In 16th"	Ft	In 16th"	Ft	In 16th"
1 IN 12	0'	6" 0	0'	6" 4	0'	6" 8	0'	6" 12	0'	8" 8	0'	8" 14	0'	9" 3	0'	9" 9
2 IN 12	0'	6" 1	0'	6" 5	0'	6" 9	0'	6" 13	0'	8" 9	0'	8" 15	0'	9" 4	0'	9" 10
2.5 IN 12	0'	6" 2	0'	6" 6	0'	6" 10	0'	6" 14	0'	8" 9	0'	8" 15	0'	9" 5	0'	9" 10
3 IN 12	0'	6" 3	0'	6" 7	0'	6" 11	0'	6" 15	0'	8" 10	0'	9" 0	0'	9" 5	0'	9" 11
3.5 IN 12	0'	6" 4	0'	6" 8	0'	6" 12	0'	7" 1	0'	8" 11	0'	9" 0	0'	9" 6	0'	9" 12
4 IN 12	0'	6" 5	0'	6" 9	0'	6" 14	0'	7" 2	0'	8" 11	0'	9" 1	0'	9" 7	0'	9" 13
4.5 IN 12	0'	6" 7	0'	6" 11	0'	6" 15	0'	7" 3	0'	8" 12	0'	9" 2	0'	9" 8	0'	9" 14
5 IN 12	0'	6" 8	0'	6" 12	0'	7" 1	0'	7" 5	0'	8" 14	0'	9" 3	0'	9" 9	0'	9" 15
5.5 IN 12	0'	6" 10	0'	6" 14	0'	7" 2	0'	7" 7	0'	8" 15	0'	9" 5	0'	9" 11	0'	10" 1
6 IN 12	0'	6" 11	0'	7" 0	0'	7" 4	0'	7" 9	0'	9" 0	0'	9" 6	0'	9" 12	0'	10" 2
6.5 IN 12	0'	6" 13	0'	7" 2	0'	7" 6	0'	7" 11	0'	9" 1	0'	9" 7	0'	9" 13	0'	10" 4
7 IN 12	0'	6" 15	0'	7" 4	0'	7" 8	0'	7" 13	0'	9" 3	0'	9" 9	0'	9" 15	0'	10" 5
8 IN 12	0'	7" 3	0'	7" 8	0'	7" 13	0'	8" 2	0'	9" 6	0'	9" 12	0'	10" 3	0'	10" 9
9 IN 12	0'	7" 8	0'	7" 13	0'	8" 2	0'	8" 7	0'	9" 10	0'	10" 0	0'	10" 6	0'	10" 13
10 IN 12	0'	7" 13	0'	8" 2	0'	8" 7	0'	8" 13	0'	9" 14	0'	10" 4	0'	10" 11	0'	11" 1
11 IN 12	0'	8" 2	0'	8" 8	0'	8" 13	0'	9" 3	0'	10" 2	0'	10" 9	0'	10" 15	0'	11" 6
12 IN 12	0'	8" 8	0'	8" 13	0'	9" 3	0'	9" 9	0'	10" 6	0'	10" 13	0'	11" 4	0'	11" 11
13 IN 12	0'	8" 14	0'	9" 3	0'	9" 9	0'	9" 15	0'	10" 11	0'	11" 2	0'	11" 9	1'	0" 0
14 IN 12	0'	9" 4	0'	9" 10	0'	10" 0	0'	10" 6	0'	11" 0	0'	11" 7	0'	11" 15	1'	0" 6
15 IN 12	0'	9" 10	0'	10" 0	0'	10" 6	0'	10" 13	0'	11" 5	0'	11" 13	1'	0" 4	1'	0" 12
16 IN 12	0'	10" 0	0'	10" 7	0'	10" 13	0'	11" 4	0'	11" 11	1'	0" 2	1'	0" 10	1'	1" 2
17 IN 12	0'	10" 6	0'	10" 13	0'	11" 4	0'	11" 11	1'	0" 0	1'	0" 8	1'	1" 0	1'	1" 8
18 IN 12	0'	10" 13	0'	11" 4	0'	11" 11	1'	0" 3	1'	0" 6	1'	0" 14	1'	1" 6	1'	1" 15
19 IN 12	0'	11" 4	0'	11" 11	1'	0" 3	1'	0" 10	1'	0" 12	1'	1" 4	1'	1" 13	1'	2" 5
20 IN 12	0'	11" 11	1'	0" 2	1'	0" 10	1'	1" 2	1'	1" 2	1'	1" 11	1'	2" 3	1'	2" 12
21 IN 12	1'	0" 1	1'	0" 10	1'	1" 2	1'	1" 10	1'	1" 8	1'	2" 1	1'	2" 10	1'	3" 3
22 IN 12	1'	0" 8	1'	1" 1	1'	1" 9	1'	2" 2	1'	1" 14	1'	2" 8	1'	3" 1	1'	3" 10
23 IN 12	1'	1" 0	1'	1" 8	1'	2" 1	1'	2" 9	1'	2" 5	1'	2" 14	1'	3" 8	1'	4" 1
24 IN 12	1'	1" 7	1'	2" 0	1'	2" 9	1'	3" 1	1'	2" 11	1'	3" 5	1'	3" 15	1'	4" 9
25 IN 12	1'	1" 14	1'	2" 7	1'	3" 0	1'	3" 10	1'	3" 2	1'	3" 12	1'	4" 6	1'	5" 0

0 Foot 7 Inch Run — Common Rafter Lengths   0 Foot 7 Inch Run — Hip Or Valley Rafter Lengths

Run -	0' 7"	0' 7 1/4"	0' 7 1/2"	0' 7 3/4"	0' 7"	0' 7 1/4"	0' 7 1/2"	0' 7 3/4"
Pitch	Ft In 16th"	Ft In 16th"	Ft In 16th"	Ft In 16th"	Ft In 16th"	Ft In 16th"	Ft In 16th"	Ft In 16th"
1 IN 12	0' 7" 0	0' 7" 4	0' 7" 8	0' 7" 12	0' 9" 15	0' 10" 4	0' 10" 10	0' 11" 0
2 IN 12	0' 7" 2	0' 7" 6	0' 7" 10	0' 7" 14	0' 9" 15	0' 10" 5	0' 10" 11	0' 11" 1
2.5 IN 12	0' 7" 2	0' 7" 6	0' 7" 11	0' 7" 15	0' 10" 0	0' 10" 6	0' 10" 12	0' 11" 1
3 IN 12	0' 7" 3	0' 7" 8	0' 7" 12	0' 8" 0	0' 10" 1	0' 10" 7	0' 10" 12	0' 11" 2
3.5 IN 12	0' 7" 5	0' 7" 9	0' 7" 13	0' 8" 1	0' 10" 2	0' 10" 8	0' 10" 13	0' 11" 3
4 IN 12	0' 7" 6	0' 7" 10	0' 7" 14	0' 8" 3	0' 10" 3	0' 10" 9	0' 10" 14	0' 11" 4
4.5 IN 12	0' 7" 8	0' 7" 12	0' 8" 0	0' 8" 4	0' 10" 4	0' 10" 10	0' 11" 0	0' 11" 5
5 IN 12	0' 7" 9	0' 7" 14	0' 8" 2	0' 8" 6	0' 10" 5	0' 10" 11	0' 11" 1	0' 11" 7
5.5 IN 12	0' 7" 11	0' 8" 0	0' 8" 4	0' 8" 8	0' 10" 7	0' 10" 12	0' 11" 2	0' 11" 8
6 IN 12	0' 7" 13	0' 8" 2	0' 8" 6	0' 8" 11	0' 10" 8	0' 10" 14	0' 11" 4	0' 11" 10
6.5 IN 12	0' 7" 15	0' 8" 4	0' 8" 8	0' 8" 13	0' 10" 10	0' 11" 0	0' 11" 6	0' 11" 12
7 IN 12	0' 8" 2	0' 8" 6	0' 8" 11	0' 9" 0	0' 10" 11	0' 11" 1	0' 11" 8	0' 11" 14
8 IN 12	0' 8" 7	0' 8" 11	0' 9" 0	0' 9" 5	0' 10" 15	0' 11" 5	0' 11" 12	1' 0" 2
9 IN 12	0' 8" 12	0' 9" 1	0' 9" 6	0' 9" 11	0' 11" 3	0' 11" 10	1' 0" 0	1' 0" 6
10 IN 12	0' 9" 2	0' 9" 7	0' 9" 12	0' 10" 1	0' 11" 8	0' 11" 14	1' 0" 5	1' 0" 12
11 IN 12	0' 9" 8	0' 9" 13	0' 10" 3	0' 10" 8	0' 11" 13	1' 0" 3	1' 0" 10	1' 1" 1
12 IN 12	0' 9" 14	0' 10" 4	0' 10" 10	0' 10" 15	1' 0" 2	1' 0" 9	1' 1" 0	1' 1" 7
13 IN 12	0' 10" 5	0' 10" 11	0' 11" 1	0' 11" 7	1' 0" 8	1' 0" 15	1' 1" 6	1' 1" 13
14 IN 12	0' 10" 12	0' 11" 2	0' 11" 8	0' 11" 15	1' 0" 13	1' 1" 5	1' 1" 12	1' 2" 3
15 IN 12	0' 11" 3	0' 11" 10	1' 0" 0	1' 0" 6	1' 1" 3	1' 1" 11	1' 2" 2	1' 2" 10
16 IN 12	0' 11" 11	1' 0" 1	1' 0" 8	1' 0" 15	1' 1" 10	1' 2" 1	1' 2" 9	1' 3" 1
17 IN 12	1' 0" 2	1' 0" 9	1' 1" 0	1' 1" 7	1' 2" 0	1' 2" 8	1' 3" 0	1' 3" 8
18 IN 12	1' 0" 10	1' 1" 1	1' 1" 8	1' 2" 0	1' 2" 7	1' 2" 15	1' 3" 7	1' 4" 0
19 IN 12	1' 1" 2	1' 1" 9	1' 2" 1	1' 2" 8	1' 2" 14	1' 3" 6	1' 3" 15	1' 4" 7
20 IN 12	1' 1" 10	1' 2" 1	1' 2" 9	1' 3" 1	1' 3" 5	1' 3" 14	1' 4" 6	1' 4" 15
21 IN 12	1' 2" 2	1' 2" 10	1' 3" 2	1' 3" 10	1' 3" 12	1' 4" 5	1' 4" 14	1' 5" 7
22 IN 12	1' 2" 10	1' 3" 2	1' 3" 11	1' 4" 3	1' 4" 3	1' 4" 13	1' 5" 6	1' 5" 15
23 IN 12	1' 3" 2	1' 3" 11	1' 4" 3	1' 4" 12	1' 4" 11	1' 5" 4	1' 5" 14	1' 6" 7
24 IN 12	1' 3" 10	1' 4" 3	1' 4" 12	1' 5" 5	1' 5" 2	1' 5" 12	1' 6" 6	1' 7" 0
25 IN 12	1' 4" 3	1' 4" 12	1' 5" 5	1' 5" 15	1' 5" 10	1' 6" 4	1' 6" 14	1' 7" 8

0 Foot 8 Inch Run — Common Rafter Lengths   0 Foot 8 Inch Run — Hip Or Valley Rafter Lengths

Run -	0' 8"	0' 8 1/4"	0' 8 1/2"	0' 8 3/4"	0' 8"	0' 8 1/4"	0' 8 1/2"	0' 8 3/4"
Pitch	Ft In 16th"	Ft In 16th"	Ft In 16th"	Ft In 16th"	Ft In 16th"	Ft In 16th"	Ft In 16th"	Ft In 16th"
1 IN 12	0' 8" 0	0' 8" 4	0' 8" 8	0' 8" 12	0' 11" 5	0' 11" 11	1' 0" 1	1' 0" 6
2 IN 12	0' 8" 2	0' 8" 6	0' 8" 10	0' 8" 14	0' 11" 6	0' 11" 12	1' 0" 2	1' 0" 7
2.5 IN 12	0' 8" 3	0' 8" 7	0' 8" 11	0' 8" 15	0' 11" 7	0' 11" 13	1' 0" 2	1' 0" 8
3 IN 12	0' 8" 4	0' 8" 8	0' 8" 12	0' 9" 0	0' 11" 8	0' 11" 14	1' 0" 3	1' 0" 9
3.5 IN 12	0' 8" 5	0' 8" 10	0' 8" 14	0' 9" 2	0' 11" 9	0' 11" 15	1' 0" 4	1' 0" 10
4 IN 12	0' 8" 7	0' 8" 11	0' 8" 15	0' 9" 4	0' 11" 10	1' 0" 0	1' 0" 6	1' 0" 11
4.5 IN 12	0' 8" 9	0' 8" 13	0' 9" 1	0' 9" 6	0' 11" 11	1' 0" 1	1' 0" 7	1' 0" 13
5 IN 12	0' 8" 11	0' 8" 15	0' 9" 3	0' 9" 8	0' 11" 13	1' 0" 3	1' 0" 9	1' 0" 14
5.5 IN 12	0' 8" 13	0' 9" 1	0' 9" 6	0' 9" 10	0' 11" 14	1' 0" 4	1' 0" 10	1' 1" 0
6 IN 12	0' 8" 15	0' 9" 4	0' 9" 8	0' 9" 13	1' 0" 0	1' 0" 6	1' 0" 12	1' 1" 2
6.5 IN 12	0' 9" 2	0' 9" 6	0' 9" 11	0' 9" 15	1' 0" 2	1' 0" 8	1' 0" 14	1' 1" 4
7 IN 12	0' 9" 4	0' 9" 9	0' 9" 13	0' 10" 2	1' 0" 4	1' 0" 10	1' 1" 0	1' 1" 6
8 IN 12	0' 9" 10	0' 9" 15	0' 10" 3	0' 10" 8	1' 0" 8	1' 0" 14	1' 1" 5	1' 1" 11
9 IN 12	0' 10" 0	0' 10" 5	0' 10" 10	0' 10" 15	1' 0" 13	1' 1" 3	1' 1" 10	1' 2" 0
10 IN 12	0' 10" 7	0' 10" 12	0' 11" 1	0' 11" 6	1' 1" 2	1' 1" 9	1' 1" 15	1' 2" 6
11 IN 12	0' 10" 14	0' 11" 3	0' 11" 8	0' 11" 14	1' 1" 8	1' 1" 14	1' 2" 5	1' 2" 12
12 IN 12	0' 11" 5	0' 11" 11	1' 0" 0	1' 0" 6	1' 1" 14	1' 2" 5	1' 2" 12	1' 3" 2
13 IN 12	0' 11" 13	1' 0" 3	1' 0" 9	1' 0" 14	1' 2" 4	1' 2" 11	1' 3" 2	1' 3" 9
14 IN 12	1' 0" 5	1' 0" 11	1' 1" 1	1' 1" 7	1' 2" 11	1' 3" 2	1' 3" 9	1' 4" 1
15 IN 12	1' 0" 13	1' 1" 3	1' 1" 10	1' 2" 0	1' 3" 2	1' 3" 9	1' 4" 1	1' 4" 8
16 IN 12	1' 1" 5	1' 1" 12	1' 2" 3	1' 2" 9	1' 3" 9	1' 4" 1	1' 4" 8	1' 5" 0
17 IN 12	1' 1" 14	1' 2" 5	1' 2" 12	1' 3" 3	1' 4" 0	1' 4" 8	1' 5" 0	1' 5" 8
18 IN 12	1' 2" 7	1' 2" 14	1' 3" 5	1' 3" 12	1' 4" 8	1' 5" 0	1' 5" 8	1' 6" 1
19 IN 12	1' 3" 0	1' 3" 7	1' 3" 15	1' 4" 6	1' 5" 0	1' 5" 8	1' 6" 1	1' 6" 9
20 IN 12	1' 3" 9	1' 4" 1	1' 4" 8	1' 5" 0	1' 5" 8	1' 6" 1	1' 6" 9	1' 7" 2
21 IN 12	1' 4" 2	1' 4" 10	1' 5" 2	1' 5" 10	1' 6" 0	1' 6" 9	1' 7" 2	1' 7" 11
22 IN 12	1' 4" 11	1' 5" 4	1' 5" 12	1' 6" 4	1' 6" 8	1' 7" 2	1' 7" 11	1' 8" 4
23 IN 12	1' 5" 5	1' 5" 13	1' 6" 6	1' 6" 15	1' 7" 1	1' 7" 10	1' 8" 4	1' 8" 13
24 IN 12	1' 5" 14	1' 6" 7	1' 7" 0	1' 7" 9	1' 7" 10	1' 8" 3	1' 8" 13	1' 9" 7
25 IN 12	1' 6" 8	1' 7" 1	1' 7" 10	1' 8" 4	1' 8" 2	1' 8" 12	1' 9" 6	1' 10" 1

0 Foot 9 Inch Run — Common Rafter Lengths

Pitch	0' 9" (Ft In 16th")	0' 9 1/4" (Ft In 16th")	0' 9 1/2" (Ft In 16th")	0' 9 3/4" (Ft In 16th")
1 IN 12	0' 9" 0	0' 9" 5	0' 9" 9	0' 9" 13
2 IN 12	0' 9" 2	0' 9" 6	0' 9" 10	0' 9" 14
2.5 IN 12	0' 9" 3	0' 9" 7	0' 9" 11	0' 9" 15
3 IN 12	0' 9" 4	0' 9" 9	0' 9" 13	0' 10" 1
3.5 IN 12	0' 9" 6	0' 9" 10	0' 9" 14	0' 10" 3
4 IN 12	0' 9" 8	0' 9" 12	0' 10" 0	0' 10" 4
4.5 IN 12	0' 9" 10	0' 9" 14	0' 10" 2	0' 10" 7
5 IN 12	0' 9" 12	0' 10" 0	0' 10" 5	0' 10" 9
5.5 IN 12	0' 9" 14	0' 10" 3	0' 10" 7	0' 10" 12
6 IN 12	0' 10" 1	0' 10" 5	0' 10" 10	0' 10" 14
6.5 IN 12	0' 10" 4	0' 10" 8	0' 10" 13	0' 11" 1
7 IN 12	0' 10" 7	0' 10" 11	0' 11" 0	0' 11" 5
8 IN 12	0' 10" 13	0' 11" 2	0' 11" 7	0' 11" 11
9 IN 12	0' 11" 4	0' 11" 9	0' 11" 14	1' 0" 3
10 IN 12	0' 11" 11	1' 0" 1	1' 0" 6	1' 0" 11
11 IN 12	1' 0" 3	1' 0" 9	1' 0" 14	1' 1" 4
12 IN 12	1' 0" 12	1' 1" 1	1' 1" 7	1' 1" 13
13 IN 12	1' 1" 4	1' 1" 10	1' 2" 0	1' 2" 6
14 IN 12	1' 1" 13	1' 2" 3	1' 2" 10	1' 3" 0
15 IN 12	1' 2" 7	1' 2" 13	1' 3" 3	1' 3" 10
16 IN 12	1' 3" 0	1' 3" 7	1' 3" 13	1' 4" 4
17 IN 12	1' 3" 10	1' 4" 1	1' 4" 8	1' 4" 15
18 IN 12	1' 4" 4	1' 4" 11	1' 5" 2	1' 5" 9
19 IN 12	1' 4" 14	1' 5" 5	1' 5" 13	1' 6" 4
20 IN 12	1' 5" 8	1' 6" 0	1' 6" 7	1' 6" 15
21 IN 12	1' 6" 2	1' 6" 10	1' 7" 2	1' 7" 10
22 IN 12	1' 6" 13	1' 7" 5	1' 7" 13	1' 8" 6
23 IN 12	1' 7" 7	1' 8" 0	1' 8" 9	1' 9" 1
24 IN 12	1' 8" 2	1' 8" 11	1' 9" 4	1' 9" 13
25 IN 12	1' 8" 13	1' 9" 6	1' 9" 15	1' 10" 9

0 Foot 9 Inch Run — Hip Or Valley Rafter Lengths

Pitch	0' 9" (Ft In 16th")	0' 9 1/4" (Ft In 16th")	0' 9 1/2" (Ft In 16th")	0' 9 3/4" (Ft In 16th")
1 IN 12	1' 0" 12	1' 1" 2	1' 1" 7	1' 1" 13
2 IN 12	1' 0" 13	1' 1" 3	1' 1" 8	1' 1" 14
2.5 IN 12	1' 0" 14	1' 1" 4	1' 1" 9	1' 1" 15
3 IN 12	1' 0" 15	1' 1" 5	1' 1" 10	1' 2" 0
3.5 IN 12	1' 1" 0	1' 1" 6	1' 1" 11	1' 2" 1
4 IN 12	1' 1" 1	1' 1" 7	1' 1" 13	1' 2" 3
4.5 IN 12	1' 1" 3	1' 1" 9	1' 1" 14	1' 2" 4
5 IN 12	1' 1" 4	1' 1" 10	1' 2" 0	1' 2" 6
5.5 IN 12	1' 1" 6	1' 1" 12	1' 2" 2	1' 2" 8
6 IN 12	1' 1" 8	1' 1" 14	1' 2" 4	1' 2" 10
6.5 IN 12	1' 1" 10	1' 2" 0	1' 2" 6	1' 2" 12
7 IN 12	1' 1" 12	1' 2" 2	1' 2" 9	1' 2" 15
8 IN 12	1' 2" 1	1' 2" 7	1' 2" 14	1' 3" 4
9 IN 12	1' 2" 7	1' 2" 13	1' 3" 3	1' 3" 10
10 IN 12	1' 2" 12	1' 3" 3	1' 3" 10	1' 4" 0
11 IN 12	1' 3" 3	1' 3" 9	1' 4" 0	1' 4" 7
12 IN 12	1' 3" 9	1' 4" 0	1' 4" 7	1' 4" 14
13 IN 12	1' 4" 1	1' 4" 8	1' 4" 15	1' 5" 6
14 IN 12	1' 4" 8	1' 4" 15	1' 5" 7	1' 5" 14
15 IN 12	1' 5" 0	1' 5" 7	1' 5" 15	1' 6" 6
16 IN 12	1' 5" 8	1' 6" 0	1' 6" 7	1' 6" 15
17 IN 12	1' 6" 0	1' 6" 8	1' 7" 0	1' 7" 8
18 IN 12	1' 6" 9	1' 7" 1	1' 7" 9	1' 8" 2
19 IN 12	1' 7" 2	1' 7" 10	1' 8" 3	1' 8" 11
20 IN 12	1' 7" 11	1' 8" 4	1' 8" 12	1' 9" 5
21 IN 12	1' 8" 4	1' 8" 13	1' 9" 6	1' 9" 15
22 IN 12	1' 8" 13	1' 9" 7	1' 10" 0	1' 10" 9
23 IN 12	1' 9" 7	1' 10" 1	1' 10" 10	1' 11" 4
24 IN 12	1' 10" 1	1' 10" 11	1' 11" 4	1' 11" 14
25 IN 12	1' 10" 11	1' 11" 5	1' 11" 15	2' 0" 9

0 Foot 10 Inch Run — Common Rafter Lengths   0 Foot 10 Inch Run — Hip Or Valley Rafter Lengths

Run -	0'10"	0'10 1/4"	0'10 1/2"	0'10 3/4"	0'10"	0'10 1/4"	0'10 1/2"	0'10 3/4"
Pitch	Ft In 16th"	Ft In 16th"	Ft In 16th"	Ft In 16th"	Ft In 16th"	Ft In 16th"	Ft In 16th"	Ft In 16th"
1 IN 12	0' 10" 1	0' 10" 5	0' 10" 9	0' 10" 13	1' 2" 3	1' 2" 8	1' 2" 14	1' 3" 4
2 IN 12	0' 10" 2	0' 10" 6	0' 10" 10	0' 10" 14	1' 2" 5	1' 2" 10	1' 2" 15	1' 3" 5
2.5 IN 12	0' 10" 3	0' 10" 8	0' 10" 12	0' 11" 0	1' 2" 6	1' 2" 12	1' 3" 0	1' 3" 6
3 IN 12	0' 10" 5	0' 10" 9	0' 10" 13	0' 11" 1	1' 2" 6	1' 2" 12	1' 3" 1	1' 3" 7
3.5 IN 12	0' 10" 7	0' 10" 11	0' 10" 15	0' 11" 3	1' 2" 7	1' 2" 13	1' 3" 3	1' 3" 8
4 IN 12	0' 10" 9	0' 10" 13	0' 11" 1	0' 11" 5	1' 2" 8	1' 2" 14	1' 3" 4	1' 3" 10
4.5 IN 12	0' 10" 11	0' 10" 15	0' 11" 3	0' 11" 8	1' 2" 10	1' 3" 0	1' 3" 6	1' 3" 12
5 IN 12	0' 10" 13	0' 11" 2	0' 11" 6	0' 11" 10	1' 2" 12	1' 3" 2	1' 3" 8	1' 3" 14
5.5 IN 12	0' 11" 0	0' 11" 4	0' 11" 9	0' 11" 13	1' 2" 14	1' 3" 4	1' 3" 10	1' 4" 0
6 IN 12	0' 11" 3	0' 11" 7	0' 11" 12	1' 0" 0	1' 3" 0	1' 3" 6	1' 3" 12	1' 4" 2
6.5 IN 12	0' 11" 6	0' 11" 11	0' 11" 15	1' 0" 4	1' 3" 2	1' 3" 8	1' 3" 14	1' 4" 4
7 IN 12	0' 11" 9	0' 11" 14	1' 0" 2	1' 0" 7	1' 3" 5	1' 3" 11	1' 4" 1	1' 4" 7
8 IN 12	1' 0" 0	1' 0" 5	1' 0" 10	1' 0" 15	1' 3" 10	1' 4" 0	1' 4" 7	1' 4" 13
9 IN 12	1' 0" 8	1' 0" 13	1' 1" 2	1' 1" 7	1' 4" 0	1' 4" 7	1' 4" 13	1' 5" 3
10 IN 12	1' 1" 0	1' 1" 5	1' 1" 11	1' 2" 0	1' 4" 7	1' 4" 13	1' 5" 4	1' 5" 10
11 IN 12	1' 1" 9	1' 1" 14	1' 2" 4	1' 2" 9	1' 4" 14	1' 5" 4	1' 5" 11	1' 6" 2
12 IN 12	1' 2" 2	1' 2" 8	1' 2" 14	1' 3" 3	1' 5" 5	1' 5" 12	1' 6" 3	1' 6" 10
13 IN 12	1' 2" 12	1' 3" 2	1' 3" 8	1' 3" 14	1' 5" 13	1' 6" 4	1' 6" 11	1' 7" 2
14 IN 12	1' 3" 6	1' 3" 12	1' 4" 2	1' 4" 8	1' 6" 5	1' 6" 13	1' 7" 4	1' 7" 11
15 IN 12	1' 4" 0	1' 4" 7	1' 4" 13	1' 5" 3	1' 6" 14	1' 7" 6	1' 7" 13	1' 8" 5
16 IN 12	1' 4" 11	1' 5" 1	1' 5" 8	1' 5" 15	1' 7" 7	1' 7" 15	1' 8" 7	1' 8" 14
17 IN 12	1' 5" 5	1' 5" 12	1' 6" 3	1' 6" 10	1' 8" 0	1' 8" 8	1' 9" 0	1' 9" 6
18 IN 12	1' 6" 0	1' 6" 8	1' 6" 15	1' 7" 6	1' 8" 10	1' 9" 2	1' 9" 10	1' 10" 3
19 IN 12	1' 6" 12	1' 7" 3	1' 7" 11	1' 8" 2	1' 9" 4	1' 9" 12	1' 10" 5	1' 10" 13
20 IN 12	1' 7" 7	1' 7" 15	1' 8" 7	1' 8" 14	1' 9" 14	1' 10" 6	1' 10" 15	1' 11" 8
21 IN 12	1' 8" 2	1' 8" 11	1' 9" 3	1' 9" 11	1' 10" 8	1' 11" 1	1' 11" 10	2' 0" 3
22 IN 12	1' 8" 14	1' 9" 6	1' 9" 15	1' 10" 7	1' 11" 2	1' 11" 12	2' 0" 5	2' 0" 14
23 IN 12	1' 9" 10	1' 10" 3	1' 10" 11	1' 11" 4	1' 11" 13	2' 0" 7	2' 0" 14	2' 1" 10
24 IN 12	1' 10" 6	1' 10" 15	1' 11" 8	2' 0" 1	2' 0" 8	2' 1" 2	2' 1" 12	2' 2" 10
25 IN 12	1' 11" 2	1' 11" 11	2' 0" 4	2' 0" 13	2' 1" 3	2' 1" 13	2' 2" 7	2' 3" 1

0 Foot 11 Inch Run — Common Rafter Lengths   0 Foot 11 Inch Run — Hip Or Valley Rafter Lengths

Run -	0'11"	0'11 1/4"	0'11 1/2"	0'11 3/4"	0'11"	0'11 1/4"	0'11 1/2"	0'11 3/4"
Pitch	Ft In 16th"	Ft In 16th"	Ft In 16th"	Ft In 16th"	Ft In 16th"	Ft In 16th"	Ft In 16th"	Ft In 16th"
1 IN 12	0' 11" 1	0' 11" 5	0' 11" 9	0' 11" 13	1' 3" 9	1' 3" 15	1' 4" 5	1' 4" 10
2 IN 12	0' 11" 2	0' 11" 6	0' 11" 11	0' 11" 15	1' 3" 11	1' 4" 0	1' 4" 6	1' 4" 12
2.5 IN 12	0' 11" 4	0' 11" 8	0' 11" 12	1' 0" 0	1' 3" 12	1' 4" 1	1' 4" 7	1' 4" 13
3 IN 12	0' 11" 5	0' 11" 10	0' 11" 14	1' 0" 2	1' 3" 13	1' 4" 3	1' 4" 8	1' 4" 14
3.5 IN 12	0' 11" 7	0' 11" 12	1' 0" 0	1' 0" 4	1' 3" 14	1' 4" 4	1' 4" 10	1' 4" 15
4 IN 12	0' 11" 10	0' 11" 14	1' 0" 2	1' 0" 6	1' 4" 0	1' 4" 6	1' 4" 11	1' 5" 1
4.5 IN 12	0' 11" 12	1' 0" 0	1' 0" 5	1' 0" 9	1' 4" 2	1' 4" 7	1' 4" 13	1' 5" 5
5 IN 12	0' 11" 15	1' 0" 3	1' 0" 7	1' 0" 12	1' 4" 3	1' 4" 9	1' 4" 15	1' 5" 5
5.5 IN 12	1' 0" 2	1' 0" 6	1' 0" 10	1' 0" 15	1' 4" 6	1' 4" 12	1' 5" 2	1' 5" 7
6 IN 12	1' 0" 5	1' 0" 9	1' 0" 14	1' 1" 2	1' 4" 8	1' 4" 14	1' 5" 4	1' 5" 10
6.5 IN 12	1' 0" 8	1' 0" 13	1' 1" 1	1' 1" 6	1' 4" 11	1' 5" 1	1' 5" 7	1' 5" 13
7 IN 12	1' 0" 12	1' 1" 0	1' 1" 5	1' 1" 10	1' 4" 13	1' 5" 3	1' 5" 9	1' 6" 0
8 IN 12	1' 1" 4	1' 1" 8	1' 1" 13	1' 2" 2	1' 5" 3	1' 5" 9	1' 6" 0	1' 6" 6
9 IN 12	1' 1" 12	1' 2" 1	1' 2" 6	1' 2" 11	1' 5" 10	1' 6" 0	1' 6" 7	1' 6" 13
10 IN 12	1' 2" 5	1' 2" 10	1' 3" 0	1' 3" 5	1' 6" 1	1' 6" 7	1' 6" 14	1' 7" 5
11 IN 12	1' 2" 15	1' 3" 4	1' 3" 10	1' 3" 15	1' 6" 9	1' 6" 15	1' 7" 6	1' 7" 13
12 IN 12	1' 3" 9	1' 3" 15	1' 4" 4	1' 4" 10	1' 7" 1	1' 7" 8	1' 7" 15	1' 8" 6
13 IN 12	1' 4" 3	1' 4" 9	1' 4" 15	1' 5" 5	1' 7" 10	1' 8" 1	1' 8" 8	1' 8" 15
14 IN 12	1' 4" 14	1' 5" 5	1' 5" 11	1' 6" 1	1' 8" 3	1' 8" 10	1' 9" 1	1' 9" 9
15 IN 12	1' 5" 10	1' 6" 0	1' 6" 7	1' 6" 13	1' 8" 12	1' 9" 4	1' 9" 11	1' 10" 3
16 IN 12	1' 6" 5	1' 6" 12	1' 7" 3	1' 7" 9	1' 9" 6	1' 9" 14	1' 10" 6	1' 10" 13
17 IN 12	1' 7" 1	1' 7" 8	1' 7" 15	1' 8" 6	1' 10" 0	1' 10" 8	1' 11" 0	1' 11" 8
18 IN 12	1' 7" 13	1' 8" 4	1' 8" 12	1' 9" 3	1' 10" 11	1' 11" 3	1' 11" 11	2' 0" 4
19 IN 12	1' 8" 10	1' 9" 1	1' 9" 9	1' 10" 0	1' 11" 6	1' 11" 14	2' 0" 7	2' 0" 15
20 IN 12	1' 9" 6	1' 9" 14	1' 10" 6	1' 10" 13	2' 0" 1	2' 0" 9	2' 1" 2	2' 1" 11
21 IN 12	1' 10" 3	1' 10" 11	1' 11" 3	1' 11" 11	2' 0" 12	2' 1" 8	2' 1" 10	2' 2" 3
22 IN 12	1' 11" 0	1' 11" 8	2' 0" 0	2' 0" 9	2' 1" 8	2' 2" 1	2' 2" 10	2' 3" 3
23 IN 12	1' 11" 12	2' 0" 5	2' 0" 14	2' 1" 6	2' 2" 3	2' 2" 13	2' 3" 6	2' 4" 0
24 IN 12	2' 0" 10	2' 1" 2	2' 1" 11	2' 2" 4	2' 2" 15	2' 3" 9	2' 4" 3	2' 4" 13
25 IN 12	2' 1" 7	2' 2" 0	2' 2" 9	2' 3" 2	2' 3" 11	2' 4" 5	2' 4" 15	2' 5" 9

1 Foot 0 Inch Run — Common Rafter Lengths   1 Foot 0 Inch Run — Hip Or Valley Rafter Lengths

Run -	1' 0"		1' 0 1/4"		1' 0 1/2"		1' 0 3/4"		1' 0"		1' 0 1/4"		1' 0 1/2"		1' 0 3/4"	
Pitch	Ft	In 16th"	Ft	In 16th"	Ft	In 16th"	Ft	In 16th"	Ft	In 16th"	Ft	In 16th"	Ft	In 16th"	Ft	In 16th"
1 IN 12	1'	0" 1	1'	0" 5	1'	0" 9	1'	0" 13	1'	5" 0	1'	5" 6	1'	5" 11	1'	6" 1
2 IN 12	1'	0" 3	1'	0" 7	1'	0" 11	1'	0" 15	1'	5" 1	1'	5" 7	1'	5" 13	1'	6" 2
2.5 IN 12	1'	0" 4	1'	0" 8	1'	0" 12	1'	1" 0	1'	5" 2	1'	5" 8	1'	5" 14	1'	6" 4
3 IN 12	1'	0" 6	1'	0" 10	1'	0" 14	1'	1" 2	1'	5" 4	1'	5" 9	1'	5" 15	1'	6" 5
3.5 IN 12	1'	0" 8	1'	0" 12	1'	1" 0	1'	1" 5	1'	5" 5	1'	5" 11	1'	6" 1	1'	6" 7
4 IN 12	1'	0" 10	1'	0" 15	1'	1" 3	1'	1" 7	1'	5" 7	1'	5" 13	1'	6" 3	1'	6" 8
4.5 IN 12	1'	0" 13	1'	1" 1	1'	1" 6	1'	1" 10	1'	5" 9	1'	5" 15	1'	6" 5	1'	6" 10
5 IN 12	1'	1" 0	1'	1" 4	1'	1" 9	1'	1" 13	1'	5" 11	1'	6" 1	1'	6" 7	1'	6" 13
5.5 IN 12	1'	1" 3	1'	1" 8	1'	1" 12	1'	2" 0	1'	5" 13	1'	6" 3	1'	6" 9	1'	6" 15
6 IN 12	1'	1" 7	1'	1" 11	1'	2" 0	1'	2" 4	1'	6" 0	1'	6" 6	1'	6" 12	1'	7" 2
6.5 IN 12	1'	1" 10	1'	1" 15	1'	2" 3	1'	2" 8	1'	6" 3	1'	6" 9	1'	6" 15	1'	7" 5
7 IN 12	1'	1" 14	1'	2" 3	1'	2" 8	1'	2" 12	1'	6" 6	1'	6" 12	1'	7" 2	1'	7" 8
8 IN 12	1'	2" 7	1'	2" 12	1'	3" 0	1'	3" 5	1'	6" 12	1'	7" 2	1'	7" 9	1'	7" 15
9 IN 12	1'	3" 0	1'	3" 5	1'	3" 10	1'	3" 15	1'	7" 3	1'	7" 10	1'	8" 0	1'	8" 7
10 IN 12	1'	3" 10	1'	3" 15	1'	4" 4	1'	4" 10	1'	7" 11	1'	8" 2	1'	8" 8	1'	8" 15
11 IN 12	1'	4" 4	1'	4" 10	1'	4" 15	1'	5" 5	1'	8" 4	1'	8" 10	1'	9" 1	1'	9" 8
12 IN 12	1'	5" 0	1'	5" 5	1'	5" 11	1'	6" 0	1'	8" 13	1'	9" 3	1'	9" 10	1'	10" 1
13 IN 12	1'	5" 11	1'	6" 1	1'	6" 7	1'	6" 13	1'	9" 6	1'	9" 13	1'	10" 4	1'	10" 11
14 IN 12	1'	6" 7	1'	6" 13	1'	7" 3	1'	7" 9	1'	10" 0	1'	10" 7	1'	10" 15	1'	11" 6
15 IN 12	1'	7" 3	1'	7" 10	1'	8" 0	1'	8" 7	1'	10" 10	1'	11" 2	1'	11" 9	2'	0" 1
16 IN 12	1'	8" 0	1'	8" 7	1'	8" 13	1'	9" 4	1'	11" 5	1'	11" 13	2'	0" 5	2'	0" 13
17 IN 12	1'	8" 13	1'	9" 4	1'	9" 11	1'	10" 2	2'	0" 0	2'	0" 8	2'	1" 0	2'	1" 8
18 IN 12	1'	9" 10	1'	10" 1	1'	10" 9	1'	11" 0	2'	0" 12	2'	1" 4	2'	1" 12	2'	2" 5
19 IN 12	1'	10" 8	1'	10" 15	1'	11" 7	1'	11" 14	2'	1" 8	2'	2" 0	2'	2" 9	2'	3" 1
20 IN 12	1'	11" 5	1'	11" 13	2'	0" 5	2'	0" 13	2'	2" 4	2'	2" 12	2'	3" 5	2'	3" 14
21 IN 12	2'	0" 3	2'	0" 11	2'	1" 3	2'	1" 11	2'	3" 0	2'	3" 9	2'	4" 2	2'	4" 11
22 IN 12	2'	1" 1	2'	1" 9	2'	2" 2	2'	2" 10	2'	3" 13	2'	4" 6	2'	4" 15	2'	5" 8
23 IN 12	2'	1" 15	2'	2" 8	2'	3" 0	2'	3" 9	2'	4" 9	2'	5" 3	2'	5" 12	2'	6" 6
24 IN 12	2'	2" 13	2'	3" 6	2'	3" 15	2'	4" 8	2'	5" 6	2'	6" 0	2'	6" 10	2'	7" 4
25 IN 12	2'	3" 12	2'	4" 5	2'	4" 14	2'	5" 7	2'	6" 3	2'	6" 14	2'	7" 8	2'	8" 2

1 Foot 1 Inch Run — Common Rafter Lengths   1 Foot 1 Inch Run — Hip Or Valley Rafter Lengths

Run –	1' 1"	1' 1 1/4"	1' 1 1/2"	1' 1 3/4"	1' 1"	1' 1 1/4"	1' 1 1/2"	1' 1 3/4"
Pitch	Ft In 16th"	Ft In 16th"	Ft In 16th"	Ft In 16th"	Ft In 16th"	Ft In 16th"	Ft In 16th"	Ft In 16th"
1 IN 12	1' 1" 1	1' 1" 5	1' 1" 9	1' 1" 13	1' 6" 7	1' 6" 12	1' 7" 2	1' 7" 8
2 IN 12	1' 1" 3	1' 1" 7	1' 1" 11	1' 1" 15	1' 6" 8	1' 6" 14	1' 7" 4	1' 7" 9
2.5 IN 12	1' 1" 4	1' 1" 9	1' 1" 13	1' 2" 1	1' 6" 9	1' 6" 15	1' 7" 5	1' 7" 10
3 IN 12	1' 1" 6	1' 1" 11	1' 1" 15	1' 2" 3	1' 6" 11	1' 7" 0	1' 7" 6	1' 7" 12
3.5 IN 12	1' 1" 9	1' 1" 13	1' 2" 1	1' 2" 5	1' 6" 12	1' 7" 2	1' 7" 8	1' 7" 14
4 IN 12	1' 1" 11	1' 1" 15	1' 2" 4	1' 2" 8	1' 6" 14	1' 7" 4	1' 7" 10	1' 8" 0
4.5 IN 12	1' 1" 14	1' 2" 2	1' 2" 7	1' 2" 11	1' 7" 0	1' 7" 6	1' 7" 12	1' 8" 2
5 IN 12	1' 2" 1	1' 2" 6	1' 2" 10	1' 2" 14	1' 7" 3	1' 7" 9	1' 7" 14	1' 8" 4
5.5 IN 12	1' 2" 5	1' 2" 9	1' 2" 14	1' 3" 2	1' 7" 5	1' 7" 11	1' 8" 1	1' 8" 7
6 IN 12	1' 2" 9	1' 2" 13	1' 3" 1	1' 3" 6	1' 7" 8	1' 7" 14	1' 8" 4	1' 8" 10
6.5 IN 12	1' 2" 13	1' 3" 1	1' 3" 6	1' 3" 10	1' 7" 11	1' 8" 1	1' 8" 7	1' 8" 13
7 IN 12	1' 3" 1	1' 3" 5	1' 3" 10	1' 3" 15	1' 7" 14	1' 8" 4	1' 8" 10	1' 9" 1
8 IN 12	1' 3" 10	1' 3" 15	1' 4" 4	1' 4" 8	1' 8" 5	1' 8" 11	1' 9" 2	1' 9" 8
9 IN 12	1' 4" 4	1' 4" 9	1' 4" 14	1' 5" 3	1' 8" 13	1' 9" 3	1' 9" 10	1' 10" 0
10 IN 12	1' 4" 15	1' 5" 4	1' 5" 9	1' 5" 14	1' 9" 5	1' 9" 12	1' 10" 3	1' 10" 9
11 IN 12	1' 5" 10	1' 6" 0	1' 6" 5	1' 6" 10	1' 9" 15	1' 10" 5	1' 10" 12	1' 11" 3
12 IN 12	1' 6" 6	1' 6" 12	1' 7" 1	1' 7" 7	1' 10" 8	1' 10" 15	1' 11" 6	1' 11" 13
13 IN 12	1' 7" 3	1' 7" 9	1' 7" 14	1' 8" 4	1' 11" 3	1' 11" 10	2' 0" 1	2' 0" 8
14 IN 12	1' 8" 0	1' 8" 6	1' 8" 12	1' 9" 2	1' 11" 13	2' 0" 5	2' 0" 12	2' 1" 3
15 IN 12	1' 8" 13	1' 9" 3	1' 9" 10	1' 10" 0	2' 0" 9	2' 1" 0	2' 1" 8	2' 1" 15
16 IN 12	1' 9" 11	1' 10" 0	1' 10" 8	1' 10" 15	2' 1" 4	2' 1" 12	2' 2" 4	2' 2" 12
17 IN 12	1' 10" 9	1' 11" 0	1' 11" 7	1' 11" 13	2' 2" 0	2' 2" 8	2' 3" 0	2' 3" 8
18 IN 12	1' 11" 7	1' 11" 14	2' 0" 5	2' 0" 13	2' 2" 13	2' 3" 5	2' 3" 13	2' 4" 6
19 IN 12	2' 0" 6	2' 0" 13	2' 1" 4	2' 1" 12	2' 3" 10	2' 4" 2	2' 4" 11	2' 5" 3
20 IN 12	2' 1" 4	2' 1" 12	2' 2" 4	2' 2" 12	2' 4" 7	2' 4" 15	2' 5" 8	2' 6" 1
21 IN 12	2' 2" 3	2' 2" 11	2' 3" 3	2' 3" 11	2' 5" 4	2' 5" 13	2' 6" 6	2' 6" 15
22 IN 12	2' 3" 2	2' 3" 11	2' 4" 3	2' 4" 11	2' 6" 2	2' 6" 11	2' 7" 4	2' 7" 13
23 IN 12	2' 4" 2	2' 4" 10	2' 5" 3	2' 5" 12	2' 6" 15	2' 7" 9	2' 8" 2	2' 8" 12
24 IN 12	2' 5" 1	2' 5" 10	2' 6" 3	2' 6" 12	2' 7" 13	2' 8" 7	2' 9" 1	2' 9" 11
25 IN 12	2' 6" 1	2' 6" 10	2' 7" 3	2' 7" 12	2' 8" 12	2' 9" 6	2' 10" 0	2' 10" 10

1 Foot 2 Inch Run — Common Rafter Lengths   1 Foot 2 Inch Run — Hip Or Valley Rafter Lengths

Run -	1' 2"	1' 2 1/4"	1' 2 1/2"	1' 2 3/4"	1' 2"	1' 2 1/4"	1' 2 1/2"	1' 2 3/4"
Pitch	Ft In 16th"	Ft In 16th"	Ft In 16th"	Ft In 16th"	Ft In 16th"	Ft In 16th"	Ft In 16th"	Ft In 16th"
1 IN 12	1' 2" 1	1' 2" 5	1' 2" 9	1' 2" 13	1' 7" 13	1' 8" 3	1' 8" 9	1' 8" 14
2 IN 12	1' 2" 3	1' 2" 7	1' 2" 11	1' 2" 15	1' 7" 15	1' 8" 5	1' 8" 10	1' 9" 0
2.5 IN 12	1' 2" 5	1' 2" 9	1' 2" 13	1' 3" 1	1' 8" 0	1' 8" 6	1' 8" 12	1' 9" 1
3 IN 12	1' 2" 7	1' 2" 11	1' 2" 15	1' 3" 3	1' 8" 2	1' 8" 7	1' 8" 13	1' 9" 3
3.5 IN 12	1' 2" 9	1' 2" 14	1' 3" 2	1' 3" 6	1' 8" 3	1' 8" 9	1' 8" 15	1' 9" 5
4 IN 12	1' 2" 12	1' 3" 0	1' 3" 5	1' 3" 9	1' 8" 5	1' 8" 11	1' 9" 1	1' 9" 7
4.5 IN 12	1' 2" 15	1' 3" 4	1' 3" 8	1' 3" 12	1' 8" 8	1' 8" 14	1' 9" 3	1' 9" 9
5 IN 12	1' 3" 3	1' 3" 7	1' 3" 11	1' 4" 0	1' 8" 10	1' 9" 0	1' 9" 6	1' 9" 12
5.5 IN 12	1' 3" 6	1' 3" 11	1' 3" 15	1' 4" 4	1' 8" 13	1' 9" 3	1' 9" 9	1' 9" 15
6 IN 12	1' 3" 10	1' 3" 15	1' 4" 3	1' 4" 8	1' 9" 0	1' 9" 6	1' 9" 12	1' 10" 2
6.5 IN 12	1' 3" 15	1' 4" 3	1' 4" 8	1' 4" 12	1' 9" 3	1' 9" 9	1' 9" 15	1' 10" 5
7 IN 12	1' 4" 3	1' 4" 8	1' 4" 13	1' 5" 1	1' 9" 7	1' 9" 13	1' 10" 3	1' 10" 9
8 IN 12	1' 4" 13	1' 5" 2	1' 5" 7	1' 5" 12	1' 9" 14	1' 10" 4	1' 10" 11	1' 11" 1
9 IN 12	1' 5" 8	1' 5" 13	1' 6" 2	1' 6" 7	1' 10" 7	1' 10" 13	1' 11" 3	1' 11" 10
10 IN 12	1' 6" 4	1' 6" 9	1' 6" 14	1' 7" 3	1' 11" 0	1' 11" 6	1' 11" 13	2' 0" 3
11 IN 12	1' 7" 0	1' 7" 5	1' 7" 11	1' 8" 0	1' 11" 10	2' 0" 0	2' 0" 7	2' 0" 14
12 IN 12	1' 7" 13	1' 8" 2	1' 8" 8	1' 8" 14	2' 0" 4	2' 0" 11	2' 1" 2	2' 1" 9
13 IN 12	1' 8" 10	1' 9" 0	1' 9" 6	1' 9" 12	2' 0" 15	2' 1" 6	2' 1" 13	2' 2" 4
14 IN 12	1' 9" 8	1' 9" 14	1' 10" 4	1' 10" 11	2' 1" 11	2' 2" 2	2' 2" 9	2' 3" 1
15 IN 12	1' 10" 7	1' 10" 13	1' 11" 3	1' 11" 10	2' 2" 7	2' 2" 14	2' 3" 6	2' 3" 13
16 IN 12	1' 11" 5	1' 11" 12	2' 0" 3	2' 0" 9	2' 3" 3	2' 3" 11	2' 4" 3	2' 4" 11
17 IN 12	2' 0" 4	2' 0" 11	2' 1" 2	2' 1" 9	2' 4" 0	2' 4" 8	2' 5" 0	2' 5" 8
18 IN 12	2' 1" 4	2' 1" 11	2' 2" 2	2' 2" 9	2' 4" 14	2' 5" 6	2' 5" 14	2' 6" 7
19 IN 12	2' 2" 3	2' 2" 11	2' 3" 2	2' 3" 10	2' 5" 12	2' 6" 4	2' 6" 13	2' 7" 5
20 IN 12	2' 3" 3	2' 3" 11	2' 4" 3	2' 4" 11	2' 6" 10	2' 7" 2	2' 7" 11	2' 8" 4
21 IN 12	2' 4" 3	2' 4" 12	2' 5" 4	2' 5" 12	2' 7" 8	2' 8" 1	2' 8" 10	2' 9" 3
22 IN 12	2' 5" 4	2' 5" 12	2' 6" 4	2' 6" 13	2' 8" 7	2' 9" 0	2' 9" 9	2' 10" 2
23 IN 12	2' 6" 4	2' 6" 13	2' 7" 6	2' 7" 14	2' 9" 6	2' 9" 15	2' 10" 9	2' 11" 2
24 IN 12	2' 7" 5	2' 7" 14	2' 8" 7	2' 9" 0	2' 10" 5	2' 10" 14	2' 11" 8	3' 0" 2
25 IN 12	2' 8" 6	2' 8" 15	2' 9" 8	2' 10" 1	2' 11" 4	2' 11" 14	3' 0" 8	3' 1" 2

1 Foot 3 Inch Run — Common Rafter Lengths   1 Foot 3 Inch Run — Hip Or Valley Rafter Lengths

Run -	1' 3"	1' 3 1/4"	1' 3 1/2"	1' 3 3/4"	1' 3"	1' 3 1/4"	1' 3 1/2"	1' 3 3/4"
Pitch	Ft In 16th"	Ft In 16th"	Ft In 16th"	Ft In 16th"	Ft In 16th"	Ft In 16th"	Ft In 16th"	Ft In 16th"
1 IN 12	1' 3" 1	1' 3" 5	1' 3" 9	1' 3" 13	1' 9" 4	1' 9" 10	1' 9" 15	1' 10" 5
2 IN 12	1' 3" 3	1' 3" 7	1' 3" 11	1' 3" 15	1' 9" 6	1' 9" 11	1' 10" 1	1' 10" 7
2.5 IN 12	1' 3" 5	1' 3" 9	1' 3" 13	1' 4" 1	1' 9" 7	1' 9" 13	1' 10" 3	1' 10" 8
3 IN 12	1' 3" 7	1' 3" 12	1' 4" 0	1' 4" 4	1' 9" 9	1' 9" 14	1' 10" 4	1' 10" 10
3.5 IN 12	1' 3" 10	1' 3" 14	1' 4" 2	1' 4" 7	1' 9" 11	1' 10" 0	1' 10" 6	1' 10" 12
4 IN 12	1' 3" 13	1' 4" 1	1' 4" 5	1' 4" 10	1' 9" 13	1' 10" 3	1' 10" 8	1' 10" 14
4.5 IN 12	1' 4" 0	1' 4" 5	1' 4" 9	1' 4" 13	1' 9" 15	1' 10" 5	1' 10" 11	1' 11" 1
5 IN 12	1' 4" 4	1' 4" 8	1' 4" 13	1' 5" 1	1' 10" 2	1' 10" 8	1' 10" 14	1' 11" 4
5.5 IN 12	1' 4" 8	1' 4" 12	1' 5" 1	1' 5" 5	1' 10" 5	1' 10" 11	1' 11" 1	1' 11" 7
6 IN 12	1' 4" 12	1' 5" 1	1' 5" 5	1' 5" 10	1' 10" 8	1' 10" 14	1' 11" 4	1' 11" 10
6.5 IN 12	1' 5" 1	1' 5" 5	1' 5" 10	1' 5" 15	1' 10" 11	1' 11" 2	1' 11" 8	1' 11" 14
7 IN 12	1' 5" 6	1' 5" 10	1' 5" 15	1' 6" 4	1' 10" 15	1' 11" 5	1' 11" 11	2' 0" 2
8 IN 12	1' 6" 0	1' 6" 5	1' 6" 10	1' 6" 15	1' 11" 7	1' 11" 13	2' 0" 4	2' 0" 10
9 IN 12	1' 6" 12	1' 7" 1	1' 7" 6	1' 7" 11	2' 0" 0	2' 0" 7	2' 0" 13	2' 1" 3
10 IN 12	1' 7" 8	1' 7" 14	1' 8" 3	1' 8" 8	2' 0" 10	2' 1" 1	2' 1" 7	2' 1" 14
11 IN 12	1' 8" 6	1' 8" 11	1' 9" 0	1' 9" 6	2' 1" 4	2' 1" 11	2' 2" 2	2' 2" 9
12 IN 12	1' 9" 3	1' 9" 9	1' 9" 15	1' 10" 4	2' 2" 0	2' 2" 7	2' 2" 14	2' 3" 4
13 IN 12	1' 10" 2	1' 10" 8	1' 10" 14	1' 11" 4	2' 2" 12	2' 3" 3	2' 3" 10	2' 4" 1
14 IN 12	1' 11" 1	1' 11" 7	1' 11" 13	2' 0" 3	2' 3" 8	2' 3" 15	2' 4" 7	2' 4" 14
15 IN 12	2' 0" 0	2' 0" 7	2' 0" 13	2' 1" 3	2' 4" 5	2' 4" 13	2' 5" 4	2' 5" 12
16 IN 12	2' 1" 0	2' 1" 7	2' 1" 13	2' 2" 4	2' 5" 2	2' 5" 10	2' 6" 2	2' 6" 10
17 IN 12	2' 2" 0	2' 2" 7	2' 2" 14	2' 3" 5	2' 6" 0	2' 6" 8	2' 7" 0	2' 7" 8
18 IN 12	2' 3" 1	2' 3" 8	2' 3" 15	2' 4" 6	2' 6" 15	2' 7" 7	2' 7" 15	2' 8" 8
19 IN 12	2' 4" 1	2' 4" 9	2' 5" 0	2' 5" 8	2' 7" 14	2' 8" 6	2' 8" 14	2' 9" 7
20 IN 12	2' 5" 2	2' 5" 10	2' 6" 2	2' 6" 10	2' 8" 13	2' 9" 5	2' 9" 14	2' 10" 7
21 IN 12	2' 6" 4	2' 6" 12	2' 7" 4	2' 7" 12	2' 9" 12	2' 10" 5	2' 10" 14	2' 11" 7
22 IN 12	2' 7" 5	2' 7" 14	2' 8" 6	2' 8" 14	2' 10" 12	2' 11" 5	2' 11" 14	3' 0" 7
23 IN 12	2' 8" 7	2' 8" 15	2' 9" 8	2' 10" 1	2' 11" 12	3' 0" 5	3' 0" 15	3' 1" 8
24 IN 12	2' 9" 9	2' 10" 2	2' 10" 11	2' 11" 3	3' 0" 12	3' 1" 6	3' 1" 15	3' 2" 9
25 IN 12	2' 10" 11	2' 11" 4	2' 11" 13	3' 0" 6	3' 1" 12	3' 2" 6	3' 3" 0	3' 3" 11

1 Foot 4 Inch Run — Common Rafter Lengths   1 Foot 4 Inch Run — Hip Or Valley Rafter Lengths

Run -	1' 4"	1' 4 1/4"	1' 4 1/2"	1' 4 3/4"	1' 4"	1' 4 1/4"	1' 4 1/2"	1' 4 3/4"
Pitch	Ft In 16th"	Ft In 16th"	Ft In 16th"	Ft In 16th"	Ft In 16th"	Ft In 16th"	Ft In 16th"	Ft In 16th"
1 IN 12	1' 4" 1	1' 4" 5	1' 4" 9	1' 4" 13	1' 10" 11	1' 11" 0	1' 11" 6	1' 11" 12
2 IN 12	1' 4" 4	1' 4" 8	1' 4" 12	1' 5" 0	1' 10" 13	1' 11" 2	1' 11" 8	1' 11" 14
2.5 IN 12	1' 4" 5	1' 4" 10	1' 4" 14	1' 5" 2	1' 10" 14	1' 11" 4	1' 11" 9	1' 11" 15
3 IN 12	1' 4" 8	1' 4" 12	1' 5" 0	1' 5" 4	1' 11" 0	1' 11" 5	1' 11" 11	2' 0" 1
3.5 IN 12	1' 4" 11	1' 4" 15	1' 5" 3	1' 5" 7	1' 11" 2	1' 11" 7	1' 11" 13	2' 0" 3
4 IN 12	1' 4" 14	1' 5" 2	1' 5" 6	1' 5" 10	1' 11" 4	1' 11" 10	2' 0" 0	2' 0" 5
4.5 IN 12	1' 5" 1	1' 5" 6	1' 5" 10	1' 5" 14	1' 11" 7	1' 11" 12	2' 0" 2	2' 0" 8
5 IN 12	1' 5" 5	1' 5" 10	1' 5" 14	1' 6" 2	1' 11" 9	1' 11" 15	2' 0" 5	2' 0" 11
5.5 IN 12	1' 5" 10	1' 5" 14	1' 6" 2	1' 6" 7	1' 11" 13	2' 0" 3	2' 0" 8	2' 0" 14
6 IN 12	1' 5" 14	1' 6" 3	1' 6" 7	1' 6" 12	2' 0" 0	2' 0" 6	2' 0" 12	2' 1" 2
6.5 IN 12	1' 6" 3	1' 6" 8	1' 6" 12	1' 7" 1	2' 0" 4	2' 0" 10	2' 1" 0	2' 1" 6
7 IN 12	1' 6" 8	1' 6" 13	1' 7" 2	1' 7" 6	2' 0" 8	2' 0" 14	2' 1" 4	2' 1" 10
8 IN 12	1' 7" 4	1' 7" 8	1' 7" 13	1' 8" 2	2' 1" 0	2' 1" 7	2' 1" 13	2' 2" 3
9 IN 12	1' 8" 0	1' 8" 5	1' 8" 10	1' 8" 15	2' 1" 10	2' 2" 0	2' 2" 7	2' 2" 13
10 IN 12	1' 8" 13	1' 9" 2	1' 9" 8	1' 9" 13	2' 2" 4	2' 2" 11	2' 3" 1	2' 3" 8
11 IN 12	1' 9" 11	1' 10" 1	1' 10" 6	1' 10" 12	2' 2" 15	2' 3" 6	2' 3" 13	2' 4" 4
12 IN 12	1' 10" 10	1' 11" 0	1' 11" 5	1' 11" 11	2' 3" 11	2' 4" 2	2' 4" 9	2' 5" 0
13 IN 12	1' 11" 9	1' 11" 15	2' 0" 5	2' 0" 11	2' 4" 8	2' 4" 15	2' 5" 6	2' 5" 13
14 IN 12	2' 0" 9	2' 1" 0	2' 1" 6	2' 1" 12	2' 5" 5	2' 5" 13	2' 6" 4	2' 6" 11
15 IN 12	2' 1" 10	2' 2" 0	2' 2" 7	2' 2" 13	2' 6" 3	2' 6" 11	2' 7" 2	2' 7" 10
16 IN 12	2' 2" 11	2' 3" 1	2' 3" 8	2' 3" 15	2' 7" 2	2' 7" 9	2' 8" 1	2' 8" 9
17 IN 12	2' 3" 12	2' 4" 3	2' 4" 10	2' 5" 1	2' 8" 0	2' 8" 8	2' 9" 0	2' 9" 8
18 IN 12	2' 4" 14	2' 5" 5	2' 5" 12	2' 6" 3	2' 9" 0	2' 9" 8	2' 10" 0	2' 10" 8
19 IN 12	2' 5" 15	2' 6" 7	2' 6" 14	2' 7" 6	2' 9" 15	2' 10" 8	2' 11" 0	2' 11" 9
20 IN 12	2' 7" 2	2' 7" 9	2' 8" 1	2' 8" 9	2' 11" 0	2' 11" 8	3' 0" 1	3' 0" 10
21 IN 12	2' 8" 4	2' 8" 12	2' 9" 4	2' 9" 12	3' 0" 0	3' 0" 9	3' 1" 2	3' 1" 11
22 IN 12	2' 9" 7	2' 9" 15	2' 10" 7	2' 11" 0	3' 1" 1	3' 1" 10	3' 2" 3	3' 2" 13
23 IN 12	2' 10" 9	2' 11" 2	2' 11" 11	3' 0" 3	3' 2" 2	3' 2" 11	3' 3" 5	3' 3" 14
24 IN 12	2' 11" 12	3' 0" 5	3' 0" 14	3' 1" 7	3' 3" 3	3' 3" 13	3' 4" 7	3' 5" 0
25 IN 12	3' 1" 0	3' 1" 9	3' 2" 2	3' 2" 11	3' 4" 5	3' 4" 15	3' 5" 9	3' 6" 3

1 Foot 5 Inch Run — Common Rafter Lengths   1 Foot 5 Inch Run — Hip Or Valley Rafter Lengths

Run -	1' 5"	1' 5 1/4"	1' 5 1/2"	1' 5 3/4"	1' 5"	1' 5 1/4"	1' 5 1/2"	1' 5 3/4"
Pitch	Ft In 16th"	Ft In 16th"	Ft In 16th"	Ft In 16th"	Ft In 16th"	Ft In 16th"	Ft In 16th"	Ft In 16th"
1 IN 12	1' 5" 1	1' 5" 5	1' 5" 9	1' 5" 13	2' 0" 1	2' 0" 7	2' 0" 13	2' 1" 2
2 IN 12	1' 5" 4	1' 5" 8	1' 5" 12	1' 6" 0	2' 0" 3	2' 0" 9	2' 0" 15	2' 1" 4
2.5 IN 12	1' 5" 6	1' 5" 10	1' 5" 14	1' 6" 2	2' 0" 5	2' 0" 11	2' 1" 0	2' 1" 6
3 IN 12	1' 5" 8	1' 5" 12	1' 6" 1	1' 6" 5	2' 0" 7	2' 0" 12	2' 1" 2	2' 1" 8
3.5 IN 12	1' 5" 11	1' 6" 0	1' 6" 4	1' 6" 8	2' 0" 9	2' 0" 15	2' 1" 4	2' 1" 10
4 IN 12	1' 5" 15	1' 6" 3	1' 6" 7	1' 6" 11	2' 0" 11	2' 1" 1	2' 1" 7	2' 1" 13
4.5 IN 12	1' 6" 2	1' 6" 7	1' 6" 11	1' 6" 15	2' 0" 14	2' 1" 4	2' 1" 10	2' 2" 0
5 IN 12	1' 6" 7	1' 6" 11	1' 6" 15	1' 7" 4	2' 1" 1	2' 1" 7	2' 1" 13	2' 2" 3
5.5 IN 12	1' 6" 11	1' 7" 0	1' 7" 4	1' 7" 8	2' 1" 4	2' 1" 10	2' 2" 0	2' 2" 6
6 IN 12	1' 7" 0	1' 7" 5	1' 7" 9	1' 7" 14	2' 1" 8	2' 1" 14	2' 2" 4	2' 2" 10
6.5 IN 12	1' 7" 5	1' 7" 10	1' 7" 14	1' 8" 3	2' 1" 12	2' 2" 2	2' 2" 8	2' 2" 14
7 IN 12	1' 7" 11	1' 8" 0	1' 8" 4	1' 8" 9	2' 2" 0	2' 2" 6	2' 2" 12	2' 3" 2
8 IN 12	1' 8" 7	1' 8" 12	1' 9" 1	1' 9" 5	2' 2" 9	2' 3" 0	2' 3" 6	2' 3" 12
9 IN 12	1' 9" 4	1' 9" 9	1' 9" 14	1' 10" 3	2' 3" 3	2' 3" 10	2' 4" 0	2' 4" 7
10 IN 12	1' 10" 2	1' 10" 7	1' 10" 12	1' 11" 2	2' 3" 14	2' 4" 5	2' 4" 12	2' 5" 2
11 IN 12	1' 11" 1	1' 11" 6	1' 11" 12	2' 0" 1	2' 4" 10	2' 5" 1	2' 5" 8	2' 5" 15
12 IN 12	2' 0" 1	2' 0" 6	2' 0" 12	2' 1" 2	2' 5" 7	2' 5" 14	2' 6" 5	2' 6" 12
13 IN 12	2' 1" 1	2' 1" 7	2' 1" 13	2' 2" 3	2' 6" 5	2' 6" 12	2' 7" 3	2' 7" 10
14 IN 12	2' 2" 2	2' 2" 8	2' 2" 14	2' 3" 4	2' 7" 3	2' 7" 10	2' 8" 1	2' 8" 9
15 IN 12	2' 3" 3	2' 3" 10	2' 4" 0	2' 4" 7	2' 8" 1	2' 8" 9	2' 9" 0	2' 9" 8
16 IN 12	2' 4" 5	2' 4" 12	2' 5" 3	2' 5" 9	2' 9" 1	2' 9" 8	2' 10" 0	2' 10" 8
17 IN 12	2' 5" 8	2' 5" 15	2' 6" 6	2' 6" 12	2' 10" 0	2' 10" 8	2' 11" 0	2' 11" 8
18 IN 12	2' 6" 10	2' 7" 2	2' 7" 9	2' 8" 0	2' 11" 1	2' 11" 9	3' 0" 1	3' 0" 9
19 IN 12	2' 7" 13	2' 8" 5	2' 8" 12	2' 9" 4	3' 0" 1	3' 0" 10	3' 1" 2	3' 1" 11
20 IN 12	2' 9" 1	2' 9" 8	2' 10" 0	2' 10" 8	3' 1" 3	3' 1" 11	3' 2" 4	3' 2" 13
21 IN 12	2' 10" 4	2' 10" 12	2' 11" 4	2' 11" 12	3' 2" 4	3' 2" 13	3' 3" 6	3' 3" 15
22 IN 12	2' 11" 8	3' 0" 0	3' 0" 9	3' 1" 1	3' 3" 6	3' 3" 15	3' 4" 8	3' 5" 2
23 IN 12	3' 0" 12	3' 1" 5	3' 1" 13	3' 2" 6	3' 4" 8	3' 5" 1	3' 5" 11	3' 6" 4
24 IN 12	3' 2" 0	3' 2" 9	3' 3" 2	3' 3" 11	3' 5" 10	3' 6" 4	3' 6" 14	3' 7" 8
25 IN 12	3' 3" 5	3' 3" 14	3' 4" 7	3' 5" 0	3' 6" 13	3' 7" 7	3' 8" 1	3' 8" 11

1 Foot 6 Inch Run — Common Rafter Lengths   1 Foot 6 Inch Run — Hip Or Valley Rafter Lengths

Run -	1' 6"	1' 6 1/4"	1' 6 1/2"	1' 6 3/4"	1' 6"	1' 6 1/4"	1' 6 1/2"	1' 6 3/4"
Pitch	Ft In 16th"	Ft In 16th"	Ft In 16th"	Ft In 16th"	Ft In 16th"	Ft In 16th"	Ft In 16th"	Ft In 16th"
1 IN 12	1' 6" 1	1' 6" 5	1' 6" 9	1' 6" 13	2' 1" 8	2' 1" 14	2' 2" 3	2' 2" 9
2 IN 12	1' 6" 4	1' 6" 8	1' 6" 12	1' 7" 0	2' 1" 10	2' 2" 0	2' 2" 6	2' 2" 11
2.5 IN 12	1' 6" 6	1' 6" 10	1' 6" 14	1' 7" 2	2' 1" 12	2' 2" 1	2' 2" 7	2' 2" 13
3 IN 12	1' 6" 9	1' 6" 13	1' 7" 1	1' 7" 5	2' 1" 14	2' 2" 3	2' 2" 9	2' 2" 15
3.5 IN 12	1' 6" 12	1' 7" 0	1' 7" 4	1' 7" 9	2' 2" 0	2' 2" 6	2' 2" 11	2' 3" 1
4 IN 12	1' 7" 0	1' 7" 4	1' 7" 8	1' 7" 12	2' 2" 2	2' 2" 8	2' 2" 14	2' 3" 4
4.5 IN 12	1' 7" 4	1' 7" 8	1' 7" 12	1' 8" 0	2' 2" 5	2' 2" 11	2' 3" 1	2' 3" 7
5 IN 12	1' 7" 8	1' 7" 12	1' 8" 1	1' 8" 5	2' 2" 9	2' 2" 15	2' 3" 4	2' 3" 10
5.5 IN 12	1' 7" 13	1' 8" 1	1' 8" 6	1' 8" 10	2' 2" 12	2' 3" 2	2' 3" 8	2' 3" 14
6 IN 12	1' 8" 2	1' 8" 6	1' 8" 11	1' 8" 15	2' 3" 0	2' 3" 6	2' 3" 12	2' 4" 2
6.5 IN 12	1' 8" 8	1' 8" 12	1' 9" 1	1' 9" 5	2' 3" 4	2' 3" 10	2' 4" 0	2' 4" 6
7 IN 12	1' 8" 13	1' 9" 2	1' 9" 7	1' 9" 11	2' 3" 9	2' 3" 15	2' 4" 5	2' 4" 11
8 IN 12	1' 9" 10	1' 9" 15	1' 10" 4	1' 10" 9	2' 4" 2	2' 4" 9	2' 4" 15	2' 5" 5
9 IN 12	1' 10" 8	1' 10" 13	1' 11" 2	1' 11" 7	2' 4" 13	2' 5" 3	2' 5" 10	2' 6" 0
10 IN 12	1' 11" 7	1' 11" 12	2' 0" 1	2' 0" 7	2' 5" 9	2' 5" 15	2' 6" 6	2' 6" 12
11 IN 12	2' 0" 7	2' 0" 12	2' 1" 2	2' 1" 7	2' 6" 5	2' 6" 12	2' 7" 3	2' 7" 10
12 IN 12	2' 1" 7	2' 1" 13	2' 2" 3	2' 2" 8	2' 7" 3	2' 7" 10	2' 8" 1	2' 8" 8
13 IN 12	2' 2" 9	2' 2" 15	2' 3" 4	2' 3" 10	2' 8" 1	2' 8" 8	2' 8" 15	2' 9" 6
14 IN 12	2' 3" 11	2' 4" 1	2' 4" 7	2' 4" 13	2' 9" 0	2' 9" 7	2' 9" 15	2' 10" 6
15 IN 12	2' 4" 13	2' 5" 3	2' 5" 10	2' 6" 0	2' 10" 0	2' 10" 7	2' 10" 15	2' 11" 6
16 IN 12	2' 6" 0	2' 6" 7	2' 6" 13	2' 7" 4	2' 11" 0	2' 11" 8	2' 11" 15	3' 0" 7
17 IN 12	2' 7" 3	2' 7" 10	2' 8" 1	2' 8" 8	3' 0" 0	3' 0" 9	3' 1" 1	3' 1" 9
18 IN 12	2' 8" 7	2' 8" 14	2' 9" 6	2' 9" 13	3' 1" 2	3' 1" 10	3' 2" 2	3' 2" 10
19 IN 12	2' 9" 11	2' 10" 3	2' 10" 10	2' 11" 2	3' 2" 3	3' 2" 12	3' 3" 4	3' 3" 13
20 IN 12	2' 11" 0	2' 11" 8	2' 11" 15	3' 0" 7	3' 3" 6	3' 3" 14	3' 4" 7	3' 5" 0
21 IN 12	3' 0" 4	3' 0" 13	3' 1" 5	3' 1" 13	3' 4" 8	3' 5" 1	3' 5" 10	3' 6" 3
22 IN 12	3' 1" 9	3' 2" 2	3' 2" 10	3' 3" 2	3' 5" 11	3' 6" 4	3' 6" 13	3' 7" 7
23 IN 12	3' 2" 15	3' 3" 7	3' 4" 0	3' 4" 9	3' 6" 14	3' 7" 8	3' 8" 1	3' 8" 11
24 IN 12	3' 4" 4	3' 4" 13	3' 5" 6	3' 5" 15	3' 8" 1	3' 8" 11	3' 9" 5	3' 9" 15
25 IN 12	3' 5" 10	3' 6" 3	3' 6" 12	3' 7" 5	3' 9" 5	3' 9" 15	3' 10" 9	3' 11" 3

1 Foot 7 Inch Run — Common Rafter Lengths   1 Foot 7 Inch Run — Hip Or Valley Rafter Lengths

Run -	Common 1' 7"	Common 1' 7 1/4"	Common 1' 7 1/2"	Common 1' 7 3/4"	Hip 1' 7"	Hip 1' 7 1/4"	Hip 1' 7 1/2"	Hip 1' 7 3/4"
Pitch	Ft In 16th"	Ft In 16th"	Ft In 16th"	Ft In 16th"	Ft In 16th"	Ft In 16th"	Ft In 16th"	Ft In 16th"
1 IN 12	1' 7" 1	1' 7" 5	1' 7" 9	1' 7" 13	2' 2" 15	2' 3" 4	2' 3" 10	2' 4" 0
2 IN 12	1' 7" 4	1' 7" 8	1' 7" 12	1' 8" 0	2' 3" 1	2' 3" 7	2' 3" 12	2' 4" 2
2.5 IN 12	1' 7" 7	1' 7" 11	1' 7" 15	1' 8" 3	2' 3" 3	2' 3" 8	2' 3" 14	2' 4" 4
3 IN 12	1' 7" 9	1' 7" 13	1' 8" 2	1' 8" 6	2' 3" 5	2' 3" 10	2' 4" 0	2' 4" 6
3.5 IN 12	1' 7" 13	1' 8" 1	1' 8" 5	1' 8" 9	2' 3" 7	2' 3" 13	2' 4" 3	2' 4" 8
4 IN 12	1' 8" 0	1' 8" 5	1' 8" 9	1' 8" 13	2' 3" 10	2' 4" 0	2' 4" 5	2' 4" 11
4.5 IN 12	1' 8" 5	1' 8" 9	1' 8" 13	1' 9" 1	2' 3" 13	2' 4" 3	2' 4" 8	2' 4" 14
5 IN 12	1' 8" 9	1' 8" 14	1' 9" 2	1' 9" 6	2' 4" 0	2' 4" 6	2' 4" 12	2' 5" 2
5.5 IN 12	1' 8" 14	1' 9" 3	1' 9" 7	1' 9" 12	2' 4" 4	2' 4" 10	2' 5" 0	2' 5" 6
6 IN 12	1' 9" 4	1' 9" 8	1' 9" 13	1' 10" 1	2' 4" 8	2' 4" 14	2' 5" 4	2' 5" 10
6.5 IN 12	1' 9" 10	1' 9" 14	1' 10" 3	1' 10" 7	2' 4" 12	2' 5" 2	2' 5" 8	2' 5" 15
7 IN 12	1' 10" 0	1' 10" 5	1' 10" 9	1' 10" 14	2' 5" 1	2' 5" 7	2' 5" 13	2' 6" 3
8 IN 12	1' 10" 13	1' 11" 2	1' 11" 7	1' 11" 12	2' 5" 11	2' 6" 2	2' 6" 8	2' 6" 14
9 IN 12	1' 11" 12	2' 0" 1	2' 0" 6	2' 0" 11	2' 6" 7	2' 6" 13	2' 7" 3	2' 7" 10
10 IN 12	2' 0" 12	2' 1" 1	2' 1" 6	2' 1" 11	2' 7" 3	2' 7" 10	2' 8" 0	2' 8" 7
11 IN 12	2' 1" 12	2' 2" 2	2' 2" 7	2' 2" 13	2' 8" 0	2' 8" 7	2' 8" 14	2' 9" 5
12 IN 12	2' 2" 14	2' 3" 4	2' 3" 9	2' 3" 15	2' 8" 15	2' 9" 5	2' 9" 12	2' 10" 3
13 IN 12	2' 4" 0	2' 4" 6	2' 4" 12	2' 5" 2	2' 9" 14	2' 10" 5	2' 10" 12	2' 11" 3
14 IN 12	2' 5" 3	2' 5" 9	2' 5" 15	2' 6" 6	2' 10" 13	2' 11" 5	2' 11" 12	3' 0" 3
15 IN 12	2' 6" 7	2' 6" 13	2' 7" 3	2' 7" 10	2' 11" 14	3' 0" 5	3' 0" 13	3' 1" 4
16 IN 12	2' 7" 11	2' 8" 1	2' 8" 8	2' 8" 15	3' 0" 15	3' 1" 7	3' 1" 14	3' 2" 6
17 IN 12	2' 8" 15	2' 9" 6	2' 9" 13	2' 10" 4	3' 2" 1	3' 2" 9	3' 3" 1	3' 3" 9
18 IN 12	2' 10" 4	2' 10" 11	2' 11" 2	2' 11" 10	3' 3" 3	3' 3" 11	3' 4" 3	3' 4" 11
19 IN 12	2' 11" 9	3' 0" 1	3' 0" 8	3' 1" 0	3' 4" 5	3' 4" 14	3' 5" 6	3' 5" 15
20 IN 12	3' 0" 15	3' 1" 7	3' 1" 14	3' 2" 6	3' 5" 8	3' 6" 1	3' 6" 10	3' 7" 3
21 IN 12	3' 2" 5	3' 2" 13	3' 3" 5	3' 3" 13	3' 6" 12	3' 7" 5	3' 7" 14	3' 8" 7
22 IN 12	3' 3" 11	3' 4" 3	3' 4" 12	3' 5" 4	3' 8" 0	3' 8" 9	3' 9" 2	3' 9" 12
23 IN 12	3' 5" 1	3' 5" 10	3' 6" 2	3' 6" 11	3' 9" 4	3' 9" 14	3' 10" 7	3' 11" 1
24 IN 12	3' 6" 8	3' 7" 1	3' 7" 10	3' 8" 3	3' 10" 9	3' 11" 2	3' 11" 12	4' 0" 6
25 IN 12	3' 7" 15	3' 8" 8	3' 9" 1	3' 9" 10	3' 11" 13	4' 0" 8	4' 1" 2	4' 1" 12

1 Foot 8 Inch Run — Common Rafter Lengths   1 Foot 8 Inch Run — Hip Or Valley Rafter Lengths

Run -	1' 8"	1' 8 1/4"	1' 8 1/2"	1' 8 3/4"	1' 8"	1' 8 1/4"	1' 8 1/2"	1' 8 3/4"
Pitch	Ft In 16th"	Ft In 16th"	Ft In 16th"	Ft In 16th"	Ft In 16th"	Ft In 16th"	Ft In 16th"	Ft In 16th"
1 IN 12	1' 8" 1	1' 8" 5	1' 8" 9	1' 8" 13	2' 4" 5	2' 4" 11	2' 5" 1	2' 5" 6
2 IN 12	1' 8" 4	1' 8" 8	1' 8" 13	1' 9" 1	2' 4" 8	2' 4" 13	2' 5" 3	2' 5" 9
2.5 IN 12	1' 8" 7	1' 8" 11	1' 8" 15	1' 9" 3	2' 4" 9	2' 4" 15	2' 5" 5	2' 5" 11
3 IN 12	1' 8" 10	1' 8" 14	1' 9" 2	1' 9" 6	2' 4" 12	2' 5" 1	2' 5" 7	2' 5" 13
3.5 IN 12	1' 8" 13	1' 9" 2	1' 9" 6	1' 9" 10	2' 4" 14	2' 5" 4	2' 5" 10	2' 5" 15
4 IN 12	1' 9" 1	1' 9" 6	1' 9" 10	1' 9" 14	2' 5" 1	2' 5" 7	2' 5" 13	2' 6" 2
4.5 IN 12	1' 9" 6	1' 9" 10	1' 9" 14	1' 10" 3	2' 5" 4	2' 5" 10	2' 6" 0	2' 6" 6
5 IN 12	1' 9" 11	1' 9" 15	1' 10" 3	1' 10" 8	2' 5" 8	2' 5" 14	2' 6" 4	2' 6" 9
5.5 IN 12	1' 10" 0	1' 10" 4	1' 10" 9	1' 10" 13	2' 5" 12	2' 6" 2	2' 6" 8	2' 6" 14
6 IN 12	1' 10" 6	1' 10" 10	1' 10" 15	1' 11" 3	2' 6" 0	2' 6" 6	2' 6" 12	2' 7" 2
6.5 IN 12	1' 10" 12	1' 11" 0	1' 11" 5	1' 11" 10	2' 6" 5	2' 6" 11	2' 7" 1	2' 7" 7
7 IN 12	1' 11" 2	1' 11" 7	1' 11" 12	2' 0" 0	2' 6" 10	2' 7" 0	2' 7" 6	2' 7" 12
8 IN 12	2' 0" 1	2' 0" 5	2' 0" 10	2' 0" 15	2' 7" 4	2' 7" 11	2' 8" 1	2' 8" 7
9 IN 12	2' 1" 0	2' 1" 5	2' 1" 10	2' 1" 15	2' 8" 0	2' 8" 7	2' 8" 13	2' 9" 3
10 IN 12	2' 2" 1	2' 2" 6	2' 2" 11	2' 3" 0	2' 8" 13	2' 9" 4	2' 9" 10	2' 10" 1
11 IN 12	2' 3" 2	2' 3" 8	2' 3" 13	2' 4" 2	2' 9" 11	2' 10" 2	2' 10" 9	2' 11" 0
12 IN 12	2' 4" 5	2' 4" 10	2' 5" 0	2' 5" 6	2' 10" 10	2' 11" 1	2' 11" 8	2' 11" 15
13 IN 12	2' 5" 8	2' 5" 14	2' 6" 4	2' 6" 9	2' 11" 10	3' 0" 1	3' 0" 8	3' 0" 15
14 IN 12	2' 6" 12	2' 7" 2	2' 7" 8	2' 7" 14	3' 0" 11	3' 1" 2	3' 1" 9	3' 2" 1
15 IN 12	2' 8" 0	2' 8" 7	2' 8" 13	2' 9" 3	3' 1" 12	3' 2" 4	3' 2" 11	3' 3" 3
16 IN 12	2' 9" 5	2' 9" 12	2' 10" 3	2' 10" 9	3' 2" 14	3' 3" 6	3' 3" 14	3' 4" 5
17 IN 12	2' 10" 11	2' 11" 2	2' 11" 9	3' 0" 0	3' 4" 1	3' 4" 9	3' 5" 1	3' 5" 9
18 IN 12	3' 0" 1	3' 0" 8	3' 0" 15	3' 1" 7	3' 5" 4	3' 5" 12	3' 6" 4	3' 6" 12
19 IN 12	3' 1" 7	3' 1" 15	3' 2" 6	3' 2" 14	3' 6" 7	3' 7" 0	3' 7" 8	3' 8" 1
20 IN 12	3' 2" 14	3' 3" 6	3' 3" 14	3' 4" 5	3' 7" 11	3' 8" 7	3' 8" 13	3' 9" 6
21 IN 12	3' 4" 5	3' 4" 13	3' 5" 5	3' 5" 13	3' 9" 0	3' 9" 9	3' 10" 2	3' 10" 11
22 IN 12	3' 5" 12	3' 6" 5	3' 6" 13	3' 7" 5	3' 10" 5	3' 10" 14	3' 11" 7	4' 0" 1
23 IN 12	3' 7" 4	3' 7" 12	3' 8" 5	3' 8" 14	3' 11" 10	4' 0" 4	4' 0" 13	4' 1" 7
24 IN 12	3' 8" 12	3' 9" 4	3' 9" 13	3' 10" 6	4' 1" 0	4' 1" 10	4' 2" 3	4' 2" 13
25 IN 12	3' 10" 3	3' 10" 13	3' 11" 6	3' 11" 15	4' 2" 6	4' 3" 0	4' 3" 10	4' 4" 4

1 Foot 9 Inch Run — Common Rafter Lengths   1 Foot 9 Inch Run — Hip Or Valley Rafter Lengths

Run -	1' 9"	1' 9 1/4"	1' 9 1/2"	1' 9 3/4"	1' 9"	1' 9 1/4"	1' 9 1/2"	1' 9 3/4"
Pitch	Ft In 16th"	Ft In 16th"	Ft In 16th"	Ft In 16th"	Ft In 16th"	Ft In 16th"	Ft In 16th"	Ft In 16th"
1 IN 12	1' 9" 1	1' 9" 5	1' 9" 9	1' 9" 13	2' 5" 12	2' 6" 2	2' 6" 7	2' 6" 13
2 IN 12	1' 9" 5	1' 9" 9	1' 9" 13	1' 10" 1	2' 5" 14	2' 6" 4	2' 6" 10	2' 7" 0
2.5 IN 12	1' 9" 7	1' 9" 11	1' 9" 15	1' 10" 3	2' 6" 0	2' 6" 6	2' 6" 12	2' 7" 1
3 IN 12	1' 9" 10	1' 9" 14	1' 10" 3	1' 10" 7	2' 6" 3	2' 6" 8	2' 6" 14	2' 7" 4
3.5 IN 12	1' 9" 14	1' 10" 2	1' 10" 6	1' 10" 11	2' 6" 5	2' 6" 11	2' 7" 1	2' 7" 7
4 IN 12	1' 10" 2	1' 10" 6	1' 10" 11	1' 10" 15	2' 6" 8	2' 6" 14	2' 7" 4	2' 7" 10
4.5 IN 12	1' 10" 7	1' 10" 11	1' 10" 15	1' 11" 4	2' 6" 12	2' 7" 1	2' 7" 7	2' 7" 13
5 IN 12	1' 10" 12	1' 11" 0	1' 11" 5	1' 11" 9	2' 6" 15	2' 7" 5	2' 7" 11	2' 8" 1
5.5 IN 12	1' 11" 2	1' 11" 6	1' 11" 10	1' 11" 15	2' 7" 4	2' 7" 9	2' 7" 15	2' 8" 5
6 IN 12	1' 11" 8	1' 11" 12	2' 0" 1	2' 0" 5	2' 7" 8	2' 7" 14	2' 8" 4	2' 8" 10
6.5 IN 12	1' 11" 14	2' 0" 3	2' 0" 7	2' 0" 12	2' 7" 13	2' 8" 3	2' 8" 9	2' 8" 15
7 IN 12	2' 0" 5	2' 0" 10	2' 0" 14	2' 1" 3	2' 8" 2	2' 8" 8	2' 8" 14	2' 9" 4
8 IN 12	2' 1" 4	2' 1" 9	2' 1" 13	2' 2" 2	2' 8" 13	2' 9" 4	2' 9" 10	2' 10" 0
9 IN 12	2' 2" 4	2' 2" 9	2' 2" 14	2' 3" 3	2' 9" 10	2' 10" 0	2' 10" 7	2' 10" 13
10 IN 12	2' 3" 5	2' 3" 11	2' 4" 0	2' 4" 5	2' 10" 8	2' 10" 14	2' 11" 5	2' 11" 11
11 IN 12	2' 4" 8	2' 4" 13	2' 5" 3	2' 5" 8	2' 11" 6	2' 11" 13	3' 0" 4	3' 0" 10
12 IN 12	2' 5" 11	2' 6" 1	2' 6" 6	2' 6" 12	3' 0" 6	3' 0" 13	3' 1" 4	3' 1" 11
13 IN 12	2' 6" 15	2' 7" 5	2' 7" 11	2' 8" 1	3' 1" 7	3' 1" 14	3' 2" 5	3' 2" 12
14 IN 12	2' 8" 4	2' 8" 10	2' 9" 1	2' 9" 7	3' 2" 8	3' 2" 15	3' 3" 7	3' 3" 14
15 IN 12	2' 9" 10	2' 10" 0	2' 10" 7	2' 10" 13	3' 3" 10	3' 4" 2	3' 4" 9	3' 5" 1
16 IN 12	2' 11" 0	2' 11" 7	2' 11" 13	3' 0" 4	3' 4" 13	3' 5" 5	3' 5" 13	3' 6" 4
17 IN 12	3' 0" 7	3' 0" 14	3' 1" 5	3' 1" 11	3' 6" 1	3' 6" 9	3' 7" 1	3' 7" 9
18 IN 12	3' 1" 14	3' 2" 5	3' 2" 12	3' 3" 3	3' 7" 5	3' 7" 13	3' 8" 5	3' 8" 13
19 IN 12	3' 3" 5	3' 3" 13	3' 4" 4	3' 4" 12	3' 8" 9	3' 9" 2	3' 9" 10	3' 10" 3
20 IN 12	3' 4" 13	3' 5" 5	3' 5" 13	3' 6" 4	3' 9" 14	3' 10" 7	3' 11" 0	3' 11" 9
21 IN 12	3' 6" 5	3' 6" 13	3' 7" 5	3' 7" 13	3' 11" 4	3' 11" 13	4' 0" 6	4' 0" 15
22 IN 12	3' 7" 14	3' 8" 6	3' 8" 14	3' 9" 7	4' 0" 10	4' 1" 3	4' 1" 13	4' 2" 6
23 IN 12	3' 9" 6	3' 9" 15	3' 10" 8	3' 11" 0	4' 2" 0	4' 2" 10	4' 3" 3	4' 3" 13
24 IN 12	3' 10" 15	3' 11" 8	4' 0" 1	4' 0" 10	4' 3" 7	4' 4" 1	4' 4" 11	4' 5" 4
25 IN 12	4' 0" 8	4' 1" 2	4' 1" 11	4' 2" 4	4' 4" 14	4' 5" 8	4' 6" 2	4' 6" 12

1 Foot 10 Inch Run — Common Rafter Lengths

Run -	1'10"	1'10 1/4"	1'10 1/2"	1'10 3/4"
Pitch	Ft In 16th"	Ft In 16th"	Ft In 16th"	Ft In 16th"
1 IN 12	1' 10" 1	1' 10" 5	1' 10" 9	1' 10" 13
2 IN 12	1' 10" 5	1' 10" 9	1' 10" 13	1' 11" 1
2.5 IN 12	1' 10" 8	1' 10" 12	1' 11" 0	1' 11" 4
3 IN 12	1' 10" 11	1' 10" 15	1' 11" 3	1' 11" 7
3.5 IN 12	1' 10" 15	1' 11" 3	1' 11" 7	1' 11" 11
4 IN 12	1' 11" 3	1' 11" 7	1' 11" 11	2' 0" 0
4.5 IN 12	1' 11" 8	1' 11" 12	2' 0" 0	2' 0" 5
5 IN 12	1' 11" 13	2' 0" 2	2' 0" 6	2' 0" 10
5.5 IN 12	2' 0" 3	2' 0" 8	2' 0" 12	2' 1" 0
6 IN 12	2' 0" 10	2' 0" 14	2' 1" 2	2' 1" 7
6.5 IN 12	2' 1" 0	2' 1" 5	2' 1" 9	2' 1" 14
7 IN 12	2' 1" 8	2' 1" 12	2' 2" 1	2' 2" 5
8 IN 12	2' 2" 7	2' 2" 12	2' 3" 1	2' 3" 5
9 IN 12	2' 3" 8	2' 3" 13	2' 4" 2	2' 4" 7
10 IN 12	2' 4" 10	2' 4" 15	2' 5" 5	2' 5" 10
11 IN 12	2' 5" 14	2' 6" 3	2' 6" 8	2' 6" 14
12 IN 12	2' 7" 2	2' 7" 7	2' 7" 13	2' 8" 3
13 IN 12	2' 8" 7	2' 8" 13	2' 9" 3	2' 9" 9
14 IN 12	2' 9" 13	2' 10" 3	2' 10" 9	2' 10" 15
15 IN 12	2' 11" 3	2' 11" 10	3' 0" 0	3' 0" 7
16 IN 12	3' 0" 11	3' 1" 1	3' 1" 8	3' 1" 15
17 IN 12	3' 2" 2	3' 2" 9	3' 3" 0	3' 3" 7
18 IN 12	3' 3" 11	3' 4" 2	3' 4" 9	3' 5" 0
19 IN 12	3' 5" 3	3' 5" 11	3' 6" 2	3' 6" 10
20 IN 12	3' 6" 12	3' 7" 4	3' 7" 12	3' 8" 3
21 IN 12	3' 8" 5	3' 8" 14	3' 9" 6	3' 9" 14
22 IN 12	3' 9" 15	3' 10" 7	3' 11" 0	3' 11" 8
23 IN 12	3' 11" 9	4' 0" 2	4' 0" 10	4' 1" 3
24 IN 12	4' 1" 3	4' 1" 12	4' 2" 5	4' 2" 14
25 IN 12	4' 2" 13	4' 3" 7	4' 4" 0	4' 4" 9

1 Foot 10 Inch Run — Hip Or Valley Rafter Lengths

Pitch	1'10"	1'10 1/4"	1'10 1/2"	1'10 3/4"
	Ft In 16th"	Ft In 16th"	Ft In 16th"	Ft In 16th"
1 IN 12	2' 7" 3	2' 7" 8	2' 7" 14	2' 8" 4
2 IN 12	2' 7" 5	2' 7" 11	2' 8" 1	2' 8" 6
2.5 IN 12	2' 7" 7	2' 7" 13	2' 8" 3	2' 8" 8
3 IN 12	2' 7" 10	2' 7" 15	2' 8" 5	2' 8" 11
3.5 IN 12	2' 7" 12	2' 8" 2	2' 8" 8	2' 8" 14
4 IN 12	2' 7" 15	2' 8" 5	2' 8" 11	2' 9" 1
4.5 IN 12	2' 8" 3	2' 8" 9	2' 8" 15	2' 9" 5
5 IN 12	2' 8" 7	2' 8" 13	2' 9" 3	2' 9" 9
5.5 IN 12	2' 8" 11	2' 9" 1	2' 9" 7	2' 9" 13
6 IN 12	2' 9" 0	2' 9" 6	2' 9" 12	2' 10" 2
6.5 IN 12	2' 9" 5	2' 9" 11	2' 10" 1	2' 10" 7
7 IN 12	2' 9" 10	2' 10" 1	2' 10" 7	2' 10" 13
8 IN 12	2' 10" 6	2' 10" 13	2' 11" 3	2' 11" 9
9 IN 12	2' 11" 3	2' 11" 10	3' 0" 0	3' 0" 7
10 IN 12	3' 0" 2	3' 0" 8	3' 0" 15	3' 1" 5
11 IN 12	3' 1" 1	3' 1" 8	3' 1" 15	3' 2" 5
12 IN 12	3' 2" 2	3' 2" 9	3' 3" 0	3' 3" 6
13 IN 12	3' 3" 3	3' 3" 10	3' 4" 1	3' 4" 8
14 IN 12	3' 4" 5	3' 4" 13	3' 5" 4	3' 5" 11
15 IN 12	3' 5" 8	3' 6" 0	3' 6" 7	3' 6" 15
16 IN 12	3' 6" 12	3' 7" 4	3' 7" 12	3' 8" 3
17 IN 12	3' 8" 1	3' 8" 9	3' 9" 1	3' 9" 9
18 IN 12	3' 9" 6	3' 9" 14	3' 10" 6	3' 10" 14
19 IN 12	3' 10" 11	3' 11" 4	3' 11" 12	4' 0" 5
20 IN 12	4' 0" 1	4' 0" 10	4' 1" 3	4' 1" 12
21 IN 12	4' 1" 8	4' 2" 1	4' 2" 10	4' 3" 3
22 IN 12	4' 2" 15	4' 3" 8	4' 4" 2	4' 4" 11
23 IN 12	4' 4" 6	4' 5" 0	4' 5" 9	4' 6" 3
24 IN 12	4' 5" 14	4' 6" 8	4' 7" 2	4' 7" 12
25 IN 12	4' 7" 6	4' 8" 0	4' 8" 10	4' 9" 5

1 Foot 11 Inch Run — Common Rafter Lengths   1 Foot 11 Inch Run — Hip Or Valley Rafter Lengths

Run -	1'11"	1'11 1/4"	1'11 1/2"	1'11 3/4"	1'11"	1'11 1/4"	1'11 1/2"	1'11 3/4"
Pitch	Ft In 16th"	Ft In 16th"	Ft In 16th"	Ft In 16th"	Ft In 16th"	Ft In 16th"	Ft In 16th"	Ft In 16th"
1 IN 12	1' 11" 1	1' 11" 5	1' 11" 9	1' 11" 13	2' 8" 9	2' 8" 15	2' 9" 5	2' 9" 10
2 IN 12	1' 11" 5	1' 11" 9	1' 11" 13	2' 0" 1	2' 8" 12	2' 9" 2	2' 9" 7	2' 9" 13
2.5 IN 12	1' 11" 8	1' 11" 12	2' 0" 0	2' 0" 4	2' 8" 14	2' 9" 4	2' 9" 9	2' 9" 15
3 IN 12	1' 11" 11	1' 11" 15	2' 0" 4	2' 0" 8	2' 9" 0	2' 9" 6	2' 9" 12	2' 10" 2
3.5 IN 12	1' 11" 15	2' 0" 4	2' 0" 8	2' 0" 12	2' 9" 3	2' 9" 9	2' 9" 15	2' 10" 5
4 IN 12	2' 0" 4	2' 0" 8	2' 0" 12	2' 1" 1	2' 9" 7	2' 9" 13	2' 10" 2	2' 10" 8
4.5 IN 12	2' 0" 9	2' 0" 13	2' 1" 2	2' 1" 6	2' 9" 10	2' 10" 0	2' 10" 6	2' 10" 12
5 IN 12	2' 0" 15	2' 1" 3	2' 1" 7	2' 1" 12	2' 9" 15	2' 10" 4	2' 10" 10	2' 11" 0
5.5 IN 12	2' 1" 5	2' 1" 9	2' 1" 14	2' 2" 2	2' 10" 3	2' 10" 9	2' 10" 15	2' 11" 5
6 IN 12	2' 1" 11	2' 2" 0	2' 2" 4	2' 2" 9	2' 10" 8	2' 10" 14	2' 11" 4	2' 11" 10
6.5 IN 12	2' 2" 3	2' 2" 7	2' 2" 12	2' 3" 0	2' 10" 13	2' 11" 3	2' 11" 9	2' 11" 15
7 IN 12	2' 2" 10	2' 2" 15	2' 3" 3	2' 3" 8	2' 11" 3	2' 11" 9	2' 11" 15	3' 0" 5
8 IN 12	2' 3" 10	2' 3" 15	2' 4" 4	2' 4" 9	2' 11" 15	3' 0" 6	3' 0" 12	3' 1" 2
9 IN 12	2' 4" 12	2' 5" 1	2' 5" 6	2' 5" 11	3' 0" 13	3' 1" 3	3' 1" 10	3' 2" 0
10 IN 12	2' 5" 15	2' 6" 4	2' 6" 9	2' 6" 15	3' 1" 12	3' 2" 3	3' 2" 9	3' 3" 0
11 IN 12	2' 7" 3	2' 7" 9	2' 7" 14	2' 8" 3	3' 2" 12	3' 3" 3	3' 3" 10	3' 4" 0
12 IN 12	2' 8" 8	2' 8" 14	2' 9" 4	2' 9" 9	3' 3" 13	3' 4" 4	3' 4" 11	3' 5" 2
13 IN 12	2' 9" 15	2' 10" 4	2' 10" 10	2' 11" 0	3' 5" 0	3' 5" 7	3' 5" 14	3' 6" 5
14 IN 12	2' 11" 5	2' 11" 12	3' 0" 2	3' 0" 8	3' 6" 3	3' 6" 10	3' 7" 1	3' 7" 9
15 IN 12	3' 0" 13	3' 1" 3	3' 1" 10	3' 2" 0	3' 7" 7	3' 7" 14	3' 8" 6	3' 8" 13
16 IN 12	3' 2" 5	3' 2" 12	3' 3" 3	3' 3" 9	3' 8" 11	3' 9" 3	3' 9" 11	3' 10" 3
17 IN 12	3' 3" 14	3' 4" 5	3' 4" 12	3' 5" 3	3' 10" 1	3' 10" 9	3' 11" 1	3' 11" 9
18 IN 12	3' 5" 7	3' 5" 15	3' 6" 6	3' 6" 13	3' 11" 7	3' 11" 15	4' 0" 7	4' 0" 15
19 IN 12	3' 7" 1	3' 7" 9	3' 8" 0	3' 8" 8	4' 0" 13	4' 1" 6	4' 1" 14	4' 2" 7
20 IN 12	3' 8" 11	3' 9" 3	3' 9" 11	3' 10" 3	4' 2" 4	4' 2" 13	4' 3" 6	4' 3" 15
21 IN 12	3' 10" 6	3' 10" 14	3' 11" 6	3' 11" 14	4' 3" 12	4' 4" 5	4' 4" 14	4' 5" 7
22 IN 12	4' 0" 1	4' 0" 9	4' 1" 1	4' 1" 10	4' 5" 4	4' 5" 13	4' 6" 7	4' 7" 0
23 IN 12	4' 1" 12	4' 2" 4	4' 2" 13	4' 3" 6	4' 6" 13	4' 7" 6	4' 8" 0	4' 8" 9
24 IN 12	4' 3" 7	4' 4" 0	4' 4" 9	4' 5" 2	4' 8" 5	4' 8" 15	4' 9" 9	4' 10" 3
25 IN 12	4' 5" 2	4' 5" 12	4' 6" 5	4' 6" 14	4' 9" 15	4' 10" 9	4' 11" 3	4' 11" 13

2 Foot 0 Inch Run — Common Rafter Lengths   2 Foot 0 Inch Run — Hip Or Valley Rafter Lengths

Run -	2' 0"	2' 0 1/4"	2' 0 1/2"	2' 0 3/4"	2' 0"	2' 0 1/4"	2' 0 1/2"	2' 0 3/4"
Pitch	Ft In 16th"	Ft In 16th"	Ft In 16th"	Ft In 16th"	Ft In 16th"	Ft In 16th"	Ft In 16th"	Ft In 16th"
1 IN 12	2' 0" 1	2' 0" 5	2' 0" 9	2' 0" 13	2' 10" 0	2' 10" 6	2' 10" 11	2' 11" 1
2 IN 12	2' 0" 5	2' 0" 9	2' 0" 13	2' 1" 1	2' 10" 3	2' 10" 9	2' 10" 14	2' 11" 4
2.5 IN 12	2' 0" 8	2' 0" 12	2' 1" 0	2' 1" 5	2' 10" 5	2' 10" 11	2' 11" 0	2' 11" 6
3 IN 12	2' 0" 12	2' 1" 0	2' 1" 4	2' 1" 8	2' 10" 7	2' 10" 13	2' 11" 3	2' 11" 9
3.5 IN 12	2' 1" 0	2' 1" 4	2' 1" 8	2' 1" 13	2' 10" 10	2' 11" 0	2' 11" 6	2' 11" 12
4 IN 12	2' 1" 5	2' 1" 9	2' 1" 13	2' 2" 1	2' 10" 14	2' 11" 4	2' 11" 10	2' 11" 15
4.5 IN 12	2' 1" 10	2' 1" 14	2' 2" 3	2' 2" 7	2' 11" 2	2' 11" 8	2' 11" 14	3' 0" 3
5 IN 12	2' 2" 0	2' 2" 4	2' 2" 9	2' 2" 13	2' 11" 6	2' 11" 12	3' 0" 2	3' 0" 8
5.5 IN 12	2' 2" 6	2' 2" 11	2' 2" 15	2' 3" 4	2' 11" 11	3' 0" 1	3' 0" 7	3' 0" 13
6 IN 12	2' 2" 13	2' 3" 2	2' 3" 6	2' 3" 11	3' 0" 0	3' 0" 6	3' 0" 12	3' 1" 2
6.5 IN 12	2' 3" 5	2' 3" 9	2' 3" 14	2' 4" 2	3' 0" 6	3' 0" 12	3' 1" 2	3' 1" 8
7 IN 12	2' 3" 13	2' 4" 1	2' 4" 6	2' 4" 10	3' 0" 11	3' 1" 2	3' 1" 8	3' 1" 14
8 IN 12	2' 4" 14	2' 5" 2	2' 5" 7	2' 5" 12	3' 1" 8	3' 1" 15	3' 2" 5	3' 2" 11
9 IN 12	2' 6" 0	2' 6" 5	2' 6" 10	2' 6" 15	3' 2" 7	3' 2" 13	3' 3" 4	3' 3" 10
10 IN 12	2' 7" 4	2' 7" 9	2' 7" 14	2' 8" 3	3' 3" 6	3' 3" 13	3' 4" 3	3' 4" 10
11 IN 12	2' 8" 9	2' 8" 14	2' 9" 4	2' 9" 9	3' 4" 7	3' 4" 14	3' 5" 5	3' 5" 11
12 IN 12	2' 9" 15	2' 10" 5	2' 10" 10	2' 11" 0	3' 5" 9	3' 6" 0	3' 6" 7	3' 6" 14
13 IN 12	2' 11" 6	2' 11" 12	3' 0" 2	3' 0" 8	3' 6" 12	3' 7" 3	3' 7" 10	3' 8" 1
14 IN 12	3' 0" 14	3' 1" 4	3' 1" 10	3' 2" 0	3' 8" 0	3' 8" 7	3' 8" 15	3' 9" 6
15 IN 12	3' 2" 7	3' 2" 13	3' 3" 4	3' 3" 10	3' 9" 5	3' 9" 12	3' 10" 4	3' 10" 11
16 IN 12	3' 4" 0	3' 4" 7	3' 4" 13	3' 5" 4	3' 10" 10	3' 11" 2	3' 11" 10	4' 0" 2
17 IN 12	3' 5" 10	3' 6" 1	3' 6" 8	3' 6" 15	4' 0" 1	4' 0" 9	4' 1" 1	4' 1" 9
18 IN 12	3' 7" 4	3' 7" 11	3' 8" 3	3' 8" 10	4' 1" 8	4' 2" 0	4' 2" 8	4' 3" 0
19 IN 12	3' 8" 15	3' 9" 7	3' 9" 14	3' 10" 6	4' 2" 15	4' 3" 8	4' 4" 0	4' 4" 9
20 IN 12	3' 10" 10	3' 11" 2	3' 11" 10	4' 0" 2	4' 4" 7	4' 5" 0	4' 5" 9	4' 6" 2
21 IN 12	4' 0" 6	4' 0" 14	4' 1" 6	4' 1" 14	4' 6" 0	4' 6" 9	4' 7" 2	4' 7" 11
22 IN 12	4' 2" 2	4' 2" 10	4' 3" 3	4' 3" 11	4' 7" 9	4' 8" 2	4' 8" 12	4' 9" 5
23 IN 12	4' 3" 14	4' 4" 7	4' 4" 15	4' 5" 8	4' 9" 3	4' 9" 12	4' 10" 6	4' 10" 15
24 IN 12	4' 5" 11	4' 6" 4	4' 6" 13	4' 7" 5	4' 10" 13	4' 11" 6	5' 0" 0	5' 0" 10
25 IN 12	4' 7" 7	4' 8" 1	4' 8" 10	4' 9" 3	5' 0" 7	5' 1" 1	5' 1" 11	5' 2" 5

2 Foot 1 Inch Run — Common Rafter Lengths

Pitch	2' 1"	2' 1 1/4"	2' 1 1/2"	2' 1 3/4"
	Ft In 16th"	Ft In 16th"	Ft In 16th"	Ft In 16th"
1 IN 12	2' 1" 1	2' 1" 5	2' 1" 9	2' 1" 13
2 IN 12	2' 1" 6	2' 1" 10	2' 1" 14	2' 2" 2
2.5 IN 12	2' 1" 9	2' 1" 13	2' 2" 1	2' 2" 5
3 IN 12	2' 1" 12	2' 2" 0	2' 2" 5	2' 2" 9
3.5 IN 12	2' 2" 1	2' 2" 5	2' 2" 9	2' 2" 13
4 IN 12	2' 2" 6	2' 2" 10	2' 2" 14	2' 3" 2
4.5 IN 12	2' 2" 11	2' 2" 15	2' 3" 4	2' 3" 8
5 IN 12	2' 3" 1	2' 3" 6	2' 3" 10	2' 3" 14
5.5 IN 12	2' 3" 8	2' 3" 12	2' 4" 1	2' 4" 5
6 IN 12	2' 3" 15	2' 4" 4	2' 4" 8	2' 4" 13
6.5 IN 12	2' 4" 7	2' 4" 11	2' 5" 0	2' 5" 5
7 IN 12	2' 4" 15	2' 5" 4	2' 5" 8	2' 5" 13
8 IN 12	2' 6" 1	2' 6" 6	2' 6" 10	2' 6" 15
9 IN 12	2' 7" 4	2' 7" 9	2' 7" 14	2' 8" 3
10 IN 12	2' 8" 9	2' 8" 14	2' 9" 3	2' 9" 8
11 IN 12	2' 9" 15	2' 10" 4	2' 10" 9	2' 10" 15
12 IN 12	2' 11" 6	2' 11" 11	3' 0" 1	3' 0" 7
13 IN 12	3' 0" 14	3' 1" 4	3' 1" 10	3' 1" 15
14 IN 12	3' 2" 7	3' 2" 13	3' 3" 3	3' 3" 9
15 IN 12	3' 4" 0	3' 4" 7	3' 4" 13	3' 5" 4
16 IN 12	3' 5" 11	3' 6" 1	3' 6" 8	3' 6" 15
17 IN 12	3' 7" 6	3' 7" 13	3' 8" 3	3' 8" 10
18 IN 12	3' 9" 1	3' 9" 8	3' 10" 0	3' 10" 7
19 IN 12	3' 10" 13	3' 11" 5	3' 11" 12	4' 0" 4
20 IN 12	4' 0" 9	4' 1" 1	4' 1" 9	4' 2" 1
21 IN 12	4' 2" 6	4' 2" 14	4' 3" 6	4' 3" 14
22 IN 12	4' 4" 3	4' 4" 12	4' 5" 4	4' 5" 12
23 IN 12	4' 6" 1	4' 6" 9	4' 7" 2	4' 7" 11
24 IN 12	4' 7" 14	4' 8" 7	4' 9" 0	4' 9" 9
25 IN 12	4' 9" 12	4' 10" 6	4' 10" 15	4' 11" 8

2 Foot 1 Inch Run — Hip Or Valley Rafter Lengths

Pitch	2' 1"	2' 1 1/4"	2' 1 1/2"	2' 1 3/4"
	Ft In 16th"	Ft In 16th"	Ft In 16th"	Ft In 16th"
1 IN 12	2' 11" 7	2' 11" 12	3' 0" 2	3' 0" 8
2 IN 12	2' 11" 10	2' 11" 15	3' 0" 5	3' 0" 11
2.5 IN 12	2' 11" 12	3' 0" 2	3' 0" 7	3' 0" 13
3 IN 12	2' 11" 14	3' 0" 4	3' 0" 10	3' 1" 0
3.5 IN 12	3' 0" 2	3' 0" 7	3' 0" 13	3' 1" 3
4 IN 12	3' 0" 5	3' 0" 11	3' 1" 1	3' 1" 7
4.5 IN 12	3' 0" 9	3' 0" 15	3' 1" 5	3' 1" 11
5 IN 12	3' 0" 14	3' 1" 4	3' 1" 10	3' 1" 15
5.5 IN 12	3' 1" 3	3' 1" 9	3' 1" 15	3' 2" 4
6 IN 12	3' 1" 8	3' 1" 14	3' 2" 4	3' 2" 10
6.5 IN 12	3' 1" 14	3' 2" 4	3' 2" 10	3' 3" 0
7 IN 12	3' 2" 4	3' 2" 10	3' 3" 0	3' 3" 6
8 IN 12	3' 3" 1	3' 3" 8	3' 3" 14	3' 4" 4
9 IN 12	3' 4" 0	3' 4" 7	3' 4" 13	3' 5" 4
10 IN 12	3' 5" 1	3' 5" 7	3' 5" 14	3' 6" 4
11 IN 12	3' 6" 2	3' 6" 9	3' 7" 0	3' 7" 6
12 IN 12	3' 7" 5	3' 7" 12	3' 8" 3	3' 8" 10
13 IN 12	3' 8" 9	3' 9" 0	3' 9" 7	3' 9" 14
14 IN 12	3' 9" 13	3' 10" 5	3' 10" 12	3' 11" 3
15 IN 12	3' 11" 3	3' 11" 11	4' 0" 2	4' 0" 10
16 IN 12	4' 0" 9	4' 1" 1	4' 1" 9	4' 2" 1
17 IN 12	4' 2" 1	4' 2" 9	4' 3" 1	4' 3" 9
18 IN 12	4' 3" 9	4' 4" 1	4' 4" 9	4' 5" 1
19 IN 12	4' 5" 1	4' 5" 10	4' 6" 2	4' 6" 11
20 IN 12	4' 6" 10	4' 7" 3	4' 7" 12	4' 8" 5
21 IN 12	4' 8" 4	4' 8" 13	4' 9" 6	4' 9" 15
22 IN 12	4' 9" 14	4' 10" 7	4' 11" 1	4' 11" 10
23 IN 12	4' 11" 9	5' 0" 2	5' 0" 12	5' 1" 5
24 IN 12	5' 1" 4	5' 1" 14	5' 2" 7	5' 3" 1
25 IN 12	5' 2" 15	5' 3" 9	5' 4" 3	5' 4" 13

2 Foot 2 Inch Run — Common Rafter Lengths   2 Foot 2 Inch Run — Hip Or Valley Rafter Lengths

Run -	2' 2"	2' 2 1/4"	2' 2 1/2"	2' 2 3/4"	2' 2"	2' 2 1/4"	2' 2 1/2"	2' 2 3/4"
Pitch	Ft In 16th"	Ft In 16th"	Ft In 16th"	Ft In 16th"	Ft In 16th"	Ft In 16th"	Ft In 16th"	Ft In 16th"
1 IN 12	2' 2" 1	2' 2" 5	2' 2" 9	2' 2" 13	3' 0" 13	3' 1" 3	3' 1" 9	3' 1" 14
2 IN 12	2' 2" 6	2' 2" 10	2' 2" 14	2' 3" 2	3' 1" 0	3' 1" 6	3' 1" 12	3' 2" 1
2.5 IN 12	2' 2" 9	2' 2" 13	2' 3" 1	2' 3" 5	3' 1" 3	3' 1" 8	3' 1" 14	3' 2" 4
3 IN 12	2' 2" 13	2' 3" 1	2' 3" 5	2' 3" 9	3' 1" 5	3' 1" 11	3' 2" 1	3' 2" 7
3.5 IN 12	2' 3" 1	2' 3" 6	2' 3" 10	2' 3" 14	3' 1" 9	3' 1" 14	3' 2" 4	3' 2" 10
4 IN 12	2' 3" 7	2' 3" 11	2' 3" 15	2' 4" 3	3' 1" 12	3' 2" 2	3' 2" 8	3' 2" 14
4.5 IN 12	2' 3" 12	2' 4" 1	2' 4" 5	2' 4" 9	3' 2" 1	3' 2" 6	3' 2" 12	3' 3" 2
5 IN 12	2' 4" 3	2' 4" 7	2' 4" 11	2' 5" 0	3' 2" 5	3' 2" 11	3' 3" 1	3' 3" 7
5.5 IN 12	2' 4" 10	2' 4" 14	2' 5" 2	2' 5" 7	3' 2" 10	3' 3" 0	3' 3" 6	3' 3" 12
6 IN 12	2' 5" 1	2' 5" 6	2' 5" 10	2' 5" 15	3' 3" 0	3' 3" 6	3' 3" 12	3' 4" 2
6.5 IN 12	2' 5" 9	2' 5" 14	2' 6" 2	2' 6" 7	3' 3" 6	3' 3" 12	3' 4" 2	3' 4" 8
7 IN 12	2' 6" 2	2' 6" 6	2' 6" 11	2' 6" 15	3' 3" 12	3' 4" 3	3' 4" 9	3' 4" 15
8 IN 12	2' 7" 4	2' 7" 9	2' 7" 14	2' 8" 2	3' 4" 10	3' 5" 1	3' 5" 7	3' 5" 13
9 IN 12	2' 8" 8	2' 8" 13	2' 9" 2	2' 9" 7	3' 5" 10	3' 6" 0	3' 6" 7	3' 6" 13
10 IN 12	2' 9" 14	2' 10" 3	2' 10" 8	2' 10" 13	3' 6" 11	3' 7" 1	3' 7" 8	3' 7" 15
11 IN 12	2' 11" 4	2' 11" 10	2' 11" 15	3' 0" 5	3' 7" 13	3' 8" 4	3' 8" 11	3' 9" 1
12 IN 12	3' 0" 12	3' 1" 2	3' 1" 8	3' 1" 13	3' 9" 1	3' 9" 7	3' 9" 14	3' 10" 5
13 IN 12	3' 2" 5	3' 2" 11	3' 3" 1	3' 3" 7	3' 10" 5	3' 10" 12	3' 11" 3	3' 11" 10
14 IN 12	3' 3" 15	3' 4" 5	3' 4" 12	3' 5" 2	3' 11" 11	4' 0" 2	4' 0" 9	4' 1" 1
15 IN 12	3' 5" 10	3' 6" 0	3' 6" 7	3' 6" 13	4' 1" 1	4' 1" 9	4' 2" 0	4' 2" 8
16 IN 12	3' 7" 5	3' 7" 12	3' 8" 3	3' 8" 9	4' 2" 9	4' 3" 0	4' 3" 8	4' 4" 0
17 IN 12	3' 9" 1	3' 9" 8	3' 9" 15	3' 10" 6	4' 4" 1	4' 4" 9	4' 5" 1	4' 5" 9
18 IN 12	3' 10" 14	3' 11" 5	3' 11" 12	4' 0" 4	4' 5" 10	4' 6" 2	4' 6" 10	4' 7" 2
19 IN 12	4' 0" 11	4' 1" 3	4' 1" 10	4' 2" 2	4' 7" 3	4' 7" 12	4' 8" 4	4' 8" 13
20 IN 12	4' 2" 9	4' 3" 0	4' 3" 8	4' 4" 0	4' 8" 13	4' 9" 6	4' 9" 15	4' 10" 8
21 IN 12	4' 4" 6	4' 4" 15	4' 5" 7	4' 5" 15	4' 10" 8	4' 11" 1	4' 11" 10	5' 0" 3
22 IN 12	4' 6" 5	4' 6" 13	4' 7" 5	4' 7" 14	5' 0" 3	5' 0" 12	5' 1" 6	5' 1" 15
23 IN 12	4' 8" 3	4' 8" 12	4' 9" 5	4' 9" 13	5' 1" 15	5' 2" 8	5' 3" 2	5' 3" 11
24 IN 12	4' 10" 2	4' 10" 11	4' 11" 4	4' 11" 13	5' 3" 11	5' 4" 5	5' 4" 15	5' 5" 8
25 IN 12	5' 0" 1	5' 0" 11	5' 1" 4	5' 1" 13	5' 5" 7	5' 6" 2	5' 6" 12	5' 7" 6

Run – Pitch	Common 2' 3"	Common 2' 3 1/4"	Common 2' 3 1/2"	Common 2' 3 3/4"	Hip 2' 3"	Hip 2' 3 1/4"	Hip 2' 3 1/2"	Hip 2' 3 3/4"
	Ft In 16th"	Ft In 16th"	Ft In 16th"	Ft In 16th"	Ft In 16th"	Ft In 16th"	Ft In 16th"	Ft In 16th"
1 IN 12	2' 3" 1	2' 3" 6	2' 3" 10	2' 3" 14	3' 2" 4	3' 2" 10	3' 2" 15	3' 3" 5
2 IN 12	2' 3" 6	2' 3" 10	2' 3" 14	2' 4" 2	3' 2" 7	3' 2" 13	3' 3" 3	3' 3" 8
2.5 IN 12	2' 3" 9	2' 3" 13	2' 4" 1	2' 4" 6	3' 2" 10	3' 2" 15	3' 3" 5	3' 3" 11
3 IN 12	2' 3" 13	2' 4" 1	2' 4" 6	2' 4" 10	3' 2" 12	3' 3" 2	3' 3" 8	3' 3" 14
3.5 IN 12	2' 4" 2	2' 4" 6	2' 4" 10	2' 4" 15	3' 3" 0	3' 3" 6	3' 3" 11	3' 4" 1
4 IN 12	2' 4" 7	2' 4" 12	2' 5" 0	2' 5" 4	3' 3" 4	3' 3" 9	3' 3" 15	3' 4" 5
4.5 IN 12	2' 4" 13	2' 5" 2	2' 5" 6	2' 5" 10	3' 3" 8	3' 3" 14	3' 4" 4	3' 4" 10
5 IN 12	2' 5" 4	2' 5" 8	2' 5" 13	2' 6" 1	3' 3" 13	3' 4" 3	3' 4" 9	3' 4" 15
5.5 IN 12	2' 5" 11	2' 6" 0	2' 6" 4	2' 6" 8	3' 4" 2	3' 4" 8	3' 4" 14	3' 5" 4
6 IN 12	2' 6" 3	2' 6" 7	2' 6" 12	2' 7" 0	3' 4" 8	3' 4" 14	3' 5" 5	3' 5" 10
6.5 IN 12	2' 6" 11	2' 7" 0	2' 7" 4	2' 7" 9	3' 4" 14	3' 5" 4	3' 5" 10	3' 6" 0
7 IN 12	2' 7" 4	2' 7" 9	2' 7" 13	2' 8" 2	3' 5" 5	3' 5" 11	3' 6" 1	3' 6" 7
8 IN 12	2' 8" 7	2' 8" 12	2' 9" 1	2' 9" 6	3' 6" 3	3' 6" 10	3' 7" 0	3' 7" 6
9 IN 12	2' 9" 12	2' 10" 1	2' 10" 6	2' 10" 11	3' 7" 4	3' 7" 10	3' 8" 0	3' 8" 7
10 IN 12	2' 11" 2	2' 11" 8	2' 11" 13	3' 0" 2	3' 8" 5	3' 8" 12	3' 9" 2	3' 9" 9
11 IN 12	3' 0" 10	3' 0" 15	3' 1" 5	3' 1" 10	3' 9" 8	3' 9" 15	3' 10" 6	3' 10" 12
12 IN 12	3' 2" 3	3' 2" 9	3' 2" 14	3' 3" 4	3' 10" 12	3' 11" 3	3' 11" 10	4' 0" 1
13 IN 12	3' 3" 13	3' 4" 3	3' 4" 9	3' 4" 15	4' 0" 2	4' 0" 9	4' 1" 0	4' 1" 7
14 IN 12	3' 5" 8	3' 5" 14	3' 6" 4	3' 6" 10	4' 1" 8	4' 1" 15	4' 2" 7	4' 2" 14
15 IN 12	3' 7" 4	3' 7" 10	3' 8" 0	3' 8" 7	4' 2" 15	4' 3" 6	4' 3" 14	4' 4" 6
16 IN 12	3' 9" 0	3' 9" 7	3' 9" 13	3' 10" 4	4' 4" 8	4' 4" 15	4' 5" 7	4' 5" 15
17 IN 12	3' 10" 13	3' 11" 4	3' 11" 11	4' 0" 2	4' 6" 1	4' 6" 9	4' 7" 1	4' 7" 9
18 IN 12	4' 0" 11	4' 1" 2	4' 1" 9	4' 2" 0	4' 7" 11	4' 8" 3	4' 8" 11	4' 9" 3
19 IN 12	4' 2" 9	4' 3" 0	4' 3" 8	4' 3" 15	4' 9" 5	4' 9" 14	4' 10" 6	4' 10" 15
20 IN 12	4' 4" 8	4' 4" 15	4' 5" 7	4' 5" 15	4' 11" 0	4' 11" 9	5' 0" 2	5' 0" 11
21 IN 12	4' 6" 7	4' 6" 15	4' 7" 7	4' 7" 15	5' 0" 12	5' 1" 5	5' 1" 14	5' 2" 7
22 IN 12	4' 8" 6	4' 8" 15	4' 9" 7	4' 9" 15	5' 2" 8	5' 3" 2	5' 3" 11	5' 4" 4
23 IN 12	4' 10" 6	4' 10" 15	4' 11" 7	5' 0" 0	5' 4" 5	5' 4" 15	5' 5" 8	5' 6" 2
24 IN 12	5' 0" 6	5' 0" 15	5' 1" 8	5' 2" 1	5' 6" 2	5' 6" 10	5' 7" 6	5' 8" 0
25 IN 12	5' 2" 6	5' 3" 0	5' 3" 9	5' 4" 2	5' 8" 0	5' 8" 10	5' 9" 4	5' 9" 14

2 Foot 4 Inch Run — Common Rafter Lengths

Run - Pitch	2' 4"	2' 4 1/4"	2' 4 1/2"	2' 4 3/4"
	Ft In 16th"	Ft In 16th"	Ft In 16th"	Ft In 16th"
1 IN 12	2' 4" 2	2' 4" 6	2' 4" 10	2' 4" 14
2 IN 12	2' 4" 6	2' 4" 10	2' 4" 14	2' 5" 2
2.5 IN 12	2' 4" 10	2' 4" 14	2' 5" 2	2' 5" 6
3 IN 12	2' 4" 14	2' 5" 2	2' 5" 6	2' 5" 10
3.5 IN 12	2' 5" 2	2' 5" 7	2' 5" 11	2' 5" 15
4 IN 12	2' 5" 8	2' 5" 12	2' 6" 1	2' 6" 5
4.5 IN 12	2' 5" 14	2' 6" 3	2' 6" 7	2' 6" 11
5 IN 12	2' 6" 5	2' 6" 10	2' 6" 14	2' 7" 2
5.5 IN 12	2' 6" 13	2' 7" 1	2' 7" 6	2' 7" 10
6 IN 12	2' 7" 5	2' 7" 9	2' 7" 14	2' 8" 2
6.5 IN 12	2' 7" 14	2' 8" 2	2' 8" 7	2' 8" 11
7 IN 12	2' 8" 7	2' 8" 11	2' 9" 0	2' 9" 5
8 IN 12	2' 9" 10	2' 9" 15	2' 10" 4	2' 10" 9
9 IN 12	2' 11" 0	2' 11" 5	2' 11" 10	2' 11" 15
10 IN 12	3' 0" 7	3' 0" 12	3' 1" 2	3' 1" 7
11 IN 12	3' 2" 0	3' 2" 5	3' 2" 11	3' 3" 0
12 IN 12	3' 3" 10	3' 3" 15	3' 4" 5	3' 4" 11
13 IN 12	3' 5" 4	3' 5" 10	3' 6" 0	3' 6" 6
14 IN 12	3' 7" 0	3' 7" 7	3' 7" 13	3' 8" 3
15 IN 12	3' 8" 13	3' 9" 4	3' 9" 10	3' 10" 0
16 IN 12	3' 10" 11	3' 11" 1	3' 11" 8	3' 11" 15
17 IN 12	4' 0" 9	4' 1" 0	4' 1" 7	4' 1" 14
18 IN 12	4' 2" 8	4' 2" 15	4' 3" 6	4' 3" 13
19 IN 12	4' 4" 4	4' 4" 14	4' 5" 6	4' 5" 13
20 IN 12	4' 6" 7	4' 6" 15	4' 7" 6	4' 7" 14
21 IN 12	4' 8" 7	4' 8" 15	4' 9" 7	4' 9" 15
22 IN 12	4' 10" 8	4' 11" 0	4' 11" 8	5' 0" 1
23 IN 12	5' 0" 9	5' 1" 1	5' 1" 10	5' 2" 2
24 IN 12	5' 2" 10	5' 3" 3	5' 3" 12	5' 4" 5
25 IN 12	5' 4" 11	5' 5" 5	5' 5" 14	5' 6" 7

2 Foot 4 Inch Run — Hip Or Valley Rafter Lengths

Run - Pitch	2' 4"	2' 4 1/4"	2' 4 1/2"	2' 4 3/4"
	Ft In 16th"	Ft In 16th"	Ft In 16th"	Ft In 16th"
1 IN 12	3' 3" 11	3' 4" 0	3' 4" 6	3' 4" 12
2 IN 12	3' 3" 14	3' 4" 4	3' 4" 9	3' 4" 15
2.5 IN 12	3' 4" 0	3' 4" 6	3' 4" 12	3' 5" 2
3 IN 12	3' 4" 3	3' 4" 9	3' 4" 15	3' 5" 5
3.5 IN 12	3' 4" 7	3' 4" 13	3' 5" 2	3' 5" 8
4 IN 12	3' 4" 11	3' 5" 1	3' 5" 7	3' 5" 12
4.5 IN 12	3' 4" 15	3' 5" 5	3' 5" 11	3' 6" 1
5 IN 12	3' 5" 4	3' 5" 10	3' 6" 0	3' 6" 6
5.5 IN 12	3' 5" 10	3' 6" 0	3' 6" 6	3' 6" 12
6 IN 12	3' 6" 0	3' 6" 6	3' 6" 12	3' 7" 2
6.5 IN 12	3' 6" 6	3' 6" 13	3' 7" 3	3' 7" 9
7 IN 12	3' 6" 13	3' 7" 3	3' 7" 10	3' 8" 0
8 IN 12	3' 7" 12	3' 8" 3	3' 8" 9	3' 8" 15
9 IN 12	3' 8" 13	3' 9" 4	3' 9" 10	3' 10" 0
10 IN 12	3' 9" 15	3' 10" 6	3' 10" 13	3' 11" 3
11 IN 12	3' 11" 3	3' 11" 10	4' 0" 1	4' 0" 7
12 IN 12	4' 0" 8	4' 0" 15	4' 1" 6	4' 1" 13
13 IN 12	4' 1" 14	4' 2" 5	4' 2" 12	4' 3" 3
14 IN 12	4' 3" 5	4' 3" 13	4' 4" 4	4' 4" 11
15 IN 12	4' 4" 14	4' 5" 5	4' 5" 13	4' 6" 4
16 IN 12	4' 6" 7	4' 6" 15	4' 7" 6	4' 7" 14
17 IN 12	4' 8" 1	4' 8" 9	4' 9" 1	4' 9" 9
18 IN 12	4' 9" 12	4' 10" 4	4' 10" 12	4' 11" 4
19 IN 12	4' 11" 7	5' 0" 0	5' 0" 8	5' 1" 1
20 IN 12	5' 1" 3	5' 1" 12	5' 2" 5	5' 2" 13
21 IN 12	5' 3" 0	5' 3" 9	5' 4" 2	5' 4" 11
22 IN 12	5' 4" 13	5' 5" 7	5' 6" 0	5' 6" 9
23 IN 12	5' 6" 11	5' 7" 5	5' 7" 14	5' 8" 8
24 IN 12	5' 8" 9	5' 9" 3	5' 9" 13	5' 10" 7
25 IN 12	5' 10" 8	5' 11" 2	5' 11" 12	6' 0" 6

2 Foot 5 Inch Run — Common Rafter Lengths / 2 Foot 5 Inch Run — Hip Or Valley Rafter Lengths

Pitch	Common 2' 5"	Common 2' 5 1/4"	Common 2' 5 1/2"	Common 2' 5 3/4"	Hip/Valley 2' 5"	Hip/Valley 2' 5 1/4"	Hip/Valley 2' 5 1/2"	Hip/Valley 2' 5 3/4"
1 IN 12	2' 5" 2	2' 5" 6	2' 5" 10	2' 5" 14	3' 5" 1	3' 5" 7	3' 5" 13	3' 6" 2
2 IN 12	2' 5" 6	2' 5" 10	2' 5" 15	2' 6" 3	3' 5" 5	3' 5" 10	3' 6" 0	3' 6" 6
2.5 IN 12	2' 5" 10	2' 5" 14	2' 6" 2	2' 6" 6	3' 5" 7	3' 5" 13	3' 6" 3	3' 6" 8
3 IN 12	2' 5" 14	2' 6" 2	2' 6" 7	2' 6" 11	3' 5" 10	3' 6" 0	3' 6" 6	3' 6" 12
3.5 IN 12	2' 6" 3	2' 6" 8	2' 6" 12	2' 7" 0	3' 5" 14	3' 6" 4	3' 6" 10	3' 6" 15
4 IN 12	2' 6" 9	2' 6" 13	2' 7" 2	2' 7" 6	3' 6" 2	3' 6" 8	3' 6" 14	3' 7" 4
4.5 IN 12	2' 7" 0	2' 7" 4	2' 7" 8	2' 7" 12	3' 6" 7	3' 6" 13	3' 7" 3	3' 7" 8
5 IN 12	2' 7" 7	2' 7" 11	2' 7" 15	2' 8" 4	3' 6" 12	3' 7" 2	3' 7" 8	3' 7" 14
5.5 IN 12	2' 7" 14	2' 8" 3	2' 8" 7	2' 8" 12	3' 7" 2	3' 7" 8	3' 7" 14	3' 8" 4
6 IN 12	2' 8" 7	2' 8" 11	2' 9" 0	2' 9" 4	3' 7" 8	3' 7" 14	3' 8" 4	3' 8" 10
6.5 IN 12	2' 9" 0	2' 9" 4	2' 9" 9	2' 9" 13	3' 7" 15	3' 8" 5	3' 8" 11	3' 9" 1
7 IN 12	2' 9" 9	2' 9" 14	2' 10" 2	2' 10" 7	3' 8" 6	3' 8" 12	3' 9" 2	3' 9" 8
8 IN 12	2' 10" 14	2' 11" 2	2' 11" 7	2' 11" 12	3' 9" 5	3' 9" 12	3' 10" 2	3' 10" 8
9 IN 12	3' 0" 4	3' 0" 9	3' 0" 14	3' 1" 3	3' 10" 7	3' 10" 13	3' 11" 4	3' 11" 10
10 IN 12	3' 1" 12	3' 2" 1	3' 2" 6	3' 2" 12	3' 11" 10	4' 0" 0	4' 0" 7	4' 0" 13
11 IN 12	3' 3" 5	3' 3" 11	3' 4" 0	3' 4" 6	4' 0" 14	4' 1" 5	4' 1" 11	4' 2" 2
12 IN 12	3' 5" 0	3' 5" 6	3' 5" 12	3' 6" 1	4' 2" 4	4' 2" 11	4' 3" 2	4' 3" 8
13 IN 12	3' 6" 12	3' 7" 2	3' 7" 8	3' 7" 14	4' 3" 11	4' 4" 2	4' 4" 9	4' 5" 0
14 IN 12	3' 8" 9	3' 8" 15	3' 9" 5	3' 9" 11	4' 5" 3	4' 5" 10	4' 6" 1	4' 6" 9
15 IN 12	3' 10" 7	3' 10" 13	3' 11" 4	3' 11" 10	4' 6" 12	4' 7" 3	4' 7" 11	4' 8" 2
16 IN 12	4' 0" 5	4' 0" 12	4' 1" 3	4' 1" 9	4' 8" 6	4' 8" 14	4' 9" 5	4' 9" 13
17 IN 12	4' 2" 5	4' 2" 12	4' 3" 2	4' 3" 9	4' 10" 1	4' 10" 9	4' 11" 1	4' 11" 9
18 IN 12	4' 4" 4	4' 4" 12	4' 5" 3	4' 5" 10	4' 11" 13	5' 0" 5	5' 0" 13	5' 1" 5
19 IN 12	4' 6" 4	4' 6" 12	4' 7" 4	4' 7" 11	5' 1" 9	5' 2" 2	5' 2" 10	5' 3" 3
20 IN 12	4' 8" 6	4' 8" 14	4' 9" 5	4' 9" 13	5' 3" 6	5' 3" 15	5' 4" 8	5' 5" 0
21 IN 12	4' 10" 7	4' 10" 15	4' 11" 7	4' 11" 15	5' 5" 4	5' 5" 13	5' 6" 6	5' 6" 15
22 IN 12	5' 0" 9	5' 1" 1	5' 1" 10	5' 2" 2	5' 7" 2	5' 7" 12	5' 8" 5	5' 8" 14
23 IN 12	5' 2" 11	5' 3" 4	5' 3" 12	5' 4" 5	5' 9" 1	5' 9" 11	5' 10" 4	5' 10" 14
24 IN 12	5' 4" 14	5' 5" 6	5' 5" 15	5' 6" 8	5' 11" 1	5' 11" 10	6' 0" 4	6' 0" 14
25 IN 12	5' 7" 0	5' 7" 10	5' 8" 3	5' 8" 12	6' 1" 0	6' 1" 10	6' 2" 4	6' 2" 15

2 Foot 6 Inch Run — Common Rafter Lengths   2 Foot 6 Inch Run — Hip Or Valley Rafter Lengths

Run -	2' 6"	2' 6 1/4"	2' 6 1/2"	2' 6 3/4"	2' 6"	2' 6 1/4"	2' 6 1/2"	2' 6 3/4"
Pitch	Ft In 16th"	Ft In 16th"	Ft In 16th"	Ft In 16th"	Ft In 16th"	Ft In 16th"	Ft In 16th"	Ft In 16th"
1 IN 12	2' 6" 2	2' 6" 6	2' 6" 10	2' 6" 14	3' 6" 8	3' 6" 14	3' 7" 3	3' 7" 9
2 IN 12	2' 6" 7	2' 6" 11	2' 6" 15	2' 7" 3	3' 6" 12	3' 7" 1	3' 7" 7	3' 7" 13
2.5 IN 12	2' 6" 10	2' 6" 14	2' 7" 2	2' 7" 7	3' 6" 14	3' 7" 4	3' 7" 10	3' 7" 15
3 IN 12	2' 6" 15	2' 7" 3	2' 7" 7	2' 7" 11	3' 7" 1	3' 7" 7	3' 7" 13	3' 8" 3
3.5 IN 12	2' 7" 4	2' 7" 8	2' 7" 12	2' 8" 1	3' 7" 5	3' 7" 11	3' 8" 1	3' 8" 6
4 IN 12	2' 7" 10	2' 7" 14	2' 8" 2	2' 8" 7	3' 7" 9	3' 7" 15	3' 8" 5	3' 8" 11
4.5 IN 12	2' 8" 1	2' 8" 5	2' 8" 9	2' 8" 13	3' 7" 14	3' 8" 4	3' 8" 10	3' 9" 0
5 IN 12	2' 8" 8	2' 8" 12	2' 9" 1	2' 9" 5	3' 8" 4	3' 8" 10	3' 8" 15	3' 9" 5
5.5 IN 12	2' 9" 0	2' 9" 4	2' 9" 9	2' 9" 13	3' 8" 10	3' 9" 0	3' 9" 5	3' 9" 11
6 IN 12	2' 9" 9	2' 9" 13	2' 10" 2	2' 10" 6	3' 9" 0	3' 9" 6	3' 9" 12	3' 10" 2
6.5 IN 12	2' 10" 2	2' 10" 6	2' 10" 11	2' 11" 0	3' 9" 7	3' 9" 13	3' 10" 3	3' 10" 9
7 IN 12	2' 10" 12	2' 11" 0	2' 11" 5	2' 11" 10	3' 9" 14	3' 10" 4	3' 10" 11	3' 11" 1
8 IN 12	3' 0" 1	3' 0" 6	3' 0" 11	3' 0" 15	3' 10" 14	3' 11" 5	3' 11" 11	4' 0" 1
9 IN 12	3' 1" 8	3' 1" 13	3' 2" 2	3' 2" 7	4' 0" 0	4' 0" 7	4' 0" 13	4' 1" 4
10 IN 12	3' 3" 1	3' 3" 6	3' 3" 11	3' 4" 0	4' 1" 4	4' 1" 10	4' 2" 1	4' 2" 8
11 IN 12	3' 4" 11	3' 5" 1	3' 5" 6	3' 5" 11	4' 2" 9	4' 3" 0	4' 3" 6	4' 3" 13
12 IN 12	3' 6" 7	3' 6" 12	3' 7" 2	3' 7" 8	4' 3" 15	4' 4" 6	4' 4" 13	4' 5" 4
13 IN 12	3' 8" 4	3' 8" 10	3' 8" 15	3' 9" 5	4' 5" 7	4' 5" 14	4' 6" 5	4' 6" 12
14 IN 12	3' 10" 2	3' 10" 8	3' 10" 14	3' 11" 4	4' 7" 0	4' 7" 7	4' 7" 15	4' 8" 6
15 IN 12	4' 0" 0	4' 0" 7	4' 0" 13	4' 1" 4	4' 8" 10	4' 9" 2	4' 9" 9	4' 10" 1
16 IN 12	4' 2" 0	4' 2" 7	4' 2" 13	4' 3" 4	4' 10" 5	4' 10" 13	4' 11" 5	4' 11" 12
17 IN 12	4' 4" 0	4' 4" 7	4' 4" 14	4' 5" 5	5' 0" 1	5' 0" 9	5' 1" 1	5' 1" 9
18 IN 12	4' 6" 1	4' 6" 9	4' 7" 0	4' 7" 7	5' 1" 14	5' 2" 6	5' 2" 14	5' 3" 6
19 IN 12	4' 8" 3	4' 8" 10	4' 9" 2	4' 9" 9	5' 3" 11	5' 4" 4	5' 4" 12	5' 5" 4
20 IN 12	4' 10" 5	4' 10" 13	4' 11" 5	4' 11" 12	5' 5" 9	5' 6" 2	5' 6" 11	5' 7" 3
21 IN 12	5' 0" 7	5' 1" 0	5' 1" 8	5' 2" 0	5' 7" 8	5' 8" 1	5' 8" 10	5' 9" 3
22 IN 12	5' 2" 10	5' 3" 3	5' 3" 11	5' 4" 3	5' 9" 7	5' 10" 1	5' 10" 10	5' 11" 3
23 IN 12	5' 4" 14	5' 5" 6	5' 5" 15	5' 6" 8	5' 11" 7	6' 0" 1	6' 0" 10	6' 1" 4
24 IN 12	5' 7" 1	5' 7" 10	5' 8" 3	5' 8" 12	6' 1" 8	6' 2" 2	6' 2" 11	6' 3" 5
25 IN 12	5' 9" 5	5' 9" 14	5' 10" 8	5' 11" 1	6' 3" 9	6' 4" 3	6' 4" 13	6' 5" 7

2 Foot 7 Inch Run — Common Rafter Lengths   2 Foot 7 Inch Run — Hip Or Valley Rafter Lengths

Run -	2' 7"	2' 7 1/4"	2' 7 1/2"	2' 7 3/4"	2' 7"	2' 7 1/4"	2' 7 1/2"	2' 7 3/4"
Pitch	Ft In 16th"	Ft In 16th"	Ft In 16th"	Ft In 16th"	Ft In 16th"	Ft In 16th"	Ft In 16th"	Ft In 16th"
1 IN 12	2' 7" 2	2' 7" 6	2' 7" 10	2' 7" 14	3' 7" 15	3' 8" 4	3' 8" 10	3' 9" 0
2 IN 12	2' 7" 7	2' 7" 11	2' 7" 15	2' 8" 3	3' 8" 2	3' 8" 8	3' 8" 14	3' 9" 3
2.5 IN 12	2' 7" 11	2' 7" 15	2' 8" 3	2' 8" 7	3' 8" 5	3' 8" 11	3' 9" 0	3' 9" 6
3 IN 12	2' 7" 15	2' 8" 3	2' 8" 8	2' 8" 12	3' 8" 8	3' 8" 14	3' 9" 4	3' 9" 10
3.5 IN 12	2' 8" 5	2' 8" 9	2' 8" 13	2' 9" 1	3' 8" 12	3' 9" 2	3' 9" 8	3' 9" 14
4 IN 12	2' 8" 11	2' 8" 15	2' 9" 3	2' 9" 7	3' 9" 1	3' 9" 6	3' 9" 12	3' 10" 2
4.5 IN 12	2' 9" 2	2' 9" 6	2' 9" 10	2' 9" 15	3' 9" 6	3' 9" 12	3' 10" 1	3' 10" 7
5 IN 12	2' 9" 9	2' 9" 14	2' 10" 2	2' 10" 6	3' 9" 11	3' 10" 1	3' 10" 7	3' 10" 13
5.5 IN 12	2' 10" 2	2' 10" 6	2' 10" 10	2' 10" 15	3' 10" 1	3' 10" 7	3' 10" 13	3' 11" 3
6 IN 12	2' 10" 11	2' 10" 15	2' 11" 3	2' 11" 8	3' 10" 8	3' 10" 14	3' 11" 4	3' 11" 10
6.5 IN 12	2' 11" 4	2' 11" 9	2' 11" 13	3' 0" 2	3' 10" 15	3' 11" 5	3' 11" 11	4' 0" 1
7 IN 12	2' 11" 14	3' 0" 3	3' 0" 7	3' 0" 12	3' 11" 7	3' 11" 14	4' 0" 3	4' 0" 9
8 IN 12	3' 1" 4	3' 1" 9	3' 1" 14	3' 2" 3	4' 0" 7	4' 0" 14	4' 1" 4	4' 1" 10
9 IN 12	3' 2" 12	3' 3" 1	3' 3" 6	3' 3" 11	4' 1" 10	4' 2" 0	4' 2" 7	4' 2" 13
10 IN 12	3' 4" 6	3' 4" 11	3' 5" 0	3' 5" 5	4' 2" 14	4' 3" 5	4' 3" 11	4' 4" 2
11 IN 12	3' 6" 1	3' 6" 6	3' 6" 12	3' 7" 1	4' 4" 4	4' 4" 11	4' 5" 1	4' 5" 8
12 IN 12	3' 7" 13	3' 8" 3	3' 8" 9	3' 8" 14	4' 5" 11	4' 6" 2	4' 6" 9	4' 7" 0
13 IN 12	3' 9" 11	3' 10" 1	3' 10" 7	3' 10" 13	4' 7" 4	4' 7" 11	4' 8" 2	4' 8" 9
14 IN 12	3' 11" 10	4' 0" 0	4' 0" 6	4' 0" 13	4' 8" 13	4' 9" 5	4' 9" 12	4' 10" 3
15 IN 12	4' 1" 10	4' 2" 0	4' 2" 7	4' 2" 13	4' 10" 8	4' 11" 0	4' 11" 7	4' 11" 15
16 IN 12	4' 3" 11	4' 4" 1	4' 4" 8	4' 4" 15	5' 0" 4	5' 0" 12	5' 1" 4	5' 1" 11
17 IN 12	4' 5" 12	4' 6" 3	4' 6" 10	4' 7" 1	5' 2" 1	5' 2" 9	5' 3" 1	5' 3" 9
18 IN 12	4' 7" 14	4' 8" 5	4' 8" 13	4' 9" 4	5' 3" 15	5' 4" 7	5' 4" 15	5' 5" 7
19 IN 12	4' 10" 1	4' 10" 8	4' 11" 0	4' 11" 7	5' 5" 13	5' 6" 5	5' 6" 14	5' 7" 6
20 IN 12	5' 0" 4	5' 0" 12	5' 1" 4	5' 1" 11	5' 7" 12	5' 8" 5	5' 8" 14	5' 9" 6
21 IN 12	5' 2" 8	5' 3" 0	5' 3" 8	5' 4" 0	5' 9" 12	5' 10" 5	5' 10" 14	5' 11" 7
22 IN 12	5' 4" 12	5' 5" 4	5' 5" 13	5' 6" 5	5' 11" 12	6' 0" 6	6' 0" 15	6' 1" 8
23 IN 12	5' 7" 0	5' 7" 9	5' 8" 2	5' 8" 10	6' 1" 13	6' 2" 7	6' 3" 0	6' 3" 10
24 IN 12	5' 9" 5	5' 9" 14	5' 10" 7	5' 11" 0	6' 3" 15	6' 4" 9	6' 5" 3	6' 5" 12
25 IN 12	5' 11" 10	6' 0" 3	6' 0" 13	6' 1" 6	6' 6" 1	6' 6" 11	6' 7" 5	6' 7" 15

2 Foot 8 Inch Run — Common Rafter Lengths   2 Foot 8 Inch Run — Hip Or Valley Rafter Lengths

Pitch	Run – 2' 8"	2' 8 1/4"	2' 8 1/2"	2' 8 3/4"	2' 8"	2' 8 1/4"	2' 8 1/2"	2' 8 3/4"
	Ft In 16th"	Ft In 16th"	Ft In 16th"	Ft In 16th"	Ft In 16th"	Ft In 16th"	Ft In 16th"	Ft In 16th"
1 IN 12	2' 8" 2	2' 8" 6	2' 8" 10	2' 8" 14	3' 9" 5	3' 9" 11	3' 10" 1	3' 10" 6
2 IN 12	2' 8" 7	2' 8" 11	2' 8" 15	2' 9" 3	3' 9" 9	3' 9" 15	3' 10" 4	3' 10" 10
2.5 IN 12	2' 8" 11	2' 8" 15	2' 9" 3	2' 9" 7	3' 9" 12	3' 10" 2	3' 10" 7	3' 10" 13
3 IN 12	2' 9" 0	2' 9" 4	2' 9" 8	2' 9" 12	3' 9" 15	3' 10" 5	3' 10" 11	3' 11" 1
3.5 IN 12	2' 9" 5	2' 9" 10	2' 9" 14	2' 10" 2	3' 10" 3	3' 10" 9	3' 10" 15	3' 11" 5
4 IN 12	2' 9" 12	2' 10" 0	2' 10" 4	2' 10" 8	3' 10" 8	3' 10" 14	3' 11" 4	3' 11" 9
4.5 IN 12	2' 10" 3	2' 10" 7	2' 10" 11	2' 11" 0	3' 10" 13	3' 11" 3	3' 11" 9	3' 11" 15
5 IN 12	2' 10" 11	2' 10" 15	2' 11" 3	2' 11" 8	3' 11" 3	3' 11" 9	3' 11" 15	4' 0" 5
5.5 IN 12	2' 11" 3	2' 11" 8	2' 11" 12	3' 0" 0	3' 11" 9	3' 11" 15	4' 0" 5	4' 0" 11
6 IN 12	2' 11" 12	3' 0" 1	3' 0" 5	3' 0" 10	4' 0" 0	4' 0" 6	4' 0" 12	4' 1" 2
6.5 IN 12	3' 0" 6	3' 0" 11	3' 0" 15	3' 1" 4	4' 0" 7	4' 0" 13	4' 1" 3	4' 1" 10
7 IN 12	3' 1" 1	3' 1" 5	3' 1" 10	3' 1" 15	4' 0" 15	4' 1" 5	4' 1" 11	4' 2" 2
8 IN 12	3' 2" 7	3' 2" 12	3' 3" 1	3' 3" 6	4' 2" 0	4' 2" 7	4' 2" 13	4' 3" 3
9 IN 12	3' 4" 0	3' 4" 5	3' 4" 10	3' 4" 15	4' 3" 4	4' 3" 10	4' 4" 0	4' 4" 7
10 IN 12	3' 5" 10	3' 6" 0	3' 6" 5	3' 6" 10	4' 4" 8	4' 4" 15	4' 5" 6	4' 5" 12
11 IN 12	3' 7" 7	3' 7" 12	3' 8" 1	3' 8" 7	4' 5" 15	4' 6" 6	4' 6" 12	4' 7" 3
12 IN 12	3' 9" 4	3' 9" 10	3' 9" 15	3' 10" 5	4' 7" 7	4' 7" 14	4' 8" 5	4' 8" 12
13 IN 12	3' 11" 3	3' 11" 9	3' 11" 15	4' 0" 5	4' 9" 0	4' 9" 7	4' 9" 14	4' 10" 5
14 IN 12	4' 1" 3	4' 1" 9	4' 1" 15	4' 2" 5	4' 10" 11	4' 11" 2	4' 11" 9	5' 0" 1
15 IN 12	4' 3" 4	4' 3" 10	4' 4" 0	4' 4" 7	5' 0" 6	5' 0" 14	5' 1" 5	5' 1" 13
16 IN 12	4' 5" 5	4' 5" 12	4' 6" 3	4' 6" 9	5' 2" 3	5' 2" 11	5' 3" 3	5' 3" 10
17 IN 12	4' 7" 8	4' 7" 15	4' 8" 6	4' 8" 13	5' 4" 1	5' 4" 9	5' 5" 1	5' 5" 9
18 IN 12	4' 9" 11	4' 10" 2	4' 10" 9	4' 11" 1	5' 6" 0	5' 6" 8	5' 7" 0	5' 7" 8
19 IN 12	4' 11" 15	5' 0" 6	5' 0" 14	5' 1" 5	5' 7" 15	5' 8" 7	5' 9" 0	5' 9" 8
20 IN 12	5' 2" 3	5' 2" 11	5' 3" 3	5' 3" 10	5' 9" 15	5' 10" 8	5' 11" 1	5' 11" 9
21 IN 12	5' 4" 0	5' 5" 0	5' 5" 8	5' 6" 0	6' 0" 0	6' 0" 9	6' 1" 2	6' 1" 11
22 IN 12	5' 6" 13	5' 7" 6	5' 7" 14	5' 8" 6	6' 2" 1	6' 2" 11	6' 3" 4	6' 3" 13
23 IN 12	5' 9" 3	5' 9" 12	5' 10" 4	5' 10" 13	6' 4" 4	6' 4" 13	6' 5" 7	6' 6" 0
24 IN 12	5' 11" 9	6' 0" 2	6' 0" 11	6' 1" 4	6' 6" 6	6' 7" 0	6' 7" 10	6' 8" 4
25 IN 12	6' 1" 15	6' 2" 8	6' 3" 2	6' 3" 11	6' 8" 9	6' 9" 3	6' 9" 13	6' 10" 7

2 Foot 9 Inch Run — Common Rafter Lengths

Run - Pitch	2' 9"	2' 9 1/4"	2' 9 1/2"	2' 9 3/4"
	Ft In 16th"	Ft In 16th"	Ft In 16th"	Ft In 16th"
1 IN 12	2' 9" 2	2' 9" 6	2' 9" 10	2' 9" 14
2 IN 12	2' 9" 7	2' 9" 11	2' 9" 15	2' 10" 3
2.5 IN 12	2' 9" 11	2' 9" 15	2' 10" 4	2' 10" 8
3 IN 12	2' 10" 0	2' 10" 4	2' 10" 8	2' 10" 13
3.5 IN 12	2' 10" 6	2' 10" 10	2' 10" 14	2' 11" 3
4 IN 12	2' 10" 13	2' 11" 1	2' 11" 5	2' 11" 9
4.5 IN 12	2' 11" 4	2' 11" 8	2' 11" 12	3' 0" 1
5 IN 12	2' 11" 12	3' 0" 0	3' 0" 5	3' 0" 9
5.5 IN 12	3' 0" 5	3' 0" 9	3' 0" 14	3' 1" 2
6 IN 12	3' 0" 14	3' 1" 3	3' 1" 7	3' 1" 12
6.5 IN 12	3' 1" 8	3' 1" 13	3' 2" 2	3' 2" 6
7 IN 12	3' 2" 3	3' 2" 8	3' 2" 13	3' 3" 1
8 IN 12	3' 3" 11	3' 3" 15	3' 4" 4	3' 4" 9
9 IN 12	3' 5" 4	3' 5" 9	3' 5" 14	3' 6" 3
10 IN 12	3' 6" 15	3' 7" 5	3' 7" 10	3' 7" 15
11 IN 12	3' 8" 12	3' 9" 2	3' 9" 7	3' 9" 13
12 IN 12	3' 10" 11	3' 11" 0	3' 11" 6	3' 11" 12
13 IN 12	4' 0" 10	4' 1" 0	4' 1" 6	4' 1" 12
14 IN 12	4' 2" 11	4' 3" 1	4' 3" 8	4' 3" 14
15 IN 12	4' 4" 13	4' 5" 4	4' 5" 10	4' 6" 0
16 IN 12	4' 7" 0	4' 7" 7	4' 7" 13	4' 8" 4
17 IN 12	4' 9" 4	4' 9" 11	4' 10" 1	4' 10" 8
18 IN 12	4' 11" 8	4' 11" 15	5' 0" 6	5' 0" 13
19 IN 12	5' 1" 13	5' 2" 4	5' 2" 12	5' 3" 3
20 IN 12	5' 4" 2	5' 4" 10	5' 5" 2	5' 5" 10
21 IN 12	5' 6" 8	5' 7" 0	5' 7" 8	5' 8" 0
22 IN 12	5' 8" 15	5' 9" 7	5' 9" 15	5' 10" 8
23 IN 12	5' 11" 5	5' 11" 14	6' 0" 7	6' 0" 15
24 IN 12	6' 1" 13	6' 2" 6	6' 2" 15	6' 3" 7
25 IN 12	6' 4" 4	6' 4" 13	6' 5" 7	6' 6" 0

2 Foot 9 Inch Run — Hip Or Valley Rafter Lengths

Run - Pitch	2' 9"	2' 9 1/4"	2' 9 1/2"	2' 9 3/4"
	Ft In 16th"	Ft In 16th"	Ft In 16th"	Ft In 16th"
1 IN 12	3' 10" 12	3' 11" 2	3' 11" 7	3' 11" 13
2 IN 12	3' 11" 0	3' 11" 6	3' 11" 11	4' 0" 1
2.5 IN 12	3' 11" 3	3' 11" 8	3' 11" 14	4' 0" 4
3 IN 12	3' 11" 6	3' 11" 12	4' 0" 2	4' 0" 8
3.5 IN 12	3' 11" 10	4' 0" 0	4' 0" 6	4' 0" 12
4 IN 12	3' 11" 15	4' 0" 5	4' 0" 11	4' 1" 1
4.5 IN 12	4' 0" 5	4' 0" 10	4' 1" 0	4' 1" 6
5 IN 12	4' 0" 10	4' 1" 0	4' 1" 6	4' 1" 12
5.5 IN 12	4' 1" 1	4' 1" 7	4' 1" 13	4' 2" 3
6 IN 12	4' 1" 8	4' 1" 14	4' 2" 4	4' 2" 10
6.5 IN 12	4' 2" 0	4' 2" 6	4' 2" 12	4' 3" 2
7 IN 12	4' 2" 8	4' 2" 14	4' 3" 4	4' 3" 10
8 IN 12	4' 3" 10	4' 4" 0	4' 4" 6	4' 4" 12
9 IN 12	4' 4" 13	4' 5" 4	4' 5" 10	4' 6" 0
10 IN 12	4' 6" 3	4' 6" 9	4' 7" 0	4' 7" 6
11 IN 12	4' 7" 10	4' 8" 1	4' 8" 7	4' 8" 14
12 IN 12	4' 9" 3	4' 9" 9	4' 10" 0	4' 10" 7
13 IN 12	4' 10" 13	4' 11" 4	4' 11" 11	5' 0" 2
14 IN 12	5' 0" 8	5' 0" 15	5' 1" 7	5' 1" 14
15 IN 12	5' 2" 5	5' 2" 12	5' 3" 4	5' 3" 11
16 IN 12	5' 4" 2	5' 4" 10	5' 5" 2	5' 5" 10
17 IN 12	5' 6" 1	5' 6" 9	5' 7" 1	5' 7" 9
18 IN 12	5' 8" 0	5' 8" 9	5' 9" 1	5' 9" 9
19 IN 12	5' 10" 1	5' 10" 9	5' 11" 2	5' 11" 10
20 IN 12	6' 0" 2	6' 0" 11	6' 1" 4	6' 1" 12
21 IN 12	6' 2" 4	6' 2" 13	6' 3" 6	6' 3" 15
22 IN 12	6' 4" 7	6' 5" 0	6' 5" 9	6' 6" 2
23 IN 12	6' 6" 10	6' 7" 3	6' 7" 13	6' 8" 6
24 IN 12	6' 8" 13	6' 9" 7	6' 10" 1	6' 10" 11
25 IN 12	6' 11" 1	6' 11" 12	7' 0" 6	7' 1" 0

2 Foot 10 Inch Run — Common Rafter Lengths | 2 Foot 10 Inch Run — Hip Or Valley Rafter Lengths

Run -	2'10"			2'10 1/4"			2'10 1/2"			2'10 3/4"			2'10"			2'10 1/4"			2'10 1/2"			2'10 3/4"		
Pitch	Ft	In	16th"	Ft	In	16th"	Ft	In	16th"	Ft	In	16th"	Ft	In	16th"	Ft	In	16th"	Ft	In	16th"	Ft	In	16th"
1 IN 12	2'	10"	2	2'	10"	6	2'	10"	10	2'	10"	14	4'	0"	3	4'	0"	8	4'	0"	14	4'	1"	4
2 IN 12	2'	10"	8	2'	10"	12	2'	11"	0	2'	11"	4	4'	0"	7	4'	0"	12	4'	1"	2	4'	1"	8
2.5 IN 12	2'	10"	12	2'	11"	0	2'	11"	4	2'	11"	8	4'	0"	10	4'	0"	15	4'	1"	5	4'	1"	11
3 IN 12	2'	11"	1	2'	11"	5	2'	11"	9	2'	11"	13	4'	0"	13	4'	1"	3	4'	1"	9	4'	1"	14
3.5 IN 12	2'	11"	7	2'	11"	11	2'	11"	15	3'	0"	3	4'	1"	2	4'	1"	7	4'	1"	13	4'	2"	3
4 IN 12	2'	11"	13	3'	0"	2	3'	0"	6	3'	0"	10	4'	1"	6	4'	1"	12	4'	2"	2	4'	2"	8
4.5 IN 12	3'	0"	5	3'	0"	9	3'	0"	14	3'	1"	2	4'	1"	12	4'	2"	2	4'	2"	8	4'	2"	13
5 IN 12	3'	0"	13	3'	1"	2	3'	1"	6	3'	1"	10	4'	2"	2	4'	2"	8	4'	2"	14	4'	3"	4
5.5 IN 12	3'	1"	6	3'	1"	11	3'	1"	15	3'	2"	4	4'	2"	9	4'	2"	15	4'	3"	5	4'	3"	11
6 IN 12	3'	2"	0	3'	2"	5	3'	2"	9	3'	2"	14	4'	3"	0	4'	3"	6	4'	3"	12	4'	4"	2
6.5 IN 12	3'	2"	11	3'	2"	15	3'	3"	4	3'	3"	8	4'	3"	8	4'	3"	14	4'	4"	4	4'	4"	10
7 IN 12	3'	3"	6	3'	3"	10	3'	3"	15	3'	4"	4	4'	4"	0	4'	4"	6	4'	4"	12	4'	5"	3
8 IN 12	3'	4"	14	3'	5"	3	3'	5"	7	3'	5"	12	4'	5"	3	4'	5"	9	4'	5"	15	4'	6"	5
9 IN 12	3'	6"	8	3'	6"	13	3'	7"	2	3'	7"	7	4'	6"	7	4'	6"	13	4'	7"	4	4'	7"	10
10 IN 12	3'	8"	4	3'	8"	9	3'	8"	15	3'	9"	4	4'	7"	13	4'	8"	4	4'	8"	10	4'	9"	1
11 IN 12	3'	10"	2	3'	10"	7	3'	10"	13	3'	11"	2	4'	9"	5	4'	9"	12	4'	10"	2	4'	10"	9
12 IN 12	4'	0"	0	4'	0"	7	4'	0"	13	4'	1"	2	4'	10"	14	4'	11"	5	4'	11"	12	5'	0"	3
13 IN 12	4'	2"	2	4'	2"	8	4'	2"	14	4'	3"	4	5'	0"	9	5'	1"	0	5'	1"	7	5'	1"	14
14 IN 12	4'	4"	4	4'	4"	10	4'	5"	0	4'	5"	6	5'	2"	5	5'	2"	13	5'	3"	4	5'	3"	11
15 IN 12	4'	6"	7	4'	6"	13	4'	7"	4	4'	7"	10	5'	4"	3	5'	4"	10	5'	5"	2	5'	5"	9
16 IN 12	4'	8"	11	4'	9"	1	4'	9"	8	4'	9"	15	5'	6"	1	5'	6"	9	5'	7"	1	5'	7"	9
17 IN 12	4'	10"	15	4'	11"	6	4'	11"	13	5'	0"	4	5'	8"	1	5'	8"	9	5'	9"	1	5'	9"	9
18 IN 12	5'	1"	5	5'	1"	12	5'	2"	3	5'	2"	10	5'	10"	1	5'	10"	10	5'	11"	2	5'	11"	10
19 IN 12	5'	3"	11	5'	4"	2	5'	4"	10	5'	5"	1	6'	0"	3	6'	0"	11	6'	1"	4	6'	1"	12
20 IN 12	5'	6"	1	5'	6"	9	5'	7"	1	5'	7"	9	6'	2"	5	6'	2"	14	6'	3"	7	6'	3"	15
21 IN 12	5'	8"	8	5'	9"	1	5'	9"	9	5'	10"	1	6'	4"	8	6'	5"	1	6'	5"	10	6'	6"	3
22 IN 12	5'	11"	0	5'	11"	8	6'	0"	1	6'	0"	9	6'	6"	12	6'	7"	5	6'	7"	14	6'	8"	7
23 IN 12	6'	1"	8	6'	2"	1	6'	2"	9	6'	3"	2	6'	9"	0	6'	9"	9	6'	10"	3	6'	10"	12
24 IN 12	6'	4"	0	6'	4"	9	6'	5"	2	6'	5"	11	6'	11"	5	6'	11"	14	7'	0"	8	7'	1"	2
25 IN 12	6'	6"	9	6'	7"	2	6'	7"	12	6'	8"	5	7'	1"	10	7'	2"	4	7'	2"	14	7'	3"	8

2 Foot 11 Inch Run — Common Rafter Lengths   2 Foot 11 Inch Run — Hip Or Valley Rafter Lengths

Run -	2'11"	2'11 1/4"	2'11 1/2"	2'11 3/4"	2'11"	2'11 1/4"	2'11 1/2"	2'11 3/4"
Pitch	Ft In 16th"	Ft In 16th"	Ft In 16th"	Ft In 16th"	Ft In 16th"	Ft In 16th"	Ft In 16th"	Ft In 16th"
1 IN 12	2' 11" 2	2' 11" 6	2' 11" 10	2' 11" 14	4' 1" 9	4' 1" 15	4' 2" 5	4' 2" 10
2 IN 12	2' 11" 8	2' 11" 12	3' 0" 0	3' 0" 4	4' 1" 13	4' 2" 3	4' 2" 9	4' 2" 15
2.5 IN 12	2' 11" 12	3' 0" 0	3' 0" 4	3' 0" 8	4' 2" 1	4' 2" 6	4' 2" 12	4' 3" 2
3 IN 12	3' 0" 1	3' 0" 5	3' 0" 9	3' 0" 14	4' 2" 4	4' 2" 10	4' 3" 0	4' 3" 5
3.5 IN 12	3' 0" 7	3' 0" 12	3' 1" 0	3' 1" 4	4' 2" 9	4' 2" 14	4' 3" 4	4' 3" 10
4 IN 12	3' 0" 14	3' 1" 3	3' 1" 7	3' 1" 11	4' 2" 14	4' 3" 3	4' 3" 9	4' 3" 15
4.5 IN 12	3' 1" 6	3' 1" 10	3' 1" 15	3' 2" 3	4' 3" 3	4' 3" 9	4' 3" 15	4' 4" 5
5 IN 12	3' 1" 15	3' 2" 3	3' 2" 7	3' 2" 12	4' 3" 10	4' 4" 0	4' 4" 5	4' 4" 11
5.5 IN 12	3' 2" 8	3' 2" 12	3' 3" 1	3' 3" 5	4' 4" 1	4' 4" 6	4' 4" 12	4' 5" 2
6 IN 12	3' 3" 2	3' 3" 7	3' 3" 11	3' 4" 0	4' 4" 8	4' 4" 14	4' 5" 4	4' 5" 10
6.5 IN 12	3' 3" 13	3' 4" 1	3' 4" 6	3' 4" 11	4' 5" 0	4' 5" 6	4' 5" 12	4' 6" 2
7 IN 12	3' 4" 8	3' 4" 13	3' 5" 2	3' 5" 6	4' 5" 9	4' 5" 15	4' 6" 5	4' 6" 11
8 IN 12	3' 6" 1	3' 6" 6	3' 6" 11	3' 6" 15	4' 6" 12	4' 7" 2	4' 7" 8	4' 7" 14
9 IN 12	3' 7" 12	3' 8" 1	3' 8" 6	3' 8" 11	4' 8" 0	4' 8" 7	4' 8" 13	4' 9" 4
10 IN 12	3' 9" 9	3' 9" 14	3' 10" 3	3' 10" 9	4' 9" 7	4' 9" 14	4' 10" 4	4' 10" 11
11 IN 12	3' 11" 7	3' 11" 13	4' 0" 3	4' 0" 8	4' 11" 0	4' 11" 7	4' 11" 13	5' 0" 4
12 IN 12	4' 1" 8	4' 1" 14	4' 2" 3	4' 2" 9	5' 0" 10	5' 1" 1	5' 1" 8	5' 1" 15
13 IN 12	4' 3" 10	4' 4" 0	4' 4" 5	4' 4" 11	5' 2" 6	5' 2" 13	5' 3" 4	5' 3" 11
14 IN 12	4' 5" 12	4' 6" 3	4' 6" 9	4' 6" 15	5' 4" 3	5' 4" 10	5' 5" 1	5' 5" 9
15 IN 12	4' 8" 0	4' 8" 7	4' 8" 13	4' 9" 4	5' 6" 1	5' 6" 9	5' 7" 0	5' 7" 8
16 IN 12	4' 10" 5	4' 10" 12	4' 11" 3	4' 11" 9	5' 8" 0	5' 8" 8	5' 9" 0	5' 9" 9
17 IN 12	5' 0" 11	5' 1" 2	5' 1" 9	5' 2" 0	5' 10" 1	5' 10" 9	5' 11" 1	5' 11" 9
18 IN 12	5' 3" 2	5' 3" 9	5' 4" 0	5' 4" 7	6' 0" 2	6' 0" 11	6' 1" 3	6' 1" 11
19 IN 12	5' 5" 9	5' 6" 0	5' 6" 8	5' 6" 15	6' 2" 5	6' 2" 13	6' 3" 6	6' 3" 14
20 IN 12	5' 8" 0	5' 8" 8	5' 9" 0	5' 9" 8	6' 4" 8	6' 5" 1	6' 5" 10	6' 6" 2
21 IN 12	5' 10" 9	5' 11" 1	5' 11" 9	6' 0" 1	6' 6" 12	6' 7" 5	6' 7" 14	6' 8" 7
22 IN 12	6' 1" 1	6' 1" 10	6' 2" 2	6' 2" 11	6' 9" 1	6' 9" 10	6' 10" 3	6' 10" 12
23 IN 12	6' 3" 11	6' 4" 3	6' 4" 12	6' 5" 5	6' 11" 6	6' 11" 15	7' 0" 9	7' 1" 2
24 IN 12	6' 6" 4	6' 6" 13	6' 7" 6	6' 7" 15	7' 1" 12	7' 2" 6	7' 2" 15	7' 3" 9
25 IN 12	6' 8" 14	6' 9" 7	6' 10" 1	6' 10" 10	7' 4" 2	7' 4" 12	7' 5" 6	7' 6" 0

3 Foot 0 Inch Run — Common Rafter Lengths   3 Foot 0 Inch Run — Hip Or Valley Rafter Lengths

Run - Pitch	Common 3' 0"	Common 3' 0 1/4"	Common 3' 0 1/2"	Common 3' 0 3/4"	Hip/Valley 3' 0"	Hip/Valley 3' 0 1/4"	Hip/Valley 3' 0 1/2"	Hip/Valley 3' 0 3/4"
1 IN 12	3' 0" 2	3' 0" 6	3' 0" 10	3' 0" 14	4' 3" 0	4' 3" 6	4' 3" 11	4' 4" 1
2 IN 12	3' 0" 8	3' 0" 12	3' 1" 0	3' 1" 4	4' 3" 4	4' 3" 10	4' 4" 0	4' 4" 5
2.5 IN 12	3' 0" 12	3' 1" 0	3' 1" 5	3' 1" 9	4' 3" 7	4' 3" 13	4' 4" 3	4' 4" 9
3 IN 12	3' 1" 2	3' 1" 6	3' 1" 10	3' 1" 14	4' 3" 11	4' 4" 1	4' 4" 7	4' 4" 12
3.5 IN 12	3' 1" 8	3' 1" 12	3' 2" 0	3' 2" 5	4' 4" 0	4' 4" 6	4' 4" 11	4' 5" 1
4 IN 12	3' 1" 15	3' 2" 3	3' 2" 8	3' 2" 12	4' 4" 5	4' 4" 11	4' 5" 1	4' 5" 6
4.5 IN 12	3' 2" 7	3' 2" 11	3' 3" 0	3' 3" 4	4' 4" 11	4' 5" 1	4' 5" 6	4' 5" 12
5 IN 12	3' 3" 0	3' 3" 4	3' 3" 9	3' 3" 13	4' 5" 1	4' 5" 7	4' 5" 13	4' 6" 3
5.5 IN 12	3' 3" 10	3' 3" 14	3' 4" 2	3' 4" 7	4' 5" 8	4' 5" 14	4' 6" 4	4' 6" 10
6 IN 12	3' 4" 4	3' 4" 8	3' 4" 13	3' 5" 1	4' 6" 0	4' 6" 6	4' 6" 12	4' 7" 2
6.5 IN 12	3' 4" 15	3' 5" 4	3' 5" 8	3' 5" 13	4' 6" 8	4' 6" 14	4' 7" 4	4' 7" 10
7 IN 12	3' 5" 11	3' 5" 15	3' 6" 4	3' 6" 9	4' 7" 1	4' 7" 7	4' 7" 13	4' 8" 4
8 IN 12	3' 7" 4	3' 7" 9	3' 7" 14	3' 8" 3	4' 8" 5	4' 8" 11	4' 9" 1	4' 9" 7
9 IN 12	3' 9" 0	3' 9" 5	3' 9" 10	3' 9" 15	4' 9" 10	4' 10" 0	4' 10" 7	4' 10" 13
10 IN 12	3' 10" 14	3' 11" 3	3' 11" 8	3' 11" 13	4' 11" 1	4' 11" 8	4' 11" 15	5' 0" 5
11 IN 12	4' 0" 13	4' 1" 3	4' 1" 8	4' 1" 14	5' 0" 11	5' 1" 1	5' 1" 8	5' 1" 15
12 IN 12	4' 2" 15	4' 3" 4	4' 3" 10	4' 4" 0	5' 2" 6	5' 2" 13	5' 3" 4	5' 3" 10
13 IN 12	4' 5" 1	4' 5" 7	4' 5" 13	4' 6" 3	5' 4" 2	5' 4" 9	5' 5" 0	5' 5" 8
14 IN 12	4' 7" 5	4' 7" 11	4' 8" 1	4' 8" 8	5' 6" 0	5' 6" 7	5' 6" 15	5' 7" 6
15 IN 12	4' 9" 10	4' 10" 0	4' 10" 7	4' 10" 13	5' 7" 15	5' 8" 7	5' 8" 14	5' 9" 6
16 IN 12	5' 0" 0	5' 0" 7	5' 0" 13	5' 1" 4	5' 10" 0	5' 10" 7	5' 10" 15	5' 11" 7
17 IN 12	5' 2" 7	5' 2" 14	5' 3" 5	5' 3" 12	6' 0" 1	6' 0" 9	6' 1" 1	6' 1" 9
18 IN 12	5' 4" 14	5' 5" 6	5' 5" 13	5' 6" 4	6' 2" 3	6' 2" 12	6' 3" 4	6' 3" 12
19 IN 12	5' 7" 7	5' 7" 14	5' 8" 6	5' 8" 13	6' 4" 7	6' 4" 15	6' 5" 8	6' 6" 0
20 IN 12	5' 10" 0	5' 10" 7	5' 10" 15	5' 11" 7	6' 6" 11	6' 7" 4	6' 7" 13	6' 8" 5
21 IN 12	6' 0" 9	6' 1" 1	6' 1" 9	6' 2" 1	6' 9" 0	6' 9" 9	6' 10" 2	6' 10" 11
22 IN 12	6' 3" 3	6' 3" 11	6' 4" 4	6' 4" 12	6' 11" 6	6' 11" 15	7' 0" 8	7' 1" 1
23 IN 12	6' 5" 13	6' 6" 6	6' 6" 15	6' 7" 7	7' 1" 12	7' 2" 6	7' 2" 15	7' 3" 9
24 IN 12	6' 8" 8	6' 9" 1	6' 9" 10	6' 10" 3	7' 4" 3	7' 4" 13	7' 5" 7	7' 6" 0
25 IN 12	6' 11" 3	6' 11" 12	7' 0" 6	7' 0" 15	7' 6" 10	7' 7" 4	7' 7" 15	7' 8" 9

3 Foot 1 Inch Run — Common Rafter Lengths / 3 Foot 1 Inch Run — Hip Or Valley Rafter Lengths

Run - Pitch	3' 1" (Common)	3' 1 1/4" (Common)	3' 1 1/2" (Common)	3' 1 3/4" (Common)	3' 1" (Hip/Valley)	3' 1 1/4" (Hip/Valley)	3' 1 1/2" (Hip/Valley)	3' 1 3/4" (Hip/Valley)
1 IN 12	3' 1" 2	3' 1" 6	3' 1" 10	3' 1" 14	4' 4" 7	4' 4" 12	4' 5" 2	4' 5" 8
2 IN 12	3' 1" 8	3' 1" 12	3' 2" 0	3' 2" 4	4' 4" 11	4' 5" 1	4' 5" 6	4' 5" 12
2.5 IN 12	3' 1" 13	3' 2" 1	3' 2" 5	3' 2" 9	4' 4" 14	4' 5" 4	4' 5" 10	4' 5" 15
3 IN 12	3' 2" 2	3' 2" 6	3' 2" 10	3' 2" 15	4' 5" 2	4' 5" 8	4' 5" 14	4' 6" 3
3.5 IN 12	3' 2" 9	3' 2" 13	3' 3" 1	3' 3" 5	4' 5" 7	4' 5" 13	4' 6" 2	4' 6" 8
4 IN 12	3' 3" 0	3' 3" 4	3' 3" 8	3' 3" 13	4' 5" 12	4' 6" 2	4' 6" 8	4' 6" 14
4.5 IN 12	3' 3" 8	3' 3" 13	3' 4" 1	3' 4" 5	4' 6" 2	4' 6" 8	4' 6" 14	4' 7" 4
5 IN 12	3' 4" 1	3' 4" 6	3' 4" 10	3' 4" 14	4' 6" 9	4' 6" 15	4' 7" 5	4' 7" 10
5.5 IN 12	3' 4" 11	3' 5" 0	3' 5" 4	3' 5" 8	4' 7" 0	4' 7" 6	4' 7" 12	4' 8" 2
6 IN 12	3' 5" 6	3' 5" 10	3' 5" 15	3' 6" 3	4' 7" 8	4' 7" 14	4' 8" 4	4' 8" 10
6.5 IN 12	3' 6" 1	3' 6" 6	3' 6" 10	3' 6" 15	4' 8" 1	4' 8" 7	4' 8" 13	4' 9" 3
7 IN 12	3' 6" 13	3' 7" 2	3' 7" 7	3' 7" 11	4' 8" 10	4' 9" 0	4' 9" 6	4' 9" 12
8 IN 12	3' 8" 7	3' 8" 12	3' 9" 1	3' 9" 6	4' 9" 14	4' 10" 4	4' 10" 10	4' 11" 0
9 IN 12	3' 10" 4	3' 10" 9	3' 10" 14	3' 11" 3	4' 11" 4	4' 11" 10	5' 0" 0	5' 0" 7
10 IN 12	4' 0" 3	4' 0" 8	4' 0" 13	4' 1" 2	5' 0" 12	5' 1" 2	5' 1" 9	5' 1" 15
11 IN 12	4' 2" 3	4' 2" 9	4' 2" 14	4' 3" 3	5' 2" 6	5' 2" 12	5' 3" 3	5' 3" 10
12 IN 12	4' 4" 5	4' 4" 11	4' 5" 1	4' 5" 6	5' 4" 1	5' 4" 8	5' 4" 15	5' 5" 6
13 IN 12	4' 6" 9	4' 6" 15	4' 7" 5	4' 7" 10	5' 5" 15	5' 6" 6	5' 6" 13	5' 7" 4
14 IN 12	4' 8" 14	4' 9" 4	4' 9" 10	4' 10" 0	5' 7" 13	5' 8" 5	5' 8" 12	5' 9" 3
15 IN 12	4' 11" 4	4' 11" 10	5' 0" 0	5' 0" 7	5' 9" 13	5' 10" 5	5' 10" 12	5' 11" 4
16 IN 12	5' 1" 11	5' 2" 1	5' 2" 8	5' 2" 15	5' 11" 15	6' 0" 6	6' 0" 14	6' 1" 6
17 IN 12	5' 4" 3	5' 4" 9	5' 5" 0	5' 5" 7	6' 2" 1	6' 2" 9	6' 3" 1	6' 3" 9
18 IN 12	5' 6" 11	5' 7" 2	5' 7" 10	5' 8" 1	6' 4" 4	6' 4" 13	6' 5" 5	6' 5" 13
19 IN 12	5' 9" 5	5' 9" 12	5' 10" 4	5' 10" 11	6' 6" 9	6' 7" 1	6' 7" 9	6' 8" 1
20 IN 12	5' 11" 15	6' 0" 6	6' 0" 14	6' 1" 6	6' 8" 14	6' 9" 7	6' 9" 15	6' 10" 8
21 IN 12	6' 2" 9	6' 3" 1	6' 3" 9	6' 4" 1	6' 11" 4	6' 11" 13	7' 0" 6	7' 0" 15
22 IN 12	6' 5" 4	6' 5" 13	6' 6" 5	6' 6" 13	7' 1" 11	7' 2" 4	7' 2" 13	7' 3" 7
23 IN 12	6' 8" 0	6' 8" 8	6' 9" 1	6' 9" 10	7' 4" 2	7' 4" 12	7' 5" 5	7' 5" 15
24 IN 12	6' 10" 12	6' 11" 5	6' 11" 14	7' 0" 7	7' 6" 10	7' 7" 4	7' 7" 14	7' 8" 7
25 IN 12	7' 1" 8	7' 2" 1	7' 2" 11	7' 3" 4	7' 9" 3	7' 9" 13	7' 10" 7	7' 11" 1

3 Foot 2 Inch Run — Common Rafter Lengths   3 Foot 2 Inch Run — Hip Or Valley Rafter Lengths

Run -	3' 2"	3' 2 1/4"	3' 2 1/2"	3' 2 3/4"	3' 2"	3' 2 1/4"	3' 2 1/2"	3' 2 3/4"
Pitch	Ft In 16th"	Ft In 16th"	Ft In 16th"	Ft In 16th"	Ft In 16th"	Ft In 16th"	Ft In 16th"	Ft In 16th"
1 IN 12	3' 2" 2	3' 2" 6	3' 2" 10	3' 2" 14	4' 5" 13	4' 6" 3	4' 6" 9	4' 6" 14
2 IN 12	3' 2" 8	3' 2" 12	3' 3" 0	3' 3" 5	4' 6" 2	4' 6" 7	4' 6" 13	4' 7" 3
2.5 IN 12	3' 2" 13	3' 3" 1	3' 3" 5	3' 3" 9	4' 6" 5	4' 6" 11	4' 7" 1	4' 7" 6
3 IN 12	3' 3" 3	3' 3" 7	3' 3" 11	3' 3" 15	4' 6" 9	4' 6" 15	4' 7" 5	4' 7" 10
3.5 IN 12	3' 3" 9	3' 3" 14	3' 4" 2	3' 4" 6	4' 6" 14	4' 7" 4	4' 7" 9	4' 7" 15
4 IN 12	3' 4" 1	3' 4" 5	3' 4" 9	3' 4" 14	4' 7" 3	4' 7" 9	4' 7" 15	4' 8" 5
4.5 IN 12	3' 4" 9	3' 4" 14	3' 5" 2	3' 5" 6	4' 7" 10	4' 7" 15	4' 8" 5	4' 8" 11
5 IN 12	3' 5" 3	3' 5" 7	3' 5" 11	3' 6" 0	4' 8" 0	4' 8" 6	4' 8" 12	4' 9" 2
5.5 IN 12	3' 5" 13	3' 6" 1	3' 6" 6	3' 6" 10	4' 8" 8	4' 8" 14	4' 9" 4	4' 9" 10
6 IN 12	3' 6" 8	3' 6" 12	3' 7" 1	3' 7" 5	4' 9" 0	4' 9" 6	4' 9" 12	4' 10" 2
6.5 IN 12	3' 7" 3	3' 7" 8	3' 7" 13	3' 8" 1	4' 9" 9	4' 9" 15	4' 10" 5	4' 10" 11
7 IN 12	3' 8" 0	3' 8" 5	3' 8" 9	3' 8" 14	4' 10" 2	4' 10" 8	4' 10" 14	4' 11" 4
8 IN 12	3' 9" 11	3' 10" 0	3' 10" 4	3' 10" 9	4' 11" 7	4' 11" 13	5' 0" 3	5' 0" 9
9 IN 12	3' 11" 8	3' 11" 13	4' 0" 2	4' 0" 7	5' 0" 13	5' 1" 4	5' 1" 10	5' 2" 0
10 IN 12	4' 1" 7	4' 1" 13	4' 2" 2	4' 2" 7	5' 2" 6	5' 2" 13	5' 3" 3	5' 3" 10
11 IN 12	4' 3" 9	4' 3" 14	4' 4" 4	4' 4" 9	5' 4" 1	5' 4" 7	5' 4" 14	5' 5" 5
12 IN 12	4' 5" 12	4' 6" 1	4' 6" 7	4' 6" 13	5' 5" 13	5' 6" 4	5' 6" 11	5' 7" 2
13 IN 12	4' 8" 0	4' 8" 6	4' 8" 12	4' 9" 2	5' 7" 11	5' 8" 2	5' 8" 9	5' 9" 1
14 IN 12	4' 10" 6	4' 10" 12	4' 11" 3	4' 11" 9	5' 9" 11	5' 10" 2	5' 10" 9	5' 11" 1
15 IN 12	5' 0" 13	5' 1" 4	5' 1" 10	5' 2" 0	5' 11" 12	6' 0" 3	6' 0" 11	6' 1" 2
16 IN 12	5' 3" 5	5' 3" 12	5' 4" 3	5' 4" 9	6' 1" 14	6' 2" 6	6' 2" 13	6' 3" 5
17 IN 12	5' 5" 14	5' 6" 5	5' 6" 12	5' 7" 3	6' 4" 1	6' 4" 9	6' 5" 1	6' 5" 9
18 IN 12	5' 8" 8	5' 8" 15	5' 9" 7	5' 9" 14	6' 6" 5	6' 6" 14	6' 7" 6	6' 7" 14
19 IN 12	5' 11" 3	5' 11" 10	6' 0" 2	6' 0" 9	6' 8" 11	6' 9" 3	6' 9" 12	6' 10" 4
20 IN 12	6' 1" 14	6' 2" 6	6' 2" 13	6' 3" 5	6' 11" 1	6' 11" 10	7' 0" 2	7' 0" 11
21 IN 12	6' 4" 9	6' 5" 2	6' 5" 10	6' 6" 2	7' 1" 8	7' 2" 1	7' 2" 10	7' 3" 3
22 IN 12	6' 7" 6	6' 7" 14	6' 8" 6	6' 8" 15	7' 4" 0	7' 4" 9	7' 5" 2	7' 5" 12
23 IN 12	6' 10" 2	6' 10" 11	6' 11" 4	6' 11" 12	7' 6" 8	7' 7" 2	7' 7" 11	7' 8" 5
24 IN 12	7' 1" 0	7' 1" 8	7' 2" 1	7' 2" 10	7' 9" 1	7' 9" 11	7' 10" 5	7' 10" 15
25 IN 12	7' 3" 13	7' 4" 6	7' 5" 0	7' 5" 9	7' 11" 11	8' 0" 5	8' 0" 15	8' 1" 9

3 Foot 3 Inch Run — Common Rafter Lengths   3 Foot 3 Inch Run — Hip Or Valley Rafter Lengths

Run - Pitch	3' 3"	3' 3 1/4"	3' 3 1/2"	3' 3 3/4"	3' 3"	3' 3 1/4"	3' 3 1/2"	3' 3 3/4"
	Ft In 16th"	Ft In 16th"	Ft In 16th"	Ft In 16th"	Ft In 16th"	Ft In 16th"	Ft In 16th"	Ft In 16th"
1 IN 12	3' 3" 2	3' 3" 6	3' 3" 10	3' 3" 14	4' 7" 4	4' 7" 10	4' 7" 15	4' 8" 5
2 IN 12	3' 3" 9	3' 3" 13	3' 4" 1	3' 4" 5	4' 7" 9	4' 7" 14	4' 8" 4	4' 8" 10
2.5 IN 12	3' 3" 13	3' 4" 1	3' 4" 6	3' 4" 10	4' 7" 12	4' 8" 2	4' 8" 7	4' 8" 13
3 IN 12	3' 4" 3	3' 4" 7	3' 4" 11	3' 5" 0	4' 8" 0	4' 8" 6	4' 8" 12	4' 9" 1
3.5 IN 12	3' 4" 10	3' 4" 14	3' 5" 2	3' 5" 7	4' 8" 5	4' 8" 11	4' 9" 1	4' 9" 6
4 IN 12	3' 5" 2	3' 5" 6	3' 5" 10	3' 5" 14	4' 8" 11	4' 9" 0	4' 9" 6	4' 9" 12
4.5 IN 12	3' 5" 10	3' 5" 15	3' 6" 3	3' 6" 7	4' 9" 1	4' 9" 7	4' 9" 13	4' 10" 3
5 IN 12	3' 6" 4	3' 6" 8	3' 6" 13	3' 7" 1	4' 9" 8	4' 9" 14	4' 10" 4	4' 10" 10
5.5 IN 12	3' 6" 14	3' 7" 3	3' 7" 7	3' 7" 12	4' 10" 0	4' 10" 6	4' 10" 12	4' 11" 1
6 IN 12	3' 7" 10	3' 7" 14	3' 8" 3	3' 8" 7	4' 10" 8	4' 10" 14	4' 11" 4	4' 11" 10
6.5 IN 12	3' 8" 6	3' 8" 10	3' 8" 15	3' 9" 3	4' 11" 1	4' 11" 7	4' 11" 13	5' 0" 3
7 IN 12	3' 9" 2	3' 9" 7	3' 9" 12	3' 10" 0	4' 11" 11	5' 0" 1	5' 0" 7	5' 0" 13
8 IN 12	3' 10" 14	3' 11" 3	3' 11" 8	3' 11" 12	5' 1" 0	5' 1" 6	5' 1" 12	5' 2" 2
9 IN 12	4' 0" 4	4' 1" 1	4' 1" 6	4' 1" 11	5' 2" 7	5' 2" 13	5' 3" 4	5' 3" 10
10 IN 12	4' 2" 12	4' 3" 1	4' 3" 7	4' 3" 12	5' 4" 0	5' 4" 7	5' 4" 13	5' 5" 4
11 IN 12	4' 4" 14	4' 5" 4	4' 5" 9	4' 5" 15	5' 5" 12	5' 6" 2	5' 6" 9	5' 7" 0
12 IN 12	4' 7" 2	4' 7" 8	4' 7" 14	4' 8" 3	5' 7" 9	5' 8" 0	5' 8" 7	5' 8" 14
13 IN 12	4' 9" 8	4' 9" 14	4' 10" 4	4' 10" 10	5' 9" 8	5' 9" 15	5' 10" 6	5' 10" 13
14 IN 12	4' 11" 15	5' 0" 5	5' 0" 11	5' 1" 1	5' 11" 8	5' 11" 15	6' 0" 7	6' 0" 14
15 IN 12	5' 2" 7	5' 2" 13	5' 3" 4	5' 3" 10	6' 1" 10	6' 2" 1	6' 2" 9	6' 3" 0
16 IN 12	5' 5" 0	5' 5" 7	5' 5" 13	5' 6" 4	6' 3" 13	6' 4" 5	6' 4" 12	6' 5" 4
17 IN 12	5' 7" 10	5' 8" 1	5' 8" 8	5' 8" 15	6' 6" 1	6' 6" 9	6' 7" 1	6' 7" 9
18 IN 12	5' 10" 5	5' 10" 12	5' 11" 3	5' 11" 11	6' 8" 6	6' 8" 15	6' 9" 7	6' 9" 15
19 IN 12	6' 1" 1	6' 1" 8	6' 2" 0	6' 2" 7	6' 10" 13	6' 11" 5	6' 11" 14	7' 0" 6
20 IN 12	6' 3" 13	6' 4" 5	6' 4" 12	6' 5" 4	7' 1" 4	7' 1" 13	7' 2" 5	7' 2" 14
21 IN 12	6' 6" 10	6' 7" 2	6' 7" 10	6' 8" 2	7' 3" 12	7' 4" 5	7' 4" 14	7' 5" 4
22 IN 12	6' 9" 7	6' 9" 15	6' 10" 8	6' 11" 0	7' 6" 5	7' 6" 14	7' 7" 7	7' 8" 1
23 IN 12	7' 0" 5	7' 0" 14	7' 1" 6	7' 1" 15	7' 8" 14	7' 9" 8	7' 10" 1	7' 10" 11
24 IN 12	7' 3" 3	7' 3" 12	7' 4" 5	7' 4" 14	7' 11" 8	8' 0" 2	8' 0" 12	8' 1" 6
25 IN 12	7' 6" 2	7' 6" 11	7' 7" 4	7' 7" 14	8' 2" 3	8' 2" 13	8' 3" 7	8' 4" 1

3 Foot 4 Inch Run — Common Rafter Lengths   3 Foot 4 Inch Run — Hip Or Valley Rafter Lengths

Run – Pitch	Common 3' 4"	Common 3' 4 1/4"	Common 3' 4 1/2"	Common 3' 4 3/4"	Hip/Valley 3' 4"	Hip/Valley 3' 4 1/4"	Hip/Valley 3' 4 1/2"	Hip/Valley 3' 4 3/4"
	Ft In 16th"	Ft In 16th"	Ft In 16th"	Ft In 16th"	Ft In 16th"	Ft In 16th"	Ft In 16th"	Ft In 16th"
1 IN 12	3' 4" 2	3' 4" 6	3' 4" 10	3' 4" 14	4' 8" 11	4' 9" 0	4' 9" 6	4' 9" 12
2 IN 12	3' 4" 9	3' 4" 13	3' 5" 1	3' 5" 5	4' 8" 15	4' 9" 5	4' 9" 11	4' 10" 0
2.5 IN 12	3' 4" 14	3' 5" 2	3' 5" 6	3' 5" 10	4' 9" 3	4' 9" 9	4' 9" 14	4' 10" 4
3 IN 12	3' 5" 4	3' 5" 8	3' 5" 12	3' 6" 0	4' 9" 7	4' 9" 13	4' 10" 3	4' 10" 8
3.5 IN 12	3' 5" 11	3' 5" 15	3' 6" 3	3' 6" 7	4' 9" 12	4' 10" 2	4' 10" 8	4' 10" 13
4 IN 12	3' 6" 3	3' 6" 7	3' 6" 11	3' 6" 15	4' 10" 2	4' 10" 8	4' 10" 14	4' 11" 3
4.5 IN 12	3' 6" 12	3' 7" 0	3' 7" 4	3' 7" 8	4' 10" 8	4' 10" 14	4' 11" 4	4' 11" 10
5 IN 12	3' 7" 5	3' 7" 10	3' 7" 14	3' 8" 2	4' 11" 0	4' 11" 5	4' 11" 11	5' 0" 1
5.5 IN 12	3' 8" 0	3' 8" 4	3' 8" 9	3' 8" 13	4' 11" 7	4' 11" 13	5' 0" 3	5' 0" 9
6 IN 12	3' 8" 12	3' 9" 0	3' 9" 4	3' 9" 9	5' 0" 0	5' 0" 6	5' 0" 12	5' 1" 2
6.5 IN 12	3' 9" 8	3' 9" 12	3' 10" 1	3' 10" 6	5' 0" 9	5' 0" 15	5' 1" 5	5' 1" 11
7 IN 12	3' 10" 5	3' 10" 10	3' 10" 14	3' 11" 3	5' 1" 3	5' 1" 9	5' 1" 15	5' 2" 5
8 IN 12	4' 0" 1	4' 0" 6	4' 0" 11	4' 1" 0	5' 2" 9	5' 2" 15	5' 3" 5	5' 3" 11
9 IN 12	4' 2" 0	4' 2" 5	4' 2" 10	4' 2" 15	5' 4" 0	5' 4" 7	5' 4" 13	5' 5" 4
10 IN 12	4' 4" 4	4' 4" 6	4' 4" 12	4' 5" 1	5' 5" 11	5' 6" 1	5' 6" 8	5' 6" 14
11 IN 12	4' 6" 4	4' 6" 10	4' 6" 15	4' 7" 4	5' 7" 7	5' 7" 13	5' 8" 4	5' 8" 11
12 IN 12	4' 8" 9	4' 8" 15	4' 9" 4	4' 9" 10	5' 9" 5	5' 9" 11	5' 10" 2	5' 10" 9
13 IN 12	4' 11" 0	4' 11" 5	4' 11" 11	5' 0" 1	5' 11" 4	5' 11" 11	6' 0" 2	6' 0" 10
14 IN 12	5' 1" 7	5' 1" 14	5' 2" 4	5' 2" 10	6' 1" 5	6' 1" 13	6' 2" 4	6' 2" 11
15 IN 12	5' 4" 0	5' 4" 7	5' 4" 13	5' 5" 4	6' 3" 8	6' 4" 0	6' 4" 7	6' 4" 15
16 IN 12	5' 6" 11	5' 7" 1	5' 7" 8	5' 7" 15	6' 5" 12	6' 6" 4	6' 6" 11	6' 7" 3
17 IN 12	5' 9" 6	5' 9" 13	5' 10" 4	5' 10" 11	6' 8" 1	6' 8" 9	6' 9" 1	6' 9" 9
18 IN 12	6' 0" 2	6' 0" 9	6' 1" 0	6' 1" 7	6' 10" 7	6' 11" 0	6' 11" 8	7' 0" 0
19 IN 12	6' 2" 15	6' 3" 6	6' 3" 13	6' 4" 5	7' 0" 15	7' 1" 7	7' 2" 0	7' 2" 8
20 IN 12	6' 5" 12	6' 6" 4	6' 6" 11	6' 7" 3	7' 3" 7	7' 4" 0	7' 4" 8	7' 5" 1
21 IN 12	6' 8" 10	6' 9" 2	6' 9" 10	6' 10" 2	7' 6" 0	7' 6" 9	7' 7" 2	7' 7" 11
22 IN 12	6' 11" 9	7' 0" 1	7' 0" 9	7' 1" 2	7' 8" 10	7' 9" 3	7' 9" 12	7' 10" 6
23 IN 12	7' 2" 8	7' 3" 0	7' 3" 9	7' 4" 2	7' 11" 4	7' 11" 14	8' 0" 7	8' 1" 1
24 IN 12	7' 5" 7	7' 6" 0	7' 6" 9	7' 7" 2	8' 2" 0	8' 2" 9	8' 3" 3	8' 3" 13
25 IN 12	7' 8" 7	7' 9" 0	7' 9" 9	7' 10" 3	8' 4" 12	8' 5" 6	8' 6" 0	8' 6" 10

3 Foot 5 Inch Run — Common Rafter Lengths   3 Foot 5 Inch Run — Hip Or Valley Rafter Lengths

Pitch	Common 3' 5"	Common 3' 5 1/4"	Common 3' 5 1/2"	Common 3' 5 3/4"	Hip 3' 5"	Hip 3' 5 1/4"	Hip 3' 5 1/2"	Hip 3' 5 3/4"
	Ft In 16th"	Ft In 16th"	Ft In 16th"	Ft In 16th"	Ft In 16th"	Ft In 16th"	Ft In 16th"	Ft In 16th"
1 IN 12	3' 5" 2	3' 5" 6	3' 5" 10	3' 5" 14	4' 10" 1	4' 10" 7	4' 10" 13	4' 11" 2
2 IN 12	3' 5" 9	3' 5" 13	3' 6" 1	3' 6" 5	4' 10" 6	4' 10" 12	4' 11" 2	4' 11" 7
2.5 IN 12	3' 5" 14	3' 6" 2	3' 6" 6	3' 6" 10	4' 10" 14	4' 10" 15	4' 11" 5	4' 11" 11
3 IN 12	3' 6" 4	3' 6" 8	3' 6" 12	3' 7" 1	4' 10" 14	4' 11" 4	4' 11" 10	4' 11" 15
3.5 IN 12	3' 6" 11	3' 7" 0	3' 7" 4	3' 7" 8	4' 11" 3	4' 11" 9	4' 11" 15	5' 0" 5
4 IN 12	3' 7" 3	3' 7" 8	3' 7" 12	3' 8" 0	4' 11" 9	4' 11" 15	5' 0" 5	5' 0" 11
4.5 IN 12	3' 7" 13	3' 8" 1	3' 8" 5	3' 8" 9	5' 0" 0	5' 0" 6	5' 0" 11	5' 1" 1
5 IN 12	3' 8" 7	3' 8" 11	3' 8" 15	3' 9" 4	5' 0" 7	5' 0" 13	5' 1" 3	5' 1" 9
5.5 IN 12	3' 9" 2	3' 9" 6	3' 9" 10	3' 9" 15	5' 0" 15	5' 1" 5	5' 1" 11	5' 2" 1
6 IN 12	3' 9" 13	3' 10" 2	3' 10" 6	3' 10" 11	5' 1" 8	5' 1" 14	5' 2" 4	5' 2" 10
6.5 IN 12	3' 10" 10	3' 10" 15	3' 11" 3	3' 11" 8	5' 2" 1	5' 2" 8	5' 2" 14	5' 3" 4
7 IN 12	3' 11" 7	3' 11" 12	4' 0" 1	4' 0" 5	5' 2" 12	5' 3" 2	5' 3" 8	5' 3" 14
8 IN 12	4' 1" 4	4' 1" 9	4' 1" 14	4' 2" 3	5' 4" 2	5' 4" 8	5' 4" 14	5' 5" 4
9 IN 12	4' 3" 4	4' 3" 9	4' 3" 14	4' 4" 3	5' 5" 10	5' 6" 1	5' 6" 7	5' 6" 13
10 IN 12	4' 5" 6	4' 5" 11	4' 6" 0	4' 6" 6	5' 7" 5	5' 7" 11	5' 8" 2	5' 8" 9
11 IN 12	4' 7" 10	4' 7" 15	4' 8" 5	4' 8" 10	5' 9" 2	5' 9" 8	5' 9" 15	5' 10" 6
12 IN 12	4' 10" 0	4' 10" 5	4' 10" 11	4' 11" 1	5' 11" 0	5' 11" 7	5' 11" 14	6' 0" 5
13 IN 12	5' 0" 7	5' 0" 13	5' 1" 3	5' 1" 9	6' 1" 1	6' 1" 8	6' 1" 15	6' 2" 6
14 IN 12	5' 3" 0	5' 3" 6	5' 3" 12	5' 4" 2	6' 3" 3	6' 3" 10	6' 4" 1	6' 4" 9
15 IN 12	5' 5" 10	5' 6" 1	5' 6" 7	5' 6" 13	6' 5" 6	6' 5" 14	6' 6" 5	6' 6" 13
16 IN 12	5' 8" 5	5' 8" 12	5' 9" 3	5' 9" 9	6' 7" 11	6' 8" 3	6' 8" 11	6' 9" 2
17 IN 12	5' 11" 2	5' 11" 8	5' 11" 15	6' 0" 6	6' 10" 1	6' 10" 9	6' 11" 1	6' 11" 9
18 IN 12	6' 1" 11	6' 2" 6	6' 2" 13	6' 3" 4	7' 0" 8	7' 1" 1	7' 1" 9	7' 2" 1
19 IN 12	6' 4" 12	6' 5" 4	6' 5" 11	6' 6" 3	7' 3" 1	7' 3" 9	7' 4" 2	7' 4" 10
20 IN 12	6' 7" 11	6' 8" 3	6' 8" 11	6' 9" 2	7' 5" 10	7' 6" 3	7' 6" 11	7' 7" 4
21 IN 12	6' 10" 10	6' 11" 2	6' 11" 10	7' 0" 2	7' 8" 4	7' 8" 13	7' 9" 6	7' 9" 15
22 IN 12	7' 1" 10	7' 2" 2	7' 2" 11	7' 3" 3	7' 10" 15	7' 11" 8	8' 0" 1	8' 0" 11
23 IN 12	7' 4" 10	7' 5" 3	7' 5" 11	7' 6" 4	8' 1" 11	8' 2" 4	8' 2" 14	8' 3" 7
24 IN 12	7' 7" 11	7' 8" 4	7' 8" 13	7' 9" 6	8' 4" 7	8' 5" 1	8' 5" 10	8' 6" 4
25 IN 12	7' 10" 12	7' 11" 5	7' 11" 14	8' 0" 8	8' 7" 4	8' 7" 14	8' 8" 8	8' 9" 2

3 Foot 6 Inch Run — Common Rafter Lengths   3 Foot 6 Inch Run — Hip Or Valley Rafter Lengths

Run -		3' 6"			3' 6 1/4"			3' 6 1/2"			3' 6 3/4"			3' 6"			3' 6 1/4"			3' 6 1/2"			3' 6 3/4"	
Pitch	Ft	In	16th"	Ft	In	16th"	Ft	In	16th"	Ft	In	16th"	Ft	In	16th"	Ft	In	16th"	Ft	In	16th"	Ft	In	16th"
1 IN 12	3'	6"	2	3'	6"	6	3'	6"	10	3'	6"	14	4'	11"	8	4'	11"	14	5'	0"	3	5'	0"	9
2 IN 12	3'	6"	9	3'	6"	13	3'	7"	1	3'	7"	5	4'	11"	13	5'	0"	3	5'	0"	8	5'	0"	14
2.5 IN 12	3'	6"	14	3'	7"	3	3'	7"	7	3'	7"	11	5'	0"	1	5'	0"	6	5'	0"	12	5'	1"	2
3 IN 12	3'	7"	5	3'	7"	9	3'	7"	13	3'	8"	1	5'	0"	5	5'	0"	11	5'	1"	1	5'	1"	6
3.5 IN 12	3'	7"	12	3'	8"	0	3'	8"	4	3'	8"	9	5'	0"	10	5'	1"	0	5'	1"	6	5'	1"	12
4 IN 12	3'	8"	4	3'	8"	9	3'	8"	13	3'	9"	1	5'	1"	0	5'	1"	6	5'	1"	12	5'	2"	2
4.5 IN 12	3'	8"	14	3'	9"	2	3'	9"	6	3'	9"	11	5'	1"	7	5'	1"	13	5'	2"	3	5'	2"	9
5 IN 12	3'	9"	8	3'	9"	12	3'	10"	1	3'	10"	5	5'	1"	15	5'	2"	5	5'	2"	11	5'	3"	0
5.5 IN 12	3'	10"	3	3'	10"	8	3'	10"	12	3'	11"	0	5'	2"	7	5'	2"	13	5'	3"	3	5'	3"	9
6 IN 12	3'	10"	15	3'	11"	4	3'	11"	8	3'	11"	13	5'	3"	0	5'	3"	6	5'	3"	12	5'	4"	2
6.5 IN 12	3'	11"	12	4'	0"	1	4'	0"	5	4'	0"	10	5'	3"	10	5'	4"	0	5'	4"	6	5'	4"	12
7 IN 12	4'	0"	10	4'	0"	15	4'	1"	3	4'	1"	8	5'	4"	4	5'	4"	10	5'	5"	0	5'	5"	6
8 IN 12	4'	2"	8	4'	2"	12	4'	3"	1	4'	3"	6	5'	5"	11	5'	6"	1	5'	6"	7	5'	6"	13
9 IN 12	4'	4"	8	4'	4"	13	4'	5"	2	4'	5"	7	5'	7"	4	5'	7"	10	5'	8"	1	5'	8"	7
10 IN 12	4'	6"	11	4'	7"	0	4'	7"	5	4'	7"	10	5'	8"	15	5'	9"	6	5'	9"	12	5'	10"	3
11 IN 12	4'	9"	0	4'	9"	5	4'	9"	10	4'	10"	0	5'	10"	13	5'	11"	3	5'	11"	10	6'	0"	1
12 IN 12	4'	11"	6	4'	11"	12	5'	0"	2	5'	0"	7	6'	0"	12	6'	1"	3	6'	1"	10	6'	2"	1
13 IN 12	5'	1"	15	5'	2"	5	5'	2"	11	5'	3"	0	6'	2"	13	6'	3"	4	6'	3"	11	6'	4"	3
14 IN 12	5'	4"	9	5'	4"	15	5'	5"	5	5'	5"	11	6'	5"	0	6'	5"	7	6'	5"	15	6'	6"	6
15 IN 12	5'	7"	4	5'	7"	10	5'	8"	1	5'	8"	7	6'	7"	4	6'	7"	12	6'	8"	3	6'	8"	11
16 IN 12	5'	10"	0	5'	10"	7	5'	10"	13	5'	11"	4	6'	9"	10	6'	10"	2	6'	10"	10	6'	11"	1
17 IN 12	6'	0"	13	6'	1"	4	6'	1"	11	6'	2"	2	7'	0"	1	7'	0"	9	7'	1"	1	7'	1"	9
18 IN 12	6'	3"	11	6'	4"	3	6'	4"	10	6'	5"	1	7'	2"	9	7'	3"	2	7'	3"	10	7'	4"	2
19 IN 12	6'	6"	10	6'	7"	2	6'	7"	9	6'	8"	1	7'	5"	3	7'	5"	11	7'	6"	4	7'	6"	12
20 IN 12	6'	9"	10	6'	10"	2	6'	10"	10	6'	11"	1	7'	7"	13	7'	8"	6	7'	8"	14	7'	9"	7
21 IN 12	7'	0"	10	7'	1"	3	7'	1"	11	7'	2"	3	7'	10"	8	7'	11"	1	7'	11"	10	8'	0"	3
22 IN 12	7'	3"	11	7'	4"	4	7'	4"	12	7'	5"	4	8'	1"	4	8'	1"	13	8'	2"	6	8'	3"	0
23 IN 12	7'	6"	13	7'	7"	5	7'	7"	14	7'	8"	7	8'	4"	1	8'	4"	10	8'	5"	4	8'	5"	13
24 IN 12	7'	9"	15	7'	10"	8	7'	11"	1	7'	11"	9	8'	6"	14	8'	7"	8	8'	8"	2	8'	8"	11
25 IN 12	8'	1"	1	8'	1"	10	8'	2"	3	8'	2"	13	8'	9"	12	8'	10"	6	8'	11"	0	8'	11"	10

3 Foot 7 Inch Run — Common Rafter Lengths   3 Foot 7 Inch Run — Hip Or Valley Rafter Lengths

Run -	3' 7"	3' 7 1/4"	3' 7 1/2"	3' 7 3/4"	3' 7"	3' 7 1/4"	3' 7 1/2"	3' 7 3/4"
Pitch	Ft In 16th"	Ft In 16th"	Ft In 16th"	Ft In 16th"	Ft In 16th"	Ft In 16th"	Ft In 16th"	Ft In 16th"
1 IN 12	3' 7" 2	3' 7" 6	3' 7" 10	3' 7" 14	5' 0" 15	5' 1" 4	5' 1" 10	5' 2" 0
2 IN 12	3' 7" 9	3' 7" 14	3' 8" 2	3' 8" 6	5' 1" 4	5' 1" 9	5' 1" 15	5' 2" 5
2.5 IN 12	3' 7" 15	3' 8" 3	3' 8" 7	3' 8" 11	5' 1" 7	5' 1" 13	5' 2" 3	5' 2" 9
3 IN 12	3' 8" 5	3' 8" 9	3' 8" 13	3' 9" 2	5' 1" 12	5' 2" 2	5' 2" 8	5' 2" 13
3.5 IN 12	3' 8" 13	3' 9" 1	3' 9" 5	3' 9" 9	5' 2" 1	5' 2" 7	5' 2" 13	5' 3" 3
4 IN 12	3' 9" 5	3' 9" 9	3' 9" 14	3' 10" 2	5' 2" 8	5' 2" 13	5' 3" 3	5' 3" 9
4.5 IN 12	3' 9" 15	3' 10" 3	3' 10" 7	3' 10" 12	5' 2" 15	5' 3" 4	5' 3" 10	5' 4" 0
5 IN 12	3' 10" 9	3' 10" 14	3' 11" 2	3' 11" 6	5' 3" 6	5' 3" 12	5' 4" 2	5' 4" 8
5.5 IN 12	3' 11" 5	3' 11" 9	3' 11" 14	4' 0" 2	5' 3" 15	5' 4" 5	5' 4" 11	5' 5" 1
6 IN 12	4' 0" 1	4' 0" 6	4' 0" 10	4' 0" 15	5' 4" 8	5' 4" 14	5' 5" 4	5' 5" 10
6.5 IN 12	4' 0" 14	4' 1" 3	4' 1" 8	4' 1" 12	5' 5" 2	5' 5" 8	5' 5" 14	5' 6" 4
7 IN 12	4' 1" 13	4' 2" 1	4' 2" 6	4' 2" 10	5' 5" 13	5' 6" 3	5' 6" 9	5' 6" 15
8 IN 12	4' 3" 11	4' 4" 0	4' 4" 4	4' 4" 9	5' 7" 4	5' 7" 10	5' 8" 0	5' 8" 6
9 IN 12	4' 5" 12	4' 6" 1	4' 6" 6	4' 6" 11	5' 8" 13	5' 9" 4	5' 9" 10	5' 10" 1
10 IN 12	4' 8" 0	4' 8" 5	4' 8" 10	4' 8" 15	5' 10" 9	5' 11" 0	5' 11" 6	5' 11" 13
11 IN 12	4' 10" 5	4' 10" 11	4' 11" 0	4' 11" 6	6' 0" 7	6' 0" 14	6' 1" 5	6' 1" 12
12 IN 12	5' 0" 13	5' 1" 3	5' 1" 8	5' 1" 14	6' 2" 8	6' 2" 15	6' 3" 6	6' 3" 12
13 IN 12	5' 3" 6	5' 3" 12	5' 4" 2	5' 4" 8	6' 4" 10	6' 5" 1	6' 5" 8	6' 5" 15
14 IN 12	5' 6" 1	5' 6" 7	5' 6" 13	5' 7" 4	6' 6" 13	6' 7" 5	6' 7" 12	6' 8" 3
15 IN 12	5' 8" 13	5' 9" 4	5' 9" 10	5' 10" 1	6' 9" 3	6' 9" 10	6' 10" 2	6' 10" 9
16 IN 12	5' 11" 11	6' 0" 1	6' 0" 8	6' 0" 15	6' 11" 9	7' 0" 1	7' 0" 9	7' 1" 1
17 IN 12	6' 2" 9	6' 3" 0	6' 3" 7	6' 3" 14	7' 2" 1	7' 2" 9	7' 3" 1	7' 3" 9
18 IN 12	6' 5" 8	6' 6" 0	6' 6" 7	6' 6" 14	7' 4" 10	7' 5" 3	7' 5" 11	7' 6" 3
19 IN 12	6' 8" 8	6' 9" 0	6' 9" 7	6' 9" 15	7' 7" 5	7' 7" 13	7' 8" 6	7' 8" 14
20 IN 12	6' 11" 9	7' 0" 1	7' 0" 9	7' 1" 1	7' 10" 0	7' 10" 9	7' 11" 1	7' 11" 10
21 IN 12	7' 2" 11	7' 3" 3	7' 3" 11	7' 4" 3	8' 0" 12	8' 1" 5	8' 1" 14	8' 2" 7
22 IN 12	7' 5" 13	7' 6" 5	7' 6" 13	7' 7" 6	8' 3" 9	8' 4" 2	8' 4" 12	8' 5" 5
23 IN 12	7' 8" 15	7' 9" 8	7' 10" 1	7' 10" 9	8' 6" 7	8' 7" 0	8' 7" 10	8' 8" 3
24 IN 12	8' 0" 2	8' 0" 11	8' 1" 4	8' 1" 13	8' 9" 5	8' 9" 15	8' 10" 9	8' 11" 3
25 IN 12	8' 3" 6	8' 3" 15	8' 4" 8	8' 5" 2	9' 0" 4	9' 0" 14	9' 1" 9	9' 2" 3

3 Foot 8 Inch Run — Common Rafter Lengths   3 Foot 8 Inch Run — Hip Or Valley Rafter Lengths

Pitch	Run - 3' 8" Ft In 16th"	3' 8 1/4" Ft In 16th"	3' 8 1/2" Ft In 16th"	3' 8 3/4" Ft In 16th"	3' 8" Ft In 16th"	3' 8 1/4" Ft In 16th"	3' 8 1/2" Ft In 16th"	3' 8 3/4" Ft In 16th"
1 IN 12	3' 8" 2	3' 8" 6	3' 8" 10	3' 8" 14	5' 2" 5	5' 2" 11	5' 3" 1	5' 3" 6
2 IN 12	3' 8" 10	3' 8" 14	3' 9" 2	3' 9" 6	5' 2" 10	5' 3" 0	5' 3" 6	5' 3" 12
2.5 IN 12	3' 8" 15	3' 9" 3	3' 9" 7	3' 9" 11	5' 2" 14	5' 3" 4	5' 3" 10	5' 4" 0
3 IN 12	3' 9" 6	3' 9" 10	3' 9" 14	3' 10" 2	5' 3" 3	5' 3" 9	5' 3" 15	5' 4" 4
3.5 IN 12	3' 9" 13	3' 10" 2	3' 10" 6	3' 10" 10	5' 3" 9	5' 3" 14	5' 4" 4	5' 4" 10
4 IN 12	3' 10" 6	3' 10" 10	3' 10" 15	3' 11" 3	5' 3" 15	5' 4" 5	5' 4" 11	5' 5" 0
4.5 IN 12	3' 11" 1	3' 11" 4	3' 11" 8	3' 11" 13	5' 4" 6	5' 4" 12	5' 5" 2	5' 5" 8
5 IN 12	3' 11" 11	3' 11" 15	4' 0" 3	4' 0" 8	5' 4" 14	5' 5" 4	5' 5" 10	5' 6" 0
5.5 IN 12	4' 0" 6	4' 0" 11	4' 0" 15	4' 1" 4	5' 5" 7	5' 5" 13	5' 6" 2	5' 6" 8
6 IN 12	4' 1" 3	4' 1" 8	4' 1" 12	4' 2" 1	5' 6" 0	5' 6" 6	5' 6" 12	5' 7" 2
6.5 IN 12	4' 2" 1	4' 2" 5	4' 2" 10	4' 2" 14	5' 6" 10	5' 7" 0	5' 7" 6	5' 7" 12
7 IN 12	4' 2" 15	4' 3" 4	4' 3" 8	4' 3" 13	5' 7" 5	5' 7" 11	5' 8" 1	5' 8" 7
8 IN 12	4' 4" 14	4' 5" 3	4' 5" 8	4' 5" 13	5' 8" 13	5' 9" 3	5' 9" 9	5' 9" 15
9 IN 12	4' 7" 0	4' 7" 5	4' 7" 10	4' 7" 15	5' 10" 7	5' 10" 13	5' 11" 4	5' 11" 10
10 IN 12	4' 9" 4	4' 9" 10	4' 9" 15	4' 10" 4	6' 0" 4	6' 0" 10	6' 1" 1	6' 1" 7
11 IN 12	4' 11" 11	5' 0" 0	5' 0" 6	5' 0" 11	6' 2" 2	6' 2" 9	6' 3" 0	6' 3" 7
12 IN 12	5' 2" 4	5' 2" 9	5' 2" 15	5' 3" 5	6' 4" 3	6' 4" 10	6' 5" 1	6' 5" 8
13 IN 12	5' 4" 14	5' 5" 4	5' 5" 10	5' 6" 0	6' 6" 6	6' 6" 13	6' 7" 4	6' 7" 12
14 IN 12	5' 7" 10	5' 8" 0	5' 8" 6	5' 8" 12	6' 8" 11	6' 9" 2	6' 9" 9	6' 10" 1
15 IN 12	5' 10" 7	5' 10" 13	5' 11" 4	5' 11" 10	6' 11" 1	6' 11" 8	7' 0" 0	7' 0" 7
16 IN 12	6' 1" 5	6' 1" 12	6' 2" 3	6' 2" 9	7' 1" 8	7' 2" 0	7' 2" 8	7' 3" 0
17 IN 12	6' 4" 5	6' 4" 12	6' 5" 3	6' 5" 10	7' 4" 1	7' 4" 9	7' 5" 1	7' 5" 9
18 IN 12	6' 7" 5	6' 7" 12	6' 8" 4	6' 8" 11	7' 6" 11	7' 7" 4	7' 7" 12	7' 8" 4
19 IN 12	6' 10" 5	6' 10" 14	6' 11" 5	6' 11" 13	7' 9" 7	7' 9" 15	7' 10" 8	7' 11" 0
20 IN 12	7' 1" 8	7' 2" 0	7' 2" 8	7' 3" 0	8' 0" 3	8' 0" 12	8' 1" 4	8' 1" 13
21 IN 12	7' 4" 11	7' 5" 3	7' 5" 11	7' 6" 3	8' 3" 3	8' 3" 9	8' 4" 2	8' 4" 11
22 IN 12	7' 7" 14	7' 8" 7	7' 8" 15	7' 9" 7	8' 5" 14	8' 6" 7	8' 7" 1	8' 7" 10
23 IN 12	7' 11" 2	7' 11" 11	8' 0" 3	8' 0" 12	8' 8" 13	8' 9" 6	8' 10" 0	8' 10" 9
24 IN 12	8' 2" 6	8' 2" 15	8' 3" 8	8' 4" 1	8' 11" 12	9' 0" 6	9' 1" 0	9' 1" 10
25 IN 12	8' 5" 11	8' 6" 4	8' 6" 13	8' 7" 7	9' 2" 13	9' 3" 7	9' 4" 1	9' 4" 11

Run -	3' 9"			3' 9 1/4"			3' 9 1/2"			3' 9 3/4"			3' 9"			3' 9 1/4"			3' 9 1/2"			3' 9 3/4"		
Pitch	Ft	In	16th"	Ft	In	16th"	Ft	In	16th"	Ft	In	16th"	Ft	In	16th"	Ft	In	16th"	Ft	In	16th"	Ft	In	16th"
1 IN 12	3'	9"	2	3'	9"	7	3'	9"	11	3'	9"	15	5'	3"	12	5'	4"	2	5'	4"	7	5'	4"	13
2 IN 12	3'	9"	10	3'	9"	14	3'	10"	2	3'	10"	6	5'	4"	1	5'	4"	7	5'	4"	13	5'	5"	2
2.5 IN 12	3'	9"	15	3'	10"	4	3'	10"	8	3'	10"	12	5'	4"	5	5'	4"	11	5'	5"	1	5'	5"	6
3 IN 12	3'	10"	6	3'	10"	10	3'	10"	14	3'	11"	3	5'	4"	10	5'	5"	0	5'	5"	6	5'	5"	11
3.5 IN 12	3'	10"	14	3'	11"	2	3'	11"	6	3'	11"	11	5'	5"	0	5'	5"	5	5'	5"	11	5'	6"	1
4 IN 12	3'	11"	7	3'	11"	11	3'	11"	15	4'	0"	4	5'	5"	6	5'	5"	12	5'	6"	2	5'	6"	8
4.5 IN 12	4'	0"	1	4'	0"	5	4'	0"	10	4'	0"	14	5'	5"	13	5'	6"	3	5'	6"	9	5'	6"	15
5 IN 12	4'	0"	12	4'	1"	0	4'	1"	5	4'	1"	9	5'	6"	6	5'	6"	11	5'	7"	1	5'	7"	7
5.5 IN 12	4'	1"	8	4'	1"	12	4'	2"	1	4'	2"	5	5'	6"	14	5'	7"	4	5'	7"	10	5'	8"	0
6 IN 12	4'	2"	5	4'	2"	9	4'	2"	14	4'	3"	2	5'	7"	8	5'	7"	14	5'	8"	4	5'	8"	10
6.5 IN 12	4'	3"	3	4'	3"	7	4'	3"	12	4'	4"	0	5'	8"	2	5'	8"	8	5'	8"	14	5'	9"	5
7 IN 12	4'	4"	2	4'	4"	6	4'	4"	11	4'	4"	15	5'	8"	13	5'	9"	4	5'	9"	10	5'	10"	0
8 IN 12	4'	6"	1	4'	6"	6	4'	6"	11	4'	7"	0	5'	10"	6	5'	10"	12	5'	11"	2	5'	11"	8
9 IN 12	4'	8"	4	4'	8"	9	4'	8"	14	4'	9"	3	6'	0"	1	6'	0"	7	6'	0"	13	6'	1"	4
10 IN 12	4'	10"	9	4'	10"	14	4'	11"	4	4'	11"	9	6'	1"	14	6'	2"	4	6'	2"	11	6'	3"	2
11 IN 12	5'	1"	1	5'	1"	6	5'	1"	12	5'	2"	1	6'	3"	13	6'	4"	4	6'	4"	11	6'	5"	2
12 IN 12	5'	3"	10	5'	4"	0	5'	4"	6	5'	4"	11	6'	5"	15	6'	6"	6	6'	6"	13	6'	7"	4
13 IN 12	5'	6"	6	5'	6"	11	5'	7"	1	5'	7"	7	6'	8"	3	6'	8"	10	6'	9"	1	6'	9"	8
14 IN 12	5'	9"	2	5'	9"	8	5'	9"	15	5'	10"	5	6'	10"	8	6'	10"	15	6'	11"	7	6'	11"	14
15 IN 12	6'	0"	1	6'	0"	8	6'	0"	13	6'	1"	4	7'	0"	15	7'	1"	7	7'	1"	14	7'	2"	6
16 IN 12	6'	3"	0	6'	3"	7	6'	3"	13	6'	4"	4	7'	3"	7	7'	3"	15	7'	4"	7	7'	4"	15
17 IN 12	6'	6"	1	6'	6"	7	6'	6"	14	6'	7"	5	7'	6"	1	7'	6"	9	7'	7"	1	7'	7"	9
18 IN 12	6'	9"	2	6'	9"	9	6'	10"	0	6'	10"	8	7'	8"	12	7'	9"	5	7'	9"	13	7'	10"	5
19 IN 12	7'	0"	4	7'	0"	12	7'	1"	3	7'	1"	11	7'	11"	9	8'	0"	1	8'	0"	10	8'	1"	2
20 IN 12	7'	3"	7	7'	3"	15	7'	4"	7	7'	4"	15	8'	2"	2	8'	2"	15	8'	3"	7	8'	4"	0
21 IN 12	7'	6"	11	7'	7"	3	7'	7"	11	7'	8"	3	8'	5"	4	8'	5"	13	8'	6"	6	8'	6"	15
22 IN 12	7'	10"	0	7'	10"	8	7'	11"	0	7'	11"	9	8'	8"	3	8'	8"	12	8'	9"	6	8'	9"	15
23 IN 12	8'	1"	5	8'	1"	13	8'	2"	6	8'	2"	14	8'	11"	3	8'	11"	13	9'	0"	6	9'	1"	0
24 IN 12	8'	4"	10	8'	5"	3	8'	5"	12	8'	6"	5	9'	2"	4	9'	2"	13	9'	3"	7	9'	4"	1
25 IN 12	8'	8"	0	8'	8"	9	8'	9"	2	8'	9"	12	9'	5"	5	9'	5"	15	9'	6"	9	9'	7"	3

3 Foot 10 Inch Run — Common Rafter Lengths 3 Foot 10 Inch Run — Hip Or Valley Rafter Lengths

Run - Pitch	Common 3'10"	3'10 1/4"	3'10 1/2"	3'10 3/4"	Hip 3'10"	3'10 1/4"	3'10 1/2"	3'10 3/4"
1 IN 12	3' 10" 3	3' 10" 7	3' 10" 11	3' 10" 15	5' 5" 3	5' 5" 8	5' 5" 14	5' 6" 4
2 IN 12	3' 10" 10	3' 10" 14	3' 11" 2	3' 11" 6	5' 5" 8	5' 5" 14	5' 6" 3	5' 6" 9
2.5 IN 12	3' 11" 0	3' 11" 4	3' 11" 8	3' 11" 12	5' 5" 12	5' 6" 2	5' 6" 8	5' 6" 13
3 IN 12	3' 11" 7	3' 11" 11	3' 11" 15	4' 0" 3	5' 6" 1	5' 6" 7	5' 6" 12	5' 7" 2
3.5 IN 12	3' 11" 15	4' 0" 3	4' 0" 7	4' 0" 11	5' 6" 7	5' 6" 13	5' 7" 2	5' 7" 8
4 IN 12	4' 0" 8	4' 0" 12	4' 1" 0	4' 1" 4	5' 6" 13	5' 7" 3	5' 7" 9	5' 7" 15
4.5 IN 12	4' 1" 2	4' 1" 6	4' 1" 11	4' 1" 15	5' 7" 5	5' 7" 11	5' 8" 1	5' 8" 6
5 IN 12	4' 1" 13	4' 2" 2	4' 2" 6	4' 2" 10	5' 7" 13	5' 8" 3	5' 8" 9	5' 8" 15
5.5 IN 12	4' 2" 10	4' 2" 14	4' 3" 2	4' 3" 7	5' 8" 6	5' 8" 12	5' 9" 2	5' 9" 8
6 IN 12	4' 3" 7	4' 3" 11	4' 4" 0	4' 4" 4	5' 9" 0	5' 9" 6	5' 9" 12	5' 10" 2
6.5 IN 12	4' 4" 5	4' 4" 10	4' 4" 14	4' 5" 3	5' 9" 11	5' 10" 1	5' 10" 7	5' 10" 13
7 IN 12	4' 5" 4	4' 5" 9	4' 5" 13	4' 6" 2	5' 10" 6	5' 10" 12	5' 11" 2	5' 11" 8
8 IN 12	4' 7" 5	4' 7" 9	4' 7" 14	4' 8" 3	5' 11" 15	6' 0" 5	6' 0" 11	6' 1" 1
9 IN 12	4' 9" 8	4' 9" 13	4' 10" 2	4' 10" 7	6' 1" 10	6' 2" 1	6' 2" 7	6' 2" 13
10 IN 12	4' 11" 14	5' 0" 3	5' 0" 8	5' 0" 14	6' 3" 8	6' 3" 15	6' 4" 5	6' 4" 12
11 IN 12	5' 2" 6	5' 2" 12	5' 3" 1	5' 3" 7	6' 5" 8	6' 5" 15	6' 6" 6	6' 6" 13
12 IN 12	5' 5" 1	5' 5" 7	5' 5" 12	5' 6" 2	6' 7" 11	6' 8" 2	6' 8" 9	6' 9" 0
13 IN 12	5' 7" 13	5' 8" 3	5' 8" 9	5' 8" 15	6' 9" 15	6' 10" 6	6' 10" 13	6' 11" 5
14 IN 12	5' 10" 11	5' 11" 1	5' 11" 7	5' 11" 13	7' 0" 5	7' 0" 13	7' 1" 4	7' 1" 11
15 IN 12	6' 1" 10	6' 2" 1	6' 2" 7	6' 2" 13	7' 2" 13	7' 3" 5	7' 3" 12	7' 4" 4
16 IN 12	6' 4" 11	6' 5" 1	6' 5" 8	6' 5" 15	7' 5" 7	7' 5" 14	7' 6" 6	7' 6" 14
17 IN 12	6' 7" 12	6' 8" 3	6' 8" 10	6' 9" 1	7' 8" 1	7' 8" 9	7' 9" 1	7' 9" 9
18 IN 12	6' 10" 15	6' 11" 6	6' 11" 13	7' 0" 4	7' 10" 13	7' 11" 6	7' 11" 14	8' 0" 6
19 IN 12	7' 2" 2	7' 2" 10	7' 3" 1	7' 3" 9	8' 1" 10	8' 2" 3	8' 2" 11	8' 3" 4
20 IN 12	7' 5" 7	7' 5" 14	7' 6" 6	7' 6" 14	8' 4" 9	8' 5" 2	8' 5" 10	8' 6" 3
21 IN 12	7' 8" 11	7' 9" 4	7' 9" 12	7' 10" 4	8' 7" 8	8' 8" 1	8' 8" 10	8' 9" 3
22 IN 12	8' 0" 1	8' 0" 9	8' 1" 2	8' 1" 10	8' 10" 8	8' 11" 1	8' 11" 11	9' 0" 4
23 IN 12	8' 3" 7	8' 4" 0	8' 4" 8	8' 5" 1	9' 1" 9	9' 2" 3	9' 2" 12	9' 3" 6
24 IN 12	8' 6" 14	8' 7" 7	8' 8" 0	8' 8" 9	9' 4" 11	9' 5" 5	9' 5" 14	9' 6" 8
25 IN 12	8' 10" 5	8' 10" 14	8' 11" 7	9' 0" 1	9' 7" 13	9' 8" 7	9' 9" 1	9' 9" 11

3 Foot 11 Inch Run — Common Rafter Lengths | 3 Foot 11 Inch Run — Hip Or Valley Rafter Lengths

Run -	3'11"	3'11 1/4"	3'11 1/2"	3'11 3/4"	3'11"	3'11 1/4"	3'11 1/2"	3'11 3/4"
Pitch	Ft In 16th"	Ft In 16th"	Ft In 16th"	Ft In 16th"	Ft In 16th"	Ft In 16th"	Ft In 16th"	Ft In 16th"
1 IN 12	3' 11" 3	3' 11" 7	3' 11" 11	3' 11" 15	5' 6" 9	5' 6" 15	5' 7" 5	5' 7" 10
2 IN 12	3' 11" 10	3' 11" 14	4' 0" 2	4' 0" 7	5' 6" 15	5' 7" 5	5' 7" 10	5' 8" 0
2.5 IN 12	4' 0" 0	4' 0" 4	4' 0" 8	4' 0" 12	5' 7" 3	5' 7" 9	5' 7" 14	5' 8" 4
3 IN 12	4' 0" 7	4' 0" 11	4' 0" 15	4' 1" 4	5' 7" 8	5' 7" 14	5' 8" 3	5' 8" 9
3.5 IN 12	4' 0" 15	4' 1" 4	4' 1" 8	4' 1" 12	5' 7" 14	5' 8" 4	5' 8" 9	5' 8" 15
4 IN 12	4' 1" 9	4' 1" 13	4' 2" 1	4' 2" 5	5' 8" 5	5' 8" 10	5' 9" 0	5' 9" 6
4.5 IN 12	4' 2" 3	4' 2" 7	4' 2" 12	4' 3" 0	5' 8" 12	5' 9" 2	5' 9" 8	5' 9" 14
5 IN 12	4' 2" 15	4' 3" 3	4' 3" 7	4' 3" 12	5' 9" 5	5' 9" 11	5' 10" 0	5' 10" 6
5.5 IN 12	4' 3" 11	4' 4" 0	4' 4" 4	4' 4" 8	5' 9" 14	5' 10" 4	5' 10" 10	5' 11" 0
6 IN 12	4' 4" 9	4' 4" 13	4' 5" 2	4' 5" 6	5' 10" 8	5' 10" 14	5' 11" 4	5' 11" 10
6.5 IN 12	4' 5" 7	4' 5" 12	4' 6" 0	4' 6" 5	5' 11" 3	5' 11" 9	5' 11" 15	6' 0" 5
7 IN 12	4' 6" 7	4' 6" 11	4' 7" 0	4' 7" 4	5' 11" 14	6' 0" 5	6' 0" 11	6' 1" 1
8 IN 12	4' 8" 8	4' 8" 13	4' 9" 1	4' 9" 6	6' 1" 8	6' 1" 14	6' 2" 4	6' 2" 10
9 IN 12	4' 10" 12	4' 11" 1	4' 11" 6	4' 11" 11	6' 3" 4	6' 3" 10	6' 4" 1	6' 4" 7
10 IN 12	5' 1" 3	5' 1" 8	5' 1" 13	5' 2" 3	6' 5" 2	6' 5" 9	6' 6" 0	6' 6" 6
11 IN 12	5' 3" 12	5' 4" 2	5' 4" 7	5' 4" 12	6' 7" 3	6' 7" 10	6' 8" 1	6' 8" 8
12 IN 12	5' 6" 7	5' 6" 13	5' 7" 3	5' 7" 8	6' 9" 7	6' 9" 13	6' 10" 4	6' 10" 11
13 IN 12	5' 9" 5	5' 9" 11	5' 10" 0	5' 10" 6	6' 11" 12	7' 0" 3	7' 0" 10	7' 1" 1
14 IN 12	6' 0" 4	6' 0" 10	6' 1" 0	6' 1" 6	7' 2" 3	7' 2" 10	7' 3" 1	7' 3" 9
15 IN 12	6' 3" 4	6' 3" 10	6' 4" 1	6' 4" 7	7' 4" 11	7' 5" 3	7' 5" 10	7' 6" 2
16 IN 12	6' 6" 5	6' 6" 12	6' 7" 3	6' 7" 9	7' 7" 6	7' 7" 13	7' 8" 5	7' 8" 13
17 IN 12	6' 9" 8	6' 9" 15	6' 10" 6	6' 10" 13	7' 10" 1	7' 10" 9	7' 11" 1	7' 11" 9
18 IN 12	7' 0" 12	7' 1" 3	7' 1" 10	7' 2" 1	8' 0" 14	8' 1" 7	8' 1" 15	8' 2" 7
19 IN 12	7' 4" 0	7' 4" 8	7' 4" 15	7' 5" 7	8' 3" 12	8' 4" 5	8' 4" 13	8' 5" 6
20 IN 12	7' 7" 6	7' 7" 13	7' 8" 5	7' 8" 13	8' 6" 12	8' 7" 4	8' 7" 13	8' 8" 6
21 IN 12	7' 10" 12	7' 11" 4	7' 11" 12	8' 0" 4	8' 9" 12	8' 10" 5	8' 10" 14	8' 11" 7
22 IN 12	8' 2" 2	8' 2" 11	8' 3" 3	8' 3" 11	9' 0" 13	9' 1" 6	9' 2" 0	9' 2" 9
23 IN 12	8' 5" 10	8' 6" 2	8' 6" 11	8' 7" 4	9' 3" 15	9' 4" 9	9' 5" 2	9' 5" 12
24 IN 12	8' 9" 2	8' 9" 10	8' 10" 3	8' 10" 12	9' 7" 2	9' 7" 12	9' 8" 6	9' 8" 15
25 IN 12	9' 0" 10	9' 1" 3	9' 1" 12	9' 2" 6	9' 10" 6	9' 11" 0	9' 11" 10	10' 0" 4

4 Foot 0 Inch Run — Common Rafter Lengths

Run -	4' 0"	4' 0 1/4"	4' 0 1/2"	4' 0 3/4"
Pitch	Ft In 16th"	Ft In 16th"	Ft In 16th"	Ft In 16th"
1 IN 12	4' 0" 3	4' 0" 7	4' 0" 11	4' 0" 15
2 IN 12	4' 0" 11	4' 0" 15	4' 1" 3	4' 1" 7
2.5 IN 12	4' 1" 0	4' 1" 5	4' 1" 9	4' 1" 13
3 IN 12	4' 1" 8	4' 1" 12	4' 2" 0	4' 2" 4
3.5 IN 12	4' 2" 0	4' 2" 4	4' 2" 8	4' 2" 13
4 IN 12	4' 2" 10	4' 2" 14	4' 3" 2	4' 3" 6
4.5 IN 12	4' 3" 4	4' 3" 8	4' 3" 13	4' 4" 1
5 IN 12	4' 4" 0	4' 4" 4	4' 4" 9	4' 4" 13
5.5 IN 12	4' 4" 13	4' 5" 1	4' 5" 6	4' 5" 10
6 IN 12	4' 5" 11	4' 5" 15	4' 6" 4	4' 6" 8
6.5 IN 12	4' 6" 9	4' 6" 14	4' 7" 3	4' 7" 7
7 IN 12	4' 7" 9	4' 7" 14	4' 8" 2	4' 8" 7
8 IN 12	4' 9" 11	4' 10" 0	4' 10" 5	4' 10" 9
9 IN 12	5' 0" 0	5' 0" 5	5' 0" 10	5' 0" 15
10 IN 12	5' 2" 8	5' 2" 13	5' 3" 2	5' 3" 7
11 IN 12	5' 5" 2	5' 5" 7	5' 5" 13	5' 6" 2
12 IN 12	5' 7" 14	5' 8" 4	5' 8" 9	5' 8" 15
13 IN 12	5' 10" 12	5' 11" 2	5' 11" 8	5' 11" 14
14 IN 12	6' 1" 12	6' 2" 2	6' 2" 8	6' 2" 15
15 IN 12	6' 4" 13	6' 5" 4	6' 5" 10	6' 6" 1
16 IN 12	6' 8" 0	6' 8" 7	6' 8" 13	6' 9" 4
17 IN 12	6' 11" 4	6' 11" 11	7' 0" 2	7' 0" 9
18 IN 12	7' 2" 9	7' 3" 0	7' 3" 7	7' 3" 14
19 IN 12	7' 5" 14	7' 6" 6	7' 6" 13	7' 7" 5
20 IN 12	7' 9" 5	7' 9" 12	7' 10" 4	7' 10" 12
21 IN 12	8' 0" 12	8' 1" 4	8' 1" 12	8' 2" 4
22 IN 12	8' 4" 4	8' 4" 12	8' 5" 5	8' 5" 13
23 IN 12	8' 7" 12	8' 8" 5	8' 8" 14	8' 9" 6
24 IN 12	8' 11" 5	8' 11" 14	9' 0" 7	9' 1" 0
25 IN 12	9' 2" 15	9' 3" 8	9' 4" 1	9' 4" 11

4 Foot 0 Inch Run — Hip Or Valley Rafter Lengths

Run -	4' 0"	4' 0 1/4"	4' 0 1/2"	4' 0 3/4"
Pitch	Ft In 16th"	Ft In 16th"	Ft In 16th"	Ft In 16th"
1 IN 12	5' 8" 0	5' 8" 6	5' 8" 11	5' 9" 1
2 IN 12	5' 8" 6	5' 8" 12	5' 9" 1	5' 9" 7
2.5 IN 12	5' 8" 10	5' 9" 0	5' 9" 5	5' 9" 11
3 IN 12	5' 8" 15	5' 9" 5	5' 9" 10	5' 10" 0
3.5 IN 12	5' 9" 5	5' 9" 11	5' 10" 1	5' 10" 6
4 IN 12	5' 9" 12	5' 10" 2	5' 10" 8	5' 10" 13
4.5 IN 12	5' 10" 4	5' 10" 10	5' 10" 15	5' 11" 5
5 IN 12	5' 10" 12	5' 11" 2	5' 11" 8	5' 11" 14
5.5 IN 12	5' 11" 6	5' 11" 12	6' 0" 2	6' 0" 8
6 IN 12	6' 0" 0	6' 0" 6	6' 0" 12	6' 1" 2
6.5 IN 12	6' 0" 11	6' 1" 1	6' 1" 7	6' 1" 13
7 IN 12	6' 1" 7	6' 1" 13	6' 2" 3	6' 2" 9
8 IN 12	6' 3" 1	6' 3" 7	6' 3" 13	6' 4" 4
9 IN 12	6' 4" 13	6' 5" 4	6' 5" 10	6' 6" 1
10 IN 12	6' 6" 13	6' 7" 3	6' 7" 10	6' 8" 0
11 IN 12	6' 8" 14	6' 9" 5	6' 9" 12	6' 10" 3
12 IN 12	6' 11" 2	6' 11" 9	7' 0" 0	7' 0" 7
13 IN 12	7' 1" 8	7' 1" 15	7' 2" 6	7' 2" 14
14 IN 12	7' 4" 0	7' 4" 7	7' 4" 15	7' 5" 6
15 IN 12	7' 6" 10	7' 7" 1	7' 7" 9	7' 8" 0
16 IN 12	7' 9" 5	7' 9" 12	7' 10" 4	7' 10" 12
17 IN 12	8' 0" 1	8' 0" 9	8' 1" 1	8' 1" 9
18 IN 12	8' 2" 15	8' 3" 8	8' 4" 0	8' 4" 8
19 IN 12	8' 5" 14	8' 6" 7	8' 6" 15	8' 7" 8
20 IN 12	8' 8" 15	8' 9" 7	8' 10" 0	8' 10" 9
21 IN 12	9' 0" 0	9' 0" 9	9' 1" 2	9' 1" 11
22 IN 12	9' 3" 2	9' 3" 11	9' 4" 5	9' 4" 14
23 IN 12	9' 6" 5	9' 6" 15	9' 7" 8	9' 8" 2
24 IN 12	9' 9" 9	9' 10" 3	9' 10" 13	9' 11" 7
25 IN 12	10' 0" 14	10' 1" 8	10' 2" 2	10' 2" 12

4 Foot 1 Inch Run — Common Rafter Lengths   4 Foot 1 Inch Run — Hip Or Valley Rafter Lengths

Run - Pitch	Common 4' 1"	Common 4' 1 1/4"	Common 4' 1 1/2"	Common 4' 1 3/4"	Hip/Valley 4' 1"	Hip/Valley 4' 1 1/4"	Hip/Valley 4' 1 1/2"	Hip/Valley 4' 1 3/4"
	Ft In 16th"	Ft In 16th"	Ft In 16th"	Ft In 16th"	Ft In 16th"	Ft In 16th"	Ft In 16th"	Ft In 16th"
1 IN 12	4' 1" 3	4' 1" 7	4' 1" 11	4' 1" 15	5' 9" 7	5' 9" 12	5' 10" 2	5' 10" 8
2 IN 12	4' 1" 11	4' 1" 15	4' 2" 3	4' 2" 7	5' 9" 12	5' 10" 2	5' 10" 8	5' 10" 14
2.5 IN 12	4' 2" 1	4' 2" 5	4' 2" 9	4' 2" 13	5' 10" 1	5' 10" 6	5' 10" 12	5' 11" 2
3 IN 12	4' 2" 8	4' 2" 12	4' 3" 0	4' 3" 4	5' 10" 6	5' 10" 12	5' 11" 1	5' 11" 7
3.5 IN 12	4' 3" 1	4' 3" 5	4' 3" 9	4' 3" 13	5' 10" 12	5' 11" 2	5' 11" 8	5' 11" 13
4 IN 12	4' 3" 10	4' 3" 15	4' 4" 3	4' 4" 7	5' 11" 3	5' 11" 9	5' 11" 15	6' 0" 5
4.5 IN 12	4' 4" 5	4' 4" 10	4' 4" 14	4' 5" 2	5' 11" 11	6' 0" 1	6' 0" 7	6' 0" 13
5 IN 12	4' 5" 1	4' 5" 6	4' 5" 10	4' 5" 14	6' 0" 4	6' 0" 10	6' 1" 0	6' 1" 6
5.5 IN 12	4' 5" 14	4' 6" 3	4' 6" 7	4' 6" 12	6' 0" 14	6' 1" 3	6' 1" 9	6' 1" 15
6 IN 12	4' 6" 13	4' 7" 1	4' 7" 5	4' 7" 10	6' 1" 8	6' 1" 14	6' 2" 4	6' 2" 10
6.5 IN 12	4' 7" 12	4' 8" 0	4' 8" 5	4' 8" 9	6' 2" 3	6' 2" 9	6' 2" 15	6' 3" 5
7 IN 12	4' 8" 12	4' 9" 0	4' 9" 5	4' 9" 10	6' 2" 15	6' 3" 5	6' 3" 12	6' 4" 2
8 IN 12	4' 10" 14	4' 11" 3	4' 11" 8	4' 11" 13	6' 4" 10	6' 5" 0	6' 5" 6	6' 5" 13
9 IN 12	5' 1" 4	5' 1" 9	5' 1" 14	5' 2" 3	6' 6" 7	6' 6" 13	6' 7" 4	6' 7" 10
10 IN 12	5' 3" 13	5' 4" 2	5' 4" 7	5' 4" 12	6' 8" 7	6' 8" 13	6' 9" 4	6' 9" 11
11 IN 12	5' 6" 8	5' 6" 13	5' 7" 2	5' 7" 8	6' 10" 9	6' 11" 0	6' 11" 7	6' 11" 14
12 IN 12	5' 9" 5	5' 9" 10	5' 10" 0	5' 10" 6	7' 0" 14	7' 1" 5	7' 1" 12	7' 2" 3
13 IN 12	6' 0" 4	6' 0" 10	6' 1" 0	6' 1" 6	7' 3" 5	7' 3" 12	7' 4" 3	7' 4" 10
14 IN 12	6' 3" 5	6' 3" 11	6' 4" 1	6' 4" 7	7' 5" 13	7' 6" 5	7' 6" 12	7' 7" 3
15 IN 12	6' 6" 7	6' 6" 13	6' 7" 4	6' 7" 10	7' 8" 8	7' 8" 15	7' 9" 7	7' 9" 14
16 IN 12	6' 9" 11	6' 10" 1	6' 10" 8	6' 10" 15	7' 11" 4	7' 11" 12	8' 0" 3	8' 0" 11
17 IN 12	7' 0" 15	7' 1" 6	7' 1" 13	7' 2" 4	8' 2" 1	8' 2" 9	8' 3" 1	8' 3" 9
18 IN 12	7' 4" 5	7' 4" 13	7' 5" 4	7' 5" 11	8' 5" 0	8' 5" 9	8' 6" 1	8' 6" 9
19 IN 12	7' 7" 12	7' 8" 4	7' 8" 11	7' 9" 3	8' 8" 0	8' 8" 9	8' 9" 1	8' 9" 10
20 IN 12	7' 11" 4	7' 11" 12	8' 0" 3	8' 0" 11	8' 11" 0	8' 11" 10	9' 0" 3	9' 0" 12
21 IN 12	8' 2" 12	8' 3" 4	8' 3" 12	8' 4" 4	9' 2" 4	9' 2" 13	9' 3" 6	9' 3" 15
22 IN 12	8' 6" 5	8' 6" 14	8' 7" 6	8' 7" 14	9' 5" 7	9' 6" 1	9' 6" 10	9' 7" 3
23 IN 12	8' 9" 15	8' 10" 8	8' 11" 0	8' 11" 9	9' 8" 11	9' 9" 5	9' 9" 14	9' 10" 8
24 IN 12	9' 1" 9	9' 2" 2	9' 2" 11	9' 3" 4	10' 0" 0	10' 0" 10	10' 1" 4	10' 1" 14
25 IN 12	9' 5" 4	9' 5" 13	9' 6" 6	9' 6" 15	10' 3" 6	10' 4" 0	10' 4" 10	10' 5" 4

4 Foot 2 Inch Run — Common Rafter Lengths   4 Foot 2 Inch Run — Hip Or Valley Rafter Lengths

Run - Pitch	Common 4' 2" Ft In 16th"	Common 4' 2 1/4" Ft In 16th"	Common 4' 2 1/2" Ft In 16th"	Common 4' 2 3/4" Ft In 16th"	Hip/Valley 4' 2" Ft In 16th"	Hip/Valley 4' 2 1/4" Ft In 16th"	Hip/Valley 4' 2 1/2" Ft In 16th"	Hip/Valley 4' 2 3/4" Ft In 16th"
1 IN 12	4' 2" 3	4' 2" 7	4' 2" 11	4' 2" 15	5' 10" 13	5' 11" 3	5' 11" 9	5' 11" 14
2 IN 12	4' 2" 11	4' 2" 15	4' 3" 3	4' 3" 7	5' 11" 3	5' 11" 9	5' 11" 15	6' 0" 4
2.5 IN 12	4' 3" 1	4' 3" 5	4' 3" 9	4' 3" 13	5' 11" 8	5' 11" 13	6' 0" 3	6' 0" 9
3 IN 12	4' 3" 9	4' 3" 13	4' 4" 1	4' 4" 5	5' 11" 13	6' 0" 3	6' 0" 8	6' 0" 14
3.5 IN 12	4' 4" 1	4' 4" 6	4' 4" 10	4' 4" 14	6' 0" 3	6' 0" 9	6' 0" 15	6' 1" 5
4 IN 12	4' 4" 11	4' 4" 15	4' 5" 4	4' 5" 8	6' 0" 10	6' 1" 0	6' 1" 6	6' 1" 12
4.5 IN 12	4' 5" 6	4' 5" 11	4' 5" 15	4' 6" 3	6' 1" 2	6' 1" 8	6' 1" 14	6' 2" 4
5 IN 12	4' 6" 3	4' 6" 7	4' 6" 11	4' 7" 0	6' 1" 11	6' 2" 1	6' 2" 7	6' 2" 13
5.5 IN 12	4' 7" 0	4' 7" 4	4' 7" 9	4' 7" 13	6' 2" 5	6' 2" 11	6' 3" 1	6' 3" 7
6 IN 12	4' 7" 14	4' 8" 3	4' 8" 7	4' 8" 12	6' 3" 0	6' 3" 6	6' 3" 12	6' 4" 2
6.5 IN 12	4' 8" 14	4' 9" 2	4' 9" 7	4' 9" 11	6' 3" 12	6' 4" 2	6' 4" 8	6' 4" 14
7 IN 12	4' 9" 14	4' 10" 3	4' 10" 7	4' 10" 12	6' 4" 8	6' 4" 14	6' 5" 4	6' 5" 10
8 IN 12	5' 0" 1	5' 0" 6	5' 0" 11	5' 1" 0	6' 6" 3	6' 6" 9	6' 6" 15	6' 7" 6
9 IN 12	5' 2" 8	5' 2" 13	5' 3" 2	5' 3" 7	6' 8" 1	6' 8" 7	6' 8" 13	6' 9" 4
10 IN 12	5' 5" 1	5' 5" 7	5' 5" 12	5' 6" 1	6' 10" 1	6' 10" 8	6' 10" 14	6' 11" 5
11 IN 12	5' 7" 13	5' 8" 3	5' 8" 8	5' 8" 14	7' 0" 4	7' 0" 11	7' 1" 2	7' 1" 8
12 IN 12	5' 10" 11	5' 11" 1	5' 11" 7	5' 11" 12	7' 2" 10	7' 3" 1	7' 3" 7	7' 3" 14
13 IN 12	6' 1" 11	6' 2" 1	6' 2" 7	6' 2" 13	7' 5" 1	7' 5" 8	7' 5" 15	7' 6" 7
14 IN 12	6' 4" 13	6' 5" 3	6' 5" 10	6' 6" 0	7' 7" 11	7' 8" 2	7' 8" 9	7' 9" 1
15 IN 12	6' 8" 1	6' 8" 7	6' 8" 13	6' 9" 4	7' 10" 6	7' 10" 14	7' 11" 5	7' 11" 13
16 IN 12	6' 11" 5	6' 11" 12	7' 0" 3	7' 0" 9	8' 1" 3	8' 1" 11	8' 2" 2	8' 2" 10
17 IN 12	7' 2" 11	7' 3" 2	7' 3" 9	7' 4" 0	8' 4" 1	8' 4" 9	8' 5" 1	8' 5" 9
18 IN 12	7' 6" 2	7' 6" 9	7' 7" 1	7' 7" 8	8' 7" 1	8' 7" 9	8' 8" 2	8' 8" 10
19 IN 12	7' 9" 10	7' 10" 2	7' 10" 9	7' 11" 1	8' 10" 2	8' 10" 11	8' 11" 3	8' 11" 12
20 IN 12	8' 1" 3	8' 1" 11	8' 2" 2	8' 2" 10	9' 1" 5	9' 1" 13	9' 2" 6	9' 2" 15
21 IN 12	8' 4" 12	8' 5" 5	8' 5" 13	8' 6" 5	9' 4" 8	9' 5" 1	9' 5" 10	9' 6" 3
22 IN 12	8' 8" 7	8' 8" 15	8' 9" 7	8' 10" 0	9' 7" 12	9' 8" 6	9' 8" 15	9' 9" 8
23 IN 12	9' 0" 1	9' 0" 10	9' 1" 3	9' 1" 11	9' 11" 2	9' 11" 11	10' 0" 5	10' 0" 14
24 IN 12	9' 3" 13	9' 4" 6	9' 4" 15	9' 5" 8	10' 2" 8	10' 3" 1	10' 3" 11	10' 4" 5
25 IN 12	9' 7" 9	9' 8" 2	9' 8" 11	9' 9" 4	10' 5" 14	10' 6" 8	10' 7" 3	10' 7" 13

Run -	4' 3"			4' 3 1/4"			4' 3 1/2"			4' 3 3/4"			4' 3"			4' 3 1/4"			4' 3 1/2"			4' 3 3/4"		
Pitch	Ft	In	16th"	Ft	In	16th"	Ft	In	16th"	Ft	In	16th"	Ft	In	16th"	Ft	In	16th"	Ft	In	16th"	Ft	In	16th"
1 IN 12	4'	3"	3	4'	3"	7	4'	3"	11	4'	3"	15	6'	0"	4	6'	0"	10	6'	0"	15	6'	1"	5
2 IN 12	4'	3"	11	4'	3"	15	4'	4"	3	4'	4"	7	6'	0"	10	6'	1"	0	6'	1"	5	6'	1"	11
2.5 IN 12	4'	4"	2	4'	4"	6	4'	4"	10	4'	4"	14	6'	0"	14	6'	1"	4	6'	1"	10	6'	2"	0
3 IN 12	4'	4"	9	4'	4"	13	4'	5"	1	4'	5"	5	6'	1"	4	6'	1"	10	6'	1"	15	6'	2"	5
3.5 IN 12	4'	5"	2	4'	5"	6	4'	5"	10	4'	5"	15	6'	1"	10	6'	2"	0	6'	2"	6	6'	2"	12
4 IN 12	4'	5"	12	4'	6"	0	4'	6"	5	4'	6"	9	6'	2"	2	6'	2"	7	6'	2"	13	6'	3"	3
4.5 IN 12	4'	6"	7	4'	6"	12	4'	7"	0	4'	7"	4	6'	2"	10	6'	3"	0	6'	3"	6	6'	3"	11
5 IN 12	4'	7"	4	4'	7"	8	4'	7"	13	4'	8"	1	6'	3"	3	6'	3"	9	6'	3"	15	6'	4"	5
5.5 IN 12	4'	8"	2	4'	8"	6	4'	8"	10	4'	8"	15	6'	3"	13	6'	4"	3	6'	4"	9	6'	4"	15
6 IN 12	4'	9"	0	4'	9"	5	4'	9"	9	4'	9"	14	6'	4"	8	6'	4"	14	6'	5"	4	6'	5"	10
6.5 IN 12	4'	10"	0	4'	10"	5	4'	10"	9	4'	10"	14	6'	5"	4	6'	5"	10	6'	6"	0	6'	6"	6
7 IN 12	4'	11"	1	4'	11"	5	4'	11"	10	4'	11"	15	6'	6"	0	6'	6"	6	6'	6"	13	6'	7"	3
8 IN 12	5'	1"	5	5'	1"	10	5'	1"	14	5'	2"	3	6'	7"	12	6'	8"	2	6'	8"	8	6'	8"	15
9 IN 12	5'	3"	12	5'	4"	1	5'	4"	6	5'	4"	11	6'	9"	10	6'	10"	1	6'	10"	7	6'	10"	13
10 IN 12	5'	6"	6	5'	6"	11	5'	7"	1	5'	7"	6	6'	11"	11	7'	0"	2	7'	0"	9	7'	0"	15
11 IN 12	5'	9"	3	5'	9"	8	5'	9"	14	5'	10"	3	7'	1"	15	7'	2"	6	7'	2"	13	7'	3"	3
12 IN 12	6'	0"	2	6'	0"	8	6'	0"	13	6'	1"	3	7'	4"	5	7'	4"	12	7'	5"	3	7'	5"	10
13 IN 12	6'	3"	3	6'	3"	9	6'	3"	15	6'	4"	5	7'	6"	14	7'	7"	5	7'	7"	12	7'	8"	3
14 IN 12	6'	6"	6	6'	6"	12	6'	7"	2	6'	7"	8	7'	9"	8	7'	9"	15	7'	10"	7	7'	10"	14
15 IN 12	6'	9"	10	6'	10"	1	6'	10"	7	6'	10"	13	8'	0"	4	8'	0"	12	8'	1"	3	8'	1"	11
16 IN 12	7'	1"	0	7'	1"	7	7'	1"	13	7'	2"	4	8'	3"	2	8'	3"	10	8'	4"	2	8'	4"	9
17 IN 12	7'	4"	7	7'	4"	14	7'	5"	5	7'	5"	12	8'	6"	1	8'	6"	9	8'	7"	1	8'	7"	9
18 IN 12	7'	7"	15	7'	8"	6	7'	8"	13	7'	9"	5	8'	9"	2	8'	9"	10	8'	10"	3	8'	10"	11
19 IN 12	7'	11"	8	8'	0"	0	8'	0"	7	8'	0"	15	9'	0"	4	9'	0"	13	9'	1"	5	9'	1"	14
20 IN 12	8'	3"	2	8'	3"	10	8'	4"	2	8'	4"	9	9'	3"	8	9'	4"	0	9'	4"	9	9'	5"	2
21 IN 12	8'	6"	13	8'	7"	5	8'	7"	13	8'	8"	5	9'	6"	12	9'	7"	5	9'	7"	14	9'	8"	7
22 IN 12	8'	10"	8	8'	11"	0	8'	11"	9	9'	0"	1	9'	10"	1	9'	10"	11	9'	11"	4	9'	11"	13
23 IN 12	9'	2"	4	9'	2"	13	9'	3"	5	9'	3"	14	10'	1"	8	10'	2"	1	10'	2"	11	10'	3"	4
24 IN 12	9'	6"	1	9'	6"	10	9'	7"	3	9'	7"	11	10'	4"	15	10'	5"	7	10'	6"	2	10'	6"	12
25 IN 12	9'	9"	14	9'	10"	7	9'	11"	0	9'	11"	9	10'	8"	7	10'	9"	1	10'	9"	11	10'	10"	5

4 Foot 4 Inch Run — Common Rafter Lengths   4 Foot 4 Inch Run — Hip Or Valley Rafter Lengths

Run -	4' 4"			4' 4 1/4"			4' 4 1/2"			4' 4 3/4"			4' 4"			4' 4 1/4"			4' 4 1/2"			4' 4 3/4"		
Pitch	Ft	In	16th"	Ft	In	16th"	Ft	In	16th"	Ft	In	16th"	Ft	In	16th"	Ft	In	16th"	Ft	In	16th"	Ft	In	16th"
1 IN 12	4'	4"	3	4'	4"	7	4'	4"	11	4'	4"	15	6'	1"	11	6'	2"	0	6'	2"	6	6'	2"	12
2 IN 12	4'	4"	11	4'	5"	0	4'	5"	4	4'	5"	8	6'	2"	1	6'	2"	6	6'	2"	12	6'	3"	2
2.5 IN 12	4'	5"	2	4'	5"	6	4'	5"	10	4'	5"	14	6'	2"	5	6'	2"	11	6'	3"	1	6'	3"	6
3 IN 12	4'	5"	10	4'	5"	14	4'	6"	2	4'	6"	6	6'	2"	11	6'	3"	1	6'	3"	6	6'	3"	12
3.5 IN 12	4'	6"	3	4'	6"	7	4'	6"	11	4'	6"	15	6'	3"	1	6'	3"	7	6'	3"	13	6'	4"	3
4 IN 12	4'	6"	13	4'	7"	1	4'	7"	5	4'	7"	10	6'	3"	9	6'	3"	15	6'	4"	4	6'	4"	10
4.5 IN 12	4'	7"	9	4'	7"	13	4'	8"	1	4'	8"	5	6'	4"	1	6'	4"	7	6'	4"	13	6'	5"	3
5 IN 12	4'	8"	5	4'	8"	10	4'	8"	14	4'	9"	2	6'	4"	11	6'	5"	1	6'	5"	6	6'	5"	12
5.5 IN 12	4'	9"	3	4'	9"	8	4'	9"	12	4'	10"	0	6'	5"	5	6'	5"	11	6'	6"	1	6'	6"	7
6 IN 12	4'	10"	2	4'	10"	7	4'	10"	11	4'	11"	0	6'	6"	0	6'	6"	6	6'	6"	12	6'	7"	2
6.5 IN 12	4'	11"	2	4'	11"	7	4'	11"	11	5'	0"	0	6'	6"	12	6'	7"	2	6'	7"	8	6'	7"	14
7 IN 12	5'	0"	3	5'	0"	8	5'	0"	12	5'	1"	1	6'	7"	7	6'	7"	9	6'	8"	5	6'	8"	11
8 IN 12	5'	2"	8	5'	2"	13	5'	3"	2	5'	3"	6	6'	9"	5	6'	9"	11	6'	10"	1	6'	10"	8
9 IN 12	5'	5"	0	5'	5"	5	5'	5"	10	5'	5"	15	6'	11"	4	6'	11"	10	7'	0"	1	7'	0"	7
10 IN 12	5'	7"	11	5'	8"	0	5'	8"	5	5'	8"	11	7'	1"	6	7'	1"	12	7'	2"	3	7'	2"	9
11 IN 12	5'	10"	9	5'	10"	14	5'	11"	4	5'	11"	9	7'	3"	10	7'	4"	1	7'	4"	8	7'	4"	14
12 IN 12	6'	1"	9	6'	1"	14	6'	2"	4	6'	2"	10	7'	6"	1	7'	6"	8	7'	6"	15	7'	7"	6
13 IN 12	6'	4"	11	6'	5"	1	6'	5"	6	6'	5"	12	7'	8"	10	7'	9"	1	7'	9"	8	7'	10"	0
14 IN 12	6'	7"	14	6'	8"	5	6'	8"	11	6'	9"	1	7'	11"	5	7'	11"	13	8'	0"	4	8'	0"	11
15 IN 12	6'	11"	4	6'	11"	10	7'	0"	1	7'	0"	7	8'	2"	2	8'	2"	10	8'	3"	1	8'	3"	9
16 IN 12	7'	2"	11	7'	3"	1	7'	3"	8	7'	3"	15	8'	5"	1	8'	5"	9	8'	6"	1	8'	6"	8
17 IN 12	7'	6"	3	7'	6"	10	7'	7"	1	7'	7"	8	8'	8"	1	8'	8"	9	8'	9"	1	8'	9"	9
18 IN 12	7'	9"	12	7'	10"	3	7'	10"	10	7'	11"	2	8'	11"	3	8'	11"	11	9'	0"	4	9'	0"	12
19 IN 12	8'	1"	6	8'	1"	14	8'	2"	5	8'	2"	13	9'	2"	6	9'	2"	15	9'	3"	7	9'	4"	0
20 IN 12	8'	5"	1	8'	5"	9	8'	6"	1	8'	6"	8	9'	5"	11	9'	6"	3	9'	6"	12	9'	7"	5
21 IN 12	8'	8"	13	8'	9"	5	8'	9"	13	8'	10"	5	9'	9"	0	9'	9"	9	9'	10"	2	9'	10"	11
22 IN 12	9'	0"	9	9'	1"	2	9'	1"	10	9'	2"	3	10'	0"	6	10'	1"	0	10'	1"	9	10'	2"	2
23 IN 12	9'	4"	7	9'	4"	15	9'	5"	8	9'	6"	1	10'	3"	14	10'	4"	7	10'	5"	1	10'	5"	10
24 IN 12	9'	8"	4	9'	8"	13	9'	9"	6	9'	9"	15	10'	7"	6	10'	8"	0	10'	8"	10	10'	9"	3
25 IN 12	10'	0"	3	10'	0"	12	10'	1"	5	10'	1"	14	10'	10"	15	10'	11"	9	11'	0"	3	11'	0"	13

4 Foot 5 Inch Run — Common Rafter Lengths   4 Foot 5 Inch Run — Hip Or Valley Rafter Lengths

Run -	4' 5"			4' 5 1/4"			4' 5 1/2"			4' 5 3/4"			4' 5"			4' 5 1/4"			4' 5 1/2"			4' 5 3/4"		
Pitch	Ft	In	16th"	Ft	In	16th"	Ft	In	16th"	Ft	In	16th"	Ft	In	16th"	Ft	In	16th"	Ft	In	16th"	Ft	In	16th"
1 IN 12	4'	5"	3	4'	5"	7	4'	5"	11	4'	5"	15	6'	3"	1	6'	3"	7	6'	3"	13	6'	4"	2
2 IN 12	4'	5"	12	4'	6"	0	4'	6"	4	4'	6"	8	6'	3"	8	6'	3"	13	6'	4"	3	6'	4"	9
2.5 IN 12	4'	6"	2	4'	6"	6	4'	6"	10	4'	6"	14	6'	3"	12	6'	4"	2	6'	4"	8	6'	4"	13
3 IN 12	4'	6"	10	4'	6"	14	4'	7"	2	4'	7"	6	6'	4"	2	6'	4"	8	6'	4"	13	6'	5"	3
3.5 IN 12	4'	7"	3	4'	7"	8	4'	7"	12	4'	8"	0	6'	4"	8	6'	4"	14	6'	5"	4	6'	5"	10
4 IN 12	4'	7"	14	4'	8"	2	4'	8"	6	4'	8"	11	6'	5"	0	6'	5"	6	6'	5"	12	6'	6"	2
4.5 IN 12	4'	8"	10	4'	8"	14	4'	9"	2	4'	9"	6	6'	5"	9	6'	5"	15	6'	6"	4	6'	6"	10
5 IN 12	4'	9"	7	4'	9"	11	4'	9"	15	4'	10"	4	6'	6"	2	6'	6"	8	6'	6"	14	6'	7"	4
5.5 IN 12	4'	10"	5	4'	10"	9	4'	10"	14	4'	11"	2	6'	6"	13	6'	7"	3	6'	7"	9	6'	7"	15
6 IN 12	4'	11"	4	4'	11"	9	4'	11"	13	5'	0"	2	6'	7"	8	6'	7"	14	6'	8"	4	6'	8"	10
6.5 IN 12	5'	0"	4	5'	0"	9	5'	0"	14	5'	1"	2	6'	8"	4	6'	8"	10	6'	9"	0	6'	9"	6
7 IN 12	5'	1"	6	5'	1"	10	5'	1"	15	5'	2"	4	6'	9"	1	6'	9"	7	6'	9"	14	6'	10"	4
8 IN 12	5'	3"	11	5'	4"	0	5'	4"	5	5'	4"	10	6'	10"	14	6'	11"	4	6'	11"	10	7'	0"	1
9 IN 12	5'	6"	4	5'	6"	9	5'	6"	14	5'	7"	3	7'	0"	13	7'	1"	4	7'	1"	10	7'	2"	1
10 IN 12	5'	9"	0	5'	9"	5	5'	9"	10	5'	9"	15	7'	3"	0	7'	3"	7	7'	3"	13	7'	4"	4
11 IN 12	5'	11"	14	6'	0"	4	6'	0"	9	6'	0"	15	7'	5"	5	7'	5"	12	7'	6"	3	7'	6"	9
12 IN 12	6'	2"	15	6'	3"	5	6'	3"	11	6'	4"	0	7'	7"	13	7'	8"	4	7'	8"	11	7'	9"	2
13 IN 12	6'	6"	2	6'	6"	8	6'	6"	14	6'	7"	4	7'	10"	7	7'	10"	14	7'	11"	5	7'	11"	12
14 IN 12	6'	9"	7	6'	9"	13	6'	10"	3	6'	10"	9	8'	1"	3	8'	1"	10	8'	2"	1	8'	2"	9
15 IN 12	7'	0"	13	7'	1"	4	7'	1"	10	7'	2"	1	8'	4"	1	8'	4"	8	8'	5"	0	8'	5"	7
16 IN 12	7'	4"	5	7'	4"	12	7'	5"	3	7'	5"	9	8'	7"	0	8'	7"	8	8'	8"	0	8'	8"	8
17 IN 12	7'	7"	14	7'	8"	5	7'	8"	12	7'	9"	3	8'	10"	1	8'	10"	9	8'	11"	1	8'	11"	9
18 IN 12	7'	11"	9	8'	0"	0	8'	0"	7	8'	0"	14	9'	1"	4	9'	1"	12	9'	2"	5	9'	2"	13
19 IN 12	8'	3"	4	8'	3"	12	8'	4"	3	8'	4"	11	9'	4"	8	9'	5"	1	9'	5"	9	9'	6"	2
20 IN 12	8'	7"	0	8'	7"	8	8'	8"	0	8'	8"	8	9'	7"	14	9'	8"	6	9'	8"	15	9'	9"	8
21 IN 12	8'	10"	13	8'	11"	5	8'	11"	13	9'	0"	5	9'	11"	4	9'	11"	13	10'	0"	6	10'	0"	15
22 IN 12	9'	2"	11	9'	3"	3	9'	3"	12	9'	4"	4	10'	2"	11	10'	3"	5	10'	3"	14	10'	4"	7
23 IN 12	9'	6"	9	9'	7"	2	9'	7"	11	9'	8"	3	10'	6"	4	10'	6"	13	10'	7"	7	10'	8"	0
24 IN 12	9'	10"	8	9'	11"	1	9'	11"	10	10'	0"	3	10'	9"	13	10'	10"	7	10'	11"	1	10'	11"	11
25 IN 12	10'	2"	8	10'	3"	1	10'	3"	10	10'	4"	3	11'	1"	7	11'	2"	1	11'	2"	11	11'	3"	5

4 Foot 6 Inch Run — Common Rafter Lengths   4 Foot 6 Inch Run — Hip Or Valley Rafter Lengths

Run -	4' 6"	4' 6 1/4"	4' 6 1/2"	4' 6 3/4"	4' 6"	4' 6 1/4"	4' 6 1/2"	4' 6 3/4"
Pitch	Ft In 16th"	Ft In 16th"	Ft In 16th"	Ft In 16th"	Ft In 16th"	Ft In 16th"	Ft In 16th"	Ft In 16th"
1 IN 12	4' 6" 3	4' 6" 7	4' 6" 11	4' 6" 15	6' 4" 8	6' 4" 14	6' 5" 3	6' 5" 9
2 IN 12	4' 6" 12	4' 7" 0	4' 7" 4	4' 7" 8	6' 4" 14	6' 5" 4	6' 5" 10	6' 5" 15
2.5 IN 12	4' 7" 3	4' 7" 7	4' 7" 11	4' 7" 15	6' 5" 3	6' 5" 9	6' 5" 15	6' 6" 4
3 IN 12	4' 7" 11	4' 7" 15	4' 8" 3	4' 8" 7	6' 5" 9	6' 5" 15	6' 6" 4	6' 6" 10
3.5 IN 12	4' 8" 4	4' 8" 8	4' 8" 12	4' 9" 1	6' 6" 0	6' 6" 5	6' 6" 11	6' 7" 1
4 IN 12	4' 8" 15	4' 9" 3	4' 9" 7	4' 9" 11	6' 6" 7	6' 6" 13	6' 7" 3	6' 7" 9
4.5 IN 12	4' 9" 11	4' 9" 15	4' 10" 3	4' 10" 8	6' 7" 0	6' 7" 6	6' 7" 12	6' 8" 2
5 IN 12	4' 10" 8	4' 10" 12	4' 11" 1	4' 11" 5	6' 7" 10	6' 8" 0	6' 8" 6	6' 8" 12
5.5 IN 12	4' 11" 6	4' 11" 11	4' 11" 15	5' 0" 4	6' 8" 4	6' 8" 10	6' 9" 0	6' 9" 6
6 IN 12	5' 0" 6	5' 0" 10	5' 0" 15	5' 1" 3	6' 9" 0	6' 9" 6	6' 9" 12	6' 10" 2
6.5 IN 12	5' 1" 7	5' 1" 11	5' 2" 0	5' 2" 4	6' 9" 12	6' 10" 2	6' 10" 9	6' 10" 15
7 IN 12	5' 2" 8	5' 2" 13	5' 3" 2	5' 3" 6	6' 10" 10	6' 11" 0	6' 11" 6	6' 11" 12
8 IN 12	5' 4" 14	5' 5" 3	5' 5" 8	5' 5" 13	7' 0" 7	7' 0" 13	7' 1" 3	7' 1" 10
9 IN 12	5' 7" 8	5' 7" 13	5' 8" 2	5' 8" 7	7' 2" 7	7' 2" 13	7' 3" 4	7' 3" 10
10 IN 12	5' 10" 5	5' 10" 10	5' 10" 15	5' 11" 4	7' 4" 10	7' 5" 1	7' 5" 7	7' 5" 14
11 IN 12	6' 1" 4	6' 1" 10	6' 1" 15	6' 2" 4	7' 7" 0	7' 7" 7	7' 7" 14	7' 8" 4
12 IN 12	6' 4" 6	6' 4" 12	6' 5" 1	6' 5" 7	7' 9" 8	7' 9" 15	7' 10" 6	7' 10" 13
13 IN 12	6' 7" 10	6' 8" 0	6' 8" 6	6' 8" 12	8' 0" 3	8' 0" 10	8' 1" 1	8' 1" 9
14 IN 12	6' 11" 0	6' 11" 6	6' 11" 12	7' 0" 2	8' 3" 0	8' 3" 7	8' 3" 15	8' 4" 6
15 IN 12	7' 2" 7	7' 2" 13	7' 3" 4	7' 3" 10	8' 5" 15	8' 6" 6	8' 6" 14	8' 7" 5
16 IN 12	7' 6" 0	7' 6" 7	7' 6" 13	7' 7" 4	8' 8" 15	8' 9" 7	8' 9" 15	8' 10" 7
17 IN 12	7' 9" 10	7' 10" 1	7' 10" 8	7' 10" 15	9' 0" 1	9' 0" 10	9' 1" 2	9' 1" 10
18 IN 12	8' 1" 6	8' 1" 13	8' 2" 4	8' 2" 11	9' 3" 5	9' 3" 13	9' 4" 6	9' 4" 14
19 IN 12	8' 5" 2	8' 5" 9	8' 6" 1	8' 6" 8	9' 6" 10	9' 7" 3	9' 7" 11	9' 8" 3
20 IN 12	8' 8" 15	8' 9" 7	8' 9" 15	8' 10" 7	9' 10" 1	9' 10" 9	9' 11" 2	9' 11" 11
21 IN 12	9' 0" 13	9' 1" 6	9' 1" 14	9' 2" 6	10' 1" 8	10' 2" 1	10' 2" 10	10' 3" 3
22 IN 12	9' 4" 12	9' 5" 5	9' 5" 13	9' 6" 5	10' 5" 1	10' 5" 10	10' 6" 3	10' 6" 12
23 IN 12	9' 8" 12	9' 9" 4	9' 9" 13	9' 10" 6	10' 8" 10	10' 9" 4	10' 9" 13	10' 10" 7
24 IN 12	10' 0" 12	10' 1" 5	10' 1" 14	10' 2" 7	11' 0" 4	11' 0" 14	11' 1" 8	11' 2" 2
25 IN 12	10' 4" 13	10' 5" 6	10' 5" 15	10' 6" 8	11' 4" 0	11' 4" 10	11' 5" 4	11' 5" 14

4 Foot 7 Inch Run — Common Rafter Lengths   4 Foot 7 Inch Run — Hip Or Valley Rafter Lengths

Run -	4' 7"	4' 7 1/4"	4' 7 1/2"	4' 7 3/4"	4' 7"	4' 7 1/4"	4' 7 1/2"	4' 7 3/4"
Pitch	Ft In 16th"	Ft In 16th"	Ft In 16th"	Ft In 16th"	Ft In 16th"	Ft In 16th"	Ft In 16th"	Ft In 16th"
1 IN 12	4' 7" 3	4' 7" 7	4' 7" 11	4' 7" 15	6' 5" 15	6' 6" 4	6' 6" 10	6' 7" 0
2 IN 12	4' 7" 12	4' 8" 0	4' 8" 4	4' 8" 8	6' 6" 5	6' 6" 11	6' 7" 1	6' 7" 6
2.5 IN 12	4' 8" 3	4' 8" 7	4' 8" 11	4' 8" 15	6' 6" 10	6' 7" 0	6' 7" 5	6' 7" 11
3 IN 12	4' 8" 11	4' 8" 15	4' 9" 3	4' 9" 7	6' 7" 0	6' 7" 6	6' 7" 11	6' 8" 1
3.5 IN 12	4' 9" 5	4' 9" 9	4' 9" 13	4' 10" 1	6' 7" 7	6' 7" 12	6' 8" 2	6' 8" 8
4 IN 12	4' 10" 0	4' 10" 4	4' 10" 8	4' 10" 12	6' 7" 15	6' 8" 4	6' 8" 10	6' 9" 0
4.5 IN 12	4' 10" 12	4' 11" 0	4' 11" 4	4' 11" 9	6' 8" 8	6' 8" 13	6' 9" 3	6' 9" 9
5 IN 12	4' 11" 9	4' 11" 14	5' 0" 2	5' 0" 6	6' 9" 1	6' 9" 7	6' 9" 13	6' 10" 3
5.5 IN 12	5' 0" 8	5' 0" 12	5' 1" 1	5' 1" 5	6' 9" 12	6' 10" 2	6' 10" 8	6' 10" 14
6 IN 12	5' 1" 8	5' 1" 12	5' 2" 1	5' 2" 5	6' 10" 8	6' 10" 14	6' 11" 4	6' 11" 10
6.5 IN 12	5' 2" 9	5' 2" 13	5' 3" 2	5' 3" 6	6' 11" 5	6' 11" 11	7' 0" 1	7' 0" 7
7 IN 12	5' 3" 11	5' 3" 15	5' 4" 4	5' 4" 9	7' 0" 2	7' 0" 8	7' 0" 14	7' 1" 5
8 IN 12	5' 6" 2	5' 6" 6	5' 6" 11	5' 7" 0	7' 2" 0	7' 2" 6	7' 2" 12	7' 3" 3
9 IN 12	5' 8" 12	5' 9" 1	5' 9" 6	5' 9" 11	7' 4" 1	7' 4" 7	7' 4" 13	7' 5" 4
10 IN 12	5' 11" 10	5' 11" 15	6' 0" 4	6' 0" 9	7' 6" 4	7' 6" 11	7' 7" 2	7' 7" 8
11 IN 12	6' 2" 10	6' 2" 15	6' 3" 5	6' 3" 10	7' 8" 11	7' 9" 2	7' 9" 9	7' 9" 15
12 IN 12	6' 5" 13	6' 6" 2	6' 6" 8	6' 6" 13	7' 11" 4	7' 11" 11	8' 0" 2	8' 0" 9
13 IN 12	6' 9" 1	6' 9" 7	6' 9" 13	6' 10" 3	8' 2" 0	8' 2" 7	8' 2" 14	8' 3" 5
14 IN 12	7' 0" 8	7' 0" 14	7' 1" 4	7' 1" 11	8' 4" 13	8' 5" 5	8' 5" 12	8' 6" 3
15 IN 12	7' 4" 1	7' 4" 7	7' 4" 13	7' 5" 4	8' 7" 13	8' 8" 5	8' 8" 12	8' 9" 4
16 IN 12	7' 7" 11	7' 8" 1	7' 8" 8	7' 8" 15	8' 10" 14	8' 11" 6	8' 11" 14	9' 0" 6
17 IN 12	7' 11" 6	7' 11" 13	8' 0" 4	8' 0" 11	9' 2" 2	9' 2" 10	9' 3" 2	9' 3" 10
18 IN 12	8' 3" 2	8' 3" 10	8' 4" 1	8' 4" 8	9' 5" 6	9' 5" 14	9' 6" 7	9' 6" 15
19 IN 12	8' 7" 0	8' 7" 7	8' 7" 15	8' 8" 6	9' 8" 12	9' 9" 5	9' 9" 13	9' 10" 6
20 IN 12	8' 10" 14	8' 11" 6	8' 11" 14	9' 0" 6	10' 0" 4	10' 0" 12	10' 1" 5	10' 1" 14
21 IN 12	9' 2" 14	9' 3" 6	9' 3" 14	9' 4" 6	10' 3" 12	10' 4" 5	10' 4" 14	10' 5" 7
22 IN 12	9' 6" 14	9' 7" 6	9' 7" 14	9' 8" 7	10' 7" 6	10' 7" 15	10' 8" 8	10' 9" 1
23 IN 12	9' 10" 14	9' 11" 7	10' 0" 0	10' 0" 8	10' 11" 0	10' 11" 10	11' 0" 3	11' 0" 13
24 IN 12	10' 3" 0	10' 3" 9	10' 4" 2	10' 4" 11	11' 2" 12	11' 3" 5	11' 3" 15	11' 4" 9
25 IN 12	10' 7" 2	10' 7" 11	10' 8" 4	10' 8" 13	11' 6" 8	11' 7" 2	11' 7" 12	11' 8" 6

4 Foot 8 Inch Run — Common Rafter Lengths 4 Foot 8 Inch Run — Hip Or Valley Rafter Lengths

Run -	4' 8"			4' 8 1/4"			4' 8 1/2"			4' 8 3/4"			4' 8"			4' 8 1/4"			4' 8 1/2"			4' 8 3/4"		
Pitch	Ft	In	16th"	Ft	In	16th"	Ft	In	16th"	Ft	In	16th"	Ft	In	16th"	Ft	In	16th"	Ft	In	16th"	Ft	In	16th"
1 IN 12	4'	8"	3	4'	8"	7	4'	8"	11	4'	8"	15	6'	7"	5	6'	7"	11	6'	8"	1	6'	8"	6
2 IN 12	4'	8"	12	4'	9"	0	4'	9"	4	4'	9"	9	6'	7"	12	6'	8"	2	6'	8"	7	6'	8"	13
2.5 IN 12	4'	9"	3	4'	9"	7	4'	9"	11	4'	9"	15	6'	8"	1	6'	8"	7	6'	8"	12	6'	9"	2
3 IN 12	4'	9"	12	4'	10"	0	4'	10"	4	4'	10"	8	6'	8"	7	6'	8"	13	6'	9"	2	6'	9"	8
3.5 IN 12	4'	10"	5	4'	10"	10	4'	10"	14	4'	11"	2	6'	8"	14	6'	9"	4	6'	9"	9	6'	9"	15
4 IN 12	4'	11"	0	4'	11"	5	4'	11"	9	4'	11"	13	6'	9"	6	6'	9"	12	6'	10"	1	6'	10"	7
4.5 IN 12	4'	11"	13	5'	0"	1	5'	0"	5	5'	0"	10	6'	9"	15	6'	10"	5	6'	10"	11	6'	11"	0
5 IN 12	5'	0"	11	5'	0"	15	5'	1"	3	5'	1"	8	6'	10"	9	6'	10"	15	6'	11"	5	6'	11"	11
5.5 IN 12	5'	1"	10	5'	1"	14	5'	2"	2	5'	2"	7	6'	11"	4	6'	11"	10	7'	0"	0	7'	0"	6
6 IN 12	5'	2"	10	5'	2"	14	5'	3"	3	5'	3"	7	7'	0"	0	7'	0"	6	7'	0"	12	7'	1"	2
6.5 IN 12	5'	3"	11	5'	4"	0	5'	4"	4	5'	4"	9	7'	0"	13	7'	1"	3	7'	1"	9	7'	1"	15
7 IN 12	5'	4"	13	5'	5"	2	5'	5"	7	5'	5"	11	7'	1"	11	7'	2"	1	7'	2"	7	7'	2"	13
8 IN 12	5'	7"	5	5'	7"	10	5'	7"	14	5'	8"	3	7'	3"	9	7'	3"	15	7'	4"	5	7'	4"	12
9 IN 12	5'	10"	0	5'	10"	5	5'	10"	10	5'	10"	15	7'	5"	10	7'	6"	1	7'	6"	7	7'	6"	14
10 IN 12	6'	0"	14	6'	1"	4	6'	1"	9	6'	1"	14	7'	7"	15	7'	8"	5	7'	8"	12	7'	9"	2
11 IN 12	6'	3"	15	6'	4"	5	6'	4"	10	6'	5"	0	7'	10"	6	7'	10"	13	7'	11"	4	7'	11"	10
12 IN 12	6'	7"	3	6'	7"	9	6'	7"	14	6'	8"	4	8'	1"	0	8'	1"	7	8'	1"	14	8'	2"	5
13 IN 12	6'	10"	9	6'	10"	15	6'	11"	5	6'	11"	11	8'	3"	12	8'	4"	3	8'	4"	10	8'	5"	2
14 IN 12	7'	2"	1	7'	2"	7	7'	2"	13	7'	3"	3	8'	6"	11	8'	7"	2	8'	7"	9	8'	8"	1
15 IN 12	7'	5"	10	7'	6"	1	7'	6"	7	7'	6"	14	8'	9"	11	8'	10"	3	8'	10"	10	8'	11"	2
16 IN 12	7'	9"	5	7'	9"	12	7'	10"	3	7'	10"	9	9'	0"	14	9'	1"	5	9'	1"	13	9'	2"	5
17 IN 12	8'	1"	2	8'	1"	9	8'	2"	0	8'	2"	7	9'	4"	2	9'	4"	10	9'	5"	2	9'	5"	10
18 IN 12	8'	4"	15	8'	5"	6	8'	5"	14	8'	6"	5	9'	7"	7	9'	7"	15	9'	8"	8	9'	9"	0
19 IN 12	8'	8"	14	8'	9"	5	8'	9"	13	8'	10"	4	9'	10"	14	9'	11"	7	9'	11"	15	10'	0"	8
20 IN 12	9'	0"	14	9'	1"	5	9'	1"	13	9'	2"	5	10'	2"	6	10'	2"	15	10'	3"	8	10'	4"	1
21 IN 12	9'	4"	14	9'	5"	6	9'	5"	14	9'	6"	6	10'	6"	0	10'	6"	9	10'	7"	2	10'	7"	11
22 IN 12	9'	8"	15	9'	9"	7	9'	10"	0	9'	10"	8	10'	9"	11	10'	10"	4	10'	10"	13	10'	11"	6
23 IN 12	10'	1"	1	10'	1"	10	10'	2"	2	10'	2"	11	11'	1"	6	11'	2"	0	11'	2"	9	11'	3"	3
24 IN 12	10'	5"	4	10'	5"	12	10'	6"	5	10'	6"	14	11'	5"	3	11'	5"	13	11'	6"	6	11'	7"	0
25 IN 12	10'	9"	7	10'	10"	0	10'	10"	9	10'	11"	2	11'	9"	0	11'	9"	10	11'	10"	4	11'	10"	14

4 Foot 9 Inch Run — Common Rafter Lengths   4 Foot 9 Inch Run — Hip Or Valley Rafter Lengths

Run -	4' 9"	4' 9 1/4"	4' 9 1/2"	4' 9 3/4"	4' 9"	4' 9 1/4"	4' 9 1/2"	4' 9 3/4"
Pitch	Ft In 16th"	Ft In 16th"	Ft In 16th"	Ft In 16th"	Ft In 16th"	Ft In 16th"	Ft In 16th"	Ft In 16th"
1 IN 12	4' 9" 3	4' 9" 7	4' 9" 11	4' 9" 15	6' 8" 12	6' 9" 2	6' 9" 7	6' 9" 13
2 IN 12	4' 9" 13	4' 10" 1	4' 10" 5	4' 10" 9	6' 9" 3	6' 9" 8	6' 9" 14	6' 10" 4
2.5 IN 12	4' 10" 4	4' 10" 8	4' 10" 12	4' 11" 0	6' 9" 8	6' 9" 13	6' 10" 3	6' 10" 9
3 IN 12	4' 10" 12	4' 11" 0	4' 11" 4	4' 11" 8	6' 9" 14	6' 10" 4	6' 10" 9	6' 10" 15
3.5 IN 12	4' 11" 6	4' 11" 10	4' 11" 14	5' 0" 3	6' 10" 5	6' 10" 11	6' 11" 0	6' 11" 6
4 IN 12	5' 0" 1	5' 0" 6	5' 0" 10	5' 0" 14	6' 10" 13	6' 11" 3	6' 11" 9	6' 11" 15
4.5 IN 12	5' 0" 14	5' 1" 2	5' 1" 7	5' 1" 11	6' 11" 6	6' 11" 12	7' 0" 2	7' 0" 8
5 IN 12	5' 1" 9	5' 2" 0	5' 2" 5	5' 2" 9	7' 0" 1	7' 0" 6	7' 0" 12	7' 1" 2
5.5 IN 12	5' 2" 11	5' 3" 0	5' 3" 4	5' 3" 8	7' 0" 12	7' 1" 2	7' 1" 8	7' 1" 14
6 IN 12	5' 3" 12	5' 4" 0	5' 4" 5	5' 4" 9	7' 1" 8	7' 1" 14	7' 2" 4	7' 2" 10
6.5 IN 12	5' 4" 13	5' 5" 2	5' 5" 6	5' 5" 11	7' 2" 5	7' 2" 11	7' 3" 1	7' 3" 7
7 IN 12	5' 6" 0	5' 6" 4	5' 6" 9	5' 6" 14	7' 3" 3	7' 3" 9	7' 3" 15	7' 4" 6
8 IN 12	5' 8" 8	5' 8" 13	5' 9" 2	5' 9" 7	7' 5" 2	7' 5" 8	7' 5" 14	7' 6" 5
9 IN 12	5' 11" 1	5' 11" 9	5' 11" 14	6' 0" 3	7' 7" 4	7' 7" 10	7' 8" 1	7' 8" 7
10 IN 12	6' 2" 3	6' 2" 8	6' 2" 14	6' 3" 3	7' 9" 9	7' 10" 0	7' 10" 6	7' 10" 13
11 IN 12	6' 5" 5	6' 5" 11	6' 6" 0	6' 6" 5	8' 0" 1	8' 0" 8	8' 0" 14	8' 1" 5
12 IN 12	6' 8" 10	6' 8" 15	6' 9" 5	6' 9" 11	8' 2" 12	8' 3" 3	8' 3" 9	8' 4" 0
13 IN 12	7' 0" 1	7' 0" 6	7' 0" 12	7' 1" 2	8' 5" 9	8' 6" 0	8' 6" 7	8' 6" 14
14 IN 12	7' 3" 9	7' 4" 0	7' 4" 6	7' 4" 12	8' 8" 8	8' 8" 15	8' 9" 7	8' 9" 14
15 IN 12	7' 7" 4	7' 7" 10	7' 8" 1	7' 8" 7	8' 11" 9	9' 0" 1	9' 0" 8	9' 1" 0
16 IN 12	7' 11" 0	7' 11" 7	7' 11" 13	8' 0" 4	9' 2" 13	9' 3" 4	9' 3" 12	9' 4" 4
17 IN 12	8' 2" 12	8' 3" 4	8' 3" 11	8' 4" 2	9' 6" 2	9' 6" 10	9' 7" 2	9' 7" 10
18 IN 12	8' 6" 12	8' 7" 3	8' 7" 11	8' 8" 2	9' 9" 8	9' 10" 0	9' 10" 9	9' 11" 1
19 IN 12	8' 10" 12	8' 11" 3	8' 11" 11	9' 0" 2	10' 1" 0	10' 1" 9	10' 2" 1	10' 2" 10
20 IN 12	9' 2" 13	9' 3" 4	9' 3" 12	9' 4" 4	10' 4" 9	10' 5" 2	10' 5" 11	10' 6" 4
21 IN 12	9' 6" 14	9' 7" 6	9' 7" 14	9' 8" 6	10' 8" 4	10' 8" 13	10' 9" 6	10' 9" 15
22 IN 12	9' 11" 1	9' 11" 9	10' 0" 1	10' 0" 10	11' 0" 0	11' 0" 9	11' 1" 2	11' 1" 11
23 IN 12	10' 3" 4	10' 3" 12	10' 4" 5	10' 4" 14	11' 3" 12	11' 4" 6	11' 4" 15	11' 5" 9
24 IN 12	10' 7" 7	10' 8" 0	10' 8" 9	10' 9" 2	11' 7" 10	11' 8" 4	11' 8" 14	11' 9" 7
25 IN 12	10' 11" 12	11' 0" 5	11' 0" 14	11' 1" 7	11' 11" 8	12' 0" 2	12' 0" 13	12' 1" 7

4 Foot 10 Inch Run — Common Rafter Lengths   4 Foot 10 Inch Run — Hip Or Valley Rafter Lengths

Run -	4'10"	4'10 1/4"	4'10 1/2"	4'10 3/4"	4'10"	4'10 1/4"	4'10 1/2"	4'10 3/4"
Pitch	Ft In 16th"	Ft In 16th"	Ft In 16th"	Ft In 16th"	Ft In 16th"	Ft In 16th"	Ft In 16th"	Ft In 16th"
1 IN 12	4' 10" 3	4' 10" 7	4' 10" 11	4' 10" 15	6' 10" 3	6' 10" 8	6' 10" 14	6' 11" 4
2 IN 12	4' 10" 13	4' 11" 1	4' 11" 5	4' 11" 9	6' 10" 9	6' 10" 15	6' 11" 5	6' 11" 11
2.5 IN 12	4' 11" 4	4' 11" 8	4' 11" 12	5' 0" 0	6' 10" 15	6' 11" 6	6' 11" 10	7' 0" 0
3 IN 12	4' 11" 13	5' 0" 1	5' 0" 5	5' 0" 9	6' 11" 5	6' 11" 10	7' 0" 0	7' 0" 6
3.5 IN 12	5' 0" 7	5' 0" 11	5' 0" 15	5' 1" 3	6' 11" 12	7' 0" 2	7' 0" 8	7' 0" 13
4 IN 12	5' 1" 2	5' 1" 6	5' 1" 11	5' 1" 15	7' 0" 4	7' 0" 10	7' 1" 0	7' 1" 6
4.5 IN 12	5' 1" 15	5' 2" 3	5' 2" 8	5' 2" 12	7' 0" 14	7' 1" 4	7' 1" 9	7' 1" 15
5 IN 12	5' 2" 13	5' 3" 2	5' 3" 6	5' 3" 10	7' 1" 8	7' 1" 14	7' 2" 4	7' 2" 10
5.5 IN 12	5' 3" 13	5' 4" 1	5' 4" 6	5' 4" 10	7' 2" 4	7' 2" 10	7' 2" 15	7' 3" 5
6 IN 12	5' 4" 14	5' 5" 2	5' 5" 6	5' 5" 11	7' 3" 0	7' 3" 6	7' 3" 12	7' 4" 2
6.5 IN 12	5' 5" 15	5' 6" 4	5' 6" 8	5' 6" 13	7' 3" 13	7' 4" 3	7' 4" 9	7' 5" 0
7 IN 12	5' 7" 2	5' 7" 7	5' 7" 12	5' 8" 0	7' 4" 12	7' 5" 2	7' 5" 8	7' 5" 14
8 IN 12	5' 9" 11	5' 10" 0	5' 10" 5	5' 10" 10	7' 6" 11	7' 7" 1	7' 7" 7	7' 7" 14
9 IN 12	6' 0" 8	6' 0" 13	6' 1" 2	6' 1" 7	7' 8" 14	7' 9" 4	7' 9" 10	7' 10" 1
10 IN 12	6' 3" 8	6' 3" 13	6' 4" 2	6' 4" 8	7' 11" 3	7' 11" 14	8' 0" 0	8' 0" 7
11 IN 12	6' 6" 11	6' 7" 0	6' 7" 6	6' 7" 11	8' 1" 12	8' 2" 3	8' 2" 9	8' 3" 0
12 IN 12	6' 10" 0	6' 10" 6	6' 10" 12	6' 11" 1	8' 4" 7	8' 4" 14	8' 5" 5	8' 5" 12
13 IN 12	7' 1" 8	7' 1" 14	7' 2" 4	7' 2" 10	8' 7" 5	8' 7" 12	8' 8" 3	8' 8" 11
14 IN 12	7' 5" 2	7' 5" 8	7' 5" 14	7' 6" 4	8' 10" 5	8' 10" 13	8' 11" 4	8' 11" 11
15 IN 12	7' 8" 14	7' 9" 4	7' 9" 10	7' 10" 1	9' 1" 8	9' 1" 15	9' 2" 7	9' 2" 14
16 IN 12	8' 0" 11	8' 1" 1	8' 1" 8	8' 1" 15	9' 4" 12	9' 5" 3	9' 5" 11	9' 6" 3
17 IN 12	8' 4" 9	8' 5" 0	8' 5" 7	8' 5" 14	9' 8" 2	9' 8" 10	9' 9" 2	9' 9" 10
18 IN 12	8' 8" 9	8' 9" 0	8' 9" 7	8' 9" 15	9' 11" 9	10' 0" 1	10' 0" 10	10' 1" 2
19 IN 12	9' 0" 10	9' 1" 1	9' 1" 9	9' 2" 0	10' 3" 2	10' 3" 11	10' 4" 3	10' 4" 12
20 IN 12	9' 4" 12	9' 5" 3	9' 5" 11	9' 6" 3	10' 6" 12	10' 7" 5	10' 7" 14	10' 8" 7
21 IN 12	9' 8" 14	9' 9" 7	9' 9" 15	9' 10" 7	10' 10" 8	10' 11" 1	10' 11" 10	11' 0" 3
22 IN 12	10' 1" 2	10' 1" 10	10' 2" 3	10' 2" 11	11' 2" 5	11' 2" 14	11' 3" 7	11' 4" 0
23 IN 12	10' 5" 6	10' 5" 15	10' 6" 7	10' 7" 0	11' 6" 2	11' 6" 12	11' 7" 5	11' 7" 15
24 IN 12	10' 9" 11	10' 10" 4	10' 10" 13	10' 11" 6	11' 10" 1	11' 10" 11	11' 11" 5	11' 11" 15
25 IN 12	11' 2" 1	11' 2" 10	11' 3" 3	11' 3" 12	12' 2" 1	12' 2" 11	12' 3" 5	12' 3" 15

4 Foot 11 Inch Run — Common Rafter Lengths 4 Foot 11 Inch Run — Hip Or Valley Rafter Lengths

Run -	4'11"	4'11 1/4"	4'11 1/2"	4'11 3/4"	4'11"	4'11 1/4"	4'11 1/2"	4'11 3/4"
Pitch	Ft In 16th"	Ft In 16th"	Ft In 16th"	Ft In 16th"	Ft In 16th"	Ft In 16th"	Ft In 16th"	Ft In 16th"
1 IN 12	4' 11" 3	4' 11" 7	4' 11" 11	4' 11" 15	6' 11" 9	6' 11" 15	7' 0" 5	7' 0" 10
2 IN 12	4' 11" 13	5' 0" 1	5' 0" 5	5' 0" 9	7' 0" 0	7' 0" 6	7' 0" 12	7' 1" 1
2.5 IN 12	5' 0" 4	5' 0" 8	5' 0" 12	5' 1" 1	7' 0" 5	7' 0" 11	7' 1" 1	7' 1" 7
3 IN 12	5' 0" 13	5' 1" 1	5' 1" 5	5' 1" 9	7' 0" 12	7' 1" 1	7' 1" 7	7' 1" 13
3.5 IN 12	5' 1" 7	5' 1" 12	5' 2" 0	5' 2" 4	7' 1" 3	7' 1" 9	7' 1" 15	7' 2" 4
4 IN 12	5' 2" 3	5' 2" 7	5' 2" 11	5' 3" 0	7' 1" 12	7' 2" 1	7' 2" 7	7' 2" 13
4.5 IN 12	5' 3" 0	5' 3" 4	5' 3" 9	5' 3" 13	7' 2" 5	7' 2" 11	7' 3" 1	7' 3" 7
5 IN 12	5' 3" 15	5' 4" 3	5' 4" 7	5' 4" 12	7' 3" 0	7' 3" 6	7' 3" 12	7' 4" 1
5.5 IN 12	5' 4" 14	5' 5" 3	5' 5" 7	5' 5" 12	7' 3" 11	7' 4" 1	7' 4" 7	7' 4" 13
6 IN 12	5' 5" 15	5' 6" 4	5' 6" 8	5' 6" 13	7' 4" 8	7' 4" 14	7' 5" 4	7' 5" 10
6.5 IN 12	5' 7" 2	5' 7" 6	5' 7" 11	5' 7" 15	7' 5" 6	7' 5" 12	7' 6" 2	7' 6" 8
7 IN 12	5' 8" 5	5' 8" 10	5' 8" 14	5' 9" 3	7' 6" 4	7' 6" 10	7' 7" 0	7' 7" 6
8 IN 12	5' 10" 15	5' 11" 3	5' 11" 8	5' 11" 13	7' 8" 4	7' 8" 10	7' 9" 0	7' 9" 7
9 IN 12	6' 1" 12	6' 2" 1	6' 2" 6	6' 2" 11	7' 10" 7	7' 10" 14	7' 11" 4	7' 11" 10
10 IN 12	6' 4" 13	6' 5" 2	6' 5" 7	6' 5" 12	8' 0" 14	8' 1" 4	8' 1" 11	8' 2" 1
11 IN 12	6' 8" 6	6' 8" 6	6' 8" 11	6' 9" 1	8' 3" 7	8' 3" 14	8' 4" 4	8' 4" 11
12 IN 12	6' 11" 7	6' 11" 13	7' 0" 2	7' 0" 8	8' 6" 3	8' 6" 10	8' 7" 1	8' 7" 8
13 IN 12	7' 3" 0	7' 3" 6	7' 3" 12	7' 4" 1	8' 9" 2	8' 9" 9	8' 10" 0	8' 10" 7
14 IN 12	7' 6" 11	7' 7" 1	7' 7" 7	7' 7" 13	9' 0" 3	9' 0" 10	9' 1" 1	9' 1" 9
15 IN 12	7' 10" 7	7' 10" 14	7' 11" 4	7' 11" 10	9' 3" 6	9' 3" 13	9' 4" 5	9' 4" 12
16 IN 12	8' 2" 5	8' 2" 12	8' 3" 3	8' 3" 9	9' 6" 11	9' 7" 3	9' 7" 10	9' 8" 2
17 IN 12	8' 6" 5	8' 6" 12	8' 7" 3	8' 7" 10	9' 10" 0	9' 10" 10	9' 11" 2	9' 11" 10
18 IN 12	8' 10" 6	8' 10" 13	8' 11" 4	8' 11" 11	10' 1" 10	10' 2" 2	10' 2" 11	10' 3" 3
19 IN 12	9' 2" 8	9' 2" 15	9' 3" 7	9' 3" 14	10' 5" 4	10' 5" 13	10' 6" 5	10' 6" 14
20 IN 12	9' 6" 11	9' 7" 3	9' 7" 10	9' 8" 2	10' 8" 15	10' 9" 8	10' 10" 1	10' 10" 10
21 IN 12	9' 10" 15	9' 11" 7	9' 11" 15	10' 0" 7	11' 0" 12	11' 1" 5	11' 1" 14	11' 2" 7
22 IN 12	10' 3" 3	10' 3" 12	10' 4" 4	10' 4" 12	11' 4" 10	11' 5" 3	11' 5" 12	11' 6" 6
23 IN 12	10' 7" 9	10' 8" 1	10' 8" 10	10' 9" 3	11' 8" 9	11' 9" 2	11' 9" 12	11' 10" 5
24 IN 12	10' 11" 15	11' 0" 8	11' 1" 1	11' 1" 10	12' 0" 8	12' 1" 2	12' 1" 12	12' 2" 6
25 IN 12	11' 4" 5	11' 4" 15	11' 5" 8	11' 6" 1	12' 4" 9	12' 5" 3	12' 5" 13	12' 6" 7

5 Foot 0 Inch Run — Common Rafter Lengths   5 Foot 0 Inch Run — Hip Or Valley Rafter Lengths

Run -	5' 0"			5' 0 1/4"			5' 0 1/2"			5' 0 3/4"			5' 0"			5' 0 1/4"			5' 0 1/2"			5' 0 3/4"		
Pitch	Ft	In	16th"	Ft	In	16th"	Ft	In	16th"	Ft	In	16th"	Ft	In	16th"	Ft	In	16th"	Ft	In	16th"	Ft	In	16th"
1 IN 12	5'	0"	3	5'	0"	7	5'	0"	11	5'	0"	15	7'	1"	0	7'	1"	6	7'	1"	11	7'	2"	1
2 IN 12	5'	0"	13	5'	1"	1	5'	1"	5	5'	1"	9	7'	1"	7	7'	1"	13	7'	2"	2	7'	2"	8
2.5 IN 12	5'	1"	5	5'	1"	9	5'	1"	13	5'	2"	1	7'	1"	12	7'	2"	2	7'	2"	8	7'	2"	13
3 IN 12	5'	1"	14	5'	2"	2	5'	2"	6	5'	2"	10	7'	2"	3	7'	2"	8	7'	2"	14	7'	3"	4
3.5 IN 12	5'	2"	8	5'	2"	12	5'	3"	0	5'	3"	5	7'	2"	10	7'	3"	0	7'	3"	6	7'	3"	12
4 IN 12	5'	3"	4	5'	3"	8	5'	3"	12	5'	4"	1	7'	3"	3	7'	3"	9	7'	3"	14	7'	4"	4
4.5 IN 12	5'	4"	1	5'	4"	6	5'	4"	10	5'	4"	14	7'	3"	13	7'	4"	2	7'	4"	8	7'	4"	14
5 IN 12	5'	5"	0	5'	5"	4	5'	5"	9	5'	5"	13	7'	4"	7	7'	4"	13	7'	5"	3	7'	5"	9
5.5 IN 12	5'	6"	0	5'	6"	4	5'	6"	9	5'	6"	13	7'	5"	3	7'	5"	9	7'	5"	15	7'	6"	5
6 IN 12	5'	7"	1	5'	7"	6	5'	7"	10	5'	7"	15	7'	6"	0	7'	6"	6	7'	6"	12	7'	7"	2
6.5 IN 12	5'	8"	4	5'	8"	8	5'	8"	13	5'	9"	1	7'	6"	14	7'	7"	4	7'	7"	10	7'	8"	0
7 IN 12	5'	9"	7	5'	9"	12	5'	10"	1	5'	10"	5	7'	7"	13	7'	8"	3	7'	8"	9	7'	8"	15
8 IN 12	6'	0"	2	6'	0"	7	6'	0"	11	6'	1"	0	7'	9"	13	7'	10"	3	7'	10"	9	7'	11"	0
9 IN 12	6'	3"	0	6'	3"	5	6'	3"	10	6'	3"	15	8'	0"	1	8'	0"	7	8'	0"	14	8'	1"	4
10 IN 12	6'	6"	2	6'	6"	7	6'	6"	12	6'	7"	1	8'	2"	8	8'	2"	14	8'	3"	5	8'	3"	12
11 IN 12	6'	9"	6	6'	9"	12	6'	10"	1	6'	10"	7	8'	5"	2	8'	5"	9	8'	5"	15	8'	6"	6
12 IN 12	7'	0"	14	7'	1"	3	7'	1"	9	7'	1"	15	8'	7"	15	8'	8"	6	8'	8"	13	8'	9"	4
13 IN 12	7'	4"	7	7'	4"	13	7'	5"	3	7'	5"	9	8'	10"	14	8'	11"	5	8'	11"	12	9'	0"	4
14 IN 12	7'	8"	3	7'	8"	9	7'	8"	15	7'	9"	6	9'	2"	0	9'	2"	7	9'	2"	15	9'	3"	6
15 IN 12	8'	0"	1	8'	0"	7	8'	0"	14	8'	1"	4	9'	5"	4	9'	5"	12	9'	6"	3	9'	6"	11
16 IN 12	8'	4"	0	8'	4"	7	8'	4"	13	8'	5"	4	9'	8"	10	9'	9"	2	9'	9"	9	9'	10"	1
17 IN 12	8'	8"	1	8'	8"	8	8'	8"	15	8'	9"	6	10'	0"	2	10'	0"	10	10'	1"	2	10'	1"	10
18 IN 12	9'	0"	3	9'	0"	10	9'	1"	1	9'	1"	8	10'	3"	11	10'	4"	3	10'	4"	12	10'	5"	4
19 IN 12	9'	4"	6	9'	4"	13	9'	5"	5	9'	5"	12	10'	7"	6	10'	7"	15	10'	8"	7	10'	9"	0
20 IN 12	9'	8"	10	9'	9"	2	9'	9"	9	9'	10"	1	10'	11"	2	10'	11"	11	11'	0"	4	11'	0"	13
21 IN 12	10'	0"	15	10'	1"	7	10'	1"	15	10'	2"	7	11'	3"	0	11'	3"	9	11'	4"	2	11'	4"	11
22 IN 12	10'	5"	5	10'	5"	13	10'	6"	6	10'	6"	14	11'	6"	15	11'	7"	8	11'	8"	1	11'	8"	11
23 IN 12	10'	9"	11	10'	10"	4	10'	10"	13	10'	11"	5	11'	10"	15	11'	11"	8	12'	0"	2	12'	0"	11
24 IN 12	11'	2"	3	11'	2"	12	11'	3"	5	11'	3"	13	12'	3"	0	12'	3"	9	12'	4"	3	12'	4"	13
25 IN 12	11'	6"	10	11'	7"	4	11'	7"	13	11'	8"	6	12'	7"	1	12'	7"	11	12'	8"	5	12'	8"	15

5 Foot 1 Inch Run — Common Rafter Lengths   5 Foot 1 Inch Run — Hip Or Valley Rafter Lengths

Run -	5' 1"	5' 1 1/4"	5' 1 1/2"	5' 1 3/4"	5' 1"	5' 1 1/4"	5' 1 1/2"	5' 1 3/4"
Pitch	Ft In 16th"	Ft In 16th"	Ft In 16th"	Ft In 16th"	Ft In 16th"	Ft In 16th"	Ft In 16th"	Ft In 16th"
1 IN 12	5' 1" 3	5' 1" 7	5' 1" 11	5' 1" 15	7' 2" 7	7' 2" 12	7' 3" 2	7' 3" 8
2 IN 12	5' 1" 13	5' 2" 2	5' 2" 6	5' 2" 10	7' 2" 14	7' 3" 4	7' 3" 9	7' 3" 15
2.5 IN 12	5' 2" 5	5' 2" 9	5' 2" 13	5' 3" 1	7' 3" 3	7' 3" 9	7' 3" 15	7' 4" 4
3 IN 12	5' 2" 14	5' 3" 2	5' 3" 6	5' 3" 10	7' 3" 10	7' 3" 15	7' 4" 5	7' 4" 11
3.5 IN 12	5' 3" 9	5' 3" 13	5' 4" 1	5' 4" 5	7' 4" 1	7' 4" 7	7' 4" 13	7' 5" 3
4 IN 12	5' 4" 5	5' 4" 9	5' 4" 13	5' 5" 1	7' 4" 10	7' 5" 0	7' 5" 6	7' 5" 12
4.5 IN 12	5' 5" 2	5' 5" 7	5' 5" 11	5' 5" 15	7' 5" 4	7' 5" 10	7' 6" 0	7' 6" 6
5 IN 12	5' 6" 1	5' 6" 6	5' 6" 10	5' 6" 14	7' 5" 15	7' 6" 5	7' 6" 11	7' 7" 1
5.5 IN 12	5' 7" 2	5' 7" 6	5' 7" 10	5' 7" 15	7' 6" 11	7' 7" 1	7' 7" 7	7' 7" 13
6 IN 12	5' 8" 3	5' 8" 8	5' 8" 12	5' 9" 1	7' 7" 8	7' 7" 14	7' 8" 4	7' 8" 10
6.5 IN 12	5' 9" 6	5' 9" 11	5' 9" 15	5' 10" 4	7' 8" 6	7' 8" 12	7' 9" 2	7' 9" 8
7 IN 12	5' 10" 10	5' 10" 15	5' 11" 3	5' 11" 8	7' 9" 5	7' 9" 11	7' 10" 1	7' 10" 7
8 IN 12	6' 1" 5	6' 1" 10	6' 1" 15	6' 2" 3	7' 11" 6	7' 11" 12	8' 0" 2	8' 0" 9
9 IN 12	6' 4" 4	6' 4" 9	6' 4" 14	6' 5" 3	8' 1" 10	8' 2" 1	8' 2" 7	8' 2" 14
10 IN 12	6' 7" 6	6' 7" 12	6' 8" 1	6' 8" 6	8' 4" 2	8' 4" 9	8' 4" 15	8' 5" 6
11 IN 12	6' 10" 12	6' 11" 1	6' 11" 7	6' 11" 12	8' 6" 13	8' 7" 4	8' 7" 10	8' 8" 1
12 IN 12	7' 2" 4	7' 2" 10	7' 3" 0	7' 3" 5	8' 9" 10	8' 10" 1	8' 10" 8	8' 10" 15
13 IN 12	7' 5" 15	7' 6" 5	7' 6" 11	7' 7" 1	9' 0" 11	9' 1" 2	9' 1" 9	9' 2" 0
14 IN 12	7' 9" 12	7' 10" 2	7' 10" 8	7' 10" 14	9' 3" 13	9' 4" 5	9' 4" 12	9' 5" 3
15 IN 12	8' 1" 10	8' 2" 1	8' 2" 7	8' 2" 14	9' 7" 2	9' 7" 10	9' 8" 1	9' 8" 9
16 IN 12	8' 5" 11	8' 6" 1	8' 6" 8	8' 6" 15	9' 10" 9	9' 11" 1	9' 11" 9	10' 0" 0
17 IN 12	8' 9" 12	8' 10" 3	8' 10" 10	8' 11" 1	10' 2" 2	10' 2" 10	10' 3" 2	10' 3" 10
18 IN 12	9' 2" 0	9' 2" 7	9' 2" 14	9' 3" 5	10' 5" 12	10' 6" 4	10' 6" 13	10' 7" 5
19 IN 12	9' 6" 4	9' 6" 11	9' 7" 3	9' 7" 10	10' 9" 8	10' 10" 0	10' 10" 9	10' 11" 1
20 IN 12	9' 10" 9	9' 11" 1	9' 11" 9	10' 0" 0	11' 1" 4	11' 1" 14	11' 2" 7	11' 3" 0
21 IN 12	10' 2" 15	10' 3" 7	10' 3" 15	10' 4" 7	11' 5" 4	11' 5" 13	11' 6" 6	11' 6" 15
22 IN 12	10' 7" 6	10' 7" 15	10' 8" 7	10' 8" 15	11' 9" 4	11' 9" 13	11' 10" 6	11' 11" 0
23 IN 12	10' 11" 14	11' 0" 7	11' 0" 15	11' 1" 8	12' 1" 5	12' 1" 14	12' 2" 8	12' 3" 1
24 IN 12	11' 4" 6	11' 4" 15	11' 5" 8	11' 6" 1	12' 5" 7	12' 6" 0	12' 6" 10	12' 7" 4
25 IN 12	11' 8" 15	11' 9" 9	11' 10" 2	11' 10" 11	12' 9" 10	12' 10" 4	12' 10" 14	12' 11" 8

5 Foot 2 Inch Run — Common Rafter Lengths   5 Foot 2 Inch Run — Hip Or Valley Rafter Lengths

Run -	5' 2"	5' 2 1/4"	5' 2 1/2"	5' 2 3/4"		5' 2"	5' 2 1/4"	5' 2 1/2"	5' 2 3/4"
Pitch	Ft In 16th"	Ft In 16th"	Ft In 16th"	Ft In 16th"		Ft In 16th"	Ft In 16th"	Ft In 16th"	Ft In 16th"
1 IN 12	5' 2" 3	5' 2" 7	5' 2" 11	5' 2" 15		7' 3" 13	7' 4" 3	7' 4" 9	7' 4" 14
2 IN 12	5' 2" 14	5' 3" 2	5' 3" 6	5' 3" 10		7' 4" 5	7' 4" 10	7' 5" 0	7' 5" 6
2.5 IN 12	5' 3" 5	5' 3" 9	5' 3" 13	5' 4" 2		7' 4" 10	7' 5" 0	7' 5" 5	7' 5" 11
3 IN 12	5' 3" 15	5' 4" 3	5' 4" 7	5' 4" 11		7' 5" 1	7' 5" 6	7' 5" 12	7' 6" 2
3.5 IN 12	5' 4" 9	5' 4" 14	5' 5" 2	5' 5" 6		7' 5" 8	7' 5" 14	7' 6" 4	7' 6" 10
4 IN 12	5' 5" 6	5' 5" 10	5' 5" 14	5' 6" 2		7' 6" 1	7' 6" 7	7' 6" 13	7' 7" 3
4.5 IN 12	5' 6" 3	5' 6" 8	5' 6" 12	5' 7" 0		7' 6" 11	7' 7" 1	7' 7" 7	7' 7" 13
5 IN 12	5' 7" 3	5' 7" 7	5' 7" 11	5' 8" 0		7' 7" 7	7' 7" 12	7' 8" 2	7' 8" 8
5.5 IN 12	5' 8" 3	5' 8" 8	5' 8" 12	5' 9" 0		7' 8" 3	7' 8" 9	7' 8" 15	7' 9" 5
6 IN 12	5' 9" 5	5' 9" 10	5' 9" 14	5' 10" 3		7' 9" 0	7' 9" 6	7' 9" 12	7' 10" 2
6.5 IN 12	5' 10" 8	5' 10" 13	5' 11" 1	5' 11" 6		7' 9" 14	7' 10" 4	7' 10" 10	7' 11" 0
7 IN 12	5' 11" 12	6' 0" 1	6' 0" 6	6' 0" 10		7' 10" 14	7' 11" 4	7' 11" 10	8' 0" 0
8 IN 12	6' 2" 8	6' 2" 13	6' 3" 2	6' 3" 7		8' 0" 15	8' 1" 5	8' 1" 11	8' 2" 2
9 IN 12	6' 5" 8	6' 5" 13	6' 6" 2	6' 6" 7		8' 3" 4	8' 3" 10	8' 4" 1	8' 4" 7
10 IN 12	6' 8" 11	6' 9" 1	6' 9" 6	6' 9" 11		8' 5" 12	8' 6" 3	8' 6" 9	8' 7" 0
11 IN 12	7' 0" 2	7' 0" 7	7' 0" 13	7' 1" 2		8' 8" 8	8' 8" 15	8' 9" 5	8' 9" 12
12 IN 12	7' 3" 11	7' 4" 1	7' 4" 6	7' 4" 12		8' 11" 6	8' 11" 13	9' 0" 4	9' 0" 11
13 IN 12	7' 7" 7	7' 7" 12	7' 8" 2	7' 8" 8		9' 2" 7	9' 2" 14	9' 3" 5	9' 3" 13
14 IN 12	7' 11" 4	7' 11" 10	8' 0" 1	8' 0" 7		9' 5" 11	9' 6" 2	9' 6" 9	9' 7" 1
15 IN 12	8' 3" 4	8' 3" 10	8' 4" 1	8' 4" 7		9' 9" 0	9' 9" 8	9' 9" 15	9' 10" 7
16 IN 12	8' 7" 5	8' 7" 12	8' 8" 3	8' 8" 9		10' 0" 8	10' 1" 0	10' 1" 8	10' 1" 15
17 IN 12	8' 11" 8	8' 11" 15	9' 0" 6	9' 0" 13		10' 4" 2	10' 4" 10	10' 5" 2	10' 5" 10
18 IN 12	9' 3" 12	9' 4" 4	9' 4" 11	9' 5" 2		10' 7" 13	10' 8" 5	10' 8" 14	10' 9" 6
19 IN 12	9' 8" 2	9' 8" 9	9' 9" 1	9' 9" 8		10' 11" 10	11' 0" 2	11' 0" 11	11' 1" 3
20 IN 12	10' 0" 8	10' 1" 0	10' 1" 8	10' 1" 15		11' 3" 8	11' 4" 1	11' 4" 10	11' 5" 3
21 IN 12	10' 4" 15	10' 5" 8	10' 6" 0	10' 6" 8		11' 7" 8	11' 8" 1	11' 8" 10	11' 9" 3
22 IN 12	10' 9" 8	10' 10" 0	10' 10" 8	10' 11" 1		11' 11" 9	12' 0" 2	12' 0" 11	12' 1" 5
23 IN 12	11' 2" 1	11' 2" 9	11' 3" 2	11' 3" 11		12' 3" 11	12' 4" 4	12' 4" 14	12' 5" 7
24 IN 12	11' 6" 10	11' 7" 3	11' 7" 12	11' 8" 5		12' 7" 14	12' 8" 8	12' 9" 1	12' 9" 11
25 IN 12	11' 11" 4	11' 11" 14	12' 0" 7	12' 1" 0		13' 0" 2	13' 0" 12	13' 1" 6	13' 2" 0

5 Foot 3 Inch Run — Common Rafter Lengths   5 Foot 3 Inch Run — Hip Or Valley Rafter Lengths

Run - Pitch	5' 3"	5' 3 1/4"	5' 3 1/2"	5' 3 3/4"	5' 3"	5' 3 1/4"	5' 3 1/2"	5' 3 3/4"
	Ft In 16th"	Ft In 16th"	Ft In 16th"	Ft In 16th"	Ft In 16th"	Ft In 16th"	Ft In 16th"	Ft In 16th"
1 IN 12	5' 3" 3	5' 3" 8	5' 3" 12	5' 4" 0	7' 5" 4	7' 5" 10	7' 5" 15	7' 6" 5
2 IN 12	5' 3" 14	5' 4" 2	5' 4" 6	5' 4" 10	7' 5" 11	7' 6" 1	7' 6" 7	7' 6" 12
2.5 IN 12	5' 4" 6	5' 4" 10	5' 4" 14	5' 5" 2	7' 6" 1	7' 6" 7	7' 6" 12	7' 7" 2
3 IN 12	5' 4" 15	5' 5" 3	5' 5" 7	5' 5" 11	7' 6" 8	7' 6" 13	7' 7" 3	7' 7" 9
3.5 IN 12	5' 5" 10	5' 5" 14	5' 6" 2	5' 6" 7	7' 7" 0	7' 7" 5	7' 7" 11	7' 8" 1
4 IN 12	5' 6" 7	5' 6" 11	5' 6" 15	5' 7" 3	7' 7" 9	7' 7" 14	7' 8" 4	7' 8" 10
4.5 IN 12	5' 7" 5	5' 7" 9	5' 7" 13	5' 8" 1	7' 8" 3	7' 8" 9	7' 8" 14	7' 9" 4
5 IN 12	5' 8" 4	5' 8" 8	5' 8" 13	5' 9" 1	7' 8" 14	7' 9" 4	7' 9" 10	7' 10" 0
5.5 IN 12	5' 9" 5	5' 9" 9	5' 9" 14	5' 10" 2	7' 9" 11	7' 10" 0	7' 10" 6	7' 10" 12
6 IN 12	5' 10" 7	5' 10" 11	5' 11" 0	5' 11" 4	7' 10" 8	7' 10" 14	7' 11" 4	7' 11" 10
6.5 IN 12	5' 11" 10	5' 11" 15	6' 0" 3	6' 0" 8	7' 11" 7	7' 11" 13	8' 0" 3	8' 0" 9
7 IN 12	6' 0" 15	6' 1" 4	6' 1" 8	6' 1" 13	8' 0" 6	8' 0" 12	8' 1" 2	8' 1" 8
8 IN 12	6' 3" 11	6' 4" 0	6' 4" 5	6' 4" 10	8' 2" 8	8' 2" 14	8' 3" 4	8' 3" 11
9 IN 12	6' 6" 12	6' 7" 1	6' 7" 6	6' 7" 11	8' 4" 14	8' 5" 4	8' 5" 10	8' 6" 1
10 IN 12	6' 10" 0	6' 10" 5	6' 10" 11	6' 11" 0	8' 7" 7	8' 7" 13	8' 8" 4	8' 8" 10
11 IN 12	7' 1" 7	7' 1" 13	7' 2" 2	7' 2" 8	8' 10" 3	8' 10" 10	8' 11" 0	8' 11" 7
12 IN 12	7' 5" 2	7' 5" 7	7' 5" 13	7' 6" 2	9' 1" 2	9' 1" 9	9' 2" 0	9' 2" 7
13 IN 12	7' 8" 14	7' 9" 4	7' 9" 10	7' 10" 0	9' 4" 4	9' 4" 11	9' 5" 2	9' 5" 9
14 IN 12	8' 0" 13	8' 1" 3	8' 1" 9	8' 1" 15	9' 7" 8	9' 7" 15	9' 8" 7	9' 8" 14
15 IN 12	8' 4" 14	8' 5" 4	8' 5" 10	8' 6" 1	9' 10" 15	9' 11" 6	9' 11" 14	10' 0" 5
16 IN 12	8' 9" 0	8' 9" 7	8' 9" 13	8' 10" 4	10' 2" 7	10' 2" 15	10' 3" 7	10' 3" 15
17 IN 12	9' 1" 0	9' 1" 11	9' 2" 2	9' 2" 9	10' 6" 2	10' 6" 10	10' 7" 2	10' 7" 10
18 IN 12	9' 5" 9	9' 6" 0	9' 6" 8	9' 6" 15	10' 9" 14	10' 10" 6	10' 10" 15	10' 11" 7
19 IN 12	9' 10" 0	9' 10" 7	9' 10" 15	9' 11" 6	11' 1" 12	11' 2" 4	11' 2" 13	11' 3" 5
20 IN 12	10' 2" 7	10' 2" 15	10' 3" 7	10' 3" 15	11' 5" 11	11' 6" 4	11' 6" 13	11' 7" 6
21 IN 12	10' 7" 0	10' 7" 8	10' 8" 0	10' 8" 8	11' 9" 12	11' 10" 5	11' 10" 14	11' 11" 7
22 IN 12	10' 11" 9	11' 0" 1	11' 0" 10	11' 1" 2	12' 1" 14	12' 2" 7	12' 3" 0	12' 3" 10
23 IN 12	11' 4" 3	11' 4" 12	11' 5" 4	11' 5" 13	12' 6" 1	12' 6" 11	12' 7" 4	12' 7" 14
24 IN 12	11' 8" 14	11' 9" 7	11' 10" 0	11' 10" 9	12' 10" 5	12' 10" 15	12' 11" 9	13' 0" 2
25 IN 12	12' 1" 9	12' 2" 3	12' 2" 12	12' 3" 5	13' 2" 10	13' 3" 4	13' 3" 14	13' 4" 8

5 Foot 4 Inch Run — Common Rafter Lengths

Pitch	5' 4" Ft In 16th"	5' 4 1/4" Ft In 16th"	5' 4 1/2" Ft In 16th"	5' 4 3/4" Ft In 16th"
1 IN 12	5' 4" 4	5' 4" 8	5' 4" 12	5' 5" 0
2 IN 12	5' 4" 14	5' 5" 2	5' 5" 6	5' 5" 10
2.5 IN 12	5' 5" 6	5' 5" 10	5' 5" 14	5' 6" 2
3 IN 12	5' 6" 0	5' 6" 4	5' 6" 8	5' 6" 12
3.5 IN 12	5' 6" 11	5' 6" 15	5' 7" 3	5' 7" 7
4 IN 12	5' 7" 7	5' 7" 12	5' 8" 0	5' 8" 4
4.5 IN 12	5' 8" 6	5' 8" 10	5' 8" 14	5' 9" 2
5 IN 12	5' 9" 5	5' 9" 10	5' 9" 14	5' 10" 2
5.5 IN 12	5' 10" 6	5' 10" 11	5' 10" 15	5' 11" 4
6 IN 12	5' 11" 9	5' 11" 13	6' 0" 2	6' 0" 6
6.5 IN 12	6' 0" 13	6' 1" 1	6' 1" 6	6' 1" 10
7 IN 12	6' 2" 1	6' 2" 6	6' 2" 11	6' 2" 15
8 IN 12	6' 4" 15	6' 5" 4	6' 5" 8	6' 5" 13
9 IN 12	6' 8" 0	6' 8" 5	6' 8" 10	6' 8" 15
10 IN 12	6' 11" 5	6' 11" 10	6' 11" 15	7' 0" 5
11 IN 12	7' 2" 13	7' 3" 3	7' 3" 8	7' 3" 13
12 IN 12	7' 6" 8	7' 6" 14	7' 7" 3	7' 7" 9
13 IN 12	7' 10" 6	7' 10" 12	7' 11" 1	7' 11" 7
14 IN 12	8' 2" 5	8' 2" 12	8' 3" 2	8' 3" 8
15 IN 12	8' 6" 7	8' 6" 14	8' 7" 4	8' 7" 10
16 IN 12	8' 10" 11	8' 11" 1	8' 11" 8	8' 11" 15
17 IN 12	9' 3" 0	9' 3" 7	9' 3" 14	9' 4" 4
18 IN 12	9' 7" 6	9' 7" 13	9' 8" 4	9' 8" 12
19 IN 12	9' 11" 14	10' 0" 5	10' 0" 13	10' 1" 4
20 IN 12	10' 4" 6	10' 4" 14	10' 5" 6	10' 5" 14
21 IN 12	10' 9" 0	10' 9" 8	10' 10" 0	10' 10" 8
22 IN 12	11' 1" 10	11' 2" 3	11' 2" 11	11' 3" 4
23 IN 12	11' 6" 6	11' 6" 14	11' 7" 7	11' 8" 0
24 IN 12	11' 11" 2	11' 11" 11	12' 0" 4	12' 0" 13
25 IN 12	12' 3" 14	12' 4" 8	12' 5" 1	12' 5" 10

5 Foot 4 Inch Run — Hip Or Valley Rafter Lengths

Pitch	5' 4" Ft In 16th"	5' 4 1/4" Ft In 16th"	5' 4 1/2" Ft In 16th"	5' 4 3/4" Ft In 16th"
1 IN 12	7' 6" 11	7' 7" 0	7' 7" 6	7' 7" 12
2 IN 12	7' 7" 2	7' 7" 8	7' 7" 14	7' 8" 3
2.5 IN 12	7' 7" 8	7' 7" 14	7' 8" 3	7' 8" 9
3 IN 12	7' 7" 15	7' 8" 4	7' 8" 10	7' 9" 0
3.5 IN 12	7' 8" 7	7' 8" 12	7' 9" 2	7' 9" 8
4 IN 12	7' 9" 0	7' 9" 6	7' 9" 11	7' 10" 1
4.5 IN 12	7' 9" 10	7' 10" 0	7' 10" 6	7' 10" 12
5 IN 12	7' 10" 6	7' 10" 12	7' 11" 1	7' 11" 7
5.5 IN 12	7' 11" 2	7' 11" 8	7' 11" 14	8' 0" 4
6 IN 12	8' 0" 0	8' 0" 6	8' 0" 12	8' 1" 2
6.5 IN 12	8' 0" 15	8' 1" 5	8' 1" 11	8' 2" 1
7 IN 12	8' 1" 15	8' 2" 5	8' 2" 11	8' 3" 1
8 IN 12	8' 4" 1	8' 4" 7	8' 4" 14	8' 5" 4
9 IN 12	8' 6" 7	8' 6" 14	8' 7" 4	8' 7" 10
10 IN 12	8' 9" 1	8' 9" 7	8' 9" 14	8' 10" 5
11 IN 12	8' 11" 14	9' 0" 5	9' 0" 11	9' 1" 2
12 IN 12	9' 2" 14	9' 3" 5	9' 3" 11	9' 4" 2
13 IN 12	9' 6" 0	9' 6" 7	9' 6" 14	9' 7" 6
14 IN 12	9' 9" 5	9' 9" 13	9' 10" 4	9' 10" 11
15 IN 12	10' 0" 13	10' 1" 4	10' 1" 12	10' 2" 3
16 IN 12	10' 4" 6	10' 4" 14	10' 5" 6	10' 5" 14
17 IN 12	10' 8" 2	10' 8" 10	10' 9" 2	10' 9" 10
18 IN 12	10' 11" 15	11' 0" 7	11' 1" 0	11' 1" 8
19 IN 12	11' 3" 14	11' 4" 6	11' 4" 15	11' 5" 7
20 IN 12	11' 7" 14	11' 8" 7	11' 9" 0	11' 9" 9
21 IN 12	12' 0" 0	12' 0" 9	12' 1" 2	12' 1" 11
22 IN 12	12' 4" 3	12' 4" 12	12' 5" 6	12' 5" 15
23 IN 12	12' 8" 7	12' 9" 1	12' 9" 10	12' 10" 4
24 IN 12	13' 0" 12	13' 1" 6	13' 2" 0	13' 2" 10
25 IN 12	13' 5" 2	13' 5" 12	13' 6" 7	13' 7" 1

5 Foot 5 Inch Run — Common Rafter Lengths | 5 Foot 5 Inch Run — Hip Or Valley Rafter Lengths

Run -	5' 5"	5' 5 1/4"	5' 5 1/2"	5' 5 3/4"	5' 5"	5' 5 1/4"	5' 5 1/2"	5' 5 3/4"
Pitch	Ft In 16th"	Ft In 16th"	Ft In 16th"	Ft In 16th"	Ft In 16th"	Ft In 16th"	Ft In 16th"	Ft In 16th"
1 IN 12	5' 5" 4	5' 5" 8	5' 5" 12	5' 6" 0	7' 8" 1	7' 8" 7	7' 8" 13	7' 9" 2
2 IN 12	5' 5" 14	5' 6" 2	5' 6" 6	5' 6" 11	7' 8" 9	7' 8" 15	7' 9" 4	7' 9" 10
2.5 IN 12	5' 6" 6	5' 6" 10	5' 6" 15	5' 7" 3	7' 8" 15	7' 9" 4	7' 9" 10	7' 10" 0
3 IN 12	5' 7" 0	5' 7" 4	5' 7" 8	5' 7" 12	7' 9" 6	7' 9" 11	7' 10" 1	7' 10" 7
3.5 IN 12	5' 7" 11	5' 8" 0	5' 8" 4	5' 8" 8	7' 9" 14	7' 10" 4	7' 10" 9	7' 10" 15
4 IN 12	5' 8" 8	5' 8" 12	5' 9" 1	5' 9" 5	7' 10" 7	7' 10" 13	7' 11" 3	7' 11" 9
4.5 IN 12	5' 9" 1	5' 9" 11	5' 9" 15	5' 10" 4	7' 11" 2	7' 11" 7	7' 11" 13	8' 0" 3
5 IN 12	5' 10" 7	5' 10" 11	5' 10" 15	5' 11" 4	7' 11" 13	8' 0" 3	8' 0" 9	8' 0" 15
5.5 IN 12	5' 11" 8	5' 11" 12	6' 0" 1	6' 0" 5	8' 0" 10	8' 1" 0	8' 1" 6	8' 1" 12
6 IN 12	6' 0" 11	6' 0" 15	6' 1" 4	6' 1" 8	8' 1" 8	8' 1" 14	8' 2" 4	8' 2" 10
6.5 IN 12	6' 1" 15	6' 2" 3	6' 2" 8	6' 2" 12	8' 2" 7	8' 2" 13	8' 3" 3	8' 3" 9
7 IN 12	6' 3" 4	6' 3" 9	6' 3" 13	6' 4" 2	8' 3" 7	8' 3" 13	8' 4" 3	8' 4" 9
8 IN 12	6' 6" 2	6' 6" 7	6' 6" 12	6' 7" 0	8' 5" 10	8' 6" 0	8' 6" 7	8' 6" 13
9 IN 12	6' 9" 4	6' 9" 9	6' 9" 14	6' 10" 3	8' 8" 1	8' 8" 7	8' 8" 14	8' 9" 4
10 IN 12	7' 0" 10	7' 0" 15	7' 1" 4	7' 1" 9	8' 10" 11	8' 11" 2	8' 11" 8	8' 11" 15
11 IN 12	7' 4" 3	7' 4" 8	7' 4" 14	7' 5" 3	9' 1" 9	9' 1" 15	9' 2" 6	9' 2" 13
12 IN 12	7' 7" 15	7' 8" 4	7' 8" 10	7' 9" 0	9' 4" 9	9' 5" 0	9' 5" 7	9' 5" 14
13 IN 12	7' 11" 13	8' 0" 3	8' 0" 9	8' 0" 15	9' 7" 13	9' 8" 4	9' 8" 11	9' 9" 2
14 IN 12	8' 3" 14	8' 4" 4	8' 4" 10	8' 5" 0	9' 11" 3	9' 11" 10	10' 0" 1	10' 0" 9
15 IN 12	8' 8" 1	8' 8" 7	8' 8" 14	8' 9" 4	10' 2" 11	10' 3" 3	10' 3" 10	10' 4" 2
16 IN 12	9' 0" 5	9' 0" 12	9' 1" 3	9' 1" 9	10' 6" 5	10' 6" 13	10' 7" 5	10' 7" 13
17 IN 12	9' 4" 11	9' 5" 2	9' 5" 9	9' 6" 0	10' 10" 2	10' 10" 10	10' 11" 2	10' 11" 10
18 IN 12	9' 9" 3	9' 9" 10	9' 10" 1	9' 10" 9	11' 2" 0	11' 2" 8	11' 3" 1	11' 3" 9
19 IN 12	10' 1" 12	10' 2" 3	10' 2" 11	10' 3" 2	11' 6" 0	11' 6" 10	11' 7" 3	11' 7" 11
20 IN 12	10' 6" 5	10' 6" 13	10' 7" 5	10' 7" 13	11' 10" 1	11' 10" 10	11' 11" 3	11' 11" 11
21 IN 12	10' 11" 0	10' 11" 8	11' 0" 0	11' 0" 8	12' 2" 4	12' 2" 13	12' 3" 6	12' 3" 15
22 IN 12	11' 3" 12	11' 4" 4	11' 4" 13	11' 5" 5	12' 6" 8	12' 7" 1	12' 7" 11	12' 8" 4
23 IN 12	11' 8" 8	11' 9" 1	11' 9" 10	11' 10" 2	12' 10" 13	12' 11" 7	13' 0" 0	13' 0" 10
24 IN 12	12' 1" 6	12' 1" 14	12' 2" 7	12' 3" 0	13' 3" 3	13' 3" 13	13' 4" 7	13' 5" 1
25 IN 12	12' 6" 3	12' 6" 13	12' 7" 6	12' 7" 15	13' 7" 11	13' 8" 5	13' 8" 15	13' 9" 9

5 Foot 6 Inch Run — Common Rafter Lengths   5 Foot 6 Inch Run — Hip Or Valley Rafter Lengths

Run -	5' 6"			5' 6 1/4"			5' 6 1/2"			5' 6 3/4"			5' 6"			5' 6 1/4"			5' 6 1/2"			5' 6 3/4"		
Pitch	Ft	In	16th"	Ft	In	16th"	Ft	In	16th"	Ft	In	16th"	Ft	In	16th"	Ft	In	16th"	Ft	In	16th"	Ft	In	16th"
1 IN 12	5'	6"	4	5'	6"	8	5'	6"	12	5'	7"	0	7'	9"	8	7'	9"	14	7'	10"	3	7'	10"	9
2 IN 12	5'	6"	15	5'	7"	3	5'	7"	7	5'	7"	11	7'	10"	0	7'	10"	5	7'	10"	11	7'	11"	1
2.5 IN 12	5'	7"	7	5'	7"	11	5'	7"	15	5'	8"	3	7'	10"	6	7'	10"	11	7'	11"	1	7'	11"	7
3 IN 12	5'	8"	0	5'	8"	5	5'	8"	9	5'	8"	13	7'	10"	13	7'	11"	2	7'	11"	8	7'	11"	14
3.5 IN 12	5'	8"	12	5'	9"	0	5'	9"	4	5'	9"	9	7'	11"	11	8'	0"	0	8'	0"	0	8'	0"	6
4 IN 12	5'	9"	9	5'	9"	13	5'	10"	2	5'	10"	6	7'	11"	14	8'	0"	4	8'	0"	10	8'	1"	0
4.5 IN 12	5'	10"	8	5'	10"	12	5'	11"	0	5'	11"	5	8'	0"	9	8'	0"	15	8'	1"	5	8'	1"	11
5 IN 12	5'	11"	8	5'	11"	12	6'	0"	1	6'	0"	5	8'	1"	5	8'	1"	11	8'	2"	1	8'	2"	7
5.5 IN 12	6'	0"	10	6'	0"	14	6'	1"	2	6'	1"	7	8'	2"	2	8'	2"	8	8'	2"	14	8'	3"	4
6 IN 12	6'	1"	13	6'	2"	1	6'	2"	6	6'	2"	10	8'	3"	0	8'	3"	6	8'	3"	12	8'	4"	2
6.5 IN 12	6'	3"	1	6'	3"	6	6'	3"	10	6'	3"	15	8'	3"	15	8'	4"	5	8'	4"	11	8'	5"	1
7 IN 12	6'	4"	7	6'	4"	11	6'	5"	0	6'	5"	4	8'	4"	15	8'	5"	6	8'	5"	12	8'	6"	2
8 IN 12	6'	7"	5	6'	7"	10	6'	7"	15	6'	8"	4	8'	7"	3	8'	7"	9	8'	8"	0	8'	8"	6
9 IN 12	6'	10"	8	6'	10"	13	6'	11"	2	6'	11"	7	8'	9"	10	8'	10"	1	8'	10"	7	8'	10"	14
10 IN 12	7'	1"	15	7'	2"	4	7'	2"	9	7'	2"	14	9'	0"	5	9'	0"	12	9'	1"	3	9'	1"	9
11 IN 12	7'	5"	9	7'	5"	14	7'	6"	3	7'	6"	9	9'	3"	4	9'	3"	10	9'	4"	1	9'	4"	8
12 IN 12	7'	9"	5	7'	9"	11	7'	10"	1	7'	10"	6	9'	6"	5	9'	6"	12	9'	7"	3	9'	7"	10
13 IN 12	8'	1"	5	8'	1"	11	8'	2"	1	8'	2"	7	9'	9"	9	9'	10"	0	9'	10"	7	9'	10"	15
14 IN 12	8'	5"	7	8'	5"	13	8'	6"	3	8'	6"	9	10'	1"	0	10'	1"	7	10'	1"	15	10'	2"	6
15 IN 12	8'	9"	10	8'	10"	1	8'	10"	7	8'	10"	14	10'	4"	9	10'	5"	1	10'	5"	8	10'	6"	0
16 IN 12	9'	2"	0	9'	2"	7	9'	2"	13	9'	3"	4	10'	8"	4	10'	8"	12	10'	9"	4	10'	9"	12
17 IN 12	9'	6"	7	9'	6"	14	9'	7"	5	9'	7"	12	11'	0"	2	11'	0"	10	11'	1"	2	11'	1"	10
18 IN 12	9'	11"	1	9'	11"	7	9'	11"	14	10'	0"	5	11'	4"	1	11'	4"	9	11'	5"	1	11'	5"	10
19 IN 12	10'	3"	10	10'	4"	1	10'	4"	9	10'	5"	0	11'	8"	2	11'	8"	10	11'	9"	3	11'	9"	11
20 IN 12	10'	8"	4	10'	8"	12	10'	9"	4	10'	9"	12	12'	0"	4	12'	0"	13	12'	1"	6	12'	1"	14
21 IN 12	11'	1"	0	11'	1"	8	11'	2"	1	11'	2"	9	12'	4"	8	12'	5"	1	12'	5"	10	12'	6"	3
22 IN 12	11'	5"	13	11'	6"	6	11'	6"	14	11'	7"	6	12'	8"	13	12'	9"	6	12'	10"	0	12'	10"	9
23 IN 12	11'	10"	11	11'	11"	4	11'	11"	12	12'	0"	5	13'	1"	3	13'	1"	13	13'	2"	6	13'	3"	0
24 IN 12	12'	3"	9	12'	4"	2	12'	4"	11	12'	5"	4	13'	5"	11	13'	6"	4	13'	6"	14	13'	7"	8
25 IN 12	12'	8"	8	12'	9"	2	12'	9"	11	12'	10"	4	13'	10"	3	13'	10"	13	13'	11"	7	14'	0"	1

Run -	5' 7"	5' 7 1/4"	5' 7 1/2"	5' 7 3/4"	5' 7"	5' 7 1/4"	5' 7 1/2"	5' 7 3/4"
Pitch	Ft In 16th"	Ft In 16th"	Ft In 16th"	Ft In 16th"	Ft In 16th"	Ft In 16th"	Ft In 16th"	Ft In 16th"
1 IN 12	5' 7" 4	5' 7" 8	5' 7" 12	5' 8" 0	7' 10" 15	7' 11" 4	7' 11" 10	8' 0" 0
2 IN 12	5' 7" 15	5' 8" 3	5' 8" 7	5' 8" 11	7' 11" 7	7' 11" 12	8' 0" 2	8' 0" 8
2.5 IN 12	5' 8" 7	5' 8" 11	5' 8" 15	5' 9" 3	7' 11" 12	8' 0" 2	8' 0" 8	8' 0" 14
3 IN 12	5' 9" 1	5' 9" 5	5' 9" 9	5' 9" 13	8' 0" 4	8' 0" 9	8' 0" 15	8' 1" 5
3.5 IN 12	5' 9" 13	5' 10" 1	5' 10" 5	5' 10" 9	8' 0" 12	8' 1" 2	8' 1" 7	8' 1" 13
4 IN 12	5' 10" 10	5' 10" 14	5' 11" 2	5' 11" 7	8' 1" 6	8' 1" 11	8' 2" 1	8' 2" 7
4.5 IN 12	5' 11" 9	5' 11" 13	6' 0" 1	6' 0" 6	8' 2" 0	8' 2" 6	8' 2" 12	8' 3" 2
5 IN 12	6' 0" 9	6' 0" 14	6' 1" 2	6' 1" 6	8' 2" 12	8' 3" 2	8' 3" 8	8' 3" 14
5.5 IN 12	6' 1" 11	6' 2" 0	6' 2" 4	6' 2" 8	8' 3" 10	8' 4" 0	8' 4" 6	8' 4" 12
6 IN 12	6' 2" 15	6' 3" 3	6' 3" 7	6' 3" 12	8' 4" 8	8' 4" 14	8' 5" 4	8' 5" 10
6.5 IN 12	6' 4" 3	6' 4" 8	6' 4" 12	6' 5" 1	8' 5" 7	8' 5" 13	8' 6" 4	8' 6" 10
7 IN 12	6' 5" 9	6' 5" 14	6' 6" 2	6' 6" 7	8' 6" 8	8' 6" 14	8' 7" 4	8' 7" 10
8 IN 12	6' 8" 8	6' 8" 13	6' 9" 2	6' 9" 7	8' 8" 12	8' 9" 2	8' 9" 9	8' 9" 15
9 IN 12	6' 11" 12	7' 0" 1	7' 0" 6	7' 0" 11	8' 11" 4	8' 11" 10	9' 0" 1	9' 0" 7
10 IN 12	7' 3" 3	7' 3" 9	7' 3" 14	7' 4" 3	9' 2" 0	9' 2" 6	9' 2" 13	9' 3" 3
11 IN 12	7' 6" 14	7' 7" 4	7' 7" 9	7' 7" 15	9' 4" 15	9' 5" 5	9' 5" 12	9' 6" 3
12 IN 12	7' 10" 12	7' 11" 2	7' 11" 9	7' 11" 13	9' 8" 1	9' 8" 8	9' 8" 15	9' 9" 6
13 IN 12	8' 2" 12	8' 3" 2	8' 3" 8	8' 3" 14	9' 11" 6	9' 11" 13	10' 0" 4	10' 0" 11
14 IN 12	8' 6" 15	8' 7" 5	8' 7" 12	8' 8" 2	10' 2" 13	10' 3" 5	10' 3" 12	10' 4" 3
15 IN 12	8' 11" 4	8' 11" 10	9' 0" 1	9' 0" 7	10' 6" 7	10' 6" 15	10' 7" 6	10' 7" 14
16 IN 12	9' 3" 11	9' 4" 1	9' 4" 8	9' 4" 15	10' 10" 4	10' 10" 11	10' 11" 3	10' 11" 11
17 IN 12	9' 8" 3	9' 8" 10	9' 9" 1	9' 9" 8	11' 2" 2	11' 2" 10	11' 3" 2	11' 3" 10
18 IN 12	10' 0" 13	10' 1" 4	10' 1" 11	10' 2" 2	11' 6" 2	11' 6" 10	11' 7" 2	11' 7" 11
19 IN 12	10' 5" 8	10' 5" 15	10' 6" 6	10' 6" 14	11' 10" 4	11' 10" 12	11' 11" 5	11' 11" 13
20 IN 12	10' 10" 4	10' 10" 11	10' 11" 3	10' 11" 11	12' 2" 7	12' 3" 0	12' 3" 9	12' 4" 1
21 IN 12	11' 3" 1	11' 3" 9	11' 4" 1	11' 4" 9	12' 6" 12	12' 7" 5	12' 7" 14	12' 8" 7
22 IN 12	11' 7" 15	11' 8" 7	11' 8" 15	11' 9" 8	12' 11" 2	12' 11" 11	13' 0" 5	13' 0" 14
23 IN 12	12' 0" 14	12' 1" 6	12' 1" 15	12' 2" 7	13' 3" 9	13' 4" 3	13' 4" 12	13' 5" 6
24 IN 12	12' 5" 13	12' 6" 6	12' 6" 15	12' 7" 8	13' 8" 2	13' 8" 12	13' 9" 5	13' 9" 15
25 IN 12	12' 10" 13	12' 11" 7	13' 0" 0	13' 0" 9	14' 0" 11	14' 1" 5	14' 1" 15	14' 2" 10

5 Foot 8 Inch Run — Common Rafter Lengths   5 Foot 8 Inch Run — Hip Or Valley Rafter Lengths

Run - Pitch	5' 8"	5' 8 1/4"	5' 8 1/2"	5' 8 3/4"	5' 8"	5' 8 1/4"	5' 8 1/2"	5' 8 3/4"
1 IN 12	5' 8" 4	5' 8" 8	5' 8" 12	5' 9" 0	8' 0" 5	8' 0" 11	8' 1" 1	8' 1" 6
2 IN 12	5' 8" 15	5' 9" 3	5' 9" 7	5' 9" 11	8' 0" 13	8' 1" 3	8' 1" 9	8' 1" 14
2.5 IN 12	5' 9" 7	5' 9" 11	5' 10" 0	5' 10" 4	8' 1" 3	8' 1" 9	8' 1" 15	8' 2" 4
3 IN 12	5' 10" 1	5' 10" 6	5' 10" 10	5' 10" 14	8' 1" 11	8' 2" 0	8' 2" 6	8' 2" 12
3.5 IN 12	5' 10" 13	5' 11" 2	5' 11" 6	5' 11" 10	8' 2" 3	8' 2" 9	8' 2" 15	8' 3" 4
4 IN 12	5' 11" 11	5' 11" 15	6' 0" 3	6' 0" 8	8' 2" 13	8' 3" 3	8' 3" 8	8' 3" 14
4.5 IN 12	6' 0" 10	6' 0" 14	6' 1" 3	6' 1" 7	8' 3" 8	8' 3" 14	8' 4" 4	8' 4" 9
5 IN 12	6' 1" 11	6' 1" 15	6' 2" 3	6' 2" 8	8' 4" 4	8' 4" 10	8' 5" 0	8' 5" 6
5.5 IN 12	6' 2" 13	6' 3" 1	6' 3" 6	6' 3" 10	8' 5" 1	8' 5" 7	8' 5" 13	8' 6" 3
6 IN 12	6' 4" 0	6' 4" 5	6' 4" 9	6' 4" 14	8' 6" 0	8' 6" 6	8' 6" 12	8' 7" 2
6.5 IN 12	6' 5" 5	6' 5" 10	6' 5" 14	6' 6" 3	8' 7" 0	8' 7" 6	8' 7" 12	8' 8" 2
7 IN 12	6' 6" 12	6' 7" 0	6' 7" 5	6' 7" 9	8' 8" 0	8' 8" 7	8' 8" 13	8' 9" 3
8 IN 12	6' 9" 12	6' 10" 0	6' 10" 5	6' 10" 10	8' 10" 5	8' 10" 11	8' 11" 2	8' 11" 8
9 IN 12	7' 1" 0	7' 1" 5	7' 1" 10	7' 1" 15	9' 0" 14	9' 1" 4	9' 1" 10	9' 2" 1
10 IN 12	7' 4" 8	7' 4" 13	7' 5" 3	7' 5" 8	9' 3" 10	9' 4" 0	9' 4" 7	9' 4" 14
11 IN 12	7' 8" 4	7' 8" 9	7' 8" 15	7' 9" 4	9' 6" 10	9' 7" 0	9' 7" 7	9' 7" 14
12 IN 12	8' 0" 3	8' 0" 8	8' 0" 14	8' 1" 4	9' 9" 12	9' 10" 3	9' 10" 10	9' 11" 1
13 IN 12	8' 4" 4	8' 4" 10	8' 5" 0	8' 5" 6	10' 1" 2	10' 1" 9	10' 2" 0	10' 2" 8
14 IN 12	8' 8" 8	8' 8" 14	8' 9" 4	8' 9" 10	10' 4" 11	10' 5" 2	10' 5" 9	10' 6" 1
15 IN 12	9' 0" 14	9' 1" 4	9' 1" 10	9' 2" 1	10' 8" 6	10' 8" 13	10' 9" 5	10' 9" 12
16 IN 12	9' 5" 5	9' 5" 10	9' 6" 3	9' 6" 9	11' 0" 3	11' 0" 10	11' 1" 2	11' 1" 10
17 IN 12	9' 9" 15	9' 10" 6	9' 10" 13	9' 11" 3	11' 4" 2	11' 4" 10	11' 5" 2	11' 5" 10
18 IN 12	10' 2" 9	10' 3" 1	10' 3" 8	10' 3" 15	11' 8" 3	11' 8" 11	11' 9" 3	11' 9" 12
19 IN 12	10' 7" 5	10' 7" 13	10' 8" 4	10' 8" 12	12' 0" 6	12' 0" 14	12' 1" 7	12' 1" 15
20 IN 12	11' 0" 3	11' 0" 10	11' 1" 2	11' 1" 10	12' 4" 10	12' 5" 3	12' 5" 12	12' 6" 4
21 IN 12	11' 5" 1	11' 5" 9	11' 6" 1	11' 6" 9	12' 9" 0	12' 9" 9	12' 10" 2	12' 10" 11
22 IN 12	11' 10" 0	11' 10" 9	11' 11" 1	11' 11" 9	13' 1" 7	13' 2" 0	13' 2" 10	13' 3" 3
23 IN 12	12' 3" 0	12' 3" 9	12' 4" 1	12' 4" 10	13' 6" 0	13' 6" 9	13' 7" 3	13' 7" 12
24 IN 12	12' 8" 1	12' 8" 10	12' 9" 3	12' 9" 12	13' 10" 9	13' 11" 3	13' 11" 13	14' 0" 6
25 IN 12	13' 1" 2	13' 1" 12	13' 2" 5	13' 2" 14	14' 3" 4	14' 3" 14	14' 4" 8	14' 5" 2

5 Foot 9 Inch Run — Common Rafter Lengths

Run — (values in Ft In 16th")

Pitch	5' 9"	5' 9 1/4"	5' 9 1/2"	5' 9 3/4"
1 IN 12	5' 9" 4	5' 9" 8	5' 9" 12	5' 10" 0
2 IN 12	5' 9" 15	5' 10" 3	5' 10" 7	5' 10" 11
2.5 IN 12	5' 10" 8	5' 10" 12	5' 11" 0	5' 11" 4
3 IN 12	5' 11" 2	5' 11" 6	5' 11" 10	5' 11" 14
3.5 IN 12	5' 11" 14	6' 0" 2	6' 0" 6	6' 0" 11
4 IN 12	6' 0" 12	6' 1" 0	6' 1" 4	6' 1" 8
4.5 IN 12	6' 1" 11	6' 1" 15	6' 2" 4	6' 2" 8
5 IN 12	6' 2" 12	6' 3" 0	6' 3" 5	6' 3" 9
5.5 IN 12	6' 3" 14	6' 4" 3	6' 4" 7	6' 4" 12
6 IN 12	6' 5" 2	6' 5" 7	6' 5" 11	6' 6" 0
6.5 IN 12	6' 6" 8	6' 6" 12	6' 7" 1	6' 7" 5
7 IN 12	6' 7" 14	6' 8" 3	6' 8" 7	6' 8" 12
8 IN 12	6' 10" 15	6' 11" 4	6' 11" 8	6' 11" 13
9 IN 12	7' 2" 4	7' 2" 9	7' 2" 14	7' 3" 3
10 IN 12	7' 5" 13	7' 6" 2	7' 6" 7	7' 6" 13
11 IN 12	7' 9" 10	7' 9" 15	7' 10" 5	7' 10" 10
12 IN 12	8' 1" 9	8' 1" 15	8' 2" 5	8' 2" 10
13 IN 12	8' 5" 12	8' 6" 2	8' 6" 7	8' 6" 13
14 IN 12	8' 10" 0	8' 10" 7	8' 10" 13	8' 11" 3
15 IN 12	9' 2" 7	9' 2" 14	9' 3" 4	9' 3" 10
16 IN 12	9' 7" 0	9' 7" 7	9' 7" 13	9' 8" 4
17 IN 12	9' 11" 10	10' 0" 1	10' 0" 8	10' 0" 15
18 IN 12	10' 4" 6	10' 4" 13	10' 5" 5	10' 5" 12
19 IN 12	10' 9" 3	10' 9" 11	10' 10" 2	10' 10" 10
20 IN 12	11' 2" 2	11' 2" 10	11' 3" 1	11' 3" 9
21 IN 12	11' 7" 1	11' 7" 9	11' 8" 1	11' 8" 9
22 IN 12	12' 0" 2	12' 0" 10	12' 1" 2	12' 1" 11
23 IN 12	12' 5" 3	12' 5" 11	12' 6" 4	12' 6" 13
24 IN 12	12' 10" 5	12' 10" 14	12' 11" 7	12' 11" 15
25 IN 12	13' 3" 7	13' 4" 0	13' 4" 10	13' 5" 3

5 Foot 9 Inch Run — Hip Or Valley Rafter Lengths

(values in Ft In 16th")

Pitch	5' 9"	5' 9 1/4"	5' 9 1/2"	5' 9 3/4"
1 IN 12	8' 1" 12	8' 2" 2	8' 2" 7	8' 2" 13
2 IN 12	8' 2" 4	8' 2" 10	8' 2" 15	8' 3" 5
2.5 IN 12	8' 2" 10	8' 3" 0	8' 3" 6	8' 3" 11
3 IN 12	8' 3" 1	8' 3" 7	8' 3" 13	8' 4" 3
3.5 IN 12	8' 3" 10	8' 4" 0	8' 4" 6	8' 4" 11
4 IN 12	8' 4" 4	8' 4" 10	8' 5" 0	8' 5" 6
4.5 IN 12	8' 4" 15	8' 5" 5	8' 5" 11	8' 6" 1
5 IN 12	8' 5" 12	8' 6" 2	8' 6" 7	8' 6" 13
5.5 IN 12	8' 6" 9	8' 6" 15	8' 7" 5	8' 7" 11
6 IN 12	8' 7" 8	8' 7" 14	8' 8" 4	8' 8" 10
6.5 IN 12	8' 8" 8	8' 8" 14	8' 9" 4	8' 9" 10
7 IN 12	8' 9" 9	8' 9" 15	8' 10" 5	8' 10" 11
8 IN 12	8' 11" 14	9' 0" 4	9' 0" 11	9' 1" 1
9 IN 12	9' 2" 7	9' 2" 14	9' 3" 4	9' 3" 10
10 IN 12	9' 5" 4	9' 5" 11	9' 6" 1	9' 6" 8
11 IN 12	9' 8" 5	9' 8" 11	9' 9" 2	9' 9" 9
12 IN 12	9' 11" 8	9' 11" 15	10' 0" 6	10' 0" 13
13 IN 12	10' 2" 15	10' 3" 6	10' 3" 13	10' 4" 4
14 IN 12	10' 6" 8	10' 6" 15	10' 7" 7	10' 7" 14
15 IN 12	10' 10" 4	10' 10" 11	10' 11" 3	10' 11" 10
16 IN 12	11' 2" 2	11' 2" 10	11' 3" 1	11' 3" 9
17 IN 12	11' 6" 2	11' 6" 10	11' 7" 2	11' 7" 10
18 IN 12	11' 10" 4	11' 10" 12	11' 11" 4	11' 11" 13
19 IN 12	12' 2" 8	12' 3" 0	12' 3" 9	12' 4" 1
20 IN 12	12' 6" 13	12' 7" 6	12' 7" 15	12' 8" 7
21 IN 12	12' 11" 4	12' 11" 13	13' 0" 6	13' 0" 15
22 IN 12	13' 3" 12	13' 4" 5	13' 4" 15	13' 5" 8
23 IN 12	13' 8" 6	13' 8" 15	13' 9" 9	13' 10" 2
24 IN 12	14' 1" 0	14' 1" 10	14' 2" 4	14' 2" 14
25 IN 12	14' 5" 12	14' 6" 6	14' 7" 0	14' 7" 10

5 Foot 10 Inch Run — Common Rafter Lengths | 5 Foot 10 Inch Run — Hip Or Valley Rafter Lengths

Run -	5'10"			5'10 1/4"			5'10 1/2"			5'10 3/4"			5'10"			5'10 1/4"			5'10 1/2"			5'10 3/4"		
Pitch	Ft	In	16th"	Ft	In	16th"	Ft	In	16th"	Ft	In	16th"	Ft	In	16th"	Ft	In	16th"	Ft	In	16th"	Ft	In	16th"
1 IN 12	5'	10"	4	5'	10"	8	5'	10"	12	5'	11"	0	8'	3"	3	8'	3"	8	8'	3"	14	8'	4"	4
2 IN 12	5'	10"	15	5'	11"	4	5'	11"	8	5'	11"	12	8'	3"	11	8'	4"	1	8'	4"	6	8'	4"	12
2.5 IN 12	5'	11"	8	5'	11"	12	6'	0"	0	6'	0"	4	8'	4"	1	8'	4"	7	8'	4"	12	8'	5"	2
3 IN 12	6'	0"	2	6'	0"	7	6'	0"	11	6'	0"	15	8'	4"	8	8'	4"	14	8'	5"	4	8'	5"	10
3.5 IN 12	6'	0"	15	6'	1"	3	6'	1"	7	6'	1"	11	8'	5"	1	8'	5"	7	8'	5"	13	8'	6"	3
4 IN 12	6'	1"	13	6'	2"	1	6'	2"	5	6'	2"	9	8'	5"	11	8'	6"	1	8'	6"	7	8'	6"	13
4.5 IN 12	6'	2"	12	6'	3"	0	6'	3"	5	6'	3"	9	8'	6"	7	8'	6"	13	8'	7"	2	8'	7"	8
5 IN 12	6'	3"	13	6'	4"	2	6'	4"	6	6'	4"	10	8'	7"	3	8'	7"	9	8'	7"	15	8'	8"	5
5.5 IN 12	6'	5"	0	6'	5"	4	6'	5"	9	6'	5"	13	8'	8"	1	8'	8"	7	8'	8"	13	8'	9"	3
6 IN 12	6'	6"	4	6'	6"	9	6'	6"	13	6'	7"	2	8'	9"	0	8'	9"	6	8'	9"	12	8'	10"	2
6.5 IN 12	6'	7"	10	6'	7"	14	6'	8"	3	6'	8"	7	8'	10"	0	8'	10"	6	8'	10"	12	8'	11"	2
7 IN 12	6'	9"	1	6'	9"	5	6'	9"	10	6'	9"	15	8'	11"	1	8'	11"	7	8'	11"	14	9'	0"	4
8 IN 12	7'	0"	2	7'	0"	7	7'	0"	12	7'	1"	0	9'	1"	7	9'	1"	13	9'	2"	4	9'	2"	10
9 IN 12	7'	3"	8	7'	3"	13	7'	4"	2	7'	4"	7	9'	4"	1	9'	4"	7	9'	4"	14	9'	5"	4
10 IN 12	7'	7"	2	7'	7"	7	7'	7"	12	7'	8"	2	9'	6"	14	9'	7"	5	9'	7"	12	9'	8"	2
11 IN 12	7'	10"	15	7'	11"	5	7'	11"	10	8'	0"	0	9'	10"	0	9'	10"	6	9'	10"	13	9'	11"	4
12 IN 12	8'	3"	0	8'	3"	6	8'	3"	11	8'	4"	1	10'	1"	4	10'	1"	11	10'	2"	2	10'	2"	9
13 IN 12	8'	7"	3	8'	7"	9	8'	7"	15	8'	8"	5	10'	4"	11	10'	5"	2	10'	5"	9	10'	6"	1
14 IN 12	8'	11"	9	8'	11"	15	9'	0"	5	9'	0"	11	10'	8"	5	10'	8"	13	10'	9"	4	10'	9"	11
15 IN 12	9'	4"	1	9'	4"	7	9'	4"	14	9'	5"	4	11'	0"	2	11'	0"	10	11'	1"	1	11'	1"	9
16 IN 12	9'	8"	11	9'	9"	1	9'	9"	8	9'	9"	15	11'	4"	1	11'	4"	9	11'	5"	0	11'	5"	8
17 IN 12	10'	1"	6	10'	1"	13	10'	2"	4	10'	2"	11	11'	8"	2	11'	8"	10	11'	9"	2	11'	9"	10
18 IN 12	10'	6"	3	10'	6"	10	10'	7"	2	10'	7"	9	12'	0"	5	12'	0"	13	12'	1"	5	12'	1"	14
19 IN 12	10'	11"	1	10'	11"	9	11'	0"	0	11'	0"	8	12'	4"	10	12'	5"	2	12'	5"	11	12'	6"	3
20 IN 12	11'	4"	1	11'	4"	9	11'	5"	0	11'	5"	8	12'	9"	0	12'	9"	9	12'	10"	2	12'	10"	10
21 IN 12	11'	9"	1	11'	9"	9	11'	10"	2	11'	10"	10	13'	1"	8	13'	2"	1	13'	2"	10	13'	3"	3
22 IN 12	12'	2"	3	12'	2"	11	12'	3"	4	12'	3"	12	13'	6"	1	13'	6"	11	13'	7"	4	13'	7"	13
23 IN 12	12'	7"	5	12'	7"	14	12'	8"	7	12'	8"	15	13'	10"	12	13'	11"	5	13'	11"	15	14'	0"	8
24 IN 12	13'	0"	8	13'	1"	1	13'	1"	10	13'	2"	3	14'	3"	7	14'	4"	1	14'	4"	11	14'	5"	5
25 IN 12	13'	5"	12	13'	6"	5	13'	6"	15	13'	7"	8	14'	8"	4	14'	8"	14	14'	9"	8	14'	10"	2

Run -	5'11"			5'11 1/4"			5'11 1/2"			5'11 3/4"			5'11"			5'11 1/4"			5'11 1/2"			5'11 3/4"		
Pitch	Ft	In	16th"	Ft	In	16th"	Ft	In	16th"	Ft	In	16th"	Ft	In	16th"	Ft	In	16th"	Ft	In	16th"	Ft	In	16th"
1 IN 12	5'	11"	4	5'	11"	8	5'	11"	12	6'	0"	0	8'	4"	9	8'	4"	15	8'	5"	5	8'	5"	10
2 IN 12	6'	0"	0	6'	0"	4	6'	0"	8	6'	0"	12	8'	5"	2	8'	5"	7	8'	5"	13	8'	6"	3
2.5 IN 12	6'	0"	8	6'	0"	12	6'	1"	1	6'	1"	5	8'	5"	8	8'	5"	14	8'	6"	3	8'	6"	9
3 IN 12	6'	1"	3	6'	1"	7	6'	1"	11	6'	1"	15	8'	5"	15	8'	6"	5	8'	6"	11	8'	7"	1
3.5 IN 12	6'	1"	15	6'	2"	4	6'	2"	8	6'	2"	12	8'	6"	8	8'	6"	14	8'	7"	4	8'	7"	10
4 IN 12	6'	2"	13	6'	3"	2	6'	3"	6	6'	3"	10	8'	7"	3	8'	7"	8	8'	7"	14	8'	8"	4
4.5 IN 12	6'	3"	13	6'	4"	2	6'	4"	6	6'	4"	10	8'	7"	14	8'	8"	4	8'	8"	10	8'	9"	0
5 IN 12	6'	4"	15	6'	5"	3	6'	5"	7	6'	5"	12	8'	8"	11	8'	9"	1	8'	9"	7	8'	9"	13
5.5 IN 12	6'	6"	2	6'	6"	6	6'	6"	10	6'	6"	15	8'	9"	9	8'	9"	15	8'	10"	5	8'	10"	11
6 IN 12	6'	7"	6	6'	7"	11	6'	7"	15	6'	8"	4	8'	10"	8	8'	10"	14	8'	11"	4	8'	11"	10
6.5 IN 12	6'	8"	12	6'	9"	0	6'	9"	5	6'	9"	10	8'	11"	8	8'	11"	14	9'	0"	4	9'	0"	11
7 IN 12	6'	10"	3	6'	10"	8	6'	10"	12	6'	11"	1	9'	0"	10	9'	1"	0	9'	1"	6	9'	1"	12
8 IN 12	7'	1"	5	7'	1"	10	7'	1"	15	7'	2"	4	9'	3"	0	9'	3"	6	9'	3"	13	9'	4"	3
9 IN 12	7'	4"	12	7'	5"	1	7'	5"	6	7'	5"	11	9'	5"	10	9'	6"	1	9'	6"	7	9'	6"	14
10 IN 12	7'	8"	7	7'	8"	12	7'	9"	1	7'	9"	6	9'	8"	9	9'	8"	15	9'	9"	6	9'	9"	12
11 IN 12	8'	0"	5	8'	0"	10	8'	1"	0	8'	1"	5	9'	11"	11	10'	0"	1	10'	0"	8	10'	0"	15
12 IN 12	8'	4"	7	8'	4"	12	8'	5"	2	8'	5"	8	10'	3"	0	10'	3"	7	10'	3"	13	10'	4"	4
13 IN 12	8'	8"	11	8'	9"	1	8'	9"	7	8'	9"	13	10'	6"	8	10'	6"	15	10'	7"	6	10'	7"	13
14 IN 12	9'	1"	2	9'	1"	8	9'	1"	14	9'	2"	4	10'	10"	3	10'	10"	10	10'	11"	1	10'	11"	9
15 IN 12	9'	5"	10	9'	6"	1	9'	6"	7	9'	6"	14	11'	2"	0	11'	2"	8	11'	2"	15	11'	3"	7
16 IN 12	9'	10"	5	9'	10"	12	9'	11"	3	9'	11"	9	11'	6"	0	11'	6"	8	11'	7"	0	11'	7"	7
17 IN 12	10'	3"	2	10'	3"	9	10'	4"	0	10'	4"	7	11'	10"	2	11'	10"	10	11'	11"	2	11'	11"	10
18 IN 12	10'	8"	0	10'	8"	7	10'	8"	14	10'	9"	6	12'	2"	6	12'	2"	14	12'	3"	6	12'	3"	15
19 IN 12	11'	0"	15	11'	1"	7	11'	1"	14	11'	2"	6	12'	6"	12	12'	7"	4	12'	7"	13	12'	8"	5
20 IN 12	11'	6"	0	11'	6"	8	11'	7"	0	11'	7"	7	12'	11"	3	12'	11"	12	13'	0"	5	13'	0"	13
21 IN 12	11'	11"	2	11'	11"	10	12'	0"	2	12'	0"	10	13'	3"	12	13'	4"	5	13'	4"	14	13'	5"	7
22 IN 12	12'	4"	4	12'	4"	13	12'	5"	5	12'	5"	13	13'	8"	6	13'	9"	0	13'	9"	9	13'	10"	2
23 IN 12	12'	9"	8	12'	10"	1	12'	10"	9	12'	11"	2	14'	1"	2	14'	1"	11	14'	2"	5	14'	2"	14
24 IN 12	13'	2"	12	13'	3"	5	13'	3"	14	13'	4"	7	14'	5"	15	14'	6"	8	14'	7"	2	14'	7"	12
25 IN 12	13'	8"	1	13'	8"	10	13'	9"	4	13'	9"	13	14'	10"	12	14'	11"	7	15'	0"	1	15'	0"	11

6 Foot 0 Inch Run — Common Rafter Lengths   6 Foot 0 Inch Run — Hip Or Valley Rafter Lengths

Run -	6' 0"	6' 0 1/4"	6' 0 1/2"	6' 0 3/4"	6' 0"	6' 0 1/4"	6' 0 1/2"	6' 0 3/4"
Pitch	Ft In 16th"	Ft In 16th"	Ft In 16th"	Ft In 16th"	Ft In 16th"	Ft In 16th"	Ft In 16th"	Ft In 16th"
1 IN 12	6' 0" 4	6' 0" 8	6' 0" 12	6' 1" 0	8' 6" 0	8' 6" 6	8' 6" 11	8' 7" 1
2 IN 12	6' 1" 0	6' 1" 4	6' 1" 8	6' 1" 12	8' 6" 8	8' 6" 14	8' 7" 4	8' 7" 10
2.5 IN 12	6' 1" 9	6' 1" 13	6' 2" 1	6' 2" 5	8' 6" 15	8' 7" 4	8' 7" 10	8' 8" 0
3 IN 12	6' 2" 3	6' 2" 8	6' 2" 12	6' 3" 0	8' 7" 6	8' 7" 12	8' 8" 2	8' 8" 8
3.5 IN 12	6' 3" 0	6' 3" 4	6' 3" 8	6' 3" 13	8' 7" 15	8' 8" 5	8' 8" 11	8' 9" 1
4 IN 12	6' 3" 14	6' 4" 3	6' 4" 7	6' 4" 11	8' 8" 10	8' 9" 0	8' 9" 5	8' 9" 11
4.5 IN 12	6' 4" 14	6' 5" 3	6' 5" 7	6' 5" 11	8' 9" 5	8' 9" 11	8' 10" 1	8' 10" 7
5 IN 12	6' 6" 0	6' 6" 4	6' 6" 9	6' 6" 13	8' 10" 2	8' 10" 8	8' 10" 14	8' 11" 4
5.5 IN 12	6' 7" 3	6' 7" 8	6' 7" 12	6' 8" 0	8' 11" 1	8' 11" 7	8' 11" 12	9' 0" 2
6 IN 12	6' 8" 8	6' 8" 12	6' 9" 1	6' 9" 5	9' 0" 0	9' 0" 6	9' 0" 12	9' 1" 2
6.5 IN 12	6' 9" 14	6' 10" 3	6' 10" 7	6' 10" 12	9' 1" 1	9' 1" 7	9' 1" 13	9' 2" 3
7 IN 12	6' 11" 6	6' 11" 10	6' 11" 15	7' 0" 4	9' 2" 2	9' 2" 8	9' 2" 15	9' 3" 5
8 IN 12	7' 2" 9	7' 2" 13	7' 3" 2	7' 3" 7	9' 4" 9	9' 4" 15	9' 5" 6	9' 5" 12
9 IN 12	7' 6" 0	7' 6" 5	7' 6" 10	7' 6" 15	9' 7" 4	9' 7" 11	9' 8" 1	9' 8" 7
10 IN 12	7' 9" 12	7' 10" 1	7' 10" 6	7' 10" 11	9' 10" 3	9' 10" 10	9' 11" 0	9' 11" 7
11 IN 12	8' 1" 11	8' 2" 0	8' 2" 6	8' 2" 11	10' 1" 5	10' 1" 12	10' 2" 3	10' 2" 10
12 IN 12	8' 5" 13	8' 6" 3	8' 6" 8	8' 6" 14	10' 4" 11	10' 5" 2	10' 5" 9	10' 6" 0
13 IN 12	8' 10" 2	8' 10" 8	8' 10" 14	8' 11" 4	10' 8" 4	10' 8" 11	10' 9" 2	10' 9" 10
14 IN 12	9' 2" 10	9' 3" 0	9' 3" 6	9' 3" 13	11' 0" 0	11' 0" 7	11' 0" 15	11' 1" 6
15 IN 12	9' 7" 4	9' 7" 11	9' 8" 1	9' 8" 7	11' 3" 14	11' 4" 6	11' 4" 13	11' 5" 5
16 IN 12	10' 0" 0	10' 0" 7	10' 0" 13	10' 1" 4	11' 7" 15	11' 8" 7	11' 8" 15	11' 9" 6
17 IN 12	10' 4" 14	10' 5" 5	10' 5" 12	10' 6" 2	12' 0" 2	12' 0" 10	12' 1" 2	12' 1" 10
18 IN 12	10' 9" 13	10' 10" 3	10' 10" 11	10' 11" 2	12' 4" 7	12' 4" 15	12' 5" 7	12' 6" 0
19 IN 12	11' 2" 13	11' 3" 5	11' 3" 11	11' 4" 4	12' 8" 14	12' 9" 6	12' 9" 15	12' 10" 7
20 IN 12	11' 7" 15	11' 8" 7	11' 8" 15	11' 9" 6	13' 1" 6	13' 1" 15	13' 2" 8	13' 3" 0
21 IN 12	12' 1" 2	12' 1" 10	12' 2" 2	12' 2" 10	13' 6" 0	13' 6" 9	13' 7" 2	13' 7" 11
22 IN 12	12' 6" 6	12' 6" 14	12' 7" 6	12' 7" 15	13' 10" 11	13' 11" 5	13' 11" 14	14' 0" 7
23 IN 12	12' 11" 10	13' 0" 3	13' 0" 12	13' 1" 4	14' 3" 8	14' 4" 2	14' 4" 11	14' 5" 5
24 IN 12	13' 5" 0	13' 5" 9	13' 6" 2	13' 6" 11	14' 8" 6	14' 9" 0	14' 9" 9	14' 10" 3
25 IN 12	13' 10" 6	13' 10" 15	13' 11" 9	14' 0" 2	15' 1" 5	15' 1" 15	15' 2" 9	15' 3" 3

6 Foot 1 Inch Run — Common Rafter Lengths   6 Foot 1 Inch Run — Hip Or Valley Rafter Lengths

Pitch (Run)	Common 6' 1"	Common 6' 1 1/4"	Common 6' 1 1/2"	Common 6' 1 3/4"	Hip 6' 1"	Hip 6' 1 1/4"	Hip 6' 1 1/2"	Hip 6' 1 3/4"
	Ft In 16th	Ft In 16th	Ft In 16th	Ft In 16th	Ft In 16th	Ft In 16th	Ft In 16th	Ft In 16th
1 IN 12	6' 1" 4	6' 1" 8	6' 1" 12	6' 2" 0	8' 7" 7	8' 7" 12	8' 8" 2	8' 8" 8
2 IN 12	6' 2" 0	6' 2" 4	6' 2" 8	6' 2" 12	8' 7" 15	8' 8" 5	8' 8" 11	8' 9" 0
2.5 IN 12	6' 2" 9	6' 2" 13	6' 3" 1	6' 3" 5	8' 8" 6	8' 8" 11	8' 9" 1	8' 9" 7
3 IN 12	6' 3" 4	6' 3" 8	6' 3" 12	6' 4" 0	8' 8" 13	8' 9" 3	8' 9" 9	8' 9" 15
3.5 IN 12	6' 4" 1	6' 4" 5	6' 4" 9	6' 4" 13	8' 9" 7	8' 9" 12	8' 10" 2	8' 10" 8
4 IN 12	6' 4" 15	6' 5" 3	6' 5" 8	6' 5" 12	8' 10" 1	8' 10" 7	8' 10" 13	8' 11" 3
4.5 IN 12	6' 5" 15	6' 6" 4	6' 6" 8	6' 6" 12	8' 10" 13	8' 11" 3	8' 11" 9	8' 11" 14
5 IN 12	6' 7" 1	6' 7" 6	6' 7" 10	6' 7" 14	8' 11" 10	9' 0" 0	9' 0" 6	9' 0" 12
5.5 IN 12	6' 8" 5	6' 8" 9	6' 8" 14	6' 9" 2	9' 0" 8	9' 0" 14	9' 1" 4	9' 1" 10
6 IN 12	6' 9" 10	6' 9" 14	6' 10" 3	6' 10" 7	9' 1" 8	9' 1" 14	9' 2" 4	9' 2" 10
6.5 IN 12	6' 11" 0	6' 11" 5	6' 11" 9	6' 11" 14	9' 2" 9	9' 2" 15	9' 3" 5	9' 3" 11
7 IN 12	7' 0" 8	7' 0" 13	7' 1" 1	7' 1" 6	9' 3" 11	9' 4" 1	9' 4" 7	9' 4" 13
8 IN 12	7' 3" 12	7' 4" 1	7' 4" 5	7' 4" 10	9' 6" 2	9' 6" 8	9' 6" 15	9' 7" 5
9 IN 12	7' 7" 4	7' 7" 9	7' 7" 14	7' 8" 3	9' 8" 14	9' 9" 4	9' 9" 11	9' 10" 1
10 IN 12	7' 11" 4	7' 11" 6	7' 11" 11	8' 0" 0	9' 11" 13	10' 0" 4	10' 0" 10	10' 1" 1
11 IN 12	8' 3" 0	8' 3" 6	8' 3" 11	8' 4" 1	10' 3" 0	10' 3" 7	10' 3" 14	10' 4" 5
12 IN 12	8' 7" 4	8' 7" 9	8' 7" 15	8' 8" 5	10' 6" 7	10' 6" 14	10' 7" 5	10' 7" 12
13 IN 12	8' 11" 10	9' 0" 0	9' 0" 6	9' 0" 12	10' 10" 1	10' 10" 8	10' 10" 15	10' 11" 6
14 IN 12	9' 4" 3	9' 4" 9	9' 4" 15	9' 5" 5	11' 1" 13	11' 2" 5	11' 2" 12	11' 3" 3
15 IN 12	9' 8" 14	9' 9" 4	9' 9" 11	9' 10" 1	11' 5" 13	11' 6" 4	11' 6" 12	11' 7" 3
16 IN 12	10' 1" 11	10' 2" 1	10' 2" 8	10' 2" 15	11' 9" 14	11' 10" 6	11' 10" 14	11' 11" 6
17 IN 12	10' 6" 9	10' 7" 0	10' 7" 7	10' 7" 14	12' 2" 2	12' 2" 10	12' 3" 8	12' 3" 10
18 IN 12	10' 11" 10	11' 0" 1	11' 0" 8	11' 0" 15	12' 6" 8	12' 7" 0	12' 7" 8	12' 8" 1
19 IN 12	11' 4" 11	11' 5" 3	11' 5" 10	11' 6" 2	12' 11" 0	12' 11" 8	13' 0" 1	13' 0" 9
20 IN 12	11' 9" 14	11' 10" 6	11' 10" 14	11' 11" 6	13' 3" 9	13' 4" 2	13' 4" 11	13' 5" 3
21 IN 12	12' 3" 2	12' 3" 10	12' 4" 2	12' 4" 10	13' 8" 4	13' 8" 13	13' 9" 6	13' 9" 15
22 IN 12	12' 8" 7	12' 9" 0	12' 9" 8	12' 10" 0	14' 1" 0	14' 1" 10	14' 2" 3	14' 2" 12
23 IN 12	13' 1" 13	13' 2" 6	13' 2" 14	13' 3" 7	14' 5" 14	14' 6" 8	14' 7" 1	14' 7" 11
24 IN 12	13' 7" 4	13' 7" 13	13' 8" 6	13' 8" 15	14' 10" 13	14' 11" 7	15' 0" 1	15' 0" 10
25 IN 12	14' 0" 11	14' 1" 4	14' 1" 14	14' 2" 7	15' 3" 13	15' 4" 7	15' 5" 1	15' 5" 11

6 Foot 2 Inch Run — Common Rafter Lengths   6 Foot 2 Inch Run — Hip Or Valley Rafter Lengths

Run –	6' 2"	6' 2 1/4"	6' 2 1/2"	6' 2 3/4"	6' 2"	6' 2 1/4"	6' 2 1/2"	6' 2 3/4"
Pitch (Ft In 16th")	Ft In 16th"	Ft In 16th"	Ft In 16th"	Ft In 16th"	Ft In 16th"	Ft In 16th"	Ft In 16th"	Ft In 16th"
1 IN 12	6' 2" 4	6' 2" 8	6' 2" 12	6' 3" 0	8' 8" 13	8' 9" 3	8' 9" 9	8' 9" 14
2 IN 12	6' 3" 0	6' 3" 4	6' 3" 8	6' 3" 12	8' 9" 6	8' 9" 12	8' 10" 1	8' 10" 7
2.5 IN 12	6' 3" 9	6' 3" 14	6' 4" 2	6' 4" 6	8' 9" 13	8' 10" 2	8' 10" 8	8' 10" 14
3 IN 12	6' 4" 4	6' 4" 9	6' 4" 13	6' 5" 1	8' 10" 4	8' 10" 10	8' 11" 0	8' 11" 6
3.5 IN 12	6' 5" 1	6' 5" 6	6' 5" 10	6' 5" 14	8' 10" 14	8' 11" 3	8' 11" 9	8' 11" 15
4 IN 12	6' 6" 0	6' 6" 4	6' 6" 8	6' 6" 13	8' 11" 8	8' 11" 14	9' 0" 4	9' 0" 10
4.5 IN 12	6' 7" 1	6' 7" 5	6' 7" 9	6' 7" 13	9' 0" 4	9' 0" 10	9' 1" 0	9' 1" 6
5 IN 12	6' 8" 3	6' 8" 7	6' 8" 11	6' 9" 0	9' 1" 2	9' 1" 7	9' 1" 13	9' 2" 3
5.5 IN 12	6' 9" 6	6' 9" 11	6' 9" 15	6' 10" 4	9' 2" 0	9' 2" 6	9' 2" 12	9' 3" 2
6 IN 12	6' 10" 12	6' 11" 0	6' 11" 5	6' 11" 9	9' 3" 0	9' 3" 6	9' 3" 12	9' 4" 2
6.5 IN 12	7' 0" 3	7' 0" 7	7' 0" 12	7' 1" 0	9' 4" 1	9' 4" 7	9' 4" 13	9' 5" 3
7 IN 12	7' 1" 11	7' 1" 15	7' 2" 4	7' 2" 9	9' 5" 3	9' 5" 9	9' 6" 0	9' 6" 6
8 IN 12	7' 4" 15	7' 5" 4	7' 5" 9	7' 5" 13	9' 7" 11	9' 8" 1	9' 8" 8	9' 8" 14
9 IN 12	7' 8" 8	7' 8" 13	7' 9" 2	7' 9" 7	9' 10" 7	9' 10" 14	9' 11" 4	9' 11" 11
10 IN 12	8' 0" 5	8' 0" 10	8' 1" 0	8' 1" 5	10' 1" 8	10' 1" 14	10' 2" 5	10' 2" 11
11 IN 12	8' 4" 4	8' 4" 12	8' 5" 1	8' 5" 6	10' 4" 11	10' 5" 2	10' 5" 9	10' 6" 0
12 IN 12	8' 8" 10	8' 9" 0	8' 9" 6	8' 9" 11	10' 8" 3	10' 8" 10	10' 9" 1	10' 9" 8
13 IN 12	9' 1" 2	9' 1" 7	9' 1" 13	9' 2" 3	10' 11" 13	11' 0" 4	11' 0" 12	11' 1" 3
14 IN 12	9' 5" 11	9' 6" 1	9' 6" 8	9' 6" 14	11' 3" 11	11' 4" 2	11' 4" 9	11' 5" 1
15 IN 12	9' 10" 7	9' 10" 14	9' 11" 4	9' 11" 11	11' 7" 11	11' 8" 2	11' 8" 10	11' 9" 1
16 IN 12	10' 3" 5	10' 3" 12	10' 4" 3	10' 4" 9	11' 11" 13	12' 0" 5	12' 0" 13	12' 1" 5
17 IN 12	10' 8" 5	10' 8" 12	10' 9" 3	10' 9" 10	12' 4" 2	12' 4" 10	12' 5" 2	12' 5" 10
18 IN 12	11' 1" 6	11' 1" 14	11' 2" 5	11' 2" 12	12' 8" 9	12' 9" 1	12' 9" 9	12' 10" 2
19 IN 12	11' 6" 9	11' 7" 1	11' 7" 8	11' 8" 0	13' 1" 2	13' 1" 10	13' 2" 3	13' 2" 11
20 IN 12	11' 11" 13	12' 0" 5	12' 0" 13	12' 1" 5	13' 5" 12	13' 6" 5	13' 6" 13	13' 7" 6
21 IN 12	12' 5" 2	12' 5" 10	12' 6" 3	12' 6" 11	13' 10" 8	13' 11" 1	13' 11" 10	14' 0" 3
22 IN 12	12' 10" 9	12' 11" 1	12' 11" 9	13' 0" 2	14' 3" 5	14' 3" 15	14' 4" 8	14' 5" 1
23 IN 12	13' 4" 0	13' 4" 8	13' 5" 1	13' 5" 10	14' 8" 4	14' 8" 14	14' 9" 7	14' 10" 1
24 IN 12	13' 9" 8	13' 10" 0	13' 10" 9	13' 11" 2	15' 1" 4	15' 1" 14	15' 2" 8	15' 3" 2
25 IN 12	14' 3" 0	14' 3" 9	14' 4" 3	14' 4" 12	15' 6" 5	15' 6" 15	15' 7" 9	15' 8" 4

6 Foot 3 Inch Run — Common Rafter Lengths   6 Foot 3 Inch Run — Hip Or Valley Rafter Lengths

Run -	6' 3"			6' 3 1/4"			6' 3 1/2"			6' 3 3/4"			6' 3"			6' 3 1/4"			6' 3 1/2"			6' 3 3/4"		
Pitch	Ft	In	16th"	Ft	In	16th"	Ft	In	16th"	Ft	In	16th"	Ft	In	16th"	Ft	In	16th"	Ft	In	16th"	Ft	In	16th"
1 IN 12	6'	3"	4	6'	3"	8	6'	3"	12	6'	4"	0	8'	10"	4	8'	10"	10	8'	10"	15	8'	11"	5
2 IN 12	6'	4"	1	6'	4"	5	6'	4"	9	6'	4"	13	8'	10"	13	8'	11"	2	8'	11"	8	8'	11"	14
2.5 IN 12	6'	4"	10	6'	4"	14	6'	5"	2	6'	5"	6	8'	11"	3	8'	11"	9	8'	11"	15	9'	0"	5
3 IN 12	6'	5"	5	6'	5"	9	6'	5"	13	6'	6"	1	8'	11"	11	9'	0"	1	9'	0"	7	9'	0"	13
3.5 IN 12	6'	6"	2	6'	6"	6	6'	6"	10	6'	6"	15	9'	0"	5	9'	0"	11	9'	1"	0	9'	1"	6
4 IN 12	6'	7"	1	6'	7"	5	6'	7"	9	6'	7"	14	9'	1"	0	9'	1"	5	9'	1"	11	9'	2"	1
4.5 IN 12	6'	8"	2	6'	8"	6	6'	8"	10	6'	8"	14	9'	1"	12	9'	2"	2	9'	2"	7	9'	2"	13
5 IN 12	6'	9"	4	6'	9"	8	6'	9"	13	6'	10"	1	9'	2"	9	9'	2"	15	9'	3"	5	9'	3"	11
5.5 IN 12	6'	10"	8	6'	10"	12	6'	11"	1	6'	11"	5	9'	3"	8	9'	3"	14	9'	4"	4	9'	4"	10
6 IN 12	6'	11"	14	7'	0"	2	7'	0"	7	7'	0"	11	9'	4"	8	9'	4"	14	9'	5"	4	9'	5"	10
6.5 IN 12	7'	1"	5	7'	1"	9	7'	1"	14	7'	2"	2	9'	5"	9	9'	5"	15	9'	6"	5	9'	6"	11
7 IN 12	7'	2"	13	7'	3"	2	7'	3"	7	7'	3"	11	9'	6"	12	9'	7"	2	9'	7"	8	9'	7"	14
8 IN 12	7'	6"	2	7'	6"	7	7'	6"	12	7'	7"	1	9'	9"	4	9'	9"	10	9'	10"	1	9'	10"	7
9 IN 12	7'	9"	12	7'	10"	1	7'	10"	6	7'	10"	11	10'	0"	1	10'	0"	7	10'	0"	14	10'	1"	4
10 IN 12	8'	1"	10	8'	1"	15	8'	2"	4	8'	2"	10	10'	3"	2	10'	3"	8	10'	3"	15	10'	4"	5
11 IN 12	8'	5"	12	8'	6"	1	8'	6"	7	8'	6"	12	10'	6"	6	10'	6"	13	10'	7"	4	10'	7"	11
12 IN 12	8'	10"	1	8'	10"	7	8'	10"	12	8'	11"	2	10'	9"	14	10'	10"	5	10'	10"	12	10'	11"	3
13 IN 12	9'	2"	9	9'	2"	15	9'	3"	5	9'	3"	11	11'	1"	10	11'	2"	1	11'	2"	8	11'	2"	15
14 IN 12	9'	7"	4	9'	7"	10	9'	8"	0	9'	8"	6	11'	5"	8	11'	5"	15	11'	6"	7	11'	6"	14
15 IN 12	10'	0"	1	10'	0"	7	10'	0"	14	10'	1"	4	11'	9"	9	11'	10"	1	11'	10"	8	11'	11"	0
16 IN 12	10'	5"	0	10'	5"	7	10'	5"	13	10'	6"	4	12'	1"	12	12'	2"	4	12'	2"	12	12'	3"	4
17 IN 12	10'	10"	1	10'	10"	8	10'	10"	15	10'	11"	6	12'	6"	2	12'	6"	10	12'	7"	2	12'	7"	10
18 IN 12	11'	3"	4	11'	3"	11	11'	4"	2	11'	4"	9	12'	10"	10	12'	11"	2	12'	11"	10	13'	0"	3
19 IN 12	11'	8"	7	11'	8"	15	11'	9"	6	11'	9"	14	13'	3"	4	13'	3"	12	13'	4"	5	13'	4"	13
20 IN 12	12'	1"	12	12'	2"	4	12'	2"	12	12'	3"	4	13'	7"	15	13'	8"	8	13'	9"	0	13'	9"	9
21 IN 12	12'	7"	3	12'	7"	11	12'	8"	3	12'	8"	11	14'	0"	12	14'	1"	5	14'	1"	14	14'	2"	7
22 IN 12	13'	0"	10	13'	1"	2	13'	1"	11	13'	2"	3	14'	5"	10	14'	6"	4	14'	6"	13	14'	7"	6
23 IN 12	13'	6"	2	13'	6"	11	13'	7"	4	13'	7"	12	14'	10"	10	14'	11"	4	14'	11"	13	15'	0"	7
24 IN 12	13'	11"	11	14'	0"	4	14'	0"	13	14'	1"	6	15'	3"	11	15'	4"	5	15'	4"	15	15'	5"	9
25 IN 12	14'	5"	5	14'	5"	14	14'	6"	8	14'	7"	1	15'	8"	14	15'	9"	8	15'	10"	2	15'	10"	12

6 Foot 4 Inch Run — Common Rafter Lengths 6 Foot 4 Inch Run — Hip Or Valley Rafter Lengths

Pitch	Run - 6' 4"	6' 4 1/4"	6' 4 1/2"	6' 4 3/4"	6' 4"	6' 4 1/4"	6' 4 1/2"	6' 4 3/4"
	Ft In 16th"	Ft In 16th"	Ft In 16th"	Ft In 16th"	Ft In 16th"	Ft In 16th"	Ft In 16th"	Ft In 16th"
1 IN 12	6' 4" 4	6' 4" 8	6' 4" 12	6' 5" 0	8' 11" 11	9' 0" 0	9' 0" 6	9' 0" 12
2 IN 12	6' 5" 1	6' 5" 5	6' 5" 9	6' 5" 13	9' 0" 4	9' 0" 9	9' 0" 15	9' 1" 5
2.5 IN 12	6' 5" 10	6' 5" 14	6' 6" 2	6' 6" 6	9' 0" 10	9' 1" 0	9' 1" 6	9' 1" 11
3 IN 12	6' 6" 5	6' 6" 10	6' 6" 14	6' 7" 2	9' 1" 2	9' 1" 8	9' 1" 14	9' 2" 4
3.5 IN 12	6' 7" 0	6' 7" 7	6' 7" 11	6' 7" 15	9' 1" 12	9' 2" 2	9' 2" 7	9' 2" 13
4 IN 12	6' 8" 2	6' 8" 6	6' 8" 10	6' 8" 14	9' 2" 7	9' 2" 13	9' 3" 2	9' 3" 8
4.5 IN 12	6' 9" 3	6' 9" 7	6' 9" 11	6' 10" 0	9' 3" 3	9' 3" 9	9' 3" 15	9' 4" 5
5 IN 12	6' 10" 5	6' 10" 10	6' 10" 14	6' 11" 2	9' 4" 1	9' 4" 7	9' 4" 13	9' 5" 2
5.5 IN 12	6' 11" 10	6' 11" 14	7' 0" 2	7' 0" 7	9' 5" 0	9' 5" 6	9' 5" 12	9' 6" 2
6 IN 12	7' 1" 0	7' 1" 4	7' 1" 8	7' 1" 13	9' 6" 0	9' 6" 6	9' 6" 12	9' 7" 2
6.5 IN 12	7' 2" 7	7' 2" 11	7' 3" 0	7' 3" 5	9' 7" 2	9' 7" 8	9' 7" 14	9' 8" 4
7 IN 12	7' 4" 4	7' 4" 4	7' 4" 9	7' 4" 14	9' 8" 4	9' 8" 10	9' 9" 0	9' 9" 7
8 IN 12	7' 7" 5	7' 7" 10	7' 7" 15	7' 8" 4	9' 10" 13	9' 11" 3	9' 11" 10	10' 0" 0
9 IN 12	7' 11" 0	7' 11" 5	7' 11" 10	7' 11" 15	10' 1" 11	10' 2" 1	10' 2" 7	10' 2" 14
10 IN 12	8' 2" 15	8' 3" 4	8' 3" 9	8' 3" 14	10' 4" 12	10' 5" 3	10' 5" 9	10' 6" 0
11 IN 12	8' 7" 2	8' 7" 7	8' 7" 12	8' 8" 2	10' 8" 1	10' 8" 8	10' 8" 15	10' 9" 6
12 IN 12	8' 11" 2	8' 11" 13	9' 0" 3	9' 0" 9	10' 11" 10	11' 0" 1	11' 0" 8	11' 0" 15
13 IN 12	9' 4" 1	9' 4" 7	9' 4" 13	9' 5" 2	11' 3" 6	11' 3" 13	11' 4" 5	11' 4" 12
14 IN 12	9' 8" 12	9' 9" 3	9' 9" 9	9' 9" 15	11' 7" 5	11' 7" 13	11' 8" 4	11' 8" 11
15 IN 12	10' 1" 11	10' 2" 1	10' 2" 7	10' 2" 14	11' 11" 7	11' 11" 15	12' 0" 6	12' 0" 14
16 IN 12	10' 6" 11	10' 7" 1	10' 7" 8	10' 7" 15	12' 3" 11	12' 4" 3	12' 4" 11	12' 5" 3
17 IN 12	10' 11" 13	11' 0" 4	11' 0" 10	11' 1" 1	12' 8" 2	12' 8" 10	12' 9" 2	12' 9" 10
18 IN 12	11' 5" 7	11' 5" 7	11' 5" 15	11' 6" 6	13' 0" 11	13' 1" 3	13' 1" 11	13' 2" 4
19 IN 12	11' 10" 5	11' 10" 13	11' 11" 4	11' 11" 12	13' 5" 6	13' 5" 14	13' 6" 6	13' 6" 15
20 IN 12	12' 3" 11	12' 4" 3	12' 4" 11	12' 5" 3	13' 10" 2	13' 10" 11	13' 11" 3	13' 11" 12
21 IN 12	12' 9" 3	12' 9" 11	12' 10" 3	12' 10" 11	14' 3" 0	14' 3" 9	14' 4" 2	14' 4" 11
22 IN 12	13' 2" 11	13' 3" 4	13' 3" 12	13' 4" 4	14' 8" 0	14' 8" 9	14' 9" 2	14' 9" 11
23 IN 12	13' 8" 5	13' 8" 13	13' 9" 6	13' 9" 15	15' 1" 0	15' 1" 10	15' 2" 3	15' 2" 13
24 IN 12	14' 1" 15	14' 2" 8	14' 3" 1	14' 3" 10	15' 6" 3	15' 6" 12	15' 7" 6	15' 8" 0
25 IN 12	14' 7" 10	14' 8" 3	14' 8" 13	14' 9" 6	15' 11" 6	16' 0" 0	16' 0" 10	16' 1" 4

6 Foot 5 Inch Run — Common Rafter Lengths   6 Foot 5 Inch Run — Hip Or Valley Rafter Lengths

Run -	6' 5"			6' 5 1/4"			6' 5 1/2"			6' 5 3/4"			6' 5"			6' 5 1/4"			6' 5 1/2"			6' 5 3/4"		
Pitch	Ft	In	16th"	Ft	In	16th"	Ft	In	16th"	Ft	In	16th"	Ft	In	16th"	Ft	In	16th"	Ft	In	16th"	Ft	In	16th"
1 IN 12	6'	5"	4	6'	5"	8	6'	5"	12	6'	6"	0	9'	1"	1	9'	1"	7	9'	1"	13	9'	2"	2
2 IN 12	6'	6"	1	6'	6"	5	6'	6"	9	6'	6"	13	9'	1"	10	9'	2"	0	9'	2"	6	9'	2"	11
2.5 IN 12	6'	6"	10	6'	6"	15	6'	7"	3	6'	7"	7	9'	2"	1	9'	2"	7	9'	2"	13	9'	3"	2
3 IN 12	6'	7"	6	6'	7"	10	6'	7"	14	6'	8"	2	9'	2"	9	9'	2"	15	9'	3"	5	9'	3"	11
3.5 IN 12	6'	8"	3	6'	8"	8	6'	8"	12	6'	9"	0	9'	3"	3	9'	3"	9	9'	3"	15	9'	4"	4
4 IN 12	6'	9"	3	6'	9"	7	6'	9"	11	6'	9"	15	9'	3"	14	9'	4"	4	9'	4"	10	9'	4"	15
4.5 IN 12	6'	10"	4	6'	10"	8	6'	10"	12	6'	11"	1	9'	4"	11	9'	5"	0	9'	5"	6	9'	5"	12
5 IN 12	6'	11"	7	6'	11"	11	6'	11"	15	7'	0"	4	9'	5"	8	9'	5"	14	9'	6"	4	9'	6"	10
5.5 IN 12	7'	0"	11	7'	1"	0	7'	1"	4	7'	1"	8	9'	6"	8	9'	6"	13	9'	7"	3	9'	7"	9
6 IN 12	7'	2"	1	7'	2"	6	7'	2"	10	7'	2"	15	9'	7"	8	9'	7"	14	9'	8"	4	9'	8"	10
6.5 IN 12	7'	3"	9	7'	3"	14	7'	4"	2	7'	4"	7	9'	8"	10	9'	9"	0	9'	9"	6	9'	9"	12
7 IN 12	7'	5"	2	7'	5"	7	7'	5"	12	7'	6"	0	9'	9"	13	9'	10"	3	9'	10"	9	9'	10"	15
8 IN 12	7'	8"	8	7'	8"	13	7'	9"	2	7'	9"	7	10'	0"	6	10'	0"	12	10'	1"	3	10'	1"	9
9 IN 12	8'	0"	4	8'	0"	9	8'	0"	14	8'	1"	3	10'	3"	4	10'	3"	11	10'	4"	1	10'	4"	7
10 IN 12	8'	4"	4	8'	4"	9	8'	4"	14	8'	5"	3	10'	6"	6	10'	6"	13	10'	7"	3	10'	7"	10
11 IN 12	8'	8"	7	8'	8"	13	8'	9"	2	8'	9"	8	10'	9"	12	10'	10"	3	10'	10"	10	10'	11"	1
12 IN 12	9'	0"	14	9'	1"	4	9'	1"	10	9'	1"	15	11'	1"	6	11'	1"	13	11'	2"	4	11'	2"	11
13 IN 12	9'	5"	8	9'	5"	14	9'	6"	4	9'	6"	10	11'	5"	3	11'	5"	10	11'	6"	1	11'	6"	8
14 IN 12	9'	10"	5	9'	10"	11	9'	11"	1	9'	11"	8	11'	9"	3	11'	9"	10	11'	10"	1	11'	10"	9
15 IN 12	10'	3"	4	10'	3"	11	10'	4"	1	10'	4"	7	12'	1"	5	12'	1"	13	12'	2"	4	12'	2"	12
16 IN 12	10'	8"	5	10'	8"	12	10'	9"	3	10'	9"	9	12'	5"	11	12'	6"	2	12'	6"	10	12'	7"	2
17 IN 12	11'	1"	8	11'	1"	15	11'	2"	6	11'	2"	13	12'	10"	2	12'	10"	10	12'	11"	2	12'	11"	10
18 IN 12	11'	6"	13	11'	7"	4	11'	7"	11	11'	8"	3	13'	2"	12	13'	3"	4	13'	3"	12	13'	4"	5
19 IN 12	12'	0"	3	12'	0"	11	12'	1"	2	12'	1"	10	13'	7"	7	13'	8"	0	13'	8"	8	13'	9"	1
20 IN 12	12'	5"	11	12'	6"	2	12'	6"	10	12'	7"	2	14'	0"	5	14'	0"	14	14'	1"	6	14'	1"	15
21 IN 12	12'	11"	3	12'	11"	11	13'	0"	3	13'	0"	11	14'	5"	4	14'	5"	13	14'	6"	6	14'	6"	15
22 IN 12	13'	4"	13	13'	5"	5	13'	5"	14	13'	6"	6	14'	10"	5	14'	10"	14	14'	11"	7	15'	0"	0
23 IN 12	13'	10"	7	13'	11"	0	13'	11"	9	14'	0"	1	15'	3"	7	15'	4"	0	15'	4"	10	15'	5"	3
24 IN 12	14'	4"	3	14'	4"	12	14'	5"	5	14'	5"	14	15'	8"	10	15'	9"	4	15'	9"	13	15'	10"	7
25 IN 12	14'	9"	15	14'	10"	8	14'	11"	2	14'	11"	11	16'	1"	14	16'	2"	8	16'	3"	2	16'	3"	12

6 Foot 6 Inch Run — Common Rafter Lengths

Pitch	6' 6"	6' 6 1/4"	6' 6 1/2"	6' 6 3/4"
	Ft In 16th"	Ft In 16th"	Ft In 16th"	Ft In 16th"
1 IN 12	6' 6" 4	6' 6" 8	6' 6" 12	6' 7" 0
2 IN 12	6' 7" 1	6' 7" 5	6' 7" 9	6' 7" 13
2.5 IN 12	6' 7" 11	6' 7" 15	6' 8" 3	6' 8" 7
3 IN 12	6' 8" 6	6' 8" 11	6' 8" 15	6' 9" 3
3.5 IN 12	6' 9" 4	6' 9" 8	6' 9" 12	6' 10" 1
4 IN 12	6' 10" 4	6' 10" 8	6' 10" 12	6' 11" 0
4.5 IN 12	6' 11" 5	6' 11" 9	6' 11" 13	7' 0" 2
5 IN 12	7' 0" 8	7' 0" 12	7' 1" 1	7' 1" 5
5.5 IN 12	7' 1" 13	7' 2" 1	7' 2" 6	7' 2" 10
6 IN 12	7' 3" 3	7' 3" 8	7' 3" 12	7' 4" 1
6.5 IN 12	7' 4" 11	7' 5" 0	7' 5" 4	7' 5" 9
7 IN 12	7' 6" 5	7' 6" 9	7' 6" 14	7' 7" 3
8 IN 12	7' 9" 12	7' 10" 1	7' 10" 6	7' 10" 10
9 IN 12	8' 1" 8	8' 1" 13	8' 2" 2	8' 2" 7
10 IN 12	8' 5" 9	8' 5" 14	8' 6" 3	8' 6" 8
11 IN 12	8' 9" 13	8' 10" 2	8' 10" 8	8' 10" 13
12 IN 12	9' 2" 5	9' 2" 11	9' 3" 0	9' 3" 6
13 IN 12	9' 7" 0	9' 7" 6	9' 7" 12	9' 8" 2
14 IN 12	9' 11" 14	10' 0" 4	10' 0" 10	10' 1" 0
15 IN 12	10' 4" 14	10' 5" 4	10' 5" 11	10' 6" 1
16 IN 12	10' 10" 0	10' 10" 7	10' 10" 13	10' 11" 4
17 IN 12	11' 3" 4	11' 3" 11	11' 4" 2	11' 4" 9
18 IN 12	11' 8" 10	11' 9" 1	11' 9" 8	11' 9" 15
19 IN 12	12' 2" 1	12' 2" 9	12' 3" 0	12' 3" 8
20 IN 12	12' 7" 10	12' 8" 1	12' 8" 9	12' 9" 1
21 IN 12	13' 1" 3	13' 1" 11	13' 2" 4	13' 2" 12
22 IN 12	13' 6" 10	13' 7" 7	13' 7" 15	13' 8" 7
23 IN 12	14' 0" 10	14' 1" 3	14' 1" 11	14' 2" 4
24 IN 12	14' 6" 7	14' 7" 0	14' 7" 9	14' 8" 1
25 IN 12	15' 0" 4	15' 0" 13	15' 1" 6	15' 2" 0

6 Foot 6 Inch Run — Hip Or Valley Rafter Lengths

Pitch	6' 6"	6' 6 1/4"	6' 6 1/2"	6' 6 3/4"
	Ft In 16th"	Ft In 16th"	Ft In 16th"	Ft In 16th"
1 IN 12	9' 2" 8	9' 2" 14	9' 3" 3	9' 3" 9
2 IN 12	9' 3" 1	9' 3" 7	9' 3" 13	9' 4" 2
2.5 IN 12	9' 3" 8	9' 3" 14	9' 4" 3	9' 4" 9
3 IN 12	9' 4" 0	9' 4" 6	9' 4" 12	9' 5" 2
3.5 IN 12	9' 4" 10	9' 5" 0	9' 5" 6	9' 5" 11
4 IN 12	9' 5" 5	9' 5" 11	9' 6" 1	9' 6" 7
4.5 IN 12	9' 6" 2	9' 6" 8	9' 6" 14	9' 7" 3
5 IN 12	9' 7" 0	9' 7" 6	9' 7" 12	9' 8" 2
5.5 IN 12	9' 7" 15	9' 8" 5	9' 8" 11	9' 9" 1
6 IN 12	9' 9" 0	9' 9" 6	9' 9" 12	9' 10" 2
6.5 IN 12	9' 10" 2	9' 10" 8	9' 10" 14	9' 11" 4
7 IN 12	9' 11" 5	9' 11" 11	10' 0" 1	10' 0" 8
8 IN 12	10' 1" 15	10' 2" 5	10' 2" 12	10' 3" 2
9 IN 12	10' 4" 1	10' 5" 4	10' 5" 11	10' 6" 1
10 IN 12	10' 8" 1	10' 8" 7	10' 8" 14	10' 9" 4
11 IN 12	10' 11" 7	10' 11" 14	11' 0" 5	11' 0" 11
12 IN 12	11' 3" 2	11' 3" 9	11' 3" 15	11' 4" 6
13 IN 12	11' 6" 15	11' 7" 6	11' 7" 14	11' 8" 5
14 IN 12	11' 11" 0	11' 11" 7	11' 11" 15	12' 0" 6
15 IN 12	12' 3" 4	12' 3" 11	12' 4" 3	12' 4" 10
16 IN 12	12' 7" 10	12' 8" 1	12' 8" 9	12' 9" 1
17 IN 12	13' 0" 2	13' 0" 10	13' 1" 2	13' 1" 10
18 IN 12	13' 4" 13	13' 5" 5	13' 5" 13	13' 6" 6
19 IN 12	13' 9" 9	13' 10" 2	13' 10" 10	13' 11" 3
20 IN 12	14' 2" 8	14' 3" 1	14' 3" 9	14' 4" 2
21 IN 12	14' 7" 8	14' 8" 1	14' 8" 10	14' 9" 3
22 IN 12	15' 0" 10	15' 1" 3	15' 1" 12	15' 2" 5
23 IN 12	15' 5" 13	15' 6" 6	15' 7" 0	15' 7" 9
24 IN 12	15' 11" 1	15' 11" 11	16' 0" 5	16' 0" 14
25 IN 12	16' 4" 6	16' 5" 1	16' 5" 11	16' 6" 5

6 Foot 7 Inch Run — Common Rafter Lengths   6 Foot 7 Inch Run — Hip Or Valley Rafter Lengths

Run -	6' 7"	6' 7 1/4"	6' 7 1/2"	6' 7 3/4"	6' 7"	6' 7 1/4"	6' 7 1/2"	6' 7 3/4"
Pitch	Ft In 16th"	Ft In 16th"	Ft In 16th"	Ft In 16th"	Ft In 16th"	Ft In 16th"	Ft In 16th"	Ft In 16th"
1 IN 12	6' 7" 4	6' 7" 8	6' 7" 12	6' 8" 0	9' 3" 15	9' 4" 4	9' 4" 10	9' 5" 0
2 IN 12	6' 8" 1	6' 8" 5	6' 8" 10	6' 8" 14	9' 4" 8	9' 4" 14	9' 5" 3	9' 5" 9
2.5 IN 12	6' 8" 11	6' 8" 15	6' 9" 3	6' 9" 7	9' 4" 15	9' 5" 5	9' 5" 10	9' 6" 0
3 IN 12	6' 9" 7	6' 9" 11	6' 9" 15	6' 10" 3	9' 5" 7	9' 5" 13	9' 6" 3	9' 6" 9
3.5 IN 12	6' 10" 5	6' 10" 9	6' 10" 13	6' 11" 1	9' 6" 1	9' 6" 7	9' 6" 13	9' 7" 3
4 IN 12	6' 11" 4	6' 11" 9	6' 11" 13	7' 0" 1	9' 6" 13	9' 7" 2	9' 7" 8	9' 7" 14
4.5 IN 12	7' 0" 6	7' 0" 10	7' 0" 14	7' 1" 3	9' 7" 9	9' 7" 15	9' 8" 5	9' 8" 11
5 IN 12	7' 1" 9	7' 1" 14	7' 2" 2	7' 2" 6	9' 8" 8	9' 8" 13	9' 9" 3	9' 9" 9
5.5 IN 12	7' 2" 14	7' 3" 3	7' 3" 7	7' 3" 12	9' 9" 7	9' 9" 13	9' 10" 3	9' 10" 9
6 IN 12	7' 4" 5	7' 4" 10	7' 4" 14	7' 5" 3	9' 10" 8	9' 10" 14	9' 11" 4	9' 11" 10
6.5 IN 12	7' 5" 14	7' 6" 2	7' 6" 7	7' 6" 11	9' 11" 10	10' 0" 0	10' 0" 6	10' 0" 12
7 IN 12	7' 7" 7	7' 7" 12	7' 8" 1	7' 8" 5	10' 0" 14	10' 1" 4	10' 1" 10	10' 2" 0
8 IN 12	7' 10" 15	7' 11" 4	7' 11" 9	7' 11" 14	10' 3" 8	10' 3" 14	10' 4" 5	10' 4" 11
9 IN 12	8' 2" 12	8' 3" 1	8' 3" 6	8' 3" 11	10' 6" 7	10' 6" 14	10' 7" 4	10' 7" 11
10 IN 12	8' 6" 13	8' 7" 3	8' 7" 8	8' 7" 13	10' 9" 11	10' 10" 1	10' 10" 8	10' 10" 15
11 IN 12	8' 11" 3	8' 11" 8	8' 11" 14	9' 0" 3	11' 1" 2	11' 1" 9	11' 2" 0	11' 2" 6
12 IN 12	9' 3" 12	9' 4" 1	9' 4" 7	9' 4" 13	11' 4" 13	11' 5" 4	11' 5" 11	11' 6" 2
13 IN 12	9' 8" 8	9' 8" 13	9' 9" 3	9' 9" 9	11' 8" 12	11' 9" 3	11' 9" 10	11' 10" 1
14 IN 12	10' 1" 6	10' 1" 12	10' 2" 3	10' 2" 9	12' 0" 13	12' 1" 5	12' 1" 12	12' 2" 3
15 IN 12	10' 6" 7	10' 6" 14	10' 7" 4	10' 7" 11	12' 5" 2	12' 5" 9	12' 6" 1	12' 6" 8
16 IN 12	10' 11" 11	11' 0" 1	11' 0" 8	11' 0" 15	12' 9" 9	12' 10" 1	12' 10" 8	12' 11" 0
17 IN 12	11' 5" 0	11' 5" 7	11' 5" 14	11' 6" 5	13' 2" 2	13' 2" 10	13' 3" 2	13' 3" 10
18 IN 12	11' 10" 7	11' 10" 14	11' 11" 5	11' 11" 12	13' 6" 14	13' 7" 6	13' 7" 14	13' 8" 7
19 IN 12	12' 3" 15	12' 4" 7	12' 4" 14	12' 5" 6	13' 11" 11	14' 0" 4	14' 0" 12	14' 1" 5
20 IN 12	12' 9" 9	12' 10" 1	12' 10" 8	12' 11" 0	14' 4" 11	14' 5" 4	14' 5" 12	14' 6" 5
21 IN 12	13' 3" 4	13' 3" 12	13' 4" 4	13' 4" 12	14' 9" 12	14' 10" 5	14' 10" 14	14' 11" 7
22 IN 12	13' 9" 0	13' 9" 8	13' 10" 0	13' 10" 8	15' 2" 15	15' 3" 8	15' 4" 1	15' 4" 10
23 IN 12	14' 2" 13	14' 3" 5	14' 3" 14	14' 4" 7	15' 8" 3	15' 8" 12	15' 9" 6	15' 9" 15
24 IN 12	14' 8" 10	14' 9" 3	14' 9" 12	14' 10" 5	16' 1" 8	16' 2" 2	16' 2" 12	16' 3" 6
25 IN 12	15' 2" 9	15' 3" 2	15' 3" 11	15' 4" 5	16' 6" 15	16' 7" 9	16' 8" 3	16' 8" 13

6 Foot 8 Inch Run — Common Rafter Lengths   6 Foot 8 Inch Run — Hip Or Valley Rafter Lengths

Pitch	6' 8"	6' 8 1/4"	6' 8 1/2"	6' 8 3/4"	6' 8"	6' 8 1/4"	6' 8 1/2"	6' 8 3/4"
1 IN 12	6' 8" 4	6' 8" 8	6' 8" 12	6' 9" 0	9' 5" 5	9' 5" 11	9' 6" 1	9' 6" 6
2 IN 12	6' 9" 2	6' 9" 6	6' 9" 10	6' 9" 14	9' 5" 15	9' 6" 4	9' 6" 10	9' 7" 0
2.5 IN 12	6' 9" 11	6' 10" 0	6' 10" 4	6' 10" 8	9' 6" 6	9' 6" 11	9' 7" 1	9' 7" 7
3 IN 12	6' 10" 7	6' 10" 12	6' 11" 0	6' 11" 4	9' 6" 14	9' 7" 4	9' 7" 10	9' 7" 15
3.5 IN 12	6' 11" 5	6' 11" 10	6' 11" 14	7' 0" 2	9' 7" 8	9' 7" 14	9' 8" 4	9' 8" 10
4 IN 12	7' 0" 5	7' 0" 9	7' 0" 14	7' 1" 2	9' 8" 4	9' 8" 10	9' 8" 15	9' 9" 5
4.5 IN 12	7' 1" 7	7' 1" 11	7' 2" 0	7' 2" 4	9' 9" 1	9' 9" 7	9' 9" 12	9' 10" 2
5 IN 12	7' 2" 11	7' 2" 15	7' 3" 3	7' 3" 8	9' 9" 15	9' 10" 5	9' 10" 11	9' 11" 1
5.5 IN 12	7' 4" 0	7' 4" 4	7' 4" 9	7' 4" 13	9' 10" 15	9' 11" 5	9' 11" 11	10' 0" 1
6 IN 12	7' 5" 7	7' 5" 12	7' 6" 0	7' 6" 4	10' 0" 0	10' 0" 6	10' 0" 12	10' 1" 2
6.5 IN 12	7' 7" 0	7' 7" 4	7' 7" 9	7' 7" 13	10' 1" 2	10' 1" 8	10' 1" 15	10' 2" 5
7 IN 12	7' 8" 10	7' 8" 14	7' 9" 3	7' 9" 8	10' 2" 6	10' 2" 12	10' 3" 2	10' 3" 8
8 IN 12	8' 0" 2	8' 0" 7	8' 0" 12	8' 1" 1	10' 5" 1	10' 5" 7	10' 5" 14	10' 6" 4
9 IN 12	8' 4" 0	8' 4" 5	8' 4" 10	8' 4" 15	10' 8" 1	10' 8" 7	10' 8" 14	10' 9" 4
10 IN 12	8' 8" 2	8' 8" 7	8' 8" 13	8' 9" 2	10' 11" 5	10' 11" 12	11' 0" 2	11' 0" 9
11 IN 12	9' 0" 8	9' 0" 14	9' 1" 3	9' 1" 9	11' 2" 13	11' 3" 4	11' 3" 11	11' 4" 1
12 IN 12	9' 5" 2	9' 5" 8	9' 5" 14	9' 6" 3	11' 6" 6	11' 7" 0	11' 7" 7	11' 7" 14
13 IN 12	9' 9" 15	9' 10" 5	9' 10" 11	9' 11" 1	11' 10" 8	11' 10" 15	11' 11" 7	11' 11" 14
14 IN 12	10' 2" 15	10' 3" 5	10' 3" 11	10' 4" 1	12' 2" 11	12' 3" 2	12' 3" 9	12' 4" 1
15 IN 12	10' 8" 1	10' 8" 7	10' 8" 14	10' 9" 4	12' 7" 0	12' 7" 7	12' 7" 15	12' 8" 7
16 IN 12	11' 1" 5	11' 1" 12	11' 2" 3	11' 2" 9	12' 11" 8	13' 0" 0	13' 0" 7	13' 0" 15
17 IN 12	11' 6" 12	11' 7" 3	11' 7" 9	11' 8" 0	13' 4" 2	13' 4" 10	13' 5" 2	13' 5" 10
18 IN 12	12' 0" 4	12' 0" 11	12' 1" 2	12' 1" 9	13' 8" 15	13' 9" 7	13' 9" 15	13' 10" 8
19 IN 12	12' 5" 13	12' 6" 5	12' 6" 12	12' 7" 4	14' 1" 13	14' 2" 6	14' 2" 14	14' 3" 7
20 IN 12	12' 11" 8	13' 0" 0	13' 0" 7	13' 0" 15	14' 6" 14	14' 7" 7	14' 7" 15	14' 8" 8
21 IN 12	13' 5" 4	13' 5" 12	13' 6" 4	13' 6" 12	15' 0" 0	15' 0" 9	15' 1" 2	15' 1" 11
22 IN 12	13' 11" 1	13' 11" 9	14' 0" 2	14' 0" 10	15' 5" 4	15' 5" 13	15' 6" 6	15' 7" 0
23 IN 12	14' 4" 15	14' 5" 8	14' 6" 0	14' 6" 9	15' 10" 9	15' 11" 2	15' 11" 12	16' 0" 5
24 IN 12	14' 10" 14	14' 11" 7	15' 0" 0	15' 0" 9	16' 3" 15	16' 4" 9	16' 5" 3	16' 5" 13
25 IN 12	15' 4" 14	15' 5" 7	15' 6" 0	15' 6" 10	16' 9" 7	16' 10" 1	16' 10" 11	16' 11" 5

6 Foot 9 Inch Run — Common Rafter Lengths   6 Foot 9 Inch Run — Hip Or Valley Rafter Lengths

Run -	6' 9"			6' 9 1/4"			6' 9 1/2"			6' 9 3/4"			6' 9"			6' 9 1/4"			6' 9 1/2"			6' 9 3/4"		
Pitch	Ft	In	16th"	Ft	In	16th"	Ft	In	16th"	Ft	In	16th"	Ft	In	16th"	Ft	In	16th"	Ft	In	16th"	Ft	In	16th"
1 IN 12	6'	9"	4	6'	9"	9	6'	9"	13	6'	10"	1	9'	6"	12	9'	7"	2	9'	7"	7	9'	7"	13
2 IN 12	6'	10"	2	6'	10"	6	6'	10"	10	6'	10"	14	9'	7"	6	9'	7"	11	9'	8"	1	9'	8"	7
2.5 IN 12	6'	10"	12	6'	11"	0	6'	11"	4	6'	11"	8	9'	7"	13	9'	8"	2	9'	8"	8	9'	8"	14
3 IN 12	6'	11"	8	6'	11"	12	7'	0"	0	7'	0"	4	9'	8"	5	9'	8"	11	9'	9"	1	9'	9"	6
3.5 IN 12	7'	0"	6	7'	0"	10	7'	0"	14	7'	1"	3	9'	8"	15	9'	9"	5	9'	9"	11	9'	10"	1
4 IN 12	7'	1"	6	7'	1"	10	7'	1"	15	7'	2"	3	9'	9"	11	9'	10"	1	9'	10"	7	9'	10"	12
4.5 IN 12	7'	2"	8	7'	2"	12	7'	3"	1	7'	3"	5	9'	10"	8	9'	10"	14	9'	11"	4	9'	11"	10
5 IN 12	7'	3"	12	7'	4"	0	7'	4"	5	7'	4"	9	9'	11"	7	9'	11"	13	10'	0"	3	10'	0"	8
5.5 IN 12	7'	5"	2	7'	5"	6	7'	5"	10	7'	5"	15	10'	0"	7	10'	0"	13	10'	1"	3	10'	1"	9
6 IN 12	7'	6"	9	7'	6"	13	7'	7"	2	7'	7"	6	10'	1"	8	10'	1"	14	10'	2"	4	10'	2"	10
6.5 IN 12	7'	8"	2	7'	8"	6	7'	8"	11	7'	9"	0	10'	2"	11	10'	3"	1	10'	3"	7	10'	3"	13
7 IN 12	7'	9"	12	7'	10"	1	7'	10"	6	7'	10"	10	10'	3"	15	10'	4"	5	10'	4"	11	10'	5"	1
8 IN 12	8'	1"	6	8'	1"	10	8'	1"	15	8'	2"	4	10'	6"	10	10'	7"	1	10'	7"	7	10'	7"	13
9 IN 12	8'	5"	4	8'	5"	9	8'	5"	14	8'	6"	3	10'	9"	11	10'	10"	1	10'	10"	7	10'	10"	14
10 IN 12	8'	9"	7	8'	9"	12	8'	10"	1	8'	10"	7	11'	0"	15	11'	1"	6	11'	1"	12	11'	2"	3
11 IN 12	9'	1"	14	9'	2"	4	9'	2"	9	9'	2"	14	11'	4"	8	11'	4"	15	11'	5"	6	11'	5"	12
12 IN 12	9'	6"	9	9'	6"	14	9'	7"	4	9'	7"	10	11'	8"	5	11'	8"	12	11'	9"	3	11'	9"	10
13 IN 12	9'	11"	7	9'	11"	13	10'	0"	3	10'	0"	8	12'	0"	5	12'	0"	12	12'	1"	3	12'	1"	10
14 IN 12	10'	4"	7	10'	4"	14	10'	5"	4	10'	5"	10	12'	4"	8	12'	4"	15	12'	5"	7	12'	5"	14
15 IN 12	10'	9"	11	10'	10"	1	10'	10"	7	10'	10"	14	12'	8"	14	12'	9"	6	12'	9"	13	12'	10"	5
16 IN 12	11'	3"	0	11'	3"	7	11'	3"	13	11'	4"	4	13'	1"	7	13'	1"	15	13'	2"	7	13'	2"	14
17 IN 12	11'	8"	7	11'	8"	14	11'	9"	5	11'	9"	12	13'	6"	2	13'	6"	10	13'	7"	2	13'	7"	10
18 IN 12	12'	2"	0	12'	2"	8	12'	2"	15	12'	3"	6	13'	11"	0	13'	11"	8	14'	0"	0	14'	0"	9
19 IN 12	12'	7"	11	12'	8"	2	12'	8"	10	12'	9"	1	14'	3"	15	14'	4"	8	14'	5"	0	14'	5"	9
20 IN 12	13'	1"	7	13'	1"	15	13'	2"	7	13'	2"	14	14'	9"	1	14'	9"	10	14'	10"	2	14'	10"	11
21 IN 12	13'	7"	4	13'	7"	12	13'	8"	4	13'	8"	12	15'	2"	4	15'	2"	13	15'	3"	6	15'	3"	15
22 IN 12	14'	1"	2	14'	1"	11	14'	2"	3	14'	2"	12	15'	7"	9	15'	8"	2	15'	8"	11	15'	9"	5
23 IN 12	14'	7"	2	14'	7"	10	14'	8"	3	14'	8"	12	16'	0"	15	16'	1"	9	16'	2"	2	16'	2"	12
24 IN 12	15'	1"	2	15'	1"	11	15'	2"	3	15'	2"	13	16'	6"	7	16'	7"	0	16'	7"	10	16'	8"	4
25 IN 12	15'	7"	3	15'	7"	12	15'	8"	5	15'	8"	15	16'	11"	15	17'	0"	9	17'	1"	3	17'	1"	14

6 Foot 10 Inch Run — Common Rafter Lengths   6 Foot 10 Inch Run — Hip Or Valley Rafter Lengths

Run -	6'10"	6'10 1/4"	6'10 1/2"	6'10 3/4"	6'10"	6'10 1/4"	6'10 1/2"	6'10 3/4"
Pitch	Ft In 16th"	Ft In 16th"	Ft In 16th"	Ft In 16th"	Ft In 16th"	Ft In 16th"	Ft In 16th"	Ft In 16th"
1 IN 12	6' 10" 5	6' 10" 9	6' 10" 13	6' 11" 1	9' 8" 3	9' 8" 8	9' 8" 14	9' 9" 4
2 IN 12	6' 11" 2	6' 11" 6	6' 11" 10	6' 11" 14	9' 8" 12	9' 9" 2	9' 9" 8	9' 9" 13
2.5 IN 12	6' 11" 12	7' 0" 0	7' 0" 4	7' 0" 8	9' 9" 3	9' 9" 9	9' 9" 15	9' 10" 5
3 IN 12	7' 0" 8	7' 0" 13	7' 1" 1	7' 1" 5	9' 9" 12	9' 10" 2	9' 10" 8	9' 10" 13
3.5 IN 12	7' 1" 7	7' 1" 11	7' 1" 15	7' 2" 3	9' 10" 6	9' 10" 12	9' 11" 2	9' 11" 8
4 IN 12	7' 2" 7	7' 2" 11	7' 2" 15	7' 3" 4	9' 11" 2	9' 11" 8	9' 11" 14	10' 0" 4
4.5 IN 12	7' 3" 9	7' 3" 13	7' 4" 2	7' 4" 6	10' 0" 0	10' 0" 5	10' 0" 11	10' 1" 1
5 IN 12	7' 4" 13	7' 5" 2	7' 5" 6	7' 5" 10	10' 0" 14	10' 1" 4	10' 1" 10	10' 2" 0
5.5 IN 12	7' 6" 3	7' 6" 8	7' 6" 12	7' 7" 0	10' 1" 14	10' 2" 4	10' 2" 10	10' 3" 0
6 IN 12	7' 7" 11	7' 7" 15	7' 8" 4	7' 8" 8	10' 3" 0	10' 3" 6	10' 3" 12	10' 4" 2
6.5 IN 12	7' 9" 4	7' 9" 9	7' 9" 13	7' 10" 2	10' 4" 3	10' 4" 9	10' 4" 15	10' 5" 5
7 IN 12	7' 10" 15	7' 11" 4	7' 11" 8	7' 11" 13	10' 5" 7	10' 5" 13	10' 6" 3	10' 6" 9
8 IN 12	8' 2" 9	8' 2" 14	8' 3" 2	8' 3" 7	10' 8" 3	10' 8" 10	10' 9" 0	10' 9" 6
9 IN 12	8' 6" 8	8' 6" 13	8' 7" 2	8' 7" 7	10' 11" 4	10' 11" 11	11' 0" 1	11' 0" 7
10 IN 12	8' 10" 12	8' 11" 1	8' 11" 6	8' 11" 11	11' 2" 10	11' 3" 0	11' 3" 7	11' 3" 13
11 IN 12	9' 3" 4	9' 3" 9	9' 3" 15	9' 4" 4	11' 6" 3	11' 6" 10	11' 7" 1	11' 7" 7
12 IN 12	9' 7" 15	9' 8" 5	9' 8" 11	9' 9" 0	11' 10" 0	11' 10" 7	11' 10" 14	11' 11" 5
13 IN 12	10' 0" 14	10' 1" 4	10' 1" 10	10' 2" 0	12' 2" 1	12' 2" 8	12' 3" 0	12' 3" 7
14 IN 12	10' 6" 0	10' 6" 6	10' 6" 12	10' 7" 2	12' 6" 5	12' 6" 13	12' 7" 4	12' 7" 11
15 IN 12	10' 11" 4	10' 11" 11	11' 0" 1	11' 0" 7	12' 10" 12	12' 11" 4	12' 11" 11	13' 0" 3
16 IN 12	11' 4" 11	11' 5" 1	11' 5" 8	11' 5" 15	13' 3" 6	13' 3" 14	13' 4" 6	13' 4" 13
17 IN 12	11' 10" 3	11' 10" 10	11' 11" 1	11' 11" 8	13' 8" 2	13' 8" 10	13' 9" 2	13' 9" 10
18 IN 12	12' 3" 13	12' 4" 4	12' 4" 12	12' 5" 3	14' 1" 1	14' 1" 9	14' 2" 1	14' 2" 9
19 IN 12	12' 9" 9	12' 10" 0	12' 10" 8	12' 10" 15	14' 6" 1	14' 6" 10	14' 7" 2	14' 7" 11
20 IN 12	13' 3" 6	13' 3" 14	13' 4" 6	13' 4" 13	14' 11" 4	14' 11" 13	15' 0" 5	15' 0" 14
21 IN 12	13' 9" 4	13' 9" 12	13' 10" 5	13' 10" 13	15' 4" 8	15' 5" 1	15' 5" 10	15' 6" 3
22 IN 12	14' 3" 4	14' 3" 12	14' 4" 5	14' 4" 13	15' 9" 14	15' 10" 7	15' 11" 0	15' 11" 10
23 IN 12	14' 9" 4	14' 9" 13	14' 10" 6	14' 10" 14	16' 3" 5	16' 3" 15	16' 4" 8	16' 5" 2
24 IN 12	15' 3" 6	15' 3" 15	15' 4" 8	15' 5" 1	16' 8" 14	16' 9" 8	16' 10" 1	16' 10" 11
25 IN 12	15' 9" 8	15' 10" 1	15' 10" 10	15' 11" 4	17' 2" 8	17' 3" 2	17' 3" 12	17' 4" 6

6 Foot 11 Inch Run — Common Rafter Lengths

Run -	Pitch	6'11"	6'11 1/4"	6'11 1/2"	6'11 3/4"
		Ft In 16th"	Ft In 16th"	Ft In 16th"	Ft In 16th"
1	IN 12	6' 11" 5	6' 11" 9	6' 11" 13	7' 0" 1
2	IN 12	7' 0" 2	7' 0" 6	7' 0" 10	7' 0" 14
2.5	IN 12	7' 0" 13	7' 1" 1	7' 1" 5	7' 1" 9
3	IN 12	7' 1" 9	7' 1" 13	7' 2" 1	7' 2" 5
3.5	IN 12	7' 2" 7	7' 2" 12	7' 3" 0	7' 3" 4
4	IN 12	7' 3" 8	7' 3" 12	7' 4" 0	7' 4" 4
4.5	IN 12	7' 4" 10	7' 4" 15	7' 5" 3	7' 5" 7
5	IN 12	7' 5" 15	7' 6" 3	7' 6" 7	7' 6" 12
5.5	IN 12	7' 7" 9	7' 7" 9	7' 7" 14	7' 8" 2
6	IN 12	7' 8" 13	7' 9" 1	7' 9" 6	7' 9" 10
6.5	IN 12	7' 10" 6	7' 10" 11	7' 10" 15	7' 11" 4
7	IN 12	8' 0" 1	8' 0" 6	8' 0" 11	8' 0" 15
8	IN 12	8' 3" 12	8' 4" 1	8' 4" 6	8' 4" 10
9	IN 12	8' 7" 12	8' 8" 1	8' 8" 6	8' 8" 11
10	IN 12	9' 0" 1	9' 0" 6	9' 0" 11	9' 1" 0
11	IN 12	9' 4" 10	9' 4" 15	9' 5" 4	9' 5" 10
12	IN 12	9' 9" 6	9' 9" 12	9' 10" 1	9' 10" 7
13	IN 12	10' 2" 6	10' 2" 12	10' 3" 2	10' 3" 8
14	IN 12	10' 7" 9	10' 7" 15	10' 8" 5	10' 8" 11
15	IN 12	11' 0" 14	11' 1" 4	11' 1" 11	11' 2" 1
16	IN 12	11' 6" 5	11' 6" 12	11' 7" 3	11' 7" 9
17	IN 12	11' 11" 15	12' 0" 6	12' 0" 13	12' 1" 4
18	IN 12	12' 5" 10	12' 6" 1	12' 6" 9	12' 7" 0
19	IN 12	12' 11" 7	12' 11" 14	13' 0" 6	13' 0" 13
20	IN 12	13' 5" 5	13' 5" 13	13' 6" 5	13' 6" 12
21	IN 12	13' 11" 5	13' 11" 13	14' 0" 5	14' 0" 13
22	IN 12	14' 5" 5	14' 5" 14	14' 6" 6	14' 6" 14
23	IN 12	14' 11" 7	15' 0" 0	15' 0" 8	15' 1" 1
24	IN 12	15' 5" 9	15' 6" 2	15' 6" 11	15' 7" 4
25	IN 12	15' 11" 13	16' 0" 6	16' 0" 15	16' 1" 9

6 Foot 11 Inch Run — Hip Or Valley Rafter Lengths

Pitch	6'11"	6'11 1/4"	6'11 1/2"	6'11 3/4"
	Ft In 16th"	Ft In 16th"	Ft In 16th"	Ft In 16th"
1 IN 12	9' 9" 9	9' 9" 15	9' 10" 5	9' 10" 10
2 IN 12	9' 10" 3	9' 10" 9	9' 10" 14	9' 11" 4
2.5 IN 12	9' 10" 10	9' 11" 0	9' 11" 6	9' 11" 11
3 IN 12	9' 11" 3	9' 11" 9	9' 11" 15	10' 0" 4
3.5 IN 12	9' 11" 14	10' 0" 3	10' 0" 9	10' 0" 15
4 IN 12	10' 0" 10	10' 0" 15	10' 1" 5	10' 1" 11
4.5 IN 12	10' 1" 7	10' 1" 13	10' 2" 3	10' 2" 9
5 IN 12	10' 2" 6	10' 2" 12	10' 3" 2	10' 3" 8
5.5 IN 12	10' 3" 6	10' 3" 12	10' 4" 2	10' 4" 8
6 IN 12	10' 4" 8	10' 4" 14	10' 5" 4	10' 5" 10
6.5 IN 12	10' 5" 11	10' 6" 1	10' 6" 7	10' 6" 13
7 IN 12	10' 7" 0	10' 7" 6	10' 7" 12	10' 8" 2
8 IN 12	10' 9" 12	10' 10" 3	10' 10" 9	10' 10" 15
9 IN 12	11' 0" 14	11' 1" 4	11' 1" 11	11' 2" 1
10 IN 12	11' 4" 4	11' 4" 10	11' 5" 1	11' 5" 8
11 IN 12	11' 7" 14	11' 8" 5	11' 8" 12	11' 9" 2
12 IN 12	11' 11" 12	12' 0" 3	12' 0" 10	12' 1" 1
13 IN 12	12' 3" 14	12' 4" 5	12' 4" 12	12' 5" 3
14 IN 12	12' 8" 3	12' 8" 10	12' 9" 1	12' 9" 9
15 IN 12	13' 0" 11	13' 1" 2	13' 1" 10	13' 2" 1
16 IN 12	13' 5" 5	13' 5" 13	13' 6" 5	13' 6" 12
17 IN 12	13' 10" 2	13' 10" 10	13' 11" 2	13' 11" 10
18 IN 12	14' 3" 2	14' 3" 10	14' 4" 2	14' 4" 10
19 IN 12	14' 8" 3	14' 8" 12	14' 9" 4	14' 9" 13
20 IN 12	15' 1" 7	15' 2" 0	15' 2" 8	15' 3" 1
21 IN 12	15' 6" 12	15' 7" 5	15' 7" 14	15' 8" 7
22 IN 12	16' 0" 3	16' 0" 12	16' 1" 5	16' 1" 15
23 IN 12	16' 5" 11	16' 6" 5	16' 6" 14	16' 7" 8
24 IN 12	16' 11" 5	16' 11" 15	17' 0" 9	17' 1" 2
25 IN 12	17' 5" 0	17' 5" 10	17' 6" 4	17' 6" 14

7 Foot 0 Inch Run — Common Rafter Lengths   7 Foot 0 Inch Run — Hip Or Valley Rafter Lengths

Run -	7' 0"			7' 0 1/4"			7' 0 1/2"			7' 0 3/4"			7' 0"			7' 0 1/4"			7' 0 1/2"			7' 0 3/4"		
Pitch	Ft	In	16th"	Ft	In	16th"	Ft	In	16th"	Ft	In	16th"	Ft	In	16th"	Ft	In	16th"	Ft	In	16th"	Ft	In	16th"
1 IN 12	7'	0"	5	7'	0"	9	7'	0"	13	7'	1"	1	9'	11"	0	9'	11"	6	9'	11"	11	10'	0"	1
2 IN 12	7'	1"	3	7'	1"	7	7'	1"	11	7'	1"	15	9'	11"	10	10'	0"	0	10'	0"	5	10'	0"	11
2.5 IN 12	7'	1"	13	7'	2"	1	7'	2"	5	7'	2"	9	10'	0"	1	10'	0"	7	10'	0"	13	10'	1"	2
3 IN 12	7'	2"	9	7'	2"	13	7'	3"	2	7'	3"	6	10'	0"	10	10'	1"	0	10'	1"	6	10'	1"	11
3.5 IN 12	7'	3"	8	7'	3"	12	7'	4"	0	7'	4"	5	10'	1"	5	10'	1"	10	10'	2"	0	10'	2"	6
4 IN 12	7'	4"	9	7'	4"	13	7'	5"	1	7'	5"	5	10'	2"	1	10'	2"	7	10'	2"	12	10'	3"	2
4.5 IN 12	7'	5"	11	7'	6"	0	7'	6"	4	7'	6"	8	10'	2"	14	10'	3"	4	10'	3"	10	10'	4"	0
5 IN 12	7'	7"	0	7'	7"	4	7'	7"	9	7'	7"	13	10'	3"	13	10'	4"	3	10'	4"	9	10'	4"	15
5.5 IN 12	7'	8"	6	7'	8"	11	7'	8"	15	7'	9"	4	10'	4"	14	10'	5"	4	10'	5"	10	10'	6"	0
6 IN 12	7'	9"	15	7'	10"	3	7'	10"	8	7'	10"	12	10'	6"	0	10'	6"	6	10'	6"	12	10'	7"	2
6.5 IN 12	7'	11"	9	7'	11"	13	8'	0"	2	8'	0"	6	10'	7"	3	10'	7"	9	10'	7"	15	10'	8"	6
7 IN 12	8'	1"	4	8'	1"	9	8'	1"	13	8'	2"	2	10'	8"	8	10'	8"	14	10'	9"	4	10'	9"	10
8 IN 12	8'	4"	15	8'	5"	4	8'	5"	9	8'	5"	14	10'	11"	5	10'	11"	12	11'	0"	2	11'	0"	8
9 IN 12	8'	9"	0	8'	9"	5	8'	9"	10	8'	9"	15	11'	2"	7	11'	2"	14	11'	3"	4	11'	3"	11
10 IN 12	9'	1"	5	9'	1"	11	9'	2"	0	9'	2"	5	11'	5"	14	11'	6"	5	11'	6"	11	11'	7"	2
11 IN 12	9'	5"	15	9'	6"	5	9'	6"	10	9'	7"	0	11'	9"	9	11'	10"	0	11'	10"	7	11'	10"	13
12 IN 12	9'	10"	13	9'	11"	2	9'	11"	8	9'	11"	14	12'	1"	8	12'	1"	15	12'	2"	6	12'	2"	13
13 IN 12	10'	3"	13	10'	4"	3	10'	4"	9	10'	4"	15	12'	5"	10	12'	6"	1	12'	6"	9	12'	7"	0
14 IN 12	10'	9"	1	10'	9"	7	10'	9"	13	10'	10"	4	12'	10"	0	12'	10"	7	12'	10"	15	12'	11"	6
15 IN 12	11'	2"	7	11'	2"	14	11'	3"	4	11'	3"	11	13'	2"	9	13'	3"	0	13'	3"	8	13'	3"	15
16 IN 12	11'	8"	0	11'	8"	7	11'	8"	13	11'	9"	4	13'	7"	4	13'	7"	12	13'	8"	4	13'	8"	12
17 IN 12	12'	1"	11	12'	2"	2	12'	2"	8	12'	2"	15	14'	0"	2	14'	0"	10	14'	1"	2	14'	1"	10
18 IN 12	12'	7"	7	12'	7"	14	12'	8"	5	12'	8"	13	14'	5"	3	14'	5"	11	14'	6"	3	14'	6"	11
19 IN 12	13'	1"	5	13'	1"	12	13'	2"	4	13'	2"	11	14'	10"	5	14'	10"	14	14'	11"	6	14'	11"	15
20 IN 12	13'	7"	4	13'	7"	12	13'	8"	4	13'	8"	12	15'	3"	10	15'	4"	2	15'	4"	11	15'	5"	4
21 IN 12	14'	1"	5	14'	1"	13	14'	2"	5	14'	2"	13	15'	9"	0	15'	9"	9	15'	10"	2	15'	10"	11
22 IN 12	14'	7"	7	14'	7"	15	14'	8"	7	14'	9"	0	16'	2"	8	16'	3"	1	16'	3"	10	16'	4"	4
23 IN 12	15'	1"	10	15'	2"	2	15'	2"	11	15'	3"	3	16'	8"	1	16'	8"	11	16'	9"	4	16'	9"	14
24 IN 12	15'	7"	13	15'	8"	6	15'	8"	15	15'	9"	8	17'	1"	12	17'	2"	6	17'	3"	0	17'	3"	10
25 IN 12	16'	2"	2	16'	2"	11	16'	3"	4	16'	3"	14	17'	7"	8	17'	8"	2	17'	8"	12	17'	9"	6

7 Foot 1 Inch Run — Common Rafter Lengths   7 Foot 1 Inch Run — Hip Or Valley Rafter Lengths

Run -	7' 1"	7' 1 1/4"	7' 1 1/2"	7' 1 3/4"	7' 1"	7' 1 1/4"	7' 1 1/2"	7' 1 3/4"
Pitch	Ft In 16th"	Ft In 16th"	Ft In 16th"	Ft In 16th"	Ft In 16th"	Ft In 16th"	Ft In 16th"	Ft In 16th"
1 IN 12	7' 1" 5	7' 1" 9	7' 1" 13	7' 2" 1	10' 0" 7	10' 0" 12	10' 1" 2	10' 1" 8
2 IN 12	7' 2" 2	7' 2" 7	7' 2" 11	7' 2" 15	10' 1" 1	10' 1" 6	10' 1" 12	10' 2" 2
2.5 IN 12	7' 2" 13	7' 3" 1	7' 3" 5	7' 3" 9	10' 1" 8	10' 1" 14	10' 2" 4	10' 2" 9
3 IN 12	7' 3" 10	7' 3" 14	7' 4" 2	7' 4" 6	10' 2" 1	10' 2" 7	10' 2" 13	10' 3" 2
3.5 IN 12	7' 4" 9	7' 4" 13	7' 5" 1	7' 5" 5	10' 2" 12	10' 3" 2	10' 3" 7	10' 3" 13
4 IN 12	7' 5" 10	7' 5" 14	7' 6" 2	7' 6" 6	10' 3" 8	10' 3" 14	10' 4" 4	10' 4" 9
4.5 IN 12	7' 6" 12	7' 7" 1	7' 7" 5	7' 7" 9	10' 4" 6	10' 4" 12	10' 5" 2	10' 5" 7
5 IN 12	7' 8" 1	7' 8" 6	7' 8" 10	7' 8" 14	10' 5" 5	10' 5" 11	10' 6" 1	10' 6" 7
5.5 IN 12	7' 9" 8	7' 9" 12	7' 10" 1	7' 10" 5	10' 6" 6	10' 6" 12	10' 7" 2	10' 7" 8
6 IN 12	7' 11" 1	7' 11" 5	7' 11" 9	7' 11" 14	10' 7" 8	10' 7" 14	10' 8" 4	10' 8" 10
6.5 IN 12	8' 0" 11	8' 0" 15	8' 1" 4	8' 1" 8	10' 8" 12	10' 9" 2	10' 9" 8	10' 9" 14
7 IN 12	8' 2" 6	8' 2" 11	8' 3" 0	8' 3" 4	10' 10" 1	10' 10" 7	10' 10" 13	10' 11" 3
8 IN 12	8' 6" 3	8' 6" 7	8' 6" 12	8' 7" 1	11' 0" 14	11' 1" 5	11' 1" 11	11' 2" 1
9 IN 12	8' 10" 4	8' 10" 9	8' 10" 14	8' 11" 3	11' 4" 1	11' 4" 7	11' 4" 14	11' 5" 4
10 IN 12	9' 2" 10	9' 3" 0	9' 3" 5	9' 3" 10	11' 7" 8	11' 7" 15	11' 8" 6	11' 8" 12
11 IN 12	9' 7" 5	9' 7" 10	9' 8" 0	9' 8" 5	11' 11" 4	11' 11" 11	12' 0" 2	12' 0" 8
12 IN 12	10' 0" 3	10' 0" 9	10' 0" 15	10' 1" 4	12' 3" 4	12' 3" 11	12' 4" 1	12' 4" 8
13 IN 12	10' 5" 5	10' 5" 11	10' 6" 1	10' 6" 7	12' 7" 7	12' 7" 14	12' 8" 5	12' 8" 12
14 IN 12	10' 10" 10	10' 11" 0	10' 11" 6	10' 11" 12	12' 11" 13	13' 0" 5	13' 0" 12	13' 1" 3
15 IN 12	11' 4" 1	11' 4" 7	11' 4" 14	11' 5" 4	13' 4" 7	13' 4" 14	13' 5" 6	13' 5" 14
16 IN 12	11' 9" 11	11' 10" 0	11' 10" 8	11' 10" 15	13' 9" 3	13' 9" 11	13' 10" 3	13' 10" 11
17 IN 12	12' 3" 6	12' 3" 13	12' 4" 4	12' 4" 11	14' 2" 2	14' 2" 10	14' 3" 2	14' 3" 10
18 IN 12	12' 9" 4	12' 9" 11	12' 10" 2	12' 10" 9	14' 7" 4	14' 7" 12	14' 8" 4	14' 8" 12
19 IN 12	13' 3" 3	13' 3" 10	13' 4" 2	13' 4" 9	15' 0" 7	15' 1" 0	15' 1" 8	15' 2" 1
20 IN 12	13' 9" 3	13' 9" 11	13' 10" 3	13' 10" 11	15' 5" 13	15' 6" 5	15' 6" 14	15' 7" 7
21 IN 12	14' 3" 5	14' 3" 13	14' 4" 5	14' 4" 13	15' 11" 4	15' 11" 13	16' 0" 6	16' 0" 15
22 IN 12	14' 9" 8	14' 10" 0	14' 10" 9	14' 11" 1	16' 4" 13	16' 5" 6	16' 5" 15	16' 6" 9
23 IN 12	15' 3" 12	15' 4" 5	15' 4" 13	15' 5" 6	16' 10" 7	16' 11" 1	16' 11" 10	17' 0" 4
24 IN 12	15' 10" 1	15' 10" 10	15' 11" 3	15' 11" 12	17' 4" 3	17' 4" 13	17' 5" 7	17' 6" 1
25 IN 12	16' 4" 7	16' 5" 0	16' 5" 9	16' 6" 3	17' 10" 0	17' 10" 11	17' 11" 5	17' 11" 15

7 Foot 2 Inch Run — Common Rafter Lengths / 7 Foot 2 Inch Run — Hip Or Valley Rafter Lengths

Run – Pitch	Common 7' 2"	7' 2 1/4"	7' 2 1/2"	7' 2 3/4"	Hip/Valley 7' 2"	7' 2 1/4"	7' 2 1/2"	7' 2 3/4"
1 IN 12	7' 2" 5	7' 2" 9	7' 2" 13	7' 3" 1	10' 1" 13	10' 2" 3	10' 2" 9	10' 2" 14
2 IN 12	7' 3" 3	7' 3" 7	7' 3" 11	7' 3" 15	10' 2" 7	10' 2" 13	10' 3" 3	10' 3" 9
2.5 IN 12	7' 3" 14	7' 4" 2	7' 4" 6	7' 4" 10	10' 2" 15	10' 3" 5	10' 3" 10	10' 4" 0
3 IN 12	7' 4" 10	7' 4" 14	7' 5" 3	7' 5" 7	10' 3" 8	10' 3" 14	10' 4" 4	10' 4" 9
3.5 IN 12	7' 5" 9	7' 5" 14	7' 6" 2	7' 6" 6	10' 4" 3	10' 4" 9	10' 4" 14	10' 5" 4
4 IN 12	7' 6" 10	7' 6" 15	7' 7" 3	7' 7" 7	10' 4" 15	10' 5" 5	10' 5" 11	10' 6" 1
4.5 IN 12	7' 7" 14	7' 8" 2	7' 8" 6	7' 8" 10	10' 5" 13	10' 6" 3	10' 6" 9	10' 6" 15
5 IN 12	7' 9" 3	7' 9" 7	7' 9" 11	7' 10" 0	10' 6" 13	10' 7" 3	10' 7" 8	10' 7" 14
5.5 IN 12	7' 10" 10	7' 10" 14	7' 11" 2	7' 11" 7	10' 7" 14	10' 8" 4	10' 8" 9	10' 8" 15
6 IN 12	8' 0" 2	8' 0" 7	8' 0" 11	8' 1" 0	10' 9" 0	10' 9" 6	10' 9" 12	10' 10" 2
6.5 IN 12	8' 1" 13	8' 2" 1	8' 2" 6	8' 2" 11	10' 10" 4	10' 10" 10	10' 11" 0	10' 11" 6
7 IN 12	8' 3" 9	8' 3" 14	8' 4" 2	8' 4" 7	10' 11" 9	10' 11" 15	11' 0" 5	11' 0" 11
8 IN 12	8' 7" 6	8' 7" 11	8' 7" 15	8' 8" 4	11' 2" 7	11' 2" 14	11' 3" 4	11' 3" 10
9 IN 12	8' 11" 8	8' 11" 13	9' 0" 2	9' 0" 7	11' 5" 11	11' 6" 1	11' 6" 7	11' 6" 14
10 IN 12	9' 3" 15	9' 4" 4	9' 4" 10	9' 4" 15	11' 9" 3	11' 9" 9	11' 10" 0	11' 10" 6
11 IN 12	9' 8" 11	9' 9" 0	9' 9" 5	9' 9" 11	12' 0" 15	12' 1" 6	12' 1" 12	12' 2" 3
12 IN 12	10' 1" 10	10' 2" 0	10' 2" 5	10' 2" 11	12' 4" 15	12' 5" 6	12' 5" 13	12' 6" 4
13 IN 12	10' 6" 13	10' 7" 3	10' 7" 8	10' 7" 14	12' 9" 3	12' 9" 10	12' 10" 2	12' 10" 9
14 IN 12	11' 0" 2	11' 0" 8	11' 0" 15	11' 1" 5	13' 1" 11	13' 2" 2	13' 2" 9	13' 3" 1
15 IN 12	11' 5" 11	11' 6" 1	11' 6" 7	11' 6" 14	13' 6" 5	13' 6" 13	13' 7" 4	13' 7" 12
16 IN 12	11' 11" 5	11' 11" 12	12' 0" 3	12' 0" 9	13' 11" 2	13' 11" 10	14' 0" 2	14' 0" 10
17 IN 12	12' 5" 2	12' 5" 9	12' 6" 0	12' 6" 7	14' 4" 2	14' 4" 10	14' 5" 2	14' 5" 10
18 IN 12	12' 11" 1	12' 11" 8	12' 11" 15	13' 0" 6	14' 9" 5	14' 9" 13	14' 10" 5	14' 10" 13
19 IN 12	13' 5" 1	13' 5" 8	13' 6" 0	13' 6" 7	15' 2" 9	15' 3" 2	15' 3" 10	15' 4" 3
20 IN 12	13' 11" 2	13' 11" 10	14' 0" 2	14' 0" 10	15' 8" 0	15' 8" 8	15' 9" 1	15' 9" 10
21 IN 12	14' 5" 5	14' 5" 13	14' 6" 6	14' 6" 14	16' 1" 8	16' 2" 1	16' 2" 10	16' 3" 3
22 IN 12	14' 11" 10	15' 0" 2	15' 0" 10	15' 1" 3	16' 7" 2	16' 7" 11	16' 8" 5	16' 8" 14
23 IN 12	15' 5" 15	15' 6" 7	15' 7" 0	15' 7" 9	17' 0" 14	17' 1" 7	17' 2" 1	17' 2" 10
24 IN 12	16' 0" 5	16' 0" 14	16' 1" 7	16' 2" 0	17' 6" 10	17' 7" 4	17' 7" 14	17' 8" 8
25 IN 12	16' 6" 12	16' 7" 5	16' 7" 14	16' 8" 8	18' 0" 9	18' 1" 3	18' 1" 13	18' 2" 7

7 Foot 3 Inch Run — Common Rafter Lengths

Run -	7' 3"			7' 3 1/4"			7' 3 1/2"			7' 3 3/4"		
Pitch	Ft	In	16th"	Ft	In	16th"	Ft	In	16th"	Ft	In	16th"
1 IN 12	7'	3"	5	7'	3"	9	7'	3"	13	7'	4"	1
2 IN 12	7'	4"	3	7'	4"	7	7'	4"	11	7'	4"	15
2.5 IN 12	7'	4"	14	7'	5"	2	7'	5"	6	7'	5"	10
3 IN 12	7'	5"	11	7'	5"	15	7'	6"	3	7'	6"	7
3.5 IN 12	7'	6"	10	7'	6"	14	7'	7"	2	7'	7"	7
4 IN 12	7'	7"	11	7'	8"	0	7'	8"	4	7'	8"	8
4.5 IN 12	7'	8"	15	7'	9"	3	7'	9"	7	7'	9"	11
5 IN 12	7'	10"	4	7'	10"	8	7'	10"	13	7'	11"	1
5.5 IN 12	7'	11"	11	8'	0"	0	8'	0"	4	8'	0"	8
6 IN 12	8'	1"	4	8'	1"	9	8'	1"	13	8'	2"	2
6.5 IN 12	8'	2"	15	8'	3"	4	8'	3"	8	8'	3"	13
7 IN 12	8'	4"	12	8'	5"	0	8'	5"	5	8'	5"	9
8 IN 12	8'	8"	9	8'	8"	14	8'	9"	3	8'	9"	7
9 IN 12	9'	0"	12	9'	1"	1	9'	1"	6	9'	1"	11
10 IN 12	9'	5"	4	9'	5"	9	9'	5"	14	9'	6"	4
11 IN 12	9'	10"	0	9'	10"	6	9'	10"	11	9'	11"	1
12 IN 12	10'	3"	1	10'	3"	6	10'	3"	12	10'	4"	2
13 IN 12	10'	8"	4	10'	8"	10	10'	9"	0	10'	9"	6
14 IN 12	11'	1"	11	11'	2"	1	11'	2"	7	11'	2"	13
15 IN 12	11'	7"	4	11'	7"	11	11'	8"	1	11'	8"	7
16 IN 12	12'	1"	0	12'	1"	7	12'	1"	13	12'	2"	4
17 IN 12	12'	6"	14	12'	7"	5	12'	7"	12	12'	8"	3
18 IN 12	13'	0"	13	13'	1"	5	13'	1"	12	13'	2"	3
19 IN 12	13'	6"	15	13'	7"	6	13'	7"	14	13'	8"	5
20 IN 12	14'	1"	2	14'	1"	9	14'	2"	1	14'	2"	9
21 IN 12	14'	7"	6	14'	7"	14	14'	8"	6	14'	8"	14
22 IN 12	15'	1"	11	15'	2"	3	15'	2"	12	15'	3"	4
23 IN 12	15'	8"	1	15'	8"	10	15'	9"	3	15'	9"	11
24 IN 12	16'	2"	9	16'	3"	2	16'	3"	10	16'	4"	3
25 IN 12	16'	9"	1	16'	9"	10	16'	10"	3	16'	10"	13

7 Foot 3 Inch Run — Hip Or Valley Rafter Lengths

Pitch	7' 3"			7' 3 1/4"			7' 3 1/2"			7' 3 3/4"		
	Ft	In	16th"	Ft	In	16th"	Ft	In	16th"	Ft	In	16th"
1 IN 12	10'	3"	4	10'	3"	10	10'	3"	15	10'	4"	5
2 IN 12	10'	3"	14	10'	4"	4	10'	4"	10	10'	4"	15
2.5 IN 12	10'	4"	6	10'	4"	12	10'	5"	1	10'	5"	7
3 IN 12	10'	4"	15	10'	5"	5	10'	5"	11	10'	6"	0
3.5 IN 12	10'	5"	10	10'	6"	0	10'	6"	6	10'	6"	11
4 IN 12	10'	6"	7	10'	6"	12	10'	7"	2	10'	7"	8
4.5 IN 12	10'	7"	5	10'	7"	10	10'	8"	0	10'	8"	6
5 IN 12	10'	8"	4	10'	8"	10	10'	9"	0	10'	9"	6
5.5 IN 12	10'	9"	5	10'	9"	11	10'	10"	1	10'	10"	7
6 IN 12	10'	10"	8	10'	10"	14	10'	11"	4	10'	11"	10
6.5 IN 12	10'	11"	12	11'	0"	2	11'	0"	8	11'	0"	14
7 IN 12	11'	1"	1	11'	1"	8	11'	1"	14	11'	2"	4
8 IN 12	11'	4"	0	11'	4"	7	11'	4"	13	11'	5"	3
9 IN 12	11'	7"	4	11'	7"	11	11'	8"	1	11'	8"	7
10 IN 12	11'	10"	13	11'	11"	4	11'	11"	10	12'	0"	1
11 IN 12	12'	2"	10	12'	3"	1	12'	3"	7	12'	3"	14
12 IN 12	12'	6"	11	12'	7"	2	12'	7"	9	12'	8"	0
13 IN 12	12'	11"	0	12'	11"	7	12'	11"	14	13'	0"	5
14 IN 12	13'	3"	8	13'	3"	15	13'	4"	7	13'	4"	14
15 IN 12	13'	8"	3	13'	8"	11	13'	9"	2	13'	9"	10
16 IN 12	14'	1"	2	14'	1"	9	14'	2"	1	14'	2"	9
17 IN 12	14'	6"	2	14'	6"	10	14'	7"	2	14'	7"	10
18 IN 12	14'	11"	6	14'	11"	14	15'	0"	6	15'	0"	14
19 IN 12	15'	4"	11	15'	5"	4	15'	5"	12	15'	6"	5
20 IN 12	15'	10"	3	15'	10"	11	15'	11"	4	15'	11"	13
21 IN 12	16'	3"	12	16'	4"	5	16'	4"	14	16'	5"	7
22 IN 12	16'	9"	7	16'	10"	0	16'	10"	10	16'	11"	3
23 IN 12	17'	3"	4	17'	3"	13	17'	4"	7	17'	5"	0
24 IN 12	17'	9"	2	17'	9"	11	17'	10"	5	17'	10"	15
25 IN 12	18'	3"	1	18'	3"	11	18'	4"	5	18'	4"	15

7 Foot 4 Inch Run — Common Rafter Lengths   7 Foot 4 Inch Run — Hip Or Valley Rafter Lengths

Run -	7' 4"	7' 4 1/4"	7' 4 1/2"	7' 4 3/4"	7' 4"	7' 4 1/4"	7' 4 1/2"	7' 4 3/4"
Pitch	Ft In 16th"	Ft In 16th"	Ft In 16th"	Ft In 16th"	Ft In 16th"	Ft In 16th"	Ft In 16th"	Ft In 16th"
1 IN 12	7' 4" 5	7' 4" 9	7' 4" 13	7' 5" 1	10' 4" 11	10' 5" 0	10' 5" 6	10' 5" 12
2 IN 12	7' 5" 3	7' 5" 7	7' 5" 12	7' 6" 0	10' 5" 5	10' 5" 11	10' 6" 0	10' 6" 6
2.5 IN 12	7' 5" 14	7' 6" 2	7' 6" 6	7' 6" 10	10' 5" 13	10' 6" 2	10' 6" 8	10' 6" 14
3 IN 12	7' 6" 11	7' 6" 15	7' 7" 4	7' 7" 8	10' 6" 6	10' 6" 12	10' 7" 2	10' 7" 7
3.5 IN 12	7' 7" 11	7' 7" 15	7' 8" 3	7' 8" 7	10' 7" 1	10' 7" 7	10' 7" 13	10' 8" 2
4 IN 12	7' 8" 12	7' 9" 0	7' 9" 5	7' 9" 9	10' 7" 14	10' 8" 4	10' 8" 9	10' 8" 15
4.5 IN 12	7' 10" 0	7' 10" 4	7' 10" 8	7' 10" 13	10' 8" 12	10' 9" 2	10' 9" 8	10' 9" 14
5 IN 12	7' 11" 5	7' 11" 10	7' 11" 14	8' 0" 2	10' 9" 12	10' 10" 2	10' 10" 8	10' 10" 14
5.5 IN 12	8' 0" 13	8' 1" 1	8' 1" 6	8' 1" 10	10' 10" 13	10' 11" 3	10' 11" 9	10' 11" 15
6 IN 12	8' 2" 6	8' 2" 11	8' 2" 15	8' 3" 4	11' 0" 0	11' 0" 6	11' 0" 12	11' 1" 2
6.5 IN 12	8' 4" 1	8' 4" 6	8' 4" 10	8' 4" 15	11' 1" 4	11' 1" 10	11' 2" 0	11' 2" 6
7 IN 12	8' 5" 14	8' 6" 3	8' 6" 7	8' 6" 12	11' 2" 10	11' 3" 0	11' 3" 6	11' 3" 12
8 IN 12	8' 9" 12	8' 10" 1	8' 10" 6	8' 10" 11	11' 5" 9	11' 6" 0	11' 6" 6	11' 6" 12
9 IN 12	9' 2" 0	9' 2" 5	9' 2" 10	9' 2" 15	11' 8" 14	11' 9" 4	11' 9" 11	11' 10" 1
10 IN 12	9' 6" 9	9' 6" 14	9' 7" 3	9' 7" 8	12' 0" 7	12' 0" 14	12' 1" 4	12' 1" 11
11 IN 12	9' 11" 6	9' 11" 11	10' 0" 1	10' 0" 6	12' 4" 4	12' 4" 12	12' 5" 2	12' 5" 9
12 IN 12	10' 4" 7	10' 4" 13	10' 5" 3	10' 5" 8	12' 8" 7	12' 8" 14	12' 9" 5	12' 9" 12
13 IN 12	10' 9" 12	10' 10" 2	10' 10" 8	10' 10" 14	13' 0" 12	13' 1" 3	13' 1" 11	13' 2" 2
14 IN 12	11' 3" 4	11' 3" 10	11' 4" 0	11' 4" 6	13' 5" 5	13' 5" 13	13' 6" 4	13' 6" 11
15 IN 12	11' 8" 14	11' 9" 4	11' 9" 11	11' 10" 1	13' 10" 2	13' 10" 9	13' 11" 1	13' 11" 8
16 IN 12	12' 2" 11	12' 3" 1	12' 3" 8	12' 3" 15	14' 3" 1	14' 3" 8	14' 4" 0	14' 4" 8
17 IN 12	12' 8" 10	12' 9" 0	12' 9" 7	12' 9" 14	14' 8" 2	14' 8" 10	14' 9" 2	14' 9" 10
18 IN 12	13' 2" 10	13' 3" 2	13' 3" 9	13' 4" 0	15' 1" 7	15' 1" 15	15' 2" 7	15' 2" 15
19 IN 12	13' 8" 13	13' 9" 4	13' 9" 12	13' 10" 3	15' 6" 13	15' 7" 6	15' 7" 14	15' 8" 7
20 IN 12	14' 3" 1	14' 3" 8	14' 4" 0	14' 4" 8	16' 0" 6	16' 0" 14	16' 1" 7	16' 2" 0
21 IN 12	14' 9" 6	14' 9" 14	14' 10" 6	14' 10" 14	16' 6" 0	16' 6" 9	16' 7" 2	16' 7" 11
22 IN 12	15' 3" 12	15' 4" 5	15' 4" 13	15' 5" 5	16' 11" 12	17' 0" 5	17' 0" 15	17' 1" 8
23 IN 12	15' 10" 4	15' 10" 13	15' 11" 5	15' 11" 14	17' 5" 10	17' 6" 3	17' 6" 13	17' 7" 6
24 IN 12	16' 4" 12	16' 5" 5	16' 5" 14	16' 6" 7	17' 11" 9	18' 0" 3	18' 0" 12	18' 1" 6
25 IN 12	16' 11" 6	16' 11" 15	17' 0" 8	17' 1" 1	18' 5" 9	18' 6" 3	18' 6" 13	18' 7" 8

7 Foot 5 Inch Run — Common Rafter Lengths

Run -	7' 5"			7' 5 1/4"			7' 5 1/2"			7' 5 3/4"		
Pitch	Ft	In	16th"	Ft	In	16th"	Ft	In	16th"	Ft	In	16th"
1 IN 12	7'	5"	5	7'	5"	9	7'	5"	13	7'	6"	1
2 IN 12	7'	6"	4	7'	6"	8	7'	6"	12	7'	7"	0
2.5 IN 12	7'	6"	15	7'	7"	3	7'	7"	7	7'	7"	11
3 IN 12	7'	7"	12	7'	8"	0	7'	8"	4	7'	8"	8
3.5 IN 12	7'	8"	11	7'	9"	0	7'	9"	4	7'	9"	8
4 IN 12	7'	9"	13	7'	10"	1	7'	10"	5	7'	10"	10
4.5 IN 12	7'	11"	1	7'	11"	5	7'	11"	9	7'	11"	14
5 IN 12	8'	0"	7	8'	0"	11	8'	0"	15	8'	1"	4
5.5 IN 12	8'	1"	14	8'	2"	3	8'	2"	7	8'	2"	12
6 IN 12	8'	3"	8	8'	3"	13	8'	4"	1	8'	4"	5
6.5 IN 12	8'	5"	3	8'	5"	8	8'	5"	13	8'	6"	1
7 IN 12	8'	7"	1	8'	7"	5	8'	7"	10	8'	7"	14
8 IN 12	8'	10"	15	8'	11"	4	8'	11"	9	8'	11"	14
9 IN 12	9'	3"	4	9'	3"	9	9'	3"	14	9'	4"	3
10 IN 12	9'	7"	14	9'	8"	3	9'	8"	8	9'	8"	13
11 IN 12	10'	0"	12	10'	1"	1	10'	1"	7	10'	1"	12
12 IN 12	10'	5"	14	10'	6"	3	10'	6"	9	10'	6"	15
13 IN 12	10'	11"	3	10'	11"	9	10'	11"	15	11'	0"	5
14 IN 12	11'	4"	12	11'	5"	2	11'	5"	8	11'	5"	15
15 IN 12	11'	10"	8	11'	10"	14	11'	11"	4	11'	11"	11
16 IN 12	12'	4"	5	12'	4"	12	12'	5"	3	12'	5"	9
17 IN 12	12'	10"	5	12'	10"	12	12'	11"	3	12'	11"	10
18 IN 12	13'	4"	7	13'	4"	14	13'	5"	6	13'	5"	13
19 IN 12	13'	10"	11	13'	11"	2	13'	11"	10	14'	0"	1
20 IN 12	14'	5"	0	14'	5"	8	14'	5"	15	14'	6"	7
21 IN 12	14'	11"	6	14'	11"	14	15'	0"	6	15'	0"	14
22 IN 12	15'	5"	14	15'	6"	6	15'	6"	14	15'	7"	7
23 IN 12	16'	0"	6	16'	0"	15	16'	1"	8	16'	2"	0
24 IN 12	16'	7"	0	16'	7"	9	16'	8"	2	16'	8"	11
25 IN 12	17'	1"	11	17'	2"	4	17'	2"	13	17'	3"	6

7 Foot 5 Inch Run — Hip Or Valley Rafter Lengths

Run -	7' 5"			7' 5 1/4"			7' 5 1/2"			7' 5 3/4"		
Pitch	Ft	In	16th"	Ft	In	16th"	Ft	In	16th"	Ft	In	16th"
1 IN 12	10'	6"	1	10'	6"	7	10'	6"	13	10'	7"	2
2 IN 12	10'	6"	12	10'	7"	1	10'	7"	7	10'	7"	13
2.5 IN 12	10'	7"	4	10'	7"	9	10'	7"	15	10'	8"	5
3 IN 12	10'	7"	13	10'	8"	3	10'	8"	9	10'	8"	14
3.5 IN 12	10'	8"	8	10'	8"	14	10'	9"	4	10'	9"	10
4 IN 12	10'	9"	5	10'	9"	11	10'	10"	1	10'	10"	6
4.5 IN 12	10'	10"	3	10'	10"	9	10'	10"	15	10'	11"	5
5 IN 12	10'	11"	3	10'	11"	9	10'	11"	15	11'	0"	5
5.5 IN 12	11'	0"	5	11'	0"	11	11'	1"	1	11'	1"	7
6 IN 12	11'	1"	8	11'	1"	14	11'	2"	4	11'	2"	10
6.5 IN 12	11'	2"	13	11'	3"	3	11'	3"	9	11'	3"	15
7 IN 12	11'	4"	2	11'	4"	9	11'	4"	15	11'	5"	5
8 IN 12	11'	7"	2	11'	7"	9	11'	7"	15	11'	8"	5
9 IN 12	11'	10"	8	11'	10"	14	11'	11"	4	11'	11"	11
10 IN 12	12'	2"	1	12'	2"	8	12'	2"	15	12'	3"	5
11 IN 12	12'	6"	0	12'	6"	7	12'	6"	13	12'	7"	4
12 IN 12	12'	10"	2	12'	10"	9	12'	11"	0	12'	11"	7
13 IN 12	13'	2"	9	13'	3"	0	13'	3"	7	13'	3"	14
14 IN 12	13'	7"	3	13'	7"	10	13'	8"	1	13'	8"	9
15 IN 12	14'	0"	0	14'	0"	7	14'	0"	15	14'	1"	6
16 IN 12	14'	5"	0	14'	5"	8	14'	5"	15	14'	6"	7
17 IN 12	14'	10"	2	14'	10"	10	14'	11"	2	14'	11"	10
18 IN 12	15'	3"	8	15'	4"	0	15'	4"	8	15'	5"	0
19 IN 12	15'	8"	15	15'	9"	8	15'	10"	0	15'	10"	9
20 IN 12	16'	2"	9	16'	3"	1	16'	3"	10	16'	4"	3
21 IN 12	16'	8"	4	16'	8"	13	16'	9"	6	16'	9"	15
22 IN 12	17'	2"	1	17'	2"	10	17'	3"	4	17'	3"	13
23 IN 12	17'	8"	0	17'	8"	9	17'	9"	3	17'	9"	12
24 IN 12	18'	2"	0	18'	2"	10	18'	3"	4	18'	3"	13
25 IN 12	18'	8"	2	18'	8"	12	18'	9"	6	18'	10"	0

7 Foot 6 Inch Run — Common Rafter Lengths

Run -	7' 6"	7' 6 1/4"	7' 6 1/2"	7' 6 3/4"
Pitch	Ft In 16th"	Ft In 16th"	Ft In 16th"	Ft In 16th"
1 IN 12	7' 6" 5	7' 6" 9	7' 6" 13	7' 7" 1
2 IN 12	7' 7" 4	7' 7" 8	7' 7" 12	7' 8" 0
2.5 IN 12	7' 7" 15	7' 8" 3	7' 8" 7	7' 8" 11
3 IN 12	7' 8" 12	7' 9" 0	7' 9" 5	7' 9" 9
3.5 IN 12	7' 9" 12	7' 10" 0	7' 10" 4	7' 10" 9
4 IN 12	7' 10" 14	7' 11" 2	7' 11" 6	7' 11" 11
4.5 IN 12	8' 0" 2	8' 0" 6	8' 0" 10	8' 0" 15
5 IN 12	8' 1" 8	8' 1" 12	8' 2" 1	8' 2" 5
5.5 IN 12	8' 3" 0	8' 3" 4	8' 3" 9	8' 3" 13
6 IN 12	8' 4" 10	8' 4" 14	8' 5" 3	8' 5" 7
6.5 IN 12	8' 6" 6	8' 6" 10	8' 6" 15	8' 7" 3
7 IN 12	8' 8" 3	8' 8" 8	8' 8" 12	8' 9" 1
8 IN 12	9' 0" 3	9' 0" 7	9' 0" 12	9' 1" 1
9 IN 12	9' 4" 8	9' 4" 13	9' 5" 2	9' 5" 7
10 IN 12	9' 9" 2	9' 9" 8	9' 9" 13	9' 10" 2
11 IN 12	10' 2" 1	10' 2" 7	10' 2" 12	10' 3" 2
12 IN 12	10' 7" 4	10' 7" 10	10' 8" 0	10' 8" 5
13 IN 12	11' 0" 11	11' 1" 1	11' 1" 7	11' 1" 13
14 IN 12	11' 6" 5	11' 6" 11	11' 7" 1	11' 7" 7
15 IN 12	12' 0" 1	12' 0" 8	12' 0" 14	12' 1" 4
16 IN 12	12' 6" 0	12' 6" 7	12' 6" 13	12' 7" 4
17 IN 12	13' 0" 1	13' 0" 8	13' 0" 15	13' 1" 6
18 IN 12	13' 6" 4	13' 6" 11	13' 7" 2	13' 7" 10
19 IN 12	14' 0" 9	14' 1" 0	14' 1" 8	14' 1" 15
20 IN 12	14' 6" 15	14' 7" 7	14' 7" 14	14' 8" 6
21 IN 12	15' 1" 6	15' 1" 14	15' 2" 7	15' 2" 15
22 IN 12	15' 7" 15	15' 8" 8	15' 9" 0	15' 9" 8
23 IN 12	16' 2" 9	16' 3" 2	16' 3" 10	16' 4" 3
24 IN 12	16' 9" 4	16' 9" 13	16' 10" 6	16' 10" 15
25 IN 12	17' 4" 0	17' 4" 9	17' 5" 2	17' 5" 11

7 Foot 6 Inch Run — Hip Or Valley Rafter Lengths

Pitch	7' 6"	7' 6 1/4"	7' 6 1/2"	7' 6 3/4"
	Ft In 16th"	Ft In 16th"	Ft In 16th"	Ft In 16th"
1 IN 12	10' 7" 8	10' 7" 14	10' 8" 3	10' 8" 9
2 IN 12	10' 8" 3	10' 8" 8	10' 8" 14	10' 9" 4
2.5 IN 12	10' 8" 10	10' 9" 0	10' 9" 6	10' 9" 12
3 IN 12	10' 9" 4	10' 9" 10	10' 10" 0	10' 10" 5
3.5 IN 12	10' 9" 15	10' 10" 5	10' 10" 11	10' 11" 1
4 IN 12	10' 10" 12	10' 11" 2	10' 11" 8	10' 11" 14
4.5 IN 12	10' 11" 11	11' 0" 1	11' 0" 7	11' 0" 12
5 IN 12	11' 0" 11	11' 1" 1	11' 1" 7	11' 1" 13
5.5 IN 12	11' 1" 13	11' 2" 3	11' 2" 9	11' 2" 15
6 IN 12	11' 3" 0	11' 3" 6	11' 3" 12	11' 4" 2
6.5 IN 12	11' 4" 5	11' 4" 11	11' 5" 1	11' 5" 7
7 IN 12	11' 5" 11	11' 6" 1	11' 6" 7	11' 6" 13
8 IN 12	11' 8" 11	11' 9" 2	11' 9" 8	11' 9" 14
9 IN 12	12' 0" 1	12' 0" 8	12' 0" 14	12' 1" 4
10 IN 12	12' 3" 12	12' 4" 2	12' 4" 9	12' 4" 15
11 IN 12	12' 7" 11	12' 8" 2	12' 8" 8	12' 8" 15
12 IN 12	12' 11" 14	13' 0" 5	13' 0" 12	13' 1" 3
13 IN 12	13' 4" 5	13' 4" 12	13' 5" 4	13' 5" 11
14 IN 12	13' 9" 0	13' 9" 7	13' 9" 15	13' 10" 6
15 IN 12	14' 1" 14	14' 2" 5	14' 2" 13	14' 3" 5
16 IN 12	14' 6" 15	14' 7" 7	14' 7" 14	14' 8" 6
17 IN 12	15' 0" 2	15' 0" 11	15' 1" 3	15' 1" 11
18 IN 12	15' 5" 9	15' 6" 1	15' 6" 9	15' 7" 1
19 IN 12	15' 11" 1	15' 11" 10	16' 0" 2	16' 0" 11
20 IN 12	16' 4" 12	16' 5" 4	16' 5" 13	16' 6" 6
21 IN 12	16' 10" 8	16' 11" 1	16' 11" 10	17' 0" 3
22 IN 12	17' 4" 6	17' 4" 15	17' 5" 9	17' 6" 2
23 IN 12	17' 10" 6	17' 11" 0	17' 11" 9	18' 0" 3
24 IN 12	18' 4" 7	18' 5" 1	18' 5" 11	18' 6" 5
25 IN 12	18' 10" 10	18' 11" 4	18' 11" 14	19' 0" 8

7 Foot 7 Inch Run — Common Rafter Lengths

7 Foot 7 Inch Run — Hip Or Valley Rafter Lengths

Pitch	7' 7" Ft In 16th"	7' 7 1/4" Ft In 16th"	7' 7 1/2" Ft In 16th"	7' 7 3/4" Ft In 16th"	7' 7" Ft In 16th"	7' 7 1/4" Ft In 16th"	7' 7 1/2" Ft In 16th"	7' 7 3/4" Ft In 16th"
1 IN 12	7' 7" 5	7' 7" 9	7' 7" 13	7' 8" 1	10' 8" 15	10' 9" 4	10' 9" 10	10' 10" 0
2 IN 12	7' 8" 4	7' 8" 8	7' 8" 12	7' 9" 0	10' 9" 9	10' 9" 15	10' 10" 5	10' 10" 10
2.5 IN 12	7' 8" 15	7' 9" 3	7' 9" 7	7' 9" 12	10' 10" 1	10' 10" 7	10' 10" 13	10' 11" 2
3 IN 12	7' 9" 13	7' 10" 1	7' 10" 5	7' 10" 9	10' 10" 11	10' 11" 1	10' 11" 7	10' 11" 12
3.5 IN 12	7' 10" 13	7' 11" 1	7' 11" 5	7' 11" 9	10' 11" 6	10' 11" 12	11' 0" 2	11' 0" 8
4 IN 12	7' 11" 15	8' 0" 3	8' 0" 7	8' 0" 11	11' 0" 4	11' 0" 9	11' 0" 15	11' 1" 5
4.5 IN 12	8' 1" 3	8' 1" 7	8' 1" 12	8' 2" 0	11' 1" 2	11' 1" 8	11' 1" 14	11' 2" 4
5 IN 12	8' 2" 9	8' 2" 14	8' 3" 2	8' 3" 6	11' 2" 3	11' 2" 9	11' 2" 14	11' 3" 4
5.5 IN 12	8' 4" 2	8' 4" 6	8' 4" 10	8' 4" 15	11' 3" 5	11' 3" 10	11' 4" 0	11' 4" 6
6 IN 12	8' 5" 12	8' 6" 0	8' 6" 5	8' 6" 9	11' 4" 8	11' 4" 14	11' 5" 4	11' 5" 10
6.5 IN 12	8' 7" 8	8' 7" 12	8' 8" 1	8' 8" 6	11' 5" 13	11' 6" 3	11' 6" 9	11' 6" 15
7 IN 12	8' 9" 2	8' 9" 10	8' 9" 15	8' 10" 4	11' 7" 3	11' 7" 10	11' 8" 0	11' 8" 6
8 IN 12	9' 1" 6	9' 1" 11	9' 2" 0	9' 2" 4	11' 10" 4	11' 10" 11	11' 11" 1	11' 11" 7
9 IN 12	9' 5" 12	9' 6" 1	9' 6" 6	9' 6" 11	12' 1" 11	12' 2" 1	12' 2" 8	12' 2" 14
10 IN 12	9' 10" 7	9' 10" 12	9' 11" 2	9' 11" 7	12' 5" 6	12' 5" 13	12' 6" 3	12' 6" 10
11 IN 12	10' 3" 7	10' 3" 13	10' 4" 2	10' 4" 7	12' 9" 6	12' 9" 13	12' 10" 3	12' 10" 10
12 IN 12	10' 8" 11	10' 9" 1	10' 9" 6	10' 9" 12	13' 1" 10	13' 2" 1	13' 2" 8	13' 2" 15
13 IN 12	11' 2" 3	11' 2" 9	11' 2" 14	11' 3" 4	13' 6" 2	13' 6" 9	13' 7" 0	13' 7" 7
14 IN 12	11' 7" 13	11' 8" 3	11' 8" 10	11' 9" 0	13' 10" 13	13' 11" 5	13' 11" 12	14' 0" 3
15 IN 12	12' 1" 11	12' 2" 1	12' 2" 8	12' 2" 14	14' 3" 12	14' 4" 4	14' 4" 11	14' 5" 3
16 IN 12	12' 7" 11	12' 8" 1	12' 8" 8	12' 8" 15	14' 8" 14	14' 9" 6	14' 9" 14	14' 10" 5
17 IN 12	13' 1" 13	13' 2" 4	13' 2" 11	13' 3" 2	15' 2" 3	15' 2" 11	15' 3" 3	15' 3" 11
18 IN 12	13' 8" 1	13' 8" 8	13' 8" 15	13' 9" 6	15' 7" 10	15' 8" 2	15' 8" 10	15' 9" 2
19 IN 12	14' 2" 7	14' 2" 14	14' 3" 6	14' 3" 13	16' 1" 3	16' 1" 12	16' 2" 4	16' 2" 13
20 IN 12	14' 8" 14	14' 9" 6	14' 9" 14	14' 10" 5	16' 6" 15	16' 7" 7	16' 8" 0	16' 8" 9
21 IN 12	15' 3" 7	15' 3" 15	15' 4" 7	15' 4" 15	17' 0" 12	17' 1" 5	17' 1" 14	17' 2" 7
22 IN 12	15' 10" 1	15' 10" 9	15' 11" 1	15' 11" 10	17' 6" 11	17' 7" 4	17' 7" 14	17' 8" 7
23 IN 12	16' 4" 12	16' 5" 4	16' 5" 13	16' 6" 6	18' 0" 12	18' 1" 6	18' 1" 15	18' 2" 9
24 IN 12	16' 11" 8	17' 0" 1	17' 0" 10	17' 1" 3	18' 6" 14	18' 7" 8	18' 8" 2	18' 8" 12
25 IN 12	17' 6" 5	17' 6" 14	17' 7" 7	17' 8" 0	19' 1" 2	19' 1" 12	19' 2" 6	19' 3" 0

7 Foot 8 Inch Run — Common Rafter Lengths   7 Foot 8 Inch Run — Hip Or Valley Rafter Lengths

Run -	7' 8" (Common)	7' 8 1/4" (Common)	7' 8 1/2" (Common)	7' 8 3/4" (Common)	7' 8" (Hip/Valley)	7' 8 1/4" (Hip/Valley)	7' 8 1/2" (Hip/Valley)	7' 8 3/4" (Hip/Valley)
Pitch (Ft In 16th")	Ft In 16th"	Ft In 16th"	Ft In 16th"	Ft In 16th"	Ft In 16th"	Ft In 16th"	Ft In 16th"	Ft In 16th"
1 IN 12	7' 8" 5	7' 8" 9	7' 8" 13	7' 9" 1	10' 10" 5	10' 10" 11	10' 11" 1	10' 11" 6
2 IN 12	7' 9" 4	7' 9" 8	7' 9" 12	7' 10" 0	10' 11" 0	10' 11" 6	10' 11" 12	11' 0" 1
2.5 IN 12	7' 10" 0	7' 10" 4	7' 10" 8	7' 10" 12	10' 11" 8	10' 11" 14	11' 0" 4	11' 0" 9
3 IN 12	7' 10" 13	7' 11" 1	7' 11" 6	7' 11" 10	11' 0" 2	11' 0" 8	11' 0" 13	11' 1" 3
3.5 IN 12	7' 11" 13	8' 0" 2	8' 0" 6	8' 0" 10	11' 0" 14	11' 1" 3	11' 1" 9	11' 1" 15
4 IN 12	8' 1" 0	8' 1" 4	8' 1" 8	8' 1" 12	11' 1" 11	11' 2" 1	11' 2" 6	11' 2" 12
4.5 IN 12	8' 2" 4	8' 2" 8	8' 2" 13	8' 3" 1	11' 2" 10	11' 3" 0	11' 3" 5	11' 3" 11
5 IN 12	8' 3" 11	8' 3" 15	8' 4" 3	8' 4" 8	11' 3" 10	11' 4" 0	11' 4" 6	11' 4" 12
5.5 IN 12	8' 5" 3	8' 5" 8	8' 5" 12	8' 6" 0	11' 4" 12	11' 5" 2	11' 5" 8	11' 5" 14
6 IN 12	8' 6" 14	8' 7" 2	8' 7" 7	8' 7" 11	11' 6" 0	11' 6" 6	11' 6" 12	11' 7" 2
6.5 IN 12	8' 8" 10	8' 8" 15	8' 9" 3	8' 9" 8	11' 7" 5	11' 7" 11	11' 8" 1	11' 8" 7
7 IN 12	8' 10" 8	8' 10" 13	8' 11" 1	8' 11" 6	11' 8" 12	11' 9" 2	11' 9" 8	11' 9" 14
8 IN 12	9' 2" 9	9' 2" 14	9' 3" 3	9' 3" 8	11' 11" 13	12' 0" 4	12' 0" 10	12' 1" 0
9 IN 12	9' 7" 0	9' 7" 5	9' 7" 10	9' 7" 15	12' 3" 4	12' 3" 11	12' 4" 1	12' 4" 8
10 IN 12	9' 11" 12	10' 0" 1	10' 0" 7	10' 0" 12	12' 7" 0	12' 7" 7	12' 7" 13	12' 8" 4
11 IN 12	10' 4" 13	10' 5" 2	10' 5" 8	10' 5" 13	12' 11" 1	12' 11" 8	12' 11" 14	13' 0" 5
12 IN 12	10' 10" 2	10' 10" 7	10' 10" 13	10' 11" 3	13' 3" 6	13' 3" 13	13' 4" 3	13' 4" 10
13 IN 12	11' 3" 10	11' 4" 0	11' 4" 6	11' 4" 12	13' 7" 14	13' 8" 5	13' 8" 13	13' 9" 4
14 IN 12	11' 9" 6	11' 9" 12	11' 10" 2	11' 10" 8	14' 0" 11	14' 1" 2	14' 1" 9	14' 2" 1
15 IN 12	12' 3" 4	12' 3" 11	12' 4" 1	12' 4" 8	14' 5" 10	14' 6" 2	14' 6" 9	14' 7" 1
16 IN 12	12' 9" 5	12' 9" 12	12' 10" 3	12' 10" 9	14' 10" 13	14' 11" 5	14' 11" 13	15' 0" 4
17 IN 12	13' 3" 10	13' 3" 15	13' 4" 6	13' 4" 13	15' 4" 3	15' 4" 11	15' 5" 3	15' 5" 11
18 IN 12	13' 9" 14	13' 10" 5	13' 10" 12	13' 11" 3	15' 9" 11	15' 10" 3	15' 10" 11	15' 11" 3
19 IN 12	14' 4" 5	14' 4" 12	14' 5" 4	14' 5" 11	16' 3" 5	16' 3" 13	16' 4" 6	16' 4" 14
20 IN 12	14' 10" 13	14' 11" 5	14' 11" 13	15' 0" 4	16' 9" 2	16' 9" 10	16' 10" 3	16' 10" 12
21 IN 12	15' 5" 7	15' 5" 15	15' 6" 7	15' 6" 15	17' 3" 0	17' 3" 9	17' 4" 2	17' 4" 11
22 IN 12	16' 0" 2	16' 0" 10	16' 1" 3	16' 1" 11	17' 9" 0	17' 9" 10	17' 10" 3	17' 10" 12
23 IN 12	16' 6" 14	16' 7" 7	16' 8" 0	16' 8" 8	18' 3" 2	18' 3" 12	18' 4" 5	18' 4" 15
24 IN 12	17' 1" 11	17' 2" 4	17' 2" 13	17' 3" 6	18' 9" 6	18' 9" 15	18' 10" 9	18' 11" 3
25 IN 12	17' 8" 10	17' 9" 3	17' 9" 12	17' 10" 5	19' 3" 10	19' 4" 5	19' 4" 15	19' 5" 9

7 Foot 9 Inch Run — Common Rafter Lengths

Run -	7' 9"			7' 9 1/4"			7' 9 1/2"			7' 9 3/4"		
Pitch	Ft	In	16th"	Ft	In	16th"	Ft	In	16th"	Ft	In	16th"
1 IN 12	7'	9"	5	7'	9"	9	7'	9"	13	7'	10"	1
2 IN 12	7'	10"	5	7'	10"	9	7'	10"	13	7'	11"	1
2.5 IN 12	7'	11"	1	7'	11"	5	7'	11"	9	7'	11"	12
3 IN 12	7'	11"	14	8'	0"	2	8'	0"	6	8'	0"	10
3.5 IN 12	8'	0"	14	8'	1"	2	8'	1"	6	8'	1"	11
4 IN 12	8'	2"	0	8'	2"	5	8'	2"	9	8'	2"	13
4.5 IN 12	8'	3"	5	8'	3"	9	8'	3"	14	8'	4"	2
5 IN 12	8'	4"	12	8'	5"	0	8'	5"	5	8'	5"	9
5.5 IN 12	8'	6"	5	8'	6"	9	8'	6"	14	8'	7"	2
6 IN 12	8'	8"	0	8'	8"	4	8'	8"	9	8'	8"	13
6.5 IN 12	8'	9"	12	8'	10"	1	8'	10"	5	8'	10"	10
7 IN 12	8'	11"	11	8'	11"	15	9'	0"	4	9'	0"	9
8 IN 12	9'	3"	12	9'	4"	1	9'	4"	6	9'	4"	11
9 IN 12	9'	8"	4	9'	8"	9	9'	8"	14	9'	9"	3
10 IN 12	10'	1"	1	10'	1"	6	10'	1"	11	10'	2"	1
11 IN 12	10'	6"	3	10'	6"	8	10'	6"	13	10'	7"	3
12 IN 12	10'	11"	8	10'	11"	14	11'	0"	4	11'	0"	9
13 IN 12	11'	5"	2	11'	5"	8	11'	5"	14	11'	6"	3
14 IN 12	11'	10"	14	11'	11"	5	11'	11"	11	12'	0"	1
15 IN 12	12'	4"	14	12'	5"	4	12'	5"	11	12'	6"	1
16 IN 12	12'	11"	0	12'	11"	7	12'	11"	13	13'	0"	4
17 IN 12	13'	5"	4	13'	5"	11	13'	6"	2	13'	6"	9
18 IN 12	13'	11"	11	14'	0"	2	14'	0"	9	14'	1"	0
19 IN 12	14'	6"	3	14'	6"	10	14'	7"	2	14'	7"	9
20 IN 12	15'	0"	12	15'	1"	4	15'	1"	12	15'	2"	3
21 IN 12	15'	7"	7	15'	7"	15	15'	8"	7	15'	8"	15
22 IN 12	16'	2"	3	16'	2"	12	16'	3"	4	16'	3"	12
23 IN 12	16'	9"	1	16'	9"	9	16'	10"	2	16'	10"	11
24 IN 12	17'	3"	15	17'	4"	7	17'	5"	1	17'	5"	10
25 IN 12	17'	10"	15	17'	11"	8	18'	0"	1	18'	0"	10

7 Foot 9 Inch Run — Hip Or Valley Rafter Lengths

Run -	7' 9"			7' 9 1/4"			7' 9 1/2"			7' 9 3/4"		
Pitch	Ft	In	16th"	Ft	In	16th"	Ft	In	16th"	Ft	In	16th"
1 IN 12	10'	11"	12	11'	0"	2	11'	0"	7	11'	0"	13
2 IN 12	11'	0"	7	11'	0"	13	11'	1"	2	11'	1"	8
2.5 IN 12	11'	0"	15	11'	1"	5	11'	1"	10	11'	2"	0
3 IN 12	11'	1"	9	11'	1"	15	11'	2"	4	11'	2"	10
3.5 IN 12	11'	2"	5	11'	2"	10	11'	3"	0	11'	3"	6
4 IN 12	11'	3"	2	11'	3"	8	11'	3"	14	11'	4"	3
4.5 IN 12	11'	4"	1	11'	4"	7	11'	4"	13	11'	5"	3
5 IN 12	11'	5"	2	11'	5"	8	11'	5"	14	11'	6"	3
5.5 IN 12	11'	6"	4	11'	6"	10	11'	7"	0	11'	7"	7
6 IN 12	11'	7"	8	11'	7"	14	11'	8"	4	11'	8"	10
6.5 IN 12	11'	8"	13	11'	9"	3	11'	9"	10	11'	10"	0
7 IN 12	11'	10"	4	11'	10"	10	11'	11"	1	11'	11"	7
8 IN 12	12'	1"	6	12'	1"	13	12'	2"	3	12'	2"	9
9 IN 12	12'	4"	14	12'	5"	4	12'	5"	11	12'	6"	1
10 IN 12	12'	8"	11	12'	9"	1	12'	9"	8	12'	9"	14
11 IN 12	13'	0"	12	13'	1"	2	13'	1"	9	13'	2"	0
12 IN 12	13'	5"	1	13'	5"	8	13'	5"	15	13'	6"	6
13 IN 12	13'	9"	11	13'	10"	2	13'	10"	9	13'	11"	0
14 IN 12	14'	2"	8	14'	2"	15	14'	3"	7	14'	3"	14
15 IN 12	14'	7"	9	14'	8"	0	14'	8"	8	14'	8"	15
16 IN 12	15'	0"	12	15'	1"	4	15'	1"	12	15'	2"	3
17 IN 12	15'	6"	3	15'	6"	11	15'	7"	3	15'	7"	11
18 IN 12	15'	11"	12	16'	0"	4	16'	0"	12	16'	1"	4
19 IN 12	16'	5"	7	16'	5"	15	16'	6"	8	16'	7"	0
20 IN 12	16'	11"	4	16'	11"	13	17'	0"	6	17'	0"	15
21 IN 12	17'	5"	4	17'	5"	13	17'	6"	6	17'	6"	15
22 IN 12	17'	11"	5	17'	11"	15	18'	0"	8	18'	1"	1
23 IN 12	18'	5"	8	18'	6"	2	18'	6"	11	18'	7"	5
24 IN 12	18'	11"	13	19'	0"	7	19'	1"	0	19'	1"	10
25 IN 12	19'	6"	3	19'	6"	13	19'	7"	7	19'	8"	1

7 Foot 10 Inch Run — Common Rafter Lengths   7 Foot 10 Inch Run — Hip Or Valley Rafter Lengths

Run -	7'10"	7'10 1/4"	7'10 1/2"	7'10 3/4"	7'10"	7'10 1/4"	7'10 1/2"	7'10 3/4"
Pitch	Ft In 16th"	Ft In 16th"	Ft In 16th"	Ft In 16th"	Ft In 16th"	Ft In 16th"	Ft In 16th"	Ft In 16th"
1 IN 12	7' 10" 5	7' 10" 9	7' 10" 13	7' 11" 1	11' 1" 3	11' 1" 8	11' 1" 14	11' 2" 4
2 IN 12	7' 11" 5	7' 11" 9	7' 11" 13	8' 0" 1	11' 1" 14	11' 2" 3	11' 2" 9	11' 2" 15
2.5 IN 12	8' 0" 0	8' 0" 4	8' 0" 8	8' 0" 13	11' 2" 6	11' 2" 12	11' 3" 1	11' 3" 7
3 IN 12	8' 0" 14	8' 1" 2	8' 1" 7	8' 1" 11	11' 3" 0	11' 3" 6	11' 3" 11	11' 4" 1
3.5 IN 12	8' 1" 15	8' 2" 3	8' 2" 7	8' 2" 11	11' 3" 12	11' 4" 2	11' 4" 7	11' 4" 13
4 IN 12	8' 3" 1	8' 3" 6	8' 3" 10	8' 3" 14	11' 4" 9	11' 4" 15	11' 5" 5	11' 5" 11
4.5 IN 12	8' 4" 6	8' 4" 11	8' 4" 15	8' 5" 3	11' 5" 8	11' 5" 14	11' 6" 4	11' 6" 10
5 IN 12	8' 5" 13	8' 6" 2	8' 6" 6	8' 6" 10	11' 6" 9	11' 6" 15	11' 7" 5	11' 7" 11
5.5 IN 12	8' 7" 6	8' 7" 11	8' 7" 15	8' 8" 4	11' 7" 12	11' 8" 2	11' 8" 8	11' 8" 14
6 IN 12	8' 9" 2	8' 9" 6	8' 9" 10	8' 9" 15	11' 9" 0	11' 9" 6	11' 9" 12	11' 10" 2
6.5 IN 12	8' 10" 14	8' 11" 3	8' 11" 8	8' 11" 12	11' 10" 6	11' 10" 12	11' 11" 2	11' 11" 8
7 IN 12	9' 0" 13	9' 1" 2	9' 1" 6	9' 1" 11	11' 11" 13	12' 0" 3	12' 0" 9	12' 0" 15
8 IN 12	9' 5" 0	9' 5" 4	9' 5" 9	9' 5" 14	12' 2" 15	12' 3" 6	12' 3" 12	12' 4" 2
9 IN 12	9' 9" 8	9' 9" 13	9' 10" 2	9' 10" 7	12' 6" 8	12' 6" 14	12' 7" 4	12' 7" 11
10 IN 12	10' 2" 6	10' 2" 11	10' 3" 0	10' 3" 5	12' 10" 5	12' 10" 11	12' 11" 2	12' 11" 8
11 IN 12	10' 7" 8	10' 7" 14	10' 8" 3	10' 8" 9	13' 2" 7	13' 2" 13	13' 3" 4	13' 3" 11
12 IN 12	11' 0" 7	11' 1" 5	11' 1" 10	11' 2" 0	13' 6" 13	13' 7" 4	13' 7" 11	13' 8" 2
13 IN 12	11' 6" 9	11' 6" 15	11' 7" 5	11' 7" 11	13' 11" 7	13' 11" 14	14' 0" 6	14' 0" 13
14 IN 12	12' 0" 7	12' 0" 13	12' 1" 3	12' 1" 9	14' 4" 5	14' 4" 13	14' 5" 4	14' 5" 11
15 IN 12	12' 6" 8	12' 6" 14	12' 7" 4	12' 7" 11	14' 9" 7	14' 9" 14	14' 10" 6	14' 10" 13
16 IN 12	13' 0" 11	13' 1" 1	13' 1" 8	13' 1" 15	15' 2" 11	15' 3" 3	15' 3" 11	15' 4" 3
17 IN 12	13' 7" 0	13' 7" 7	13' 7" 14	13' 8" 5	15' 8" 3	15' 8" 11	15' 9" 3	15' 9" 11
18 IN 12	14' 1" 7	14' 1" 15	14' 2" 6	14' 2" 13	16' 1" 13	16' 2" 5	16' 2" 13	16' 3" 5
19 IN 12	14' 8" 1	14' 8" 8	14' 8" 15	14' 9" 7	16' 7" 7	16' 8" 1	16' 8" 10	16' 9" 2
20 IN 12	15' 2" 11	15' 3" 3	15' 3" 11	15' 4" 3	17' 1" 7	17' 2" 0	17' 2" 9	17' 3" 2
21 IN 12	15' 9" 7	15' 9" 15	15' 10" 8	15' 11" 0	17' 7" 8	17' 8" 1	17' 8" 10	17' 9" 3
22 IN 12	16' 4" 5	16' 4" 13	16' 5" 6	16' 5" 14	18' 1" 10	18' 2" 4	18' 2" 13	18' 3" 6
23 IN 12	16' 11" 3	16' 11" 12	17' 0" 5	17' 0" 13	18' 7" 14	18' 8" 8	18' 9" 1	18' 9" 11
24 IN 12	17' 6" 3	17' 6" 12	17' 7" 5	17' 7" 14	19' 2" 4	19' 2" 14	19' 3" 8	19' 4" 1
25 IN 12	18' 1" 4	18' 1" 13	18' 2" 6	18' 2" 15	19' 8" 11	19' 9" 5	19' 9" 15	19' 10" 9

7 Foot 11 Inch Run — Common Rafter Lengths   7 Foot 11 Inch Run — Hip Or Valley Rafter Lengths

Run – Pitch	7'11"	7'11 1/4"	7'11 1/2"	7'11 3/4"	7'11"	7'11 1/4"	7'11 1/2"	7'11 3/4"
	Ft In 16th"	Ft In 16th"	Ft In 16th"	Ft In 16th"	Ft In 16th"	Ft In 16th"	Ft In 16th"	Ft In 16th"
1 IN 12	7' 11" 5	7' 11" 9	7' 11" 13	8' 0" 1	11' 2" 9	11' 2" 15	11' 3" 5	11' 3" 10
2 IN 12	8' 0" 5	8' 0" 9	8' 0" 13	8' 1" 1	11' 3" 4	11' 3" 10	11' 4" 0	11' 4" 6
2.5 IN 12	8' 1" 1	8' 1" 5	8' 1" 9	8' 1" 13	11' 3" 13	11' 4" 3	11' 4" 8	11' 4" 14
3 IN 12	8' 1" 15	8' 2" 3	8' 2" 7	8' 2" 11	11' 4" 7	11' 4" 13	11' 5" 2	11' 5" 8
3.5 IN 12	8' 2" 15	8' 3" 4	8' 3" 8	8' 3" 12	11' 5" 3	11' 5" 9	11' 5" 14	11' 6" 2
4 IN 12	8' 4" 2	8' 4" 6	8' 4" 11	8' 4" 15	11' 6" 0	11' 6" 6	11' 6" 12	11' 7" 2
4.5 IN 12	8' 5" 7	8' 5" 12	8' 6" 0	8' 6" 4	11' 7" 0	11' 7" 6	11' 7" 12	11' 8" 2
5 IN 12	8' 6" 15	8' 7" 3	8' 7" 7	8' 7" 12	11' 8" 1	11' 8" 7	11' 8" 13	11' 9" 3
5.5 IN 12	8' 8" 8	8' 8" 12	8' 9" 1	8' 9" 5	11' 9" 4	11' 9" 10	11' 10" 0	11' 10" 6
6 IN 12	8' 10" 3	8' 10" 8	8' 10" 12	8' 11" 1	11' 10" 8	11' 10" 14	11' 11" 4	11' 11" 10
6.5 IN 12	9' 0" 1	9' 0" 5	9' 0" 10	9' 0" 14	11' 11" 14	12' 0" 4	12' 0" 10	12' 1" 0
7 IN 12	9' 2" 0	9' 2" 4	9' 2" 9	9' 2" 14	12' 1" 5	12' 1" 11	12' 2" 2	12' 2" 8
8 IN 12	9' 6" 2	9' 6" 6	9' 6" 12	9' 7" 1	12' 4" 8	12' 4" 15	12' 5" 5	12' 5" 11
9 IN 12	9' 10" 12	9' 11" 1	9' 11" 6	9' 11" 11	12' 8" 1	12' 8" 8	12' 8" 14	12' 9" 4
10 IN 12	10' 3" 11	10' 4" 0	10' 4" 5	10' 4" 10	12' 11" 15	13' 0" 6	13' 0" 12	13' 1" 3
11 IN 12	10' 8" 14	10' 9" 3	10' 9" 9	10' 9" 14	13' 4" 2	13' 4" 8	13' 4" 15	13' 5" 6
12 IN 12	11' 2" 6	11' 2" 11	11' 3" 1	11' 3" 7	13' 8" 9	13' 9" 0	13' 9" 7	13' 9" 14
13 IN 12	11' 8" 1	11' 8" 7	11' 8" 13	11' 9" 3	14' 1" 4	14' 1" 11	14' 2" 2	14' 2" 9
14 IN 12	12' 2" 0	12' 2" 6	12' 2" 12	12' 3" 2	14' 6" 3	14' 6" 10	14' 7" 1	14' 7" 9
15 IN 12	12' 8" 1	12' 8" 8	12' 8" 14	12' 9" 4	14' 11" 5	14' 11" 12	15' 0" 4	15' 0" 12
16 IN 12	13' 2" 5	13' 2" 12	13' 3" 3	13' 3" 9	15' 4" 10	15' 5" 2	15' 5" 10	15' 6" 2
17 IN 12	13' 8" 12	13' 9" 3	13' 9" 10	13' 10" 1	15' 10" 3	15' 10" 11	15' 11" 3	15' 11" 11
18 IN 12	14' 3" 4	14' 3" 11	14' 4" 3	14' 4" 10	16' 3" 14	16' 4" 6	16' 4" 14	16' 5" 6
19 IN 12	14' 9" 14	14' 10" 6	14' 10" 13	14' 11" 5	16' 9" 11	16' 10" 3	16' 10" 12	16' 11" 4
20 IN 12	15' 4" 10	15' 5" 2	15' 5" 10	15' 6" 2	17' 3" 10	17' 4" 3	17' 4" 12	17' 5" 5
21 IN 12	15' 11" 8	16' 0" 0	16' 0" 8	16' 1" 0	17' 9" 12	17' 10" 5	17' 10" 14	17' 11" 7
22 IN 12	16' 6" 6	16' 6" 15	16' 7" 7	16' 7" 15	18' 3" 15	18' 4" 9	18' 5" 2	18' 5" 11
23 IN 12	17' 1" 6	17' 1" 15	17' 2" 7	17' 3" 0	18' 10" 5	18' 10" 14	18' 11" 8	19' 0" 1
24 IN 12	17' 8" 7	17' 9" 0	17' 9" 9	17' 10" 2	19' 4" 11	19' 5" 5	19' 5" 15	19' 6" 9
25 IN 12	18' 3" 9	18' 4" 2	18' 4" 11	18' 5" 4	19' 11" 3	19' 11" 13	20' 0" 7	20' 1" 2

8 Foot 0 Inch Run — Common Rafter Lengths   8 Foot 0 Inch Run — Hip Or Valley Rafter Lengths

Run -	8' 0"	8' 0 1/4"	8' 0 1/2"	8' 0 3/4"	8' 0"	8' 0 1/4"	8' 0 1/2"	8' 0 3/4"
Pitch	Ft In 16th"	Ft In 16th"	Ft In 16th"	Ft In 16th"	Ft In 16th"	Ft In 16th"	Ft In 16th"	Ft In 16th"
1 IN 12	8' 0" 5	8' 0" 9	8' 0" 13	8' 1" 1	11' 4" 0	11' 4" 6	11' 4" 11	11' 5" 1
2 IN 12	8' 1" 5	8' 1" 9	8' 1" 13	8' 2" 1	11' 4" 11	11' 5" 1	11' 5" 7	11' 5" 12
2.5 IN 12	8' 2" 1	8' 2" 5	8' 2" 9	8' 2" 13	11' 5" 4	11' 5" 9	11' 5" 15	11' 6" 5
3 IN 12	8' 2" 15	8' 3" 3	8' 3" 8	8' 3" 12	11' 5" 14	11' 6" 4	11' 6" 9	11' 6" 15
3.5 IN 12	8' 4" 0	8' 4" 4	8' 4" 8	8' 4" 13	11' 6" 10	11' 7" 0	11' 7" 6	11' 7" 11
4 IN 12	8' 5" 3	8' 5" 7	8' 5" 12	8' 6" 0	11' 7" 8	11' 7" 14	11' 8" 3	11' 8" 9
4.5 IN 12	8' 6" 8	8' 6" 13	8' 7" 1	8' 7" 5	11' 8" 7	11' 8" 13	11' 9" 3	11' 9" 9
5 IN 12	8' 8" 0	8' 8" 4	8' 8" 9	8' 8" 13	11' 9" 9	11' 9" 14	11' 10" 4	11' 10" 10
5.5 IN 12	8' 9" 10	8' 9" 14	8' 10" 2	8' 10" 7	11' 10" 11	11' 11" 1	11' 11" 7	11' 11" 13
6 IN 12	8' 11" 5	8' 11" 10	8' 11" 14	9' 0" 3	12' 0" 0	12' 0" 6	12' 0" 12	12' 1" 2
6.5 IN 12	9' 1" 3	9' 1" 7	9' 1" 12	9' 2" 1	12' 1" 6	12' 1" 12	12' 2" 2	12' 2" 8
7 IN 12	9' 3" 2	9' 3" 7	9' 3" 11	9' 4" 0	12' 2" 14	12' 3" 4	12' 3" 10	12' 4" 0
8 IN 12	9' 7" 6	9' 7" 11	9' 8" 0	9' 8" 4	12' 6" 1	12' 6" 8	12' 6" 14	12' 7" 4
9 IN 12	10' 0" 0	10' 0" 5	10' 0" 10	10' 0" 15	12' 9" 11	12' 10" 1	12' 10" 8	12' 10" 14
10 IN 12	10' 4" 15	10' 5" 5	10' 5" 10	10' 5" 15	13' 1" 9	13' 2" 0	13' 2" 6	13' 2" 13
11 IN 12	10' 10" 4	10' 10" 9	10' 10" 15	10' 11" 4	13' 5" 13	13' 6" 3	13' 6" 10	13' 7" 1
12 IN 12	11' 3" 12	11' 4" 2	11' 4" 8	11' 4" 13	13' 10" 4	13' 10" 11	13' 11" 2	13' 11" 9
13 IN 12	11' 9" 9	11' 9" 14	11' 10" 4	11' 10" 10	14' 3" 0	14' 3" 7	14' 3" 15	14' 4" 6
14 IN 12	12' 3" 8	12' 3" 14	12' 4" 4	12' 4" 11	14' 8" 0	14' 8" 7	14' 8" 15	14' 9" 6
15 IN 12	12' 9" 11	12' 10" 1	12' 10" 8	12' 10" 14	15' 1" 3	15' 1" 11	15' 2" 2	15' 2" 10
16 IN 12	13' 4" 0	13' 4" 7	13' 4" 13	13' 5" 4	15' 6" 9	15' 7" 1	15' 7" 9	15' 8" 1
17 IN 12	13' 10" 8	13' 10" 14	13' 11" 5	13' 11" 12	16' 0" 3	16' 0" 11	16' 1" 3	16' 1" 11
18 IN 12	14' 5" 1	14' 5" 8	14' 5" 15	14' 6" 7	16' 5" 15	16' 6" 7	16' 6" 15	16' 7" 7
19 IN 12	14' 11" 12	15' 0" 4	15' 0" 11	15' 1" 3	16' 11" 13	17' 0" 5	17' 0" 14	17' 1" 6
20 IN 12	15' 6" 9	15' 7" 1	15' 7" 9	15' 8" 1	17' 5" 13	17' 6" 6	17' 6" 15	17' 7" 8
21 IN 12	16' 1" 8	16' 2" 0	16' 2" 8	16' 3" 0	18' 0" 0	18' 0" 9	18' 1" 2	18' 1" 11
22 IN 12	16' 8" 8	16' 9" 0	16' 9" 8	16' 10" 1	18' 6" 4	18' 6" 14	18' 7" 7	18' 8" 0
23 IN 12	17' 3" 9	17' 4" 1	17' 4" 10	17' 5" 3	19' 0" 11	19' 1" 4	19' 1" 14	19' 2" 7
24 IN 12	17' 10" 11	17' 11" 4	17' 11" 12	18' 0" 5	19' 7" 2	19' 7" 12	19' 8" 6	19' 9" 0
25 IN 12	18' 5" 14	18' 6" 7	18' 7" 0	18' 7" 9	20' 1" 12	20' 2" 6	20' 3" 0	20' 3" 10

8 Foot 1 Inch Run — Common Rafter Lengths   8 Foot 1 Inch Run — Hip Or Valley Rafter Lengths

8 Foot 1 Inch Run — Hip Or Valley Rafter Lengths

Run -	8' 1"			8' 1 1/4"			8' 1 1/2"			8' 1 3/4"			8' 1"			8' 1 1/4"			8' 1 1/2"			8' 1 3/4"		
Pitch	Ft	In	16th"	Ft	In	16th"	Ft	In	16th"	Ft	In	16th"	Ft	In	16th"	Ft	In	16th"	Ft	In	16th"	Ft	In	16th"
1 IN 12	8'	1"	5	8'	1"	9	8'	1"	13	8'	2"	1	11'	5"	7	11'	5"	12	11'	6"	2	11'	6"	8
2 IN 12	8'	2"	5	8'	2"	9	8'	2"	14	8'	3"	2	11'	6"	2	11'	6"	8	11'	6"	13	11'	7"	3
2.5 IN 12	8'	3"	1	8'	3"	5	8'	3"	9	8'	3"	14	11'	6"	11	11'	7"	0	11'	7"	6	11'	7"	12
3 IN 12	8'	4"	0	8'	4"	4	8'	4"	8	8'	4"	12	11'	7"	5	11'	7"	11	11'	8"	0	11'	8"	6
3.5 IN 12	8'	5"	1	8'	5"	5	8'	5"	9	8'	5"	13	11'	8"	1	11'	8"	7	11'	8"	13	11'	9"	2
4 IN 12	8'	6"	4	8'	6"	8	8'	6"	12	8'	7"	1	11'	8"	15	11'	9"	5	11'	9"	11	11'	10"	0
4.5 IN 12	8'	7"	10	8'	7"	14	8'	8"	2	8'	8"	6	11'	9"	15	11'	10"	5	11'	10"	10	11'	11"	0
5 IN 12	8'	9"	1	8'	9"	6	8'	9"	10	8'	9"	14	11'	11"	0	11'	11"	6	11'	11"	12	12'	0"	2
5.5 IN 12	8'	10"	11	8'	11"	0	8'	11"	4	8'	11"	8	12'	0"	3	12'	0"	9	12'	0"	15	12'	1"	5
6 IN 12	9'	0"	7	9'	0"	12	9'	1"	0	9'	1"	5	12'	1"	8	12'	1"	14	12'	2"	4	12'	2"	10
6.5 IN 12	9'	2"	5	9'	2"	10	9'	2"	14	9'	3"	3	12'	2"	14	12'	3"	4	12'	3"	10	12'	4"	1
7 IN 12	9'	4"	5	9'	4"	9	9'	4"	14	9'	5"	3	12'	4"	6	12'	4"	12	12'	5"	2	12'	5"	9
8 IN 12	9'	8"	9	9'	8"	14	9'	9"	3	9'	9"	8	12'	7"	11	12'	8"	1	12'	8"	7	12'	8"	13
9 IN 12	10'	1"	4	10'	1"	9	10'	1"	14	10'	2"	3	12'	11"	4	12'	11"	11	13'	0"	1	13'	0"	8
10 IN 12	10'	6"	4	10'	6"	9	10'	6"	15	10'	7"	4	13'	3"	4	13'	3"	10	13'	4"	1	13'	4"	7
11 IN 12	10'	11"	9	10'	11"	15	11'	0"	4	11'	0"	10	13'	7"	8	13'	7"	14	13'	8"	5	13'	8"	12
12 IN 12	11'	5"	3	11'	5"	9	11'	5"	14	11'	6"	4	14'	0"	0	14'	0"	7	14'	0"	14	14'	1"	5
13 IN 12	11'	11"	0	11'	11"	6	11'	11"	12	12'	0"	2	14'	4"	13	14'	5"	5	14'	5"	11	14'	6"	2
14 IN 12	12'	5"	1	12'	5"	7	12'	5"	13	12'	6"	3	14'	9"	13	14'	10"	5	14'	10"	12	14'	11"	3
15 IN 12	12'	11"	4	12'	11"	11	13'	0"	1	13'	0"	8	15'	3"	1	15'	3"	9	15'	4"	0	15'	4"	7
16 IN 12	13'	5"	11	13'	6"	1	13'	6"	8	13'	6"	15	15'	8"	9	15'	9"	0	15'	9"	8	15'	10"	0
17 IN 12	14'	0"	3	14'	0"	10	14'	1"	1	14'	1"	8	16'	2"	3	16'	2"	11	16'	3"	3	16'	3"	11
18 IN 12	14'	6"	14	14'	7"	5	14'	7"	12	14'	8"	4	16'	8"	0	16'	8"	8	16'	9"	0	16'	9"	8
19 IN 12	15'	1"	10	15'	2"	2	15'	2"	9	15'	3"	1	17'	1"	15	17'	2"	7	17'	3"	0	17'	3"	8
20 IN 12	15'	8"	9	15'	9"	0	15'	9"	8	15'	10"	0	17'	8"	0	17'	8"	9	17'	9"	2	17'	9"	11
21 IN 12	16'	3"	8	16'	4"	0	16'	4"	8	16'	5"	0	18'	2"	4	18'	2"	13	18'	3"	6	18'	3"	15
22 IN 12	16'	10"	9	16'	11"	1	16'	11"	10	17'	0"	2	18'	8"	10	18'	9"	3	18'	9"	12	18'	10"	5
23 IN 12	17'	5"	11	17'	6"	4	17'	6"	12	17'	7"	5	19'	3"	1	19'	3"	10	19'	4"	4	19'	4"	13
24 IN 12	18'	0"	14	18'	1"	7	18'	2"	0	18'	2"	9	19'	9"	10	19'	10"	3	19'	10"	13	19'	11"	7
25 IN 12	18'	8"	3	18'	8"	12	18'	9"	5	18'	9"	14	20'	4"	4	20'	4"	14	20'	5"	8	20'	6"	2

8 Foot 2 Inch Run — Common Rafter Lengths

8 Foot 2 Inch Run — Hip Or Valley Rafter Lengths

Run – Pitch	8' 2"	8' 2 1/4"	8' 2 1/2"	8' 2 3/4"	8' 2"	8' 2 1/4"	8' 2 1/2"	8' 2 3/4"
	Ft In 16th"	Ft In 16th"	Ft In 16th"	Ft In 16th"	Ft In 16th"	Ft In 16th"	Ft In 16th"	Ft In 16th"
1 IN 12	8' 2" 5	8' 2" 9	8' 2" 13	8' 3" 1	11' 6" 13	11' 7" 3	11' 7" 9	11' 7" 14
2 IN 12	8' 3" 6	8' 3" 10	8' 3" 14	8' 4" 2	11' 7" 9	11' 7" 15	11' 8" 4	11' 8" 10
2.5 IN 12	8' 4" 2	8' 4" 6	8' 4" 10	8' 4" 14	11' 8" 1	11' 8" 7	11' 8" 13	11' 9" 3
3 IN 12	8' 5" 0	8' 5" 4	8' 5" 9	8' 5" 13	11' 8" 12	11' 9" 2	11' 9" 7	11' 9" 13
3.5 IN 12	8' 6" 1	8' 6" 6	8' 6" 10	8' 6" 14	11' 9" 8	11' 9" 14	11' 10" 4	11' 10" 9
4 IN 12	8' 7" 5	8' 7" 9	8' 7" 13	8' 8" 1	11' 10" 6	11' 10" 12	11' 11" 2	11' 11" 8
4.5 IN 12	8' 8" 11	8' 8" 15	8' 9" 3	8' 9" 7	11' 11" 6	11' 11" 12	12' 0" 2	12' 0" 8
5 IN 12	8' 10" 3	8' 10" 7	8' 10" 11	8' 11" 0	12' 0" 8	12' 0" 14	12' 1" 4	12' 1" 9
5.5 IN 12	8' 11" 13	9' 0" 0	9' 0" 6	9' 0" 10	12' 1" 11	12' 2" 1	12' 2" 7	12' 2" 13
6 IN 12	9' 1" 9	9' 1" 14	9' 2" 2	9' 2" 6	12' 3" 0	12' 3" 6	12' 3" 12	12' 4" 2
6.5 IN 12	9' 3" 7	9' 3" 12	9' 4" 0	9' 4" 5	12' 4" 7	12' 4" 13	12' 5" 3	12' 5" 9
7 IN 12	9' 5" 7	9' 5" 12	9' 6" 1	9' 6" 5	12' 5" 15	12' 6" 5	12' 6" 11	12' 7" 1
8 IN 12	9' 9" 13	9' 10" 1	9' 10" 6	9' 10" 11	12' 9" 4	12' 9" 10	12' 10" 0	12' 10" 6
9 IN 12	10' 2" 8	10' 2" 13	10' 3" 2	10' 3" 7	13' 0" 14	13' 1" 4	13' 1" 11	13' 2" 1
10 IN 12	10' 7" 9	10' 7" 14	10' 8" 3	10' 8" 9	13' 4" 14	13' 5" 4	13' 5" 11	13' 6" 2
11 IN 12	11' 0" 15	11' 1" 5	11' 1" 10	11' 1" 15	13' 9" 3	13' 9" 9	13' 10" 0	13' 10" 7
12 IN 12	11' 6" 9	11' 6" 15	11' 7" 5	11' 7" 10	14' 1" 12	14' 2" 3	14' 2" 10	14' 3" 1
13 IN 12	12' 0" 8	12' 0" 14	12' 1" 4	12' 1" 9	14' 6" 9	14' 7" 0	14' 7" 8	14' 7" 15
14 IN 12	12' 6" 9	12' 7" 0	12' 7" 6	12' 7" 12	14' 11" 11	15' 0" 2	15' 0" 9	15' 1" 1
15 IN 12	13' 0" 14	13' 1" 4	13' 1" 11	13' 2" 1	15' 5" 0	15' 5" 7	15' 5" 15	15' 6" 6
16 IN 12	13' 7" 5	13' 7" 12	13' 8" 3	13' 8" 9	15' 10" 8	15' 10" 15	15' 11" 7	15' 11" 15
17 IN 12	14' 1" 15	14' 2" 6	14' 2" 13	14' 3" 4	16' 4" 3	16' 4" 11	16' 5" 3	16' 5" 11
18 IN 12	14' 8" 11	14' 9" 2	14' 9" 9	14' 10" 0	16' 10" 1	16' 10" 9	16' 11" 1	16' 11" 9
19 IN 12	15' 3" 8	15' 4" 0	15' 4" 7	15' 4" 15	17' 4" 1	17' 4" 9	17' 5" 2	17' 5" 10
20 IN 12	15' 10" 8	15' 10" 15	15' 11" 7	15' 11" 15	17' 10" 3	17' 10" 12	17' 11" 5	17' 11" 14
21 IN 12	16' 5" 8	16' 6" 0	16' 6" 9	16' 7" 1	18' 4" 8	18' 5" 1	18' 5" 10	18' 6" 3
22 IN 12	17' 0" 10	17' 1" 3	17' 1" 11	17' 2" 4	18' 10" 15	18' 11" 8	19' 0" 1	19' 0" 10
23 IN 12	17' 7" 14	17' 8" 6	17' 8" 15	17' 9" 8	19' 5" 7	19' 6" 0	19' 6" 10	19' 7" 3
24 IN 12	18' 3" 2	18' 3" 11	18' 4" 4	18' 4" 13	20' 0" 1	20' 0" 11	20' 1" 4	20' 1" 14
25 IN 12	18' 10" 7	18' 11" 1	18' 11" 10	19' 0" 3	20' 6" 12	20' 7" 6	20' 8" 0	20' 8" 10

8 Foot 3 Inch Run — Common Rafter Lengths

Run -	8' 3"			8' 3 1/4"			8' 3 1/2"			8' 3 3/4"		
Pitch	Ft	In	16th"	Ft	In	16th"	Ft	In	16th"	Ft	In	16th"
1 IN 12	8'	3"	5	8'	3"	10	8'	3"	14	8'	4"	2
2 IN 12	8'	4"	6	8'	4"	10	8'	4"	14	8'	5"	2
2.5 IN 12	8'	5"	2	8'	5"	6	8'	5"	10	8'	5"	14
3 IN 12	8'	6"	1	8'	6"	6	8'	6"	9	8'	6"	13
3.5 IN 12	8'	7"	2	8'	7"	6	8'	7"	10	8'	7"	15
4 IN 12	8'	8"	6	8'	8"	10	8'	8"	14	8'	9"	2
4.5 IN 12	8'	9"	12	8'	10"	0	8'	10"	4	8'	10"	9
5 IN 12	8'	11"	4	8'	11"	8	8'	11"	13	9'	0"	1
5.5 IN 12	9'	0"	14	9'	1"	3	9'	1"	7	9'	1"	12
6 IN 12	9'	2"	11	9'	2"	15	9'	3"	4	9'	3"	8
6.5 IN 12	9'	4"	9	9'	4"	14	9'	5"	3	9'	5"	7
7 IN 12	9'	6"	10	9'	6"	14	9'	7"	3	9'	7"	8
8 IN 12	9'	11"	0	9'	11"	5	9'	11"	9	9'	11"	14
9 IN 12	10'	3"	12	10'	4"	1	10'	4"	6	10'	4"	11
10 IN 12	10'	8"	14	10'	9"	3	10'	9"	8	10'	9"	14
11 IN 12	11'	2"	5	11'	2"	10	11'	3"	0	11'	3"	5
12 IN 12	11'	8"	0	11'	8"	6	11'	8"	11	11'	9"	1
13 IN 12	12'	1"	15	12'	2"	5	12'	2"	11	12'	3"	1
14 IN 12	12'	8"	2	12'	8"	8	12'	8"	14	12'	9"	4
15 IN 12	13'	2"	8	13'	2"	14	13'	3"	4	13'	3"	11
16 IN 12	13'	9"	0	13'	9"	7	13'	9"	13	13'	10"	4
17 IN 12	14'	3"	11	14'	4"	2	14'	4"	9	14'	5"	0
18 IN 12	14'	10"	8	14'	10"	15	14'	11"	6	14'	11"	13
19 IN 12	15'	5"	6	15'	5"	14	15'	6"	5	15'	6"	13
20 IN 12	16'	0"	7	16'	0"	15	16'	1"	6	16'	1"	14
21 IN 12	16'	7"	9	16'	8"	1	16'	8"	9	16'	9"	1
22 IN 12	17'	2"	12	17'	3"	4	17'	3"	13	17'	4"	5
23 IN 12	17'	10"	0	17'	10"	9	17'	11"	2	17'	11"	10
24 IN 12	18'	5"	6	18'	5"	15	18'	6"	8	18'	7"	1
25 IN 12	19'	0"	12	19'	1"	6	19'	1"	15	19'	2"	8

8 Foot 3 Inch Run — Hip Or Valley Rafter Lengths

Pitch	8' 3"			8' 3 1/4"			8' 3 1/2"			8' 3 3/4"		
	Ft	In	16th"	Ft	In	16th"	Ft	In	16th"	Ft	In	16th"
1 IN 12	11'	8"	4	11'	8"	10	11'	8"	15	11'	9"	5
2 IN 12	11'	9"	0	11'	9"	5	11'	9"	14	11'	10"	1
2.5 IN 12	11'	9"	8	11'	9"	14	11'	10"	4	11'	10"	9
3 IN 12	11'	10"	3	11'	10"	9	11'	10"	14	11'	11"	4
3.5 IN 12	11'	10"	15	11'	11"	5	11'	11"	11	12'	0"	1
4 IN 12	11'	11"	13	12'	0"	3	12'	0"	9	12'	0"	15
4.5 IN 12	12'	0"	14	12'	1"	3	12'	1"	9	12'	1"	15
5 IN 12	12'	1"	15	12'	2"	5	12'	2"	11	12'	3"	1
5.5 IN 12	12'	3"	3	12'	3"	9	12'	3"	15	12'	4"	5
6 IN 12	12'	4"	4	12'	4"	14	12'	5"	4	12'	5"	10
6.5 IN 12	12'	5"	15	12'	6"	5	12'	6"	11	12'	7"	1
7 IN 12	12'	7"	7	12'	7"	13	12'	8"	3	12'	8"	10
8 IN 12	12'	10"	13	12'	11"	3	12'	11"	9	12'	11"	15
9 IN 12	13'	2"	8	13'	2"	14	13'	3"	4	13'	3"	11
10 IN 12	13'	6"	8	13'	6"	15	13'	7"	5	13'	7"	12
11 IN 12	13'	10"	14	13'	11"	4	13'	11"	11	14'	0"	2
12 IN 12	14'	3"	8	14'	3"	14	14'	4"	5	14'	4"	12
13 IN 12	14'	8"	6	14'	8"	13	14'	9"	4	14'	9"	11
14 IN 12	15'	1"	8	15'	1"	15	15'	2"	7	15'	2"	14
15 IN 12	15'	6"	14	15'	7"	5	15'	7"	13	15'	8"	4
16 IN 12	16'	0"	7	16'	0"	15	16'	1"	6	16'	1"	14
17 IN 12	16'	6"	3	16'	6"	11	16'	7"	3	16'	7"	11
18 IN 12	17'	0"	1	17'	0"	10	17'	1"	2	17'	1"	10
19 IN 12	17'	6"	3	17'	6"	10	17'	7"	4	17'	7"	12
20 IN 12	18'	0"	6	18'	0"	15	18'	1"	8	18'	2"	1
21 IN 12	18'	6"	12	18'	7"	5	18'	7"	14	18'	8"	7
22 IN 12	19'	1"	4	19'	1"	13	19'	2"	6	19'	2"	15
23 IN 12	19'	7"	13	19'	8"	7	19'	9"	0	19'	9"	10
24 IN 12	20'	2"	8	20'	3"	2	20'	3"	12	20'	4"	5
25 IN 12	20'	9"	4	20'	9"	15	20'	10"	9	20'	11"	3

8 Foot 4 Inch Run — Common Rafter Lengths

Pitch	8' 4" Ft	In	16th"	8' 4 1/4" Ft	In	16th"	8' 4 1/2" Ft	In	16th"	8' 4 3/4" Ft	In	16th"
1 IN 12	8'	4"	6	8'	4"	10	8'	4"	14	8'	5"	2
2 IN 12	8'	5"	6	8'	5"	10	8'	5"	14	8'	6"	2
2.5 IN 12	8'	6"	2	8'	6"	6	8'	6"	11	8'	6"	15
3 IN 12	8'	7"	1	8'	7"	5	8'	7"	9	8'	7"	14
3.5 IN 12	8'	8"	3	8'	8"	7	8'	8"	11	8'	8"	15
4 IN 12	8'	9"	7	8'	9"	11	8'	9"	15	8'	10"	3
4.5 IN 12	8'	10"	13	8'	11"	1	8'	11"	5	8'	11"	10
5 IN 12	9'	0"	5	9'	0"	10	9'	0"	14	9'	1"	2
5.5 IN 12	9'	2"	0	9'	2"	4	9'	2"	9	9'	2"	13
6 IN 12	9'	3"	13	9'	4"	1	9'	4"	6	9'	4"	10
6.5 IN 12	9'	5"	12	9'	6"	0	9'	6"	5	9'	6"	9
7 IN 12	9'	7"	12	9'	8"	1	9'	8"	6	9'	8"	10
8 IN 12	10'	0"	3	10'	0"	8	10'	0"	13	10'	1"	1
9 IN 12	10'	5"	0	10'	5"	5	10'	5"	10	10'	5"	15
10 IN 12	10'	10"	3	10'	10"	8	10'	10"	13	10'	11"	2
11 IN 12	11'	3"	11	11'	4"	0	11'	4"	5	11'	4"	11
12 IN 12	11'	9"	1	11'	9"	12	11'	10"	2	11'	10"	8
13 IN 12	12'	3"	7	12'	3"	13	12'	4"	3	12'	4"	9
14 IN 12	12'	9"	11	12'	10"	1	12'	10"	7	12'	10"	13
15 IN 12	13'	4"	1	13'	4"	8	13'	4"	14	13'	5"	4
16 IN 12	13'	10"	11	13'	11"	1	13'	11"	8	13'	11"	15
17 IN 12	14'	5"	6	14'	5"	13	14'	6"	4	14'	6"	11
18 IN 12	15'	0"	4	15'	0"	12	15'	1"	3	15'	1"	10
19 IN 12	15'	7"	4	15'	7"	12	15'	8"	3	15'	8"	11
20 IN 12	16'	2"	6	16'	2"	14	16'	3"	5	16'	3"	13
21 IN 12	16'	9"	9	16'	10"	1	16'	10"	9	16'	11"	1
22 IN 12	17'	4"	13	17'	5"	6	17'	5"	14	17'	6"	6
23 IN 12	18'	0"	3	18'	0"	12	18'	1"	4	18'	1"	13
24 IN 12	18'	7"	10	18'	8"	3	18'	8"	12	18'	9"	5
25 IN 12	19'	3"	1	19'	3"	11	19'	4"	4	19'	4"	13

8 Foot 4 Inch Run — Hip Or Valley Rafter Lengths

Pitch	8' 4" Ft	In	16th"	8' 4 1/4" Ft	In	16th"	8' 4 1/2" Ft	In	16th"	8' 4 3/4" Ft	In	16th"
1 IN 12	11'	9"	11	11'	10"	0	11'	10"	6	11'	10"	12
2 IN 12	11'	10"	6	11'	10"	12	11'	11"	2	11'	11"	7
2.5 IN 12	11'	10"	15	11'	11"	5	11'	11"	11	12'	0"	0
3 IN 12	11'	11"	10	12'	0"	0	12'	0"	5	12'	0"	11
3.5 IN 12	12'	0"	6	12'	0"	12	12'	1"	2	12'	1"	8
4 IN 12	12'	1"	5	12'	1"	11	12'	2"	0	12'	2"	6
4.5 IN 12	12'	2"	5	12'	2"	11	12'	3"	1	12'	3"	6
5 IN 12	12'	3"	7	12'	3"	13	12'	4"	3	12'	4"	9
5.5 IN 12	12'	4"	11	12'	5"	1	12'	5"	7	12'	5"	12
6 IN 12	12'	6"	0	12'	6"	6	12'	6"	12	12'	7"	2
6.5 IN 12	12'	7"	7	12'	7"	13	12'	8"	3	12'	8"	9
7 IN 12	12'	9"	0	12'	9"	6	12'	9"	12	12'	10"	2
8 IN 12	13'	0"	6	13'	0"	12	13'	1"	2	13'	1"	8
9 IN 12	13'	4"	1	13'	4"	8	13'	4"	14	13'	5"	4
10 IN 12	13'	8"	2	13'	8"	8	13'	8"	15	13'	9"	6
11 IN 12	14'	0"	8	14'	0"	15	14'	1"	6	14'	1"	13
12 IN 12	14'	5"	3	14'	5"	10	14'	6"	1	14'	6"	8
13 IN 12	14'	10"	2	14'	10"	9	14'	11"	1	14'	11"	8
14 IN 12	15'	3"	5	15'	3"	13	15'	4"	4	15'	4"	11
15 IN 12	15'	8"	12	15'	9"	3	15'	9"	11	15'	10"	3
16 IN 12	16'	2"	6	16'	2"	14	16'	3"	5	16'	3"	13
17 IN 12	16'	8"	3	16'	8"	11	16'	9"	3	16'	9"	11
18 IN 12	17'	2"	2	17'	2"	11	17'	3"	3	17'	3"	11
19 IN 12	17'	8"	5	17'	8"	13	17'	9"	6	17'	9"	14
20 IN 12	18'	2"	9	18'	3"	2	18'	3"	11	18'	4"	4
21 IN 12	18'	9"	0	18'	9"	9	18'	10"	2	18'	10"	11
22 IN 12	19'	3"	9	19'	4"	2	19'	4"	11	19'	5"	4
23 IN 12	19'	10"	3	19'	10"	13	19'	11"	6	20'	0"	0
24 IN 12	20'	4"	15	20'	5"	9	20'	6"	3	20'	6"	13
25 IN 12	20'	11"	13	21'	0"	7	21'	1"	1	21'	1"	11

8 Foot 5 Inch Run — Common Rafter Lengths   8 Foot 5 Inch Run — Hip Or Valley Rafter Lengths

Run -	8' 5"	8' 5 1/4"	8' 5 1/2"	8' 5 3/4"	8' 5"	8' 5 1/4"	8' 5 1/2"	8' 5 3/4"
Pitch	Ft In 16th"	Ft In 16th"	Ft In 16th"	Ft In 16th"	Ft In 16th"	Ft In 16th"	Ft In 16th"	Ft In 16th"
1 IN 12	8' 5" 6	8' 5" 10	8' 5" 14	8' 6" 2	11' 11" 1	11' 11" 7	11' 11" 13	12' 0" 2
2 IN 12	8' 6" 6	8' 6" 10	8' 6" 14	8' 7" 2	11' 11" 13	12' 0" 3	12' 0" 9	12' 0" 14
2.5 IN 12	8' 7" 3	8' 7" 7	8' 7" 11	8' 7" 15	12' 0" 6	12' 0" 12	12' 1" 1	12' 1" 7
3 IN 12	8' 8" 2	8' 8" 6	8' 8" 10	8' 8" 14	12' 1" 1	12' 1" 7	12' 1" 12	12' 2" 2
3.5 IN 12	8' 9" 3	8' 9" 8	8' 9" 12	8' 10" 0	12' 1" 13	12' 2" 2	12' 2" 9	12' 2" 15
4 IN 12	8' 10" 7	8' 10" 12	8' 11" 0	8' 11" 4	12' 2" 12	12' 3" 2	12' 3" 8	12' 3" 13
4.5 IN 12	8' 11" 14	9' 0" 2	9' 0" 6	9' 0" 11	12' 3" 12	12' 4" 2	12' 4" 8	12' 4" 14
5 IN 12	9' 1" 7	9' 1" 11	9' 1" 15	9' 2" 4	12' 4" 14	12' 5" 4	12' 5" 10	12' 6" 0
5.5 IN 12	9' 3" 2	9' 3" 6	9' 3" 10	9' 3" 15	12' 6" 2	12' 6" 8	12' 6" 14	12' 7" 4
6 IN 12	9' 4" 15	9' 5" 3	9' 5" 8	9' 5" 12	12' 7" 8	12' 7" 14	12' 8" 4	12' 8" 10
6.5 IN 12	9' 6" 14	9' 7" 2	9' 7" 7	9' 7" 11	12' 8" 15	12' 9" 5	12' 9" 11	12' 10" 1
7 IN 12	9' 8" 15	9' 9" 3	9' 9" 8	9' 9" 13	12' 10" 8	12' 10" 14	12' 11" 4	12' 11" 11
8 IN 12	10' 1" 6	10' 1" 11	10' 2" 0	10' 2" 5	13' 1" 15	13' 2" 5	13' 2" 11	13' 3" 1
9 IN 12	10' 6" 4	10' 6" 9	10' 6" 14	10' 7" 3	13' 5" 11	13' 6" 1	13' 6" 8	13' 6" 14
10 IN 12	10' 11" 8	10' 11" 13	11' 0" 2	11' 0" 7	13' 9" 13	13' 10" 3	13' 10" 10	13' 11" 0
11 IN 12	11' 5" 0	11' 5" 6	11' 5" 11	11' 6" 0	14' 2" 3	14' 2" 10	14' 3" 1	14' 3" 8
12 IN 12	11' 10" 13	11' 11" 3	11' 11" 9	11' 11" 14	14' 6" 15	14' 7" 6	14' 7" 13	14' 8" 4
13 IN 12	12' 4" 14	12' 5" 4	12' 5" 10	12' 6" 0	14' 11" 15	15' 0" 6	15' 0" 13	15' 1" 4
14 IN 12	12' 11" 3	12' 11" 9	12' 11" 15	13' 0" 6	15' 5" 3	15' 5" 10	15' 6" 1	15' 6" 9
15 IN 12	13' 5" 11	13' 6" 1	13' 6" 8	13' 6" 14	15' 10" 10	15' 11" 2	15' 11" 9	16' 0" 1
16 IN 12	14' 0" 5	14' 0" 12	14' 1" 3	14' 1" 9	16' 4" 5	16' 4" 13	16' 5" 4	16' 5" 12
17 IN 12	14' 7" 2	14' 7" 9	14' 8" 0	14' 8" 7	16' 10" 3	16' 10" 11	16' 11" 3	16' 11" 11
18 IN 12	15' 2" 1	15' 2" 8	15' 3" 0	15' 3" 7	17' 4" 3	17' 4" 12	17' 5" 4	17' 5" 12
19 IN 12	15' 9" 2	15' 9" 10	15' 10" 1	15' 10" 9	17' 10" 7	17' 10" 15	17' 11" 8	18' 0" 0
20 IN 12	16' 4" 5	16' 4" 13	16' 5" 4	16' 5" 12	18' 4" 12	18' 5" 5	18' 5" 14	18' 6" 7
21 IN 12	16' 11" 8	17' 0" 1	17' 0" 9	17' 1" 1	18' 11" 4	18' 11" 13	19' 0" 6	19' 0" 15
22 IN 12	17' 6" 15	17' 7" 7	17' 7" 15	17' 8" 8	19' 5" 14	19' 6" 7	19' 7" 0	19' 7" 9
23 IN 12	18' 2" 6	18' 2" 14	18' 3" 7	18' 3" 15	20' 0" 9	20' 1" 3	20' 1" 12	20' 2" 6
24 IN 12	18' 9" 13	18' 10" 6	18' 10" 15	18' 11" 8	20' 7" 6	20' 8" 0	20' 8" 10	20' 9" 4
25 IN 12	19' 5" 6	19' 6" 0	19' 6" 9	19' 7" 2	21' 2" 5	21' 2" 15	21' 3" 9	21' 4" 3

8 Foot 6 Inch Run — Common Rafter Lengths   8 Foot 6 Inch Run — Hip Or Valley Rafter Lengths

Run -	8' 6"	8' 6 1/4"	8' 6 1/2"	8' 6 3/4"	8' 6"	8' 6 1/4"	8' 6 1/2"	8' 6 3/4"
Pitch	Ft In 16th"	Ft In 16th"	Ft In 16th"	Ft In 16th"	Ft In 16th"	Ft In 16th"	Ft In 16th"	Ft In 16th"
1 IN 12	8' 6" 6	8' 6" 10	8' 6" 14	8' 7" 2	12' 0" 8	12' 0" 14	12' 1" 3	12' 1" 9
2 IN 12	8' 7" 7	8' 7" 11	8' 7" 15	8' 8" 3	12' 1" 4	12' 1" 10	12' 1" 15	12' 2" 5
2.5 IN 12	8' 8" 3	8' 8" 7	8' 8" 11	8' 8" 15	12' 1" 13	12' 2" 3	12' 2" 8	12' 2" 14
3 IN 12	8' 9" 2	8' 9" 6	8' 9" 10	8' 9" 15	12' 2" 8	12' 2" 14	12' 3" 3	12' 3" 9
3.5 IN 12	8' 10" 4	8' 10" 8	8' 10" 12	8' 11" 1	12' 3" 5	12' 3" 10	12' 4" 0	12' 4" 6
4 IN 12	8' 11" 8	8' 11" 12	9' 0" 1	9' 0" 5	12' 4" 3	12' 4" 9	12' 4" 15	12' 5" 5
4.5 IN 12	9' 0" 15	9' 1" 3	9' 1" 8	9' 1" 12	12' 5" 4	12' 5" 10	12' 5" 15	12' 6" 5
5 IN 12	9' 2" 8	9' 2" 12	9' 3" 1	9' 3" 5	12' 6" 6	12' 6" 12	12' 7" 2	12' 7" 8
5.5 IN 12	9' 4" 3	9' 4" 8	9' 4" 12	9' 5" 0	12' 7" 10	12' 8" 0	12' 8" 6	12' 8" 12
6 IN 12	9' 6" 1	9' 6" 5	9' 6" 10	9' 6" 14	12' 9" 0	12' 9" 6	12' 9" 12	12' 10" 2
6.5 IN 12	9' 8" 0	9' 8" 5	9' 8" 9	9' 8" 14	12' 10" 7	12' 10" 14	12' 11" 4	12' 11" 10
7 IN 12	9' 10" 1	9' 10" 6	9' 10" 11	9' 10" 15	13' 0" 1	13' 0" 7	13' 0" 13	13' 1" 3
8 IN 12	10' 2" 9	10' 2" 14	10' 3" 3	10' 3" 8	13' 3" 8	13' 3" 14	13' 4" 4	13' 4" 10
9 IN 12	10' 7" 8	10' 7" 13	10' 8" 2	10' 8" 7	13' 7" 4	13' 7" 11	13' 8" 1	13' 8" 8
10 IN 12	11' 0" 12	11' 1" 2	11' 1" 7	11' 1" 12	13' 11" 7	13' 11" 13	14' 0" 4	14' 0" 11
11 IN 12	11' 6" 6	11' 6" 11	11' 7" 1	11' 7" 6	14' 3" 14	14' 4" 5	14' 4" 12	14' 5" 3
12 IN 12	12' 0" 4	12' 0" 10	12' 0" 15	12' 1" 5	14' 8" 11	14' 9" 2	14' 9" 9	14' 9" 15
13 IN 12	12' 6" 12	12' 6" 12	12' 7" 2	12' 7" 7	15' 1" 11	15' 2" 2	15' 2" 10	15' 3" 1
14 IN 12	13' 0" 12	13' 1" 2	13' 1" 8	13' 1" 14	15' 7" 0	15' 7" 7	15' 7" 15	15' 8" 6
15 IN 12	13' 7" 4	13' 7" 11	13' 8" 1	13' 8" 8	16' 0" 8	16' 1" 0	16' 1" 7	16' 1" 15
16 IN 12	14' 2" 0	14' 2" 7	14' 2" 13	14' 3" 4	16' 6" 4	16' 6" 12	16' 7" 4	16' 7" 11
17 IN 12	14' 8" 14	14' 9" 5	14' 9" 12	14' 10" 3	17' 0" 3	17' 0" 11	17' 1" 3	17' 1" 11
18 IN 12	15' 3" 14	15' 4" 5	15' 4" 13	15' 5" 4	17' 6" 4	17' 6" 13	17' 7" 5	17' 7" 13
19 IN 12	15' 11" 0	15' 11" 8	15' 11" 15	16' 0" 7	18' 0" 9	18' 1" 1	18' 1" 10	18' 2" 2
20 IN 12	16' 6" 4	16' 6" 12	16' 7" 4	16' 7" 11	18' 6" 15	18' 7" 8	18' 8" 1	18' 8" 9
21 IN 12	17' 1" 9	17' 2" 1	17' 2" 10	17' 3" 2	19' 1" 8	19' 2" 1	19' 2" 10	19' 3" 3
22 IN 12	17' 9" 0	17' 9" 9	17' 10" 1	17' 10" 9	19' 8" 3	19' 8" 12	19' 9" 5	19' 9" 15
23 IN 12	18' 4" 8	18' 5" 1	18' 5" 9	18' 6" 2	20' 2" 15	20' 3" 9	20' 4" 2	20' 4" 12
24 IN 12	19' 0" 1	19' 0" 10	19' 1" 3	19' 1" 12	20' 9" 14	20' 10" 7	20' 11" 1	20' 11" 11
25 IN 12	19' 7" 11	19' 8" 5	19' 8" 14	19' 9" 7	21' 4" 13	21' 5" 7	21' 6" 2	21' 6" 12

8 Foot 7 Inch Run — Common Rafter Lengths   8 Foot 7 Inch Run — Hip Or Valley Rafter Lengths

Run -	8' 7"			8' 7 1/4"			8' 7 1/2"			8' 7 3/4"			8' 7"			8' 7 1/4"			8' 7 1/2"			8' 7 3/4"		
Pitch	Ft	In	16th"	Ft	In	16th"	Ft	In	16th"	Ft	In	16th"	Ft	In	16th"	Ft	In	16th"	Ft	In	16th"	Ft	In	16th"
1 IN 12	8'	7"	6	8'	7"	10	8'	7"	14	8'	8"	2	12'	1"	15	12'	2"	4	12'	2"	10	12'	3"	0
2 IN 12	8'	8"	7	8'	8"	11	8'	8"	15	8'	9"	3	12'	2"	11	12'	3"	0	12'	3"	6	12'	3"	12
2.5 IN 12	8'	9"	3	8'	9"	7	8'	9"	12	8'	10"	0	12'	3"	4	12'	3"	9	12'	3"	15	12'	4"	5
3 IN 12	8'	10"	3	8'	10"	7	8'	10"	11	8'	10"	15	12'	3"	15	12'	4"	5	12'	4"	10	12'	5"	0
3.5 IN 12	8'	11"	5	8'	11"	9	8'	11"	13	9'	0"	1	12'	4"	12	12'	5"	1	12'	5"	7	12'	5"	13
4 IN 12	9'	0"	9	9'	0"	13	9'	1"	2	9'	1"	6	12'	5"	10	12'	6"	0	12'	6"	6	12'	6"	12
4.5 IN 12	9'	2"	0	9'	2"	4	9'	2"	9	9'	2"	13	12'	6"	11	12'	7"	1	12'	7"	7	12'	7"	13
5 IN 12	9'	3"	9	9'	3"	14	9'	4"	2	9'	4"	6	12'	7"	14	12'	8"	4	12'	8"	9	12'	8"	15
5.5 IN 12	9'	5"	5	9'	5"	9	9'	5"	14	9'	6"	2	12'	9"	2	12'	9"	8	12'	9"	14	12'	10"	4
6 IN 12	9'	7"	3	9'	7"	7	9'	7"	11	9'	8"	0	12'	10"	8	12'	10"	14	12'	11"	4	12'	11"	10
6.5 IN 12	9'	9"	2	9'	9"	7	9'	9"	11	9'	10"	0	13'	0"	0	13'	0"	6	13'	0"	12	13'	1"	2
7 IN 12	9'	11"	4	9'	11"	9	9'	11"	13	10'	0"	2	13'	1"	9	13'	1"	15	13'	2"	5	13'	2"	11
8 IN 12	10'	3"	13	10'	4"	1	10'	4"	6	10'	4"	11	13'	5"	1	13'	5"	7	13'	5"	13	13'	6"	3
9 IN 12	10'	8"	12	10'	9"	1	10'	9"	6	10'	9"	11	13'	8"	14	13'	9"	4	13'	9"	11	13'	10"	1
10 IN 12	11'	2"	1	11'	2"	6	11'	2"	12	11'	3"	1	14'	1"	1	14'	1"	8	14'	1"	14	14'	2"	5
11 IN 12	11'	7"	12	11'	8"	1	11'	8"	6	11'	8"	12	14'	5"	9	14'	6"	0	14'	6"	7	14'	6"	14
12 IN 12	12'	1"	11	12'	2"	0	12'	2"	6	12'	2"	12	14'	10"	6	14'	10"	13	14'	11"	4	14'	11"	11
13 IN 12	12'	7"	14	12'	8"	4	12'	8"	9	12'	8"	15	15'	3"	8	15'	3"	15	15'	4"	6	15'	4"	13
14 IN 12	13'	2"	4	13'	2"	10	13'	3"	1	13'	3"	7	15'	8"	13	15'	9"	5	15'	9"	12	15'	10"	3
15 IN 12	13'	8"	4	13'	9"	4	13'	9"	11	13'	10"	1	16'	2"	7	16'	2"	14	16'	3"	6	16'	3"	13
16 IN 12	14'	3"	11	14'	4"	1	14'	4"	8	14'	4"	15	16'	8"	3	16'	8"	11	16'	9"	3	16'	9"	10
17 IN 12	14'	10"	10	14'	11"	1	14'	11"	8	14'	11"	15	17'	2"	3	17'	2"	11	17'	3"	3	17'	3"	11
18 IN 12	15'	5"	11	15'	6"	2	15'	6"	9	15'	7"	1	17'	8"	5	17'	8"	14	17'	9"	6	17'	9"	14
19 IN 12	16'	0"	14	16'	1"	6	16'	1"	13	16'	2"	5	18'	2"	11	18'	3"	3	18'	3"	12	18'	4"	4
20 IN 12	16'	8"	3	16'	8"	11	16'	9"	3	16'	9"	10	18'	9"	2	18'	9"	11	18'	10"	4	18'	10"	12
21 IN 12	17'	3"	10	17'	4"	2	17'	4"	10	17'	5"	2	19'	3"	12	19'	4"	5	19'	4"	14	19'	5"	7
22 IN 12	17'	11"	2	17'	11"	10	18'	0"	2	18'	0"	11	19'	10"	8	19'	11"	1	19'	11"	10	20'	0"	4
23 IN 12	18'	6"	11	18'	7"	3	18'	7"	12	18'	8"	5	20'	5"	5	20'	5"	15	20'	6"	8	20'	7"	2
24 IN 12	19'	2"	5	19'	2"	14	19'	3"	7	19'	4"	0	21'	0"	5	21'	0"	15	21'	1"	8	21'	2"	2
25 IN 12	19'	10"	0	19'	10"	10	19'	11"	3	19'	11"	12	21'	7"	6	21'	8"	0	21'	8"	10	21'	9"	4

8 Foot 8 Inch Run — Common Rafter Lengths

Run -	8' 8" Ft	In	16th"	8' 8 1/4" Ft	In	16th"	8' 8 1/2" Ft	In	16th"	8' 8 3/4" Ft	In	16th"
Pitch												
1 IN 12	8'	8"	6	8'	8"	10	8'	8"	14	8'	9"	2
2 IN 12	8'	9"	7	8'	9"	11	8'	9"	15	8'	10"	3
2.5 IN 12	8'	10"	4	8'	10"	8	8'	10"	12	8'	11"	0
3 IN 12	8'	11"	3	8'	11"	7	8'	11"	11	9'	0"	0
3.5 IN 12	9'	0"	5	9'	0"	10	9'	0"	14	9'	1"	2
4 IN 12	9'	1"	10	9'	1"	14	9'	2"	2	9'	2"	7
4.5 IN 12	9'	3"	1	9'	3"	5	9'	3"	10	9'	3"	14
5 IN 12	9'	4"	11	9'	4"	15	9'	5"	3	9'	5"	8
5.5 IN 12	9'	6"	6	9'	6"	11	9'	6"	15	9'	7"	4
6 IN 12	9'	8"	4	9'	8"	9	9'	8"	13	9'	9"	2
6.5 IN 12	9'	10"	4	9'	10"	9	9'	10"	14	9'	11"	2
7 IN 12	10'	0"	6	10'	0"	11	10'	1"	0	10'	1"	4
8 IN 12	10'	5"	0	10'	5"	5	10'	5"	9	10'	5"	14
9 IN 12	10'	10"	0	10'	10"	5	10'	10"	10	10'	10"	15
10 IN 12	11'	3"	6	11'	3"	11	11'	4"	0	11'	4"	6
11 IN 12	11'	9"	1	11'	9"	7	11'	9"	12	11'	10"	2
12 IN 12	12'	3"	1	12'	3"	7	12'	3"	13	12'	4"	2
13 IN 12	12'	9"	5	12'	9"	11	12'	10"	1	12'	10"	7
14 IN 12	13'	3"	13	13'	4"	3	13'	4"	9	13'	4"	15
15 IN 12	13'	10"	8	13'	10"	14	13'	11"	5	13'	11"	11
16 IN 12	14'	5"	5	14'	5"	12	14'	6"	3	14'	6"	9
17 IN 12	15'	0"	5	15'	0"	12	15'	1"	3	15'	1"	10
18 IN 12	15'	7"	8	15'	7"	15	15'	8"	6	15'	8"	13
19 IN 12	16'	2"	12	16'	3"	4	16'	3"	11	16'	4"	3
20 IN 12	16'	10"	2	16'	10"	10	16'	11"	2	16'	11"	10
21 IN 12	17'	5"	10	17'	6"	2	17'	6"	10	17'	7"	2
22 IN 12	18'	1"	3	18'	1"	11	18'	2"	4	18'	2"	12
23 IN 12	18'	8"	13	18'	9"	6	18'	9"	15	18'	10"	7
24 IN 12	19'	4"	9	19'	5"	2	19'	5"	11	19'	6"	4
25 IN 12	20'	0"	5	20'	0"	15	20'	1"	8	20'	2"	1

8 Foot 8 Inch Run — Hip Or Valley Rafter Lengths

Run -	8' 8" Ft	In	16th"	8' 8 1/4" Ft	In	16th"	8' 8 1/2" Ft	In	16th"	8' 8 3/4" Ft	In	16th"
Pitch												
1 IN 12	12'	3"	5	12'	3"	11	12'	4"	1	12'	4"	6
2 IN 12	12'	4"	2	12'	4"	7	12'	4"	13	12'	5"	3
2.5 IN 12	12'	4"	11	12'	5"	0	12'	5"	6	12'	5"	12
3 IN 12	12'	5"	6	12'	5"	11	12'	6"	1	12'	6"	7
3.5 IN 12	12'	6"	3	12'	6"	9	12'	6"	14	12'	7"	4
4 IN 12	12'	7"	2	12'	7"	8	12'	7"	13	12'	8"	3
4.5 IN 12	12'	8"	3	12'	8"	8	12'	8"	14	12'	9"	4
5 IN 12	12'	9"	5	12'	9"	11	12'	10"	1	12'	10"	7
5.5 IN 12	12'	10"	10	12'	11"	0	12'	11"	6	12'	11"	12
6 IN 12	13'	0"	0	13'	0"	6	13'	0"	12	13'	1"	2
6.5 IN 12	13'	1"	8	13'	1"	14	13'	2"	4	13'	2"	10
7 IN 12	13'	3"	2	13'	3"	8	13'	3"	14	13'	4"	4
8 IN 12	13'	6"	10	13'	7"	0	13'	7"	6	13'	7"	12
9 IN 12	13'	10"	8	13'	10"	14	13'	11"	5	13'	11"	11
10 IN 12	14'	2"	11	14'	3"	2	14'	3"	9	14'	3"	15
11 IN 12	14'	7"	4	14'	7"	11	14'	8"	2	14'	8"	9
12 IN 12	15'	0"	2	15'	0"	9	15'	1"	0	15'	1"	7
13 IN 12	15'	5"	4	15'	5"	11	15'	6"	3	15'	6"	10
14 IN 12	15'	10"	11	15'	11"	2	15'	11"	9	16'	0"	1
15 IN 12	16'	4"	5	16'	4"	12	16'	5"	4	16'	5"	11
16 IN 12	16'	10"	2	16'	10"	10	16'	11"	2	16'	11"	10
17 IN 12	17'	4"	3	17'	4"	11	17'	5"	3	17'	5"	11
18 IN 12	17'	10"	6	17'	10"	15	17'	11"	7	17'	11"	15
19 IN 12	18'	4"	13	18'	5"	5	18'	5"	14	18'	6"	6
20 IN 12	18'	11"	5	18'	11"	14	19'	0"	7	19'	0"	15
21 IN 12	19'	6"	0	19'	6"	9	19'	7"	2	19'	7"	11
22 IN 12	20'	0"	13	20'	1"	6	20'	1"	15	20'	2"	9
23 IN 12	20'	7"	12	20'	8"	5	20'	8"	15	20'	9"	8
24 IN 12	21'	2"	12	21'	3"	6	21'	4"	0	21'	4"	9
25 IN 12	21'	9"	14	21'	10"	8	21'	11"	2	21'	11"	12

8 Foot 9 Inch Run — Common Rafter Lengths

Run - Pitch	8' 9" (Ft In 16th")	8' 9 1/4" (Ft In 16th")	8' 9 1/2" (Ft In 16th")	8' 9 3/4" (Ft In 16th")
1 IN 12	8' 9" 6	8' 9" 10	8' 9" 14	8' 10" 2
2 IN 12	8' 10" 7	8' 10" 11	8' 10" 15	8' 11" 3
2.5 IN 12	8' 11" 4	8' 11" 8	8' 11" 12	9' 0" 0
3 IN 12	9' 0" 4	9' 0" 8	9' 0" 12	9' 1" 0
3.5 IN 12	9' 1" 6	9' 1" 10	9' 1" 14	9' 2" 3
4 IN 12	9' 2" 11	9' 2" 15	9' 3" 3	9' 3" 8
4.5 IN 12	9' 4" 2	9' 4" 7	9' 4" 11	9' 4" 15
5 IN 12	9' 5" 12	9' 6" 0	9' 6" 5	9' 6" 9
5.5 IN 12	9' 7" 8	9' 7" 12	9' 8" 1	9' 8" 5
6 IN 12	9' 9" 6	9' 9" 11	9' 9" 15	9' 10" 4
6.5 IN 12	9' 11" 7	9' 11" 11	10' 0" 0	10' 0" 4
7 IN 12	10' 1" 9	10' 1" 14	10' 2" 2	10' 2" 7
8 IN 12	10' 6" 3	10' 6" 8	10' 6" 13	10' 7" 2
9 IN 12	10' 11" 4	10' 11" 9	10' 11" 14	11' 0" 3
10 IN 12	11' 4" 11	11' 5" 0	11' 5" 5	11' 5" 10
11 IN 12	11' 10" 7	11' 10" 12	11' 11" 2	11' 11" 7
12 IN 12	12' 4" 8	12' 4" 14	12' 5" 3	12' 5" 9
13 IN 12	12' 10" 13	12' 11" 3	12' 11" 9	12' 11" 15
14 IN 12	13' 5" 5	13' 5" 12	13' 6" 2	13' 6" 8
15 IN 12	14' 0" 1	14' 0" 8	14' 0" 14	14' 1" 5
16 IN 12	14' 7" 0	14' 7" 7	14' 7" 13	14' 8" 4
17 IN 12	15' 2" 1	15' 2" 8	15' 2" 15	15' 3" 6
18 IN 12	15' 9" 5	15' 9" 12	15' 10" 3	15' 10" 10
19 IN 12	16' 4" 10	16' 5" 2	16' 5" 9	16' 6" 1
20 IN 12	17' 0" 1	17' 0" 9	17' 1" 1	17' 1" 9
21 IN 12	17' 7" 10	17' 8" 2	17' 8" 10	17' 9" 2
22 IN 12	18' 3" 4	18' 3" 13	18' 4" 5	18' 4" 13
23 IN 12	18' 11" 0	18' 11" 9	19' 0" 1	19' 0" 10
24 IN 12	19' 6" 13	19' 7" 6	19' 7" 14	19' 8" 7
25 IN 12	20' 2" 10	20' 3" 4	20' 3" 13	20' 4" 6

8 Foot 9 Inch Run — Hip Or Valley Rafter Lengths

Run - Pitch	8' 9" (Ft In 16th")	8' 9 1/4" (Ft In 16th")	8' 9 1/2" (Ft In 16th")	8' 9 3/4" (Ft In 16th")
1 IN 12	12' 4" 12	12' 5" 2	12' 5" 7	12' 5" 13
2 IN 12	12' 5" 8	12' 5" 14	12' 6" 4	12' 6" 9
2.5 IN 12	12' 6" 2	12' 6" 7	12' 6" 13	12' 7" 3
3 IN 12	12' 6" 13	12' 7" 2	12' 7" 8	12' 7" 14
3.5 IN 12	12' 7" 10	12' 8" 0	12' 8" 5	12' 8" 11
4 IN 12	12' 8" 9	12' 8" 15	12' 9" 5	12' 9" 10
4.5 IN 12	12' 9" 10	12' 10" 0	12' 10" 6	12' 10" 12
5 IN 12	12' 10" 13	12' 11" 3	12' 11" 9	12' 11" 15
5.5 IN 12	13' 0" 2	13' 0" 7	13' 0" 13	13' 1" 3
6 IN 12	13' 1" 8	13' 1" 14	13' 2" 4	13' 2" 10
6.5 IN 12	13' 3" 0	13' 3" 6	13' 3" 12	13' 4" 2
7 IN 12	13' 4" 10	13' 5" 0	13' 5" 6	13' 5" 12
8 IN 12	13' 8" 3	13' 8" 9	13' 8" 15	13' 9" 5
9 IN 12	14' 0" 1	14' 0" 8	14' 0" 14	14' 1" 5
10 IN 12	14' 4" 6	14' 4" 12	14' 5" 3	14' 5" 9
11 IN 12	14' 8" 15	14' 9" 6	14' 9" 13	14' 10" 4
12 IN 12	15' 1" 14	15' 2" 5	15' 2" 12	15' 3" 3
13 IN 12	15' 7" 1	15' 7" 8	15' 7" 15	15' 8" 6
14 IN 12	16' 0" 0	16' 0" 15	16' 1" 7	16' 1" 14
15 IN 12	16' 6" 3	16' 6" 10	16' 7" 2	16' 7" 10
16 IN 12	17' 0" 1	17' 0" 9	17' 1" 1	17' 1" 9
17 IN 12	17' 6" 3	17' 6" 11	17' 7" 3	17' 7" 11
18 IN 12	18' 0" 7	18' 1" 0	18' 1" 8	18' 2" 0
19 IN 12	18' 6" 15	18' 7" 7	18' 8" 0	18' 8" 8
20 IN 12	19' 1" 8	19' 2" 1	19' 2" 10	19' 3" 2
21 IN 12	19' 8" 4	19' 8" 13	19' 9" 6	19' 9" 15
22 IN 12	20' 3" 2	20' 3" 11	20' 4" 4	20' 4" 14
23 IN 12	20' 10" 2	20' 10" 11	20' 11" 5	20' 11" 14
24 IN 12	21' 5" 3	21' 5" 13	21' 6" 7	21' 7" 1
25 IN 12	22' 0" 6	22' 1" 0	22' 1" 10	22' 2" 4

8 Foot 10 Inch Run — Common Rafter Lengths   8 Foot 10 Inch Run — Hip Or Valley Rafter Lengths

Run -	8'10"	8'10 1/4"	8'10 1/2"	8'10 3/4"	8'10"	8'10 1/4"	8'10 1/2"	8'10 3/4"
Pitch	Ft In 16th"	Ft In 16th"	Ft In 16th"	Ft In 16th"	Ft In 16th"	Ft In 16th"	Ft In 16th"	Ft In 16th"
1 IN 12	8' 10" 6	8' 10" 10	8' 10" 14	8' 11" 2	12' 6" 3	12' 6" 8	12' 6" 14	12' 7" 4
2 IN 12	8' 11" 7	8' 11" 11	9' 0" 0	9' 0" 4	12' 6" 15	12' 7" 5	12' 7" 10	12' 8" 0
2.5 IN 12	9' 0" 4	9' 0" 9	9' 0" 13	9' 1" 1	12' 7" 8	12' 7" 14	12' 8" 4	12' 8" 10
3 IN 12	9' 1" 4	9' 1" 8	9' 1" 12	9' 2" 1	12' 8" 4	12' 8" 9	12' 8" 15	12' 9" 5
3.5 IN 12	9' 2" 7	9' 2" 11	9' 2" 15	9' 3" 3	12' 9" 1	12' 9" 7	12' 9" 13	12' 10" 2
4 IN 12	9' 3" 12	9' 4" 0	9' 4" 4	9' 4" 8	12' 10" 0	12' 10" 6	12' 10" 12	12' 11" 2
4.5 IN 12	9' 5" 3	9' 5" 8	9' 5" 12	9' 6" 0	12' 11" 1	12' 11" 7	12' 11" 13	13' 0" 3
5 IN 12	9' 6" 13	9' 7" 2	9' 7" 6	9' 7" 10	13' 0" 4	13' 0" 10	13' 1" 0	13' 1" 6
5.5 IN 12	9' 8" 10	9' 8" 14	9' 9" 2	9' 9" 7	13' 1" 9	13' 1" 15	13' 2" 5	13' 2" 11
6 IN 12	9' 10" 8	9' 10" 13	9' 11" 1	9' 11" 6	13' 3" 0	13' 3" 6	13' 3" 12	13' 4" 2
6.5 IN 12	10' 0" 9	10' 0" 13	10' 1" 2	10' 1" 6	13' 4" 8	13' 4" 14	13' 5" 5	13' 5" 11
7 IN 12	10' 2" 11	10' 3" 0	10' 3" 5	10' 3" 9	13' 6" 3	13' 6" 9	13' 6" 15	13' 7" 5
8 IN 12	10' 7" 6	10' 7" 11	10' 8" 0	10' 8" 5	13' 9" 12	13' 10" 2	13' 10" 8	13' 10" 14
9 IN 12	11' 0" 8	11' 0" 13	11' 1" 2	11' 1" 7	14' 1" 11	14' 2" 1	14' 2" 8	14' 2" 14
10 IN 12	11' 6" 0	11' 6" 5	11' 6" 10	11' 6" 15	14' 6" 0	14' 6" 7	14' 6" 13	14' 7" 4
11 IN 12	11' 11" 13	12' 0" 2	12' 0" 8	12' 0" 13	14' 10" 10	14' 11" 1	14' 11" 8	14' 11" 15
12 IN 12	12' 5" 15	12' 6" 4	12' 6" 10	12' 6" 15	15' 3" 10	15' 4" 0	15' 4" 7	15' 4" 14
13 IN 12	13' 0" 4	13' 0" 10	13' 1" 0	13' 1" 6	15' 8" 13	15' 9" 4	15' 9" 12	15' 10" 3
14 IN 12	13' 6" 14	13' 7" 4	13' 7" 10	13' 8" 0	16' 2" 5	16' 2" 13	16' 3" 4	16' 3" 11
15 IN 12	14' 1" 11	14' 2" 1	14' 2" 8	14' 2" 14	16' 8" 1	16' 8" 9	16' 9" 0	16' 9" 8
16 IN 12	14' 8" 11	14' 9" 1	14' 9" 8	14' 9" 15	17' 2" 0	17' 2" 8	17' 3" 0	17' 3" 8
17 IN 12	15' 3" 13	15' 4" 4	15' 4" 11	15' 5" 2	17' 8" 3	17' 8" 11	17' 9" 3	17' 9" 11
18 IN 12	15' 11" 2	15' 11" 9	16' 0" 0	16' 0" 7	18' 2" 8	18' 3" 1	18' 3" 9	18' 4" 1
19 IN 12	16' 6" 8	16' 7" 0	16' 7" 7	16' 7" 15	18' 9" 1	18' 9" 9	18' 10" 2	18' 10" 10
20 IN 12	17' 2" 0	17' 2" 8	17' 3" 0	17' 3" 8	19' 3" 11	19' 4" 4	19' 4" 13	19' 5" 5
21 IN 12	17' 9" 10	17' 10" 2	17' 10" 11	17' 11" 3	19' 10" 8	19' 11" 1	19' 11" 10	20' 0" 3
22 IN 12	18' 5" 6	18' 5" 14	18' 6" 7	18' 6" 15	20' 5" 7	20' 6" 0	20' 6" 9	20' 7" 3
23 IN 12	19' 1" 3	19' 1" 11	19' 2" 4	19' 2" 12	21' 0" 8	21' 1" 1	21' 1" 11	21' 2" 4
24 IN 12	19' 9" 0	19' 9" 9	19' 10" 2	19' 10" 11	21' 7" 10	21' 8" 4	21' 8" 14	21' 9" 8
25 IN 12	20' 4" 15	20' 5" 9	20' 6" 2	20' 6" 11	22' 2" 15	22' 3" 9	22' 4" 3	22' 4" 13

Run -	8'11"			8'11 1/4"			8'11 1/2"			8'11 3/4"				8'11"			8'11 1/4"			8'11 1/2"			8'11 3/4"		
Pitch	Ft	In	16th"	Ft	In	16th"	Ft	In	16th"	Ft	In	16th"		Ft	In	16th"	Ft	In	16th"	Ft	In	16th"	Ft	In	16th"
1 IN 12	8'	11"	6	8'	11"	10	8'	11"	14	9'	0"	2		12'	7"	9	12'	7"	15	12'	8"	5	12'	8"	10
2 IN 12	9'	0"	8	9'	0"	12	9'	1"	0	9'	1"	4		12'	8"	6	12'	8"	12	12'	9"	1	12'	9"	7
2.5 IN 12	9'	1"	5	9'	1"	9	9'	1"	13	9'	2"	1		12'	8"	15	12'	9"	5	12'	9"	11	12'	10"	0
3 IN 12	9'	2"	5	9'	2"	9	9'	2"	13	9'	3"	1		12'	9"	11	12'	10"	0	12'	10"	6	12'	10"	12
3.5 IN 12	9'	3"	7	9'	3"	12	9'	4"	0	9'	4"	4		12'	10"	8	12'	10"	14	12'	11"	4	12'	11"	9
4 IN 12	9'	4"	13	9'	5"	1	9'	5"	5	9'	5"	9		12'	11"	7	12'	11"	13	13'	0"	3	13'	0"	9
4.5 IN 12	9'	6"	4	9'	6"	9	9'	6"	13	9'	7"	1		13'	0"	9	13'	0"	15	13'	1"	5	13'	1"	10
5 IN 12	9'	7"	15	9'	8"	3	9'	8"	7	9'	8"	12		13'	1"	12	13'	2"	2	13'	2"	8	13'	2"	14
5.5 IN 12	9'	9"	11	9'	10"	0	9'	10"	4	9'	10"	8		13'	3"	1	13'	3"	7	13'	3"	13	13'	4"	3
6 IN 12	9'	11"	10	9'	11"	15	10'	0"	3	10'	0"	7		13'	4"	8	13'	4"	14	13'	5"	4	13'	5"	10
6.5 IN 12	10'	1"	11	10'	2"	0	10'	2"	4	10'	2"	9		13'	6"	1	13'	6"	7	13'	6"	13	13'	7"	3
7 IN 12	10'	3"	14	10'	4"	3	10'	4"	7	10'	4"	12		13'	7"	11	13'	8"	1	13'	8"	7	13'	8"	13
8 IN 12	10'	8"	10	10'	8"	14	10'	9"	3	10'	9"	8		13'	11"	5	13'	11"	11	14'	0"	1	14'	0"	7
9 IN 12	11'	1"	12	11'	2"	1	11'	2"	6	11'	2"	11		14'	3"	5	14'	3"	11	14'	4"	1	14'	4"	8
10 IN 12	11'	7"	5	11'	7"	10	11'	7"	15	11'	8"	4		14'	7"	10	14'	8"	1	14'	8"	7	14'	8"	14
11 IN 12	12'	1"	2	12'	1"	8	12'	1"	13	12'	2"	3		15'	0"	5	15'	0"	12	15'	1"	3	15'	1"	9
12 IN 12	12'	7"	5	12'	7"	11	12'	8"	0	12'	8"	6		15'	5"	5	15'	5"	12	15'	6"	3	15'	6"	10
13 IN 12	13'	1"	12	13'	2"	2	13'	2"	8	13'	2"	14		15'	10"	10	15'	11"	1	15'	11"	8	15'	11"	15
14 IN 12	13'	8"	7	13'	8"	13	13'	9"	3	13'	9"	9		16'	4"	3	16'	4"	10	16'	5"	1	16'	5"	9
15 IN 12	14'	3"	5	14'	3"	11	14'	4"	1	14'	4"	8		16'	9"	15	16'	10"	7	16'	10"	14	16'	11"	6
16 IN 12	14'	10"	5	14'	10"	12	14'	11"	3	14'	11"	9		17'	4"	0	17'	4"	7	17'	4"	15	17'	5"	7
17 IN 12	15'	5"	9	15'	6"	0	15'	6"	7	15'	6"	14		17'	10"	3	17'	10"	11	17'	11"	3	17'	11"	11
18 IN 12	16'	0"	14	16'	1"	6	16'	1"	13	16'	2"	4		18'	4"	9	18'	5"	2	18'	5"	10	18'	6"	2
19 IN 12	16'	8"	6	16'	8"	14	16'	9"	5	16'	9"	13		18'	11"	3	18'	11"	11	19'	0"	3	19'	0"	12
20 IN 12	17'	4"	0	17'	4"	7	17'	4"	15	17'	5"	7		19'	5"	14	19'	6"	7	19'	7"	0	19'	7"	8
21 IN 12	17'	11"	11	18'	0"	3	18'	0"	11	18'	1"	3		20'	0"	12	20'	1"	5	20'	1"	14	20'	2"	7
22 IN 12	18'	7"	7	18'	8"	0	18'	8"	8	18'	9"	0		20'	7"	12	20'	8"	5	20'	8"	15	20'	9"	8
23 IN 12	19'	3"	5	19'	3"	14	19'	4"	6	19'	4"	15		21'	2"	14	21'	3"	7	21'	4"	1	21'	4"	10
24 IN 12	19'	11"	4	19'	11"	13	20'	0"	6	20'	0"	15		21'	10"	2	21'	10"	11	21'	11"	5	21'	11"	15
25 IN 12	20'	7"	4	20'	7"	14	20'	8"	7	20'	9"	0		22'	5"	7	22'	6"	1	22'	6"	11	22'	7"	5

9 Foot 0 Inch Run — Common Rafter Lengths   9 Foot 0 Inch Run — Hip Or Valley Rafter Lengths

Run -	9' 0"			9' 0 1/4"			9' 0 1/2"			9' 0 3/4"			9' 0"			9' 0 1/4"			9' 0 1/2"			9' 0 3/4"		
Pitch	Ft	In	16th"	Ft	In	16th"	Ft	In	16th"	Ft	In	16th"	Ft	In	16th"	Ft	In	16th"	Ft	In	16th"	Ft	In	16th"
1 IN 12	9'	0"	6	9'	0"	10	9'	0"	14	9'	1"	2	12'	9"	0	12'	9"	6	12'	9"	11	12'	10"	1
2 IN 12	9'	1"	8	9'	1"	12	9'	2"	0	9'	2"	4	12'	9"	13	12'	10"	2	12'	10"	8	12'	10"	14
2.5 IN 12	9'	2"	5	9'	2"	9	9'	2"	13	9'	3"	1	12'	10"	6	12'	10"	12	12'	11"	2	12'	11"	7
3 IN 12	9'	3"	5	9'	3"	9	9'	3"	13	9'	4"	2	12'	11"	2	12'	11"	7	12'	11"	13	13'	0"	3
3.5 IN 12	9'	4"	8	9'	4"	12	9'	5"	0	9'	5"	5	12'	11"	15	13'	0"	5	13'	0"	11	13'	1"	1
4 IN 12	9'	5"	13	9'	6"	2	9'	6"	6	9'	6"	10	13'	0"	15	13'	1"	5	13'	1"	10	13'	2"	0
4.5 IN 12	9'	7"	6	9'	7"	10	9'	7"	14	9'	8"	2	13'	2"	0	13'	2"	6	13'	2"	12	13'	3"	2
5 IN 12	9'	9"	0	9'	9"	4	9'	9"	9	9'	9"	13	13'	3"	4	13'	3"	10	13'	3"	15	13'	4"	5
5.5 IN 12	9'	10"	13	9'	11"	1	9'	11"	6	9'	11"	10	13'	4"	9	13'	4"	15	13'	5"	5	13'	5"	11
6 IN 12	10'	0"	12	10'	1"	0	10'	1"	5	10'	1"	9	13'	6"	0	13'	6"	6	13'	6"	12	13'	7"	2
6.5 IN 12	10'	2"	13	10'	3"	2	10'	3"	6	10'	3"	11	13'	7"	9	13'	7"	15	13'	8"	5	13'	8"	11
7 IN 12	10'	5"	1	10'	5"	5	10'	5"	10	10'	5"	14	13'	9"	3	13'	9"	10	13'	10"	0	13'	10"	6
8 IN 12	10'	9"	13	10'	10"	2	10'	10"	6	10'	10"	11	14'	0"	14	14'	1"	4	14'	1"	10	14'	2"	0
9 IN 12	11'	3"	0	11'	3"	5	11'	3"	10	11'	3"	15	14'	4"	14	14'	5"	5	14'	5"	11	14'	6"	1
10 IN 12	11'	8"	9	11'	8"	15	11'	9"	4	11'	9"	9	14'	9"	4	14'	9"	11	14'	10"	2	14'	10"	8
11 IN 12	12'	2"	8	12'	2"	14	12'	3"	3	12'	3"	8	15'	2"	0	15'	2"	7	15'	2"	14	15'	3"	4
12 IN 12	12'	8"	12	12'	9"	1	12'	9"	7	12'	9"	13	15'	7"	1	15'	7"	8	15'	7"	15	15'	8"	6
13 IN 12	13'	3"	4	13'	3"	10	13'	3"	15	13'	4"	5	16'	0"	6	16'	0"	13	16'	1"	5	16'	1"	12
14 IN 12	13'	9"	15	13'	10"	5	13'	10"	12	13'	11"	2	16'	6"	0	16'	6"	7	16'	6"	15	16'	7"	6
15 IN 12	14'	4"	14	14'	5"	5	14'	5"	11	14'	6"	1	16'	11"	14	17'	0"	5	17'	0"	13	17'	1"	4
16 IN 12	15'	0"	0	15'	0"	7	15'	0"	13	15'	1"	4	17'	5"	15	17'	6"	6	17'	6"	14	17'	7"	6
17 IN 12	15'	7"	4	15'	7"	11	15'	8"	2	15'	8"	9	18'	0"	3	18'	0"	11	18'	1"	3	18'	1"	11
18 IN 12	16'	2"	11	16'	3"	2	16'	3"	10	16'	4"	1	18'	6"	10	18'	7"	3	18'	7"	11	18'	8"	3
19 IN 12	16'	10"	4	16'	10"	11	16'	11"	3	16'	11"	10	19'	1"	4	19'	1"	13	19'	2"	5	19'	2"	14
20 IN 12	17'	5"	15	17'	6"	6	17'	6"	14	17'	7"	6	19'	8"	1	19'	8"	10	19'	9"	3	19'	9"	11
21 IN 12	18'	1"	11	18'	2"	3	18'	2"	11	18'	3"	3	20'	3"	0	20'	3"	9	20'	4"	2	20'	4"	11
22 IN 12	18'	9"	9	18'	10"	1	18'	10"	9	18'	11"	2	20'	10"	1	20'	10"	10	20'	11"	4	20'	11"	13
23 IN 12	19'	5"	8	19'	6"	0	19'	6"	9	19'	7"	2	21'	5"	4	21'	5"	14	21'	6"	7	21'	7"	1
24 IN 12	20'	1"	8	20'	2"	1	20'	2"	10	20'	3"	3	22'	0"	9	22'	1"	3	22'	1"	12	22'	2"	6
25 IN 12	20'	9"	9	20'	10"	2	20'	10"	12	20'	11"	5	22'	7"	15	22'	8"	9	22'	9"	3	22'	9"	13

9 Foot 1 Inch Run — Common Rafter Lengths   9 Foot 1 Inch Run — Hip Or Valley Rafter Lengths

Run –	9' 1"	9' 1 1/4"	9' 1 1/2"	9' 1 3/4"	9' 1"	9' 1 1/4"	9' 1 1/2"	9' 1 3/4"
Pitch	Ft In 16th"	Ft In 16th"	Ft In 16th"	Ft In 16th"	Ft In 16th"	Ft In 16th"	Ft In 16th"	Ft In 16th"
1 IN 12	9' 1" 6	9' 1" 10	9' 1" 14	9' 2" 2	12' 10" 7	12' 10" 12	12' 11" 2	12' 11" 8
2 IN 12	9' 2" 8	9' 2" 12	9' 3" 0	9' 3" 4	12' 11" 3	12' 11" 9	12' 11" 15	13' 0" 5
2.5 IN 12	9' 3" 5	9' 3" 10	9' 3" 14	9' 4" 2	12' 11" 13	13' 0" 3	13' 0" 8	13' 0" 14
3 IN 12	9' 4" 6	9' 4" 10	9' 4" 14	9' 5" 2	13' 0" 9	13' 0" 14	13' 1" 4	13' 1" 10
3.5 IN 12	9' 5" 9	9' 5" 13	9' 6" 1	9' 6" 5	13' 1" 6	13' 1" 12	13' 2" 2	13' 2" 8
4 IN 12	9' 6" 14	9' 7" 3	9' 7" 7	9' 7" 11	13' 2" 6	13' 2" 12	13' 3" 2	13' 3" 7
4.5 IN 12	9' 8" 7	9' 8" 11	9' 8" 15	9' 9" 3	13' 3" 8	13' 3" 13	13' 4" 3	13' 4" 9
5 IN 12	9' 10" 1	9' 10" 6	9' 10" 10	9' 10" 14	13' 4" 11	13' 5" 1	13' 5" 7	13' 5" 13
5.5 IN 12	9' 11" 14	10' 0" 3	10' 0" 7	10' 0" 12	13' 6" 1	13' 6" 7	13' 6" 13	13' 7" 3
6 IN 12	10' 1" 14	10' 2" 2	10' 2" 7	10' 2" 11	13' 7" 8	13' 7" 14	13' 8" 4	13' 8" 10
6.5 IN 12	10' 3" 15	10' 4" 4	10' 4" 9	10' 4" 13	13' 9" 1	13' 9" 7	13' 9" 13	13' 10" 3
7 IN 12	10' 6" 3	10' 6" 8	10' 6" 12	10' 7" 1	13' 10" 12	13' 11" 2	13' 11" 8	13' 11" 14
8 IN 12	10' 11" 0	10' 11" 5	10' 11" 10	10' 11" 14	14' 2" 7	14' 2" 13	14' 3" 3	14' 3" 9
9 IN 12	11' 4" 4	11' 4" 9	11' 4" 14	11' 5" 3	14' 6" 8	14' 6" 14	14' 7" 5	14' 7" 11
10 IN 12	11' 9" 14	11' 10" 3	11' 10" 9	11' 10" 14	14' 10" 15	14' 11" 5	14' 11" 12	15' 0" 2
11 IN 12	12' 3" 14	12' 4" 3	12' 4" 9	12' 4" 14	15' 3" 11	15' 4" 2	15' 4" 9	15' 4" 15
12 IN 12	12' 10" 2	12' 10" 8	12' 10" 14	12' 11" 3	15' 8" 13	15' 9" 4	15' 9" 11	15' 10" 1
13 IN 12	13' 4" 11	13' 5" 1	13' 5" 7	13' 5" 13	16' 2" 3	16' 2" 10	16' 3" 1	16' 3" 8
14 IN 12	13' 11" 8	13' 11" 14	14' 0" 4	14' 0" 10	16' 7" 13	16' 8" 5	16' 8" 12	16' 9" 3
15 IN 12	14' 6" 8	14' 6" 14	14' 7" 5	14' 7" 11	17' 1" 12	17' 2" 3	17' 2" 11	17' 3" 2
16 IN 12	15' 1" 11	15' 2" 1	15' 2" 8	15' 2" 15	17' 7" 14	17' 8" 6	17' 8" 13	17' 9" 5
17 IN 12	15' 9" 0	15' 9" 7	15' 9" 14	15' 10" 5	18' 2" 3	18' 2" 11	18' 3" 3	18' 3" 11
18 IN 12	16' 4" 8	16' 4" 15	16' 5" 6	16' 5" 14	18' 8" 11	18' 9" 4	18' 9" 12	18' 10" 4
19 IN 12	17' 0" 0	17' 0" 9	17' 1" 1	17' 1" 8	19' 3" 6	19' 3" 15	19' 4" 4	19' 5" 0
20 IN 12	17' 7" 14	17' 8" 6	17' 8" 13	17' 9" 5	19' 10" 4	19' 10" 13	19' 11" 6	19' 11" 14
21 IN 12	18' 3" 11	18' 4" 3	18' 4" 11	18' 5" 3	20' 5" 4	20' 5" 13	20' 6" 6	20' 6" 15
22 IN 12	18' 11" 10	19' 0" 2	19' 0" 11	19' 1" 3	21' 0" 6	21' 0" 15	21' 1" 9	21' 2" 2
23 IN 12	19' 7" 10	19' 8" 3	19' 8" 12	19' 9" 4	21' 7" 10	21' 8" 4	21' 8" 13	21' 9" 7
24 IN 12	20' 3" 12	20' 4" 5	20' 4" 14	20' 5" 7	22' 3" 0	22' 3" 10	22' 4" 4	22' 4" 13
25 IN 12	20' 11" 14	21' 0" 7	21' 1" 1	21' 1" 10	22' 10" 7	22' 11" 1	22' 11" 12	23' 0" 6

9 Foot 2 Inch Run — Common Rafter Lengths   9 Foot 2 Inch Run — Hip Or Valley Rafter Lengths

Run - Pitch	9' 2"	9' 2 1/4"	9' 2 1/2"	9' 2 3/4"	9' 2"	9' 2 1/4"	9' 2 1/2"	9' 2 3/4"
	Ft In 16th"	Ft In 16th"	Ft In 16th"	Ft In 16th"	Ft In 16th"	Ft In 16th"	Ft In 16th"	Ft In 16th"
1 IN 12	9' 2" 6	9' 2" 10	9' 2" 14	9' 3" 2	12' 11" 13	13' 0" 3	13' 0" 9	13' 0" 14
2 IN 12	9' 3" 8	9' 3" 12	9' 4" 0	9' 4" 4	13' 0" 10	13' 1" 0	13' 1" 6	13' 1" 11
2.5 IN 12	9' 4" 6	9' 4" 10	9' 4" 14	9' 5" 2	13' 1" 4	13' 1" 10	13' 1" 15	13' 2" 5
3 IN 12	9' 5" 6	9' 5" 10	9' 5" 14	9' 6" 3	13' 2" 0	13' 2" 5	13' 2" 11	13' 3" 1
3.5 IN 12	9' 6" 9	9' 6" 14	9' 7" 2	9' 7" 6	13' 2" 13	13' 3" 3	13' 3" 9	13' 3" 15
4 IN 12	9' 7" 15	9' 8" 3	9' 8" 8	9' 8" 12	13' 3" 13	13' 4" 3	13' 4" 9	13' 4" 15
4.5 IN 12	9' 9" 8	9' 9" 12	9' 10" 0	9' 10" 4	13' 4" 15	13' 5" 5	13' 5" 11	13' 6" 1
5 IN 12	9' 11" 3	9' 11" 7	9' 11" 11	10' 0" 0	13' 6" 3	13' 6" 9	13' 6" 15	13' 7" 4
5.5 IN 12	10' 1" 0	10' 1" 4	10' 1" 9	10' 1" 13	13' 7" 8	13' 7" 14	13' 8" 4	13' 8" 10
6 IN 12	10' 3" 0	10' 3" 4	10' 3" 9	10' 3" 13	13' 9" 0	13' 9" 6	13' 9" 12	13' 10" 2
6.5 IN 12	10' 5" 2	10' 5" 6	10' 5" 11	10' 5" 15	13' 10" 9	13' 10" 15	13' 11" 5	13' 11" 12
7 IN 12	10' 7" 6	10' 7" 10	10' 7" 15	10' 8" 3	14' 0" 4	14' 0" 11	14' 1" 1	14' 1" 7
8 IN 12	11' 0" 3	11' 0" 8	11' 0" 13	11' 1" 2	14' 4" 0	14' 4" 6	14' 4" 12	14' 5" 2
9 IN 12	11' 5" 8	11' 5" 13	11' 6" 2	11' 6" 7	14' 8" 1	14' 8" 8	14' 8" 14	14' 9" 5
10 IN 12	11' 11" 3	11' 11" 8	11' 11" 13	12' 0" 3	15' 0" 9	15' 1" 0	15' 1" 6	15' 1" 13
11 IN 12	12' 5" 4	12' 5" 9	12' 5" 14	12' 6" 4	15' 5" 6	15' 5" 13	15' 6" 4	15' 6" 10
12 IN 12	12' 11" 9	12' 11" 15	13' 0" 4	13' 0" 10	15' 10" 8	15' 10" 15	15' 11" 6	15' 11" 13
13 IN 12	13' 6" 3	13' 6" 9	13' 6" 15	13' 7" 4	16' 3" 15	16' 4" 7	16' 4" 14	16' 5" 5
14 IN 12	14' 1" 0	14' 1" 7	14' 1" 13	14' 2" 3	16' 9" 11	16' 10" 2	16' 10" 9	16' 11" 1
15 IN 12	14' 8" 1	14' 8" 8	14' 8" 14	14' 9" 5	17' 3" 10	17' 4" 1	17' 4" 9	17' 5" 1
16 IN 12	15' 3" 5	15' 3" 12	15' 4" 3	15' 4" 9	17' 9" 13	17' 10" 5	17' 10" 12	17' 11" 4
17 IN 12	15' 10" 12	15' 11" 3	15' 11" 10	16' 0" 1	18' 4" 3	18' 4" 11	18' 5" 3	18' 5" 11
18 IN 12	16' 6" 5	16' 6" 12	16' 7" 3	16' 7" 11	18' 10" 12	18' 11" 5	18' 11" 13	19' 0" 5
19 IN 12	17' 2" 0	17' 2" 7	17' 2" 15	17' 3" 6	19' 5" 8	19' 6" 1	19' 6" 9	19' 7" 2
20 IN 12	17' 9" 13	17' 10" 5	17' 10" 12	17' 11" 4	20' 0" 7	20' 1" 0	20' 1" 9	20' 2" 1
21 IN 12	18' 5" 11	18' 6" 3	18' 6" 12	18' 7" 4	20' 7" 8	20' 8" 1	20' 8" 10	20' 9" 3
22 IN 12	19' 1" 11	19' 2" 4	19' 2" 12	19' 3" 5	21' 2" 11	21' 3" 4	21' 3" 14	21' 4" 7
23 IN 12	19' 9" 13	19' 10" 6	19' 10" 14	19' 11" 7	21' 10" 0	21' 10" 10	21' 11" 3	21' 11" 13
24 IN 12	20' 5" 15	20' 6" 8	20' 7" 1	20' 7" 10	22' 5" 7	22' 6" 1	22' 6" 11	22' 7" 4
25 IN 12	21' 2" 3	21' 2" 12	21' 3" 6	21' 3" 15	23' 1" 0	23' 1" 10	23' 2" 4	23' 2" 14

9 Foot 3 Inch Run — Common Rafter Lengths   9 Foot 3 Inch Run — Hip Or Valley Rafter Lengths

Run -	9' 3"	9' 3 1/4"	9' 3 1/2"	9' 3 3/4"	9' 3"	9' 3 1/4"	9' 3 1/2"	9' 3 3/4"
Pitch	Ft In 16th"	Ft In 16th"	Ft In 16th"	Ft In 16th"	Ft In 16th"	Ft In 16th"	Ft In 16th"	Ft In 16th"
1 IN 12	9' 3" 6	9' 3" 10	9' 3" 14	9' 4" 2	13' 1" 4	13' 1" 10	13' 1" 15	13' 2" 5
2 IN 12	9' 4" 8	9' 4" 13	9' 5" 1	9' 5" 5	13' 2" 1	13' 2" 7	13' 2" 12	13' 3" 2
2.5 IN 12	9' 5" 6	9' 5" 10	9' 5" 14	9' 6" 2	13' 2" 11	13' 3" 0	13' 3" 6	13' 3" 12
3 IN 12	9' 6" 7	9' 6" 11	9' 6" 15	9' 7" 3	13' 3" 7	13' 3" 12	13' 4" 2	13' 4" 8
3.5 IN 12	9' 7" 10	9' 7" 14	9' 8" 2	9' 8" 7	13' 4" 5	13' 4" 10	13' 5" 0	13' 5" 6
4 IN 12	9' 9" 0	9' 9" 4	9' 9" 9	9' 9" 13	13' 5" 4	13' 5" 10	13' 6" 0	13' 6" 6
4.5 IN 12	9' 10" 9	9' 10" 13	9' 11" 1	9' 11" 6	13' 6" 6	13' 6" 12	13' 7" 2	13' 7" 8
5 IN 12	10' 0" 4	10' 0" 8	10' 0" 13	10' 1" 1	13' 7" 10	13' 8" 0	13' 8" 6	13' 8" 12
5.5 IN 12	10' 2" 2	10' 2" 6	10' 2" 10	10' 2" 15	13' 9" 0	13' 9" 6	13' 9" 12	13' 10" 2
6 IN 12	10' 4" 2	10' 4" 6	10' 4" 11	10' 4" 15	13' 10" 8	13' 10" 14	13' 11" 4	13' 11" 10
6.5 IN 12	10' 6" 4	10' 6" 8	10' 6" 13	10' 7" 1	14' 0" 2	14' 0" 8	14' 0" 14	14' 1" 4
7 IN 12	10' 8" 8	10' 8" 13	10' 9" 1	10' 9" 6	14' 1" 13	14' 2" 3	14' 2" 9	14' 2" 15
8 IN 12	11' 1" 6	11' 1" 11	11' 2" 0	11' 2" 5	14' 5" 9	14' 5" 15	14' 6" 5	14' 6" 11
9 IN 12	11' 6" 12	11' 7" 1	11' 7" 6	11' 7" 11	14' 9" 11	14' 10" 1	14' 10" 8	14' 10" 14
10 IN 12	12' 0" 8	12' 0" 13	12' 1" 2	12' 1" 7	15' 2" 3	15' 2" 10	15' 3" 0	15' 3" 7
11 IN 12	12' 6" 9	12' 6" 15	12' 7" 4	12' 7" 10	15' 7" 1	15' 7" 8	15' 7" 15	15' 8" 5
12 IN 12	13' 1" 0	13' 1" 5	13' 1" 11	13' 2" 1	16' 0" 4	16' 0" 11	16' 1" 2	16' 1" 9
13 IN 12	13' 7" 10	13' 8" 0	13' 8" 6	13' 8" 12	16' 5" 12	16' 6" 3	16' 6" 10	16' 7" 1
14 IN 12	14' 2" 9	14' 2" 15	14' 3" 5	14' 3" 11	16' 11" 8	16' 11" 15	17' 0" 7	17' 0" 14
15 IN 12	14' 9" 11	14' 10" 1	14' 10" 8	14' 10" 14	17' 5" 8	17' 6" 0	17' 6" 7	17' 6" 15
16 IN 12	15' 5" 0	15' 5" 7	15' 5" 13	15' 6" 4	17' 11" 12	18' 0" 4	18' 0" 11	18' 1" 3
17 IN 12	16' 0" 8	16' 0" 15	16' 1" 6	16' 1" 12	18' 6" 3	18' 6" 11	18' 7" 3	18' 7" 11
18 IN 12	16' 8" 2	16' 8" 9	16' 9" 0	16' 9" 7	19' 0" 13	19' 1" 6	19' 1" 14	19' 2" 6
19 IN 12	17' 3" 14	17' 4" 5	17' 4" 13	17' 5" 4	19' 7" 10	19' 8" 3	19' 8" 11	19' 9" 4
20 IN 12	17' 11" 12	18' 0" 4	18' 0" 11	18' 1" 3	20' 2" 10	20' 3" 3	20' 3" 11	20' 4" 4
21 IN 12	18' 7" 12	18' 8" 4	18' 8" 12	18' 9" 4	20' 9" 12	20' 10" 5	20' 10" 14	20' 11" 7
22 IN 12	19' 3" 13	19' 4" 5	19' 4" 14	19' 5" 6	21' 5" 0	21' 5" 9	21' 6" 3	21' 6" 12
23 IN 12	19' 11" 15	20' 0" 8	20' 1" 1	20' 1" 9	22' 0" 6	22' 1" 0	22' 1" 9	22' 2" 3
24 IN 12	20' 8" 3	20' 8" 12	20' 9" 5	20' 9" 14	22' 7" 14	22' 8" 8	22' 9" 2	22' 9" 12
25 IN 12	21' 4" 8	21' 5" 1	21' 5" 11	21' 6" 4	23' 3" 8	23' 4" 2	23' 4" 12	23' 5" 6

9 Foot 4 Inch Run — Common Rafter Lengths   9 Foot 4 Inch Run — Hip Or Valley Rafter Lengths

Run -	9' 4"			9' 4 1/4"			9' 4 1/2"			9' 4 3/4"			9' 4"			9' 4 1/4"			9' 4 1/2"			9' 4 3/4"		
Pitch	Ft	In	16th"	Ft	In	16th"	Ft	In	16th"	Ft	In	16th"	Ft	In	16th"	Ft	In	16th"	Ft	In	16th"	Ft	In	16th"
1 IN 12	9'	4"	6	9'	4"	10	9'	4"	14	9'	5"	2	13'	2"	11	13'	3"	0	13'	3"	6	13'	3"	12
2 IN 12	9'	5"	9	9'	5"	13	9'	6"	1	9'	6"	5	13'	3"	3	13'	3"	8	13'	4"	3	13'	4"	9
2.5 IN 12	9'	6"	6	9'	6"	11	9'	6"	15	9'	7"	3	13'	4"	2	13'	4"	7	13'	4"	13	13'	5"	3
3 IN 12	9'	7"	7	9'	7"	11	9'	7"	15	9'	8"	4	13'	4"	14	13'	5"	3	13'	5"	9	13'	5"	15
3.5 IN 12	9'	8"	11	9'	8"	15	9'	9"	3	9'	9"	7	13'	5"	12	13'	6"	1	13'	6"	7	13'	6"	13
4 IN 12	9'	10"	1	9'	10"	5	9'	10"	9	9'	10"	14	13'	6"	12	13'	7"	2	13'	7"	7	13'	7"	13
4.5 IN 12	9'	11"	10	9'	11"	14	10'	0"	2	10'	0"	7	13'	7"	14	13'	8"	4	13'	8"	10	13'	8"	15
5 IN 12	10'	1"	5	10'	1"	10	10'	1"	14	10'	2"	2	13'	9"	2	13'	9"	8	13'	9"	14	13'	10"	4
5.5 IN 12	10'	3"	3	10'	3"	8	10'	3"	12	10'	4"	0	13'	10"	8	13'	10"	14	13'	11"	4	13'	11"	10
6 IN 12	10'	5"	4	10'	5"	8	10'	5"	12	10'	6"	1	14'	0"	0	14'	0"	6	14'	0"	12	14'	1"	2
6.5 IN 12	10'	7"	6	10'	7"	11	10'	7"	15	10'	8"	4	14'	1"	10	14'	2"	0	14'	2"	6	14'	2"	12
7 IN 12	10'	9"	11	10'	9"	15	10'	10"	4	10'	10"	8	14'	3"	5	14'	3"	12	14'	4"	2	14'	4"	8
8 IN 12	11'	2"	10	11'	2"	15	11'	3"	3	11'	3"	8	14'	7"	2	14'	7"	8	14'	7"	14	14'	8"	5
9 IN 12	11'	8"	0	11'	8"	5	11'	8"	10	11'	8"	15	14'	11"	8	14'	11"	14	15'	0"	1	15'	0"	8
10 IN 12	12'	1"	13	12'	2"	2	12'	2"	7	12'	2"	12	15'	3"	14	15'	4"	4	15'	4"	11	15'	5"	1
11 IN 12	12'	7"	15	12'	8"	4	12'	8"	10	12'	8"	15	15'	8"	12	15'	9"	3	15'	9"	10	15'	10"	0
12 IN 12	13'	2"	6	13'	2"	12	13'	3"	2	13'	3"	7	16'	2"	0	16'	2"	7	16'	2"	14	16'	3"	5
13 IN 12	13'	9"	2	13'	9"	8	13'	9"	14	13'	10"	4	16'	7"	8	16'	8"	0	16'	8"	7	16'	8"	14
14 IN 12	14'	4"	2	14'	4"	8	14'	4"	14	14'	5"	4	17'	1"	5	17'	1"	13	17'	2"	4	17'	2"	11
15 IN 12	14'	11"	5	14'	11"	11	15'	0"	1	15'	0"	8	17'	7"	5	17'	7"	14	17'	8"	5	17'	8"	13
16 IN 12	15'	6"	11	15'	7"	1	15'	7"	8	15'	7"	15	18'	1"	11	18'	2"	3	18'	2"	11	18'	3"	2
17 IN 12	16'	2"	3	16'	2"	10	16'	3"	1	16'	3"	8	18'	8"	3	18'	8"	11	18'	9"	3	18'	9"	11
18 IN 12	16'	9"	15	16'	10"	6	16'	10"	13	16'	11"	4	19'	2"	14	19'	3"	7	19'	3"	15	19'	4"	7
19 IN 12	17'	5"	12	17'	6"	3	17'	6"	11	17'	7"	2	19'	9"	12	19'	10"	5	19'	10"	13	19'	11"	6
20 IN 12	18'	1"	11	18'	2"	3	18'	2"	11	18'	3"	2	20'	4"	13	20'	5"	6	20'	5"	14	20'	6"	7
21 IN 12	18'	9"	12	18'	10"	4	18'	10"	12	18'	11"	4	21'	0"	0	21'	0"	9	21'	1"	2	21'	1"	11
22 IN 12	19'	5"	14	19'	6"	7	19'	6"	15	19'	7"	7	21'	7"	5	21'	7"	14	21'	8"	8	21'	9"	1
23 IN 12	20'	2"	2	20'	2"	11	20'	3"	3	20'	3"	12	22'	2"	12	22'	3"	6	22'	3"	15	22'	4"	9
24 IN 12	20'	10"	7	20'	11"	0	20'	11"	9	21'	0"	2	22'	10"	5	22'	10"	15	22'	11"	9	23'	0"	3
25 IN 12	21'	6"	13	21'	7"	6	21'	8"	0	21'	8"	9	23'	6"	0	23'	6"	10	23'	7"	4	23'	7"	14

9 Foot 5 Inch Run — Common Rafter Lengths   9 Foot 5 Inch Run — Hip Or Valley Rafter Lengths

Run - Pitch	9' 5" (Ft In 16th)	9' 5 1/4" (Ft In 16th)	9' 5 1/2" (Ft In 16th)	9' 5 3/4" (Ft In 16th)	9' 5" (Ft In 16th)	9' 5 1/4" (Ft In 16th)	9' 5 1/2" (Ft In 16th)	9' 5 3/4" (Ft In 16th)
1 IN 12	9' 5" 6	9' 5" 10	9' 5" 14	9' 6" 2	13' 4" 1	13' 4" 7	13' 4" 13	13' 5" 2
2 IN 12	9' 6" 9	9' 6" 13	9' 7" 1	9' 7" 5	13' 4" 15	13' 5" 4	13' 5" 10	13' 6" 0
2.5 IN 12	9' 7" 7	9' 7" 11	9' 7" 15	9' 8" 3	13' 5" 8	13' 5" 14	13' 6" 4	13' 6" 10
3 IN 12	9' 8" 8	9' 8" 12	9' 9" 0	9' 9" 4	13' 6" 5	13' 6" 10	13' 7" 0	13' 7" 6
3.5 IN 12	9' 9" 11	9' 10" 0	9' 10" 4	9' 10" 8	13' 7" 3	13' 7" 8	13' 7" 14	13' 8" 4
4 IN 12	9' 11" 2	9' 11" 6	9' 11" 10	9' 11" 14	13' 8" 3	13' 8" 9	13' 8" 15	13' 9" 4
4.5 IN 12	10' 0" 11	10' 0" 15	10' 1" 3	10' 1" 8	13' 9" 5	13' 9" 11	13' 10" 1	13' 10" 7
5 IN 12	10' 2" 7	10' 2" 11	10' 3" 0	10' 3" 4	13' 10" 10	13' 10" 15	13' 11" 5	13' 11" 11
5.5 IN 12	10' 4" 5	10' 4" 9	10' 4" 14	10' 5" 2	14' 0" 0	14' 0" 6	14' 0" 12	14' 1" 2
6 IN 12	10' 6" 5	10' 6" 10	10' 6" 14	10' 7" 3	14' 1" 8	14' 1" 14	14' 2" 4	14' 2" 10
6.5 IN 12	10' 8" 8	10' 8" 13	10' 9" 1	10' 9" 6	14' 3" 2	14' 3" 8	14' 3" 14	14' 4" 4
7 IN 12	10' 10" 13	10' 11" 2	10' 11" 6	10' 11" 11	14' 4" 14	14' 5" 4	14' 5" 10	14' 6" 0
8 IN 12	11' 3" 13	11' 4" 2	11' 4" 7	11' 4" 11	14' 8" 11	14' 9" 1	14' 9" 7	14' 9" 14
9 IN 12	11' 9" 4	11' 9" 9	11' 9" 14	11' 10" 3	15' 0" 14	15' 1" 5	15' 1" 11	15' 2" 1
10 IN 12	12' 3" 1	12' 3" 7	12' 3" 12	12' 4" 1	15' 5" 8	15' 5" 14	15' 6" 5	15' 6" 11
11 IN 12	12' 9" 5	12' 9" 10	12' 10" 0	12' 10" 5	15' 10" 7	15' 10" 14	15' 11" 5	15' 11" 11
12 IN 12	13' 3" 13	13' 4" 3	13' 4" 8	13' 4" 14	16' 3" 12	16' 4" 2	16' 4" 9	16' 5" 0
13 IN 12	13' 10" 10	13' 10" 15	13' 11" 5	13' 11" 11	16' 9" 5	16' 9" 12	16' 10" 3	16' 10" 10
14 IN 12	14' 5" 10	14' 6" 0	14' 6" 6	14' 6" 13	17' 3" 3	17' 3" 10	17' 4" 1	17' 4" 9
15 IN 12	15' 0" 14	15' 1" 5	15' 1" 11	15' 2" 1	17' 9" 5	17' 9" 12	17' 10" 4	17' 10" 11
16 IN 12	15' 8" 5	15' 8" 12	15' 9" 3	15' 9" 9	18' 3" 10	18' 4" 2	18' 4" 10	18' 5" 1
17 IN 12	16' 3" 15	16' 4" 6	16' 4" 13	16' 5" 4	18' 10" 3	18' 10" 11	18' 11" 3	18' 11" 11
18 IN 12	16' 11" 11	17' 0" 3	17' 0" 10	17' 1" 1	19' 4" 15	19' 5" 8	19' 6" 0	19' 6" 8
19 IN 12	17' 7" 10	17' 8" 1	17' 8" 9	17' 9" 0	19' 11" 14	20' 0" 7	20' 0" 15	20' 1" 8
20 IN 12	18' 3" 10	18' 4" 2	18' 4" 10	18' 5" 1	20' 7" 0	20' 7" 9	20' 8" 1	20' 8" 10
21 IN 12	18' 11" 12	19' 0" 4	19' 0" 12	19' 1" 4	21' 2" 4	21' 2" 13	21' 3" 6	21' 3" 15
22 IN 12	19' 8" 0	19' 8" 8	19' 9" 0	19' 9" 9	21' 9" 10	21' 10" 4	21' 10" 13	21' 11" 6
23 IN 12	20' 4" 5	20' 4" 13	20' 5" 6	20' 5" 15	22' 5" 3	22' 5" 12	22' 6" 6	22' 6" 15
24 IN 12	21' 0" 11	21' 1" 4	21' 1" 13	21' 2" 6	23' 0" 13	23' 1" 6	23' 2" 0	23' 2" 10
25 IN 12	21' 9" 2	21' 9" 11	21' 10" 5	21' 10" 14	23' 8" 9	23' 9" 3	23' 9" 13	23' 10" 7

9 Foot 6 Inch Run — Common Rafter Lengths   9 Foot 6 Inch Run — Hip Or Valley Rafter Lengths

Run -	9' 6"	9' 6 1/4"	9' 6 1/2"	9' 6 3/4"	9' 6"	9' 6 1/4"	9' 6 1/2"	9' 6 3/4"
Pitch	Ft In 16th"	Ft In 16th"	Ft In 16th"	Ft In 16th"	Ft In 16th"	Ft In 16th"	Ft In 16th"	Ft In 16th"
1 IN 12	9' 6" 6	9' 6" 10	9' 6" 14	9' 7" 2	13' 5" 8	13' 5" 14	13' 6" 3	13' 6" 9
2 IN 12	9' 7" 9	9' 7" 13	9' 8" 1	9' 8" 5	13' 6" 5	13' 6" 11	13' 7" 1	13' 7" 6
2.5 IN 12	9' 8" 7	9' 8" 11	9' 8" 15	9' 9" 3	13' 6" 15	13' 7" 5	13' 7" 11	13' 8" 1
3 IN 12	9' 9" 8	9' 9" 12	9' 10" 0	9' 10" 5	13' 7" 12	13' 8" 1	13' 8" 7	13' 8" 13
3.5 IN 12	9' 10" 12	9' 11" 0	9' 11" 4	9' 11" 9	13' 8" 10	13' 9" 0	13' 9" 5	13' 9" 11
4 IN 12	10' 0" 3	10' 0" 7	10' 0" 11	10' 0" 15	13' 9" 10	13' 10" 0	13' 10" 6	13' 10" 12
4.5 IN 12	10' 1" 12	10' 2" 0	10' 2" 5	10' 2" 9	13' 10" 13	13' 11" 3	13' 11" 8	13' 11" 14
5 IN 12	10' 3" 8	10' 3" 12	10' 4" 1	10' 4" 5	14' 0" 1	14' 0" 7	14' 0" 13	14' 1" 3
5.5 IN 12	10' 5" 6	10' 5" 11	10' 5" 15	10' 6" 4	14' 1" 8	14' 1" 14	14' 2" 4	14' 2" 9
6 IN 12	10' 7" 7	10' 7" 12	10' 8" 0	10' 8" 5	14' 3" 0	14' 3" 6	14' 3" 12	14' 4" 2
6.5 IN 12	10' 9" 10	10' 9" 15	10' 10" 3	10' 10" 8	14' 4" 10	14' 5" 0	14' 5" 6	14' 5" 12
7 IN 12	11' 0" 0	11' 0" 4	11' 0" 9	11' 0" 14	14' 6" 6	14' 6" 12	14' 7" 3	14' 7" 9
8 IN 12	11' 5" 0	11' 5" 5	11' 5" 10	11' 5" 15	14' 10" 4	14' 10" 10	14' 11" 0	14' 11" 7
9 IN 12	11' 10" 8	11' 10" 13	11' 11" 2	11' 11" 7	15' 2" 8	15' 2" 14	15' 3" 5	15' 3" 11
10 IN 12	12' 4" 6	12' 4" 12	12' 5" 1	12' 5" 6	15' 7" 2	15' 7" 9	15' 7" 15	15' 8" 6
11 IN 12	12' 10" 10	12' 11" 0	12' 11" 5	12' 11" 11	16' 0" 2	16' 0" 9	16' 0" 15	16' 1" 6
12 IN 12	13' 5" 4	13' 5" 9	13' 5" 15	13' 6" 4	16' 5" 7	16' 5" 14	16' 6" 5	16' 6" 12
13 IN 12	14' 0" 1	14' 0" 7	14' 0" 13	14' 1" 3	16' 11" 1	16' 11" 9	17' 0" 0	17' 0" 7
14 IN 12	14' 7" 3	14' 7" 9	14' 7" 15	14' 8" 5	17' 5" 0	17' 5" 7	17' 5" 15	17' 6" 6
15 IN 12	15' 2" 8	15' 2" 14	15' 3" 5	15' 3" 11	17' 11" 3	17' 11" 10	18' 0" 2	18' 0" 9
16 IN 12	15' 10" 0	15' 10" 7	15' 10" 13	15' 11" 4	18' 5" 9	18' 6" 1	18' 6" 9	18' 7" 1
17 IN 12	16' 5" 11	16' 6" 2	16' 6" 9	16' 7" 0	19' 0" 3	19' 0" 11	19' 1" 3	19' 1" 11
18 IN 12	17' 1" 8	17' 1" 15	17' 2" 7	17' 2" 14	19' 7" 0	19' 7" 9	19' 8" 1	19' 8" 9
19 IN 12	17' 9" 8	17' 9" 15	17' 10" 7	17' 10" 14	20' 2" 0	20' 2" 9	20' 3" 1	20' 3" 10
20 IN 12	18' 5" 9	18' 6" 1	18' 6" 9	18' 7" 1	20' 9" 3	20' 9" 12	20' 10" 4	20' 10" 13
21 IN 12	19' 1" 12	19' 2" 4	19' 2" 13	19' 3" 5	21' 4" 8	21' 5" 1	21' 5" 10	21' 6" 3
22 IN 12	19' 10" 1	19' 10" 9	19' 11" 2	19' 11" 10	21' 11" 15	22' 0" 9	22' 1" 2	22' 1" 11
23 IN 12	20' 6" 7	20' 7" 0	20' 7" 9	20' 8" 1	22' 7" 9	22' 8" 2	22' 8" 12	22' 9" 5
24 IN 12	21' 2" 15	21' 3" 8	21' 4" 0	21' 4" 9	23' 3" 4	23' 3" 14	23' 4" 7	23' 5" 1
25 IN 12	21' 11" 7	22' 0" 0	22' 0" 10	22' 1" 3	23' 11" 1	23' 11" 11	24' 0" 5	24' 0" 15

9 Foot 7 Inch Run — Common Rafter Lengths

Pitch	9' 7" (Ft In 16th")	9' 7 1/4" (Ft In 16th")	9' 7 1/2" (Ft In 16th")	9' 7 3/4" (Ft In 16th")
1 IN 12	9' 7" 6	9' 7" 10	9' 7" 14	9' 8" 2
2 IN 12	9' 8" 9	9' 8" 13	9' 9" 1	9' 9" 6
2.5 IN 12	9' 9" 8	9' 9" 12	9' 10" 0	9' 10" 4
3 IN 12	9' 10" 9	9' 10" 13	9' 11" 1	9' 11" 5
3.5 IN 12	9' 11" 13	10' 0" 1	10' 0" 5	10' 0" 9
4 IN 12	10' 1" 4	10' 1" 8	10' 1" 12	10' 2" 0
4.5 IN 12	10' 2" 13	10' 3" 1	10' 3" 6	10' 3" 10
5 IN 12	10' 4" 9	10' 4" 14	10' 5" 2	10' 5" 6
5.5 IN 12	10' 6" 8	10' 6" 12	10' 7" 1	10' 7" 5
6 IN 12	10' 8" 9	10' 8" 14	10' 9" 2	10' 9" 7
6.5 IN 12	10' 10" 13	10' 11" 1	10' 11" 6	10' 11" 10
7 IN 12	11' 1" 2	11' 1" 7	11' 1" 11	11' 2" 0
8 IN 12	11' 6" 3	11' 6" 8	11' 6" 13	11' 7" 2
9 IN 12	11' 11" 13	12' 0" 1	12' 0" 6	12' 0" 11
10 IN 12	12' 5" 11	12' 6" 0	12' 6" 6	12' 6" 11
11 IN 12	13' 0" 0	13' 0" 6	13' 0" 11	13' 1" 0
12 IN 12	13' 6" 10	13' 7" 0	13' 7" 5	13' 7" 11
13 IN 12	14' 1" 9	14' 1" 15	14' 2" 5	14' 2" 10
14 IN 12	14' 8" 11	14' 9" 1	14' 9" 8	14' 9" 14
15 IN 12	15' 4" 1	15' 4" 8	15' 4" 14	15' 5" 5
16 IN 12	15' 11" 11	16' 0" 1	16' 0" 8	16' 0" 15
17 IN 12	16' 7" 7	16' 7" 14	16' 8" 5	16' 8" 11
18 IN 12	17' 3" 5	17' 3" 12	17' 4" 4	17' 4" 11
19 IN 12	17' 11" 6	17' 11" 13	18' 0" 5	18' 0" 12
20 IN 12	18' 7" 8	18' 8" 0	18' 8" 8	18' 9" 0
21 IN 12	19' 3" 13	19' 4" 5	19' 4" 13	19' 5" 5
22 IN 12	20' 0" 3	20' 0" 11	20' 1" 3	20' 1" 12
23 IN 12	20' 8" 10	20' 9" 2	20' 9" 11	20' 10" 4
24 IN 12	21' 5" 2	21' 5" 11	21' 6" 4	21' 6" 13
25 IN 12	22' 1" 12	22' 2" 5	22' 2" 15	22' 3" 8

9 Foot 7 Inch Run — Hip Or Valley Rafter Lengths

Pitch	9' 7" (Ft In 16th")	9' 7 1/4" (Ft In 16th")	9' 7 1/2" (Ft In 16th")	9' 7 3/4" (Ft In 16th")
1 IN 12	13' 6" 15	13' 7" 4	13' 7" 10	13' 8" 0
2 IN 12	13' 7" 12	13' 8" 2	13' 8" 8	13' 8" 13
2.5 IN 12	13' 8" 6	13' 8" 12	13' 9" 2	13' 9" 7
3 IN 12	13' 9" 2	13' 9" 8	13' 9" 14	13' 10" 4
3.5 IN 12	13' 10" 1	13' 10" 7	13' 10" 12	13' 11" 2
4 IN 12	13' 11" 1	13' 11" 7	13' 11" 13	14' 0" 3
4.5 IN 12	14' 0" 4	14' 0" 10	14' 1" 0	14' 1" 6
5 IN 12	14' 1" 9	14' 1" 15	14' 2" 5	14' 2" 10
5.5 IN 12	14' 2" 15	14' 3" 5	14' 3" 11	14' 4" 1
6 IN 12	14' 4" 8	14' 4" 14	14' 5" 4	14' 5" 10
6.5 IN 12	14' 6" 2	14' 6" 9	14' 6" 15	14' 7" 5
7 IN 12	14' 7" 15	14' 8" 5	14' 8" 11	14' 9" 1
8 IN 12	14' 11" 13	15' 0" 3	15' 0" 9	15' 1" 0
9 IN 12	15' 4" 1	15' 4" 8	15' 4" 14	15' 5" 5
10 IN 12	15' 8" 12	15' 9" 3	15' 9" 9	15' 10" 0
11 IN 12	16' 1" 13	16' 2" 4	16' 2" 10	16' 3" 1
12 IN 12	16' 7" 3	16' 7" 10	16' 8" 1	16' 8" 8
13 IN 12	17' 0" 14	17' 1" 5	17' 1" 12	17' 2" 3
14 IN 12	17' 6" 13	17' 7" 5	17' 7" 12	17' 8" 3
15 IN 12	18' 1" 1	18' 1" 8	18' 2" 0	18' 2" 8
16 IN 12	18' 7" 8	18' 8" 0	18' 8" 8	18' 9" 0
17 IN 12	19' 2" 3	19' 2" 11	19' 3" 3	19' 3" 11
18 IN 12	19' 9" 1	19' 9" 10	19' 10" 2	19' 10" 10
19 IN 12	20' 4" 2	20' 4" 11	20' 5" 3	20' 5" 12
20 IN 12	20' 11" 6	20' 11" 15	21' 0" 7	21' 1" 0
21 IN 12	21' 6" 12	21' 7" 5	21' 7" 14	21' 8" 7
22 IN 12	22' 2" 4	22' 2" 14	22' 3" 7	22' 4" 0
23 IN 12	22' 9" 15	22' 10" 8	22' 11" 2	22' 11" 11
24 IN 12	23' 5" 11	23' 6" 5	23' 6" 15	23' 7" 8
25 IN 12	24' 1" 9	24' 2" 3	24' 2" 13	24' 3" 7

9 Foot 8 Inch Run — Common Rafter Lengths   9 Foot 8 Inch Run — Hip Or Valley Rafter Lengths

Run -	9' 8"			9' 8 1/4"			9' 8 1/2"			9' 8 3/4"			9' 8"			9' 8 1/4"			9' 8 1/2"			9' 8 3/4"		
Pitch	Ft	In	16th"	Ft	In	16th"	Ft	In	16th"	Ft	In	16th"	Ft	In	16th"	Ft	In	16th"	Ft	In	16th"	Ft	In	16th"
1 IN 12	9'	8"	6	9'	8"	10	9'	8"	14	9'	9"	2	13'	8"	5	13'	8"	11	13'	9"	1	13'	9"	6
2 IN 12	9'	9"	10	9'	9"	14	9'	10"	2	9'	10"	6	13'	9"	3	13'	9"	9	13'	9"	14	13'	10"	4
2.5 IN 12	9'	10"	8	9'	10"	12	9'	11"	0	9'	11"	4	13'	9"	13	13'	10"	3	13'	10"	9	13'	10"	14
3 IN 12	9'	11"	9	9'	11"	13	10'	0"	1	10'	0"	5	13'	10"	9	13'	10"	15	13'	11"	5	13'	11"	11
3.5 IN 12	10'	0"	13	10'	1"	2	10'	1"	6	10'	1"	10	13'	11"	8	13'	11"	14	14'	0"	4	14'	0"	9
4 IN 12	10'	2"	4	10'	2"	9	10'	2"	13	10'	3"	1	14'	0"	9	14'	0"	15	14'	1"	4	14'	1"	10
4.5 IN 12	10'	3"	14	10'	4"	2	10'	4"	7	10'	4"	11	14'	1"	11	14'	2"	1	14'	2"	7	14'	2"	13
5 IN 12	10'	5"	11	10'	5"	15	10'	6"	3	10'	6"	8	14'	3"	0	14'	3"	6	14'	3"	12	14'	4"	2
5.5 IN 12	10'	7"	10	10'	7"	14	10'	8"	2	10'	8"	7	14'	4"	7	14'	4"	13	14'	5"	3	14'	5"	9
6 IN 12	10'	9"	11	10'	10"	0	10'	10"	4	10'	10"	8	14'	6"	0	14'	6"	6	14'	6"	12	14'	7"	2
6.5 IN 12	10'	11"	15	11'	0"	3	11'	0"	8	11'	0"	12	14'	7"	11	14'	8"	1	14'	8"	7	14'	8"	13
7 IN 12	11'	2"	5	11'	2"	9	11'	2"	14	11'	3"	3	14'	9"	7	14'	9"	13	14'	10"	4	14'	10"	10
8 IN 12	11'	7"	7	11'	7"	11	11'	8"	0	11'	8"	5	15'	1"	6	15'	1"	12	15'	2"	2	15'	2"	9
9 IN 12	12'	1"	0	12'	1"	5	12'	1"	10	12'	1"	15	15'	5"	11	15'	6"	1	15'	6"	8	15'	6"	14
10 IN 12	12'	7"	0	12'	7"	5	12'	7"	10	12'	8"	0	15'	10"	7	15'	10"	13	15'	11"	4	15'	11"	10
11 IN 12	13'	1"	6	13'	1"	11	13'	2"	1	13'	2"	6	16'	3"	8	16'	3"	15	16'	4"	5	16'	4"	12
12 IN 12	13'	8"	1	13'	8"	6	13'	8"	12	13'	9"	2	16'	8"	15	16'	9"	6	16'	9"	13	16'	10"	3
13 IN 12	14'	3"	0	14'	3"	6	14'	3"	12	14'	4"	2	17'	2"	10	17'	3"	2	17'	3"	9	17'	4"	0
14 IN 12	14'	10"	4	14'	10"	10	14'	11"	0	14'	11"	6	17'	8"	11	17'	9"	2	17'	9"	9	17'	10"	1
15 IN 12	15'	5"	11	15'	6"	1	15'	6"	8	15'	6"	14	18'	2"	15	18'	3"	7	18'	3"	14	18'	4"	6
16 IN 12	16'	1"	5	16'	1"	12	16'	2"	3	16'	2"	9	18'	9"	7	18'	9"	15	18'	10"	7	18'	10"	15
17 IN 12	16'	9"	2	16'	9"	9	16'	10"	0	16'	10"	7	19'	4"	3	19'	4"	11	19'	5"	3	19'	5"	11
18 IN 12	17'	5"	2	17'	5"	9	17'	6"	0	17'	6"	8	19'	11"	2	19'	11"	10	20'	0"	3	20'	0"	11
19 IN 12	18'	1"	4	18'	1"	11	18'	2"	3	18'	2"	10	20'	6"	4	20'	6"	13	20'	7"	5	20'	7"	14
20 IN 12	18'	9"	7	18'	9"	15	18'	10"	7	18'	10"	15	21'	1"	9	21'	2"	2	21'	2"	10	21'	3"	3
21 IN 12	19'	5"	13	19'	6"	5	19'	6"	13	19'	7"	5	21'	9"	0	21'	9"	9	21'	10"	2	21'	10"	11
22 IN 12	20'	2"	4	20'	2"	12	20'	3"	5	20'	3"	13	22'	4"	9	22'	5"	3	22'	5"	12	22'	6"	5
23 IN 12	20'	10"	12	20'	11"	5	20'	11"	14	21'	0"	6	23'	0"	5	23'	0"	14	23'	1"	8	23'	2"	1
24 IN 12	21'	7"	6	21'	7"	15	21'	8"	8	21'	9"	1	23'	8"	2	23'	8"	12	23'	9"	6	23'	10"	0
25 IN 12	22'	4"	1	22'	4"	10	22'	5"	4	22'	5"	13	24'	4"	1	24'	4"	11	24'	5"	6	24'	6"	0

9 Foot 9 Inch Run — Common Rafter Lengths   9 Foot 9 Inch Run — Hip Or Valley Rafter Lengths

Run -	Common 9' 9"	Common 9' 9 1/4"	Common 9' 9 1/2"	Common 9' 9 3/4"	Hip 9' 9"	Hip 9' 9 1/4"	Hip 9' 9 1/2"	Hip 9' 9 3/4"
Pitch (Ft In 16th")	Ft In 16th"	Ft In 16th"	Ft In 16th"	Ft In 16th"	Ft In 16th"	Ft In 16th"	Ft In 16th"	Ft In 16th"
1 IN 12	9' 9" 6	9' 9" 11	9' 9" 15	9' 10" 3	13' 9" 12	13' 10" 2	13' 10" 7	13' 10" 13
2 IN 12	9' 10" 10	9' 10" 14	9' 11" 2	9' 11" 6	13' 10" 10	13' 10" 15	13' 11" 7	13' 11" 11
2.5 IN 12	9' 11" 8	9' 11" 12	10' 0" 0	10' 0" 4	13' 11" 4	13' 11" 10	13' 11" 15	14' 0" 5
3 IN 12	10' 0" 10	10' 0" 14	10' 1" 2	10' 1" 6	14' 0" 0	14' 0" 6	14' 0" 12	14' 1" 2
3.5 IN 12	10' 1" 14	10' 2" 2	10' 2" 6	10' 2" 10	14' 0" 15	14' 1" 5	14' 1" 11	14' 2" 0
4 IN 12	10' 3" 5	10' 3" 9	10' 3" 14	10' 4" 2	14' 2" 0	14' 2" 6	14' 2" 12	14' 3" 1
4.5 IN 12	10' 4" 15	10' 5" 4	10' 5" 8	10' 5" 12	14' 3" 3	14' 3" 9	14' 3" 15	14' 4" 4
5 IN 12	10' 6" 12	10' 7" 0	10' 7" 5	10' 7" 9	14' 4" 8	14' 4" 14	14' 5" 4	14' 5" 10
5.5 IN 12	10' 8" 11	10' 9" 0	10' 9" 4	10' 9" 8	14' 5" 15	14' 6" 5	14' 6" 11	14' 7" 1
6 IN 12	10' 10" 13	10' 11" 1	10' 11" 6	10' 11" 10	14' 7" 8	14' 7" 14	14' 8" 4	14' 8" 10
6.5 IN 12	11' 1" 1	11' 1" 6	11' 1" 10	11' 1" 15	14' 9" 3	14' 9" 9	14' 9" 15	14' 10" 5
7 IN 12	11' 3" 2	11' 3" 12	11' 4" 0	11' 4" 5	14' 11" 0	14' 11" 6	14' 11" 12	15' 0" 2
8 IN 12	11' 8" 10	11' 8" 15	11' 9" 3	11' 9" 8	15' 2" 15	15' 3" 5	15' 3" 11	15' 4" 2
9 IN 12	12' 2" 4	12' 2" 9	12' 2" 14	12' 3" 3	15' 7" 5	15' 7" 11	15' 8" 1	15' 8" 8
10 IN 12	12' 8" 5	12' 8" 10	12' 8" 15	12' 9" 4	16' 0" 1	16' 0" 7	16' 0" 14	16' 1" 5
11 IN 12	13' 2" 11	13' 3" 1	13' 3" 6	13' 3" 12	16' 5" 3	16' 5" 10	16' 6" 0	16' 6" 7
12 IN 12	13' 9" 7	13' 9" 13	13' 10" 3	13' 10" 8	16' 10" 10	16' 11" 1	16' 11" 8	16' 11" 15
13 IN 12	14' 4" 8	14' 4" 14	14' 5" 4	14' 5" 10	17' 4" 7	17' 4" 14	17' 5" 5	17' 5" 12
14 IN 12	14' 11" 12	15' 0" 3	15' 0" 9	15' 0" 15	17' 10" 8	17' 10" 15	17' 11" 7	17' 11" 14
15 IN 12	15' 7" 5	15' 7" 11	15' 8" 1	15' 8" 8	18' 4" 13	18' 5" 5	18' 5" 12	18' 6" 4
16 IN 12	16' 3" 0	16' 3" 7	16' 3" 13	16' 4" 4	18' 11" 7	18' 11" 14	19' 0" 6	19' 0" 14
17 IN 12	16' 10" 14	16' 11" 5	16' 11" 12	17' 0" 3	19' 6" 3	19' 6" 11	19' 7" 3	19' 7" 11
18 IN 12	17' 6" 15	17' 7" 6	17' 7" 13	17' 8" 4	20' 1" 3	20' 1" 11	20' 2" 4	20' 2" 12
19 IN 12	18' 3" 2	18' 3" 9	18' 4" 1	18' 4" 8	20' 8" 6	20' 8" 15	20' 9" 7	20' 10" 0
20 IN 12	18' 11" 7	18' 11" 14	19' 0" 6	19' 0" 14	21' 3" 12	21' 4" 4	21' 4" 13	21' 5" 6
21 IN 12	19' 7" 13	19' 8" 5	19' 8" 13	19' 9" 5	21' 11" 4	21' 11" 13	22' 0" 6	22' 0" 15
22 IN 12	20' 4" 5	20' 4" 14	20' 5" 6	20' 5" 14	22' 6" 14	22' 7" 8	22' 8" 1	22' 8" 10
23 IN 12	21' 0" 15	21' 1" 8	21' 2" 0	21' 2" 9	23' 2" 11	23' 3" 5	23' 3" 14	23' 4" 8
24 IN 12	21' 9" 10	21' 10" 3	21' 10" 12	21' 11" 5	23' 10" 9	23' 11" 3	23' 11" 13	24' 0" 7
25 IN 12	22' 6" 6	22' 6" 15	22' 7" 8	22' 8" 2	24' 6" 10	24' 7" 4	24' 7" 14	24' 8" 8

9 Foot 10 Inch Run — Common Rafter Lengths   9 Foot 10 Inch Run — Hip Or Valley Rafter Lengths

Run -	9'10"	9'10 1/4"	9'10 1/2"	9'10 3/4"	9'10"	9'10 1/4"	9'10 1/2"	9'10 3/4"
Pitch	Ft In 16th"	Ft In 16th"	Ft In 16th"	Ft In 16th"	Ft In 16th"	Ft In 16th"	Ft In 16th"	Ft In 16th"
1 IN 12	9' 10" 7	9' 10" 11	9' 10" 15	9' 11" 3	13' 11" 3	13' 11" 8	13' 11" 14	14' 0" 4
2 IN 12	9' 11" 10	9' 11" 14	10' 0" 2	10' 0" 6	14' 0" 5	14' 0" 1	14' 0" 12	14' 1" 2
2.5 IN 12	10' 0" 9	10' 0" 13	10' 1" 1	10' 1" 5	14' 0" 11	14' 1" 1	14' 1" 6	14' 1" 12
3 IN 12	10' 1" 10	10' 1" 14	10' 2" 2	10' 2" 6	14' 1" 7	14' 1" 13	14' 2" 3	14' 2" 9
3.5 IN 12	10' 2" 15	10' 3" 3	10' 3" 7	10' 3" 11	14' 2" 6	14' 2" 12	14' 3" 2	14' 3" 8
4 IN 12	10' 4" 6	10' 4" 10	10' 4" 15	10' 5" 3	14' 3" 7	14' 3" 13	14' 4" 3	14' 4" 9
4.5 IN 12	10' 6" 0	10' 6" 5	10' 6" 9	10' 6" 13	14' 4" 10	14' 5" 0	14' 5" 6	14' 5" 12
5 IN 12	10' 7" 13	10' 8" 2	10' 8" 6	10' 8" 10	14' 6" 0	14' 6" 5	14' 6" 11	14' 7" 1
5.5 IN 12	10' 9" 13	10' 10" 1	10' 10" 6	10' 10" 10	14' 7" 7	14' 7" 13	14' 8" 3	14' 8" 9
6 IN 12	10' 11" 15	11' 0" 3	11' 0" 8	11' 0" 12	14' 9" 0	14' 9" 6	14' 9" 12	14' 10" 2
6.5 IN 12	11' 2" 3	11' 2" 8	11' 2" 12	11' 3" 1	14' 10" 11	14' 11" 1	14' 11" 7	14' 11" 13
7 IN 12	11' 4" 10	11' 4" 14	11' 5" 3	11' 5" 8	15' 0" 8	15' 0" 14	15' 1" 4	15' 1" 11
8 IN 12	11' 9" 13	11' 10" 2	11' 10" 7	11' 10" 12	15' 4" 8	15' 4" 14	15' 5" 4	15' 5" 11
9 IN 12	12' 3" 8	12' 3" 13	12' 4" 2	12' 4" 7	15' 8" 14	15' 9" 5	15' 9" 11	15' 10" 1
10 IN 12	12' 9" 10	12' 9" 15	12' 10" 4	12' 10" 9	16' 1" 11	16' 2" 2	16' 2" 8	16' 2" 15
11 IN 12	13' 4" 1	13' 4" 7	13' 4" 12	13' 5" 1	16' 6" 14	16' 7" 5	16' 7" 11	16' 8" 2
12 IN 12	13' 10" 14	13' 11" 4	13' 11" 9	13' 11" 15	17' 0" 6	17' 0" 13	17' 1" 4	17' 1" 11
13 IN 12	14' 6" 0	14' 6" 5	14' 6" 11	14' 7" 1	17' 6" 3	17' 6" 11	17' 7" 2	17' 7" 9
14 IN 12	15' 1" 5	15' 1" 11	15' 2" 1	15' 2" 8	18' 0" 5	18' 0" 13	18' 1" 4	18' 1" 11
15 IN 12	15' 8" 14	15' 9" 5	15' 9" 11	15' 10" 1	18' 6" 12	18' 7" 3	18' 7" 11	18' 8" 2
16 IN 12	16' 4" 11	16' 5" 1	16' 5" 8	16' 5" 15	19' 1" 6	19' 1" 13	19' 2" 5	19' 2" 13
17 IN 12	17' 0" 10	17' 1" 1	17' 1" 8	17' 1" 15	19' 8" 3	19' 8" 11	19' 9" 3	19' 9" 11
18 IN 12	17' 8" 12	17' 9" 3	17' 9" 10	17' 10" 1	20' 3" 4	20' 3" 12	20' 4" 5	20' 4" 13
19 IN 12	18' 5" 0	18' 5" 7	18' 5" 15	18' 6" 6	20' 10" 8	20' 11" 1	20' 11" 9	21' 0" 2
20 IN 12	19' 1" 6	19' 1" 13	19' 2" 5	19' 2" 13	21' 5" 15	21' 6" 8	21' 7" 0	21' 7" 9
21 IN 12	19' 9" 13	19' 10" 5	19' 10" 14	19' 11" 6	22' 1" 8	22' 2" 1	22' 2" 10	22' 3" 3
22 IN 12	20' 6" 7	20' 6" 15	20' 7" 7	20' 8" 0	22' 9" 3	22' 9" 13	22' 10" 6	22' 10" 15
23 IN 12	21' 3" 2	21' 3" 10	21' 4" 3	21' 4" 12	23' 5" 1	23' 5" 11	23' 6" 4	23' 6" 14
24 IN 12	21' 11" 14	22' 0" 7	22' 1" 0	22' 1" 9	24' 1" 1	24' 1" 10	24' 2" 4	24' 2" 14
25 IN 12	22' 8" 11	22' 9" 4	22' 9" 13	22' 10" 7	24' 9" 2	24' 9" 12	24' 10" 6	24' 11" 0

9 Foot 11 Inch Run — Common Rafter Lengths   9 Foot 11 Inch Run — Hip Or Valley Rafter Lengths

Run -	9'11"	9'11 1/4"	9'11 1/2"	9'11 3/4"	9'11"	9'11 1/4"	9'11 1/2"	9'11 3/4"
Pitch	Ft In 16th"	Ft In 16th"	Ft In 16th"	Ft In 16th"	Ft In 16th"	Ft In 16th"	Ft In 16th"	Ft In 16th"
1 IN 12	9' 11" 7	9' 11" 11	9' 11" 15	10' 0" 3	14' 0" 9	14' 0" 15	14' 1" 5	14' 1" 10
2 IN 12	10' 0" 10	10' 0" 14	10' 1" 2	10' 1" 6	14' 1" 7	14' 1" 13	14' 2" 3	14' 2" 8
2.5 IN 12	10' 1" 9	10' 1" 13	10' 2" 1	10' 2" 5	14' 2" 2	14' 2" 7	14' 2" 13	14' 3" 3
3 IN 12	10' 2" 11	10' 2" 15	10' 3" 3	10' 3" 7	14' 2" 14	14' 3" 4	14' 3" 10	14' 4" 0
3.5 IN 12	10' 3" 15	10' 4" 4	10' 4" 8	10' 4" 12	14' 3" 13	14' 4" 3	14' 4" 9	14' 4" 15
4 IN 12	10' 5" 7	10' 5" 11	10' 5" 15	10' 6" 4	14' 4" 14	14' 5" 4	14' 5" 10	14' 6" 0
4.5 IN 12	10' 7" 1	10' 7" 6	10' 7" 10	10' 7" 14	14' 6" 2	14' 6" 8	14' 6" 13	14' 7" 3
5 IN 12	10' 8" 15	10' 9" 3	10' 9" 7	10' 9" 12	14' 7" 7	14' 7" 13	14' 8" 3	14' 8" 9
5.5 IN 12	10' 10" 14	10' 11" 3	10' 11" 7	10' 11" 12	14' 8" 15	14' 9" 4	14' 9" 10	14' 10" 0
6 IN 12	11' 1" 1	11' 1" 5	11' 1" 10	11' 1" 14	14' 10" 8	14' 10" 14	14' 11" 4	14' 11" 10
6.5 IN 12	11' 3" 5	11' 3" 10	11' 3" 14	11' 4" 3	15' 0" 3	15' 0" 9	15' 1" 0	15' 1" 6
7 IN 12	11' 5" 12	11' 6" 1	11' 6" 6	11' 6" 10	15' 2" 1	15' 2" 7	15' 2" 13	15' 3" 3
8 IN 12	11' 11" 0	11' 11" 5	11' 11" 10	11' 11" 15	15' 6" 1	15' 6" 7	15' 6" 13	15' 7" 4
9 IN 12	12' 4" 12	12' 5" 1	12' 5" 6	12' 5" 11	15' 10" 8	15' 10" 14	15' 11" 5	15' 11" 11
10 IN 12	12' 10" 14	12' 11" 4	12' 11" 9	12' 11" 14	16' 3" 5	16' 3" 12	16' 4" 3	16' 4" 9
11 IN 12	13' 5" 7	13' 5" 12	13' 6" 2	13' 6" 7	16' 8" 9	16' 9" 0	16' 9" 6	16' 9" 13
12 IN 12	14' 0" 5	14' 0" 10	14' 1" 0	14' 1" 6	17' 2" 2	17' 2" 9	17' 3" 0	17' 3" 7
13 IN 12	14' 7" 7	14' 7" 13	14' 8" 3	14' 8" 9	17' 8" 0	17' 8" 7	17' 8" 14	17' 9" 5
14 IN 12	15' 2" 14	15' 3" 4	15' 3" 10	15' 4" 0	18' 2" 3	18' 2" 10	18' 3" 1	18' 3" 9
15 IN 12	15' 10" 8	15' 10" 14	15' 11" 5	15' 11" 11	18' 8" 10	18' 9" 1	18' 9" 9	18' 10" 0
16 IN 12	16' 6" 5	16' 6" 12	16' 7" 3	16' 7" 9	19' 3" 5	19' 3" 12	19' 4" 4	19' 4" 12
17 IN 12	17' 2" 6	17' 2" 13	17' 3" 4	17' 3" 10	19' 10" 3	19' 10" 11	19' 11" 3	19' 11" 11
18 IN 12	17' 10" 8	17' 11" 0	17' 11" 7	17' 11" 14	20' 5" 5	20' 5" 13	20' 6" 6	20' 6" 14
19 IN 12	18' 6" 14	18' 7" 5	18' 7" 13	18' 8" 4	21' 0" 10	21' 1" 3	21' 1" 11	21' 2" 4
20 IN 12	19' 3" 5	19' 3" 12	19' 4" 4	19' 4" 12	21' 8" 2	21' 8" 11	21' 9" 3	21' 9" 12
21 IN 12	19' 11" 14	20' 0" 6	20' 0" 14	20' 1" 6	22' 3" 12	22' 4" 5	22' 4" 14	22' 5" 7
22 IN 12	20' 8" 8	20' 9" 1	20' 9" 9	20' 10" 1	22' 11" 9	23' 0" 2	23' 0" 11	23' 1" 4
23 IN 12	21' 5" 4	21' 5" 13	21' 6" 5	21' 6" 14	23' 7" 7	23' 8" 1	23' 8" 10	23' 9" 4
24 IN 12	22' 2" 1	22' 2" 10	22' 3" 3	22' 3" 12	24' 3" 8	24' 4" 2	24' 4" 11	24' 5" 5
25 IN 12	22' 11" 0	22' 11" 9	23' 0" 2	23' 0" 12	24' 11" 10	25' 0" 4	25' 0" 14	25' 1" 8

10 Foot 0 Inch Run — Common Rafter Lengths   10 Foot 0 Inch Run — Hip Or Valley Rafter Lengths

Pitch	Common 10' 0"	Common 10' 0 1/4"	Common 10' 0 1/2"	Common 10' 0 3/4"	Hip 10' 0"	Hip 10' 0 1/4"	Hip 10' 0 1/2"	Hip 10' 0 3/4"
	Ft In 16th"	Ft In 16th"	Ft In 16th"	Ft In 16th"	Ft In 16th"	Ft In 16th"	Ft In 16th"	Ft In 16th"
1 IN 12	10' 0" 7	10' 0" 11	10' 0" 15	10' 1" 3	14' 2" 0	14' 2" 6	14' 2" 11	14' 3" 1
2 IN 12	10' 1" 10	10' 1" 15	10' 2" 3	10' 2" 7	14' 2" 14	14' 3" 4	14' 3" 9	14' 3" 15
2.5 IN 12	10' 2" 9	10' 2" 13	10' 3" 1	10' 3" 5	14' 3" 9	14' 3" 14	14' 4" 4	14' 4" 10
3 IN 12	10' 3" 11	10' 3" 15	10' 4" 3	10' 4" 7	14' 4" 5	14' 4" 11	14' 5" 1	14' 5" 7
3.5 IN 12	10' 5" 0	10' 5" 4	10' 5" 8	10' 5" 13	14' 5" 4	14' 5" 10	14' 6" 0	14' 6" 6
4 IN 12	10' 6" 8	10' 6" 12	10' 7" 0	10' 7" 5	14' 6" 6	14' 6" 12	14' 7" 1	14' 7" 7
4.5 IN 12	10' 8" 3	10' 8" 7	10' 8" 11	10' 8" 15	14' 7" 9	14' 7" 15	14' 8" 5	14' 8" 11
5 IN 12	10' 10" 0	10' 10" 4	10' 10" 9	10' 10" 13	14' 8" 15	14' 9" 5	14' 9" 10	14' 10" 0
5.5 IN 12	11' 0" 0	11' 0" 4	11' 0" 9	11' 0" 13	14' 10" 6	14' 10" 12	14' 11" 2	14' 11" 8
6 IN 12	11' 2" 3	11' 2" 7	11' 2" 12	11' 3" 0	15' 0" 0	15' 0" 6	15' 0" 12	15' 1" 2
6.5 IN 12	11' 4" 8	11' 4" 12	11' 5" 1	11' 5" 5	15' 1" 12	15' 2" 2	15' 2" 8	15' 2" 14
7 IN 12	11' 6" 15	11' 7" 3	11' 7" 8	11' 7" 13	15' 3" 9	15' 3" 15	15' 4" 5	15' 4" 12
8 IN 12	12' 0" 4	12' 0" 8	12' 0" 13	12' 1" 2	15' 7" 10	15' 8" 0	15' 8" 6	15' 8" 13
9 IN 12	12' 6" 0	12' 6" 5	12' 6" 10	12' 6" 15	16' 0" 1	16' 0" 8	16' 0" 14	16' 1" 5
10 IN 12	13' 0" 3	13' 0" 8	13' 0" 14	13' 1" 3	16' 5" 0	16' 5" 6	16' 5" 13	16' 6" 3
11 IN 12	13' 6" 13	13' 7" 2	13' 7" 7	13' 7" 13	16' 10" 4	16' 10" 11	16' 11" 1	16' 11" 8
12 IN 12	14' 1" 11	14' 2" 1	14' 2" 7	14' 2" 12	17' 3" 14	17' 4" 4	17' 4" 11	17' 5" 2
13 IN 12	14' 8" 15	14' 9" 5	14' 9" 10	14' 10" 0	17' 9" 12	17' 10" 4	17' 10" 11	17' 11" 2
14 IN 12	15' 4" 6	15' 4" 12	15' 5" 3	15' 5" 9	18' 4" 0	18' 4" 7	18' 4" 15	18' 5" 6
15 IN 12	16' 0" 1	16' 0" 8	16' 0" 14	16' 1" 5	18' 10" 8	18' 10" 15	18' 11" 7	18' 11" 15
16 IN 12	16' 8" 0	16' 8" 7	16' 8" 13	16' 9" 4	19' 5" 4	19' 5" 12	19' 6" 3	19' 6" 11
17 IN 12	17' 4" 1	17' 4" 8	17' 4" 15	17' 5" 6	20' 0" 3	20' 0" 11	20' 1" 3	20' 1" 11
18 IN 12	18' 0" 5	18' 0" 13	18' 1" 4	18' 1" 11	20' 7" 6	20' 7" 14	20' 8" 7	20' 8" 15
19 IN 12	18' 8" 12	18' 9" 3	18' 9" 11	18' 10" 2	21' 2" 12	21' 3" 5	21' 3" 13	21' 4" 6
20 IN 12	19' 5" 4	19' 5" 12	19' 6" 3	19' 6" 11	21' 10" 5	21' 10" 14	21' 11" 6	21' 11" 15
21 IN 12	20' 1" 14	20' 2" 6	20' 2" 14	20' 3" 6	22' 6" 0	22' 6" 9	22' 7" 2	22' 7" 11
22 IN 12	20' 10" 10	20' 11" 2	20' 11" 10	21' 0" 3	23' 1" 14	23' 2" 7	23' 3" 0	23' 3" 9
23 IN 12	21' 7" 7	21' 7" 15	21' 8" 8	21' 9" 1	23' 9" 13	23' 10" 7	23' 11" 0	23' 11" 10
24 IN 12	22' 4" 5	22' 4" 14	22' 5" 7	22' 6" 0	24' 5" 15	24' 6" 9	24' 7" 3	24' 7" 12
25 IN 12	23' 1" 5	23' 1" 14	23' 2" 7	23' 3" 1	25' 2" 3	25' 2" 13	25' 3" 7	25' 4" 1

10 Foot 1 Inch Run — Common Rafter Lengths   10 Foot 1 Inch Run — Hip Or Valley Rafter Lengths

Run -	10' 1"	10' 1 1/4"	10' 1 1/2"	10' 1 3/4"	10' 1"	10' 1 1/4"	10' 1 1/2"	10' 1 3/4"
Pitch	Ft In 16th"	Ft In 16th"	Ft In 16th"	Ft In 16th"	Ft In 16th"	Ft In 16th"	Ft In 16th"	Ft In 16th"
1 IN 12	10' 1" 7	10' 1" 11	10' 1" 15	10' 2" 3	14' 3" 7	14' 3" 12	14' 4" 2	14' 4" 8
2 IN 12	10' 2" 11	10' 2" 15	10' 3" 3	10' 3" 7	14' 4" 5	14' 4" 11	14' 5" 0	14' 5" 6
2.5 IN 12	10' 3" 10	10' 3" 14	10' 4" 2	10' 4" 6	14' 4" 15	14' 5" 5	14' 5" 11	14' 6" 1
3 IN 12	10' 4" 12	10' 5" 0	10' 5" 4	10' 5" 8	14' 5" 12	14' 6" 2	14' 6" 8	14' 6" 14
3.5 IN 12	10' 6" 1	10' 6" 5	10' 6" 9	10' 6" 13	14' 6" 12	14' 7" 1	14' 7" 7	14' 7" 13
4 IN 12	10' 7" 9	10' 7" 13	10' 8" 1	10' 8" 5	14' 7" 13	14' 8" 3	14' 8" 9	14' 8" 14
4.5 IN 12	10' 9" 4	10' 9" 8	10' 9" 12	10' 10" 0	14' 9" 1	14' 9" 6	14' 9" 12	14' 10" 2
5 IN 12	10' 11" 1	10' 11" 6	10' 11" 10	10' 11" 14	14' 10" 6	14' 10" 12	14' 11" 2	14' 11" 8
5.5 IN 12	11' 1" 2	11' 1" 6	11' 1" 10	11' 1" 15	14' 11" 14	15' 0" 4	15' 0" 10	15' 1" 0
6 IN 12	11' 3" 5	11' 3" 9	11' 3" 13	11' 4" 2	15' 1" 8	15' 1" 14	15' 2" 4	15' 2" 10
6.5 IN 12	11' 5" 10	11' 5" 14	11' 6" 3	11' 6" 7	15' 3" 4	15' 3" 10	15' 4" 0	15' 4" 6
7 IN 12	11' 8" 1	11' 8" 6	11' 8" 11	11' 8" 15	15' 5" 2	15' 5" 8	15' 5" 14	15' 6" 4
8 IN 12	12' 1" 7	12' 1" 12	12' 2" 0	12' 2" 5	15' 9" 3	15' 9" 9	15' 9" 15	15' 10" 6
9 IN 12	12' 7" 4	12' 7" 9	12' 7" 14	12' 8" 3	16' 1" 11	16' 2" 2	16' 2" 8	16' 2" 14
10 IN 12	13' 1" 8	13' 1" 13	13' 2" 3	13' 2" 8	16' 6" 10	16' 7" 0	16' 7" 7	16' 7" 14
11 IN 12	13' 8" 2	13' 8" 8	13' 8" 13	13' 9" 3	16' 11" 15	17' 0" 6	17' 0" 12	17' 1" 3
12 IN 12	14' 3" 2	14' 3" 8	14' 3" 13	14' 4" 3	17' 5" 9	17' 6" 0	17' 6" 7	17' 6" 14
13 IN 12	14' 10" 6	14' 10" 12	14' 11" 2	14' 11" 8	17' 11" 9	18' 0" 0	18' 0" 7	18' 0" 14
14 IN 12	15' 5" 15	15' 6" 5	15' 6" 11	15' 7" 1	18' 5" 13	18' 6" 5	18' 6" 12	18' 7" 3
15 IN 12	16' 1" 11	16' 2" 2	16' 2" 8	16' 2" 14	19' 0" 6	19' 0" 14	19' 1" 5	19' 1" 13
16 IN 12	16' 9" 11	16' 10" 1	16' 10" 8	16' 10" 15	19' 7" 3	19' 7" 11	19' 8" 2	19' 8" 10
17 IN 12	17' 5" 13	17' 6" 4	17' 6" 11	17' 7" 2	20' 2" 3	20' 2" 11	20' 3" 3	20' 3" 11
18 IN 12	18' 2" 2	18' 2" 9	18' 3" 1	18' 3" 8	20' 9" 7	20' 9" 15	20' 10" 8	20' 11" 0
19 IN 12	18' 10" 10	18' 11" 1	18' 11" 8	19' 0" 0	21' 4" 14	21' 5" 7	21' 5" 15	21' 6" 8
20 IN 12	19' 7" 3	19' 7" 11	19' 8" 2	19' 8" 10	22' 0" 8	22' 1" 0	22' 1" 9	22' 2" 2
21 IN 12	20' 3" 14	20' 4" 6	20' 4" 14	20' 5" 6	22' 8" 4	22' 8" 13	22' 9" 6	22' 9" 15
22 IN 12	21' 0" 11	21' 1" 3	21' 1" 12	21' 2" 4	23' 4" 3	23' 4" 12	23' 5" 5	23' 5" 14
23 IN 12	21' 9" 9	21' 10" 2	21' 10" 11	21' 11" 3	24' 0" 3	24' 0" 13	24' 1" 6	24' 2" 0
24 IN 12	22' 6" 9	22' 7" 2	22' 7" 11	22' 8" 4	24' 8" 6	24' 9" 0	24' 9" 10	24' 10" 4
25 IN 12	23' 3" 10	23' 4" 3	23' 4" 12	23' 5" 6	25' 4" 11	25' 5" 5	25' 5" 15	25' 6" 9

10 Foot 2 Inch Run — Common Rafter Lengths

Pitch	10' 2" Ft	In	16th"	10' 2 1/4" Ft	In	16th"	10' 2 1/2" Ft	In	16th"	10' 2 3/4" Ft	In	16th"
1 IN 12	10'	2"	7	10'	2"	11	10'	2"	15	10'	3"	3
2 IN 12	10'	3"	11	10'	3"	15	10'	4"	3	10'	4"	7
2.5 IN 12	10'	4"	10	10'	4"	14	10'	5"	2	10'	5"	6
3 IN 12	10'	5"	12	10'	6"	0	10'	6"	4	10'	6"	8
3.5 IN 12	10'	7"	1	10'	7"	6	10'	7"	10	10'	7"	14
4 IN 12	10'	8"	10	10'	8"	14	10'	9"	2	10'	9"	6
4.5 IN 12	10'	10"	5	10'	10"	9	10'	10"	13	10'	11"	2
5 IN 12	11'	0"	3	11'	0"	7	11'	0"	12	11'	1"	0
5.5 IN 12	11'	2"	3	11'	2"	8	11'	2"	12	11'	3"	0
6 IN 12	11'	4"	6	11'	4"	11	11'	4"	15	11'	5"	4
6.5 IN 12	11'	6"	12	11'	7"	1	11'	7"	5	11'	7"	10
7 IN 12	11'	9"	4	11'	9"	8	11'	9"	13	11'	10"	2
8 IN 12	12'	2"	10	12'	2"	15	12'	3"	4	12'	3"	8
9 IN 12	12'	8"	8	12'	8"	13	12'	9"	2	12'	9"	7
10 IN 12	13'	2"	13	13'	3"	2	13'	3"	7	13'	3"	13
11 IN 12	13'	9"	8	13'	9"	13	13'	10"	3	13'	10"	8
12 IN 12	14'	4"	9	14'	4"	14	14'	5"	4	14'	5"	10
13 IN 12	14'	11"	14	15'	0"	4	15'	0"	10	15'	1"	0
14 IN 12	15'	7"	7	15'	7"	14	15'	8"	4	15'	8"	10
15 IN 12	16'	3"	5	16'	3"	11	16'	4"	2	16'	4"	8
16 IN 12	16'	11"	5	16'	11"	12	17'	0"	0	17'	0"	9
17 IN 12	17'	7"	9	17'	8"	0	17'	8"	7	17'	8"	14
18 IN 12	18'	3"	15	18'	4"	6	18'	4"	13	18'	5"	5
19 IN 12	19'	0"	7	19'	0"	15	19'	1"	6	19'	1"	14
20 IN 12	19'	9"	2	19'	9"	10	19'	10"	2	19'	10"	9
21 IN 12	20'	5"	14	20'	6"	6	20'	6"	15	20'	7"	7
22 IN 12	21'	2"	12	21'	3"	5	21'	3"	13	21'	4"	5
23 IN 12	21'	11"	12	22'	0"	5	22'	0"	13	22'	1"	6
24 IN 12	22'	8"	13	22'	9"	6	22'	9"	15	22'	10"	8
25 IN 12	23'	5"	15	23'	6"	8	23'	7"	1	23'	7"	11

10 Foot 2 Inch Run — Hip Or Valley Rafter Lengths

Pitch	10' 2" Ft	In	16th"	10' 2 1/4" Ft	In	16th"	10' 2 1/2" Ft	In	16th"	10' 2 3/4" Ft	In	16th"
1 IN 12	14'	4"	13	14'	5"	3	14'	5"	9	14'	5"	14
2 IN 12	14'	5"	12	14'	6"	1	14'	6"	7	14'	6"	13
2.5 IN 12	14'	6"	6	14'	6"	12	14'	7"	2	14'	7"	7
3 IN 12	14'	7"	3	14'	7"	9	14'	7"	15	14'	8"	5
3.5 IN 12	14'	8"	3	14'	8"	8	14'	8"	14	14'	9"	4
4 IN 12	14'	9"	4	14'	9"	10	14'	10"	0	14'	10"	6
4.5 IN 12	14'	10"	8	14'	10"	14	14'	11"	4	14'	11"	10
5 IN 12	14'	11"	14	15'	0"	4	15'	0"	10	15'	1"	0
5.5 IN 12	15'	1"	6	15'	1"	12	15'	2"	2	15'	2"	8
6 IN 12	15'	3"	0	15'	3"	6	15'	3"	12	15'	4"	2
6.5 IN 12	15'	4"	12	15'	5"	2	15'	5"	8	15'	5"	14
7 IN 12	15'	6"	10	15'	7"	0	15'	7"	6	15'	7"	13
8 IN 12	15'	10"	12	15'	11"	2	15'	11"	8	15'	11"	15
9 IN 12	16'	3"	5	16'	3"	11	16'	4"	2	16'	4"	8
10 IN 12	16'	8"	4	16'	8"	11	16'	9"	1	16'	9"	8
11 IN 12	17'	1"	10	17'	2"	0	17'	2"	7	17'	2"	14
12 IN 12	17'	7"	5	17'	7"	12	17'	8"	3	17'	8"	10
13 IN 12	18'	1"	5	18'	1"	13	18'	2"	4	18'	2"	11
14 IN 12	18'	7"	11	18'	8"	2	18'	8"	9	18'	9"	1
15 IN 12	19'	2"	4	19'	2"	12	19'	3"	3	19'	3"	11
16 IN 12	19'	9"	2	19'	9"	10	19'	10"	2	19'	10"	9
17 IN 12	20'	4"	3	20'	4"	11	20'	5"	3	20'	5"	11
18 IN 12	20'	11"	8	21'	0"	0	21'	0"	9	21'	1"	1
19 IN 12	21'	7"	0	21'	7"	9	21'	8"	1	21'	8"	9
20 IN 12	22'	2"	11	22'	3"	3	22'	3"	12	22'	4"	5
21 IN 12	22'	10"	8	22'	11"	1	22'	11"	10	23'	0"	3
22 IN 12	23'	6"	8	23'	7"	1	23'	7"	10	23'	8"	3
23 IN 12	24'	2"	10	24'	3"	3	24'	3"	13	24'	4"	6
24 IN 12	24'	10"	13	24'	11"	7	25'	0"	1	25'	0"	11
25 IN 12	25'	7"	3	25'	7"	13	25'	8"	7	25'	9"	1

10 Foot 3 Inch Run — Common Rafter Lengths   10 Foot 3 Inch Run — Hip Or Valley Rafter Lengths

Run -	Common 10' 3"	Common 10' 3 1/4"	Common 10' 3 1/2"	Common 10' 3 3/4"	Hip/Valley 10' 3"	Hip/Valley 10' 3 1/4"	Hip/Valley 10' 3 1/2"	Hip/Valley 10' 3 3/4"
Pitch	Ft In 16th"	Ft In 16th"	Ft In 16th"	Ft In 16th"	Ft In 16th"	Ft In 16th"	Ft In 16th"	Ft In 16th"
1 IN 12	10' 3" 7	10' 3" 11	10' 3" 15	10' 4" 3	14' 6" 4	14' 6" 10	14' 6" 15	14' 7" 5
2 IN 12	10' 4" 11	10' 4" 15	10' 5" 3	10' 5" 7	14' 7" 2	14' 7" 8	14' 7" 14	14' 8" 4
2.5 IN 12	10' 5" 10	10' 5" 14	10' 6" 2	10' 6" 7	14' 7" 13	14' 8" 3	14' 8" 9	14' 8" 14
3 IN 12	10' 6" 13	10' 7" 1	10' 7" 5	10' 7" 9	14' 8" 10	14' 9" 0	14' 9" 6	14' 9" 12
3.5 IN 12	10' 8" 2	10' 8" 6	10' 8" 10	10' 8" 15	14' 9" 10	14' 10" 0	14' 10" 5	14' 10" 11
4 IN 12	10' 9" 10	10' 9" 15	10' 10" 3	10' 10" 7	14' 10" 11	14' 11" 1	14' 11" 7	14' 11" 13
4.5 IN 12	10' 11" 6	10' 11" 10	10' 11" 14	11' 0" 3	14' 11" 15	15' 0" 5	15' 0" 11	15' 1" 1
5 IN 12	11' 1" 4	11' 1" 8	11' 1" 13	11' 2" 1	15' 1" 5	15' 1" 11	15' 2" 1	15' 2" 7
5.5 IN 12	11' 3" 5	11' 3" 9	11' 3" 13	11' 4" 2	15' 2" 14	15' 3" 4	15' 3" 10	15' 4" 0
6 IN 12	11' 5" 8	11' 5" 13	11' 6" 1	11' 6" 6	15' 4" 8	15' 4" 14	15' 5" 4	15' 5" 10
6.5 IN 12	11' 7" 14	11' 8" 3	11' 8" 7	11' 8" 12	15' 6" 4	15' 6" 10	15' 7" 0	15' 7" 7
7 IN 12	11' 10" 6	11' 10" 11	11' 11" 0	11' 11" 4	15' 8" 3	15' 8" 9	15' 8" 15	15' 9" 5
8 IN 12	12' 3" 13	12' 4" 2	12' 4" 7	12' 4" 12	16' 0" 5	16' 0" 11	16' 1" 1	16' 1" 8
9 IN 12	12' 9" 2	12' 10" 1	12' 10" 6	12' 10" 11	16' 4" 14	16' 5" 5	16' 5" 11	16' 6" 2
10 IN 12	13' 4" 2	13' 4" 7	13' 4" 12	13' 5" 1	16' 9" 14	16' 10" 5	16' 10" 12	16' 11" 2
11 IN 12	13' 10" 14	13' 11" 3	13' 11" 9	13' 11" 14	17' 3" 5	17' 3" 11	17' 4" 2	17' 4" 9
12 IN 12	14' 5" 15	14' 6" 5	14' 6" 10	14' 7" 0	17' 9" 1	17' 9" 8	17' 9" 15	17' 10" 5
13 IN 12	15' 1" 5	15' 1" 11	15' 2" 1	15' 2" 7	18' 3" 2	18' 3" 9	18' 4" 0	18' 4" 7
14 IN 12	15' 9" 0	15' 9" 6	15' 9" 12	15' 10" 2	18' 9" 8	18' 9" 15	18' 10" 7	18' 10" 14
15 IN 12	16' 4" 14	16' 5" 5	16' 5" 11	16' 6" 2	19' 4" 3	19' 4" 10	19' 5" 2	19' 5" 9
16 IN 12	17' 1" 0	17' 1" 7	17' 1" 13	17' 2" 4	19' 11" 1	19' 11" 9	20' 0" 1	20' 0" 8
17 IN 12	17' 9" 5	17' 9" 12	17' 10" 2	17' 10" 9	20' 6" 3	20' 6" 11	20' 7" 3	20' 7" 11
18 IN 12	18' 5" 12	18' 6" 3	18' 6" 10	18' 7" 1	21' 1" 9	21' 2" 1	21' 2" 10	21' 3" 2
19 IN 12	19' 2" 5	19' 2" 13	19' 3" 4	19' 3" 12	21' 9" 2	21' 9" 10	21' 10" 3	21' 10" 11
20 IN 12	19' 11" 1	19' 11" 9	20' 0" 1	20' 0" 8	22' 4" 14	22' 5" 6	22' 5" 15	22' 6" 8
21 IN 12	20' 7" 15	20' 8" 7	20' 8" 15	20' 9" 7	23' 0" 12	23' 1" 5	23' 1" 14	23' 2" 7
22 IN 12	21' 4" 14	21' 5" 6	21' 5" 15	21' 6" 7	23' 8" 13	23' 9" 6	23' 9" 15	23' 10" 9
23 IN 12	22' 1" 15	22' 2" 7	22' 3" 0	22' 3" 8	24' 5" 0	24' 5" 9	24' 6" 3	24' 6" 12
24 IN 12	22' 11" 1	22' 11" 10	23' 0" 2	23' 0" 11	25' 1" 5	25' 1" 14	25' 2" 8	25' 3" 2
25 IN 12	23' 8" 4	23' 8" 13	23' 9" 6	23' 10" 0	25' 9" 11	25' 10" 5	25' 11" 0	25' 11" 10

Run -	10' 4"	10' 4 1/4"	10' 4 1/2"	10' 4 3/4"		10' 4"	10' 4 1/4"	10' 4 1/2"	10' 4 3/4"
Pitch	Ft In 16th"	Ft In 16th"	Ft In 16th"	Ft In 16th"		Ft In 16th"	Ft In 16th"	Ft In 16th"	Ft In 16th"
1 IN 12	10' 4" 7	10' 4" 11	10' 4" 15	10' 5" 3		14' 7" 11	14' 8" 0	14' 8" 6	14' 8" 12
2 IN 12	10' 5" 11	10' 5" 15	10' 6" 3	10' 6" 8		14' 8" 9	14' 8" 15	14' 9" 5	14' 9" 10
2.5 IN 12	10' 6" 11	10' 6" 15	10' 7" 3	10' 7" 7		14' 9" 4	14' 9" 10	14' 10" 0	14' 10" 5
3 IN 12	10' 7" 13	10' 8" 1	10' 8" 5	10' 8" 9		14' 10" 1	14' 10" 7	14' 10" 13	14' 11" 3
3.5 IN 12	10' 9" 3	10' 9" 7	10' 9" 11	10' 9" 15		14' 11" 1	14' 11" 7	14' 11" 12	15' 0" 2
4 IN 12	10' 10" 11	10' 11" 0	10' 11" 4	10' 11" 8		15' 0" 3	15' 0" 8	15' 0" 14	15' 1" 4
4.5 IN 12	11' 0" 7	11' 0" 11	11' 0" 15	11' 1" 4		15' 1" 7	15' 1" 13	15' 2" 2	15' 2" 8
5 IN 12	11' 2" 5	11' 2" 10	11' 2" 14	11' 3" 2		15' 2" 13	15' 3" 3	15' 3" 9	15' 3" 15
5.5 IN 12	11' 4" 6	11' 4" 11	11' 4" 15	11' 5" 4		15' 4" 5	15' 4" 11	15' 5" 1	15' 5" 7
6 IN 12	11' 6" 10	11' 6" 15	11' 7" 3	11' 7" 8		15' 6" 0	15' 6" 6	15' 6" 12	15' 7" 2
6.5 IN 12	11' 9" 0	11' 9" 5	11' 9" 9	11' 9" 14		15' 7" 13	15' 8" 3	15' 8" 9	15' 8" 15
7 IN 12	11' 11" 9	11' 11" 14	12' 0" 2	12' 0" 7		15' 9" 11	15' 10" 1	15' 10" 7	15' 10" 13
8 IN 12	12' 5" 0	12' 5" 5	12' 5" 10	12' 5" 15		16' 1" 14	16' 2" 4	16' 2" 10	16' 3" 1
9 IN 12	12' 11" 0	12' 11" 5	12' 11" 10	12' 11" 15		16' 6" 8	16' 6" 14	16' 7" 5	16' 7" 11
10 IN 12	13' 5" 7	13' 5" 12	13' 6" 1	13' 6" 6		16' 11" 9	16' 11" 15	17' 0" 6	17' 0" 12
11 IN 12	14' 0" 3	14' 0" 9	14' 0" 14	14' 1" 4		17' 5" 0	17' 5" 6	17' 5" 13	17' 6" 4
12 IN 12	14' 7" 6	14' 7" 11	14' 8" 1	14' 8" 7		17' 10" 12	17' 11" 3	17' 11" 10	18' 0" 1
13 IN 12	15' 2" 13	15' 3" 3	15' 3" 9	15' 3" 15		18' 4" 14	18' 5" 6	18' 5" 13	18' 6" 4
14 IN 12	15' 10" 9	15' 10" 15	15' 11" 5	15' 11" 11		18' 11" 5	18' 11" 13	19' 0" 4	19' 0" 11
15 IN 12	16' 6" 8	16' 6" 14	16' 7" 5	16' 7" 11		19' 6" 1	19' 6" 8	19' 7" 0	19' 7" 7
16 IN 12	17' 2" 11	17' 3" 1	17' 3" 8	17' 3" 15		20' 1" 0	20' 1" 8	20' 2" 0	20' 2" 8
17 IN 12	17' 11" 0	17' 11" 7	17' 11" 14	18' 0" 5		20' 8" 3	20' 8" 11	20' 9" 3	20' 9" 11
18 IN 12	18' 7" 9	18' 8" 0	18' 8" 7	18' 8" 14		21' 3" 10	21' 4" 2	21' 4" 11	21' 5" 3
19 IN 12	19' 4" 3	19' 4" 11	19' 5" 2	19' 5" 10		21' 11" 4	21' 11" 12	22' 0" 5	22' 0" 13
20 IN 12	20' 1" 0	20' 1" 8	20' 2" 0	20' 2" 8		22' 7" 1	22' 7" 9	22' 8" 2	22' 8" 11
21 IN 12	20' 9" 15	20' 10" 7	20' 10" 15	20' 11" 7		23' 3" 0	23' 3" 9	23' 4" 2	23' 4" 11
22 IN 12	21' 6" 15	21' 7" 8	21' 8" 0	21' 8" 8		23' 11" 2	23' 11" 11	24' 0" 4	24' 0" 14
23 IN 12	22' 4" 1	22' 4" 10	22' 5" 2	22' 5" 11		24' 7" 6	24' 7" 15	24' 8" 9	24' 9" 2
24 IN 12	23' 1" 4	23' 1" 13	23' 2" 6	23' 2" 15		25' 3" 12	25' 4" 6	25' 4" 15	25' 5" 9
25 IN 12	23' 10" 9	23' 11" 2	23' 11" 11	24' 0" 5		26' 0" 4	26' 0" 14	26' 1" 8	26' 2" 2

10 Foot 5 Inch Run — Common Rafter Lengths   10 Foot 5 Inch Run — Hip Or Valley Rafter Lengths

Run -	10' 5"	10' 5 1/4"	10' 5 1/2"	10' 5 3/4"	10' 5"	10' 5 1/4"	10' 5 1/2"	10' 5 3/4"
Pitch	Ft In 16th"	Ft In 16th"	Ft In 16th"	Ft In 16th"	Ft In 16th"	Ft In 16th"	Ft In 16th"	Ft In 16th"
1 IN 12	10' 5" 7	10' 5" 11	10' 5" 15	10' 6" 3	14' 9" 1	14' 9" 7	14' 9" 13	14' 10" 2
2 IN 12	10' 6" 12	10' 7" 0	10' 7" 4	10' 7" 8	14' 10" 0	14' 10" 6	14' 10" 11	14' 11" 1
2.5 IN 12	10' 7" 11	10' 7" 15	10' 8" 3	10' 8" 7	14' 10" 11	14' 11" 1	14' 11" 6	14' 11" 12
3 IN 12	10' 8" 14	10' 9" 2	10' 9" 6	10' 9" 10	14' 11" 8	14' 11" 14	15' 0" 4	15' 0" 10
3.5 IN 12	10' 10" 3	10' 10" 8	10' 10" 12	10' 11" 0	15' 0" 8	15' 0" 14	15' 1" 4	15' 1" 9
4 IN 12	10' 11" 12	11' 0" 0	11' 0" 5	11' 0" 9	15' 1" 10	15' 2" 0	15' 2" 6	15' 2" 11
4.5 IN 12	11' 1" 8	11' 1" 12	11' 2" 1	11' 2" 5	15' 2" 14	15' 3" 4	15' 3" 10	15' 4" 0
5 IN 12	11' 3" 1	11' 3" 11	11' 3" 15	11' 4" 4	15' 4" 5	15' 4" 11	15' 5" 0	15' 5" 6
5.5 IN 12	11' 5" 8	11' 5" 12	11' 6" 1	11' 6" 5	15' 5" 13	15' 6" 3	15' 6" 9	15' 6" 15
6 IN 12	11' 7" 12	11' 8" 1	11' 8" 5	11' 8" 9	15' 7" 8	15' 7" 14	15' 8" 4	15' 8" 10
6.5 IN 12	11' 10" 3	11' 10" 7	11' 10" 12	11' 11" 0	15' 9" 5	15' 9" 11	15' 10" 1	15' 10" 7
7 IN 12	12' 0" 11	12' 1" 0	12' 1" 5	12' 1" 9	15' 11" 4	15' 11" 10	16' 0" 0	16' 0" 6
8 IN 12	12' 6" 4	12' 6" 9	12' 6" 13	12' 7" 2	16' 3" 7	16' 3" 13	16' 4" 3	16' 4" 10
9 IN 12	13' 0" 4	13' 0" 9	13' 0" 14	13' 1" 3	16' 8" 2	16' 8" 8	16' 8" 14	16' 9" 5
10 IN 12	13' 6" 11	13' 7" 1	13' 7" 6	13' 7" 11	17' 1" 3	17' 1" 10	17' 2" 0	17' 2" 7
11 IN 12	14' 1" 9	14' 1" 15	14' 2" 4	14' 2" 9	17' 6" 11	17' 7" 1	17' 7" 8	17' 7" 15
12 IN 12	14' 8" 12	14' 9" 2	14' 9" 8	14' 9" 13	18' 0" 8	18' 0" 15	18' 1" 6	18' 1" 13
13 IN 12	15' 4" 5	15' 4" 11	15' 5" 0	15' 5" 6	18' 6" 11	18' 7" 2	18' 7" 9	18' 8" 0
14 IN 12	16' 0" 1	16' 0" 7	16' 0" 13	16' 1" 4	19' 1" 3	19' 1" 10	19' 2" 1	19' 2" 9
15 IN 12	16' 8" 2	16' 8" 8	16' 8" 14	16' 9" 5	19' 7" 15	19' 8" 6	19' 8" 14	19' 9" 6
16 IN 12	17' 4" 5	17' 4" 12	17' 5" 3	17' 5" 9	20' 2" 15	20' 3" 7	20' 3" 15	20' 4" 7
17 IN 12	18' 0" 12	18' 1" 3	18' 1" 10	18' 2" 1	20' 10" 3	20' 10" 11	20' 11" 3	20' 11" 11
18 IN 12	18' 9" 6	18' 9" 13	18' 10" 4	18' 10" 11	21' 5" 11	21' 6" 3	21' 6" 12	21' 7" 4
19 IN 12	19' 6" 1	19' 6" 9	19' 7" 0	19' 7" 8	22' 1" 6	22' 1" 14	22' 2" 7	22' 2" 15
20 IN 12	20' 2" 15	20' 3" 7	20' 3" 15	20' 4" 7	22' 9" 4	22' 9" 12	22' 10" 5	22' 10" 14
21 IN 12	20' 11" 15	21' 0" 7	21' 0" 15	21' 1" 7	23' 5" 4	23' 5" 13	23' 6" 6	23' 6" 15
22 IN 12	21' 9" 9	21' 9" 9	21' 10" 1	21' 10" 10	24' 1" 7	24' 2" 0	24' 2" 9	24' 3" 3
23 IN 12	22' 6" 4	22' 6" 12	22' 7" 5	22' 7" 14	24' 9" 12	24' 10" 5	24' 10" 15	24' 11" 8
24 IN 12	23' 3" 8	23' 4" 1	23' 4" 10	23' 5" 3	25' 6" 3	25' 6" 13	25' 7" 7	25' 8" 0
25 IN 12	24' 0" 14	24' 1" 7	24' 2" 0	24' 2" 10	26' 2" 12	26' 3" 6	26' 4" 0	26' 4" 10

10 Foot 6 Inch Run — Common Rafter Lengths

Pitch	10' 6" Ft In 16th"	10' 6 1/4" Ft In 16th"	10' 6 1/2" Ft In 16th"	10' 6 3/4" Ft In 16th"
1 IN 12	10' 6" 7	10' 6" 11	10' 6" 15	10' 7" 3
2 IN 12	10' 7" 12	10' 8" 0	10' 8" 4	10' 8" 8
2.5 IN 12	10' 8" 11	10' 8" 15	10' 9" 3	10' 9" 8
3 IN 12	10' 9" 14	10' 10" 2	10' 10" 6	10' 10" 10
3.5 IN 12	10' 11" 4	10' 11" 8	10' 11" 12	11' 0" 1
4 IN 12	11' 0" 13	11' 1" 1	11' 1" 5	11' 1" 10
4.5 IN 12	11' 2" 9	11' 2" 13	11' 3" 2	11' 3" 6
5 IN 12	11' 4" 8	11' 4" 12	11' 5" 1	11' 5" 5
5.5 IN 12	11' 6" 10	11' 6" 14	11' 7" 2	11' 7" 7
6 IN 12	11' 8" 14	11' 9" 2	11' 9" 7	11' 9" 11
6.5 IN 12	11' 11" 5	11' 11" 9	11' 11" 14	12' 0" 2
7 IN 12	12' 1" 14	12' 2" 3	12' 2" 7	12' 2" 12
8 IN 12	12' 7" 7	12' 7" 12	12' 8" 1	12' 8" 5
9 IN 12	13' 1" 8	13' 1" 13	13' 2" 2	13' 2" 7
10 IN 12	13' 8" 0	13' 8" 5	13' 8" 11	13' 9" 0
11 IN 12	14' 2" 15	14' 3" 4	14' 3" 10	14' 3" 15
12 IN 12	14' 10" 3	14' 10" 9	14' 10" 14	14' 11" 4
13 IN 12	15' 5" 12	15' 6" 2	15' 6" 8	15' 6" 14
14 IN 12	16' 1" 10	16' 2" 0	16' 2" 6	16' 2" 12
15 IN 12	16' 9" 11	16' 10" 2	16' 10" 8	16' 10" 14
16 IN 12	17' 6" 0	17' 6" 7	17' 6" 13	17' 7" 4
17 IN 12	18' 2" 8	18' 2" 15	18' 3" 6	18' 3" 13
18 IN 12	18' 11" 2	18' 11" 10	19' 0" 1	19' 0" 8
19 IN 12	19' 7" 15	19' 8" 7	19' 8" 14	19' 9" 6
20 IN 12	20' 4" 14	20' 5" 6	20' 5" 14	20' 6" 6
21 IN 12	21' 1" 15	21' 2" 7	21' 3" 0	21' 3" 8
22 IN 12	21' 11" 2	21' 11" 10	22' 0" 3	22' 0" 11
23 IN 12	22' 8" 6	22' 8" 15	22' 9" 8	22' 10" 0
24 IN 12	23' 5" 12	23' 6" 5	23' 6" 14	23' 7" 7
25 IN 12	24' 3" 3	24' 3" 12	24' 4" 5	24' 4" 15

10 Foot 6 Inch Run — Hip Or Valley Rafter Lengths

Pitch	10' 6" Ft In 16th"	10' 6 1/4" Ft In 16th"	10' 6 1/2" Ft In 16th"	10' 6 3/4" Ft In 16th"
1 IN 12	14' 10" 8	14' 10" 14	14' 11" 3	14' 11" 9
2 IN 12	14' 11" 7	14' 11" 12	15' 0" 2	15' 0" 8
2.5 IN 12	15' 0" 2	15' 0" 8	15' 0" 13	15' 1" 3
3 IN 12	15' 0" 15	15' 1" 5	15' 1" 11	15' 2" 0
3.5 IN 12	15' 1" 15	15' 2" 5	15' 2" 11	15' 3" 0
4 IN 12	15' 3" 1	15' 3" 7	15' 3" 13	15' 4" 3
4.5 IN 12	15' 4" 6	15' 4" 11	15' 5" 1	15' 5" 7
5 IN 12	15' 5" 12	15' 6" 2	15' 6" 8	15' 6" 14
5.5 IN 12	15' 7" 5	15' 7" 11	15' 8" 1	15' 8" 7
6 IN 12	15' 9" 0	15' 9" 6	15' 9" 12	15' 10" 2
6.5 IN 12	15' 10" 13	15' 11" 3	15' 11" 9	15' 11" 15
7 IN 12	16' 0" 12	16' 1" 2	16' 1" 8	16' 1" 14
8 IN 12	16' 5" 0	16' 5" 6	16' 5" 12	16' 6" 3
9 IN 12	16' 9" 11	16' 10" 2	16' 10" 8	16' 10" 14
10 IN 12	17' 2" 13	17' 3" 4	17' 3" 10	17' 4" 1
11 IN 12	17' 8" 6	17' 8" 12	17' 9" 3	17' 9" 10
12 IN 12	18' 2" 4	18' 2" 11	18' 3" 2	18' 3" 9
13 IN 12	18' 8" 7	18' 8" 15	18' 9" 6	18' 9" 13
14 IN 12	19' 3" 0	19' 3" 7	19' 3" 15	19' 4" 6
15 IN 12	19' 9" 13	19' 10" 5	19' 10" 12	19' 11" 4
16 IN 12	20' 4" 14	20' 5" 6	20' 5" 14	20' 6" 6
17 IN 12	21' 0" 3	21' 0" 12	21' 1" 4	21' 1" 12
18 IN 12	21' 7" 12	21' 8" 4	21' 8" 13	21' 9" 5
19 IN 12	22' 3" 8	22' 4" 0	22' 4" 9	22' 5" 1
20 IN 12	22' 11" 7	22' 11" 15	23' 0" 8	23' 1" 1
21 IN 12	23' 7" 8	23' 8" 1	23' 8" 10	23' 9" 3
22 IN 12	24' 3" 12	24' 4" 5	24' 4" 14	24' 5" 8
23 IN 12	25' 0" 2	25' 0" 12	25' 1" 5	25' 1" 15
24 IN 12	25' 8" 10	25' 9" 4	25' 9" 14	25' 10" 8
25 IN 12	26' 5" 4	26' 5" 14	26' 6" 8	26' 7" 2

10 Foot 7 Inch Run — Common Rafter Lengths

Run - Pitch	10' 7" Ft	In	16th"	10' 7 1/4" Ft	In	16th"	10' 7 1/2" Ft	In	16th"	10' 7 3/4" Ft	In	16th"
1 IN 12	10'	7"	7	10'	7"	11	10'	7"	15	10'	8"	3
2 IN 12	10'	8"	12	10'	9"	0	10'	9"	4	10'	9"	8
2.5 IN 12	10'	9"	12	10'	10"	0	10'	10"	4	10'	10"	8
3 IN 12	10'	10"	15	10'	11"	3	10'	11"	7	10'	11"	11
3.5 IN 12	11'	0"	5	11'	0"	9	11'	0"	13	11'	1"	1
4 IN 12	11'	1"	14	11'	2"	2	11'	2"	6	11'	2"	11
4.5 IN 12	11'	3"	10	11'	3"	14	11'	4"	3	11'	4"	7
5 IN 12	11'	5"	14	11'	5"	14	11'	6"	2	11'	6"	6
5.5 IN 12	11'	7"	11	11'	8"	0	11'	8"	4	11'	8"	8
6 IN 12	11'	10"	0	11'	10"	4	11'	10"	9	11'	10"	13
6.5 IN 12	12'	0"	7	12'	0"	11	12'	1"	0	12'	1"	5
7 IN 12	12'	3"	0	12'	3"	5	12'	3"	10	12'	3"	14
8 IN 12	12'	8"	10	12'	8"	15	12'	9"	4	12'	9"	9
9 IN 12	13'	2"	12	13'	3"	1	13'	3"	6	13'	3"	11
10 IN 12	13'	9"	5	13'	9"	9	13'	9"	15	13'	10"	5
11 IN 12	14'	4"	5	14'	4"	10	14'	4"	15	14'	5"	5
12 IN 12	14'	11"	10	14'	11"	15	15'	0"	5	15'	0"	11
13 IN 12	15'	7"	4	15'	7"	10	15'	8"	0	15'	8"	6
14 IN 12	16'	3"	2	16'	3"	8	16'	3"	15	16'	4"	5
15 IN 12	16'	11"	5	16'	11"	11	17'	0"	2	17'	0"	8
16 IN 12	17'	7"	11	17'	8"	8	17'	8"	8	17'	8"	15
17 IN 12	18'	4"	4	18'	4"	11	18'	5"	1	18'	5"	8
18 IN 12	19'	0"	15	19'	1"	6	19'	1"	14	19'	2"	5
19 IN 12	19'	9"	13	19'	10"	5	19'	10"	12	19'	11"	4
20 IN 12	20'	6"	13	20'	7"	5	20'	7"	13	20'	8"	5
21 IN 12	21'	4"	0	21'	4"	8	21'	5"	0	21'	5"	8
22 IN 12	22'	1"	3	22'	1"	12	22'	2"	4	22'	2"	13
23 IN 12	22'	10"	9	22'	11"	2	22'	11"	10	23'	0"	3
24 IN 12	23'	8"	0	23'	8"	9	23'	9"	2	23'	9"	11
25 IN 12	24'	5"	8	24'	6"	1	24'	6"	10	24'	7"	3

10 Foot 7 Inch Run — Hip Or Valley Rafter Lengths

Run - Pitch	10' 7" Ft	In	16th"	10' 7 1/4" Ft	In	16th"	10' 7 1/2" Ft	In	16th"	10' 7 3/4" Ft	In	16th"
1 IN 12	14'	11"	15	15'	0"	4	15'	0"	10	15'	1"	0
2 IN 12	15'	0"	14	15'	1"	3	15'	1"	9	15'	1"	15
2.5 IN 12	15'	1"	9	15'	1"	14	15'	2"	4	15'	2"	10
3 IN 12	15'	2"	6	15'	2"	12	15'	3"	2	15'	3"	7
3.5 IN 12	15'	3"	6	15'	3"	12	15'	4"	2	15'	4"	7
4 IN 12	15'	4"	8	15'	4"	14	15'	5"	4	15'	5"	10
4.5 IN 12	15'	5"	13	15'	6"	3	15'	6"	9	15'	6"	15
5 IN 12	15'	7"	4	15'	7"	10	15'	8"	0	15'	8"	6
5.5 IN 12	15'	8"	13	15'	9"	3	15'	9"	9	15'	9"	15
6 IN 12	15'	10"	8	15'	10"	14	15'	11"	4	15'	11"	10
6.5 IN 12	16'	0"	5	16'	0"	11	16'	1"	1	16'	1"	7
7 IN 12	16'	2"	5	16'	2"	11	16'	3"	1	16'	3"	7
8 IN 12	16'	6"	9	16'	6"	9	16'	7"	5	16'	7"	12
9 IN 12	16'	11"	5	16'	11"	11	17'	0"	2	17'	0"	8
10 IN 12	17'	4"	7	17'	4"	14	17'	5"	5	17'	5"	11
11 IN 12	17'	10"	1	17'	10"	7	17'	10"	14	17'	11"	5
12 IN 12	18'	4"	0	18'	4"	6	18'	4"	13	18'	5"	4
13 IN 12	18'	10"	4	18'	10"	11	18'	11"	2	18'	11"	9
14 IN 12	19'	4"	13	19'	5"	5	19'	5"	12	19'	6"	3
15 IN 12	19'	11"	11	20'	0"	3	20'	0"	10	20'	1"	2
16 IN 12	20'	6"	13	20'	7"	5	20'	7"	13	20'	8"	5
17 IN 12	21'	2"	4	21'	2"	12	21'	3"	4	21'	3"	12
18 IN 12	21'	9"	13	21'	10"	5	21'	10"	14	21'	11"	6
19 IN 12	22'	5"	10	22'	6"	2	22'	6"	11	22'	7"	3
20 IN 12	23'	1"	10	23'	2"	2	23'	2"	11	23'	3"	4
21 IN 12	23'	9"	12	23'	10"	5	23'	10"	14	23'	11"	7
22 IN 12	24'	6"	1	24'	6"	10	24'	7"	3	24'	7"	13
23 IN 12	25'	2"	8	25'	3"	2	25'	3"	11	25'	4"	5
24 IN 12	25'	11"	1	25'	11"	11	26'	0"	5	26'	0"	15
25 IN 12	26'	7"	13	26'	8"	7	26'	9"	1	26'	9"	11

10 Foot 8 Inch Run — Common Rafter Lengths

10 Foot 8 Inch Run — Hip Or Valley Rafter Lengths

Run -	10' 8"	10' 8 1/4"	10' 8 1/2"	10' 8 3/4"	10' 8"	10' 8 1/4"	10' 8 1/2"	10' 8 3/4"
Pitch	Ft In 16th"	Ft In 16th"	Ft In 16th"	Ft In 16th"	Ft In 16th"	Ft In 16th"	Ft In 16th"	Ft In 16th"
1 IN 12	10' 8" 7	10' 8" 11	10' 8" 15	10' 9" 3	15' 1" 5	15' 1" 11	15' 2" 1	15' 2" 6
2 IN 12	10' 9" 12	10' 10" 0	10' 10" 4	10' 10" 8	15' 2" 4	15' 2" 10	15' 3" 0	15' 3" 5
2.5 IN 12	10' 10" 12	10' 11" 0	10' 11" 4	10' 11" 8	15' 3" 0	15' 3" 5	15' 3" 11	15' 4" 1
3 IN 12	10' 11" 15	11' 0" 3	11' 0" 7	11' 0" 11	15' 3" 13	15' 4" 3	15' 4" 9	15' 4" 14
3.5 IN 12	11' 1" 5	11' 1" 10	11' 1" 14	11' 2" 2	15' 4" 13	15' 5" 3	15' 5" 9	15' 5" 15
4 IN 12	11' 2" 15	11' 3" 3	11' 3" 7	11' 3" 11	15' 6" 0	15' 6" 5	15' 6" 11	15' 7" 1
4.5 IN 12	11' 4" 11	11' 5" 0	11' 5" 4	11' 5" 8	15' 7" 4	15' 7" 10	15' 8" 0	15' 8" 6
5 IN 12	11' 6" 11	11' 6" 15	11' 7" 3	11' 7" 8	15' 8" 11	15' 9" 1	15' 9" 7	15' 9" 13
5.5 IN 12	11' 8" 13	11' 9" 1	11' 9" 6	11' 9" 10	15' 10" 5	15' 10" 11	15' 11" 1	15' 11" 6
6 IN 12	11' 11" 2	11' 11" 6	11' 11" 11	11' 11" 15	16' 0" 0	16' 0" 6	16' 0" 12	16' 1" 2
6.5 IN 12	12' 1" 9	12' 1" 14	12' 2" 2	12' 2" 7	16' 1" 13	16' 2" 4	16' 2" 10	16' 3" 0
7 IN 12	12' 4" 3	12' 4" 8	12' 4" 12	12' 5" 1	16' 3" 13	16' 4" 3	16' 4" 9	16' 4" 15
8 IN 12	12' 9" 13	12' 10" 2	12' 10" 7	12' 10" 12	16' 8" 2	16' 8" 8	16' 8" 14	16' 9" 5
9 IN 12	13' 4" 0	13' 4" 5	13' 4" 10	13' 4" 15	17' 0" 4	17' 1" 5	17' 1" 11	17' 2" 2
10 IN 12	13' 10" 10	13' 10" 15	13' 11" 4	13' 11" 10	17' 6" 2	17' 6" 8	17' 6" 15	17' 7" 5
11 IN 12	14' 5" 10	14' 6" 0	14' 6" 5	14' 6" 11	17' 11" 12	18' 0" 2	18' 0" 9	18' 1" 0
12 IN 12	15' 1" 0	15' 1" 6	15' 1" 12	15' 2" 1	18' 5" 11	18' 6" 2	18' 6" 9	18' 7" 0
13 IN 12	15' 8" 11	15' 9" 1	15' 9" 7	15' 9" 13	19' 0" 0	19' 0" 8	19' 0" 15	19' 1" 6
14 IN 12	16' 4" 11	16' 5" 1	16' 5" 7	16' 5" 13	19' 6" 1	19' 7" 2	19' 7" 9	19' 8" 1
15 IN 12	17' 0" 14	17' 1" 5	17' 1" 11	17' 2" 2	20' 1" 10	20' 2" 1	20' 2" 9	20' 3" 0
16 IN 12	17' 9" 5	17' 9" 12	17' 10" 3	17' 10" 9	20' 8" 13	20' 9" 4	20' 9" 12	20' 10" 4
17 IN 12	18' 5" 15	18' 6" 6	18' 6" 13	18' 7" 4	21' 4" 4	21' 4" 12	21' 5" 4	21' 5" 12
18 IN 12	19' 2" 12	19' 3" 3	19' 3" 11	19' 4" 2	21' 11" 14	22' 0" 6	22' 0" 15	22' 1" 7
19 IN 12	19' 11" 11	20' 0" 3	20' 0" 10	20' 1" 2	22' 7" 12	22' 8" 4	22' 8" 13	22' 9" 5
20 IN 12	20' 8" 13	20' 9" 4	20' 9" 12	20' 10" 4	23' 3" 13	23' 4" 5	23' 4" 14	23' 5" 7
21 IN 12	21' 6" 0	21' 6" 8	21' 7" 0	21' 7" 8	24' 0" 0	24' 0" 9	24' 1" 2	24' 1" 11
22 IN 12	22' 3" 5	22' 3" 13	22' 4" 6	22' 4" 14	24' 8" 6	24' 8" 15	24' 9" 8	24' 10" 2
23 IN 12	23' 0" 11	23' 1" 4	23' 1" 13	23' 2" 5	25' 4" 14	25' 5" 8	25' 6" 1	25' 6" 11
24 IN 12	23' 10" 3	23' 10" 12	23' 11" 5	23' 11" 14	26' 1" 9	26' 2" 2	26' 2" 12	26' 3" 6
25 IN 12	24' 7" 13	24' 8" 6	24' 8" 15	24' 9" 8	26' 10" 5	26' 10" 15	26' 11" 9	27' 0" 3

10 Foot 9 Inch Run — Common Rafter Lengths · 10 Foot 9 Inch Run — Hip Or Valley Rafter Lengths

Run -	10' 9"	10' 9 1/4"	10' 9 1/2"	10' 9 3/4"	10' 9"	10' 9 1/4"	10' 9 1/2"	10' 9 3/4"
Pitch	Ft In 16th"	Ft In 16th"	Ft In 16th"	Ft In 16th"	Ft In 16th"	Ft In 16th"	Ft In 16th"	Ft In 16th"
1 IN 12	10' 9" 7	10' 9" 11	10' 9" 15	10' 10" 3	15' 2" 12	15' 3" 2	15' 3" 7	15' 3" 13
2 IN 12	10' 10" 12	10' 11" 1	10' 11" 5	10' 11" 9	15' 3" 11	15' 4" 1	15' 4" 7	15' 4" 12
2.5 IN 12	10' 11" 12	11' 0" 0	11' 0" 4	11' 0" 9	15' 4" 6	15' 4" 12	15' 5" 2	15' 5" 8
3 IN 12	11' 1" 0	11' 1" 4	11' 1" 8	11' 1" 12	15' 5" 4	15' 5" 10	15' 6" 0	15' 6" 5
3.5 IN 12	11' 2" 6	11' 2" 10	11' 2" 14	11' 3" 3	15' 6" 4	15' 6" 10	15' 7" 0	15' 7" 6
4 IN 12	11' 4" 0	11' 4" 4	11' 4" 8	11' 4" 12	15' 7" 7	15' 7" 14	15' 8" 3	15' 8" 8
4.5 IN 12	11' 5" 12	11' 6" 1	11' 6" 5	11' 6" 9	15' 8" 12	15' 9" 2	15' 9" 8	15' 9" 13
5 IN 12	11' 7" 12	11' 8" 0	11' 8" 5	11' 8" 9	15' 10" 3	15' 10" 9	15' 10" 15	15' 11" 5
5.5 IN 12	11' 9" 14	11' 10" 3	11' 10" 7	11' 10" 12	15' 11" 12	16' 0" 2	16' 0" 8	16' 0" 14
6 IN 12	12' 0" 4	12' 0" 8	12' 0" 13	12' 1" 1	16' 1" 8	16' 1" 14	16' 2" 4	16' 2" 10
6.5 IN 12	12' 2" 11	12' 3" 0	12' 3" 4	12' 3" 9	16' 3" 6	16' 3" 12	16' 4" 2	16' 4" 8
7 IN 12	12' 5" 6	12' 5" 10	12' 5" 15	12' 6" 3	16' 5" 6	16' 5" 12	16' 6" 2	16' 6" 8
8 IN 12	12' 11" 1	12' 11" 5	12' 11" 10	12' 11" 15	16' 9" 11	16' 10" 1	16' 10" 8	16' 10" 14
9 IN 12	13' 5" 4	13' 5" 9	13' 5" 14	13' 6" 3	17' 2" 8	17' 2" 14	17' 3" 5	17' 3" 11
10 IN 12	13' 11" 15	14' 0" 4	14' 0" 9	14' 0" 14	17' 7" 12	17' 8" 3	17' 8" 9	17' 9" 0
11 IN 12	14' 7" 0	14' 7" 5	14' 7" 11	14' 8" 0	18' 1" 6	18' 1" 13	18' 2" 4	18' 2" 11
12 IN 12	15' 2" 7	15' 2" 13	15' 3" 2	15' 3" 8	18' 7" 7	18' 7" 14	18' 8" 5	18' 8" 12
13 IN 12	15' 10" 3	15' 10" 9	15' 10" 15	15' 11" 5	19' 1" 13	19' 2" 4	19' 2" 11	19' 3" 2
14 IN 12	16' 6" 4	16' 6" 10	16' 7" 0	16' 7" 6	19' 8" 8	19' 8" 15	19' 9" 7	19' 9" 14
15 IN 12	17' 2" 8	17' 2" 14	17' 3" 5	17' 3" 11	20' 3" 8	20' 3" 15	20' 4" 7	20' 4" 14
16 IN 12	17' 11" 0	17' 11" 7	17' 11" 13	18' 0" 4	20' 10" 12	20' 11" 3	20' 11" 11	21' 0" 3
17 IN 12	18' 7" 11	18' 8" 2	18' 8" 9	18' 9" 0	21' 6" 4	21' 6" 12	21' 7" 4	21' 7" 12
18 IN 12	19' 4" 9	19' 5" 0	19' 5" 7	19' 5" 15	22' 1" 15	22' 2" 7	22' 3" 0	22' 3" 8
19 IN 12	20' 1" 9	20' 2" 1	20' 2" 8	20' 3" 0	22' 9" 14	22' 10" 8	22' 10" 15	22' 11" 7
20 IN 12	20' 10" 12	20' 11" 3	20' 11" 11	21' 0" 3	23' 6" 0	23' 6" 8	23' 7" 1	23' 7" 10
21 IN 12	21' 8" 0	21' 8" 8	21' 9" 0	21' 9" 8	24' 2" 4	24' 2" 13	24' 3" 6	24' 3" 15
22 IN 12	22' 5" 5	22' 5" 15	22' 6" 7	22' 6" 15	24' 10" 11	24' 11" 4	24' 11" 14	25' 0" 7
23 IN 12	23' 2" 14	23' 3" 7	23' 3" 15	23' 4" 8	25' 7" 4	25' 7" 14	25' 8" 7	25' 9" 1
24 IN 12	24' 0" 7	24' 1" 0	24' 1" 9	24' 2" 2	26' 4" 0	26' 4" 10	26' 5" 3	26' 5" 13
25 IN 12	24' 10" 2	24' 10" 11	24' 11" 4	24' 11" 13	27' 0" 13	27' 1" 7	27' 2" 1	27' 2" 11

10 Foot 10 Inch Run — Common Rafter Lengths   10 Foot 10 Inch Run — Hip Or Valley Rafter Lengths

Run -	10'10"			10'10 1/4"			10'10 1/2"			10'10 3/4"				10'10"			10'10 1/4"			10'10 1/2"			10'10 3/4"		
Pitch	Ft	In	16th"	Ft	In	16th"	Ft	In	16th"	Ft	In	16th"		Ft	In	16th"	Ft	In	16th"	Ft	In	16th"	Ft	In	16th"
1 IN 12	10'	10"	7	10'	10"	11	10'	10"	15	10'	11"	3		15'	4"	3	15'	4"	8	15'	4"	14	15'	5"	4
2 IN 12	10'	11"	13	11'	0"	1	11'	0"	5	11'	0"	9		15'	5"	2	15'	5"	8	15'	5"	13	15'	6"	3
2.5 IN 12	11'	0"	13	11'	1"	1	11'	1"	5	11'	1"	9		15'	5"	13	15'	6"	3	15'	6"	9	15'	6"	14
3 IN 12	11'	2"	0	11'	2"	4	11'	2"	8	11'	2"	12		15'	6"	11	15'	7"	1	15'	7"	7	15'	7"	12
3.5 IN 12	11'	3"	7	11'	3"	11	11'	3"	15	11'	4"	3		15'	7"	11	15'	8"	1	15'	8"	7	15'	8"	13
4 IN 12	11'	5"	1	11'	5"	5	11'	5"	9	11'	5"	13		15'	8"	14	15'	9"	4	15'	9"	10	15'	10"	0
4.5 IN 12	11'	6"	13	11'	7"	2	11'	7"	6	11'	7"	10		15'	10"	3	15'	10"	9	15'	10"	15	15'	11"	5
5 IN 12	11'	8"	13	11'	9"	2	11'	9"	6	11'	9"	10		15'	11"	11	16'	0"	0	16'	0"	6	16'	0"	12
5.5 IN 12	11'	11"	0	11'	11"	4	11'	11"	9	11'	11"	13		16'	1"	4	16'	1"	10	16'	2"	0	16'	2"	6
6 IN 12	12'	1"	6	12'	1"	10	12'	1"	14	12'	2"	3		16'	3"	0	16'	3"	6	16'	3"	12	16'	4"	2
6.5 IN 12	12'	3"	14	12'	4"	2	12'	4"	7	12'	4"	11		16'	4"	14	16'	5"	4	16'	5"	10	16'	6"	0
7 IN 12	12'	6"	8	12'	6"	13	12'	7"	1	12'	7"	6		16'	6"	14	16'	7"	4	16'	7"	10	16'	8"	0
8 IN 12	13'	0"	4	13'	0"	9	13'	0"	13	13'	1"	2		16'	11"	4	16'	11"	10	17'	0"	1	17'	0"	7
9 IN 12	13'	6"	8	13'	6"	13	13'	7"	2	13'	7"	7		17'	4"	2	17'	4"	8	17'	4"	14	17'	5"	5
10 IN 12	14'	1"	4	14'	1"	9	14'	1"	14	14'	2"	3		17'	9"	6	17'	9"	13	17'	10"	3	17'	10"	10
11 IN 12	14'	8"	6	14'	8"	11	14'	9"	1	14'	9"	6		18'	3"	1	18'	3"	8	18'	3"	15	18'	4"	6
12 IN 12	15'	3"	14	15'	4"	3	15'	4"	9	15'	4"	15		18'	9"	3	18'	9"	10	18'	10"	1	18'	10"	7
13 IN 12	15'	11"	11	16'	0"	0	16'	0"	6	16'	0"	12		19'	3"	9	19'	4"	1	19'	4"	8	19'	4"	15
14 IN 12	16'	7"	12	16'	8"	2	16'	8"	8	16'	8"	15		19'	10"	5	19'	10"	13	19'	11"	4	19'	11"	11
15 IN 12	17'	4"	2	17'	4"	8	17'	4"	14	17'	5"	5		20'	5"	6	20'	5"	13	20'	6"	5	20'	6"	13
16 IN 12	18'	0"	11	18'	1"	1	18'	1"	8	18'	1"	15		21'	0"	11	21'	1"	3	21'	1"	11	21'	2"	2
17 IN 12	18'	9"	7	18'	9"	14	18'	10"	5	18'	10"	12		21'	8"	4	21'	8"	12	21'	9"	4	21'	9"	12
18 IN 12	19'	6"	6	19'	6"	13	19'	7"	4	19'	7"	11		22'	4"	0	22'	4"	8	22'	5"	1	22'	5"	9
19 IN 12	20'	3"	7	20'	3"	15	20'	4"	6	20'	4"	14		23'	0"	0	23'	0"	8	23'	1"	1	23'	1"	9
20 IN 12	21'	0"	11	21'	1"	3	21'	1"	10	21'	2"	2		23'	8"	2	23'	8"	11	23'	9"	4	23'	9"	13
21 IN 12	21'	10"	0	21'	10"	8	21'	11"	0	21'	11"	9		24'	4"	8	24'	5"	1	24'	5"	10	24'	6"	3
22 IN 12	22'	7"	8	22'	8"	0	22'	8"	8	22'	9"	1		25'	1"	0	25'	1"	9	25'	2"	3	25'	2"	12
23 IN 12	23'	5"	1	23'	5"	9	23'	6"	2	23'	6"	11		25'	9"	10	25'	10"	4	25'	10"	13	25'	11"	7
24 IN 12	24'	2"	11	24'	3"	4	24'	3"	13	24'	4"	6		26'	6"	7	26'	7"	1	26'	7"	11	26'	8"	4
25 IN 12	25'	0"	7	25'	1"	0	25'	1"	9	25'	2"	2		27'	3"	5	27'	3"	15	27'	4"	10	27'	5"	4

10 Foot 11 Inch Run — Common Rafter Lengths   10 Foot 11 Inch Run — Hip Or Valley Rafter Lengths

Run -	10'11"			10'11 1/4"			10'11 1/2"			10'11 3/4"			10'11"			10'11 1/4"			10'11 1/2"			10'11 3/4"		
Pitch	Ft	In	16th"	Ft	In	16th"	Ft	In	16th"	Ft	In	16th"	Ft	In	16th"	Ft	In	16th"	Ft	In	16th"	Ft	In	16th"
1 IN 12	10'	11"	7	10'	11"	11	10'	11"	15	11'	0"	3	15'	5"	9	15'	5"	15	15'	6"	5	15'	6"	10
2 IN 12	11'	0"	13	11'	1"	1	11'	1"	5	11'	1"	9	15'	6"	9	15'	6"	14	15'	7"	4	15'	7"	10
2.5 IN 12	11'	1"	13	11'	2"	1	11'	2"	5	11'	2"	9	15'	7"	4	15'	7"	10	15'	8"	0	15'	8"	5
3 IN 12	11'	3"	1	11'	3"	5	11'	3"	9	11'	3"	13	15'	8"	2	15'	8"	8	15'	8"	14	15'	9"	3
3.5 IN 12	11'	4"	7	11'	4"	12	11'	5"	0	11'	5"	4	15'	9"	3	15'	9"	8	15'	9"	14	15'	10"	4
4 IN 12	11'	6"	1	11'	6"	6	11'	6"	10	11'	6"	14	15'	10"	5	15'	10"	11	15'	11"	1	15'	11"	7
4.5 IN 12	11'	7"	15	11'	8"	3	11'	8"	7	11'	8"	11	15'	11"	11	16'	0"	0	16'	0"	6	16'	0"	12
5 IN 12	11'	9"	15	11'	10"	3	11'	10"	7	11'	10"	12	16'	1"	2	16'	1"	8	16'	1"	14	16'	2"	4
5.5 IN 12	12'	0"	2	12'	0"	6	12'	0"	10	12'	0"	15	16'	2"	12	16'	3"	2	16'	3"	8	16'	3"	14
6 IN 12	12'	2"	7	12'	2"	12	12'	3"	0	12'	3"	5	16'	4"	8	16'	4"	14	16'	5"	4	16'	5"	10
6.5 IN 12	12'	5"	0	12'	5"	4	12'	5"	9	12'	5"	13	16'	6"	6	16'	6"	12	16'	7"	2	16'	7"	8
7 IN 12	12'	7"	11	12'	7"	15	12'	8"	4	12'	8"	8	16'	8"	6	16'	8"	13	16'	9"	3	16'	9"	9
8 IN 12	13'	1"	7	13'	1"	12	13'	2"	1	13'	2"	6	17'	0"	13	17'	1"	3	17'	1"	10	17'	2"	0
9 IN 12	13'	7"	12	13'	8"	1	13'	8"	6	13'	8"	11	17'	5"	11	17'	6"	2	17'	6"	8	17'	6"	14
10 IN 12	14'	2"	8	14'	2"	14	14'	3"	3	14'	3"	8	17'	11"	1	17'	11"	7	17'	11"	14	18'	0"	4
11 IN 12	14'	9"	11	14'	10"	1	14'	10"	6	14'	10"	12	18'	4"	12	18'	5"	3	18'	5"	10	18'	6"	1
12 IN 12	15'	5"	4	15'	5"	10	15'	6"	0	15'	6"	5	18'	10"	14	18'	11"	5	18'	11"	12	19'	0"	3
13 IN 12	16'	1"	2	16'	1"	8	16'	1"	14	16'	2"	4	19'	5"	6	19'	5"	13	19'	6"	4	19'	6"	11
14 IN 12	16'	9"	5	16'	9"	11	16'	10"	1	16'	10"	7	20'	0"	3	20'	0"	10	20'	1"	1	20'	1"	9
15 IN 12	17'	5"	11	17'	6"	2	17'	6"	8	17'	6"	14	20'	7"	4	20'	7"	12	20'	8"	3	20'	8"	11
16 IN 12	18'	2"	5	18'	2"	12	18'	3"	3	18'	3"	9	21'	2"	10	21'	3"	2	21'	3"	9	21'	4"	1
17 IN 12	18'	11"	3	18'	11"	10	19'	0"	0	19'	0"	7	21'	10"	4	21'	10"	12	21'	11"	4	21'	11"	12
18 IN 12	19'	8"	3	19'	8"	10	19'	9"	1	19'	9"	8	22'	6"	1	22'	6"	9	22'	7"	2	22'	7"	10
19 IN 12	20'	5"	5	20'	5"	13	20'	6"	4	20'	6"	12	23'	2"	2	23'	2"	10	23'	3"	3	23'	3"	11
20 IN 12	21'	2"	10	21'	3"	2	21'	3"	9	21'	4"	1	23'	10"	5	23'	10"	10	23'	11"	7	24'	0"	0
21 IN 12	22'	0"	1	22'	0"	9	22'	1"	1	22'	1"	9	24'	6"	12	24'	7"	5	24'	7"	14	24'	8"	7
22 IN 12	22'	9"	9	22'	10"	1	22'	10"	10	22'	11"	2	25'	3"	5	25'	3"	14	25'	4"	8	25'	5"	1
23 IN 12	23'	7"	3	23'	7"	12	23'	8"	5	23'	8"	13	26'	0"	1	26'	0"	10	26'	1"	4	26'	1"	13
24 IN 12	24'	4"	15	24'	5"	8	24'	6"	1	24'	6"	10	26'	8"	14	26'	9"	8	26'	10"	2	26'	10"	12
25 IN 12	25'	2"	12	25'	3"	5	25'	3"	14	25'	4"	7	27'	5"	14	27'	6"	8	27'	7"	2	27'	7"	12

11 Foot 0 Inch Run — Common Rafter Lengths

Pitch	11' 0"	11' 0 1/4"	11' 0 1/2"	11' 0 3/4"
1 IN 12	11' 0" 7	11' 0" 11	11' 0" 15	11' 1" 3
2 IN 12	11' 1" 13	11' 2" 1	11' 2" 5	11' 2" 9
2.5 IN 12	11' 2" 13	11' 3" 1	11' 3" 6	11' 3" 10
3 IN 12	11' 4" 1	11' 4" 5	11' 4" 9	11' 4" 13
3.5 IN 12	11' 5" 8	11' 5" 12	11' 6" 0	11' 6" 5
4 IN 12	11' 7" 2	11' 7" 6	11' 7" 11	11' 7" 15
4.5 IN 12	11' 9" 0	11' 9" 4	11' 9" 8	11' 9" 12
5 IN 12	11' 11" 0	11' 11" 4	11' 11" 9	11' 11" 13
5.5 IN 12	12' 1" 3	12' 1" 8	12' 1" 12	12' 2" 0
6 IN 12	12' 3" 9	12' 3" 14	12' 4" 2	12' 4" 7
6.5 IN 12	12' 6" 2	12' 6" 6	12' 6" 11	12' 7" 0
7 IN 12	12' 8" 13	12' 9" 2	12' 9" 6	12' 9" 11
8 IN 12	13' 2" 10	13' 2" 15	13' 3" 4	13' 3" 9
9 IN 12	13' 9" 0	13' 9" 5	13' 9" 10	13' 9" 15
10 IN 12	14' 3" 13	14' 4" 2	14' 4" 8	14' 4" 13
11 IN 12	14' 11" 1	14' 11" 6	14' 11" 12	15' 0" 1
12 IN 12	15' 6" 11	15' 7" 0	15' 7" 6	15' 7" 12
13 IN 12	16' 2" 10	16' 3" 0	16' 3" 6	16' 3" 11
14 IN 12	16' 10" 13	16' 11" 3	16' 11" 10	17' 0" 0
15 IN 12	17' 7" 5	17' 7" 11	17' 8" 2	17' 8" 8
16 IN 12	18' 4" 0	18' 4" 7	18' 4" 13	18' 5" 4
17 IN 12	19' 0" 14	19' 1" 5	19' 1" 12	19' 2" 3
18 IN 12	19' 9" 15	19' 10" 7	19' 10" 14	19' 11" 5
19 IN 12	20' 7" 3	20' 7" 11	20' 8" 2	20' 8" 10
20 IN 12	21' 4" 9	21' 5" 1	21' 5" 9	21' 6" 0
21 IN 12	22' 2" 1	22' 2" 9	22' 3" 1	22' 3" 9
22 IN 12	22' 11" 11	23' 0" 3	23' 0" 11	23' 1" 4
23 IN 12	23' 9" 6	23' 9" 14	23' 10" 7	23' 11" 0
24 IN 12	24' 7" 3	24' 7" 12	24' 8" 4	24' 8" 13
25 IN 12	25' 5" 1	25' 5" 10	25' 6" 3	25' 6" 12

11 Foot 0 Inch Run — Hip Or Valley Rafter Lengths

Pitch	11' 0"	11' 0 1/4"	11' 0 1/2"	11' 0 3/4"
1 IN 12	15' 7" 0	15' 7" 6	15' 7" 11	15' 8" 1
2 IN 12	15' 7" 15	15' 8" 5	15' 8" 11	15' 9" 1
2.5 IN 12	15' 8" 11	15' 9" 1	15' 9" 6	15' 9" 12
3 IN 12	15' 9" 9	15' 9" 15	15' 10" 5	15' 10" 10
3.5 IN 12	15' 10" 10	15' 10" 15	15' 11" 5	15' 11" 11
4 IN 12	15' 11" 13	16' 0" 2	16' 0" 8	16' 0" 14
4.5 IN 12	16' 1" 2	16' 1" 8	16' 1" 14	16' 2" 4
5 IN 12	16' 2" 10	16' 3" 0	16' 3" 6	16' 3" 11
5.5 IN 12	16' 4" 4	16' 4" 10	16' 5" 0	16' 5" 6
6 IN 12	16' 6" 0	16' 6" 6	16' 6" 12	16' 7" 2
6.5 IN 12	16' 7" 14	16' 8" 4	16' 8" 11	16' 9" 1
7 IN 12	16' 9" 15	16' 10" 5	16' 10" 11	16' 11" 1
8 IN 12	17' 2" 5	17' 2" 12	17' 3" 3	17' 3" 9
9 IN 12	17' 7" 5	17' 7" 11	17' 8" 2	17' 8" 8
10 IN 12	18' 0" 11	18' 1" 1	18' 1" 8	18' 1" 14
11 IN 12	18' 6" 7	18' 6" 14	18' 7" 5	18' 7" 12
12 IN 12	19' 0" 10	19' 1" 1	19' 1" 8	19' 1" 15
13 IN 12	19' 7" 2	19' 7" 10	19' 8" 1	19' 8" 8
14 IN 12	20' 2" 0	20' 2" 7	20' 2" 15	20' 3" 6
15 IN 12	20' 9" 2	20' 9" 10	20' 10" 1	20' 10" 9
16 IN 12	21' 4" 9	21' 5" 1	21' 5" 9	21' 6" 0
17 IN 12	22' 0" 4	22' 0" 12	22' 1" 4	22' 1" 12
18 IN 12	22' 8" 2	22' 8" 10	22' 9" 2	22' 9" 11
19 IN 12	23' 4" 4	23' 4" 12	23' 5" 5	23' 5" 13
20 IN 12	24' 0" 8	24' 1" 1	24' 1" 10	24' 2" 3
21 IN 12	24' 9" 0	24' 9" 9	24' 10" 2	24' 10" 11
22 IN 12	25' 5" 10	25' 6" 3	25' 6" 13	25' 7" 6
23 IN 12	26' 2" 7	26' 3" 0	26' 3" 10	26' 4" 4
24 IN 12	26' 11" 5	26' 11" 15	27' 0" 9	27' 1" 3
25 IN 12	27' 8" 6	27' 9" 0	27' 9" 10	27' 10" 4

11 Foot 1 Inch Run — Common Rafter Lengths   11 Foot 1 Inch Run — Hip Or Valley Rafter Lengths

Run - Pitch	11' 1" Ft In 16th"	11' 1 1/4" Ft In 16th"	11' 1 1/2" Ft In 16th"	11' 1 3/4" Ft In 16th"	11' 1" Ft In 16th"	11' 1 1/4" Ft In 16th"	11' 1 1/2" Ft In 16th"	11' 1 3/4" Ft In 16th"
1 IN 12	11' 1" 7	11' 1" 11	11' 1" 15	11' 2" 3	15' 8" 7	15' 8" 12	15' 9" 2	15' 9" 8
2 IN 12	11' 2" 13	11' 3" 1	11' 3" 5	11' 3" 10	15' 9" 6	15' 9" 12	15' 10" 2	15' 10" 7
2.5 IN 12	11' 3" 14	11' 4" 2	11' 4" 6	11' 4" 10	15' 10" 2	15' 10" 8	15' 10" 13	15' 11" 3
3 IN 12	11' 5" 1	11' 5" 6	11' 5" 10	11' 5" 14	15' 11" 0	15' 11" 6	15' 11" 12	16' 0" 1
3.5 IN 12	11' 6" 9	11' 6" 13	11' 7" 1	11' 7" 5	16' 0" 1	16' 0" 7	16' 0" 12	16' 1" 2
4 IN 12	11' 8" 3	11' 8" 7	11' 8" 12	11' 9" 0	16' 1" 4	16' 1" 10	16' 2" 0	16' 2" 5
4.5 IN 12	11' 10" 1	11' 10" 5	11' 10" 10	11' 10" 14	16' 2" 9	16' 2" 15	16' 3" 5	16' 3" 11
5 IN 12	12' 0" 1	12' 0" 6	12' 0" 10	12' 0" 14	16' 4" 1	16' 4" 7	16' 4" 13	16' 5" 3
5.5 IN 12	12' 2" 5	12' 2" 9	12' 2" 14	12' 3" 2	16' 5" 12	16' 6" 1	16' 6" 7	16' 6" 13
6 IN 12	12' 4" 11	12' 5" 0	12' 5" 4	12' 5" 9	16' 7" 8	16' 7" 14	16' 8" 4	16' 8" 10
6.5 IN 12	12' 7" 4	12' 7" 9	12' 7" 13	12' 8" 2	16' 9" 7	16' 9" 13	16' 10" 3	16' 10" 9
7 IN 12	12' 10" 0	12' 10" 4	12' 10" 9	12' 10" 13	16' 11" 7	16' 11" 14	17' 0" 4	17' 0" 10
8 IN 12	13' 3" 14	13' 4" 2	13' 4" 7	13' 4" 12	17' 3" 15	17' 4" 5	17' 4" 12	17' 5" 2
9 IN 12	13' 10" 4	13' 10" 9	13' 10" 14	13' 11" 3	17' 8" 14	17' 9" 5	17' 9" 11	17' 10" 2
10 IN 12	14' 5" 2	14' 5" 7	14' 5" 12	14' 6" 2	18' 2" 5	18' 2" 12	18' 3" 2	18' 3" 9
11 IN 12	15' 0" 7	15' 0" 12	15' 1" 2	15' 1" 7	18' 8" 2	18' 8" 9	18' 9" 0	18' 9" 7
12 IN 12	15' 8" 1	15' 8" 7	15' 8" 13	15' 9" 2	19' 2" 6	19' 2" 13	19' 3" 4	19' 3" 11
13 IN 12	16' 4" 1	16' 4" 7	16' 4" 13	16' 5" 3	19' 8" 10	19' 9" 6	19' 9" 13	19' 10" 4
14 IN 12	17' 0" 6	17' 0" 12	17' 1" 2	17' 1" 8	20' 3" 13	20' 4" 5	20' 4" 12	20' 5" 3
15 IN 12	17' 8" 14	17' 9" 5	17' 9" 11	17' 10" 2	20' 11" 1	20' 11" 8	21' 0" 0	21' 0" 7
16 IN 12	18' 5" 11	18' 6" 1	18' 6" 8	18' 6" 15	21' 6" 8	21' 7" 0	21' 7" 8	21' 7" 15
17 IN 12	19' 2" 10	19' 3" 1	19' 3" 8	19' 3" 15	22' 2" 4	22' 2" 12	22' 3" 4	22' 3" 12
18 IN 12	19' 11" 12	20' 0" 4	20' 0" 11	20' 1" 2	22' 10" 3	22' 10" 11	22' 11" 3	22' 11" 12
19 IN 12	20' 9" 1	20' 9" 9	20' 10" 0	20' 10" 8	23' 6" 6	23' 6" 14	23' 7" 7	23' 7" 15
20 IN 12	21' 6" 8	21' 7" 0	21' 7" 8	21' 7" 15	24' 2" 11	24' 3" 4	24' 3" 13	24' 4" 6
21 IN 12	22' 4" 1	22' 4" 9	22' 5" 1	22' 5" 9	24' 11" 4	24' 11" 13	25' 0" 5	25' 0" 15
22 IN 12	23' 1" 12	23' 2" 4	23' 2" 13	23' 3" 5	25' 7" 15	25' 8" 8	25' 9" 2	25' 9" 11
23 IN 12	23' 11" 8	24' 0" 1	24' 0" 10	24' 1" 2	26' 4" 13	26' 5" 6	26' 6" 0	26' 6" 9
24 IN 12	24' 9" 6	24' 9" 15	24' 10" 8	24' 11" 1	27' 1" 13	27' 2" 6	27' 3" 0	27' 3" 10
25 IN 12	25' 7" 6	25' 7" 15	25' 8" 8	25' 9" 1	27' 10" 14	27' 11" 8	28' 0" 2	28' 0" 13

11 Foot 2 Inch Run — Common Rafter Lengths

Run - Pitch	11' 2" (Ft In 16th")	11' 2 1/4" (Ft In 16th")	11' 2 1/2" (Ft In 16th")	11' 2 3/4" (Ft In 16th")
1 IN 12	11' 2" 7	11' 2" 11	11' 2" 15	11' 3" 3
2 IN 12	11' 3" 14	11' 4" 2	11' 4" 6	11' 4" 10
2.5 IN 12	11' 4" 14	11' 5" 2	11' 5" 6	11' 5" 10
3 IN 12	11' 6" 2	11' 6" 6	11' 6" 10	11' 6" 14
3.5 IN 12	11' 7" 9	11' 7" 14	11' 8" 2	11' 8" 6
4 IN 12	11' 9" 4	11' 9" 8	11' 9" 12	11' 10" 1
4.5 IN 12	11' 11" 2	11' 11" 6	11' 11" 10	11' 11" 15
5 IN 12	12' 1" 3	12' 1" 7	12' 1" 11	12' 2" 0
5.5 IN 12	12' 3" 6	12' 3" 11	12' 3" 15	12' 4" 4
6 IN 12	12' 5" 13	12' 6" 2	12' 6" 6	12' 6" 10
6.5 IN 12	12' 8" 6	12' 8" 11	12' 8" 15	12' 9" 4
7 IN 12	12' 11" 2	12' 11" 7	12' 11" 11	13' 0" 0
8 IN 12	13' 5" 1	13' 5" 6	13' 5" 10	13' 5" 15
9 IN 12	13' 11" 8	13' 11" 13	14' 0" 2	14' 0" 7
10 IN 12	14' 6" 7	14' 6" 12	14' 7" 1	14' 7" 6
11 IN 12	15' 1" 12	15' 2" 2	15' 2" 7	15' 2" 13
12 IN 12	15' 9" 8	15' 9" 14	15' 10" 3	15' 10" 9
13 IN 12	16' 5" 9	16' 5" 15	16' 6" 5	16' 6" 11
14 IN 12	17' 1" 14	17' 2" 5	17' 2" 11	17' 3" 1
15 IN 12	17' 10" 8	17' 10" 14	17' 11" 5	17' 11" 11
16 IN 12	18' 7" 5	18' 7" 12	18' 8" 3	18' 8" 9
17 IN 12	19' 4" 6	19' 4" 13	19' 5" 4	19' 5" 11
18 IN 12	20' 1" 9	20' 2" 0	20' 2" 8	20' 2" 15
19 IN 12	20' 10" 15	20' 11" 7	20' 11" 14	21' 0" 6
20 IN 12	21' 8" 7	21' 8" 15	21' 9" 7	21' 9" 7
21 IN 12	22' 6" 1	22' 6" 9	22' 7" 1	22' 7" 10
22 IN 12	23' 3" 13	23' 4" 6	23' 4" 14	23' 5" 6
23 IN 12	24' 1" 11	24' 2" 4	24' 2" 12	24' 3" 5
24 IN 12	24' 11" 10	25' 0" 3	25' 0" 12	25' 1" 5
25 IN 12	25' 9" 11	25' 10" 4	25' 10" 13	25' 11" 6

11 Foot 2 Inch Run — Hip Or Valley Rafter Lengths

Run - Pitch	11' 2" (Ft In 16th")	11' 2 1/4" (Ft In 16th")	11' 2 1/2" (Ft In 16th")	11' 2 3/4" (Ft In 16th")
1 IN 12	15' 9" 13	15' 10" 3	15' 10" 9	15' 10" 14
2 IN 12	15' 10" 13	15' 11" 3	15' 11" 8	15' 11" 14
2.5 IN 12	15' 11" 9	15' 11" 15	16' 0" 4	16' 0" 10
3 IN 12	16' 0" 7	16' 0" 13	16' 1" 3	16' 1" 8
3.5 IN 12	16' 1" 8	16' 1" 14	16' 2" 3	16' 2" 9
4 IN 12	16' 2" 11	16' 3" 1	16' 3" 7	16' 3" 13
4.5 IN 12	16' 4" 1	16' 4" 7	16' 4" 13	16' 5" 2
5 IN 12	16' 5" 9	16' 5" 15	16' 6" 5	16' 6" 11
5.5 IN 12	16' 7" 3	16' 7" 9	16' 7" 15	16' 8" 5
6 IN 12	16' 9" 0	16' 9" 6	16' 9" 12	16' 10" 2
6.5 IN 12	16' 10" 15	16' 11" 5	16' 11" 11	17' 0" 1
7 IN 12	17' 1" 0	17' 1" 6	17' 1" 12	17' 2" 2
8 IN 12	17' 5" 8	17' 5" 14	17' 6" 5	17' 6" 11
9 IN 12	17' 10" 8	17' 10" 14	17' 11" 5	17' 11" 11
10 IN 12	18' 3" 15	18' 4" 6	18' 4" 12	18' 5" 3
11 IN 12	18' 9" 13	18' 10" 4	18' 10" 11	18' 11" 2
12 IN 12	19' 4" 2	19' 4" 8	19' 4" 15	19' 5" 6
13 IN 12	19' 10" 11	19' 11" 3	19' 11" 10	20' 0" 1
14 IN 12	20' 5" 11	20' 6" 2	20' 6" 9	20' 7" 1
15 IN 12	21' 0" 15	21' 1" 6	21' 1" 14	21' 2" 5
16 IN 12	21' 8" 7	21' 8" 15	21' 9" 7	21' 9" 15
17 IN 12	22' 4" 4	22' 4" 12	22' 5" 4	22' 5" 12
18 IN 12	23' 0" 4	23' 0" 12	23' 1" 4	23' 1" 13
19 IN 12	23' 8" 8	23' 9" 0	23' 9" 9	23' 10" 1
20 IN 12	24' 4" 14	24' 5" 7	24' 6" 0	24' 6" 9
21 IN 12	25' 1" 8	25' 2" 1	25' 2" 10	25' 3" 3
22 IN 12	25' 10" 4	25' 10" 13	25' 11" 7	26' 0" 0
23 IN 12	26' 7" 3	26' 7" 12	26' 8" 6	26' 8" 15
24 IN 12	27' 4" 4	27' 4" 14	27' 5" 7	27' 6" 1
25 IN 12	28' 1" 7	28' 2" 1	28' 2" 11	28' 3" 5

11 Foot 3 Inch Run — Common Rafter Lengths   11 Foot 3 Inch Run — Hip Or Valley Rafter Lengths

Run -	11' 3"	11' 3 1/4"	11' 3 1/2"	11' 3 3/4"	11' 3"	11' 3 1/4"	11' 3 1/2"	11' 3 3/4"
Pitch	Ft In 16th"	Ft In 16th"	Ft In 16th"	Ft In 16th"	Ft In 16th"	Ft In 16th"	Ft In 16th"	Ft In 16th"
1 IN 12	11' 3" 7	11' 3" 12	11' 4" 0	11' 4" 4	15' 11" 4	15' 11" 10	15' 11" 15	16' 0" 5
2 IN 12	11' 4" 14	11' 5" 2	11' 5" 6	11' 5" 10	16' 0" 4	16' 0" 10	16' 0" 15	16' 1" 5
2.5 IN 12	11' 5" 14	11' 6" 2	11' 6" 7	11' 6" 11	16' 1" 0	16' 1" 5	16' 1" 11	16' 2" 1
3 IN 12	11' 7" 2	11' 7" 7	11' 7" 11	11' 7" 15	16' 1" 14	16' 2" 4	16' 2" 10	16' 2" 15
3.5 IN 12	11' 8" 10	11' 8" 14	11' 9" 2	11' 9" 7	16' 2" 15	16' 3" 5	16' 3" 11	16' 4" 0
4 IN 12	11' 10" 5	11' 10" 9	11' 10" 13	11' 11" 1	16' 4" 2	16' 4" 8	16' 4" 14	16' 5" 4
4.5 IN 12	12' 0" 3	12' 0" 7	12' 0" 11	12' 1" 0	16' 5" 8	16' 5" 14	16' 6" 4	16' 6" 10
5 IN 12	12' 2" 4	12' 2" 8	12' 2" 13	12' 3" 1	16' 7" 1	16' 7" 6	16' 7" 12	16' 8" 2
5.5 IN 12	12' 4" 8	12' 4" 12	12' 5" 1	12' 5" 5	16' 8" 11	16' 9" 1	16' 9" 7	16' 9" 13
6 IN 12	12' 6" 15	12' 7" 3	12' 7" 8	12' 7" 12	16' 10" 8	16' 10" 14	16' 11" 4	16' 11" 10
6.5 IN 12	12' 9" 9	12' 9" 13	12' 10" 2	12' 10" 6	17' 0" 7	17' 0" 13	17' 1" 3	17' 1" 9
7 IN 12	13' 0" 5	13' 0" 9	13' 0" 14	13' 1" 3	17' 2" 8	17' 2" 14	17' 3" 5	17' 3" 11
8 IN 12	13' 6" 4	13' 6" 9	13' 6" 14	13' 7" 2	17' 7" 1	17' 7" 7	17' 7" 14	17' 8" 4
9 IN 12	14' 0" 12	14' 1" 1	14' 1" 6	14' 1" 11	18' 0" 2	18' 0" 8	18' 0" 14	18' 1" 5
10 IN 12	14' 7" 12	14' 8" 1	14' 8" 6	14' 8" 11	18' 5" 10	18' 6" 0	18' 6" 7	18' 6" 13
11 IN 12	15' 3" 2	15' 3" 8	15' 3" 13	15' 4" 2	18' 11" 8	18' 11" 15	19' 0" 6	19' 0" 12
12 IN 12	15' 10" 15	15' 11" 4	15' 11" 10	16' 0" 0	19' 5" 13	19' 6" 4	19' 6" 11	19' 7" 2
13 IN 12	16' 7" 1	16' 7" 6	16' 7" 12	16' 8" 2	20' 0" 8	20' 0" 15	20' 1" 6	20' 1" 13
14 IN 12	17' 3" 7	17' 3" 13	17' 4" 3	17' 4" 9	20' 7" 8	20' 7" 15	20' 8" 7	20' 8" 14
15 IN 12	18' 0" 2	18' 0" 8	18' 0" 14	18' 1" 5	21' 2" 13	21' 3" 4	21' 3" 12	21' 4" 4
16 IN 12	18' 9" 0	18' 9" 7	18' 9" 13	18' 10" 4	21' 10" 6	21' 10" 14	21' 11" 6	21' 11" 14
17 IN 12	19' 6" 2	19' 6" 8	19' 6" 15	19' 7" 6	22' 6" 4	22' 6" 12	22' 7" 4	22' 7" 12
18 IN 12	20' 3" 6	20' 3" 13	20' 4" 4	20' 4" 12	23' 2" 5	23' 2" 13	23' 3" 5	23' 3" 14
19 IN 12	21' 0" 13	21' 1" 4	21' 1" 12	21' 2" 3	23' 10" 10	23' 11" 2	23' 11" 11	24' 0" 3
20 IN 12	21' 10" 6	21' 10" 14	21' 11" 6	21' 11" 14	24' 7" 1	24' 7" 10	24' 8" 3	24' 8" 12
21 IN 12	22' 8" 2	22' 8" 10	22' 9" 2	22' 9" 10	25' 3" 12	25' 4" 5	25' 4" 14	25' 5" 7
22 IN 12	23' 5" 15	23' 6" 7	23' 6" 15	23' 7" 8	26' 0" 9	26' 1" 3	26' 1" 12	26' 2" 5
23 IN 12	24' 3" 14	24' 4" 6	24' 4" 15	24' 5" 8	26' 9" 9	26' 10" 3	26' 10" 12	26' 11" 6
24 IN 12	25' 1" 14	25' 2" 7	25' 3" 0	25' 3" 9	27' 6" 11	27' 7" 5	27' 7" 14	27' 8" 8
25 IN 12	26' 0" 0	26' 0" 9	26' 1" 2	26' 1" 11	28' 3" 15	28' 4" 9	28' 5" 3	28' 5" 13

11 Foot 4 Inch Run — Common Rafter Lengths 11 Foot 4 Inch Run — Hip Or Valley Rafter Lengths

Run -	11' 4"			11' 4 1/4"			11' 4 1/2"			11' 4 3/4"			11' 4"			11' 4 1/4"			11' 4 1/2"			11' 4 3/4"		
Pitch	Ft	In	16th"	Ft	In	16th"	Ft	In	16th"	Ft	In	16th"	Ft	In	16th"	Ft	In	16th"	Ft	In	16th"	Ft	In	16th"
1 IN 12	11'	4"	8	11'	4"	12	11'	5"	0	11'	5"	4	16'	0"	11	16'	1"	0	16'	1"	6	16'	1"	12
2 IN 12	11'	5"	14	11'	6"	2	11'	6"	6	11'	6"	10	16'	1"	11	16'	2"	0	16'	2"	6	16'	2"	12
2.5 IN 12	11'	6"	15	11'	7"	3	11'	7"	7	11'	7"	11	16'	2"	7	16'	2"	12	16'	3"	2	16'	3"	8
3 IN 12	11'	8"	3	11'	8"	7	11'	8"	11	11'	8"	15	16'	3"	5	16'	3"	11	16'	4"	1	16'	4"	6
3.5 IN 12	11'	9"	11	11'	9"	15	11'	10"	3	11'	10"	7	16'	4"	6	16'	4"	12	16'	5"	2	16'	5"	7
4 IN 12	11'	11"	6	11'	11"	10	11'	11"	14	12'	0"	2	16'	5"	10	16'	5"	15	16'	6"	5	16'	6"	11
4.5 IN 12	12'	1"	4	12'	1"	8	12'	1"	13	12'	2"	2	16'	7"	0	16'	7"	6	16'	7"	11	16'	8"	1
5 IN 12	12'	3"	5	12'	3"	10	12'	3"	14	12'	4"	2	16'	8"	8	16'	8"	14	16'	9"	4	16'	9"	10
5.5 IN 12	12'	5"	10	12'	5"	14	12'	6"	2	12'	6"	7	16'	10"	3	16'	10"	9	16'	10"	15	16'	11"	5
6 IN 12	12'	8"	1	12'	8"	5	12'	8"	10	12'	8"	14	17'	0"	0	17'	0"	6	17'	0"	12	17'	1"	2
6.5 IN 12	12'	10"	11	12'	10"	15	12'	11"	4	12'	11"	8	17'	1"	15	17'	2"	5	17'	2"	11	17'	3"	2
7 IN 12	13'	1"	7	13'	1"	12	13'	2"	0	13'	2"	5	17'	4"	1	17'	4"	7	17'	4"	13	17'	5"	3
8 IN 12	13'	7"	7	13'	7"	12	13'	8"	1	13'	8"	6	17'	8"	10	17'	9"	0	17'	9"	7	17'	9"	13
9 IN 12	14'	2"	0	14'	2"	5	14'	2"	10	14'	2"	15	18'	1"	11	18'	2"	2	18'	2"	8	18'	2"	15
10 IN 12	14'	9"	1	14'	9"	6	14'	9"	11	14'	10"	0	18'	7"	4	18'	7"	10	18'	8"	1	18'	8"	8
11 IN 12	15'	4"	8	15'	4"	13	15'	5"	3	15'	5"	8	19'	1"	3	19'	1"	10	19'	2"	1	19'	2"	7
12 IN 12	16'	0"	5	16'	0"	11	16'	1"	1	16'	1"	6	19'	7"	9	19'	8"	0	19'	8"	7	19'	8"	14
13 IN 12	16'	8"	8	16'	8"	14	16'	9"	4	16'	9"	10	20'	2"	4	20'	2"	12	20'	3"	3	20'	3"	10
14 IN 12	17'	5"	0	17'	5"	6	17'	5"	12	17'	6"	2	20'	9"	5	20'	9"	13	20'	10"	4	20'	10"	11
15 IN 12	18'	1"	11	18'	2"	2	18'	2"	8	18'	2"	15	21'	4"	11	21'	5"	3	21'	5"	10	21'	6"	2
16 IN 12	18'	10"	11	18'	11"	1	18'	11"	8	18'	11"	15	22'	0"	5	22'	0"	13	22'	1"	5	22'	1"	13
17 IN 12	19'	7"	13	19'	8"	4	19'	8"	11	19'	9"	2	22'	8"	4	22'	8"	12	22'	9"	4	22'	9"	12
18 IN 12	20'	5"	3	20'	5"	10	20'	6"	1	20'	6"	8	23'	4"	6	23'	4"	14	23'	5"	6	23'	5"	15
19 IN 12	21'	2"	11	21'	3"	2	21'	3"	10	21'	4"	1	24'	0"	12	24'	1"	4	24'	1"	13	24'	2"	5
20 IN 12	22'	0"	5	22'	0"	13	22'	1"	5	22'	1"	13	24'	9"	4	24'	9"	13	24'	10"	6	24'	10"	15
21 IN 12	22'	10"	2	22'	10"	10	22'	11"	2	22'	11"	10	25'	6"	0	25'	6"	9	25'	7"	2	25'	7"	11
22 IN 12	23'	8"	0	23'	8"	9	23'	9"	1	23'	9"	9	26'	2"	14	26'	3"	8	26'	4"	1	26'	4"	10
23 IN 12	24'	6"	0	24'	6"	9	24'	7"	1	24'	7"	10	26'	11"	15	27'	0"	9	27'	1"	2	27'	1"	12
24 IN 12	25'	4"	2	25'	4"	11	25'	5"	4	25'	5"	13	27'	9"	2	27'	9"	12	27'	10"	6	27'	10"	15
25 IN 12	26'	2"	5	26'	2"	14	26'	3"	7	26'	4"	0	28'	6"	7	28'	7"	1	28'	7"	11	28'	8"	5

11 Foot 5 Inch Run — Common Rafter Lengths | 11 Foot 5 Inch Run — Hip Or Valley Rafter Lengths

Run -	11' 5"	11' 5 1/4"	11' 5 1/2"	11' 5 3/4"	11' 5"	11' 5 1/4"	11' 5 1/2"	11' 5 3/4"
Pitch	Ft In 16th"	Ft In 16th"	Ft In 16th"	Ft In 16th"	Ft In 16th"	Ft In 16th"	Ft In 16th"	Ft In 16th"
1 IN 12	11' 5" 8	11' 5" 12	11' 6" 0	11' 6" 4	16' 2" 1	16' 2" 7	16' 2" 13	16' 3" 2
2 IN 12	11' 6" 14	11' 7" 2	11' 7" 6	11' 7" 10	16' 3" 1	16' 3" 7	16' 3" 13	16' 4" 2
2.5 IN 12	11' 7" 15	11' 8" 3	11' 8" 7	11' 8" 11	16' 3" 13	16' 4" 3	16' 4" 9	16' 4" 15
3 IN 12	11' 9" 3	11' 9" 8	11' 9" 12	11' 10" 0	16' 4" 12	16' 5" 2	16' 5" 8	16' 5" 13
3.5 IN 12	11' 10" 11	11' 11" 0	11' 11" 4	11' 11" 8	16' 5" 13	16' 6" 3	16' 6" 9	16' 6" 15
4 IN 12	12' 0" 7	12' 0" 11	12' 0" 15	12' 1" 3	16' 7" 1	16' 7" 7	16' 7" 13	16' 8" 2
4.5 IN 12	12' 2" 5	12' 2" 9	12' 2" 14	12' 3" 2	16' 8" 7	16' 8" 13	16' 9" 3	16' 9" 9
5 IN 12	12' 4" 7	12' 4" 11	12' 4" 15	12' 5" 4	16' 10" 0	16' 10" 6	16' 10" 11	16' 11" 1
5.5 IN 12	12' 6" 11	12' 7" 0	12' 7" 4	12' 7" 8	16' 11" 11	17' 0" 1	17' 0" 7	17' 0" 13
6 IN 12	12' 9" 3	12' 9" 7	12' 9" 12	12' 10" 0	17' 1" 8	17' 1" 14	17' 2" 4	17' 2" 10
6.5 IN 12	12' 11" 13	13' 0" 1	13' 0" 6	13' 0" 11	17' 3" 8	17' 3" 14	17' 4" 4	17' 4" 10
7 IN 12	13' 2" 10	13' 2" 14	13' 3" 3	13' 3" 8	17' 5" 9	17' 5" 15	17' 6" 6	17' 6" 12
8 IN 12	13' 8" 10	13' 8" 15	13' 9" 4	13' 9" 9	17' 10" 3	17' 10" 9	17' 11" 0	17' 11" 6
9 IN 12	14' 3" 4	14' 3" 9	14' 3" 14	14' 4" 3	18' 3" 5	18' 3" 11	18' 4" 2	18' 4" 8
10 IN 12	14' 10" 5	14' 10" 11	14' 11" 0	14' 11" 5	18' 8" 14	18' 9" 5	18' 9" 11	18' 10" 2
11 IN 12	15' 5" 14	15' 6" 3	15' 6" 8	15' 6" 14	19' 2" 14	19' 3" 5	19' 3" 12	19' 4" 2
12 IN 12	16' 1" 12	16' 2" 2	16' 2" 7	16' 2" 13	19' 9" 5	19' 9" 12	19' 10" 3	19' 10" 9
13 IN 12	16' 10" 0	16' 10" 6	16' 10" 11	16' 11" 1	20' 4" 1	20' 4" 8	20' 4" 15	20' 5" 6
14 IN 12	17' 6" 8	17' 6" 14	17' 7" 5	17' 7" 11	20' 11" 3	20' 11" 10	21' 0" 1	21' 0" 9
15 IN 12	18' 3" 5	18' 3" 11	18' 4" 2	18' 4" 8	21' 6" 9	21' 7" 1	21' 7" 8	21' 8" 0
16 IN 12	19' 0" 5	19' 0" 12	19' 1" 3	19' 1" 9	22' 2" 4	22' 2" 12	22' 3" 4	22' 3" 12
17 IN 12	19' 9" 9	19' 10" 0	19' 10" 7	19' 10" 14	22' 10" 4	22' 10" 12	22' 11" 4	22' 11" 12
18 IN 12	20' 7" 0	20' 7" 7	20' 7" 14	20' 8" 5	23' 6" 7	23' 6" 15	23' 7" 7	23' 8" 0
19 IN 12	21' 4" 9	21' 5" 0	21' 5" 8	21' 5" 15	24' 2" 14	24' 3" 6	24' 3" 15	24' 4" 7
20 IN 12	22' 2" 4	22' 2" 12	22' 3" 4	22' 3" 12	24' 11" 7	25' 0" 0	25' 0" 9	25' 1" 2
21 IN 12	23' 0" 2	23' 0" 10	23' 1" 2	23' 1" 10	25' 8" 4	25' 8" 13	25' 9" 6	25' 9" 15
22 IN 12	23' 10" 2	23' 10" 10	23' 11" 2	23' 11" 11	26' 5" 3	26' 5" 13	26' 6" 6	26' 6" 15
23 IN 12	24' 8" 3	24' 8" 11	24' 9" 4	24' 9" 13	27' 2" 5	27' 2" 15	27' 3" 8	27' 4" 2
24 IN 12	25' 6" 5	25' 6" 14	25' 7" 7	25' 8" 0	27' 11" 9	28' 0" 3	28' 0" 13	28' 1" 7
25 IN 12	26' 4" 10	26' 5" 3	26' 5" 12	26' 6" 5	28' 8" 15	28' 9" 10	28' 10" 4	28' 10" 14

11 Foot 6 Inch Run — Common Rafter Lengths

Pitch	11' 6" Ft In 16th"	11' 6 1/4" Ft In 16th"	11' 6 1/2" Ft In 16th"	11' 6 3/4" Ft In 16th"
1 IN 12	11' 6" 8	11' 6" 12	11' 7" 0	11' 7" 4
2 IN 12	11' 7" 14	11' 8" 3	11' 8" 7	11' 8" 11
2.5 IN 12	11' 8" 15	11' 9" 3	11' 9" 8	11' 9" 12
3 IN 12	11' 10" 4	11' 10" 8	11' 10" 12	11' 11" 0
3.5 IN 12	11' 11" 12	12' 0" 0	12' 0" 4	12' 0" 9
4 IN 12	12' 1" 7	12' 1" 12	12' 2" 0	12' 2" 4
4.5 IN 12	12' 3" 6	12' 3" 10	12' 3" 15	12' 4" 3
5 IN 12	12' 5" 8	12' 5" 12	12' 6" 1	12' 6" 5
5.5 IN 12	12' 7" 13	12' 8" 1	12' 8" 6	12' 8" 10
6 IN 12	12' 10" 5	12' 10" 9	12' 10" 14	12' 11" 2
6.5 IN 12	13' 0" 15	13' 1" 4	13' 1" 8	13' 1" 13
7 IN 12	13' 3" 12	13' 4" 1	13' 4" 5	13' 4" 10
8 IN 12	13' 9" 14	13' 10" 2	13' 10" 7	13' 10" 12
9 IN 12	14' 4" 8	14' 4" 13	14' 5" 2	14' 5" 7
10 IN 12	14' 11" 10	14' 11" 15	15' 0" 5	15' 0" 10
11 IN 12	15' 7" 3	15' 7" 9	15' 7" 14	15' 8" 4
12 IN 12	16' 3" 3	16' 3" 8	16' 3" 14	16' 4" 4
13 IN 12	16' 11" 7	16' 11" 13	17' 0" 3	17' 0" 9
14 IN 12	17' 8" 1	17' 8" 7	17' 8" 13	17' 9" 3
15 IN 12	18' 4" 15	18' 5" 5	18' 5" 11	18' 6" 2
16 IN 12	19' 2" 0	19' 2" 7	19' 2" 13	19' 3" 4
17 IN 12	19' 11" 5	19' 11" 12	20' 0" 3	20' 0" 10
18 IN 12	20' 8" 13	20' 9" 4	20' 9" 11	20' 10" 2
19 IN 12	21' 6" 7	21' 6" 14	21' 7" 6	21' 7" 13
20 IN 12	22' 4" 4	22' 4" 11	22' 5" 3	22' 5" 11
21 IN 12	23' 2" 2	23' 2" 10	23' 3" 2	23' 3" 11
22 IN 12	24' 0" 3	24' 0" 11	24' 1" 4	24' 1" 12
23 IN 12	24' 10" 5	24' 10" 14	24' 11" 7	24' 11" 15
24 IN 12	25' 8" 9	25' 9" 2	25' 9" 11	25' 10" 4
25 IN 12	26' 6" 14	26' 7" 8	26' 8" 1	26' 8" 10

11 Foot 6 Inch Run — Hip Or Valley Rafter Lengths

Pitch	11' 6" Ft In 16th"	11' 6 1/4" Ft In 16th"	11' 6 1/2" Ft In 16th"	11' 6 3/4" Ft In 16th"
1 IN 12	16' 3" 8	16' 3" 14	16' 4" 3	16' 4" 9
2 IN 12	16' 4" 8	16' 4" 14	16' 5" 4	16' 5" 9
2.5 IN 12	16' 5" 4	16' 5" 10	16' 6" 0	16' 6" 5
3 IN 12	16' 6" 3	16' 6" 9	16' 6" 14	16' 7" 4
3.5 IN 12	16' 7" 4	16' 7" 10	16' 8" 0	16' 8" 6
4 IN 12	16' 8" 8	16' 8" 14	16' 9" 4	16' 9" 10
4.5 IN 12	16' 9" 14	16' 10" 4	16' 10" 10	16' 11" 0
5 IN 12	16' 11" 7	16' 11" 13	17' 0" 3	17' 0" 9
5.5 IN 12	17' 1" 2	17' 1" 8	17' 1" 14	17' 2" 4
6 IN 12	17' 3" 0	17' 3" 6	17' 3" 12	17' 4" 2
6.5 IN 12	17' 5" 0	17' 5" 6	17' 5" 12	17' 6" 2
7 IN 12	17' 7" 2	17' 7" 8	17' 7" 14	17' 8" 4
8 IN 12	17' 11" 12	18' 0" 2	18' 0" 9	18' 0" 15
9 IN 12	18' 4" 15	18' 5" 5	18' 5" 11	18' 6" 2
10 IN 12	18' 10" 8	18' 10" 15	18' 11" 6	18' 11" 12
11 IN 12	19' 4" 9	19' 5" 0	19' 5" 7	19' 5" 13
12 IN 12	19' 11" 0	19' 11" 7	19' 11" 14	20' 0" 5
13 IN 12	20' 5" 13	20' 6" 5	20' 6" 12	20' 7" 3
14 IN 12	21' 1" 0	21' 1" 7	21' 1" 15	21' 2" 6
15 IN 12	21' 8" 8	21' 8" 15	21' 9" 7	21' 9" 14
16 IN 12	22' 4" 4	22' 4" 11	22' 5" 3	22' 5" 11
17 IN 12	23' 0" 4	23' 0" 12	23' 1" 4	23' 1" 12
18 IN 12	23' 8" 8	23' 9" 0	23' 9" 8	23' 10" 1
19 IN 12	24' 4" 15	24' 5" 8	24' 6" 0	24' 6" 9
20 IN 12	25' 1" 10	25' 2" 3	25' 2" 12	25' 3" 5
21 IN 12	25' 10" 8	25' 11" 1	25' 11" 10	26' 0" 3
22 IN 12	26' 7" 8	26' 8" 2	26' 8" 11	26' 9" 4
23 IN 12	27' 4" 11	27' 5" 5	27' 5" 14	27' 6" 8
24 IN 12	28' 2" 0	28' 2" 10	28' 3" 4	28' 3" 14
25 IN 12	28' 11" 8	29' 0" 2	29' 0" 12	29' 1" 6

11 Foot 7 Inch Run — Common Rafter Lengths   11 Foot 7 Inch Run — Hip Or Valley Rafter Lengths

Run -	11' 7"	11' 7 1/4"	11' 7 1/2"	11' 7 3/4"	11' 7"	11' 7 1/4"	11' 7 1/2"	11' 7 3/4"
Pitch	Ft In 16th"	Ft In 16th"	Ft In 16th"	Ft In 16th"	Ft In 16th"	Ft In 16th"	Ft In 16th"	Ft In 16th"
1 IN 12	11' 7" 8	11' 7" 12	11' 8" 0	11' 8" 4	16' 4" 15	16' 5" 4	16' 5" 10	16' 6" 0
2 IN 12	11' 8" 15	11' 9" 3	11' 9" 7	11' 9" 11	16' 5" 15	16' 6" 5	16' 6" 10	16' 7" 0
2.5 IN 12	11' 10" 0	11' 10" 4	11' 10" 8	11' 10" 12	16' 6" 11	16' 7" 1	16' 7" 7	16' 7" 12
3 IN 12	11' 11" 4	11' 11" 9	11' 11" 13	12' 0" 1	16' 7" 10	16' 8" 0	16' 8" 5	16' 8" 11
3.5 IN 12	12' 0" 13	12' 1" 1	12' 1" 5	12' 1" 9	16' 8" 11	16' 9" 1	16' 9" 7	16' 9" 13
4 IN 12	12' 2" 8	12' 2" 13	12' 3" 1	12' 3" 5	16' 9" 15	16' 10" 5	16' 10" 11	16' 11" 1
4.5 IN 12	12' 4" 7	12' 4" 12	12' 5" 0	12' 5" 4	16' 11" 6	16' 11" 12	17' 0" 2	17' 0" 7
5 IN 12	12' 6" 6	12' 6" 14	12' 7" 2	12' 7" 6	17' 0" 15	17' 1" 5	17' 1" 11	17' 2" 1
5.5 IN 12	12' 8" 14	12' 9" 3	12' 9" 7	12' 9" 12	17' 2" 10	17' 3" 0	17' 3" 6	17' 3" 12
6 IN 12	12' 11" 7	12' 11" 11	12' 11" 15	13' 0" 4	17' 4" 8	17' 4" 14	17' 5" 4	17' 5" 10
6.5 IN 12	13' 2" 1	13' 2" 6	13' 2" 10	13' 2" 15	17' 6" 8	17' 6" 14	17' 7" 4	17' 7" 10
7 IN 12	13' 4" 15	13' 5" 3	13' 5" 8	13' 5" 13	17' 8" 10	17' 9" 0	17' 9" 7	17' 9" 13
8 IN 12	13' 11" 1	13' 11" 6	13' 11" 11	13' 11" 15	18' 1" 5	18' 1" 11	18' 2" 2	18' 2" 8
9 IN 12	14' 5" 12	14' 6" 1	14' 6" 6	14' 6" 11	18' 6" 1	18' 6" 15	18' 7" 5	18' 7" 11
10 IN 12	15' 0" 15	15' 1" 4	15' 1" 9	15' 1" 15	19' 0" 3	19' 0" 9	19' 1" 0	19' 1" 6
11 IN 12	15' 8" 9	15' 8" 14	15' 9" 4	15' 9" 9	19' 6" 4	19' 6" 11	19' 7" 2	19' 7" 8
12 IN 12	16' 4" 9	16' 4" 15	16' 5" 5	16' 5" 10	20' 0" 12	20' 1" 3	20' 1" 10	20' 2" 1
13 IN 12	17' 0" 15	17' 1" 5	17' 1" 11	17' 2" 1	20' 7" 10	20' 8" 1	20' 8" 8	20' 8" 15
14 IN 12	17' 9" 9	17' 10" 0	17' 10" 6	17' 10" 12	21' 2" 13	21' 3" 5	21' 3" 12	21' 4" 3
15 IN 12	18' 6" 8	18' 6" 15	18' 7" 5	18' 7" 11	21' 10" 6	21' 10" 13	21' 11" 5	21' 11" 12
16 IN 12	19' 3" 11	19' 4" 1	19' 4" 8	19' 4" 15	22' 6" 3	22' 6" 10	22' 7" 2	22' 7" 10
17 IN 12	20' 1" 1	20' 1" 7	20' 1" 14	20' 2" 5	23' 2" 4	23' 2" 12	23' 3" 4	23' 3" 12
18 IN 12	20' 10" 9	20' 11" 1	20' 11" 8	20' 11" 15	23' 10" 9	23' 11" 1	23' 11" 9	24' 0" 2
19 IN 12	21' 8" 5	21' 8" 12	21' 9" 4	21' 9" 11	24' 7" 1	24' 7" 10	24' 8" 2	24' 8" 11
20 IN 12	22' 6" 3	22' 6" 10	22' 7" 2	22' 7" 10	25' 3" 13	25' 4" 6	25' 4" 15	25' 5" 7
21 IN 12	23' 4" 3	23' 4" 11	23' 5" 3	23' 5" 11	26' 0" 12	26' 1" 5	26' 1" 14	26' 2" 7
22 IN 12	24' 2" 4	24' 2" 13	24' 3" 5	24' 3" 13	26' 9" 13	26' 10" 7	26' 11" 0	26' 11" 9
23 IN 12	25' 0" 8	25' 1" 1	25' 1" 9	25' 2" 2	27' 7" 1	27' 7" 11	27' 8" 4	27' 8" 14
24 IN 12	25' 10" 13	25' 11" 6	25' 11" 15	26' 0" 8	28' 4" 8	28' 5" 1	28' 5" 11	28' 6" 5
25 IN 12	26' 9" 3	26' 9" 13	26' 10" 6	26' 10" 15	29' 2" 0	29' 2" 10	29' 3" 4	29' 3" 14

11 Foot 8 Inch Run — Common Rafter Lengths   11 Foot 8 Inch Run — Hip Or Valley Rafter Lengths

Run -	11' 8"		11' 8 1/4"		11' 8 1/2"		11' 8 3/4"		11' 8"		11' 8 1/4"		11' 8 1/2"		11' 8 3/4"	
Pitch	Ft	In 16th"	Ft	In 16th"	Ft	In 16th"	Ft	In 16th"	Ft	In 16th"	Ft	In 16th"	Ft	In 16th"	Ft	In 16th"
1 IN 12	11'	8" 8	11'	8" 12	11'	9" 0	11'	9" 4	16'	6" 5	16'	6" 11	16'	7" 1	16'	7" 6
2 IN 12	11'	9" 15	11'	10" 3	11'	10" 7	11'	10" 11	16'	7" 6	16'	7" 11	16'	8" 1	16'	8" 7
2.5 IN 12	11'	11" 0	11'	11" 4	11'	11" 8	11'	11" 12	16'	8" 2	16'	8" 8	16'	8" 13	16'	9" 3
3 IN 12	12'	0" 5	12'	0" 9	12'	0" 13	12'	1" 1	16'	9" 1	16'	9" 7	16'	9" 12	16'	10" 2
3.5 IN 12	12'	1" 13	12'	2" 2	12'	2" 6	12'	2" 10	16'	10" 3	16'	10" 8	16'	10" 14	16'	11" 4
4 IN 12	12'	3" 9	12'	3" 13	12'	4" 2	12'	4" 6	16'	11" 7	16'	11" 12	17'	0" 2	17'	0" 8
4.5 IN 12	12'	5" 8	12'	5" 13	12'	6" 1	12'	6" 5	17'	0" 13	17'	1" 3	17'	1" 9	17'	1" 15
5 IN 12	12'	7" 11	12'	7" 15	12'	8" 3	12'	8" 8	17'	2" 6	17'	2" 12	17'	3" 2	17'	3" 8
5.5 IN 12	12'	10" 0	12'	10" 4	12'	10" 9	12'	10" 13	17'	4" 2	17'	4" 8	17'	4" 14	17'	5" 4
6 IN 12	13'	0" 8	13'	0" 13	13'	1" 1	13'	1" 6	17'	6" 0	17'	6" 6	17'	6" 12	17'	7" 2
6.5 IN 12	13'	3" 4	13'	3" 8	13'	3" 13	13'	4" 1	17'	8" 0	17'	8" 6	17'	8" 12	17'	9" 2
7 IN 12	13'	6" 1	13'	6" 6	13'	6" 11	13'	6" 15	17'	10" 3	17'	10" 9	17'	10" 15	17'	11" 5
8 IN 12	14'	0" 4	14'	0" 9	14'	0" 14	14'	1" 3	18'	2" 14	18'	3" 4	18'	3" 11	18'	4" 1
9 IN 12	14'	7" 0	14'	7" 5	14'	7" 10	14'	7" 15	18'	8" 2	18'	8" 8	18'	8" 15	18'	9" 5
10 IN 12	15'	2" 4	15'	2" 9	15'	2" 14	15'	3" 3	19'	1" 13	19'	2" 3	19'	2" 10	19'	3" 1
11 IN 12	15'	9" 15	15'	10" 4	15'	10" 10	15'	10" 15	19'	7" 15	19'	8" 6	19'	8" 13	19'	9" 3
12 IN 12	16'	6" 0	16'	6" 5	16'	6" 11	16'	7" 1	20'	2" 8	20'	2" 15	20'	3" 6	20'	3" 13
13 IN 12	17'	2" 6	17'	2" 12	17'	3" 2	17'	3" 8	20'	9" 6	20'	9" 14	20'	10" 5	20'	10" 12
14 IN 12	17'	11" 2	17'	11" 8	17'	11" 14	18'	0" 4	21'	4" 11	21'	5" 2	21'	5" 9	21'	6" 1
15 IN 12	18'	8" 2	18'	8" 8	18'	8" 15	18'	9" 5	22'	0" 4	22'	0" 11	22'	1" 3	22'	1" 11
16 IN 12	19'	5" 5	19'	5" 12	19'	6" 3	19'	6" 9	22'	8" 2	22'	8" 10	22'	9" 1	22'	9" 9
17 IN 12	20'	2" 12	20'	3" 3	20'	3" 10	20'	4" 1	23'	4" 4	23'	4" 12	23'	5" 4	23'	5" 12
18 IN 12	21'	0" 6	21'	0" 13	21'	1" 5	21'	1" 12	24'	0" 10	24'	1" 2	24'	1" 10	24'	2" 3
19 IN 12	21'	10" 3	21'	10" 10	21'	11" 2	21'	11" 9	24'	9" 3	24'	9" 12	24'	10" 4	24'	10" 13
20 IN 12	22'	8" 2	22'	8" 10	22'	9" 1	22'	9" 9	25'	6" 0	25'	6" 9	25'	7" 2	25'	7" 10
21 IN 12	23'	6" 3	23'	6" 11	23'	7" 3	23'	7" 11	26'	3" 0	26'	3" 9	26'	4" 2	26'	4" 11
22 IN 12	24'	4" 6	24'	4" 14	24'	5" 7	24'	5" 15	27'	0" 3	27'	0" 12	27'	1" 5	27'	1" 14
23 IN 12	25'	2" 11	25'	3" 3	25'	3" 12	25'	4" 4	27'	9" 8	27'	10" 1	27'	10" 11	27'	11" 4
24 IN 12	26'	1" 1	26'	1" 10	26'	2" 3	26'	2" 12	28'	6" 15	28'	7" 9	28'	8" 2	28'	8" 12
25 IN 12	26'	11" 8	27'	0" 2	27'	0" 11	27'	1" 4	29'	4" 8	29'	5" 2	29'	5" 12	29'	6" 7

11 Foot 9 Inch Run — Common Rafter Lengths   11 Foot 9 Inch Run — Hip Or Valley Rafter Lengths

Run -	11' 9"	11' 9 1/4"	11' 9 1/2"	11' 9 3/4"	11' 9"	11' 9 1/4"	11' 9 1/2"	11' 9 3/4"
Pitch	Ft In 16th"	Ft In 16th"	Ft In 16th"	Ft In 16th"	Ft In 16th"	Ft In 16th"	Ft In 16th"	Ft In 16th"
1 IN 12	11' 9" 8	11' 9" 12	11' 10" 0	11' 10" 4	16' 7" 12	16' 8" 2	16' 8" 7	16' 8" 13
2 IN 12	11' 10" 15	11' 11" 3	11' 11" 7	11' 11" 11	16' 8" 13	16' 9" 2	16' 9" 8	16' 9" 14
2.5 IN 12	12' 0" 0	12' 0" 5	12' 0" 9	12' 0" 13	16' 9" 9	16' 9" 15	16' 10" 4	16' 10" 10
3 IN 12	12' 1" 5	12' 1" 10	12' 1" 14	12' 2" 2	16' 10" 8	16' 10" 14	16' 11" 3	16' 11" 9
3.5 IN 12	12' 2" 14	12' 3" 2	12' 3" 6	12' 3" 11	16' 11" 10	16' 11" 15	17' 0" 5	17' 0" 11
4 IN 12	12' 4" 10	12' 4" 14	12' 5" 2	12' 5" 7	17' 0" 14	17' 1" 4	17' 1" 10	17' 1" 15
4.5 IN 12	12' 6" 9	12' 6" 14	12' 7" 2	12' 7" 6	17' 2" 5	17' 2" 11	17' 3" 0	17' 3" 6
5 IN 12	12' 8" 12	12' 9" 0	12' 9" 5	12' 9" 9	17' 3" 14	17' 4" 4	17' 4" 10	17' 5" 0
5.5 IN 12	12' 11" 2	12' 11" 6	12' 11" 10	12' 11" 15	17' 5" 10	17' 6" 0	17' 6" 6	17' 6" 12
6 IN 12	13' 1" 10	13' 1" 15	13' 2" 3	13' 2" 8	17' 7" 8	17' 7" 14	17' 8" 4	17' 8" 10
6.5 IN 12	13' 4" 6	13' 4" 10	13' 4" 15	13' 5" 3	17' 9" 8	17' 9" 15	17' 10" 5	17' 10" 11
7 IN 12	13' 7" 8	13' 7" 13	13' 8" 2	13' 8" 6	17' 11" 11	18' 0" 0	18' 0" 7	18' 0" 14
8 IN 12	14' 1" 7	14' 1" 12	14' 2" 1	14' 2" 6	18' 4" 7	18' 4" 13	18' 5" 4	18' 5" 10
9 IN 12	14' 8" 4	14' 8" 9	14' 8" 14	14' 9" 3	18' 9" 11	18' 10" 2	18' 10" 8	18' 10" 15
10 IN 12	15' 3" 9	15' 3" 14	15' 4" 3	15' 4" 8	19' 3" 7	19' 3" 14	19' 4" 4	19' 4" 11
11 IN 12	15' 11" 4	15' 11" 10	15' 11" 15	16' 0" 5	19' 9" 10	19' 10" 1	19' 10" 8	19' 10" 14
12 IN 12	16' 7" 6	16' 7" 12	16' 8" 2	16' 8" 7	20' 4" 4	20' 4" 10	20' 5" 1	20' 5" 8
13 IN 12	17' 3" 14	17' 4" 4	17' 4" 10	17' 5" 0	20' 11" 3	20' 11" 10	21' 0" 1	21' 0" 8
14 IN 12	18' 0" 11	18' 1" 1	18' 1" 7	18' 1" 13	21' 6" 8	21' 6" 15	21' 7" 7	21' 7" 14
15 IN 12	18' 9" 11	18' 10" 2	18' 10" 8	18' 10" 15	22' 2" 2	22' 2" 10	22' 3" 1	22' 3" 9
16 IN 12	19' 7" 0	19' 7" 7	19' 7" 13	19' 8" 4	22' 10" 1	22' 10" 9	22' 11" 0	22' 11" 8
17 IN 12	20' 4" 8	20' 4" 15	20' 5" 6	20' 5" 13	23' 6" 4	23' 6" 12	23' 7" 4	23' 7" 12
18 IN 12	21' 2" 3	21' 2" 10	21' 3" 1	21' 3" 9	24' 2" 11	24' 3" 3	24' 3" 11	24' 4" 4
19 IN 12	22' 0" 1	22' 0" 8	22' 1" 0	22' 1" 7	24' 11" 5	24' 11" 14	25' 0" 6	25' 0" 15
20 IN 12	22' 10" 8	22' 10" 15	22' 11" 9	22' 11" 0	25' 8" 3	25' 8" 12	25' 9" 5	25' 9" 13
21 IN 12	23' 8" 3	23' 8" 11	23' 9" 3	23' 9" 11	26' 5" 4	26' 5" 13	26' 6" 6	26' 6" 15
22 IN 12	24' 6" 7	24' 7" 0	24' 7" 8	24' 8" 0	27' 2" 8	27' 3" 1	27' 3" 10	27' 4" 3
23 IN 12	25' 4" 13	25' 5" 6	25' 5" 14	25' 6" 7	27' 11" 14	28' 0" 7	28' 1" 1	28' 1" 10
24 IN 12	26' 3" 5	26' 3" 14	26' 4" 6	26' 4" 15	28' 9" 6	28' 10" 0	28' 10" 10	28' 11" 3
25 IN 12	27' 1" 13	27' 2" 7	27' 3" 0	27' 3" 9	29' 7" 1	29' 7" 11	29' 8" 5	29' 8" 15

11 Foot 10 Inch Run — Common Rafter Lengths   11 Foot 10 Inch Run — Hip Or Valley Rafter Lengths

Run -	11'10"	11'10 1/4"	11'10 1/2"	11'10 3/4"	11'10"	11'10 1/4"	11'10 1/2"	11'10 3/4"
Pitch	Ft In 16th"	Ft In 16th"	Ft In 16th"	Ft In 16th"	Ft In 16th"	Ft In 16th"	Ft In 16th"	Ft In 16th"
1 IN 12	11' 10" 8	11' 10" 12	11' 11" 0	11' 11" 4	16' 9" 3	16' 9" 8	16' 9" 14	16' 10" 4
2 IN 12	11' 11" 15	12' 0" 3	12' 0" 7	12' 0" 12	16' 10" 3	16' 10" 9	16' 10" 15	16' 11" 4
2.5 IN 12	12' 1" 1	12' 1" 1	12' 1" 9	12' 1" 13	16' 11" 0	16' 11" 5	16' 11" 11	17' 0" 1
3 IN 12	12' 2" 6	12' 2" 10	12' 2" 14	12' 3" 2	16' 11" 15	17' 0" 5	17' 0" 10	17' 1" 0
3.5 IN 12	12' 3" 15	12' 4" 3	12' 4" 7	12' 4" 11	17' 1" 1	17' 1" 6	17' 1" 12	17' 2" 2
4 IN 12	12' 5" 11	12' 5" 15	12' 6" 3	12' 6" 8	17' 2" 5	17' 2" 11	17' 3" 1	17' 3" 7
4.5 IN 12	12' 7" 10	12' 7" 15	12' 8" 3	12' 8" 7	17' 3" 12	17' 4" 2	17' 4" 8	17' 4" 14
5 IN 12	12' 9" 13	12' 10" 2	12' 10" 6	12' 10" 10	17' 5" 6	17' 5" 12	17' 6" 1	17' 6" 7
5.5 IN 12	13' 0" 3	13' 0" 8	13' 0" 12	13' 1" 0	17' 7" 2	17' 7" 8	17' 7" 14	17' 8" 3
6 IN 12	13' 2" 12	13' 3" 1	13' 3" 5	13' 3" 10	17' 9" 0	17' 9" 6	17' 9" 12	17' 10" 2
6.5 IN 12	13' 5" 8	13' 5" 12	13' 6" 1	13' 6" 6	17' 11" 1	17' 11" 7	17' 11" 13	18' 0" 3
7 IN 12	13' 8" 6	13' 8" 11	13' 9" 0	13' 9" 4	18' 1" 4	18' 1" 10	18' 2" 0	18' 2" 6
8 IN 12	14' 2" 11	14' 2" 15	14' 3" 4	14' 3" 9	18' 6" 0	18' 6" 6	18' 6" 13	18' 7" 3
9 IN 12	14' 9" 8	14' 9" 13	14' 10" 2	14' 10" 7	18' 11" 5	18' 11" 11	19' 0" 2	19' 0" 8
10 IN 12	15' 4" 13	15' 5" 3	15' 5" 8	15' 5" 13	19' 5" 1	19' 5" 8	19' 5" 15	19' 6" 5
11 IN 12	16' 0" 10	16' 1" 0	16' 1" 5	16' 1" 10	19' 11" 5	19' 11" 12	20' 0" 3	20' 0" 9
12 IN 12	16' 8" 13	16' 9" 3	16' 9" 8	16' 9" 14	20' 5" 15	20' 6" 6	20' 6" 13	20' 7" 4
13 IN 12	17' 5" 6	17' 5" 12	17' 6" 1	17' 6" 7	21' 0" 15	21' 1" 7	21' 1" 14	21' 2" 5
14 IN 12	18' 2" 3	18' 2" 9	18' 2" 15	18' 3" 6	21' 8" 5	21' 8" 13	21' 9" 4	21' 9" 11
15 IN 12	18' 11" 5	18' 11" 11	19' 0" 2	19' 0" 8	22' 4" 0	22' 4" 8	22' 4" 15	22' 5" 7
16 IN 12	19' 8" 11	19' 9" 1	19' 9" 8	19' 9" 15	23' 0" 0	23' 0" 8	23' 1" 0	23' 1" 7
17 IN 12	20' 6" 4	20' 6" 11	20' 7" 2	20' 7" 9	23' 8" 4	23' 8" 12	23' 9" 4	23' 9" 12
18 IN 12	21' 4" 0	21' 4" 7	21' 4" 14	21' 5" 6	24' 4" 4	24' 4" 12	24' 5" 4	24' 5" 12
19 IN 12	22' 1" 15	22' 2" 6	22' 2" 14	22' 3" 5	25' 1" 7	25' 2" 0	25' 2" 8	25' 3" 1
20 IN 12	23' 0" 0	23' 0" 8	23' 1" 0	23' 1" 7	25' 10" 6	25' 10" 15	25' 11" 8	26' 0" 0
21 IN 12	23' 10" 3	23' 10" 11	23' 11" 3	23' 11" 12	26' 7" 8	26' 8" 1	26' 8" 10	26' 9" 3
22 IN 12	24' 8" 9	24' 9" 1	24' 9" 9	24' 10" 2	27' 4" 13	27' 5" 6	27' 5" 15	27' 6" 8
23 IN 12	25' 7" 0	25' 7" 8	25' 8" 1	25' 8" 10	28' 2" 4	28' 2" 13	28' 3" 7	28' 4" 0
24 IN 12	26' 5" 8	26' 6" 1	26' 6" 10	26' 7" 3	28' 11" 13	29' 0" 7	29' 1" 1	29' 1" 11
25 IN 12	27' 4" 2	27' 4" 12	27' 5" 5	27' 5" 14	29' 9" 9	29' 10" 3	29' 10" 13	29' 11" 7

11 Foot 11 Inch Run — Common Rafter Lengths   11 Foot 11 Inch Run — Hip Or Valley Rafter Lengths

Run -	11'11"	11'11 1/4"	11'11 1/2"	11'11 3/4"	11'11"	11'11 1/4"	11'11 1/2"	11'11 3/4"
Pitch	Ft In 16th"	Ft In 16th"	Ft In 16th"	Ft In 16th"	Ft In 16th"	Ft In 16th"	Ft In 16th"	Ft In 16th"
1 IN 12	11' 11" 8	11' 11" 12	12' 0" 0	12' 0" 4	16' 10" 9	16' 10" 15	16' 11" 5	16' 11" 10
2 IN 12	12' 1" 0	12' 1" 4	12' 1" 8	12' 1" 12	16' 11" 10	17' 0" 0	17' 0" 6	17' 0" 11
2.5 IN 12	12' 2" 1	12' 2" 5	12' 2" 9	12' 2" 13	17' 0" 7	17' 0" 12	17' 1" 2	17' 1" 8
3 IN 12	12' 3" 6	12' 3" 11	12' 3" 15	12' 4" 3	17' 1" 6	17' 1" 12	17' 2" 1	17' 2" 7
3.5 IN 12	12' 4" 15	12' 5" 4	12' 5" 8	12' 5" 12	17' 2" 8	17' 2" 14	17' 3" 3	17' 3" 9
4 IN 12	12' 6" 12	12' 7" 0	12' 7" 4	12' 7" 8	17' 3" 12	17' 4" 2	17' 4" 8	17' 4" 14
4.5 IN 12	12' 8" 12	12' 9" 0	12' 9" 4	12' 9" 8	17' 5" 4	17' 5" 9	17' 5" 15	17' 6" 5
5 IN 12	12' 10" 15	12' 11" 3	12' 11" 7	12' 11" 12	17' 6" 13	17' 7" 3	17' 7" 9	17' 7" 15
5.5 IN 12	13' 1" 5	13' 1" 9	13' 1" 14	13' 2" 2	17' 8" 9	17' 8" 15	17' 9" 5	17' 9" 11
6 IN 12	13' 3" 14	13' 4" 3	13' 4" 7	13' 4" 11	17' 10" 8	17' 10" 14	17' 11" 4	17' 11" 10
6.5 IN 12	13' 6" 10	13' 6" 15	13' 7" 3	13' 7" 8	18' 0" 9	18' 0" 15	18' 1" 5	18' 1" 11
7 IN 12	13' 9" 9	13' 9" 13	13' 10" 2	13' 10" 7	18' 2" 12	18' 3" 2	18' 3" 8	18' 3" 15
8 IN 12	14' 3" 14	14' 4" 3	14' 4" 7	14' 4" 12	18' 7" 9	18' 7" 15	18' 8" 6	18' 8" 12
9 IN 12	14' 10" 12	14' 11" 1	14' 11" 6	14' 11" 11	19' 0" 15	19' 1" 5	19' 1" 11	19' 2" 2
10 IN 12	15' 6" 2	15' 6" 8	15' 6" 13	15' 7" 2	19' 6" 12	19' 7" 2	19' 7" 9	19' 7" 15
11 IN 12	16' 2" 0	16' 2" 5	16' 2" 11	16' 3" 0	20' 1" 0	20' 1" 7	20' 1" 13	20' 2" 4
12 IN 12	16' 10" 4	16' 10" 9	16' 10" 15	16' 11" 5	20' 7" 11	20' 8" 2	20' 8" 9	20' 9" 0
13 IN 12	17' 6" 13	17' 7" 3	17' 7" 9	17' 7" 15	21' 2" 12	21' 3" 3	21' 3" 10	21' 4" 1
14 IN 12	18' 3" 12	18' 4" 2	18' 4" 8	18' 4" 14	21' 10" 3	21' 10" 10	21' 11" 1	21' 11" 9
15 IN 12	19' 0" 15	19' 1" 5	19' 1" 11	19' 2" 2	22' 5" 15	22' 6" 6	22' 6" 14	22' 7" 5
16 IN 12	19' 10" 5	19' 10" 12	19' 11" 3	19' 11" 9	23' 1" 15	23' 2" 7	23' 2" 15	23' 3" 6
17 IN 12	20' 8" 0	20' 8" 6	20' 8" 13	20' 9" 4	23' 10" 4	23' 10" 12	23' 11" 4	23' 11" 12
18 IN 12	21' 5" 13	21' 6" 4	21' 6" 11	21' 7" 2	24' 6" 13	24' 7" 5	24' 7" 13	24' 8" 6
19 IN 12	22' 3" 13	22' 4" 4	22' 4" 12	22' 5" 3	25' 3" 9	25' 4" 2	25' 4" 10	25' 5" 3
20 IN 12	23' 1" 15	23' 2" 7	23' 2" 15	23' 3" 6	26' 0" 9	26' 1" 2	26' 1" 11	26' 2" 3
21 IN 12	24' 0" 4	24' 0" 12	24' 1" 4	24' 1" 12	26' 9" 12	26' 10" 5	26' 10" 14	26' 11" 7
22 IN 12	24' 10" 10	24' 11" 2	24' 11" 11	25' 0" 3	27' 7" 2	27' 7" 11	27' 8" 4	27' 8" 13
23 IN 12	25' 9" 2	25' 9" 11	25' 10" 4	25' 10" 12	28' 4" 10	28' 5" 3	28' 5" 13	28' 6" 6
24 IN 12	26' 7" 12	26' 8" 5	26' 8" 14	26' 9" 7	29' 2" 4	29' 2" 14	29' 3" 8	29' 4" 2
25 IN 12	27' 6" 7	27' 7" 1	27' 7" 10	27' 8" 3	30' 0" 1	30' 0" 11	30' 1" 5	30' 1" 15

12 Foot 0 Inch Run — Common Rafter Lengths | 12 Foot 0 Inch Run — Hip Or Valley Rafter Lengths

Run -	12' 0"			12' 0 1/4"			12' 0 1/2"			12' 0 3/4"			12' 0"			12' 0 1/4"			12' 0 1/2"			12' 0 3/4"		
Pitch	Ft	In	16th"	Ft	In	16th"	Ft	In	16th"	Ft	In	16th"	Ft	In	16th"	Ft	In	16th"	Ft	In	16th"	Ft	In	16th"
1 IN 12	12'	0"	8	12'	0"	12	12'	1"	0	12'	1"	4	17'	0"	0	17'	0"	6	17'	0"	11	17'	1"	1
2 IN 12	12'	2"	0	12'	2"	4	12'	2"	8	12'	2"	12	17'	1"	1	17'	1"	7	17'	1"	12	17'	2"	2
2.5 IN 12	12'	3"	1	12'	3"	6	12'	3"	10	12'	3"	14	17'	1"	14	17'	2"	3	17'	2"	9	17'	2"	15
3 IN 12	12'	4"	7	12'	4"	11	12'	4"	15	12'	5"	3	17'	2"	13	17'	3"	3	17'	3"	8	17'	3"	14
3.5 IN 12	12'	6"	0	12'	6"	4	12'	6"	8	12'	6"	13	17'	3"	15	17'	4"	5	17'	4"	10	17'	5"	0
4 IN 12	12'	7"	13	12'	8"	1	12'	8"	5	12'	8"	9	17'	5"	4	17'	5"	9	17'	5"	15	17'	6"	5
4.5 IN 12	12'	9"	13	12'	10"	1	12'	10"	5	12'	10"	9	17'	6"	11	17'	7"	1	17'	7"	7	17'	7"	13
5 IN 12	13'	0"	0	13'	0"	4	13'	0"	9	13'	0"	13	17'	8"	5	17'	8"	11	17'	9"	1	17'	9"	7
5.5 IN 12	13'	2"	6	13'	2"	11	13'	2"	15	13'	3"	4	17'	10"	1	17'	10"	7	17'	10"	13	17'	11"	3
6 IN 12	13'	5"	0	13'	5"	4	13'	5"	9	13'	5"	13	18'	0"	0	18'	0"	6	18'	0"	12	18'	1"	2
6.5 IN 12	13'	7"	12	13'	8"	1	13'	8"	5	13'	8"	10	18'	2"	1	18'	2"	7	18'	2"	13	18'	3"	3
7 IN 12	13'	10"	11	13'	11"	0	13'	11"	5	13'	11"	9	18'	4"	5	18'	4"	11	18'	5"	1	18'	5"	7
8 IN 12	14'	5"	1	14'	5"	6	14'	5"	11	14'	5"	15	18'	9"	2	18'	9"	8	18'	9"	15	18'	10"	5
9 IN 12	15'	0"	0	15'	0"	5	15'	0"	10	15'	0"	15	19'	2"	8	19'	2"	15	19'	3"	5	19'	3"	11
10 IN 12	15'	7"	7	15'	7"	12	15'	8"	2	15'	8"	7	19'	8"	6	19'	8"	13	19'	9"	3	19'	9"	10
11 IN 12	16'	3"	6	16'	3"	11	16'	4"	0	16'	4"	6	20'	2"	11	20'	3"	2	20'	3"	8	20'	3"	15
12 IN 12	16'	11"	10	17'	0"	0	17'	0"	6	17'	0"	11	20'	9"	7	20'	9"	14	20'	10"	5	20'	10"	11
13 IN 12	17'	8"	5	17'	8"	11	17'	9"	1	17'	9"	7	21'	4"	8	21'	5"	0	21'	5"	7	21'	5"	14
14 IN 12	18'	5"	4	18'	5"	10	18'	6"	1	18'	6"	7	22'	0"	0	22'	0"	7	22'	0"	15	22'	1"	6
15 IN 12	19'	2"	8	19'	2"	15	19'	3"	5	19'	3"	11	22'	7"	13	22'	8"	4	22'	8"	12	22'	9"	3
16 IN 12	20'	0"	0	20'	0"	7	20'	0"	13	20'	1"	4	23'	3"	14	23'	4"	6	23'	4"	14	23'	5"	5
17 IN 12	20'	9"	11	20'	10"	2	20'	10"	9	20'	11"	0	24'	0"	4	24'	0"	12	24'	1"	4	24'	1"	12
18 IN 12	21'	7"	10	21'	8"	1	21'	8"	8	21'	8"	15	24'	8"	14	24'	9"	6	24'	9"	14	24'	10"	7
19 IN 12	22'	5"	11	22'	6"	2	22'	6"	10	22'	7"	1	25'	5"	11	25'	6"	4	25'	6"	12	25'	7"	5
20 IN 12	23'	3"	14	23'	4"	6	23'	4"	14	23'	5"	5	26'	2"	12	26'	3"	5	26'	3"	14	26'	4"	6
21 IN 12	24'	2"	4	24'	2"	12	24'	3"	4	24'	3"	12	27'	0"	0	27'	0"	9	27'	1"	2	27'	1"	11
22 IN 12	25'	0"	12	25'	1"	4	25'	1"	12	25'	2"	5	27'	9"	7	27'	10"	0	27'	10"	9	27'	11"	2
23 IN 12	25'	11"	5	25'	11"	14	26'	0"	6	26'	0"	15	28'	7"	0	28'	7"	10	28'	8"	3	28'	8"	13
24 IN 12	26'	10"	0	26'	10"	9	26'	11"	2	26'	11"	11	29'	4"	12	29'	5"	5	29'	5"	15	29'	6"	9
25 IN 12	27'	8"	12	27'	9"	6	27'	9"	15	27'	10"	8	30'	2"	9	30'	3"	4	30'	3"	14	30'	4"	8

	12' 1"			12' 1 1/4"			12' 1 1/2"			12' 1 3/4"			12' 1"			12' 1 1/4"			12' 1 1/2"			12' 1 3/4"		
Pitch	Ft	In	16th"	Ft	In	16th"	Ft	In	16th"	Ft	In	16th"	Ft	In	16th"	Ft	In	16th"	Ft	In	16th"	Ft	In	16th"
1 IN 12	12'	1"	8	12'	1"	12	12'	2"	0	12'	2"	4	17'	1"	7	17'	1"	12	17'	2"	2	17'	2"	8
2 IN 12	12'	3"	0	12'	3"	4	12'	3"	8	12'	3"	12	17'	2"	8	17'	2"	13	17'	3"	3	17'	3"	9
2.5 IN 12	12'	4"	2	12'	4"	6	12'	4"	10	12'	4"	14	17'	3"	4	17'	3"	10	17'	4"	0	17'	4"	6
3 IN 12	12'	5"	7	12'	5"	12	12'	6"	0	12'	6"	4	17'	4"	4	17'	4"	10	17'	4"	15	17'	5"	5
3.5 IN 12	12'	7"	1	12'	7"	5	12'	7"	9	12'	7"	13	17'	5"	6	17'	5"	12	17'	6"	2	17'	6"	7
4 IN 12	12'	8"	13	12'	9"	2	12'	9"	6	12'	9"	10	17'	6"	11	17'	7"	1	17'	7"	7	17'	7"	12
4.5 IN 12	12'	10"	14	12'	11"	2	12'	11"	6	12'	11"	11	17'	8"	2	17'	8"	8	17'	8"	14	17'	9"	4
5 IN 12	13'	1"	1	13'	1"	6	13'	1"	10	13'	1"	14	17'	9"	12	17'	10"	2	17'	10"	8	17'	10"	14
5.5 IN 12	13'	3"	8	13'	3"	12	13'	4"	1	13'	4"	5	17'	11"	9	17'	11"	15	18'	0"	5	18'	0"	11
6 IN 12	13'	6"	2	13'	6"	6	13'	6"	11	13'	6"	15	18'	1"	8	18'	1"	14	18'	2"	4	18'	2"	10
6.5 IN 12	13'	8"	14	13'	9"	3	13'	9"	8	13'	9"	12	18'	3"	9	18'	3"	15	18'	4"	6	18'	4"	12
7 IN 12	13'	11"	14	14'	0"	3	14'	0"	7	14'	0"	12	18'	5"	13	18'	6"	3	18'	6"	9	18'	6"	15
8 IN 12	14'	6"	4	14'	6"	9	14'	6"	14	14'	7"	3	18'	10"	11	18'	11"	2	18'	11"	8	18'	11"	14
9 IN 12	15'	1"	4	15'	1"	9	15'	1"	14	15'	2"	3	19'	4"	2	19'	4"	8	19'	4"	15	19'	5"	5
10 IN 12	15'	8"	12	15'	9"	1	15'	9"	6	15'	9"	12	19'	10"	0	19'	10"	7	19'	10"	13	19'	11"	4
11 IN 12	16'	4"	11	16'	5"	1	16'	5"	6	16'	5"	12	20'	4"	6	20'	4"	13	20'	5"	3	20'	5"	10
12 IN 12	17'	1"	1	17'	1"	7	17'	1"	12	17'	2"	2	20'	11"	2	20'	11"	9	21'	0"	0	21'	0"	7
13 IN 12	17'	9"	12	17'	10"	2	17'	10"	8	17'	10"	14	21'	6"	5	21'	6"	12	21'	7"	3	21'	7"	10
14 IN 12	18'	6"	13	18'	7"	3	18'	7"	9	18'	7"	15	22'	1"	13	22'	2"	5	22'	2"	12	22'	3"	3
15 IN 12	19'	4"	2	19'	4"	8	19'	4"	15	19'	5"	5	22'	9"	11	22'	10"	2	22'	10"	10	22'	11"	2
16 IN 12	20'	1"	11	20'	2"	1	20'	2"	8	20'	2"	15	23'	5"	13	23'	6"	5	23'	6"	13	23'	7"	5
17 IN 12	20'	11"	7	20'	11"	14	21'	0"	5	21'	0"	12	24'	2"	4	24'	2"	12	24'	3"	4	24'	3"	12
18 IN 12	21'	9"	6	21'	9"	14	21'	10"	5	21'	10"	12	24'	10"	15	24'	11"	7	24'	11"	15	25'	0"	8
19 IN 12	22'	7"	9	22'	8"	0	22'	8"	8	22'	8"	15	25'	7"	13	25'	8"	6	25'	8"	14	25'	9"	7
20 IN 12	23'	5"	13	23'	6"	5	23'	6"	13	23'	7"	5	26'	4"	15	26'	5"	8	26'	6"	1	26'	6"	9
21 IN 12	24'	4"	4	24'	4"	12	24'	5"	4	24'	5"	12	27'	2"	4	27'	2"	13	27'	3"	6	27'	3"	15
22 IN 12	25'	2"	13	25'	3"	5	25'	3"	14	25'	4"	6	27'	11"	12	28'	0"	5	28'	0"	14	28'	1"	8
23 IN 12	26'	1"	8	26'	2"	0	26'	2"	9	26'	3"	1	28'	9"	6	28'	10"	0	28'	10"	9	28'	11"	3
24 IN 12	27'	0"	4	27'	0"	13	27'	1"	6	27'	1"	15	29'	7"	3	29'	7"	13	29'	8"	6	29'	9"	0
25 IN 12	27'	11"	1	27'	11"	11	28'	0"	4	28'	0"	13	30'	5"	2	30'	5"	12	30'	6"	6	30'	7"	0

12 Foot 2 Inch Run — Common Rafter Lengths

Run -	12' 2"			12' 2 1/4"			12' 2 1/2"			12' 2 3/4"		
Pitch	Ft	In	16th"	Ft	In	16th"	Ft	In	16th"	Ft	In	16th"
1 IN 12	12'	2"	8	12'	2"	12	12'	3"	0	12'	3"	4
2 IN 12	12'	4"	0	12'	4"	4	12'	4"	8	12'	4"	12
2.5 IN 12	12'	5"	2	12'	5"	6	12'	5"	10	12'	5"	14
3 IN 12	12'	6"	8	12'	6"	12	12'	7"	0	12'	7"	4
3.5 IN 12	12'	8"	1	12'	8"	6	12'	8"	10	12'	8"	14
4 IN 12	12'	9"	14	12'	10"	3	12'	10"	7	12'	10"	11
4.5 IN 12	12'	11"	15	13'	0"	3	13'	0"	7	13'	0"	12
5 IN 12	13'	2"	3	13'	2"	7	13'	2"	11	13'	3"	0
5.5 IN 12	13'	4"	10	13'	4"	14	13'	5"	2	13'	5"	7
6 IN 12	13'	7"	4	13'	7"	8	13'	7"	13	13'	8"	1
6.5 IN 12	13'	10"	1	13'	10"	5	13'	10"	10	13'	10"	14
7 IN 12	14'	1"	0	14'	1"	5	14'	1"	10	14'	1"	14
8 IN 12	14'	7"	8	14'	7"	12	14'	8"	1	14'	8"	6
9 IN 12	15'	2"	8	15'	2"	13	15'	3"	2	15'	3"	7
10 IN 12	15'	10"	1	15'	10"	6	15'	10"	11	15'	11"	0
11 IN 12	16'	6"	1	16'	6"	6	16'	6"	12	16'	7"	1
12 IN 12	17'	2"	8	17'	2"	13	17'	3"	3	17'	3"	9
13 IN 12	17'	11"	4	17'	11"	10	18'	0"	0	18'	0"	6
14 IN 12	18'	8"	5	18'	8"	12	18'	9"	2	18'	9"	8
15 IN 12	19'	5"	11	19'	6"	2	19'	6"	8	19'	6"	15
16 IN 12	20'	3"	5	20'	3"	12	20'	4"	3	20'	4"	9
17 IN 12	21'	1"	3	21'	1"	10	21'	2"	1	21'	2"	8
18 IN 12	21'	11"	3	21'	11"	10	22'	0"	2	22'	0"	9
19 IN 12	22'	9"	7	22'	9"	14	22'	10"	6	22'	10"	13
20 IN 12	23'	7"	12	23'	8"	4	23'	8"	12	23'	9"	4
21 IN 12	24'	6"	4	24'	6"	12	24'	7"	4	24'	7"	13
22 IN 12	25'	4"	14	25'	5"	7	25'	5"	15	25'	6"	7
23 IN 12	26'	3"	10	26'	4"	3	26'	4"	11	26'	5"	4
24 IN 12	27'	2"	7	27'	3"	0	27'	3"	9	27'	4"	2
25 IN 12	28'	1"	6	28'	2"	0	28'	2"	9	28'	3"	2

12 Foot 2 Inch Run — Hip Or Valley Rafter Lengths

Pitch	12' 2"			12' 2 1/4"			12' 2 1/2"			12' 2 3/4"		
	Ft	In	16th"	Ft	In	16th"	Ft	In	16th"	Ft	In	16th"
1 IN 12	17'	2"	13	17'	3"	3	17'	3"	9	17'	3"	14
2 IN 12	17'	3"	14	17'	4"	4	17'	4"	10	17'	5"	0
2.5 IN 12	17'	4"	11	17'	5"	1	17'	5"	7	17'	5"	12
3 IN 12	17'	5"	11	17'	6"	1	17'	6"	6	17'	6"	12
3.5 IN 12	17'	6"	13	17'	7"	3	17'	7"	9	17'	7"	14
4 IN 12	17'	8"	2	17'	8"	8	17'	8"	14	17'	9"	4
4.5 IN 12	17'	9"	10	17'	10"	0	17'	10"	5	17'	10"	11
5 IN 12	17'	11"	4	17'	11"	10	18'	0"	0	18'	0"	6
5.5 IN 12	18'	1"	1	18'	1"	7	18'	1"	13	18'	2"	2
6 IN 12	18'	3"	0	18'	3"	6	18'	3"	12	18'	4"	2
6.5 IN 12	18'	5"	2	18'	5"	8	18'	5"	14	18'	6"	4
7 IN 12	18'	7"	6	18'	7"	12	18'	8"	2	18'	8"	8
8 IN 12	19'	0"	4	19'	0"	11	19'	1"	1	19'	1"	7
9 IN 12	19'	5"	11	19'	6"	2	19'	6"	8	19'	6"	15
10 IN 12	19'	11"	10	20'	0"	1	20'	0"	8	20'	0"	14
11 IN 12	20'	6"	1	20'	6"	8	20'	6"	14	20'	7"	5
12 IN 12	21'	0"	14	21'	1"	5	21'	1"	12	21'	2"	3
13 IN 12	21'	8"	1	21'	8"	9	21'	9"	0	21'	9"	7
14 IN 12	22'	3"	11	22'	4"	2	22'	4"	9	22'	5"	1
15 IN 12	22'	11"	9	23'	0"	1	23'	0"	8	23'	1"	0
16 IN 12	23'	7"	12	23'	8"	4	23'	8"	12	23'	9"	4
17 IN 12	24'	4"	4	24'	4"	12	24'	5"	4	24'	5"	12
18 IN 12	25'	1"	0	25'	1"	8	25'	2"	0	25'	2"	9
19 IN 12	25'	9"	15	25'	10"	8	25'	11"	0	25'	11"	9
20 IN 12	26'	7"	2	26'	7"	11	26'	8"	4	26'	8"	12
21 IN 12	27'	4"	8	27'	5"	1	27'	5"	10	27'	6"	3
22 IN 12	28'	2"	1	28'	2"	10	28'	3"	3	28'	3"	13
23 IN 12	28'	11"	12	29'	0"	6	29'	0"	15	29'	1"	9
24 IN 12	29'	9"	10	29'	10"	4	29'	10"	14	29'	11"	7
25 IN 12	30'	7"	10	30'	8"	4	30'	8"	14	30'	9"	8

12 Foot 3 Inch Run — Common Rafter Lengths   12 Foot 3 Inch Run — Hip Or Valley Rafter Lengths

Run - Pitch	12' 3" Ft In 16th"	12' 3 1/4" Ft In 16th"	12' 3 1/2" Ft In 16th"	12' 3 3/4" Ft In 16th"	12' 3" Ft In 16th"	12' 3 1/4" Ft In 16th"	12' 3 1/2" Ft In 16th"	12' 3 3/4" Ft In 16th"
1 IN 12	12' 3" 8	12' 3" 12	12' 4" 0	12' 4" 4	17' 4" 4	17' 4" 10	17' 4" 15	17' 5" 5
2 IN 12	12' 5" 0	12' 5" 4	12' 5" 9	12' 5" 13	17' 5" 5	17' 5" 11	17' 6" 1	17' 6" 6
2.5 IN 12	12' 6" 2	12' 6" 7	12' 6" 11	12' 6" 15	17' 6" 2	17' 6" 8	17' 6" 14	17' 7" 3
3 IN 12	12' 7" 8	12' 7" 13	12' 8" 1	12' 8" 5	17' 7" 2	17' 7" 8	17' 7" 13	17' 8" 3
3.5 IN 12	12' 9" 2	12' 9" 6	12' 9" 10	12' 9" 15	17' 8" 4	17' 8" 10	17' 9" 0	17' 9" 6
4 IN 12	12' 10" 15	12' 11" 3	12' 11" 8	12' 11" 12	17' 9" 9	17' 9" 15	17' 10" 5	17' 10" 11
4.5 IN 12	13' 1" 0	13' 1" 4	13' 1" 8	13' 1" 13	17' 11" 1	17' 11" 7	17' 11" 13	18' 0" 3
5 IN 12	13' 3" 4	13' 3" 8	13' 3" 13	13' 4" 1	18' 0" 12	18' 1" 1	18' 1" 7	18' 1" 13
5.5 IN 12	13' 5" 11	13' 6" 0	13' 6" 4	13' 6" 8	18' 2" 9	18' 2" 15	18' 3" 4	18' 3" 10
6 IN 12	13' 8" 6	13' 8" 10	13' 8" 15	13' 9" 3	18' 4" 8	18' 4" 14	18' 5" 4	18' 5" 10
6.5 IN 12	13' 11" 3	13' 11" 7	13' 11" 12	14' 0" 1	18' 6" 10	18' 7" 0	18' 7" 6	18' 7" 12
7 IN 12	14' 2" 3	14' 2" 8	14' 2" 12	14' 3" 1	18' 8" 14	18' 9" 4	18' 9" 10	18' 10" 0
8 IN 12	14' 8" 11	14' 9" 0	14' 9" 4	14' 9" 9	19' 1" 13	19' 2" 4	19' 2" 10	19' 3" 0
9 IN 12	15' 3" 12	15' 4" 1	15' 4" 6	15' 4" 11	19' 7" 5	19' 7" 11	19' 8" 2	19' 8" 8
10 IN 12	15' 11" 7	15' 11" 11	16' 0" 0	16' 0" 5	20' 1" 5	20' 1" 11	20' 2" 2	20' 2" 8
11 IN 12	16' 7" 7	16' 7" 12	16' 8" 2	16' 8" 7	20' 7" 12	20' 8" 3	20' 8" 9	20' 9" 0
12 IN 12	17' 3" 14	17' 4" 4	17' 4" 10	17' 4" 15	21' 2" 10	21' 3" 1	21' 3" 8	21' 3" 15
13 IN 12	18' 0" 12	18' 1" 1	18' 1" 7	18' 1" 13	21' 9" 14	21' 10" 5	21' 10" 12	21' 11" 3
14 IN 12	18' 9" 14	18' 10" 4	18' 10" 10	18' 11" 1	22' 5" 8	22' 5" 15	22' 6" 7	22' 6" 14
15 IN 12	19' 7" 5	19' 7" 11	19' 8" 2	19' 8" 8	23' 1" 7	23' 1" 15	23' 2" 6	23' 2" 14
16 IN 12	20' 5" 0	20' 5" 7	20' 5" 13	20' 6" 4	23' 9" 11	23' 10" 3	23' 10" 11	23' 11" 3
17 IN 12	21' 2" 14	21' 3" 5	21' 3" 12	21' 4" 3	24' 6" 4	24' 6" 12	24' 7" 4	24' 7" 12
18 IN 12	22' 1" 0	22' 1" 7	22' 1" 15	22' 2" 6	25' 3" 1	25' 3" 9	25' 4" 1	25' 4" 10
19 IN 12	22' 11" 5	22' 11" 12	23' 0" 4	23' 0" 11	26' 0" 1	26' 0" 10	26' 1" 2	26' 1" 11
20 IN 12	23' 9" 11	23' 10" 3	23' 10" 11	23' 11" 3	26' 9" 5	26' 9" 14	26' 10" 7	26' 10" 15
21 IN 12	24' 8" 5	24' 8" 13	24' 9" 5	24' 9" 13	27' 6" 12	27' 7" 5	27' 7" 14	27' 8" 7
22 IN 12	25' 7" 0	25' 7" 8	25' 8" 0	25' 8" 9	28' 4" 6	28' 4" 15	28' 5" 8	28' 6" 2
23 IN 12	26' 5" 13	26' 6" 5	26' 6" 14	26' 7" 7	29' 2" 2	29' 2" 12	29' 3" 5	29' 3" 15
24 IN 12	27' 4" 11	27' 5" 4	27' 5" 13	27' 6" 6	30' 0" 1	30' 0" 11	30' 1" 5	30' 1" 15
25 IN 12	28' 3" 11	28' 4" 4	28' 4" 14	28' 5" 7	30' 10" 2	30' 10" 12	30' 11" 6	31' 0" 1

12 Foot 4 Inch Run — Common Rafter Lengths   12 Foot 4 Inch Run — Hip Or Valley Rafter Lengths

Run -	12' 4"			12' 4 1/4"			12' 4 1/2"			12' 4 3/4"			12' 4"			12' 4 1/4"			12' 4 1/2"			12' 4 3/4"		
Pitch	Ft	In	16th"	Ft	In	16th"	Ft	In	16th"	Ft	In	16th"	Ft	In	16th"	Ft	In	16th"	Ft	In	16th"	Ft	In	16th"
1 IN 12	12'	4"	8	12'	4"	12	12'	5"	0	12'	5"	4	17'	5"	11	17'	6"	0	17'	6"	6	17'	6"	12
2 IN 12	12'	6"	1	12'	6"	5	12'	6"	9	12'	6"	13	17'	6"	12	17'	7"	2	17'	7"	7	17'	7"	13
2.5 IN 12	12'	7"	3	12'	7"	7	12'	7"	11	12'	7"	15	17'	7"	9	17'	7"	15	17'	8"	4	17'	8"	10
3 IN 12	12'	8"	9	12'	8"	13	12'	9"	1	12'	9"	5	17'	8"	9	17'	8"	15	17'	9"	4	17'	9"	10
3.5 IN 12	12'	10"	3	12'	10"	7	12'	10"	11	12'	10"	15	17'	9"	11	17'	10"	1	17'	10"	7	17'	10"	13
4 IN 12	13'	0"	0	13'	0"	4	13'	0"	9	13'	0"	13	17'	11"	1	17'	11"	6	17'	11"	12	18'	0"	2
4.5 IN 12	13'	2"	1	13'	2"	5	13'	2"	10	13'	2"	14	18'	0"	9	18'	0"	14	18'	1"	4	18'	1"	10
5 IN 12	13'	4"	6	13'	4"	10	13'	4"	14	13'	5"	2	18'	2"	3	18'	2"	9	18'	2"	15	18'	3"	5
5.5 IN 12	13'	6"	13	13'	7"	1	13'	7"	6	13'	7"	10	18'	4"	0	18'	4"	6	18'	4"	12	18'	5"	2
6 IN 12	13'	9"	8	13'	9"	12	13'	10"	0	13'	10"	5	18'	6"	0	18'	6"	6	18'	6"	12	18'	7"	2
6.5 IN 12	14'	0"	5	14'	0"	10	14'	0"	14	14'	1"	3	18'	8"	2	18'	8"	8	18'	8"	14	18'	9"	4
7 IN 12	14'	3"	5	14'	3"	10	14'	3"	15	14'	4"	3	18'	10"	7	18'	10"	13	18'	11"	3	18'	11"	9
8 IN 12	14'	9"	14	14'	10"	3	14'	10"	8	14'	10"	12	19'	3"	6	19'	3"	13	19'	4"	3	19'	4"	9
9 IN 12	15'	5"	0	15'	5"	5	15'	5"	10	15'	5"	15	19'	8"	15	19'	9"	5	19'	9"	11	19'	10"	2
10 IN 12	16'	0"	10	16'	1"	0	16'	1"	5	16'	1"	10	20'	2"	15	20'	3"	6	20'	3"	12	20'	4"	3
11 IN 12	16'	8"	12	16'	9"	2	16'	9"	7	16'	9"	13	20'	9"	7	20'	9"	14	20'	10"	4	20'	10"	11
12 IN 12	17'	5"	5	17'	5"	11	17'	6"	0	17'	6"	6	21'	4"	5	21'	4"	12	21'	5"	3	21'	5"	10
13 IN 12	18'	2"	3	18'	2"	9	18'	2"	15	18'	3"	5	21'	11"	11	22'	0"	2	22'	0"	9	22'	1"	0
14 IN 12	18'	11"	7	18'	11"	13	19'	0"	3	19'	0"	9	22'	7"	5	22'	7"	13	22'	8"	4	22'	8"	11
15 IN 12	19'	8"	15	19'	9"	5	19'	9"	11	19'	10"	2	23'	3"	6	23'	3"	13	23'	4"	5	23'	4"	12
16 IN 12	20'	6"	11	20'	7"	1	20'	7"	8	20'	7"	15	23'	11"	11	24'	0"	2	24'	0"	10	24'	1"	2
17 IN 12	21'	4"	10	21'	5"	1	21'	5"	8	21'	5"	15	24'	8"	4	24'	8"	12	24'	9"	4	24'	9"	12
18 IN 12	22'	2"	13	22'	3"	4	22'	3"	11	22'	4"	3	25'	5"	2	25'	5"	10	25'	6"	2	25'	6"	10
19 IN 12	23'	1"	3	23'	1"	10	23'	2"	1	23'	2"	9	26'	2"	3	26'	2"	12	26'	3"	4	26'	3"	13
20 IN 12	23'	11"	11	24'	0"	2	24'	0"	10	24'	1"	2	26'	11"	8	27'	0"	1	27'	0"	9	27'	1"	2
21 IN 12	24'	10"	5	24'	10"	13	24'	11"	5	24'	11"	13	27'	9"	0	27'	9"	9	27'	10"	2	27'	10"	11
22 IN 12	25'	9"	1	25'	9"	10	25'	10"	2	25'	10"	10	28'	6"	11	28'	7"	4	28'	7"	13	28'	8"	7
23 IN 12	26'	7"	15	26'	8"	8	26'	9"	1	26'	9"	9	29'	4"	8	29'	5"	2	29'	5"	11	29'	6"	5
24 IN 12	27'	6"	15	27'	7"	8	27'	8"	1	27'	8"	10	30'	2"	8	30'	3"	2	30'	3"	12	30'	4"	6
25 IN 12	28'	6"	0	28'	6"	9	28'	7"	3	28'	7"	12	31'	0"	11	31'	1"	5	31'	1"	15	31'	2"	9

12 Foot 5 Inch Run — Common Rafter Lengths   12 Foot 5 Inch Run — Hip Or Valley Rafter Lengths

Run – Pitch	12' 5"	12' 5 1/4"	12' 5 1/2"	12' 5 3/4"	12' 5"	12' 5 1/4"	12' 5 1/2"	12' 5 3/4"
	Ft In 16th"	Ft In 16th"	Ft In 16th"	Ft In 16th"	Ft In 16th"	Ft In 16th"	Ft In 16th"	Ft In 16th"
1 IN 12	12' 5" 8	12' 5" 12	12' 6" 0	12' 6" 4	17' 7" 1	17' 7" 7	17' 7" 13	17' 8" 2
2 IN 12	12' 7" 1	12' 7" 5	12' 7" 9	12' 7" 13	17' 8" 3	17' 8" 9	17' 8" 14	17' 9" 4
2.5 IN 12	12' 8" 3	12' 8" 7	12' 8" 11	12' 8" 15	17' 9" 0	17' 9" 6	17' 9" 11	17' 10" 1
3 IN 12	12' 9" 9	12' 9" 13	12' 10" 2	12' 10" 6	17' 10" 0	17' 10" 6	17' 10" 11	17' 11" 1
3.5 IN 12	12' 11" 3	12' 11" 8	12' 11" 12	13' 0" 0	17' 11" 2	17' 11" 8	17' 11" 14	18' 0" 4
4 IN 12	13' 1" 1	13' 1" 5	13' 1" 9	13' 1" 14	18' 0" 8	18' 0" 14	18' 1" 3	18' 1" 9
4.5 IN 12	13' 3" 2	13' 3" 6	13' 3" 11	13' 3" 15	18' 2" 0	18' 2" 6	18' 2" 12	18' 3" 2
5 IN 12	13' 5" 7	13' 5" 11	13' 5" 15	13' 6" 4	18' 3" 11	18' 4" 1	18' 4" 7	18' 4" 12
5.5 IN 12	13' 7" 14	13' 8" 3	13' 8" 7	13' 8" 12	18' 5" 8	18' 5" 14	18' 6" 4	18' 6" 10
6 IN 12	13' 10" 9	13' 10" 14	13' 11" 2	13' 11" 7	18' 7" 8	18' 7" 14	18' 8" 4	18' 8" 10
6.5 IN 12	14' 1" 7	14' 1" 12	14' 2" 0	14' 2" 5	18' 9" 10	18' 10" 0	18' 10" 6	18' 10" 12
7 IN 12	14' 4" 8	14' 4" 13	14' 5" 1	14' 5" 6	18' 11" 15	19' 0" 5	19' 0" 11	19' 1" 1
8 IN 12	14' 11" 1	14' 11" 6	14' 11" 11	15' 0" 0	19' 4" 15	19' 5" 6	19' 5" 12	19' 6" 2
9 IN 12	15' 6" 4	15' 6" 9	15' 6" 14	15' 7" 3	19' 10" 8	19' 10" 15	19' 11" 5	19' 11" 11
10 IN 12	16' 1" 15	16' 2" 4	16' 2" 10	16' 2" 15	20' 4" 9	20' 5" 0	20' 5" 6	20' 5" 13
11 IN 12	16' 10" 2	16' 10" 7	16' 10" 13	16' 11" 2	20' 11" 2	20' 11" 9	20' 11" 15	21' 0" 6
12 IN 12	17' 6" 11	17' 7" 1	17' 7" 7	17' 7" 12	21' 6" 1	21' 6" 8	21' 6" 15	21' 7" 6
13 IN 12	18' 3" 11	18' 4" 1	18' 4" 7	18' 4" 12	22' 1" 7	22' 1" 14	22' 2" 5	22' 2" 12
14 IN 12	19' 0" 15	19' 1" 5	19' 1" 12	19' 2" 2	22' 9" 3	22' 9" 10	22' 10" 1	22' 10" 9
15 IN 12	19' 10" 8	19' 10" 15	19' 11" 5	19' 11" 11	23' 5" 4	23' 5" 11	23' 6" 3	23' 6" 10
16 IN 12	20' 8" 6	20' 8" 12	20' 9" 3	20' 9" 9	24' 1" 10	24' 2" 1	24' 2" 9	24' 3" 1
17 IN 12	21' 6" 6	21' 6" 13	21' 7" 4	21' 7" 11	24' 10" 4	24' 10" 12	24' 11" 4	24' 11" 12
18 IN 12	22' 4" 10	22' 5" 1	22' 5" 8	22' 5" 15	25' 7" 3	25' 7" 11	25' 8" 3	25' 8" 11
19 IN 12	23' 3" 0	23' 3" 8	23' 3" 15	23' 4" 7	26' 4" 5	26' 4" 14	26' 5" 6	26' 5" 15
20 IN 12	24' 1" 10	24' 2" 1	24' 2" 9	24' 3" 1	27' 1" 11	27' 2" 4	27' 2" 12	27' 3" 5
21 IN 12	25' 0" 5	25' 0" 13	25' 1" 5	25' 1" 13	27' 11" 4	27' 11" 13	28' 0" 6	28' 0" 15
22 IN 12	25' 11" 3	25' 11" 11	26' 0" 3	26' 0" 12	28' 9" 0	28' 9" 9	28' 10" 2	28' 10" 12
23 IN 12	26' 10" 2	26' 10" 11	26' 11" 3	26' 11" 12	29' 6" 15	29' 7" 8	29' 8" 2	29' 8" 11
24 IN 12	27' 9" 3	27' 9" 12	27' 10" 5	27' 10" 14	30' 5" 0	30' 5" 9	30' 6" 3	30' 6" 13
25 IN 12	28' 8" 5	28' 8" 14	28' 9" 8	28' 10" 1	31' 3" 3	31' 3" 13	31' 4" 7	31' 5" 1

12 Foot 6 Inch Run — Common Rafter Lengths

Run -	12' 6"	12' 6 1/4"	12' 6 1/2"	12' 6 3/4"
Pitch	Ft In 16th"	Ft In 16th"	Ft In 16th"	Ft In 16th"
1 IN 12	12' 6" 8	12' 6" 12	12' 7" 0	12' 7" 4
2 IN 12	12' 8" 1	12' 8" 5	12' 8" 9	12' 8" 13
2.5 IN 12	12' 9" 4	12' 9" 8	12' 9" 12	12' 10" 0
3 IN 12	12' 10" 10	12' 10" 14	12' 11" 2	12' 11" 6
3.5 IN 12	13' 0" 4	13' 0" 8	13' 0" 12	13' 1" 1
4 IN 12	13' 2" 2	13' 2" 6	13' 2" 10	13' 2" 14
4.5 IN 12	13' 4" 3	13' 4" 7	13' 4" 12	13' 5" 0
5 IN 12	13' 6" 8	13' 6" 12	13' 7" 1	13' 7" 5
5.5 IN 12	13' 9" 0	13' 9" 4	13' 9" 9	13' 9" 13
6 IN 12	13' 11" 11	14' 0" 0	14' 0" 4	14' 0" 9
6.5 IN 12	14' 2" 9	14' 2" 14	14' 3" 3	14' 3" 7
7 IN 12	14' 5" 10	14' 5" 15	14' 6" 4	14' 6" 8
8 IN 12	15' 0" 4	15' 0" 9	15' 0" 14	15' 1" 3
9 IN 12	15' 7" 8	15' 7" 13	15' 8" 2	15' 8" 7
10 IN 12	16' 3" 4	16' 3" 9	16' 3" 15	16' 4" 4
11 IN 12	16' 11" 8	16' 11" 13	17' 0" 3	17' 0" 8
12 IN 12	17' 8" 2	17' 8" 8	17' 8" 13	17' 9" 3
13 IN 12	18' 5" 2	18' 5" 8	18' 5" 14	18' 6" 4
14 IN 12	19' 2" 8	19' 2" 14	19' 3" 4	19' 3" 10
15 IN 12	20' 0" 2	20' 0" 8	20' 0" 15	20' 1" 5
16 IN 12	20' 10" 0	20' 10" 7	20' 10" 13	20' 11" 4
17 IN 12	21' 8" 2	21' 8" 9	21' 9" 0	21' 9" 7
18 IN 12	22' 6" 7	22' 6" 14	22' 7" 5	22' 7" 12
19 IN 12	23' 4" 14	23' 5" 6	23' 5" 13	23' 6" 5
20 IN 12	24' 3" 9	24' 4" 1	24' 4" 8	24' 5" 0
21 IN 12	25' 2" 5	25' 2" 13	25' 3" 5	25' 3" 14
22 IN 12	26' 1" 4	26' 1" 12	26' 2" 5	26' 2" 13
23 IN 12	27' 0" 4	27' 0" 13	27' 1" 6	27' 1" 14
24 IN 12	27' 11" 7	28' 0" 0	28' 0" 8	28' 1" 1
25 IN 12	28' 10" 10	28' 11" 3	28' 11" 13	29' 0" 6

12 Foot 6 Inch Run — Hip Or Valley Rafter Lengths

Pitch	12' 6"	12' 6 1/4"	12' 6 1/2"	12' 6 3/4"
	Ft In 16th"	Ft In 16th"	Ft In 16th"	Ft In 16th"
1 IN 12	17' 8" 8	17' 8" 14	17' 9" 3	17' 9" 9
2 IN 12	17' 9" 10	17' 9" 15	17' 10" 5	17' 10" 11
2.5 IN 12	17' 10" 7	17' 10" 12	17' 11" 2	17' 11" 8
3 IN 12	17' 11" 7	17' 11" 12	18' 0" 2	18' 0" 8
3.5 IN 12	18' 0" 10	18' 0" 15	18' 1" 5	18' 1" 11
4 IN 12	18' 1" 15	18' 2" 5	18' 2" 11	18' 3" 1
4.5 IN 12	18' 3" 7	18' 3" 13	18' 4" 3	18' 4" 9
5 IN 12	18' 5" 2	18' 5" 8	18' 5" 14	18' 6" 4
5.5 IN 12	18' 7" 0	18' 7" 6	18' 7" 12	18' 8" 2
6 IN 12	18' 9" 0	18' 9" 6	18' 9" 12	18' 10" 2
6.5 IN 12	18' 11" 3	18' 11" 9	18' 11" 15	19' 0" 5
7 IN 12	19' 1" 8	19' 1" 14	19' 2" 4	19' 2" 10
8 IN 12	19' 6" 8	19' 6" 15	19' 7" 5	19' 7" 11
9 IN 12	20' 0" 2	20' 0" 8	20' 0" 15	20' 1" 5
10 IN 12	20' 6" 4	20' 6" 10	20' 7" 1	20' 7" 7
11 IN 12	21' 0" 13	21' 1" 3	21' 1" 10	21' 2" 1
12 IN 12	21' 7" 13	21' 8" 4	21' 8" 11	21' 9" 2
13 IN 12	22' 3" 4	22' 3" 11	22' 4" 2	22' 4" 9
14 IN 12	22' 11" 0	22' 11" 7	22' 11" 15	23' 0" 6
15 IN 12	23' 7" 2	23' 7" 9	23' 8" 1	23' 8" 9
16 IN 12	24' 3" 9	24' 4" 1	24' 4" 8	24' 5" 0
17 IN 12	25' 0" 4	25' 0" 12	25' 1" 4	25' 1" 12
18 IN 12	25' 9" 4	25' 9" 12	25' 10" 4	25' 10" 12
19 IN 12	26' 6" 7	26' 7" 0	26' 7" 8	26' 8" 1
20 IN 12	27' 3" 14	27' 4" 7	27' 4" 15	27' 5" 8
21 IN 12	28' 1" 8	28' 2" 1	28' 2" 10	28' 3" 3
22 IN 12	28' 11" 5	28' 11" 14	29' 0" 8	29' 1" 1
23 IN 12	29' 9" 5	29' 9" 14	29' 10" 8	29' 11" 1
24 IN 12	30' 7" 7	30' 8" 1	30' 8" 10	30' 9" 4
25 IN 12	31' 5" 11	31' 6" 5	31' 6" 15	31' 7" 9

Run -	12' 7"	12' 7 1/4"	12' 7 1/2"	12' 7 3/4"	12' 7"	12' 7 1/4"	12' 7 1/2"	12' 7 3/4"
Pitch	Ft In 16th"	Ft In 16th"	Ft In 16th"	Ft In 16th"	Ft In 16th"	Ft In 16th"	Ft In 16th"	Ft In 16th"
1 IN 12	12' 7" 8	12' 7" 12	12' 8" 0	12' 8" 4	17' 9" 15	17' 10" 4	17' 10" 10	17' 11" 0
2 IN 12	12' 9" 1	12' 9" 5	12' 9" 9	12' 9" 13	17' 11" 3	17' 11" 6	17' 11" 12	18' 0" 1
2.5 IN 12	12' 10" 4	12' 10" 8	12' 10" 12	12' 11" 0	17' 11" 14	18' 0" 3	18' 0" 9	18' 0" 15
3 IN 12	12' 11" 10	12' 11" 14	13' 0" 3	13' 0" 7	18' 0" 14	18' 1" 3	18' 1" 9	18' 1" 15
3.5 IN 12	13' 1" 5	13' 1" 9	13' 1" 13	13' 2" 1	18' 2" 1	18' 2" 6	18' 2" 12	18' 3" 2
4 IN 12	13' 3" 3	13' 3" 7	13' 3" 11	13' 3" 15	18' 3" 6	18' 3" 12	18' 4" 2	18' 4" 8
4.5 IN 12	13' 5" 4	13' 5" 9	13' 5" 13	13' 6" 1	18' 4" 15	18' 5" 5	18' 5" 11	18' 6" 0
5 IN 12	13' 7" 9	13' 7" 14	13' 8" 2	13' 8" 6	18' 6" 10	18' 7" 0	18' 7" 6	18' 7" 12
5.5 IN 12	13' 10" 2	13' 10" 6	13' 10" 10	13' 10" 15	18' 8" 8	18' 8" 14	18' 9" 4	18' 9" 10
6 IN 12	14' 0" 13	14' 1" 2	14' 1" 6	14' 1" 11	18' 10" 8	18' 10" 14	18' 11" 4	18' 11" 10
6.5 IN 12	14' 3" 12	14' 4" 0	14' 4" 5	14' 4" 9	19' 0" 11	19' 1" 1	19' 1" 7	19' 1" 13
7 IN 12	14' 6" 13	14' 7" 2	14' 7" 6	14' 7" 11	19' 3" 0	19' 3" 6	19' 3" 12	19' 4" 2
8 IN 12	15' 1" 8	15' 1" 12	15' 2" 1	15' 2" 6	19' 8" 1	19' 8" 8	19' 8" 14	19' 9" 4
9 IN 12	15' 8" 12	15' 9" 1	15' 9" 6	15' 9" 11	20' 1" 14	20' 2" 2	20' 2" 8	20' 2" 15
10 IN 12	16' 4" 4	16' 4" 14	16' 5" 3	16' 5" 9	20' 7" 14	20' 8" 4	20' 8" 11	20' 9" 2
11 IN 12	17' 0" 13	17' 1" 3	17' 1" 8	17' 1" 14	21' 2" 8	21' 2" 14	21' 3" 5	21' 3" 12
12 IN 12	17' 9" 9	17' 9" 14	17' 10" 4	17' 10" 10	21' 9" 9	21' 10" 0	21' 10" 6	21' 10" 13
13 IN 12	18' 6" 10	18' 7" 0	18' 7" 6	18' 7" 12	22' 5" 0	22' 5" 7	22' 5" 14	22' 6" 5
14 IN 12	19' 4" 0	19' 4" 7	19' 4" 13	19' 5" 3	23' 0" 13	23' 1" 5	23' 1" 12	23' 2" 3
15 IN 12	20' 1" 11	20' 2" 2	20' 2" 8	20' 2" 15	23' 9" 0	23' 9" 8	23' 9" 15	23' 10" 7
16 IN 12	20' 11" 11	21' 0" 1	21' 0" 8	21' 0" 15	24' 5" 8	24' 6" 0	24' 6" 7	24' 6" 15
17 IN 12	21' 9" 13	21' 10" 4	21' 10" 11	21' 11" 2	25' 2" 4	25' 2" 12	25' 3" 4	25' 3" 12
18 IN 12	22' 8" 4	22' 8" 11	22' 9" 2	22' 9" 9	25' 11" 5	25' 11" 13	26' 0" 5	26' 0" 13
19 IN 12	23' 6" 12	23' 7" 4	23' 7" 11	23' 8" 3	26' 8" 9	26' 9" 2	26' 9" 10	26' 10" 3
20 IN 12	24' 5" 8	24' 6" 0	24' 6" 7	24' 6" 15	27' 6" 1	27' 6" 10	27' 7" 2	27' 7" 11
21 IN 12	25' 4" 6	25' 4" 14	25' 5" 6	25' 5" 14	28' 3" 12	28' 4" 5	28' 4" 14	28' 5" 7
22 IN 12	26' 3" 5	26' 3" 14	26' 4" 6	26' 4" 14	29' 1" 10	29' 2" 3	29' 2" 13	29' 3" 6
23 IN 12	27' 2" 7	27' 3" 0	27' 3" 8	27' 4" 1	29' 11" 11	30' 0" 4	30' 0" 14	30' 1" 7
24 IN 12	28' 1" 10	28' 2" 3	28' 2" 12	28' 3" 5	30' 9" 14	30' 10" 8	30' 11" 2	30' 11" 11
25 IN 12	29' 0" 15	29' 1" 8	29' 2" 2	29' 2" 11	31' 8" 3	31' 8" 14	31' 9" 8	31' 10" 2

12 Foot 8 Inch Run — Common Rafter Lengths   12 Foot 8 Inch Run — Hip Or Valley Rafter Lengths

Pitch	12' 8" (Ft In 16th")	12' 8 1/4" (Ft In 16th")	12' 8 1/2" (Ft In 16th")	12' 8 3/4" (Ft In 16th")	12' 8" (Ft In 16th")	12' 8 1/4" (Ft In 16th")	12' 8 1/2" (Ft In 16th")	12' 8 3/4" (Ft In 16th")
1 IN 12	12' 8" 8	12' 8" 12	12' 9" 0	12' 9" 4	17' 11" 5	17' 11" 11	18' 0" 1	18' 0" 6
2 IN 12	12' 10" 2	12' 10" 6	12' 10" 10	12' 10" 14	18' 0" 7	18' 0" 13	18' 1" 3	18' 1" 8
2.5 IN 12	12' 11" 4	12' 11" 8	12' 11" 12	13' 0" 0	18' 1" 4	18' 1" 10	18' 2" 0	18' 2" 6
3 IN 12	13' 0" 11	13' 0" 15	13' 1" 3	13' 1" 7	18' 2" 5	18' 2" 10	18' 3" 0	18' 3" 6
3.5 IN 12	13' 2" 5	13' 2" 10	13' 2" 14	13' 3" 2	18' 3" 8	18' 3" 14	18' 4" 3	18' 4" 9
4 IN 12	13' 4" 4	13' 4" 8	13' 4" 12	13' 5" 0	18' 4" 14	18' 5" 3	18' 5" 9	18' 5" 15
4.5 IN 12	13' 6" 5	13' 6" 10	13' 6" 14	13' 7" 2	18' 6" 6	18' 6" 12	18' 7" 2	18' 7" 8
5 IN 12	13' 8" 11	13' 8" 15	13' 9" 3	13' 9" 8	18' 8" 2	18' 8" 7	18' 8" 13	18' 9" 3
5.5 IN 12	13' 11" 3	13' 11" 8	13' 11" 13	14' 0" 0	18' 9" 15	18' 10" 5	18' 10" 11	18' 11" 1
6 IN 12	14' 1" 15	14' 2" 4	14' 2" 8	14' 2" 12	19' 0" 0	19' 0" 6	19' 0" 12	19' 1" 2
6.5 IN 12	14' 4" 14	14' 5" 2	14' 5" 7	14' 5" 12	19' 2" 3	19' 2" 9	19' 2" 15	19' 3" 5
7 IN 12	14' 8" 0	14' 8" 4	14' 8" 9	14' 8" 13	19' 4" 8	19' 4" 15	19' 5" 5	19' 5" 11
8 IN 12	15' 2" 11	15' 3" 0	15' 3" 5	15' 3" 9	19' 9" 10	19' 10" 1	19' 10" 7	19' 10" 13
9 IN 12	15' 10" 0	15' 10" 5	15' 10" 10	15' 10" 15	20' 3" 5	20' 3" 12	20' 4" 2	20' 4" 8
10 IN 12	16' 5" 14	16' 6" 3	16' 6" 8	16' 6" 13	20' 9" 8	20' 9" 15	20' 10" 5	20' 10" 12
11 IN 12	17' 2" 2	17' 2" 9	17' 2" 14	17' 3" 3	21' 4" 3	21' 4" 9	21' 5" 0	21' 5" 7
12 IN 12	17' 10" 15	17' 11" 5	17' 11" 11	18' 0" 0	21' 11" 4	21' 11" 11	22' 0" 2	22' 0" 9
13 IN 12	18' 8" 2	18' 8" 7	18' 8" 13	18' 9" 3	22' 6" 13	22' 7" 4	22' 7" 11	22' 8" 2
14 IN 12	19' 5" 9	19' 5" 15	19' 6" 5	19' 6" 11	23' 2" 11	23' 3" 2	23' 3" 9	23' 4" 1
15 IN 12	20' 3" 5	20' 3" 12	20' 4" 2	20' 4" 8	23' 10" 14	23' 11" 6	23' 11" 13	24' 0" 5
16 IN 12	21' 1" 5	21' 1" 12	21' 2" 3	21' 2" 9	24' 7" 7	24' 7" 15	24' 8" 7	24' 8" 14
17 IN 12	21' 11" 9	22' 0" 0	22' 0" 7	22' 0" 14	25' 4" 4	25' 4" 12	25' 5" 4	25' 5" 12
18 IN 12	22' 10" 0	22' 10" 8	22' 10" 15	22' 11" 6	26' 1" 6	26' 1" 14	26' 2" 4	26' 2" 14
19 IN 12	23' 8" 10	23' 9" 2	23' 9" 9	23' 10" 1	26' 10" 11	26' 11" 4	26' 11" 12	27' 0" 5
20 IN 12	24' 7" 7	24' 7" 15	24' 8" 7	24' 8" 14	27' 8" 4	27' 8" 13	27' 9" 5	27' 9" 14
21 IN 12	25' 6" 6	25' 6" 14	25' 7" 6	25' 7" 14	28' 6" 0	28' 6" 9	28' 7" 2	28' 7" 11
22 IN 12	26' 5" 7	26' 5" 15	26' 6" 8	26' 7" 0	29' 3" 15	29' 4" 8	29' 5" 2	29' 5" 11
23 IN 12	27' 4" 10	27' 5" 2	27' 5" 11	27' 6" 4	30' 2" 1	30' 2" 10	30' 3" 4	30' 3" 13
24 IN 12	28' 3" 14	28' 4" 7	28' 5" 0	28' 5" 9	31' 0" 5	31' 0" 15	31' 1" 9	31' 2" 3
25 IN 12	29' 3" 4	29' 3" 13	29' 4" 7	29' 5" 0	31' 10" 12	31' 11" 6	32' 0" 0	32' 0" 10

12 Foot 9 Inch Run — Common Rafter Lengths   12 Foot 9 Inch Run — Hip Or Valley Rafter Lengths

Run -	12' 9"			12' 9 1/4"			12' 9 1/2"			12' 9 3/4"			12' 9"			12' 9 1/4"			12' 9 1/2"			12' 9 3/4"		
Pitch	Ft	In	16th"	Ft	In	16th"	Ft	In	16th"	Ft	In	16th"	Ft	In	16th"	Ft	In	16th"	Ft	In	16th"	Ft	In	16th"
1 IN 12	12'	9"	8	12'	9"	12	12'	10"	1	12'	10"	5	18'	0"	12	18'	1"	2	18'	1"	7	18'	1"	13
2 IN 12	12'	11"	2	12'	11"	6	12'	11"	10	12'	11"	14	18'	1"	4	18'	2"	4	18'	2"	9	18'	2"	15
2.5 IN 12	13'	0"	5	13'	0"	9	13'	0"	13	13'	1"	1	18'	2"	11	18'	3"	1	18'	3"	7	18'	3"	13
3 IN 12	13'	1"	11	13'	1"	15	13'	2"	4	13'	2"	8	18'	3"	12	18'	4"	1	18'	4"	7	18'	4"	13
3.5 IN 12	13'	3"	6	13'	3"	10	13'	3"	14	13'	4"	3	18'	4"	15	18'	5"	5	18'	5"	10	18'	6"	0
4 IN 12	13'	5"	4	13'	5"	9	13'	5"	13	13'	6"	1	18'	6"	5	18'	6"	11	18'	7"	0	18'	7"	6
4.5 IN 12	13'	7"	6	13'	7"	11	13'	7"	15	13'	8"	3	18'	7"	14	18'	8"	3	18'	8"	9	18'	8"	15
5 IN 12	13'	9"	2	13'	10"	0	13'	10"	5	13'	10"	9	18'	9"	9	18'	9"	15	18'	10"	5	18'	10"	11
5.5 IN 12	14'	0"	5	14'	0"	9	14'	0"	14	14'	1"	2	18'	11"	7	18'	11"	13	19'	0"	3	19'	0"	9
6 IN 12	14'	3"	1	14'	3"	5	14'	3"	10	14'	3"	14	19'	1"	8	19'	1"	14	19'	2"	4	19'	2"	10
6.5 IN 12	14'	6"	0	14'	6"	5	14'	6"	9	14'	6"	14	19'	3"	11	19'	4"	1	19'	4"	7	19'	4"	13
7 IN 12	14'	9"	2	14'	9"	7	14'	9"	11	14'	10"	0	19'	6"	1	19'	6"	7	19'	6"	13	19'	7"	3
8 IN 12	15'	3"	14	15'	4"	3	15'	4"	8	15'	4"	13	19'	11"	3	19'	11"	10	20'	0"	0	20'	0"	6
9 IN 12	15'	11"	4	15'	11"	9	15'	11"	14	16'	0"	3	20'	4"	15	20'	5"	5	20'	5"	12	20'	6"	2
10 IN 12	16'	7"	3	16'	7"	8	16'	7"	13	16'	8"	2	20'	11"	2	20'	11"	9	20'	11"	15	21'	0"	6
11 IN 12	17'	3"	9	17'	3"	14	17'	4"	1	17'	4"	9	21'	5"	14	21'	6"	4	21'	6"	11	21'	7"	2
12 IN 12	18'	0"	6	18'	0"	12	18'	1"	1	18'	1"	7	22'	1"	0	22'	1"	7	22'	1"	14	22'	2"	5
13 IN 12	18'	9"	9	18'	9"	15	18'	10"	5	18'	10"	11	22'	8"	9	22'	9"	0	22'	9"	7	22'	9"	14
14 IN 12	19'	7"	2	19'	7"	8	19'	7"	14	19'	8"	4	23'	4"	8	23'	4"	15	23'	5"	7	23'	5"	14
15 IN 12	20'	4"	15	20'	5"	5	20'	5"	12	20'	6"	2	24'	0"	12	24'	1"	4	24'	1"	12	24'	2"	3
16 IN 12	21'	3"	0	21'	3"	7	21'	3"	13	21'	4"	4	24'	9"	6	24'	9"	14	24'	10"	6	24'	10"	13
17 IN 12	22'	1"	1	22'	1"	12	22'	2"	3	22'	2"	10	25'	6"	4	25'	6"	12	25'	7"	4	25'	7"	12
18 IN 12	22'	11"	13	23'	0"	4	23'	0"	12	23'	1"	3	26'	3"	7	26'	3"	15	26'	4"	7	26'	4"	15
19 IN 12	23'	10"	8	23'	11"	0	23'	11"	7	23'	11"	15	27'	0"	13	27'	1"	5	27'	1"	14	27'	2"	6
20 IN 12	24'	9"	6	24'	9"	14	24'	10"	6	24'	10"	13	27'	10"	7	27'	11"	0	27'	11"	8	28'	0"	1
21 IN 12	25'	8"	6	25'	8"	14	25'	9"	6	25'	9"	14	28'	8"	4	28'	8"	13	28'	9"	6	28'	9"	15
22 IN 12	26'	7"	8	26'	8"	1	26'	8"	9	26'	9"	1	29'	6"	4	29'	6"	13	29'	7"	7	29'	8"	0
23 IN 12	27'	6"	12	27'	7"	5	27'	7"	14	27'	8"	6	30'	4"	7	30'	5"	1	30'	5"	10	30'	6"	4
24 IN 12	28'	6"	2	28'	6"	11	28'	7"	4	28'	7"	13	31'	2"	12	31'	3"	6	31'	4"	0	31'	4"	10
25 IN 12	29'	5"	9	29'	6"	2	29'	6"	12	29'	7"	5	32'	1"	4	32'	1"	14	32'	2"	8	32'	3"	2

12 Foot 10 Inch Run — Common Rafter Lengths   12 Foot 10 Inch Run — Hip Or Valley Rafter Lengths

Run -	12'10"			12'10 1/4"			12'10 1/2"			12'10 3/4"			12'10"			12'10 1/4"			12'10 1/2"			12'10 3/4"		
Pitch	Ft	In	16th"	Ft	In	16th"	Ft	In	16th"	Ft	In	16th"	Ft	In	16th"	Ft	In	16th"	Ft	In	16th"	Ft	In	16th"
1 IN 12	12'	10"	9	12'	10"	13	12'	11"	1	12'	11"	5	18'	2"	3	18'	2"	8	18'	2"	14	18'	3"	4
2 IN 12	13'	0"	2	13'	0"	6	13'	0"	10	13'	0"	14	18'	3"	5	18'	3"	10	18'	4"	0	18'	4"	6
2.5 IN 12	13'	1"	5	13'	1"	9	13'	1"	13	13'	2"	1	18'	4"	2	18'	4"	8	18'	4"	14	18'	5"	3
3 IN 12	13'	2"	12	13'	3"	0	13'	3"	4	13'	3"	8	18'	5"	3	18'	5"	8	18'	5"	14	18'	6"	4
3.5 IN 12	13'	4"	7	13'	4"	11	13'	4"	15	13'	5"	3	18'	6"	6	18'	6"	12	18'	7"	2	18'	7"	7
4 IN 12	13'	6"	5	13'	6"	10	13'	6"	14	13'	7"	2	18'	7"	12	18'	8"	2	18'	8"	8	18'	8"	14
4.5 IN 12	13'	8"	8	13'	8"	12	13'	9"	0	13'	9"	4	18'	9"	5	18'	9"	11	18'	10"	1	18'	10"	7
5 IN 12	13'	10"	13	13'	11"	2	13'	11"	6	13'	11"	10	18'	11"	1	18'	11"	7	18'	11"	13	19'	0"	2
5.5 IN 12	14'	1"	6	14'	1"	11	14'	1"	15	14'	2"	4	19'	0"	15	19'	1"	5	19'	1"	11	19'	2"	1
6 IN 12	14'	4"	3	14'	4"	7	14'	4"	12	14'	5"	0	19'	3"	0	19'	3"	6	19'	3"	12	19'	4"	2
6.5 IN 12	14'	7"	2	14'	7"	7	14'	7"	11	14'	8"	0	19'	5"	3	19'	5"	10	19'	6"	0	19'	6"	6
7 IN 12	14'	10"	5	14'	10"	9	14'	10"	14	14'	11"	2	19'	7"	9	19'	8"	0	19'	8"	6	19'	8"	12
8 IN 12	15'	5"	1	15'	5"	6	15'	5"	11	15'	6"	0	20'	0"	12	20'	1"	3	20'	1"	9	20'	1"	15
9 IN 12	16'	0"	8	16'	0"	13	16'	1"	2	16'	1"	7	20'	6"	8	20'	6"	15	20'	7"	5	20'	7"	12
10 IN 12	16'	8"	7	16'	8"	13	16'	9"	2	16'	9"	7	21'	0"	13	21'	1"	3	21'	1"	10	21'	2"	0
11 IN 12	17'	4"	15	17'	5"	1	17'	5"	9	17'	5"	15	21'	7"	9	21'	7"	15	21'	8"	6	21'	8"	13
12 IN 12	18'	1"	13	18'	2"	2	18'	2"	8	18'	2"	14	22'	2"	12	22'	3"	3	22'	3"	10	22'	4"	1
13 IN 12	18'	11"	1	18'	11"	7	18'	11"	13	19'	0"	2	22'	10"	6	22'	10"	13	22'	11"	4	22'	11"	11
14 IN 12	19'	8"	10	19'	9"	0	19'	9"	6	19'	9"	13	23'	6"	5	23'	6"	13	23'	7"	4	23'	7"	11
15 IN 12	20'	6"	8	20'	6"	15	20'	7"	5	20'	7"	12	24'	2"	11	24'	3"	2	24'	3"	10	24'	4"	1
16 IN 12	21'	4"	11	21'	5"	1	21'	5"	8	21'	5"	15	24'	11"	5	24'	11"	13	25'	0"	5	25'	0"	12
17 IN 12	22'	3"	1	22'	3"	8	22'	3"	15	22'	4"	6	25'	8"	4	25'	8"	12	25'	9"	4	25'	9"	12
18 IN 12	23'	1"	10	23'	2"	1	23'	2"	8	23'	3"	0	26'	5"	8	26'	6"	0	26'	6"	8	26'	7"	0
19 IN 12	24'	0"	6	24'	0"	14	24'	1"	5	24'	1"	13	27'	2"	15	27'	3"	7	27'	4"	0	27'	4"	8
20 IN 12	24'	11"	5	24'	11"	13	25'	0"	5	25'	0"	12	28'	0"	10	28'	1"	3	28'	1"	11	28'	2"	4
21 IN 12	25'	10"	6	25'	10"	14	25'	11"	6	25'	11"	15	28'	10"	8	28'	11"	1	28'	11"	10	29'	0"	3
22 IN 12	26'	9"	10	26'	10"	2	26'	10"	10	26'	11"	3	29'	8"	9	29'	9"	2	29'	9"	12	29'	10"	5
23 IN 12	27'	8"	15	27'	9"	7	27'	10"	0	27'	10"	9	30'	6"	13	30'	7"	7	30'	8"	0	30'	8"	10
24 IN 12	28'	8"	6	28'	8"	15	28'	9"	8	28'	10"	1	31'	5"	4	31'	5"	13	31'	6"	7	31'	7"	1
25 IN 12	29'	7"	14	29'	8"	7	29'	9"	1	29'	9"	10	32'	3"	12	32'	4"	6	32'	5"	0	32'	5"	11

12 Foot 11 Inch Run — Common Rafter Lengths   12 Foot 11 Inch Run — Hip Or Valley Rafter Lengths

Run – Pitch	Common 12'11"	12'11 1/4"	12'11 1/2"	12'11 3/4"	Hip 12'11"	12'11 1/4"	12'11 1/2"	12'11 3/4"
	Ft In 16th	Ft In 16th	Ft In 16th	Ft In 16th	Ft In 16th	Ft In 16th	Ft In 16th	Ft In 16th
1 IN 12	12' 11" 9	12' 11" 13	13' 0" 1	13' 0" 5	18' 3" 9	18' 3" 15	18' 4" 5	18' 4" 10
2 IN 12	13' 1" 2	13' 1" 6	13' 1" 10	13' 1" 14	18' 4" 12	18' 5" 1	18' 5" 7	18' 5" 13
2.5 IN 12	13' 2" 5	13' 2" 9	13' 2" 13	13' 3" 2	18' 5" 9	18' 5" 15	18' 6" 5	18' 6" 10
3 IN 12	13' 3" 12	13' 4" 0	13' 4" 5	13' 4" 9	18' 6" 10	18' 6" 15	18' 7" 5	18' 7" 11
3.5 IN 12	13' 5" 7	13' 5" 12	13' 6" 0	13' 6" 4	18' 7" 13	18' 8" 3	18' 8" 9	18' 8" 14
4 IN 12	13' 7" 6	13' 7" 10	13' 7" 15	13' 8" 3	18' 9" 3	18' 9" 9	18' 9" 15	18' 10" 5
4.5 IN 12	13' 9" 9	13' 9" 13	13' 10" 1	13' 10" 5	18' 10" 12	18' 11" 2	18' 11" 8	18' 11" 14
5 IN 12	13' 11" 15	14' 0" 3	14' 0" 7	14' 0" 12	19' 0" 8	19' 0" 14	19' 1" 4	19' 1" 10
5.5 IN 12	14' 2" 8	14' 2" 12	14' 3" 1	14' 3" 5	19' 2" 7	19' 2" 13	19' 3" 3	19' 3" 9
6 IN 12	14' 5" 5	14' 5" 9	14' 5" 14	14' 6" 2	19' 4" 8	19' 4" 14	19' 5" 4	19' 5" 10
6.5 IN 12	14' 8" 4	14' 8" 9	14' 8" 14	14' 9" 2	19' 6" 12	19' 7" 2	19' 7" 8	19' 7" 14
7 IN 12	14' 11" 7	14' 11" 12	15' 0" 0	15' 0" 5	19' 9" 2	19' 9" 8	19' 9" 14	19' 10" 4
8 IN 12	15' 6" 5	15' 6" 9	15' 6" 14	15' 7" 3	20' 2" 5	20' 2" 12	20' 3" 2	20' 3" 8
9 IN 12	16' 1" 12	16' 2" 1	16' 2" 6	16' 2" 11	20' 8" 2	20' 8" 8	20' 8" 15	20' 9" 5
10 IN 12	16' 9" 12	16' 10" 1	16' 10" 7	16' 10" 12	21' 2" 7	21' 2" 13	21' 3" 4	21' 3" 11
11 IN 12	17' 6" 4	17' 6" 10	17' 6" 15	17' 7" 5	21' 9" 4	21' 9" 10	21' 10" 1	21' 10" 8
12 IN 12	18' 3" 3	18' 3" 9	18' 3" 15	18' 4" 4	22' 4" 7	22' 4" 14	22' 5" 5	22' 5" 12
13 IN 12	19' 0" 8	19' 0" 14	19' 1" 4	19' 1" 10	23' 0" 2	23' 0" 9	23' 1" 0	23' 1" 7
14 IN 12	19' 10" 3	19' 10" 9	19' 10" 15	19' 11" 5	23' 8" 3	23' 8" 10	23' 9" 1	23' 9" 9
15 IN 12	20' 8" 2	20' 8" 8	20' 8" 15	20' 9" 5	24' 4" 9	24' 5" 0	24' 5" 8	24' 6" 0
16 IN 12	21' 6" 5	21' 6" 12	21' 7" 3	21' 7" 9	25' 1" 4	25' 1" 12	25' 2" 4	25' 2" 12
17 IN 12	22' 4" 12	22' 5" 3	22' 5" 10	22' 6" 1	25' 10" 4	25' 10" 12	25' 11" 4	25' 11" 12
18 IN 12	23' 3" 7	23' 3" 14	23' 4" 5	23' 4" 13	26' 7" 9	26' 8" 1	26' 8" 9	26' 9" 1
19 IN 12	24' 2" 4	24' 2" 12	24' 3" 3	24' 3" 11	27' 5" 1	27' 5" 9	27' 6" 2	27' 6" 10
20 IN 12	25' 1" 4	25' 1" 12	25' 2" 4	25' 2" 12	28' 2" 13	28' 3" 6	28' 3" 14	28' 4" 7
21 IN 12	26' 0" 7	26' 0" 15	26' 1" 7	26' 1" 15	29' 0" 12	29' 1" 5	29' 1" 14	29' 2" 7
22 IN 12	26' 11" 11	27' 0" 3	27' 0" 12	27' 1" 4	29' 10" 14	29' 11" 7	30' 0" 1	30' 0" 10
23 IN 12	27' 11" 1	27' 11" 10	28' 0" 3	28' 0" 11	30' 9" 3	30' 9" 13	30' 10" 6	30' 11" 0
24 IN 12	28' 10" 9	28' 11" 2	28' 11" 11	29' 0" 4	31' 7" 11	31' 8" 5	31' 8" 14	31' 9" 8
25 IN 12	29' 10" 3	29' 10" 12	29' 11" 6	29' 11" 15	32' 6" 5	32' 6" 15	32' 7" 9	32' 8" 3

13 Foot 0 Inch Run — Common Rafter Lengths   13 Foot 0 Inch Run — Hip Or Valley Rafter Lengths

Run -	13' 0"			13' 0 1/4"			13' 0 1/2"			13' 0 3/4"			13' 0"			13' 0 1/4"			13' 0 1/2"			13' 0 3/4"		
Pitch	Ft	In	16th"	Ft	In	16th"	Ft	In	16th"	Ft	In	16th"	Ft	In	16th"	Ft	In	16th"	Ft	In	16th"	Ft	In	16th"
1 IN 12	13'	0"	9	13'	0"	13	13'	1"	1	13'	1"	5	18'	5"	0	18'	5"	6	18'	5"	11	18'	6"	1
2 IN 12	13'	2"	2	13'	2"	6	13'	2"	11	13'	2"	15	18'	6"	2	18'	6"	8	18'	6"	14	18'	7"	3
2.5 IN 12	13'	3"	6	13'	3"	10	13'	3"	14	13'	4"	2	18'	7"	0	18'	7"	6	18'	7"	11	18'	8"	1
3 IN 12	13'	4"	13	13'	5"	1	13'	5"	5	13'	5"	9	18'	8"	1	18'	8"	6	18'	8"	12	18'	9"	2
3.5 IN 12	13'	6"	8	13'	6"	12	13'	7"	0	13'	7"	5	18'	9"	4	18'	9"	10	18'	10"	0	18'	10"	5
4 IN 12	13'	8"	7	13'	8"	11	13'	8"	15	13'	9"	4	18'	10"	11	18'	11"	0	18'	11"	6	18'	11"	12
4.5 IN 12	13'	10"	10	13'	10"	14	13'	11"	2	13'	11"	7	19'	0"	4	19'	0"	10	19'	1"	0	19'	1"	5
5 IN 12	14'	1"	0	14'	1"	4	14'	1"	9	14'	1"	13	19'	2"	0	19'	2"	6	19'	2"	12	19'	3"	2
5.5 IN 12	14'	3"	10	14'	3"	14	14'	4"	2	14'	4"	7	19'	3"	15	19'	4"	5	19'	4"	11	19'	5"	0
6 IN 12	14'	6"	7	14'	6"	11	14'	7"	0	14'	7"	4	19'	6"	0	19'	6"	6	19'	6"	12	19'	7"	2
6.5 IN 12	14'	9"	7	14'	9"	11	14'	10"	0	14'	10"	4	19'	8"	4	19'	8"	10	19'	9"	0	19'	9"	6
7 IN 12	15'	0"	10	15'	0"	14	15'	1"	3	15'	1"	8	19'	10"	10	19'	11"	0	19'	11"	7	19'	11"	13
8 IN 12	15'	7"	8	15'	7"	13	15'	8"	1	15'	8"	6	20'	3"	14	20'	4"	5	20'	4"	11	20'	5"	1
9 IN 12	16'	3"	0	16'	3"	5	16'	3"	10	16'	3"	15	20'	9"	12	20'	10"	2	20'	10"	8	20'	10"	15
10 IN 12	16'	11"	1	16'	11"	6	16'	11"	11	17'	0"	1	21'	4"	1	21'	4"	8	21'	4"	14	21'	5"	5
11 IN 12	17'	7"	10	17'	7"	15	17'	8"	5	17'	8"	10	21'	10"	15	21'	11"	5	21'	11"	12	22'	0"	3
12 IN 12	18'	4"	10	18'	5"	0	18'	5"	5	18'	5"	11	22'	6"	2	22'	6"	10	22'	7"	1	22'	7"	8
13 IN 12	19'	2"	0	19'	2"	6	19'	2"	12	19'	3"	2	23'	1"	15	23'	2"	6	23'	2"	13	23'	3"	4
14 IN 12	19'	11"	11	20'	0"	1	20'	0"	8	20'	0"	14	23'	10"	0	23'	10"	7	23'	10"	15	23'	11"	6
15 IN 12	20'	9"	12	20'	10"	2	20'	10"	8	20'	10"	15	24'	6"	7	24'	6"	15	24'	7"	6	24'	7"	14
16 IN 12	21'	8"	0	21'	8"	7	21'	8"	13	21'	9"	4	25'	3"	3	25'	3"	11	25'	4"	3	25'	4"	11
17 IN 12	22'	6"	15	22'	6"	15	22'	7"	6	22'	7"	13	26'	0"	4	26'	0"	12	26'	1"	4	26'	1"	12
18 IN 12	23'	5"	4	23'	5"	11	23'	6"	2	23'	6"	9	26'	9"	10	26'	10"	2	26'	10"	10	26'	11"	2
19 IN 12	24'	4"	2	24'	4"	10	24'	5"	1	24'	5"	9	27'	7"	3	27'	7"	11	27'	8"	4	27'	8"	12
20 IN 12	25'	3"	3	25'	3"	11	25'	4"	3	25'	4"	11	28'	5"	0	28'	5"	9	28'	6"	1	28'	6"	10
21 IN 12	26'	2"	7	26'	2"	15	26'	3"	7	26'	3"	15	29'	3"	0	29'	3"	9	29'	4"	2	29'	4"	11
22 IN 12	27'	1"	12	27'	2"	5	27'	2"	13	27'	3"	6	30'	1"	3	30'	1"	13	30'	2"	6	30'	2"	15
23 IN 12	28'	1"	4	28'	1"	13	28'	2"	5	28'	2"	14	30'	11"	9	31'	0"	3	31'	0"	12	31'	1"	6
24 IN 12	29'	0"	13	29'	1"	6	29'	1"	15	29'	2"	8	31'	10"	2	31'	10"	12	31'	11"	6	31'	11"	15
25 IN 12	30'	0"	8	30'	1"	1	30'	1"	11	30'	2"	4	32'	8"	13	32'	9"	7	32'	10"	1	32'	10"	11

13 Foot 1 Inch Run — Common Rafter Lengths   13 Foot 1 Inch Run — Hip Or Valley Rafter Lengths

Run -	13' 1"	13' 1 1/4"	13' 1 1/2"	13' 1 3/4"	13' 1"	13' 1 1/4"	13' 1 1/2"	13' 1 3/4"
Pitch	Ft In 16th"	Ft In 16th"	Ft In 16th"	Ft In 16th"	Ft In 16th"	Ft In 16th"	Ft In 16th"	Ft In 16th"
1 IN 12	13' 1" 9	13' 1" 13	13' 2" 1	13' 2" 5	18' 6" 7	18' 6" 12	18' 7" 2	18' 7" 8
2 IN 12	13' 3" 3	13' 3" 7	13' 3" 11	13' 3" 15	18' 7" 9	18' 7" 15	18' 8" 4	18' 8" 10
2.5 IN 12	13' 4" 6	13' 4" 10	13' 4" 14	13' 5" 2	18' 8" 7	18' 8" 13	18' 9" 2	18' 9" 8
3 IN 12	13' 5" 13	13' 6" 1	13' 6" 6	13' 6" 10	18' 9" 8	18' 9" 13	18' 10" 3	18' 10" 9
3.5 IN 12	13' 7" 9	13' 7" 13	13' 8" 1	13' 8" 5	18' 10" 11	18' 11" 1	18' 11" 7	18' 11" 13
4 IN 12	13' 9" 8	13' 9" 12	13' 10" 0	13' 10" 5	19' 0" 2	19' 0" 8	19' 0" 13	19' 1" 3
4.5 IN 12	13' 11" 11	13' 11" 15	14' 0" 3	14' 0" 8	19' 1" 11	19' 2" 1	19' 2" 7	19' 2" 13
5 IN 12	14' 2" 1	14' 2" 6	14' 2" 10	14' 2" 14	19' 3" 7	19' 3" 13	19' 4" 3	19' 4" 9
5.5 IN 12	14' 4" 11	14' 5" 0	14' 5" 4	14' 5" 8	19' 5" 6	19' 5" 12	19' 6" 2	19' 6" 8
6 IN 12	14' 7" 9	14' 7" 13	14' 8" 1	14' 8" 6	19' 7" 8	19' 7" 14	19' 8" 4	19' 8" 10
6.5 IN 12	14' 10" 9	14' 10" 13	14' 11" 2	14' 11" 6	19' 9" 12	19' 10" 2	19' 10" 8	19' 10" 14
7 IN 12	15' 1" 12	15' 2" 1	15' 2" 5	15' 2" 10	20' 0" 3	20' 0" 9	20' 0" 15	20' 1" 5
8 IN 12	15' 8" 11	15' 9" 0	15' 9" 5	15' 9" 9	20' 5" 7	20' 5" 14	20' 6" 4	20' 6" 10
9 IN 12	16' 4" 4	16' 4" 9	16' 4" 14	16' 5" 3	20' 11" 5	20' 11" 12	21' 0" 2	21' 0" 8
10 IN 12	17' 0" 6	17' 0" 11	17' 1" 0	17' 1" 6	21' 5" 11	21' 6" 2	21' 6" 9	21' 6" 15
11 IN 12	17' 9" 0	17' 9" 5	17' 9" 11	17' 10" 0	22' 0" 10	22' 1" 0	22' 1" 7	22' 1" 14
12 IN 12	18' 6" 1	18' 6" 6	18' 6" 12	18' 7" 1	22' 7" 15	22' 8" 6	22' 8" 13	22' 9" 4
13 IN 12	19' 3" 7	19' 3" 13	19' 4" 3	19' 4" 9	23' 3" 11	23' 4" 2	23' 4" 9	23' 5" 0
14 IN 12	20' 1" 4	20' 1" 10	20' 2" 0	20' 2" 6	23' 11" 13	24' 0" 5	24' 0" 12	24' 1" 3
15 IN 12	20' 11" 5	20' 11" 12	21' 0" 2	21' 0" 8	24' 8" 5	24' 8" 13	24' 9" 4	24' 9" 12
16 IN 12	21' 9" 11	21' 10" 1	21' 10" 8	21' 10" 15	25' 5" 2	25' 5" 10	25' 6" 2	25' 6" 10
17 IN 12	22' 8" 4	22' 8" 11	22' 9" 2	22' 9" 9	26' 2" 4	26' 2" 12	26' 3" 4	26' 3" 12
18 IN 12	23' 7" 1	23' 7" 8	23' 7" 15	23' 8" 6	26' 11" 11	27' 0" 0	27' 0" 11	27' 1" 1
19 IN 12	24' 6" 0	24' 6" 8	24' 6" 15	24' 7" 7	27' 9" 5	27' 9" 13	27' 10" 6	27' 10" 14
20 IN 12	25' 5" 2	25' 5" 10	25' 6" 2	25' 6" 10	28' 7" 3	28' 7" 12	28' 8" 4	28' 8" 13
21 IN 12	26' 4" 7	26' 4" 15	26' 5" 7	26' 5" 15	29' 5" 4	29' 5" 13	29' 6" 6	29' 6" 15
22 IN 12	27' 3" 14	27' 4" 6	27' 4" 15	27' 5" 7	30' 3" 8	30' 4" 2	30' 4" 11	30' 5" 4
23 IN 12	28' 3" 7	28' 3" 15	28' 4" 8	28' 5" 1	31' 1" 15	31' 2" 9	31' 3" 2	31' 3" 12
24 IN 12	29' 3" 1	29' 3" 10	29' 4" 3	29' 4" 12	32' 0" 9	32' 1" 3	32' 1" 13	32' 2" 7
25 IN 12	30' 2" 13	30' 3" 6	30' 3" 15	30' 4" 9	32' 11" 5	32' 11" 15	33' 0" 9	33' 1" 3

13 Foot 2 Inch Run — Common Rafter Lengths   13 Foot 2 Inch Run — Hip Or Valley Rafter Lengths

Run – Pitch	13' 2"	13' 2 1/4"	13' 2 1/2"	13' 2 3/4"	13' 2"	13' 2 1/4"	13' 2 1/2"	13' 2 3/4"
	Ft In 16th"	Ft In 16th"	Ft In 16th"	Ft In 16th"	Ft In 16th"	Ft In 16th"	Ft In 16th"	Ft In 16th"
1 IN 12	13' 2" 9	13' 2" 13	13' 3" 1	13' 3" 5	18' 7" 13	18' 8" 3	18' 8" 9	18' 8" 14
2 IN 12	13' 4" 3	13' 4" 7	13' 4" 11	13' 4" 15	18' 9" 0	18' 9" 6	18' 9" 11	18' 10" 1
2.5 IN 12	13' 5" 6	13' 5" 10	13' 5" 14	13' 6" 3	18' 9" 14	18' 10" 3	18' 10" 9	18' 10" 15
3 IN 12	13' 6" 14	13' 7" 2	13' 7" 6	13' 7" 10	18' 10" 15	18' 11" 4	18' 11" 10	19' 0" 0
3.5 IN 12	13' 8" 9	13' 8" 14	13' 9" 2	13' 9" 6	19' 0" 2	19' 0" 8	19' 0" 14	19' 1" 4
4 IN 12	13' 10" 9	13' 10" 13	13' 11" 1	13' 11" 5	19' 1" 9	19' 1" 15	19' 2" 5	19' 2" 11
4.5 IN 12	14' 0" 12	14' 1" 0	14' 1" 4	14' 1" 9	19' 3" 3	19' 3" 9	19' 3" 14	19' 4" 4
5 IN 12	14' 3" 3	14' 3" 7	14' 3" 11	14' 4" 0	19' 4" 15	19' 5" 5	19' 5" 11	19' 6" 1
5.5 IN 12	14' 5" 13	14' 6" 1	14' 6" 6	14' 6" 10	19' 6" 14	19' 7" 4	19' 7" 10	19' 8" 0
6 IN 12	14' 8" 10	14' 8" 15	14' 9" 3	14' 9" 8	19' 9" 0	19' 9" 6	19' 9" 12	19' 10" 2
6.5 IN 12	14' 11" 11	15' 0" 0	15' 0" 4	15' 0" 9	19' 11" 4	19' 11" 10	20' 0" 1	20' 0" 7
7 IN 12	15' 2" 15	15' 3" 3	15' 3" 8	15' 3" 13	20' 1" 11	20' 2" 1	20' 2" 8	20' 2" 14
8 IN 12	15' 9" 14	15' 10" 3	15' 10" 8	15' 10" 13	20' 7" 0	20' 7" 7	20' 7" 13	20' 8" 3
9 IN 12	16' 5" 8	16' 5" 13	16' 6" 2	16' 6" 7	21' 0" 15	21' 1" 5	21' 1" 12	21' 2" 2
10 IN 12	17' 1" 11	17' 2" 0	17' 2" 5	17' 2" 10	21' 7" 6	21' 7" 12	21' 8" 3	21' 8" 9
11 IN 12	17' 10" 5	17' 10" 11	17' 11" 0	17' 11" 6	22' 2" 4	22' 2" 11	22' 3" 2	22' 3" 9
12 IN 12	18' 7" 7	18' 7" 13	18' 8" 2	18' 8" 8	22' 9" 11	22' 10" 2	22' 10" 8	22' 10" 15
13 IN 12	19' 4" 15	19' 5" 5	19' 5" 11	19' 6" 1	23' 5" 8	23' 5" 15	23' 6" 6	23' 6" 13
14 IN 12	20' 2" 13	20' 3" 3	20' 3" 9	20' 3" 15	24' 1" 11	24' 2" 2	24' 2" 9	24' 3" 1
15 IN 12	21' 0" 15	21' 1" 5	21' 1" 12	21' 2" 2	24' 10" 3	24' 10" 11	24' 11" 3	24' 11" 10
16 IN 12	21' 11" 5	21' 11" 12	22' 0" 3	22' 0" 9	25' 7" 2	25' 7" 9	25' 8" 1	25' 8" 9
17 IN 12	22' 10" 0	22' 10" 7	22' 10" 14	22' 11" 4	26' 4" 4	26' 4" 12	26' 5" 4	26' 5" 12
18 IN 12	23' 8" 13	23' 9" 5	23' 9" 12	23' 10" 3	27' 1" 12	27' 2" 4	27' 2" 12	27' 3" 4
19 IN 12	24' 7" 14	24' 8" 6	24' 8" 13	24' 9" 5	27' 11" 7	27' 11" 15	28' 0" 8	28' 1" 0
20 IN 12	25' 7" 2	25' 7" 9	25' 8" 1	25' 8" 9	28' 9" 6	28' 9" 14	28' 10" 7	28' 11" 0
21 IN 12	26' 6" 7	26' 6" 15	26' 7" 7	26' 8" 0	29' 7" 8	29' 8" 1	29' 8" 10	29' 9" 3
22 IN 12	27' 5" 15	27' 6" 8	27' 7" 0	27' 7" 8	30' 5" 13	30' 6" 7	30' 7" 0	30' 7" 9
23 IN 12	28' 5" 9	28' 6" 2	28' 6" 10	28' 7" 3	31' 4" 6	31' 4" 15	31' 5" 9	31' 6" 2
24 IN 12	29' 5" 5	29' 5" 14	29' 6" 7	29' 7" 0	32' 3" 0	32' 3" 10	32' 4" 4	32' 4" 14
25 IN 12	30' 5" 2	30' 5" 11	30' 6" 4	30' 6" 14	33' 1" 13	33' 2" 8	33' 3" 2	33' 3" 12

13 Foot 3 Inch Run — Common Rafter Lengths   13 Foot 3 Inch Run — Hip Or Valley Rafter Lengths

Run -	13' 3"	13' 3 1/4"	13' 3 1/2"	13' 3 3/4"	13' 3"	13' 3 1/4"	13' 3 1/2"	13' 3 3/4"
Pitch	Ft In 16th"	Ft In 16th"	Ft In 16th"	Ft In 16th"	Ft In 16th"	Ft In 16th"	Ft In 16th"	Ft In 16th"
1 IN 12	13' 3" 9	13' 3" 13	13' 4" 1	13' 4" 5	18' 9" 4	18' 9" 10	18' 9" 15	18' 10" 5
2 IN 12	13' 5" 3	13' 5" 7	13' 5" 11	13' 5" 15	18' 10" 7	18' 10" 12	18' 11" 2	18' 11" 8
2.5 IN 12	13' 6" 7	13' 6" 11	13' 6" 15	13' 7" 3	18' 11" 5	18' 11" 10	19' 0" 0	19' 0" 6
3 IN 12	13' 7" 14	13' 8" 2	13' 8" 7	13' 8" 11	19' 0" 6	19' 0" 11	19' 1" 1	19' 1" 7
3.5 IN 12	13' 9" 10	13' 9" 14	13' 10" 2	13' 10" 7	19' 1" 9	19' 1" 15	19' 2" 5	19' 2" 11
4 IN 12	13' 11" 10	13' 11" 14	14' 0" 2	14' 0" 6	19' 3" 0	19' 3" 6	19' 3" 12	19' 4" 2
4.5 IN 12	14' 1" 13	14' 2" 1	14' 2" 6	14' 2" 10	19' 4" 10	19' 5" 0	19' 5" 6	19' 5" 12
5 IN 12	14' 4" 4	14' 4" 8	14' 4" 13	14' 5" 1	19' 6" 6	19' 6" 13	19' 7" 2	19' 7" 8
5.5 IN 12	14' 6" 14	14' 7" 3	14' 7" 7	14' 7" 12	19' 8" 6	19' 8" 12	19' 9" 2	19' 9" 8
6 IN 12	14' 9" 12	14' 10" 1	14' 10" 5	14' 10" 10	19' 10" 8	19' 10" 14	19' 11" 4	19' 11" 10
6.5 IN 12	15' 0" 13	15' 1" 2	15' 1" 6	15' 1" 11	20' 0" 13	20' 1" 3	20' 1" 9	20' 1" 15
7 IN 12	15' 4" 1	15' 4" 6	15' 4" 10	15' 4" 15	20' 3" 4	20' 3" 10	20' 4" 0	20' 4" 6
8 IN 12	15' 11" 2	15' 11" 6	15' 11" 11	16' 0" 0	20' 8" 9	20' 9" 0	20' 9" 6	20' 9" 12
9 IN 12	16' 6" 12	16' 7" 1	16' 7" 6	16' 7" 11	21' 2" 8	21' 2" 15	21' 3" 5	21' 3" 12
10 IN 12	17' 3" 0	17' 3" 5	17' 3" 10	17' 3" 15	21' 9" 0	21' 9" 6	21' 9" 13	21' 10" 4
11 IN 12	17' 11" 11	18' 0" 1	18' 0" 6	18' 0" 11	22' 3" 15	22' 4" 6	22' 4" 13	22' 5" 4
12 IN 12	18' 8" 14	18' 9" 3	18' 9" 9	18' 9" 15	22' 11" 6	22' 11" 13	23' 0" 4	23' 0" 11
13 IN 12	19' 6" 7	19' 6" 13	19' 7" 2	19' 7" 8	23' 7" 4	23' 7" 11	23' 8" 2	23' 8" 9
14 IN 12	20' 4" 5	20' 4" 11	20' 5" 1	20' 5" 8	24' 3" 8	24' 3" 15	24' 4" 7	24' 4" 14
15 IN 12	21' 2" 8	21' 2" 15	21' 3" 5	21' 3" 12	25' 0" 2	25' 0" 9	25' 1" 1	25' 1" 8
16 IN 12	22' 1" 0	22' 1" 7	22' 1" 13	22' 2" 4	25' 9" 1	25' 9" 8	25' 10" 0	25' 10" 8
17 IN 12	22' 11" 11	23' 0" 2	23' 0" 9	23' 1" 0	26' 6" 4	26' 6" 12	26' 7" 4	26' 7" 12
18 IN 12	23' 10" 10	23' 11" 1	23' 11" 9	24' 0" 0	27' 3" 13	27' 4" 5	27' 4" 13	27' 5" 5
19 IN 12	24' 9" 12	24' 10" 4	24' 10" 11	24' 11" 3	28' 1" 9	28' 2" 1	28' 2" 10	28' 3" 2
20 IN 12	25' 9" 1	25' 9" 8	25' 10" 0	25' 10" 8	28' 11" 9	29' 0" 1	29' 0" 10	29' 1" 3
21 IN 12	26' 8" 8	26' 9" 0	26' 9" 8	26' 10" 0	29' 9" 12	29' 10" 5	29' 10" 14	29' 11" 7
22 IN 12	27' 8" 1	27' 8" 9	27' 9" 1	27' 9" 10	30' 8" 2	30' 8" 12	30' 9" 5	30' 9" 14
23 IN 12	28' 7" 12	28' 8" 4	28' 8" 13	28' 9" 6	31' 6" 12	31' 7" 5	31' 7" 15	31' 8" 8
24 IN 12	29' 7" 9	29' 8" 2	29' 8" 10	29' 9" 3	32' 5" 8	32' 6" 1	32' 6" 11	32' 7" 5
25 IN 12	30' 7" 7	30' 8" 0	30' 8" 9	30' 9" 3	33' 4" 6	33' 5" 0	33' 5" 10	33' 6" 4

13 Foot 4 Inch Run — Common Rafter Lengths   13 Foot 4 Inch Run — Hip Or Valley Rafter Lengths

Run -	13' 4"	13' 4 1/4"	13' 4 1/2"	13' 4 3/4"	13' 4"	13' 4 1/4"	13' 4 1/2"	13' 4 3/4"
Pitch	Ft In 16th"	Ft In 16th"	Ft In 16th"	Ft In 16th"	Ft In 16th"	Ft In 16th"	Ft In 16th"	Ft In 16th"
1 IN 12	13' 4" 9	13' 4" 13	13' 5" 1	13' 5" 5	18' 10" 11	18' 11" 0	18' 11" 6	18' 11" 12
2 IN 12	13' 6" 3	13' 6" 7	13' 6" 11	13' 6" 15	18' 11" 13	19' 0" 3	19' 0" 9	19' 0" 15
2.5 IN 12	13' 7" 7	13' 7" 11	13' 7" 15	13' 8" 3	19' 0" 11	19' 1" 1	19' 1" 7	19' 1" 13
3 IN 12	13' 8" 15	13' 9" 3	13' 9" 7	13' 9" 11	19' 1" 13	19' 2" 2	19' 2" 8	19' 2" 14
3.5 IN 12	13' 10" 11	13' 10" 15	13' 11" 3	13' 11" 7	19' 3" 1	19' 3" 6	19' 3" 12	19' 4" 2
4 IN 12	14' 0" 10	14' 0" 15	14' 1" 3	14' 1" 7	19' 4" 8	19' 4" 13	19' 5" 3	19' 5" 9
4.5 IN 12	14' 2" 14	14' 3" 2	14' 3" 7	14' 3" 11	19' 6" 2	19' 6" 7	19' 6" 13	19' 7" 3
5 IN 12	14' 5" 5	14' 5" 10	14' 5" 14	14' 6" 2	19' 7" 14	19' 8" 4	19' 8" 10	19' 9" 0
5.5 IN 12	14' 8" 0	14' 8" 4	14' 8" 9	14' 8" 13	19' 9" 14	19' 10" 4	19' 10" 10	19' 11" 0
6 IN 12	14' 10" 14	14' 11" 3	14' 11" 7	14' 11" 12	20' 0" 0	20' 0" 6	20' 0" 12	20' 1" 2
6.5 IN 12	15' 1" 15	15' 2" 4	15' 2" 9	15' 2" 13	20' 2" 5	20' 2" 11	20' 3" 1	20' 3" 7
7 IN 12	15' 5" 4	15' 5" 8	15' 5" 13	15' 6" 2	20' 4" 12	20' 5" 2	20' 5" 9	20' 5" 15
8 IN 12	16' 0" 5	16' 0" 10	16' 0" 14	16' 1" 3	20' 10" 2	20' 10" 9	20' 10" 15	20' 11" 5
9 IN 12	16' 8" 0	16' 8" 5	16' 8" 10	16' 8" 15	21' 4" 2	21' 4" 8	21' 4" 15	21' 5" 5
10 IN 12	17' 4" 4	17' 4" 10	17' 4" 15	17' 5" 4	21' 10" 10	21' 11" 1	21' 11" 7	21' 11" 14
11 IN 12	18' 1" 1	18' 1" 6	18' 1" 12	18' 2" 1	22' 5" 10	22' 6" 1	22' 6" 8	22' 6" 15
12 IN 12	18' 10" 4	18' 10" 10	18' 11" 0	18' 11" 5	23' 1" 2	23' 1" 9	23' 2" 0	23' 2" 7
13 IN 12	19' 7" 14	19' 8" 4	19' 8" 10	19' 9" 0	23' 9" 1	23' 9" 8	23' 9" 15	23' 10" 6
14 IN 12	20' 5" 14	20' 6" 4	20' 6" 10	20' 7" 0	24' 5" 5	24' 5" 13	24' 6" 4	24' 6" 11
15 IN 12	21' 4" 2	21' 4" 8	21' 4" 15	21' 5" 5	25' 2" 0	25' 2" 7	25' 2" 15	25' 3" 7
16 IN 12	22' 2" 11	22' 3" 1	22' 3" 8	22' 3" 15	25' 11" 0	25' 11" 8	25' 11" 15	26' 0" 7
17 IN 12	23' 1" 7	23' 1" 14	23' 2" 5	23' 2" 12	26' 8" 4	26' 8" 12	26' 9" 4	26' 9" 12
18 IN 12	24' 0" 7	24' 0" 14	24' 1" 6	24' 1" 13	27' 5" 14	27' 6" 6	27' 6" 14	27' 7" 6
19 IN 12	24' 11" 10	25' 0" 2	25' 0" 9	25' 1" 1	28' 3" 11	28' 4" 3	28' 4" 12	28' 5" 4
20 IN 12	25' 11" 0	25' 11" 8	25' 11" 15	26' 0" 7	29' 1" 12	29' 2" 4	29' 2" 13	29' 3" 6
21 IN 12	26' 10" 8	26' 11" 0	26' 11" 8	27' 0" 0	30' 0" 0	30' 0" 9	30' 1" 2	30' 1" 11
22 IN 12	27' 10" 2	27' 10" 10	27' 11" 3	27' 11" 11	30' 10" 0	30' 11" 1	30' 11" 10	31' 0" 3
23 IN 12	28' 9" 14	28' 10" 7	28' 11" 0	28' 11" 8	31' 9" 2	31' 9" 11	31' 10" 5	31' 10" 14
24 IN 12	29' 9" 12	29' 10" 5	29' 10" 14	29' 11" 7	32' 7" 15	32' 8" 8	32' 9" 2	32' 9" 12
25 IN 12	30' 9" 12	30' 10" 5	30' 10" 14	30' 11" 8	33' 6" 14	33' 7" 8	33' 8" 2	33' 8" 12

13 Foot 5 Inch Run — Common Rafter Lengths   13 Foot 5 Inch Run — Hip Or Valley Rafter Lengths

Run -	13' 5"	13' 5 1/4"	13' 5 1/2"	13' 5 3/4"	13' 5"	13' 5 1/4"	13' 5 1/2"	13' 5 3/4"
Pitch	Ft In 16th"	Ft In 16th"	Ft In 16th"	Ft In 16th"	Ft In 16th"	Ft In 16th"	Ft In 16th"	Ft In 16th"
1 IN 12	13' 5" 9	13' 5" 13	13' 6" 1	13' 6" 5	19' 0" 1	19' 0" 7	19' 0" 13	19' 1" 2
2 IN 12	13' 7" 4	13' 7" 8	13' 7" 12	13' 8" 0	19' 1" 4	19' 1" 10	19' 2" 0	19' 2" 5
2.5 IN 12	13' 8" 7	13' 8" 11	13' 8" 15	13' 9" 4	19' 2" 2	19' 2" 8	19' 2" 14	19' 3" 3
3 IN 12	13' 9" 15	13' 10" 3	13' 10" 8	13' 10" 12	19' 3" 3	19' 3" 9	19' 3" 15	19' 4" 5
3.5 IN 12	13' 11" 11	14' 0" 0	14' 0" 4	14' 0" 8	19' 4" 8	19' 4" 13	19' 5" 3	19' 5" 9
4 IN 12	14' 1" 11	14' 2" 0	14' 2" 4	14' 2" 8	19' 5" 15	19' 6" 5	19' 6" 10	19' 7" 0
4.5 IN 12	14' 3" 15	14' 4" 3	14' 4" 8	14' 4" 12	19' 7" 9	19' 7" 15	19' 8" 5	19' 8" 10
5 IN 12	14' 6" 7	14' 6" 11	14' 6" 15	14' 7" 4	19' 9" 6	19' 9" 12	19' 10" 2	19' 10" 8
5.5 IN 12	14' 9" 2	14' 9" 6	14' 9" 10	14' 9" 15	19' 11" 6	19' 11" 12	20' 0" 1	20' 0" 7
6 IN 12	15' 0" 0	15' 0" 5	15' 0" 9	15' 0" 13	20' 1" 8	20' 1" 14	20' 2" 4	20' 2" 10
6.5 IN 12	15' 3" 2	15' 3" 6	15' 3" 11	15' 3" 15	20' 3" 13	20' 4" 3	20' 4" 9	20' 4" 15
7 IN 12	15' 6" 6	15' 6" 11	15' 7" 0	15' 7" 4	20' 6" 5	20' 6" 11	20' 7" 1	20' 7" 7
8 IN 12	16' 1" 8	16' 1" 13	16' 2" 2	16' 2" 6	20' 11" 12	21' 0" 2	21' 0" 8	21' 0" 14
9 IN 12	16' 9" 4	16' 9" 9	16' 9" 14	16' 10" 3	21' 5" 12	21' 6" 2	21' 6" 8	21' 6" 15
10 IN 12	17' 5" 9	17' 5" 14	17' 6" 4	17' 6" 9	22' 0" 4	22' 0" 11	22' 1" 2	22' 1" 8
11 IN 12	18' 2" 7	18' 2" 12	18' 3" 1	18' 3" 7	22' 7" 5	22' 7" 12	22' 8" 3	22' 8" 10
12 IN 12	18' 11" 11	19' 0" 1	19' 0" 6	19' 0" 12	23' 2" 14	23' 3" 5	23' 3" 12	23' 4" 3
13 IN 12	19' 9" 6	19' 9" 12	19' 10" 2	19' 10" 8	23' 10" 13	23' 11" 4	23' 11" 11	24' 0" 2
14 IN 12	20' 7" 6	20' 7" 12	20' 8" 3	20' 8" 9	24' 7" 3	24' 7" 10	24' 8" 1	24' 8" 9
15 IN 12	21' 5" 12	21' 6" 2	21' 6" 8	21' 6" 15	25' 3" 14	25' 4" 6	25' 4" 13	25' 5" 5
16 IN 12	22' 4" 5	22' 4" 12	22' 5" 3	22' 5" 9	26' 0" 15	26' 1" 7	26' 1" 14	26' 2" 6
17 IN 12	23' 3" 3	23' 3" 10	23' 4" 1	23' 4" 8	26' 10" 4	26' 10" 12	26' 11" 4	26' 11" 12
18 IN 12	24' 2" 4	24' 2" 11	24' 3" 2	24' 3" 10	27' 7" 15	27' 8" 7	27' 8" 15	27' 9" 7
19 IN 12	25' 1" 8	25' 2" 0	25' 2" 7	25' 2" 15	28' 5" 13	28' 6" 5	28' 6" 14	28' 7" 6
20 IN 12	26' 0" 15	26' 1" 7	26' 1" 14	26' 2" 6	29' 3" 15	29' 4" 7	29' 5" 0	29' 5" 9
21 IN 12	27' 0" 8	27' 1" 0	27' 1" 8	27' 2" 0	30' 2" 4	30' 2" 12	30' 3" 6	30' 3" 15
22 IN 12	28' 0" 4	28' 0" 12	28' 1" 4	28' 1" 13	31' 0" 12	31' 1" 6	31' 1" 15	31' 2" 8
23 IN 12	29' 0" 1	29' 0" 10	29' 1" 2	29' 1" 11	31' 11" 8	32' 0" 1	32' 0" 11	32' 1" 4
24 IN 12	30' 0" 0	30' 0" 9	30' 1" 2	30' 1" 11	32' 10" 6	32' 11" 0	32' 11" 9	33' 0" 3
25 IN 12	31' 0" 1	31' 0" 10	31' 1" 3	31' 1" 13	33' 9" 6	33' 10" 0	33' 10" 10	33' 11" 5

13 Foot 6 Inch Run — Common Rafter Lengths   13 Foot 6 Inch Run — Hip Or Valley Rafter Lengths

Run -	13' 6"	13' 6 1/4"	13' 6 1/2"	13' 6 3/4"	13' 6"	13' 6 1/4"	13' 6 1/2"	13' 6 3/4"
Pitch	Ft In 16th"	Ft In 16th"	Ft In 16th"	Ft In 16th"	Ft In 16th"	Ft In 16th"	Ft In 16th"	Ft In 16th"
1 IN 12	13' 6" 9	13' 6" 13	13' 7" 1	13' 7" 5	19' 1" 8	19' 1" 14	19' 2" 3	19' 2" 9
2 IN 12	13' 8" 4	13' 8" 8	13' 8" 12	13' 9" 0	19' 2" 11	19' 3" 1	19' 3" 6	19' 3" 12
2.5 IN 12	13' 9" 8	13' 9" 12	13' 10" 0	13' 10" 4	19' 3" 9	19' 3" 15	19' 4" 5	19' 4" 10
3 IN 12	13' 11" 0	13' 11" 4	13' 11" 8	13' 11" 12	19' 4" 10	19' 5" 0	19' 5" 6	19' 5" 12
3.5 IN 12	14' 0" 12	14' 1" 0	14' 1" 4	14' 1" 9	19' 5" 15	19' 6" 5	19' 6" 10	19' 7" 0
4 IN 12	14' 2" 12	14' 3" 0	14' 3" 5	14' 3" 9	19' 7" 6	19' 7" 12	19' 8" 2	19' 8" 8
4.5 IN 12	14' 5" 0	14' 5" 5	14' 5" 9	14' 5" 13	19' 9" 0	19' 9" 6	19' 9" 12	19' 10" 2
5 IN 12	14' 7" 8	14' 7" 12	14' 8" 1	14' 8" 5	19' 10" 13	19' 11" 3	19' 11" 9	19' 11" 15
5.5 IN 12	14' 10" 3	14' 10" 8	14' 10" 12	14' 11" 0	20' 0" 13	20' 1" 3	20' 1" 9	20' 1" 15
6 IN 12	15' 1" 2	15' 1" 6	15' 1" 11	15' 1" 15	20' 3" 0	20' 3" 6	20' 3" 12	20' 4" 2
6.5 IN 12	15' 4" 4	15' 4" 8	15' 4" 13	15' 5" 1	20' 5" 5	20' 5" 11	20' 6" 1	20' 6" 7
7 IN 12	15' 7" 9	15' 7" 13	15' 8" 2	15' 8" 7	20' 7" 13	20' 8" 3	20' 8" 9	20' 9" 0
8 IN 12	16' 2" 11	16' 3" 0	16' 3" 5	16' 3" 10	21' 1" 5	21' 1" 11	21' 2" 1	21' 2" 7
9 IN 12	16' 10" 8	16' 10" 13	16' 11" 2	16' 11" 7	21' 7" 5	21' 7" 12	21' 8" 2	21' 8" 8
10 IN 12	17' 6" 14	17' 7" 3	17' 7" 8	17' 7" 14	22' 1" 15	22' 2" 5	22' 2" 12	22' 3" 2
11 IN 12	18' 3" 12	18' 4" 2	18' 4" 7	18' 4" 13	22' 9" 0	22' 9" 7	22' 9" 14	22' 10" 5
12 IN 12	19' 1" 2	19' 1" 7	19' 1" 13	19' 2" 3	23' 4" 9	23' 5" 0	23' 5" 7	23' 5" 14
13 IN 12	19' 10" 13	19' 11" 3	19' 11" 9	19' 11" 15	24' 0" 10	24' 1" 1	24' 1" 8	24' 1" 15
14 IN 12	20' 8" 15	20' 9" 5	20' 9" 11	20' 10" 1	24' 9" 0	24' 9" 7	24' 9" 15	24' 10" 6
15 IN 12	21' 7" 5	21' 7" 12	21' 8" 2	21' 8" 8	25' 5" 12	25' 6" 4	25' 6" 11	25' 7" 3
16 IN 12	22' 6" 0	22' 6" 7	22' 6" 13	22' 7" 4	26' 2" 14	26' 3" 6	26' 3" 13	26' 4" 5
17 IN 12	23' 4" 15	23' 5" 6	23' 5" 13	23' 6" 3	27' 0" 4	27' 0" 13	27' 1" 5	27' 1" 13
18 IN 12	24' 4" 1	24' 4" 8	24' 4" 15	24' 5" 6	27' 10" 0	27' 10" 8	27' 11" 0	27' 11" 8
19 IN 12	25' 3" 6	25' 3" 13	25' 4" 5	25' 4" 12	28' 7" 15	28' 8" 7	28' 9" 0	28' 9" 8
20 IN 12	26' 2" 14	26' 3" 6	26' 3" 13	26' 4" 5	29' 6" 2	29' 6" 10	29' 7" 3	29' 7" 12
21 IN 12	27' 2" 8	27' 3" 0	27' 3" 8	27' 4" 1	30' 4" 8	30' 5" 1	30' 5" 10	30' 6" 3
22 IN 12	28' 2" 5	28' 2" 13	28' 3" 6	28' 3" 14	31' 3" 2	31' 3" 11	31' 4" 4	31' 4" 13
23 IN 12	29' 2" 4	29' 2" 12	29' 3" 5	29' 3" 13	32' 1" 14	32' 2" 8	32' 3" 1	32' 3" 11
24 IN 12	30' 2" 4	30' 2" 13	30' 3" 6	30' 3" 15	33' 0" 13	33' 1" 7	33' 2" 1	33' 2" 10
25 IN 12	31' 2" 6	31' 2" 15	31' 3" 8	31' 4" 2	33' 11" 15	34' 0" 9	34' 1" 3	34' 1" 13

13 Foot 7 Inch Run — Common Rafter Lengths　　13 Foot 7 Inch Run — Hip Or Valley Rafter Lengths

Run -	13' 7"	13' 7 1/4"	13' 7 1/2"	13' 7 3/4"	13' 7"	13' 7 1/4"	13' 7 1/2"	13' 7 3/4"
Pitch	Ft In 16th"	Ft In 16th"	Ft In 16th"	Ft In 16th"	Ft In 16th"	Ft In 16th"	Ft In 16th"	Ft In 16th"
1 IN 12	13' 7" 9	13' 7" 13	13' 8" 1	13' 8" 5	19' 2" 15	19' 3" 4	19' 3" 10	19' 4" 0
2 IN 12	13' 9" 4	13' 9" 8	13' 9" 12	13' 10" 0	19' 4" 2	19' 4" 7	19' 4" 13	19' 5" 3
2.5 IN 12	13' 10" 8	13' 10" 12	13' 11" 0	13' 11" 4	19' 5" 0	19' 5" 6	19' 5" 12	19' 6" 1
3 IN 12	14' 0" 0	14' 0" 4	14' 0" 9	14' 0" 13	19' 6" 1	19' 6" 7	19' 6" 13	19' 7" 3
3.5 IN 12	14' 1" 13	14' 2" 1	14' 2" 5	14' 2" 9	19' 7" 6	19' 7" 12	19' 8" 1	19' 8" 7
4 IN 12	14' 3" 13	14' 4" 1	14' 4" 6	14' 4" 10	19' 8" 13	19' 9" 3	19' 9" 9	19' 9" 15
4.5 IN 12	14' 6" 1	14' 6" 6	14' 6" 10	14' 6" 14	19' 10" 8	19' 10" 14	19' 11" 3	19' 11" 9
5 IN 12	14' 8" 9	14' 8" 14	14' 9" 2	14' 9" 6	20' 0" 5	20' 0" 11	20' 1" 1	20' 1" 7
5.5 IN 12	14' 11" 5	14' 11" 9	14' 11" 14	15' 0" 2	20' 2" 5	20' 2" 11	20' 3" 1	20' 3" 7
6 IN 12	15' 2" 4	15' 2" 8	15' 2" 13	15' 3" 1	20' 4" 8	20' 4" 14	20' 5" 4	20' 5" 10
6.5 IN 12	15' 5" 6	15' 5" 11	15' 5" 15	15' 6" 4	20' 6" 14	20' 7" 4	20' 7" 10	20' 8" 0
7 IN 12	15' 8" 11	15' 9" 0	15' 9" 5	15' 9" 9	20' 9" 6	20' 9" 12	20' 10" 2	20' 10" 8
8 IN 12	16' 3" 14	16' 4" 3	16' 4" 8	16' 4" 13	21' 2" 14	21' 3" 4	21' 3" 10	21' 4" 0
9 IN 12	16' 11" 12	17' 0" 1	17' 0" 6	17' 0" 11	21' 8" 15	21' 9" 5	21' 9" 12	21' 10" 2
10 IN 12	17' 8" 3	17' 8" 8	17' 8" 13	17' 9" 2	22' 3" 9	22' 4" 0	22' 4" 6	22' 4" 13
11 IN 12	18' 5" 2	18' 5" 7	18' 5" 13	18' 6" 2	22' 10" 11	22' 11" 2	22' 11" 9	23' 0" 0
12 IN 12	19' 2" 8	19' 2" 14	19' 3" 4	19' 3" 9	23' 6" 5	23' 6" 12	23' 7" 3	23' 7" 10
13 IN 12	20' 0" 5	20' 0" 11	20' 1" 1	20' 1" 7	24' 2" 6	24' 2" 13	24' 3" 4	24' 3" 11
14 IN 12	20' 10" 7	20' 10" 14	20' 11" 4	20' 11" 10	24' 10" 13	24' 11" 5	24' 11" 12	25' 0" 3
15 IN 12	21' 8" 15	21' 9" 5	21' 9" 12	21' 10" 2	25' 7" 10	25' 8" 2	25' 8" 10	25' 9" 1
16 IN 12	22' 7" 11	22' 8" 1	22' 8" 8	22' 8" 15	26' 4" 13	26' 5" 5	26' 5" 13	26' 6" 4
17 IN 12	23' 6" 10	23' 7" 1	23' 7" 8	23' 7" 15	27' 2" 5	27' 2" 13	27' 3" 5	27' 3" 13
18 IN 12	24' 5" 14	24' 6" 5	24' 6" 12	24' 7" 3	28' 0" 1	28' 0" 9	28' 1" 1	28' 1" 9
19 IN 12	25' 5" 4	25' 5" 11	25' 6" 3	25' 6" 10	28' 10" 1	28' 10" 9	28' 11" 2	28' 11" 10
20 IN 12	26' 4" 13	26' 5" 5	26' 5" 13	26' 6" 4	29' 8" 5	29' 8" 13	29' 9" 6	29' 9" 15
21 IN 12	27' 4" 9	27' 5" 1	27' 5" 9	27' 6" 1	30' 6" 12	30' 7" 5	30' 7" 14	30' 8" 7
22 IN 12	28' 4" 6	28' 4" 15	28' 5" 7	28' 5" 15	31' 5" 7	31' 6" 0	31' 6" 9	31' 7" 2
23 IN 12	29' 4" 10	29' 4" 15	29' 5" 7	29' 6" 0	32' 4" 4	32' 4" 14	32' 5" 7	32' 6" 1
24 IN 12	30' 4" 8	30' 5" 1	30' 5" 10	30' 6" 2	33' 3" 4	33' 3" 14	33' 4" 8	33' 5" 2
25 IN 12	31' 4" 11	31' 5" 4	31' 5" 13	31' 6" 7	34' 2" 7	34' 3" 1	34' 3" 11	34' 4" 5

13 Foot 8 Inch Run — Common Rafter Lengths   13 Foot 8 Inch Run — Hip Or Valley Rafter Lengths

Run -	13' 8"	13' 8 1/4"	13' 8 1/2"	13' 8 3/4"	13' 8"	13' 8 1/4"	13' 8 1/2"	13' 8 3/4"
Pitch	Ft In 16th"	Ft In 16th"	Ft In 16th"	Ft In 16th"	Ft In 16th"	Ft In 16th"	Ft In 16th"	Ft In 16th"
1 IN 12	13' 8" 9	13' 8" 13	13' 9" 1	13' 9" 5	19' 4" 5	19' 4" 11	19' 5" 1	19' 5" 6
2 IN 12	13' 10" 4	13' 10" 8	13' 10" 12	13' 11" 0	19' 5" 9	19' 5" 14	19' 6" 4	19' 6" 10
2.5 IN 12	13' 11" 8	13' 11" 12	14' 0" 1	14' 0" 5	19' 6" 7	19' 6" 13	19' 7" 2	19' 7" 8
3 IN 12	14' 1" 1	14' 1" 5	14' 1" 9	14' 1" 13	19' 7" 8	19' 7" 14	19' 8" 4	19' 8" 10
3.5 IN 12	14' 2" 13	14' 3" 2	14' 3" 6	14' 3" 10	19' 8" 13	19' 9" 3	19' 9" 9	19' 9" 14
4 IN 12	14' 4" 14	14' 5" 2	14' 5" 6	14' 5" 11	19' 10" 5	19' 10" 10	19' 11" 0	19' 11" 6
4.5 IN 12	14' 7" 2	14' 7" 7	14' 7" 11	14' 7" 15	19' 11" 15	20' 0" 5	20' 0" 11	20' 1" 1
5 IN 12	14' 9" 11	14' 9" 15	14' 10" 3	14' 10" 8	20' 1" 13	20' 2" 3	20' 2" 8	20' 2" 14
5.5 IN 12	15' 0" 6	15' 0" 11	15' 0" 15	15' 1" 4	20' 3" 13	20' 4" 3	20' 4" 9	20' 4" 15
6 IN 12	15' 3" 6	15' 3" 10	15' 3" 15	15' 4" 3	20' 6" 0	20' 6" 6	20' 6" 12	20' 7" 2
6.5 IN 12	15' 6" 8	15' 6" 13	15' 7" 1	15' 7" 6	20' 8" 6	20' 8" 12	20' 9" 2	20' 9" 8
7 IN 12	15' 9" 14	15' 10" 2	15' 10" 7	15' 10" 12	20' 10" 14	20' 11" 4	20' 11" 10	21' 0" 1
8 IN 12	16' 5" 2	16' 5" 7	16' 5" 11	16' 6" 0	21' 4" 7	21' 4" 13	21' 5" 3	21' 5" 9
9 IN 12	17' 1" 0	17' 1" 5	17' 1" 10	17' 1" 15	21' 10" 8	21' 10" 15	21' 11" 5	21' 11" 12
10 IN 12	17' 9" 8	17' 9" 13	17' 10" 2	17' 10" 7	22' 5" 3	22' 5" 10	22' 6" 0	22' 6" 7
11 IN 12	18' 6" 8	18' 6" 13	18' 7" 2	18' 7" 8	23' 0" 6	23' 0" 13	23' 1" 4	23' 1" 10
12 IN 12	19' 3" 15	19' 4" 5	19' 4" 10	19' 5" 0	23' 8" 1	23' 8" 8	23' 8" 15	23' 9" 6
13 IN 12	20' 1" 13	20' 2" 3	20' 2" 8	20' 2" 14	24' 4" 3	24' 4" 10	24' 5" 1	24' 5" 8
14 IN 12	21' 0" 0	21' 0" 6	21' 0" 12	21' 1" 2	25' 0" 11	25' 1" 2	25' 1" 9	25' 2" 1
15 IN 12	21' 10" 8	21' 10" 15	21' 11" 5	21' 11" 12	25' 9" 9	25' 10" 0	25' 10" 8	25' 10" 15
16 IN 12	22' 9" 5	22' 9" 12	22' 10" 3	22' 10" 10	26' 6" 12	26' 7" 4	26' 7" 12	26' 8" 3
17 IN 12	23' 8" 6	23' 8" 13	23' 9" 4	23' 9" 11	27' 4" 5	27' 4" 13	27' 5" 5	27' 5" 13
18 IN 12	24' 7" 10	24' 8" 2	24' 8" 9	24' 9" 0	28' 2" 2	28' 2" 10	28' 3" 2	28' 3" 10
19 IN 12	25' 7" 2	25' 7" 9	25' 8" 1	25' 8" 8	29' 0" 3	29' 0" 11	29' 1" 4	29' 1" 12
20 IN 12	26' 6" 12	26' 7" 4	26' 7" 12	26' 8" 3	29' 10" 8	29' 11" 0	29' 11" 9	30' 0" 2
21 IN 12	27' 6" 9	27' 7" 1	27' 7" 9	27' 8" 1	30' 9" 0	30' 9" 9	30' 10" 2	30' 10" 11
22 IN 12	28' 6" 8	28' 7" 0	28' 7" 8	28' 8" 1	31' 7" 12	31' 8" 5	31' 8" 14	31' 9" 7
23 IN 12	29' 6" 9	29' 7" 1	29' 7" 10	29' 8" 3	32' 6" 10	32' 7" 4	32' 7" 13	32' 8" 7
24 IN 12	30' 6" 11	30' 7" 4	30' 7" 13	30' 8" 6	33' 5" 11	33' 6" 5	33' 6" 15	33' 7" 9
25 IN 12	31' 7" 0	31' 7" 9	31' 8" 2	31' 8" 12	34' 4" 15	34' 5" 9	34' 6" 3	34' 6" 13

13 Foot 9 Inch Run — Common Rafter Lengths   13 Foot 9 Inch Run — Hip Or Valley Rafter Lengths

Run -	13' 9"	13' 9 1/4"	13' 9 1/2"	13' 9 3/4"	13' 9"	13' 9 1/4"	13' 9 1/2"	13' 9 3/4"
Pitch	Ft In 16th"	Ft In 16th"	Ft In 16th"	Ft In 16th"	Ft In 16th"	Ft In 16th"	Ft In 16th"	Ft In 16th"
1 IN 12	13' 9" 9	13' 9" 13	13' 10" 1	13' 10" 5	19' 5" 12	19' 6" 2	19' 6" 7	19' 6" 13
2 IN 12	13' 11" 4	13' 11" 8	13' 11" 13	14' 0" 1	19' 6" 15	19' 7" 5	19' 7" 11	19' 8" 0
2.5 IN 12	14' 0" 9	14' 0" 13	14' 1" 1	14' 1" 5	19' 7" 14	19' 8" 4	19' 8" 9	19' 8" 15
3 IN 12	14' 2" 1	14' 2" 5	14' 2" 9	14' 2" 14	19' 8" 15	19' 9" 5	19' 9" 11	19' 10" 1
3.5 IN 12	14' 3" 14	14' 4" 2	14' 4" 6	14' 4" 11	19' 10" 4	19' 10" 10	19' 11" 0	19' 11" 5
4 IN 12	14' 5" 15	14' 6" 3	14' 6" 7	14' 6" 11	19' 11" 12	20' 0" 2	20' 0" 7	20' 0" 13
4.5 IN 12	14' 8" 5	14' 8" 8	14' 8" 12	14' 9" 0	20' 1" 7	20' 1" 12	20' 2" 2	20' 2" 8
5 IN 12	14' 10" 12	14' 11" 0	14' 11" 5	14' 11" 9	20' 3" 4	20' 3" 10	20' 4" 0	20' 4" 6
5.5 IN 12	15' 1" 8	15' 1" 12	15' 2" 1	15' 2" 5	20' 5" 5	20' 5" 11	20' 6" 1	20' 6" 7
6 IN 12	15' 4" 8	15' 4" 12	15' 5" 1	15' 5" 5	20' 7" 8	20' 7" 14	20' 8" 4	20' 8" 10
6.5 IN 12	15' 7" 10	15' 7" 15	15' 8" 4	15' 8" 8	20' 9" 14	20' 10" 4	20' 10" 10	20' 11" 0
7 IN 12	15' 11" 0	15' 11" 5	15' 11" 10	15' 11" 14	21' 0" 7	21' 0" 13	21' 1" 3	21' 1" 9
8 IN 12	16' 6" 5	16' 6" 10	16' 6" 15	16' 7" 3	21' 6" 0	21' 6" 6	21' 6" 12	22' 1" 5
9 IN 12	17' 2" 4	17' 2" 9	17' 2" 14	17' 3" 3	22' 0" 2	22' 0" 8	22' 0" 15	22' 1" 5
10 IN 12	17' 10" 13	17' 11" 2	17' 11" 7	17' 11" 12	22' 6" 13	22' 7" 4	22' 7" 11	22' 8" 1
11 IN 12	18' 7" 13	18' 8" 3	18' 8" 8	18' 8" 14	23' 2" 1	23' 2" 8	23' 2" 15	23' 3" 5
12 IN 12	19' 5" 6	19' 5" 11	19' 6" 1	19' 6" 6	23' 9" 13	23' 10" 4	23' 10" 10	23' 11" 1
13 IN 12	20' 3" 4	20' 3" 10	20' 4" 0	20' 4" 6	24' 5" 15	24' 6" 6	24' 6" 13	24' 7" 4
14 IN 12	21' 1" 9	21' 1" 15	21' 2" 2	21' 2" 11	25' 2" 8	25' 2" 15	25' 3" 7	25' 3" 14
15 IN 12	22' 0" 2	22' 0" 8	22' 0" 15	22' 1" 5	25' 11" 7	25' 11" 14	26' 0" 6	26' 0" 14
16 IN 12	22' 11" 0	22' 11" 7	22' 11" 13	23' 0" 4	26' 8" 11	26' 9" 3	26' 9" 11	26' 10" 3
17 IN 12	23' 10" 2	23' 10" 9	23' 11" 0	23' 11" 7	27' 6" 5	27' 6" 13	27' 7" 5	27' 7" 13
18 IN 12	24' 9" 7	24' 9" 15	24' 10" 6	24' 10" 13	28' 4" 2	28' 4" 11	28' 5" 3	28' 5" 11
19 IN 12	25' 9" 0	25' 9" 7	25' 9" 15	25' 10" 6	29' 2" 5	29' 2" 13	29' 3" 6	29' 3" 14
20 IN 12	26' 8" 11	26' 9" 3	26' 9" 11	26' 10" 3	30' 0" 11	30' 1" 3	30' 1" 12	30' 2" 5
21 IN 12	27' 8" 9	27' 9" 1	27' 9" 9	27' 10" 1	30' 11" 4	30' 11" 13	31' 0" 6	31' 0" 15
22 IN 12	28' 8" 5	28' 9" 2	28' 9" 10	28' 10" 2	31' 10" 1	31' 10" 10	31' 11" 3	31' 11" 12
23 IN 12	29' 8" 11	29' 9" 4	29' 9" 13	29' 10" 5	32' 9" 0	32' 9" 10	32' 10" 3	32' 10" 13
24 IN 12	30' 8" 15	30' 9" 8	30' 10" 1	30' 10" 10	33' 8" 3	33' 8" 12	33' 9" 6	33' 10" 0
25 IN 12	31' 9" 5	31' 9" 14	31' 10" 7	31' 11" 1	34' 7" 7	34' 8" 2	34' 8" 12	34' 9" 6

13 Foot 10 Inch Run — Common Rafter Lengths   13 Foot 10 Inch Run — Hip Or Valley Rafter Lengths

Run -	13'10"	13'10 1/4"	13'10 1/2"	13'10 3/4"		13'10"	13'10 1/4"	13'10 1/2"	13'10 3/4"
Pitch	Ft In 16th"	Ft In 16th"	Ft In 16th"	Ft In 16th"		Ft In 16th"	Ft In 16th"	Ft In 16th"	Ft In 16th"
1 IN 12	13' 10" 9	13' 10" 13	13' 11" 1	13' 11" 5		19' 7" 3	19' 7" 8	19' 7" 14	19' 8" 4
2 IN 12	14' 0" 5	14' 0" 9	14' 0" 13	14' 1" 1		19' 8" 6	19' 8" 12	19' 9" 2	19' 9" 7
2.5 IN 12	14' 1" 9	14' 1" 13	14' 2" 1	14' 2" 5		19' 9" 5	19' 9" 10	19' 10" 0	19' 10" 6
3 IN 12	14' 3" 2	14' 3" 6	14' 3" 10	14' 3" 14		19' 10" 6	19' 10" 12	19' 11" 2	19' 11" 8
3.5 IN 12	14' 4" 15	14' 5" 3	14' 5" 7	14' 5" 11		19' 11" 11	20' 0" 1	20' 0" 7	20' 0" 13
4 IN 12	14' 7" 0	14' 7" 4	14' 7" 8	14' 7" 12		20' 1" 3	20' 1" 9	20' 1" 15	20' 2" 5
4.5 IN 12	14' 9" 5	14' 9" 9	14' 9" 13	14' 10" 1		20' 2" 14	20' 3" 4	20' 3" 10	20' 4" 0
5 IN 12	14' 11" 13	15' 0" 2	15' 0" 6	15' 0" 10		20' 4" 12	20' 5" 2	20' 5" 8	20' 5" 13
5.5 IN 12	15' 2" 10	15' 2" 14	15' 3" 2	15' 3" 7		20' 6" 12	20' 7" 2	20' 7" 8	20' 7" 14
6 IN 12	15' 5" 9	15' 5" 14	15' 6" 2	15' 6" 7		20' 9" 0	20' 9" 6	20' 9" 12	20' 10" 2
6.5 IN 12	15' 8" 13	15' 9" 1	15' 9" 6	15' 9" 10		20' 11" 6	20' 11" 12	21' 0" 2	21' 0" 8
7 IN 12	16' 0" 3	16' 0" 7	16' 0" 12	16' 1" 1		21' 1" 15	21' 2" 5	21' 2" 11	21' 3" 1
8 IN 12	16' 7" 8	16' 7" 13	16' 8" 2	16' 8" 7		21' 7" 9	21' 7" 15	21' 8" 5	21' 8" 11
9 IN 12	17' 3" 8	17' 3" 13	17' 4" 2	17' 4" 7		22' 1" 12	22' 2" 2	22' 2" 8	22' 2" 15
10 IN 12	18' 0" 1	18' 0" 7	18' 0" 12	18' 1" 1		22' 8" 2	22' 8" 14	22' 9" 5	22' 9" 11
11 IN 12	18' 9" 3	18' 9" 8	18' 9" 14	18' 10" 3		23' 3" 12	23' 4" 3	23' 4" 10	23' 5" 0
12 IN 12	19' 6" 12	19' 7" 2	19' 7" 7	19' 7" 13		23' 11" 8	23' 11" 15	24' 0" 6	24' 0" 13
13 IN 12	20' 4" 12	20' 5" 2	20' 5" 8	20' 5" 13		24' 7" 12	24' 8" 3	24' 8" 10	24' 9" 1
14 IN 12	21' 3" 1	21' 3" 7	21' 3" 13	21' 4" 4		25' 4" 5	25' 4" 13	25' 5" 4	25' 5" 11
15 IN 12	22' 1" 12	22' 2" 2	22' 2" 8	22' 2" 15		26' 1" 5	26' 1" 13	26' 2" 4	26' 2" 12
16 IN 12	23' 0" 11	23' 1" 1	23' 1" 8	23' 1" 15		26' 10" 10	26' 11" 2	26' 11" 10	27' 0" 2
17 IN 12	23' 11" 14	24' 0" 5	24' 0" 12	24' 1" 2		27' 8" 5	27' 8" 13	27' 9" 5	27' 9" 13
18 IN 12	24' 11" 4	24' 11" 11	25' 0" 3	25' 0" 10		28' 6" 3	28' 6" 12	28' 7" 4	28' 7" 12
19 IN 12	25' 10" 14	25' 11" 5	25' 11" 13	26' 0" 4		29' 4" 7	29' 4" 15	29' 5" 8	29' 6" 0
20 IN 12	26' 10" 10	26' 11" 2	26' 11" 10	27' 0" 2		30' 2" 14	30' 3" 6	30' 3" 15	30' 4" 8
21 IN 12	27' 10" 9	27' 11" 1	27' 11" 9	28' 0" 2		31' 1" 8	31' 2" 1	31' 2" 10	31' 3" 3
22 IN 12	28' 10" 11	28' 11" 3	28' 11" 11	29' 0" 4		32' 0" 6	32' 0" 15	32' 1" 8	32' 2" 2
23 IN 12	29' 10" 14	29' 11" 7	29' 11" 15	30' 0" 8		32' 11" 6	33' 0" 0	33' 0" 9	33' 1" 3
24 IN 12	30' 11" 3	30' 11" 12	31' 0" 5	31' 0" 14		33' 10" 10	33' 11" 4	33' 11" 13	34' 0" 7
25 IN 12	31' 11" 10	32' 0" 3	32' 0" 12	32' 1" 5		34' 10" 0	34' 10" 8	34' 11" 4	34' 11" 14

13 Foot 11 Inch Run — Common Rafter Lengths   13 Foot 11 Inch Run — Hip Or Valley Rafter Lengths

Run -	13'11"			13'11 1/4"			13'11 1/2"			13'11 3/4"			13'11"			13'11 1/4"			13'11 1/2"			13'11 3/4"		
Pitch	Ft	In	16th"	Ft	In	16th"	Ft	In	16th"	Ft	In	16th"	Ft	In	16th"	Ft	In	16th"	Ft	In	16th"	Ft	In	16th"
1 IN 12	13'	11"	9	13'	11"	13	14'	0"	1	14'	0"	5	19'	8"	9	19'	8"	15	19'	9"	5	19'	9"	10
2 IN 12	14'	1"	5	14'	1"	9	14'	1"	13	14'	2"	1	19'	9"	13	19'	10"	3	19'	10"	8	19'	10"	14
2.5 IN 12	14'	2"	9	14'	2"	13	14'	3"	2	14'	3"	6	19'	10"	12	19'	11"	1	19'	11"	7	19'	11"	13
3 IN 12	14'	4"	2	14'	4"	6	14'	4"	10	14'	4"	15	19'	11"	13	20'	0"	3	20'	0"	9	20'	0"	15
3.5 IN 12	14'	5"	15	14'	6"	4	14'	6"	8	14'	6"	12	20'	1"	2	20'	1"	8	20'	1"	14	20'	2"	4
4 IN 12	14'	8"	1	14'	8"	5	14'	8"	9	14'	8"	13	20'	2"	10	20'	3"	0	20'	3"	6	20'	3"	12
4.5 IN 12	14'	10"	6	14'	10"	10	14'	10"	14	14'	11"	3	20'	4"	5	20'	4"	11	20'	5"	1	20'	5"	7
5 IN 12	15'	0"	15	15'	1"	3	15'	1"	7	15'	1"	12	20'	6"	3	20'	6"	9	20'	6"	15	20'	7"	5
5.5 IN 12	15'	3"	11	15'	4"	0	15'	4"	4	15'	4"	8	20'	8"	4	20'	8"	10	20'	9"	0	20'	9"	6
6 IN 12	15'	6"	11	15'	7"	0	15'	7"	4	15'	7"	9	20'	10"	8	20'	10"	14	20'	11"	4	20'	11"	10
6.5 IN 12	15'	9"	15	15'	10"	3	15'	10"	8	15'	10"	12	21'	0"	14	21'	1"	5	21'	1"	11	21'	2"	1
7 IN 12	16'	1"	5	16'	1"	10	16'	1"	15	16'	2"	3	21'	3"	8	21'	3"	14	21'	4"	4	21'	4"	10
8 IN 12	16'	8"	11	16'	9"	0	16'	9"	5	16'	9"	10	21'	9"	2	21'	9"	8	21'	9"	14	21'	10"	4
9 IN 12	17'	4"	12	17'	5"	1	17'	5"	6	17'	5"	11	22'	3"	5	22'	3"	12	22'	4"	2	22'	4"	8
10 IN 12	18'	1"	6	18'	1"	11	18'	2"	1	18'	2"	6	22'	10"	2	22'	10"	9	22'	10"	15	22'	11"	6
11 IN 12	18'	10"	9	18'	10"	14	18'	11"	4	18'	11"	9	23'	5"	7	23'	5"	14	23'	6"	5	23'	6"	11
12 IN 12	19'	8"	3	19'	8"	8	19'	8"	14	19'	9"	4	24'	1"	4	24'	1"	11	24'	2"	2	24'	2"	9
13 IN 12	20'	6"	3	20'	6"	9	20'	6"	15	20'	7"	5	24'	9"	8	24'	9"	15	24'	10"	6	24'	10"	13
14 IN 12	21'	4"	10	21'	5"	0	21'	5"	6	21'	5"	12	25'	6"	3	25'	6"	10	25'	7"	1	25'	7"	9
15 IN 12	22'	3"	5	22'	3"	12	22'	4"	2	22'	4"	8	26'	3"	3	26'	3"	11	26'	4"	2	26'	4"	10
16 IN 12	23'	2"	5	23'	2"	12	23'	3"	3	23'	3"	9	27'	0"	9	27'	1"	1	27'	1"	9	27'	2"	1
17 IN 12	24'	1"	9	24'	2"	0	24'	2"	7	24'	2"	14	27'	10"	5	27'	10"	13	27'	11"	5	27'	11"	13
18 IN 12	25'	1"	1	25'	1"	8	25'	1"	15	25'	2"	7	28'	8"	4	28'	8"	13	28'	9"	5	28'	9"	13
19 IN 12	26'	0"	12	26'	1"	3	26'	1"	11	26'	2"	2	29'	6"	9	29'	7"	1	29'	7"	10	29'	8"	2
20 IN 12	27'	0"	9	27'	1"	1	27'	1"	9	27'	2"	1	30'	5"	0	30'	5"	9	30'	6"	2	30'	6"	11
21 IN 12	28'	0"	10	28'	1"	2	28'	1"	10	28'	2"	2	31'	3"	12	31'	4"	5	31'	4"	14	31'	5"	7
22 IN 12	29'	0"	12	29'	1"	4	29'	1"	13	29'	2"	5	32'	2"	11	32'	3"	4	32'	3"	13	32'	4"	7
23 IN 12	30'	1"	0	30'	1"	9	30'	2"	2	30'	2"	10	33'	1"	13	33'	2"	6	33'	3"	0	33'	3"	9
24 IN 12	31'	1"	7	31'	2"	0	31'	2"	9	31'	3"	2	34'	1"	1	34'	1"	11	34'	2"	5	34'	2"	14
25 IN 12	32'	1"	15	32'	2"	8	32'	3"	1	32'	3"	10	35'	0"	8	35'	1"	2	35'	1"	12	35'	2"	6

14 Foot 0 Inch Run — Common Rafter Lengths   14 Foot 0 Inch Run — Hip Or Valley Rafter Lengths

Run -	14' 0"			14' 0 1/4"			14' 0 1/2"			14' 0 3/4"			14' 0"			14' 0 1/4"			14' 0 1/2"			14' 0 3/4"		
Pitch	Ft	In	16th"	Ft	In	16th"	Ft	In	16th"	Ft	In	16th"	Ft	In	16th"	Ft	In	16th"	Ft	In	16th"	Ft	In	16th"
1 IN 12	14'	0"	9	14'	0"	13	14'	1"	1	14'	1"	5	19'	10"	0	19'	10"	6	19'	10"	11	19'	11"	1
2 IN 12	14'	2"	5	14'	2"	9	14'	2"	13	14'	3"	1	19'	11"	4	19'	11"	9	19'	11"	15	20'	0"	5
2.5 IN 12	14'	3"	10	14'	3"	14	14'	4"	2	14'	4"	6	20'	0"	2	20'	0"	8	20'	0"	14	20'	1"	4
3 IN 12	14'	5"	3	14'	5"	7	14'	5"	11	14'	5"	15	20'	1"	4	20'	1"	10	20'	2"	0	20'	2"	6
3.5 IN 12	14'	7"	0	14'	7"	4	14'	7"	8	14'	7"	13	20'	2"	9	20'	2"	15	20'	3"	5	20'	3"	11
4 IN 12	14'	9"	1	14'	9"	6	14'	9"	10	14'	9"	14	20'	4"	2	20'	4"	7	20'	4"	13	20'	5"	3
4.5 IN 12	14'	11"	7	14'	11"	11	14'	11"	15	15'	0"	4	20'	5"	13	20'	6"	3	20'	6"	8	20'	6"	14
5 IN 12	15'	2"	0	15'	2"	4	15'	2"	9	15'	2"	13	20'	7"	11	20'	8"	1	20'	8"	7	20'	8"	13
5.5 IN 12	15'	4"	13	15'	5"	1	15'	5"	6	15'	5"	10	20'	9"	12	20'	10"	2	20'	10"	8	20'	10"	14
6 IN 12	15'	7"	13	15'	8"	2	15'	8"	6	15'	8"	11	21'	0"	0	21'	0"	6	21'	0"	12	21'	1"	2
6.5 IN 12	15'	11"	1	15'	11"	6	15'	11"	10	15'	11"	15	21'	2"	7	21'	2"	13	21'	3"	3	21'	3"	9
7 IN 12	16'	2"	8	16'	2"	13	16'	3"	1	16'	3"	6	21'	5"	0	21'	5"	6	21'	5"	12	21'	6"	2
8 IN 12	16'	9"	15	16'	10"	3	16'	10"	8	16'	10"	13	21'	10"	11	21'	11"	1	21'	11"	7	21'	11"	13
9 IN 12	17'	6"	0	17'	6"	5	17'	6"	10	17'	6"	15	22'	4"	15	22'	5"	5	22'	5"	12	22'	6"	2
10 IN 12	18'	2"	11	18'	3"	0	18'	3"	5	18'	3"	11	22'	11"	12	23'	0"	3	23'	0"	9	23'	1"	0
11 IN 12	18'	11"	14	19'	0"	4	19'	0"	9	19'	0"	15	23'	7"	2	23'	7"	9	23'	8"	0	23'	8"	6
12 IN 12	19'	9"	9	19'	9"	15	19'	10"	5	19'	10"	10	24'	3"	0	24'	3"	7	24'	3"	14	24'	4"	5
13 IN 12	20'	7"	11	20'	8"	1	20'	8"	7	20'	8"	13	24'	11"	5	24'	11"	12	25'	0"	3	25'	0"	10
14 IN 12	21'	6"	2	21'	6"	9	21'	6"	15	21'	7"	5	25'	8"	0	25'	8"	7	25'	8"	15	25'	9"	6
15 IN 12	22'	4"	15	22'	5"	5	22'	5"	12	22'	6"	2	26'	5"	1	26'	5"	9	26'	6"	1	26'	6"	8
16 IN 12	23'	4"	0	23'	4"	7	23'	4"	13	23'	5"	4	27'	2"	9	27'	3"	0	27'	3"	8	27'	4"	0
17 IN 12	24'	3"	5	24'	3"	12	24'	4"	3	24'	4"	10	28'	0"	5	28'	0"	13	28'	1"	5	28'	1"	13
18 IN 12	25'	2"	14	25'	3"	5	25'	3"	12	25'	4"	3	28'	10"	5	28'	10"	14	28'	11"	6	28'	11"	14
19 IN 12	26'	2"	10	26'	3"	1	26'	3"	9	26'	4"	0	29'	8"	11	29'	9"	3	29'	9"	11	29'	10"	4
20 IN 12	27'	2"	9	27'	3"	0	27'	3"	8	27'	4"	0	30'	7"	3	30'	7"	12	30'	8"	5	30'	8"	14
21 IN 12	28'	2"	10	28'	3"	2	28'	3"	10	28'	4"	2	31'	6"	0	31'	6"	9	31'	7"	2	31'	7"	11
22 IN 12	29'	2"	13	29'	3"	6	29'	3"	14	29'	4"	6	32'	5"	0	32'	5"	9	32'	6"	2	32'	6"	12
23 IN 12	30'	3"	3	30'	3"	12	30'	4"	4	30'	4"	13	33'	4"	3	33'	4"	12	33'	5"	6	33'	5"	15
24 IN 12	31'	3"	11	31'	4"	3	31'	4"	12	31'	5"	5	34'	3"	8	34'	4"	2	34'	4"	12	34'	5"	6
25 IN 12	32'	4"	4	32'	4"	13	32'	5"	6	32'	5"	15	35'	3"	0	35'	3"	10	35'	4"	5	35'	4"	15

14 Foot 1 Inch Run — Common Rafter Lengths   14 Foot 1 Inch Run — Hip Or Valley Rafter Lengths

Run - Pitch	Common 14' 1" Ft In 16th"	14' 1 1/4" Ft In 16th"	14' 1 1/2" Ft In 16th"	14' 1 3/4" Ft In 16th"	Hip/Valley 14' 1" Ft In 16th"	14' 1 1/4" Ft In 16th"	14' 1 1/2" Ft In 16th"	14' 1 3/4" Ft In 16th"
1 IN 12	14' 1" 9	14' 1" 13	14' 2" 1	14' 2" 5	19' 11" 7	19' 11" 12	20' 0" 2	20' 0" 8
2 IN 12	14' 3" 5	14' 3" 9	14' 3" 13	14' 4" 1	20' 0" 10	20' 1" 0	20' 1" 6	20' 1" 12
2.5 IN 12	14' 4" 10	14' 4" 14	14' 5" 2	14' 5" 6	20' 1" 9	20' 1" 15	20' 2" 5	20' 2" 10
3 IN 12	14' 6" 3	14' 6" 7	14' 6" 11	14' 7" 0	20' 2" 11	20' 3" 1	20' 3" 7	20' 3" 13
3.5 IN 12	14' 8" 1	14' 8" 5	14' 8" 9	14' 8" 13	20' 4" 1	20' 4" 6	20' 4" 12	20' 5" 2
4 IN 12	14' 10" 2	14' 10" 6	14' 10" 11	14' 10" 15	20' 5" 9	20' 5" 15	20' 6" 4	20' 6" 10
4.5 IN 12	15' 0" 8	15' 0" 12	15' 1" 0	15' 1" 5	20' 7" 4	20' 7" 10	20' 8" 0	20' 8" 6
5 IN 12	15' 3" 1	15' 3" 6	15' 3" 10	15' 3" 14	20' 9" 3	20' 9" 8	20' 9" 14	20' 10" 4
5.5 IN 12	15' 5" 14	15' 6" 3	15' 6" 7	15' 6" 12	20' 11" 4	20' 11" 10	21' 0" 0	21' 0" 6
6 IN 12	15' 8" 15	15' 9" 4	15' 9" 8	15' 9" 13	21' 1" 8	21' 1" 14	21' 2" 4	21' 2" 10
6.5 IN 12	16' 0" 3	16' 0" 8	16' 0" 12	16' 1" 1	21' 3" 15	21' 4" 5	21' 4" 11	21' 5" 1
7 IN 12	16' 3" 10	16' 3" 15	16' 4" 4	16' 4" 8	21' 6" 9	21' 6" 15	21' 7" 5	21' 7" 11
8 IN 12	16' 11" 2	16' 11" 7	16' 11" 11	17' 0" 0	22' 0" 4	22' 0" 10	22' 1" 0	22' 1" 6
9 IN 12	17' 7" 4	17' 7" 9	17' 7" 14	17' 8" 3	22' 6" 9	22' 6" 15	22' 7" 5	22' 7" 12
10 IN 12	18' 4" 0	18' 4" 5	18' 4" 10	18' 4" 15	23' 1" 7	23' 1" 13	23' 2" 4	23' 2" 10
11 IN 12	19' 1" 4	19' 1" 10	19' 1" 15	19' 2" 4	23' 8" 13	23' 9" 4	23' 9" 11	23' 10" 1
12 IN 12	19' 11" 0	19' 11" 6	19' 11" 11	20' 0" 1	24' 4" 11	24' 5" 2	24' 5" 9	24' 6" 0
13 IN 12	20' 9" 2	20' 9" 8	20' 9" 14	20' 10" 4	25' 1" 1	25' 1" 8	25' 1" 15	25' 2" 6
14 IN 12	21' 7" 11	21' 8" 1	21' 8" 7	21' 8" 13	25' 9" 13	25' 10" 5	25' 10" 12	25' 11" 3
15 IN 12	22' 6" 9	22' 6" 15	22' 7" 5	22' 7" 12	26' 7" 0	26' 7" 7	26' 7" 15	26' 8" 6
16 IN 12	23' 5" 11	23' 6" 1	23' 6" 8	23' 6" 15	27' 4" 8	27' 4" 15	27' 5" 7	27' 5" 15
17 IN 12	24' 5" 1	24' 5" 8	24' 5" 15	24' 6" 6	28' 2" 5	28' 2" 13	28' 3" 5	28' 3" 13
18 IN 12	25' 4" 11	25' 5" 2	25' 5" 9	25' 6" 0	29' 0" 6	29' 0" 15	29' 1" 7	29' 1" 15
19 IN 12	26' 4" 8	26' 4" 15	26' 5" 7	26' 5" 14	29' 10" 12	29' 11" 5	29' 11" 13	30' 0" 6
20 IN 12	27' 4" 8	27' 4" 15	27' 5" 7	27' 5" 15	30' 9" 6	30' 9" 15	30' 10" 8	30' 11" 1
21 IN 12	28' 4" 10	28' 5" 2	28' 5" 10	28' 6" 2	31' 8" 4	31' 8" 13	31' 9" 6	31' 9" 15
22 IN 12	29' 4" 15	29' 5" 7	29' 6" 0	29' 6" 8	32' 7" 5	32' 7" 14	32' 8" 7	32' 9" 1
23 IN 12	30' 5" 6	30' 5" 14	30' 6" 7	30' 7" 0	33' 6" 9	33' 7" 2	33' 7" 12	33' 8" 5
24 IN 12	31' 5" 14	31' 6" 7	31' 7" 0	31' 7" 9	34' 5" 15	34' 6" 9	34' 7" 3	34' 7" 13
25 IN 12	32' 6" 9	32' 7" 2	32' 7" 11	32' 8" 4	35' 5" 9	35' 6" 3	35' 6" 13	35' 7" 7

14 Foot 2 Inch Run — Common Rafter Lengths   14 Foot 2 Inch Run — Hip Or Valley Rafter Lengths

Run -	14' 2"	14' 2 1/4"	14' 2 1/2"	14' 2 3/4"	14' 2"	14' 2 1/4"	14' 2 1/2"	14' 2 3/4"
Pitch	Ft In 16th"	Ft In 16th"	Ft In 16th"	Ft In 16th"	Ft In 16th"	Ft In 16th"	Ft In 16th"	Ft In 16th"
1 IN 12	14' 2" 9	14' 2" 13	14' 3" 1	14' 3" 5	20' 0" 13	20' 1" 3	20' 1" 9	20' 1" 14
2 IN 12	14' 4" 6	14' 4" 10	14' 4" 14	14' 5" 2	20' 2" 1	20' 2" 7	20' 2" 13	20' 3" 2
2.5 IN 12	14' 5" 10	14' 5" 14	14' 6" 3	14' 6" 7	20' 3" 0	20' 3" 6	20' 3" 12	20' 4" 1
3 IN 12	14' 7" 4	14' 7" 8	14' 7" 12	14' 8" 0	20' 4" 2	20' 4" 8	20' 4" 14	20' 5" 4
3.5 IN 12	14' 9" 1	14' 9" 6	14' 9" 10	14' 9" 14	20' 5" 8	20' 5" 13	20' 6" 3	20' 6" 9
4 IN 12	14' 11" 3	14' 11" 7	14' 11" 12	15' 0" 0	20' 7" 0	20' 7" 6	20' 7" 12	20' 8" 2
4.5 IN 12	15' 1" 9	15' 1" 13	15' 2" 2	15' 2" 6	20' 8" 12	20' 9" 1	20' 9" 7	20' 9" 13
5 IN 12	15' 4" 3	15' 4" 7	15' 4" 11	15' 5" 0	20' 10" 10	20' 11" 0	20' 11" 6	20' 11" 12
5.5 IN 12	15' 7" 0	15' 7" 4	15' 7" 9	15' 7" 13	21' 0" 12	21' 1" 2	21' 1" 8	21' 1" 13
6 IN 12	15' 10" 1	15' 10" 6	15' 10" 10	15' 10" 14	21' 3" 0	21' 3" 6	21' 3" 12	21' 4" 2
6.5 IN 12	16' 1" 5	16' 1" 10	16' 1" 14	16' 2" 3	21' 5" 7	21' 5" 13	21' 6" 3	21' 6" 9
7 IN 12	16' 4" 13	16' 5" 2	16' 5" 6	16' 5" 11	21' 8" 1	21' 8" 7	21' 8" 13	21' 9" 3
8 IN 12	17' 0" 0	17' 0" 5	17' 0" 15	17' 1" 3	22' 1" 13	22' 2" 3	22' 2" 9	22' 2" 15
9 IN 12	17' 8" 8	17' 8" 13	17' 9" 2	17' 9" 7	22' 8" 2	22' 8" 9	22' 8" 15	22' 9" 5
10 IN 12	18' 5" 5	18' 5" 10	18' 5" 15	18' 6" 4	23' 3" 1	23' 3" 7	23' 3" 14	23' 4" 5
11 IN 12	19' 2" 10	19' 2" 15	19' 3" 5	19' 3" 10	23' 10" 8	23' 10" 15	23' 11" 6	23' 11" 12
12 IN 12	20' 0" 7	20' 0" 12	20' 1" 2	20' 1" 8	24' 6" 7	24' 6" 14	24' 7" 5	24' 7" 12
13 IN 12	20' 10" 10	20' 11" 0	20' 11" 6	20' 11" 12	25' 2" 14	25' 3" 5	25' 3" 12	25' 4" 3
14 IN 12	21' 9" 4	21' 9" 10	21' 10" 0	21' 10" 6	25' 11" 11	26' 0" 2	26' 0" 9	26' 1" 1
15 IN 12	22' 8" 2	22' 8" 9	22' 8" 15	22' 9" 5	26' 8" 14	26' 9" 5	26' 9" 13	26' 10" 5
16 IN 12	23' 7" 5	23' 7" 12	23' 8" 3	23' 8" 9	27' 6" 7	27' 6" 15	27' 7" 6	27' 7" 14
17 IN 12	24' 6" 13	24' 7" 4	24' 7" 11	24' 8" 1	28' 4" 5	28' 4" 13	28' 5" 5	28' 5" 13
18 IN 12	25' 6" 8	25' 6" 15	25' 7" 6	25' 7" 13	29' 2" 7	29' 3" 0	29' 3" 8	29' 4" 0
19 IN 12	26' 6" 6	26' 6" 13	26' 7" 5	26' 7" 12	30' 0" 14	30' 1" 7	30' 1" 15	30' 2" 8
20 IN 12	27' 6" 7	27' 6" 15	27' 7" 6	27' 7" 14	30' 11" 9	31' 0" 2	31' 0" 11	31' 1" 4
21 IN 12	28' 6" 10	28' 7" 2	28' 7" 10	28' 8" 3	31' 10" 8	31' 11" 1	31' 11" 10	32' 0" 3
22 IN 12	29' 7" 0	29' 7" 9	29' 8" 1	29' 8" 9	32' 9" 10	32' 10" 3	32' 10" 12	32' 11" 6
23 IN 12	30' 7" 8	30' 8" 1	30' 8" 10	30' 9" 2	33' 8" 15	33' 9" 8	33' 10" 2	33' 10" 11
24 IN 12	31' 8" 2	31' 8" 11	31' 9" 4	31' 9" 13	34' 8" 7	34' 9" 0	34' 9" 10	34' 10" 4
25 IN 12	32' 8" 14	32' 9" 7	32' 10" 0	32' 10" 9	35' 8" 1	35' 8" 11	35' 9" 5	35' 9" 15

14 Foot 3 Inch Run — Common Rafter Lengths   14 Foot 3 Inch Run — Hip Or Valley Rafter Lengths

Run -	14' 3"	14' 3 1/4"	14' 3 1/2"	14' 3 3/4"	14' 3"	14' 3 1/4"	14' 3 1/2"	14' 3 3/4"
Pitch	Ft In 16th"	Ft In 16th"	Ft In 16th"	Ft In 16th"	Ft In 16th"	Ft In 16th"	Ft In 16th"	Ft In 16th"
1 IN 12	14' 3" 9	14' 3" 13	14' 4" 2	14' 4" 6	20' 2" 4	20' 2" 10	20' 2" 15	20' 3" 5
2 IN 12	14' 5" 6	14' 5" 10	14' 5" 14	14' 6" 2	20' 3" 8	20' 3" 14	20' 4" 3	20' 4" 9
2.5 IN 12	14' 6" 11	14' 6" 15	14' 7" 3	14' 7" 7	20' 4" 7	20' 4" 13	20' 5" 2	20' 5" 8
3 IN 12	14' 8" 4	14' 8" 8	14' 8" 12	14' 9" 1	20' 5" 9	20' 5" 15	20' 6" 5	20' 6" 11
3.5 IN 12	14' 10" 2	14' 10" 6	14' 10" 10	14' 10" 15	20' 6" 15	20' 7" 4	20' 7" 10	20' 8" 0
4 IN 12	15' 0" 4	15' 0" 8	15' 0" 12	15' 1" 1	20' 8" 7	20' 8" 13	20' 9" 3	20' 9" 9
4.5 IN 12	15' 2" 10	15' 2" 14	15' 3" 3	15' 3" 7	20' 10" 3	20' 10" 9	20' 10" 15	20' 11" 5
5 IN 12	15' 5" 4	15' 5" 8	15' 5" 13	15' 6" 1	21' 0" 2	21' 0" 8	21' 0" 14	21' 1" 3
5.5 IN 12	15' 8" 2	15' 8" 6	15' 8" 10	15' 8" 15	21' 2" 3	21' 2" 9	21' 2" 15	21' 3" 5
6 IN 12	15' 11" 3	15' 11" 7	15' 11" 12	16' 0" 0	21' 4" 8	21' 4" 14	21' 5" 4	21' 5" 10
6.5 IN 12	16' 2" 8	16' 2" 12	16' 3" 1	16' 3" 5	21' 6" 15	21' 7" 5	21' 7" 12	21' 8" 2
7 IN 12	16' 5" 15	16' 6" 4	16' 6" 9	16' 6" 13	21' 9" 10	21' 10" 0	21' 10" 6	21' 10" 12
8 IN 12	17' 1" 8	17' 1" 13	17' 2" 2	17' 2" 7	22' 3" 6	22' 3" 12	22' 4" 2	22' 4" 8
9 IN 12	17' 9" 12	17' 10" 1	17' 10" 6	17' 10" 11	22' 9" 12	22' 10" 2	22' 10" 9	22' 10" 15
10 IN 12	18' 6" 9	18' 6" 15	18' 7" 4	18' 7" 9	23' 4" 11	23' 5" 2	23' 5" 8	23' 5" 15
11 IN 12	19' 4" 0	19' 4" 5	19' 4" 10	19' 5" 0	24' 0" 3	24' 0" 10	24' 1" 0	24' 1" 7
12 IN 12	20' 1" 13	20' 2" 3	20' 2" 9	20' 2" 14	24' 8" 3	24' 8" 10	24' 9" 1	24' 9" 8
13 IN 12	21' 0" 2	21' 0" 8	21' 0" 14	21' 1" 3	25' 4" 10	25' 5" 1	25' 5" 8	25' 5" 15
14 IN 12	21' 10" 12	21' 11" 2	21' 11" 9	21' 11" 15	26' 1" 8	26' 1" 15	26' 2" 7	26' 2" 14
15 IN 12	22' 9" 12	22' 10" 2	22' 10" 9	22' 10" 15	26' 10" 12	26' 11" 4	26' 11" 11	27' 0" 3
16 IN 12	23' 9" 0	23' 9" 7	23' 9" 13	23' 10" 4	27' 8" 6	27' 8" 14	27' 9" 5	27' 9" 13
17 IN 12	24' 8" 8	24' 8" 15	24' 9" 6	24' 9" 13	28' 6" 5	28' 6" 13	28' 7" 5	28' 7" 13
18 IN 12	25' 8" 4	25' 8" 12	25' 9" 3	25' 9" 10	29' 4" 8	29' 5" 1	29' 5" 9	29' 6" 1
19 IN 12	26' 8" 4	26' 8" 11	26' 9" 3	26' 9" 10	30' 3" 0	30' 3" 9	30' 4" 1	30' 4" 10
20 IN 12	27' 8" 6	27' 8" 14	27' 9" 5	27' 9" 13	31' 1" 12	31' 2" 5	31' 2" 14	31' 3" 7
21 IN 12	28' 8" 11	28' 9" 3	28' 9" 11	28' 10" 3	32' 0" 12	32' 1" 5	32' 1" 14	32' 2" 7
22 IN 12	29' 9" 2	29' 9" 10	29' 10" 2	29' 10" 11	32' 11" 15	33' 0" 8	33' 1" 1	33' 1" 11
23 IN 12	30' 9" 11	30' 10" 3	30' 10" 12	30' 11" 5	33' 11" 5	33' 11" 14	34' 0" 8	34' 1" 2
24 IN 12	31' 10" 6	31' 10" 15	31' 11" 8	32' 0" 1	34' 10" 14	34' 11" 8	35' 0" 1	35' 0" 11
25 IN 12	32' 11" 3	32' 11" 12	33' 0" 5	33' 0" 14	35' 10" 9	35' 11" 3	35' 11" 13	36' 0" 7

14 Foot 4 Inch Run — Common Rafter Lengths   14 Foot 4 Inch Run — Hip Or Valley Rafter Lengths

Run -	14' 4"			14' 4 1/4"			14' 4 1/2"			14' 4 3/4"			14' 4"			14' 4 1/4"			14' 4 1/2"			14' 4 3/4"		
Pitch	Ft	In	16th"	Ft	In	16th"	Ft	In	16th"	Ft	In	16th"	Ft	In	16th"	Ft	In	16th"	Ft	In	16th"	Ft	In	16th"
1 IN 12	14'	4"	10	14'	4"	14	14'	5"	2	14'	5"	6	20'	3"	11	20'	4"	0	20'	4"	6	20'	4"	12
2 IN 12	14'	6"	6	14'	6"	10	14'	6"	14	14'	7"	2	20'	4"	15	20'	5"	5	20'	5"	10	20'	6"	0
2.5 IN 12	14'	7"	11	14'	7"	15	14'	8"	3	14'	8"	7	20'	5"	14	20'	6"	4	20'	6"	9	20'	6"	15
3 IN 12	14'	9"	5	14'	9"	9	14'	9"	13	14'	10"	1	20'	7"	0	20'	7"	6	20'	7"	12	20'	8"	1
3.5 IN 12	14'	11"	3	14'	11"	7	14'	11"	11	14'	11"	15	20'	8"	6	20'	8"	12	20'	9"	1	20'	9"	7
4 IN 12	15'	1"	5	15'	1"	9	15'	1"	13	15'	2"	2	20'	9"	15	20'	10"	4	20'	10"	10	20'	11"	0
4.5 IN 12	15'	3"	11	15'	3"	15	15'	4"	4	15'	4"	8	20'	11"	10	21'	0"	0	21'	0"	6	21'	0"	12
5 IN 12	15'	6"	5	15'	6"	10	15'	6"	14	15'	7"	2	21'	1"	9	21'	1"	15	21'	2"	5	21'	2"	11
5.5 IN 12	15'	9"	3	15'	9"	8	15'	9"	12	15'	10"	0	21'	3"	11	21'	4"	1	21'	4"	7	21'	4"	13
6 IN 12	16'	0"	5	16'	0"	9	16'	0"	14	16'	1"	2	21'	6"	0	21'	6"	6	21'	6"	12	21'	7"	2
6.5 IN 12	16'	3"	10	16'	3"	14	16'	4"	3	16'	4"	7	21'	8"	8	21'	8"	14	21'	9"	4	21'	9"	10
7 IN 12	16'	7"	2	16'	/"	7	16'	7"	11	16'	8"	0	21'	11"	2	21'	11"	8	21'	11"	14	22'	0"	4
8 IN 12	17'	2"	11	17'	3"	0	17'	3"	5	17'	3"	10	22'	4"	15	22'	5"	5	22'	5"	11	22'	6"	1
9 IN 12	17'	11"	0	17'	11"	5	17'	11"	10	17'	11"	15	22'	11"	5	22'	11"	12	23'	0"	2	23'	0"	9
10 IN 12	18'	7"	14	18'	8"	4	18'	8"	9	18'	8"	14	23'	6"	5	23'	6"	12	23'	7"	2	23'	7"	9
11 IN 12	19'	5"	5	19'	5"	11	19'	6"	0	19'	6"	6	24'	1"	14	24'	2"	5	24'	2"	11	24'	3"	2
12 IN 12	20'	3"	4	20'	3"	10	20'	3"	15	20'	4"	5	24'	9"	15	24'	10"	6	24'	10"	12	24'	11"	3
13 IN 12	21'	1"	9	21'	1"	15	21'	2"	5	21'	2"	11	25'	6"	7	25'	6"	14	25'	7"	5	25'	7"	12
14 IN 12	22'	0"	5	22'	0"	11	22'	1"	1	22'	1"	7	26'	3"	5	26'	3"	13	26'	4"	4	26'	4"	11
15 IN 12	22'	11"	5	22'	11"	12	23'	0"	2	23'	0"	9	27'	0"	10	27'	1"	2	27'	1"	9	27'	2"	1
16 IN 12	23'	10"	11	23'	11"	1	23'	11"	8	23'	11"	15	27'	10"	5	27'	10"	13	27'	11"	4	27'	11"	12
17 IN 12	24'	10"	4	24'	10"	11	24'	11"	2	24'	11"	9	28'	8"	5	28'	8"	13	28'	9"	5	28'	9"	13
18 IN 12	25'	10"	1	25'	10"	8	25'	11"	0	25'	11"	7	29'	6"	9	29'	7"	2	29'	7"	10	29'	8"	2
19 IN 12	26'	10"	2	26'	10"	9	26'	11"	1	26'	11"	8	30'	5"	2	30'	5"	11	30'	6"	3	30'	6"	12
20 IN 12	27'	10"	5	27'	10"	13	27'	11"	4	27'	11"	12	31'	3"	15	31'	4"	8	31'	5"	1	31'	5"	10
21 IN 12	28'	10"	11	28'	11"	3	28'	11"	11	29'	0"	3	32'	3"	0	32'	3"	9	32'	4"	2	32'	4"	11
22 IN 12	29'	11"	3	29'	11"	11	30'	0"	4	30'	0"	12	33'	2"	4	33'	2"	13	33'	3"	7	33'	4"	0
23 IN 12	30'	11"	13	31'	0"	6	31'	0"	15	31'	1"	7	34'	1"	11	34'	2"	5	34'	2"	14	34'	3"	8
24 IN 12	32'	0"	10	32'	1"	3	32'	1"	12	32'	2"	4	35'	1"	5	35'	1"	15	35'	2"	9	35'	3"	2
25 IN 12	33'	1"	8	33'	2"	1	33'	2"	10	33'	3"	3	36'	1"	2	36'	1"	12	36'	2"	6	36'	3"	0

14 Foot 5 Inch Run — Common Rafter Lengths   14 Foot 5 Inch Run — Hip Or Valley Rafter Lengths

Run values expressed as Ft In 16th".

Pitch	Common 14' 5"	Common 14' 5 1/4"	Common 14' 5 1/2"	Common 14' 5 3/4"	Hip 14' 5"	Hip 14' 5 1/4"	Hip 14' 5 1/2"	Hip 14' 5 3/4"
1 IN 12	14' 5" 10	14' 5" 14	14' 6" 2	14' 6" 6	20' 5" 1	20' 5" 7	20' 5" 13	20' 6" 2
2 IN 12	14' 7" 6	14' 7" 10	14' 7" 14	14' 8" 2	20' 6" 6	20' 6" 11	20' 7" 1	20' 7" 7
2.5 IN 12	14' 8" 11	14' 9" 0	14' 9" 4	14' 9" 8	20' 7" 5	20' 7" 11	20' 8" 0	20' 8" 6
3 IN 12	14' 10" 5	14' 10" 9	14' 10" 13	14' 11" 2	20' 8" 7	20' 8" 13	20' 9" 3	20' 9" 8
3.5 IN 12	15' 0" 3	15' 0" 8	15' 0" 12	15' 1" 0	20' 9" 13	20' 10" 3	20' 10" 8	20' 10" 14
4 IN 12	15' 2" 6	15' 2" 10	15' 2" 14	15' 3" 2	20' 11" 6	20' 11" 12	21' 0" 1	21' 0" 7
4.5 IN 12	15' 4" 12	15' 5" 0	15' 5" 5	15' 5" 9	21' 1" 2	21' 1" 8	21' 1" 14	21' 2" 3
5 IN 12	15' 7" 7	15' 7" 11	15' 7" 15	15' 8" 4	21' 3" 1	21' 3" 7	21' 3" 13	21' 4" 3
5.5 IN 12	15' 10" 5	15' 10" 9	15' 10" 14	15' 11" 2	21' 5" 3	21' 5" 9	21' 5" 15	21' 6" 5
6 IN 12	16' 1" 7	16' 1" 11	16' 2" 0	16' 2" 4	21' 7" 8	21' 7" 14	21' 8" 4	21' 8" 10
6.5 IN 12	16' 4" 12	16' 5" 1	16' 5" 5	16' 5" 10	21' 10" 0	21' 10" 6	21' 10" 12	21' 11" 2
7 IN 12	16' 8" 5	16' 8" 9	16' 8" 14	16' 9" 2	22' 0" 10	22' 1" 1	22' 1" 7	22' 1" 13
8 IN 12	17' 3" 15	17' 4" 4	17' 4" 8	17' 4" 13	22' 6" 8	22' 6" 14	22' 7" 4	22' 7" 10
9 IN 12	18' 0" 4	18' 0" 9	18' 0" 14	18' 1" 3	23' 0" 15	23' 1" 5	23' 1" 12	23' 2" 2
10 IN 12	18' 9" 3	18' 9" 9	18' 9" 14	18' 10" 3	23' 8" 0	23' 8" 6	23' 8" 13	23' 9" 3
11 IN 12	19' 6" 11	19' 7" 0	19' 7" 6	19' 7" 11	24' 3" 9	24' 4" 0	24' 4" 6	24' 4" 13
12 IN 12	20' 4" 11	20' 5" 0	20' 5" 6	20' 5" 12	24' 11" 10	25' 0" 1	25' 0" 8	25' 0" 15
13 IN 12	21' 3" 1	21' 3" 7	21' 3" 13	21' 4" 3	25' 8" 3	25' 8" 10	25' 9" 1	25' 9" 8
14 IN 12	22' 1" 13	22' 2" 3	22' 2" 10	22' 3" 0	26' 5" 3	26' 5" 10	26' 6" 1	26' 6" 9
15 IN 12	23' 0" 15	23' 1" 5	23' 1" 12	23' 2" 2	27' 2" 8	27' 3" 0	27' 3" 8	27' 3" 15
16 IN 12	24' 0" 5	24' 0" 12	24' 1" 3	24' 1" 9	28' 0" 4	28' 0" 12	28' 1" 4	28' 1" 11
17 IN 12	25' 0" 0	25' 0" 7	25' 0" 14	25' 1" 5	28' 10" 5	28' 10" 13	28' 11" 5	28' 11" 13
18 IN 12	25' 11" 14	26' 0" 5	26' 0" 13	26' 1" 4	29' 8" 10	29' 9" 3	29' 9" 11	29' 10" 3
19 IN 12	27' 0" 0	27' 0" 7	27' 0" 15	27' 1" 6	30' 7" 4	30' 7" 13	30' 8" 5	30' 8" 14
20 IN 12	28' 0" 4	28' 0" 12	28' 1" 4	28' 1" 11	31' 6" 2	31' 6" 11	31' 7" 4	31' 7" 13
21 IN 12	29' 0" 11	29' 1" 3	29' 1" 11	29' 2" 3	32' 5" 13	32' 5" 13	32' 6" 6	32' 6" 15
22 IN 12	30' 1" 4	30' 1" 13	30' 2" 5	30' 2" 14	33' 4" 9	33' 5" 2	33' 5" 12	33' 6" 5
23 IN 12	31' 2" 0	31' 2" 9	31' 3" 1	31' 3" 10	34' 4" 1	34' 4" 11	34' 5" 4	34' 5" 14
24 IN 12	32' 2" 13	32' 3" 6	32' 3" 15	32' 4" 8	35' 3" 12	35' 4" 6	35' 5" 0	35' 5" 10
25 IN 12	33' 3" 13	33' 4" 6	33' 4" 15	33' 5" 8	36' 3" 10	36' 4" 4	36' 4" 14	36' 5" 8

14 Foot 6 Inch Run — Common Rafter Lengths   14 Foot 6 Inch Run — Hip Or Valley Rafter Lengths

Run -	14' 6"			14' 6 1/4"			14' 6 1/2"			14' 6 3/4"			14' 6"			14' 6 1/4"			14' 6 1/2"			14' 6 3/4"		
Pitch	Ft	In	16th"	Ft	In	16th"	Ft	In	16th"	Ft	In	16th"	Ft	In	16th"	Ft	In	16th"	Ft	In	16th"	Ft	In	16th"
1 IN 12	14'	6"	10	14'	6"	14	14'	7"	2	14'	7"	6	20'	6"	8	20'	6"	14	20'	7"	3	20'	7"	9
2 IN 12	14'	8"	6	14'	8"	10	14'	8"	15	14'	9"	3	20'	7"	12	20'	8"	2	20'	8"	8	20'	8"	14
2.5 IN 12	14'	9"	12	14'	10"	0	14'	10"	4	14'	10"	8	20'	8"	12	20'	9"	1	20'	9"	7	20'	9"	13
3 IN 12	14'	11"	6	14'	11"	10	14'	11"	14	15'	0"	2	20'	9"	14	20'	10"	4	20'	10"	10	20'	10"	15
3.5 IN 12	15'	1"	4	15'	1"	8	15'	1"	12	15'	2"	1	20'	11"	4	20'	11"	10	21'	0"	0	21'	0"	5
4 IN 12	15'	3"	7	15'	3"	11	15'	3"	15	15'	4"	3	21'	0"	13	21'	1"	3	21'	1"	9	21'	1"	14
4.5 IN 12	15'	5"	13	15'	6"	2	15'	6"	6	15'	6"	10	21'	2"	9	21'	2"	15	21'	3"	5	21'	3"	11
5 IN 12	15'	8"	8	15'	8"	12	15'	9"	1	15'	9"	5	21'	4"	8	21'	4"	14	21'	5"	4	21'	5"	10
5.5 IN 12	15'	11"	6	15'	11"	11	15'	11"	15	16'	0"	4	21'	6"	11	21'	7"	1	21'	7"	7	21'	7"	13
6 IN 12	16'	2"	9	16'	2"	13	16'	3"	2	16'	3"	6	21'	9"	0	21'	9"	6	21'	9"	12	21'	10"	2
6.5 IN 12	16'	5"	14	16'	6"	3	16'	6"	7	16'	6"	12	21'	11"	8	21'	11"	14	22'	0"	4	22'	0"	10
7 IN 12	16'	9"	7	16'	9"	12	16'	10"	0	16'	10"	5	22'	2"	3	22'	2"	9	22'	2"	15	22'	3"	5
8 IN 12	17'	5"	2	17'	5"	7	17'	5"	12	17'	6"	0	22'	8"	1	22'	8"	7	22'	8"	13	22'	9"	3
9 IN 12	18'	1"	8	18'	1"	13	18'	2"	2	18'	2"	7	23'	2"	9	23'	2"	15	23'	3"	5	23'	3"	12
10 IN 12	18'	10"	8	18'	10"	13	18'	11"	2	18'	11"	8	23'	9"	10	23'	10"	0	23'	10"	7	23'	10"	14
11 IN 12	19'	8"	1	19'	8"	6	19'	8"	12	19'	9"	1	24'	5"	4	24'	5"	11	24'	6"	1	24'	6"	8
12 IN 12	20'	6"	1	20'	6"	7	20'	6"	12	20'	7"	2	25'	1"	6	25'	1"	13	25'	2"	4	25'	2"	11
13 IN 12	21'	4"	8	21'	4"	14	21'	5"	4	21'	5"	10	25'	10"	0	25'	10"	7	25'	10"	14	25'	11"	5
14 IN 12	22'	3"	6	22'	3"	12	22'	4"	2	22'	4"	8	26'	7"	0	26'	7"	7	26'	7"	15	26'	8"	6
15 IN 12	23'	2"	9	23'	2"	15	23'	3"	5	23'	3"	12	27'	4"	7	27'	4"	14	27'	5"	6	27'	5"	13
16 IN 12	24'	2"	0	24'	2"	7	24'	2"	13	24'	3"	4	28'	2"	3	28'	2"	11	28'	3"	3	28'	3"	10
17 IN 12	25'	1"	12	25'	2"	3	25'	2"	9	25'	3"	0	29'	0"	5	29'	0"	13	29'	1"	5	29'	1"	13
18 IN 12	26'	1"	11	26'	2"	2	26'	2"	9	26'	3"	1	29'	10"	11	29'	11"	4	29'	11"	12	30'	0"	4
19 IN 12	27'	1"	14	27'	2"	5	27'	2"	13	27'	3"	4	30'	9"	6	30'	9"	15	30'	10"	7	30'	11"	0
20 IN 12	28'	2"	3	28'	2"	11	28'	3"	3	28'	3"	10	31'	8"	5	31'	8"	14	31'	9"	7	31'	10"	0
21 IN 12	29'	2"	11	29'	3"	3	29'	3"	11	29'	4"	4	32'	7"	8	32'	8"	1	32'	8"	10	32'	9"	3
22 IN 12	30'	3"	6	30'	3"	14	30'	4"	7	30'	4"	15	33'	6"	14	33'	7"	7	33'	8"	1	33'	8"	10
23 IN 12	31'	4"	3	31'	4"	11	31'	5"	4	31'	5"	13	34'	6"	7	34'	7"	1	34'	7"	10	34'	8"	4
24 IN 12	32'	5"	1	32'	5"	10	32'	6"	3	32'	6"	12	35'	6"	3	35'	6"	13	35'	7"	7	35'	8"	1
25 IN 12	33'	6"	2	33'	6"	11	33'	7"	4	33'	7"	13	36'	6"	2	36'	6"	12	36'	7"	6	36'	8"	0

14 Foot 7 Inch Run — Common Rafter Lengths

Pitch	14' 7" Ft In 16th"	14' 7 1/4" Ft In 16th"	14' 7 1/2" Ft In 16th"	14' 7 3/4" Ft In 16th"
1 IN 12	14' 7" 10	14' 7" 14	14' 8" 2	14' 8" 6
2 IN 12	14' 9" 7	14' 9" 11	14' 9" 15	14' 10" 3
2.5 IN 12	14' 10" 12	14' 11" 0	14' 11" 4	14' 11" 8
3 IN 12	15' 0" 6	15' 0" 10	15' 0" 14	15' 1" 1
3.5 IN 12	15' 2" 5	15' 2" 9	15' 2" 13	15' 3" 1
4 IN 12	15' 4" 7	15' 4" 12	15' 5" 0	15' 5" 4
4.5 IN 12	15' 6" 14	15' 7" 3	15' 7" 7	15' 7" 11
5 IN 12	15' 9" 9	15' 9" 14	15' 10" 2	15' 10" 6
5.5 IN 12	16' 0" 8	16' 0" 12	16' 1" 1	16' 1" 5
6 IN 12	16' 3" 10	16' 3" 15	16' 4" 3	16' 4" 8
6.5 IN 12	16' 7" 0	16' 7" 5	16' 7" 9	16' 7" 14
7 IN 12	16' 10" 10	16' 10" 14	16' 11" 3	16' 11" 7
8 IN 12	17' 6" 5	17' 6" 10	17' 6" 15	17' 7" 4
9 IN 12	18' 2" 12	18' 3" 1	18' 3" 6	18' 3" 11
10 IN 12	18' 11" 13	19' 0" 2	19' 0" 7	19' 0" 12
11 IN 12	19' 9" 6	19' 9" 12	19' 10" 1	19' 10" 7
12 IN 12	20' 7" 8	20' 7" 13	20' 8" 3	20' 8" 9
13 IN 12	21' 6" 0	21' 6" 6	21' 6" 12	21' 7" 2
14 IN 12	22' 4" 14	22' 5" 5	22' 5" 11	22' 6" 1
15 IN 12	23' 4" 2	23' 4" 9	23' 4" 15	23' 5" 5
16 IN 12	24' 3" 11	24' 4" 1	24' 4" 8	24' 4" 15
17 IN 12	25' 3" 7	25' 3" 14	25' 4" 5	25' 4" 12
18 IN 12	26' 3" 8	26' 3" 15	26' 4" 6	26' 4" 13
19 IN 12	27' 3" 12	27' 4" 3	27' 4" 10	27' 5" 2
20 IN 12	28' 4" 2	28' 4" 10	28' 5" 2	28' 5" 10
21 IN 12	29' 4" 12	29' 5" 4	29' 5" 12	29' 6" 4
22 IN 12	30' 5" 7	30' 6" 0	30' 6" 8	30' 7" 0
23 IN 12	31' 6" 5	31' 6" 14	31' 7" 6	31' 7" 15
24 IN 12	32' 7" 5	32' 7" 14	32' 8" 7	32' 9" 0
25 IN 12	33' 8" 7	33' 9" 0	33' 9" 9	33' 10" 2

14 Foot 7 Inch Run — Hip Or Valley Rafter Lengths

Pitch	14' 7" Ft In 16th"	14' 7 1/4" Ft In 16th"	14' 7 1/2" Ft In 16th"	14' 7 3/4" Ft In 16th"
1 IN 12	20' 7" 15	20' 8" 4	20' 8" 10	20' 9" 0
2 IN 12	20' 9" 3	20' 9" 9	20' 9" 15	20' 10" 4
2.5 IN 12	20' 10" 3	20' 10" 8	20' 10" 14	20' 11" 4
3 IN 12	20' 11" 5	20' 11" 11	21' 0" 1	21' 0" 6
3.5 IN 12	21' 0" 11	21' 1" 1	21' 1" 7	21' 1" 12
4 IN 12	21' 2" 4	21' 2" 10	21' 3" 0	21' 3" 6
4.5 IN 12	21' 4" 1	21' 4" 6	21' 4" 12	21' 5" 2
5 IN 12	21' 6" 0	21' 6" 6	21' 6" 12	21' 7" 2
5.5 IN 12	21' 8" 3	21' 8" 9	21' 8" 14	21' 9" 4
6 IN 12	21' 10" 8	21' 10" 14	21' 11" 4	21' 11" 10
6.5 IN 12	22' 1" 0	22' 1" 6	22' 1" 12	22' 2" 2
7 IN 12	22' 3" 11	22' 4" 2	22' 4" 8	22' 4" 14
8 IN 12	22' 9" 10	22' 10" 0	22' 10" 6	22' 10" 12
9 IN 12	23' 4" 2	23' 4" 9	23' 4" 15	23' 5" 5
10 IN 12	23' 11" 4	23' 11" 11	24' 0" 1	24' 0" 8
11 IN 12	24' 6" 15	24' 7" 6	24' 7" 12	24' 8" 3
12 IN 12	25' 3" 2	25' 3" 9	25' 4" 0	25' 4" 7
13 IN 12	25' 11" 12	26' 0" 3	26' 0" 10	26' 1" 1
14 IN 12	26' 8" 13	26' 9" 5	26' 9" 12	26' 10" 3
15 IN 12	27' 6" 5	27' 6" 12	27' 7" 4	27' 7" 12
16 IN 12	28' 4" 2	28' 4" 10	28' 5" 2	28' 5" 10
17 IN 12	29' 2" 5	29' 2" 13	29' 3" 5	29' 3" 13
18 IN 12	30' 0" 12	30' 1" 5	30' 1" 13	30' 2" 5
19 IN 12	30' 11" 8	31' 0" 1	31' 0" 9	31' 1" 2
20 IN 12	31' 10" 8	31' 11" 1	31' 11" 10	32' 0" 3
21 IN 12	32' 9" 12	32' 10" 5	32' 10" 14	32' 11" 7
22 IN 12	33' 9" 3	33' 9" 12	33' 10" 6	33' 10" 15
23 IN 12	34' 8" 13	34' 9" 7	34' 10" 0	34' 10" 10
24 IN 12	35' 8" 11	35' 9" 4	35' 9" 14	35' 10" 8
25 IN 12	36' 8" 10	36' 9" 4	36' 9" 15	36' 10" 9

14 Foot 8 Inch Run — Common Rafter Lengths   14 Foot 8 Inch Run — Hip Or Valley Rafter Lengths

Run -	14' 8"	14' 8 1/4"	14' 8 1/2"	14' 8 3/4"	14' 8"	14' 8 1/4"	14' 8 1/2"	14' 8 3/4"
Pitch	Ft In 16th"	Ft In 16th"	Ft In 16th"	Ft In 16th"	Ft In 16th"	Ft In 16th"	Ft In 16th"	Ft In 16th"
1 IN 12	14' 8" 10	14' 8" 14	14' 9" 2	14' 9" 6	20' 9" 5	20' 9" 11	20' 10" 1	20' 10" 7
2 IN 12	14' 10" 7	14' 10" 11	14' 10" 15	14' 11" 3	20' 10" 10	20' 11" 0	20' 11" 5	20' 11" 11
2.5 IN 12	14' 11" 12	15' 0" 1	15' 0" 5	15' 0" 9	20' 11" 9	20' 11" 15	21' 0" 5	21' 0" 11
3 IN 12	15' 1" 7	15' 1" 11	15' 1" 15	15' 2" 3	21' 0" 12	21' 1" 2	21' 1" 8	21' 1" 13
3.5 IN 12	15' 3" 5	15' 3" 10	15' 3" 14	15' 4" 2	21' 2" 2	21' 2" 8	21' 2" 14	21' 3" 4
4 IN 12	15' 5" 8	15' 5" 13	15' 6" 1	15' 6" 5	21' 3" 12	21' 4" 1	21' 4" 7	21' 4" 13
4.5 IN 12	15' 7" 15	15' 8" 4	15' 8" 8	15' 8" 12	21' 5" 8	21' 5" 14	21' 6" 4	21' 6" 10
5 IN 12	15' 10" 11	15' 10" 15	15' 11" 3	15' 11" 8	21' 7" 8	21' 7" 14	21' 8" 3	21' 8" 9
5.5 IN 12	16' 1" 10	16' 1" 14	16' 2" 2	16' 2" 7	21' 9" 10	21' 10" 0	21' 10" 6	21' 10" 12
6 IN 12	16' 4" 12	16' 5" 1	16' 5" 5	16' 5" 10	22' 0" 0	22' 0" 6	22' 0" 12	22' 1" 2
6.5 IN 12	16' 8" 3	16' 8" 7	16' 8" 12	16' 9" 0	22' 2" 9	22' 2" 15	22' 3" 5	22' 3" 11
7 IN 12	16' 11" 12	17' 0" 1	17' 0" 5	17' 0" 10	22' 5" 4	22' 5" 10	22' 6" 0	22' 6" 6
8 IN 12	17' 7" 8	17' 7" 13	17' 8" 2	17' 8" 7	22' 11" 3	22' 11" 9	22' 11" 15	23' 0" 5
9 IN 12	18' 4" 0	18' 4" 5	18' 4" 10	18' 4" 15	23' 5" 12	23' 6" 2	23' 6" 9	23' 6" 15
10 IN 12	19' 1" 2	19' 1" 7	19' 1" 12	19' 2" 1	24' 0" 14	24' 1" 5	24' 1" 12	24' 2" 2
11 IN 12	19' 10" 12	19' 11" 2	19' 11" 7	19' 11" 12	24' 8" 10	24' 9" 1	24' 9" 7	24' 9" 14
12 IN 12	20' 8" 14	20' 9" 4	20' 9" 10	20' 9" 15	25' 4" 13	25' 5" 4	25' 5" 11	25' 6" 2
13 IN 12	21' 7" 8	21' 7" 14	21' 8" 3	21' 8" 9	26' 1" 9	26' 2" 0	26' 2" 7	26' 2" 14
14 IN 12	22' 6" 7	22' 6" 13	22' 7" 3	22' 7" 9	26' 10" 11	26' 11" 2	26' 11" 9	27' 0" 1
15 IN 12	23' 5" 12	23' 6" 2	23' 6" 9	23' 6" 15	27' 8" 3	27' 8" 11	27' 9" 2	27' 9" 10
16 IN 12	24' 5" 5	24' 5" 12	24' 6" 3	24' 6" 9	28' 6" 1	28' 6" 9	28' 7" 1	28' 7" 9
17 IN 12	25' 5" 3	25' 5" 10	25' 6" 1	25' 6" 8	29' 4" 5	29' 4" 13	29' 5" 5	29' 5" 13
18 IN 12	26' 5" 5	26' 5" 12	26' 6" 3	26' 6" 10	30' 2" 13	30' 3" 6	30' 3" 14	30' 4" 6
19 IN 12	27' 5" 9	27' 6" 1	27' 6" 8	27' 7" 0	31' 1" 10	31' 2" 3	31' 2" 11	31' 3" 4
20 IN 12	28' 6" 1	28' 6" 9	28' 7" 1	28' 7" 9	32' 0" 11	32' 1" 4	32' 1" 13	32' 2" 5
21 IN 12	29' 6" 12	29' 7" 4	29' 7" 12	29' 8" 4	33' 0" 0	33' 0" 9	33' 1" 2	33' 1" 11
22 IN 12	30' 7" 9	30' 8" 1	30' 8" 9	30' 9" 2	33' 11" 8	34' 0" 1	34' 0" 11	34' 1" 4
23 IN 12	31' 8" 8	31' 9" 0	31' 9" 9	31' 10" 2	34' 11" 4	34' 11" 13	35' 0" 7	35' 1" 0
24 IN 12	32' 9" 9	32' 10" 2	32' 10" 11	32' 11" 4	35' 11" 2	35' 11" 12	36' 0" 5	36' 0" 15
25 IN 12	33' 10" 12	33' 11" 5	33' 11" 14	34' 0" 7	36' 11" 3	36' 11" 13	37' 0" 7	37' 1" 1

14 Foot 9 Inch Run — Common Rafter Lengths   14 Foot 9 Inch Run — Hip Or Valley Rafter Lengths

Run -	14' 9"	14' 9 1/4"	14' 9 1/2"	14' 9 3/4"	14' 9"	14' 9 1/4"	14' 9 1/2"	14' 9 3/4"
Pitch	Ft In 16th"	Ft In 16th"	Ft In 16th"	Ft In 16th"	Ft In 16th"	Ft In 16th"	Ft In 16th"	Ft In 16th"
1 IN 12	14' 9" 10	14' 9" 14	14' 10" 2	14' 10" 6	20' 10" 12	20' 11" 2	20' 11" 7	20' 11" 13
2 IN 12	14' 11" 7	14' 11" 11	14' 11" 15	15' 0" 3	21' 0" 1	21' 0" 6	21' 0" 12	21' 1" 2
2.5 IN 12	15' 0" 13	15' 1" 1	15' 1" 5	15' 1" 9	21' 1" 0	21' 1" 6	21' 1" 12	21' 2" 1
3 IN 12	15' 2" 7	15' 2" 11	15' 2" 15	15' 3" 4	21' 2" 3	21' 2" 9	21' 2" 15	21' 3" 4
3.5 IN 12	15' 4" 6	15' 4" 10	15' 4" 14	15' 5" 3	21' 3" 9	21' 3" 15	21' 4" 5	21' 4" 11
4 IN 12	15' 6" 9	15' 6" 13	15' 7" 2	15' 7" 6	21' 5" 3	21' 5" 9	21' 5" 14	21' 6" 4
4.5 IN 12	15' 9" 1	15' 9" 5	15' 9" 9	15' 9" 13	21' 6" 15	21' 7" 5	21' 7" 11	21' 8" 1
5 IN 12	15' 11" 12	16' 0" 0	16' 0" 5	16' 0" 9	21' 8" 15	21' 9" 5	21' 9" 11	21' 10" 1
5.5 IN 12	16' 2" 11	16' 3" 0	16' 3" 4	16' 3" 8	21' 11" 2	21' 11" 8	21' 11" 14	22' 0" 4
6 IN 12	16' 5" 14	16' 6" 3	16' 6" 7	16' 6" 12	22' 1" 8	22' 1" 14	22' 2" 4	22' 2" 10
6.5 IN 12	16' 9" 5	16' 9" 9	16' 9" 14	16' 10" 2	22' 4" 1	22' 4" 7	22' 4" 13	22' 5" 3
7 IN 12	17' 0" 15	17' 1" 3	17' 1" 8	17' 1" 13	22' 6" 12	22' 7" 3	22' 7" 9	22' 7" 15
8 IN 12	17' 8" 12	17' 9" 0	17' 9" 5	17' 9" 10	23' 0" 12	23' 1" 2	23' 1" 8	23' 1" 15
9 IN 12	18' 5" 4	18' 5" 9	18' 5" 14	18' 6" 3	23' 7" 5	23' 7" 12	23' 8" 2	23' 8" 9
10 IN 12	19' 2" 6	19' 2" 12	19' 3" 1	19' 3" 6	24' 2" 9	24' 2" 15	24' 3" 6	24' 3" 12
11 IN 12	20' 0" 2	20' 0" 7	20' 0" 13	20' 1" 2	24' 10" 5	24' 10" 12	24' 11" 2	24' 11" 9
12 IN 12	20' 10" 5	20' 10" 11	20' 11" 0	20' 11" 6	25' 6" 9	25' 7" 0	25' 7" 7	25' 7" 14
13 IN 12	21' 8" 15	21' 9" 5	21' 9" 11	21' 10" 1	26' 3" 5	26' 3" 12	26' 4" 3	26' 4" 10
14 IN 12	22' 8" 0	22' 8" 6	22' 8" 12	22' 9" 2	27' 0" 8	27' 0" 15	27' 1" 7	27' 1" 14
15 IN 12	23' 7" 5	23' 7" 12	23' 8" 2	23' 8" 9	27' 10" 1	27' 10" 9	27' 11" 0	27' 11" 8
16 IN 12	24' 7" 0	24' 7" 7	24' 7" 13	24' 8" 4	28' 8" 0	28' 8" 8	28' 9" 0	28' 9" 8
17 IN 12	25' 6" 15	25' 7" 6	25' 7" 13	25' 8" 4	29' 6" 5	29' 6" 13	29' 7" 5	29' 7" 13
18 IN 12	26' 7" 1	26' 7" 9	26' 8" 0	26' 8" 7	30' 4" 14	30' 5" 7	30' 5" 15	30' 6" 7
19 IN 12	27' 7" 7	27' 7" 15	27' 8" 6	27' 8" 14	31' 3" 12	31' 4" 5	31' 4" 13	31' 5" 6
20 IN 12	28' 8" 0	28' 8" 8	28' 9" 0	28' 9" 8	32' 2" 14	32' 3" 7	32' 4" 0	32' 4" 8
21 IN 12	29' 8" 12	29' 9" 4	29' 9" 12	29' 10" 4	33' 2" 4	33' 2" 13	33' 3" 6	33' 3" 15
22 IN 12	30' 9" 10	30' 10" 2	30' 10" 11	30' 11" 3	34' 1" 13	34' 2" 6	34' 3" 0	34' 3" 9
23 IN 12	31' 10" 10	31' 11" 3	31' 11" 12	32' 0" 4	35' 1" 10	35' 2" 3	35' 2" 13	35' 3" 6
24 IN 12	32' 11" 13	33' 0" 5	33' 0" 14	33' 1" 7	36' 1" 9	36' 2" 3	36' 2" 13	36' 3" 6
25 IN 12	34' 1" 0	34' 1" 10	34' 2" 3	34' 2" 12	37' 1" 11	37' 2" 5	37' 2" 15	37' 3" 9

14 Foot 10 Inch Run — Common Rafter Lengths   14 Foot 10 Inch Run — Hip Or Valley Rafter Lengths

Run -	14'10"			14'10 1/4"			14'10 1/2"			14'10 3/4"			14'10"			14'10 1/4"			14'10 1/2"			14'10 3/4"		
Pitch	Ft	In	16th"	Ft	In	16th"	Ft	In	16th"	Ft	In	16th"	Ft	In	16th"	Ft	In	16th"	Ft	In	16th"	Ft	In	16th"
1 IN 12	14'	10"	10	14'	10"	14	14'	11"	2	14'	11"	6	21'	0"	3	21'	0"	8	21'	0"	14	21'	1"	4
2 IN 12	15'	0"	7	15'	0"	11	15'	0"	15	15'	1"	3	21'	1"	8	21'	1"	13	21'	2"	3	21'	2"	9
2.5 IN 12	15'	1"	13	15'	2"	1	15'	2"	5	15'	2"	9	21'	2"	7	21'	2"	13	21'	3"	3	21'	3"	8
3 IN 12	15'	3"	8	15'	3"	12	15'	4"	0	15'	4"	4	21'	3"	10	21'	4"	0	21'	4"	6	21'	4"	11
3.5 IN 12	15'	5"	7	15'	5"	11	15'	5"	15	15'	6"	3	21'	5"	0	21'	5"	6	21'	5"	12	21'	6"	2
4 IN 12	15'	7"	10	15'	7"	14	15'	8"	2	15'	8"	7	21'	6"	10	21'	7"	0	21'	7"	6	21'	7"	11
4.5 IN 12	15'	10"	2	15'	10"	6	15'	10"	10	15'	10"	14	21'	8"	7	21'	8"	13	21'	9"	3	21'	9"	8
5 IN 12	16'	0"	13	16'	1"	2	16'	1"	6	16'	1"	10	21'	10"	7	21'	10"	13	21'	11"	3	21'	11"	9
5.5 IN 12	16'	3"	13	16'	4"	1	16'	4"	6	16'	4"	10	22'	0"	10	22'	1"	0	22'	1"	6	22'	1"	12
6 IN 12	16'	7"	0	16'	7"	5	16'	7"	9	16'	7"	14	22'	3"	0	22'	3"	6	22'	3"	12	22'	4"	2
6.5 IN 12	16'	10"	7	16'	10"	12	16'	11"	0	16'	11"	5	22'	5"	9	22'	5"	15	22'	6"	5	22'	6"	11
7 IN 12	17'	2"	1	17'	2"	6	17'	2"	10	17'	2"	15	22'	8"	5	22'	8"	11	22'	9"	1	22'	9"	7
8 IN 12	17'	9"	15	17'	10"	4	17'	10"	8	17'	10"	13	23'	2"	5	23'	2"	11	23'	3"	1	23'	3"	8
9 IN 12	18'	6"	8	18'	6"	13	18'	7"	2	18'	7"	7	23'	8"	15	23'	9"	5	23'	9"	12	23'	10"	2
10 IN 12	19'	3"	11	19'	4"	0	19'	4"	6	19'	4"	11	24'	4"	3	24'	4"	9	24'	5"	0	24'	5"	7
11 IN 12	20'	1"	8	20'	1"	13	20'	2"	2	20'	2"	8	25'	0"	0	25'	0"	7	25'	0"	13	25'	1"	4
12 IN 12	20'	11"	12	21'	0"	1	21'	0"	7	21'	0"	13	25'	8"	5	25'	8"	12	25'	9"	3	25'	9"	10
13 IN 12	21'	10"	7	21'	10"	13	21'	11"	3	21'	11"	9	26'	5"	2	26'	5"	9	26'	6"	0	26'	6"	7
14 IN 12	22'	9"	8	22'	9"	14	22'	10"	5	22'	10"	11	27'	2"	5	27'	2"	13	27'	3"	4	27'	3"	11
15 IN 12	23'	8"	15	23'	9"	5	23'	9"	12	23'	10"	2	27'	11"	15	28'	0"	7	28'	0"	15	28'	1"	6
16 IN 12	24'	8"	11	24'	9"	1	24'	9"	8	24'	9"	15	28'	10"	0	28'	10"	7	28'	10"	15	28'	11"	7
17 IN 12	25'	8"	11	25'	9"	2	25'	9"	8	25'	9"	15	29'	8"	5	29'	8"	13	29'	9"	5	29'	9"	13
18 IN 12	26'	8"	14	26'	9"	6	26'	9"	13	26'	10"	4	30'	6"	15	30'	7"	8	30'	8"	0	30'	8"	8
19 IN 12	27'	9"	5	27'	9"	13	27'	10"	4	27'	10"	12	31'	5"	14	31'	6"	7	31'	6"	15	31'	7"	8
20 IN 12	28'	10"	0	28'	10"	7	28'	10"	15	28'	11"	7	32'	5"	1	32'	5"	10	32'	6"	3	32'	6"	11
21 IN 12	29'	10"	12	29'	11"	4	29'	11"	12	30'	0"	5	33'	4"	8	33'	5"	1	33'	5"	10	33'	6"	3
22 IN 12	30'	11"	12	31'	0"	4	31'	0"	12	31'	1"	5	34'	4"	2	34'	4"	12	34'	5"	5	34'	5"	14
23 IN 12	32'	0"	13	32'	1"	6	32'	1"	14	32'	2"	7	35'	4"	0	35'	4"	9	35'	5"	3	35'	5"	12
24 IN 12	33'	2"	0	33'	2"	9	33'	3"	2	33'	3"	11	36'	4"	0	36'	4"	10	36'	5"	4	36'	5"	14
25 IN 12	34'	3"	5	34'	3"	15	34'	4"	8	34'	5"	1	37'	4"	3	37'	4"	13	37'	5"	7	37'	6"	1

14 Foot 11 Inch Run — Common Rafter Lengths

Run -	14'11" Ft In 16th"	14'11 1/4" Ft In 16th"	14'11 1/2" Ft In 16th"	14'11 3/4" Ft In 16th"
1 IN 12	14' 11" 10	14' 11" 14	15' 0" 2	15' 0" 6
2 IN 12	15' 1" 8	15' 1" 12	15' 2" 0	15' 2" 4
2.5 IN 12	15' 2" 13	15' 3" 2	15' 3" 6	15' 3" 10
3 IN 12	15' 4" 8	15' 4" 12	15' 5" 0	15' 5" 5
3.5 IN 12	15' 6" 7	15' 6" 12	15' 7" 0	15' 7" 4
4 IN 12	15' 8" 11	15' 8" 15	15' 9" 3	15' 9" 8
4.5 IN 12	15' 11" 3	15' 11" 7	15' 11" 11	16' 0" 0
5 IN 12	16' 1" 15	16' 2" 3	16' 2" 7	16' 2" 12
5.5 IN 12	16' 4" 14	16' 5" 3	16' 5" 7	16' 5" 12
6 IN 12	16' 8" 2	16' 8" 7	16' 8" 11	16' 8" 15
6.5 IN 12	16' 11" 9	16' 11" 14	17' 0" 2	17' 0" 7
7 IN 12	17' 3" 4	17' 3" 8	17' 3" 13	17' 4" 2
8 IN 12	17' 11" 2	17' 11" 7	17' 11" 12	18' 0" 1
9 IN 12	18' 7" 12	18' 8" 1	18' 8" 6	18' 8" 11
10 IN 12	19' 5" 0	19' 5" 5	19' 5" 11	19' 6" 0
11 IN 12	20' 2" 13	20' 3" 3	20' 3" 8	20' 3" 13
12 IN 12	21' 1" 2	21' 1" 8	21' 1" 14	21' 2" 3
13 IN 12	21' 11" 14	22' 0" 4	22' 0" 10	22' 1" 0
14 IN 12	22' 11" 1	22' 11" 7	22' 11" 13	23' 0" 3
15 IN 12	23' 10" 9	23' 10" 15	23' 11" 5	23' 11" 12
16 IN 12	24' 10" 5	24' 10" 12	24' 11" 3	24' 11" 9
17 IN 12	25' 10" 6	25' 10" 13	25' 11" 4	25' 11" 11
18 IN 12	26' 10" 11	26' 11" 2	26' 11" 10	27' 0" 1
19 IN 12	27' 11" 3	27' 11" 11	28' 0" 2	28' 0" 10
20 IN 12	28' 11" 15	29' 0" 6	29' 0" 14	29' 1" 6
21 IN 12	30' 0" 13	30' 1" 5	30' 1" 13	30' 2" 5
22 IN 12	31' 1" 13	31' 2" 5	31' 2" 14	31' 3" 6
23 IN 12	32' 3" 0	32' 3" 8	32' 4" 1	32' 4" 9
24 IN 12	33' 4" 4	33' 4" 13	33' 5" 6	33' 5" 15
25 IN 12	34' 5" 10	34' 6" 4	34' 6" 13	34' 7" 6

14 Foot 11 Inch Run — Hip Or Valley Rafter Lengths

Pitch	14'11" Ft In 16th"	14'11 1/4" Ft In 16th"	14'11 1/2" Ft In 16th"	14'11 3/4" Ft In 16th"
1 IN 12	21' 1" 9	21' 1" 15	21' 2" 5	21' 2" 10
2 IN 12	21' 2" 14	21' 3" 4	21' 3" 10	21' 3" 15
2.5 IN 12	21' 3" 14	21' 4" 4	21' 4" 9	21' 4" 15
3 IN 12	21' 5" 1	21' 5" 7	21' 5" 13	21' 6" 2
3.5 IN 12	21' 6" 8	21' 6" 13	21' 7" 3	21' 7" 9
4 IN 12	21' 8" 1	21' 8" 7	21' 8" 13	21' 9" 3
4.5 IN 12	21' 9" 14	21' 10" 4	21' 10" 10	21' 11" 0
5 IN 12	21' 11" 14	22' 0" 4	22' 0" 10	22' 1" 0
5.5 IN 12	22' 2" 2	22' 2" 8	22' 2" 14	22' 3" 4
6 IN 12	22' 4" 8	22' 4" 14	22' 5" 4	22' 5" 10
6.5 IN 12	22' 7" 1	22' 7" 7	22' 7" 13	22' 8" 3
7 IN 12	22' 9" 13	22' 10" 3	22' 10" 10	22' 11" 0
8 IN 12	23' 3" 14	23' 4" 4	23' 4" 10	23' 5" 1
9 IN 12	23' 10" 9	23' 10" 15	23' 11" 5	23' 11" 12
10 IN 12	24' 5" 13	24' 6" 4	24' 6" 10	24' 7" 1
11 IN 12	25' 1" 11	25' 2" 1	25' 2" 8	25' 2" 15
12 IN 12	25' 10" 1	25' 10" 8	25' 10" 14	25' 11" 5
13 IN 12	26' 6" 14	26' 7" 5	26' 7" 12	26' 8" 3
14 IN 12	27' 4" 3	27' 4" 10	27' 5" 1	27' 5" 9
15 IN 12	28' 1" 14	28' 2" 5	28' 2" 13	28' 3" 4
16 IN 12	28' 11" 15	29' 0" 6	29' 0" 14	29' 1" 6
17 IN 12	29' 10" 5	29' 10" 13	29' 11" 5	29' 11" 13
18 IN 12	30' 9" 0	30' 9" 9	30' 10" 1	30' 10" 9
19 IN 12	31' 8" 0	31' 8" 9	31' 9" 1	31' 9" 10
20 IN 12	32' 7" 4	32' 7" 13	32' 8" 6	32' 8" 14
21 IN 12	33' 6" 12	33' 7" 5	33' 7" 14	33' 8" 7
22 IN 12	34' 6" 7	34' 7" 1	34' 7" 10	34' 8" 3
23 IN 12	35' 6" 6	35' 6" 15	35' 7" 9	35' 8" 2
24 IN 12	36' 6" 7	36' 7" 1	36' 7" 11	36' 8" 5
25 IN 12	37' 6" 12	37' 7" 6	37' 8" 0	37' 8" 10

Run -	15' 0"			15' 0 1/4"			15' 0 1/2"			15' 0 3/4"				15' 0"			15' 0 1/4"			15' 0 1/2"			15' 0 3/4"		
Pitch	Ft	In	16th	Ft	In	16th	Ft	In	16th	Ft	In	16th		Ft	In	16th	Ft	In	16th	Ft	In	16th	Ft	In	16th
1 IN 12	15'	0"	10	15'	0"	14	15'	1"	2	15'	1"	6		21'	3"	0	21'	3"	6	21'	3"	11	21'	4"	1
2 IN 12	15'	2"	8	15'	2"	12	15'	3"	0	15'	3"	4		21'	4"	5	21'	4"	11	21'	5"	1	21'	5"	6
2.5 IN 12	15'	3"	14	15'	4"	2	15'	4"	6	15'	4"	10		21'	5"	5	21'	5"	11	21'	6"	0	21'	6"	6
3 IN 12	15'	5"	9	15'	5"	13	15'	6"	1	15'	6"	5		21'	6"	8	21'	6"	14	21'	7"	4	21'	7"	9
3.5 IN 12	15'	7"	8	15'	7"	12	15'	8"	0	15'	8"	5		21'	7"	15	21'	8"	4	21'	8"	10	21'	9"	0
4 IN 12	15'	9"	12	15'	10"	0	15'	10"	4	15'	10"	8		21'	9"	9	21'	9"	14	21'	10"	4	21'	10"	10
4.5 IN 12	16'	0"	4	16'	0"	8	16'	0"	12	16'	1"	1		21'	11"	6	21'	11"	12	22'	0"	1	22'	0"	7
5 IN 12	16'	3"	0	16'	3"	4	16'	3"	9	16'	3"	13		22'	1"	6	22'	1"	12	22'	2"	2	22'	2"	8
5.5 IN 12	16'	6"	0	16'	6"	4	16'	6"	9	16'	6"	13		22'	3"	9	22'	3"	15	22'	4"	5	22'	4"	11
6 IN 12	16'	9"	4	16'	9"	8	16'	9"	13	16'	10"	1		22'	6"	0	22'	6"	6	22'	6"	12	22'	7"	2
6.5 IN 12	17'	0"	11	17'	1"	0	17'	1"	4	17'	1"	9		22'	8"	9	22'	9"	0	22'	9"	6	22'	9"	12
7 IN 12	17'	4"	6	17'	4"	11	17'	4"	15	17'	5"	4		22'	11"	6	22'	11"	12	23'	0"	2	23'	0"	8
8 IN 12	18'	0"	5	18'	0"	10	18'	0"	15	18'	1"	4		23'	5"	7	23'	5"	13	23'	6"	3	23'	6"	10
9 IN 12	18'	9"	0	18'	9"	5	18'	9"	10	18'	9"	15		24'	0"	2	24'	0"	9	24'	0"	15	24'	1"	5
10 IN 12	19'	6"	5	19'	6"	10	19'	6"	15	19'	7"	5		24'	7"	7	24'	7"	14	24'	8"	5	24'	8"	11
11 IN 12	20'	4"	3	20'	4"	8	20'	4"	14	20'	5"	3		25'	3"	6	25'	3"	12	25'	4"	3	25'	4"	10
12 IN 12	21'	2"	9	21'	2"	15	21'	3"	4	21'	3"	10		25'	11"	12	26'	0"	3	26'	0"	10	26'	1"	1
13 IN 12	22'	1"	6	22'	1"	12	22'	2"	2	22'	2"	8		26'	8"	11	26'	9"	2	26'	9"	9	26'	10"	0
14 IN 12	23'	0"	9	23'	1"	0	23'	1"	6	23'	1"	12		27'	6"	0	27'	6"	7	27'	6"	15	27'	7"	6
15 IN 12	24'	0"	2	24'	0"	9	24'	0"	15	24'	1"	5		28'	3"	12	28'	4"	3	28'	4"	11	28'	5"	3
16 IN 12	25'	0"	0	25'	0"	7	25'	0"	13	25'	1"	4		29'	1"	14	29'	2"	5	29'	2"	13	29'	3"	5
17 IN 12	26'	0"	0	26'	0"	9	26'	1"	0	26'	1"	7		30'	0"	5	30'	0"	13	30'	1"	5	30'	1"	13
18 IN 12	27'	0"	8	27'	0"	15	27'	1"	6	27'	1"	14		30'	11"	1	30'	11"	10	31'	0"	2	31'	0"	10
19 IN 12	28'	1"	1	28'	1"	9	28'	2"	0	28'	2"	8		31'	10"	2	31'	10"	11	31'	11"	3	31'	11"	12
20 IN 12	29'	1"	14	29'	2"	5	29'	2"	13	29'	3"	5		32'	9"	7	32'	10"	0	32'	10"	9	32'	11"	1
21 IN 12	30'	2"	13	30'	3"	5	30'	3"	13	30'	4"	5		33'	9"	0	33'	9"	9	33'	10"	2	33'	10"	11
22 IN 12	31'	3"	14	31'	4"	7	31'	4"	15	31'	5"	7		34'	8"	12	34'	9"	6	34'	9"	15	34'	10"	8
23 IN 12	32'	5"	2	32'	5"	11	32'	6"	3	32'	6"	12		35'	8"	12	35'	9"	5	35'	9"	15	35'	10"	9
24 IN 12	33'	6"	8	33'	7"	1	33'	7"	10	33'	8"	3		36'	8"	15	36'	9"	8	36'	10"	2	36'	10"	12
25 IN 12	34'	7"	15	34'	8"	9	34'	9"	2	34'	9"	11		37'	9"	4	37'	9"	14	37'	10"	8	37'	11"	2

Run - Pitch	15' 1"	15' 1 1/4"	15' 1 1/2"	15' 1 3/4"	15' 1"	15' 1 1/4"	15' 1 1/2"	15' 1 3/4"
	Ft In 16th"	Ft In 16th"	Ft In 16th"	Ft In 16th"	Ft In 16th"	Ft In 16th"	Ft In 16th"	Ft In 16th"
1 IN 12	15' 1" 10	15' 1" 14	15' 2" 2	15' 2" 6	21' 4" 7	21' 4" 12	21' 5" 2	21' 5" 8
2 IN 12	15' 3" 8	15' 3" 12	15' 4" 0	15' 4" 4	21' 5" 12	21' 6" 2	21' 6" 7	21' 6" 13
2.5 IN 12	15' 4" 14	15' 5" 2	15' 5" 6	15' 5" 10	21' 6" 12	21' 7" 1	21' 7" 7	21' 7" 13
3 IN 12	15' 6" 9	15' 6" 13	15' 7" 1	15' 7" 5	21' 7" 15	21' 8" 5	21' 8" 11	21' 9" 0
3.5 IN 12	15' 8" 9	15' 8" 13	15' 9" 1	15' 9" 5	21' 9" 6	21' 9" 12	21' 10" 1	21' 10" 7
4 IN 12	15' 10" 13	15' 11" 1	15' 11" 5	15' 11" 9	21' 11" 0	21' 11" 6	21' 11" 11	22' 0" 1
4.5 IN 12	16' 1" 5	16' 1" 9	16' 1" 13	16' 2" 2	22' 0" 13	22' 1" 3	22' 1" 9	22' 1" 15
5 IN 12	16' 4" 1	16' 4" 6	16' 4" 10	16' 4" 14	22' 2" 14	22' 3" 4	22' 3" 9	22' 3" 15
5.5 IN 12	16' 7" 2	16' 7" 6	16' 7" 10	16' 7" 15	22' 5" 1	22' 5" 7	22' 5" 13	22' 6" 3
6 IN 12	16' 10" 6	16' 10" 10	16' 10" 15	16' 11" 3	22' 7" 8	22' 7" 14	22' 8" 4	22' 8" 10
6.5 IN 12	17' 1" 14	17' 2" 2	17' 2" 7	17' 2" 11	22' 10" 2	22' 10" 8	22' 10" 14	22' 11" 4
7 IN 12	17' 5" 9	17' 5" 13	17' 6" 2	17' 6" 7	23' 0" 14	23' 1" 4	23' 1" 11	23' 2" 1
8 IN 12	18' 1" 9	18' 1" 13	18' 2" 2	18' 2" 7	23' 7" 0	23' 7" 6	23' 7" 12	23' 8" 3
9 IN 12	18' 10" 1	18' 10" 9	18' 10" 14	18' 11" 3	24' 1" 12	24' 2" 2	24' 2" 9	24' 2" 15
10 IN 12	19' 7" 10	19' 7" 15	19' 8" 4	19' 8" 9	24' 9" 2	24' 9" 8	24' 9" 15	24' 10" 5
11 IN 12	20' 5" 9	20' 5" 14	20' 6" 3	20' 6" 9	25' 5" 1	25' 5" 7	25' 5" 14	25' 6" 5
12 IN 12	21' 4" 0	21' 4" 5	21' 4" 11	21' 5" 1	26' 1" 8	26' 1" 15	26' 2" 6	26' 2" 13
13 IN 12	22' 2" 14	22' 3" 4	22' 3" 9	22' 3" 15	26' 10" 7	26' 10" 14	26' 11" 5	26' 11" 12
14 IN 12	23' 2" 2	23' 2" 8	23' 2" 14	23' 3" 4	27' 7" 13	27' 8" 5	27' 8" 12	27' 9" 3
15 IN 12	24' 1" 12	24' 2" 2	24' 2" 9	24' 2" 15	28' 5" 10	28' 6" 2	28' 6" 9	28' 7" 1
16 IN 12	25' 1" 11	25' 2" 1	25' 2" 8	25' 2" 15	29' 3" 13	29' 4" 5	29' 4" 12	29' 5" 4
17 IN 12	26' 1" 14	26' 2" 5	26' 2" 12	26' 3" 3	30' 2" 5	30' 2" 13	30' 3" 5	30' 3" 13
18 IN 12	27' 2" 5	27' 2" 12	27' 3" 3	27' 3" 10	31' 1" 2	31' 1" 11	31' 2" 3	31' 2" 11
19 IN 12	28' 2" 15	28' 3" 7	28' 3" 14	28' 4" 6	32' 0" 4	32' 0" 13	32' 1" 5	32' 1" 14
20 IN 12	29' 3" 13	29' 4" 5	29' 4" 12	29' 5" 4	32' 11" 10	33' 0" 3	33' 0" 12	33' 1" 4
21 IN 12	30' 4" 13	30' 5" 5	30' 5" 13	30' 6" 5	33' 11" 4	33' 11" 13	34' 0" 6	34' 0" 15
22 IN 12	31' 6" 0	31' 6" 8	31' 7" 1	31' 7" 9	34' 11" 1	34' 11" 11	35' 0" 4	35' 0" 13
23 IN 12	32' 7" 5	32' 7" 13	32' 8" 6	32' 8" 15	35' 11" 2	35' 11" 12	36' 0" 5	36' 0" 15
24 IN 12	33' 8" 12	33' 9" 5	33' 9" 14	33' 10" 6	36' 11" 6	37' 0" 0	37' 0" 9	37' 1" 3
25 IN 12	34' 10" 4	34' 10" 14	34' 11" 7	35' 0" 0	37' 11" 12	38' 0" 6	38' 1" 0	38' 1" 10

15 Foot 2 Inch Run — Common Rafter Lengths   15 Foot 2 Inch Run — Hip Or Valley Rafter Lengths

Run -	15' 2"			15' 2 1/4"			15' 2 1/2"			15' 2 3/4"			15' 2"			15' 2 1/4"			15' 2 1/2"			15' 2 3/4"		
Pitch	Ft	In	16th"	Ft	In	16th"	Ft	In	16th"	Ft	In	16th"	Ft	In	16th"	Ft	In	16th"	Ft	In	16th"	Ft	In	16th"
1 IN 12	15'	2"	10	15'	2"	14	15'	3"	2	15'	3"	6	21'	5"	13	21'	6"	3	21'	6"	9	21'	6"	14
2 IN 12	15'	4"	8	15'	4"	12	15'	5"	0	15'	5"	4	21'	7"	3	21'	7"	8	21'	7"	14	21'	8"	4
2.5 IN 12	15'	5"	15	15'	6"	3	15'	6"	7	15'	6"	11	21'	8"	3	21'	8"	8	21'	8"	14	21'	9"	4
3 IN 12	15'	7"	10	15'	7"	14	15'	8"	2	15'	8"	6	21'	9"	6	21'	9"	12	21'	10"	2	21'	10"	7
3.5 IN 12	15'	9"	9	15'	9"	14	15'	10"	2	15'	10"	6	21'	10"	13	21'	11"	3	21'	11"	8	21'	11"	14
4 IN 12	15'	11"	14	16'	0"	2	16'	0"	6	16'	0"	10	22'	0"	7	22'	0"	13	22'	1"	3	22'	1"	8
4.5 IN 12	16'	2"	6	16'	2"	10	16'	2"	15	16'	3"	3	22'	2"	5	22'	2"	10	22'	3"	0	22'	3"	6
5 IN 12	16'	5"	3	16'	5"	7	16'	5"	11	16'	6"	0	22'	4"	5	22'	4"	11	22'	5"	1	22'	5"	7
5.5 IN 12	16'	8"	3	16'	8"	8	16'	8"	12	16'	9"	0	22'	6"	9	22'	6"	15	22'	7"	5	22'	7"	11
6 IN 12	16'	11"	8	16'	11"	12	17'	0"	1	17'	0"	5	22'	9"	0	22'	9"	6	22'	9"	12	22'	10"	2
6.5 IN 12	17'	3"	0	17'	3"	4	17'	3"	9	17'	3"	13	22'	11"	10	23'	0"	0	23'	0"	6	23'	0"	12
7 IN 12	17'	6"	11	17'	7"	0	17'	7"	4	17'	7"	9	23'	2"	7	23'	2"	13	23'	3"	3	23'	3"	9
8 IN 12	18'	2"	12	18'	3"	1	18'	3"	5	18'	3"	10	23'	8"	9	23'	8"	15	23'	9"	5	23'	9"	12
9 IN 12	18'	11"	8	18'	11"	13	19'	0"	2	19'	0"	7	24'	3"	5	24'	3"	12	24'	4"	2	24'	4"	9
10 IN 12	19'	8"	15	19'	9"	4	19'	9"	9	19'	9"	14	24'	10"	12	24'	11"	3	24'	11"	9	25'	0"	0
11 IN 12	20'	6"	14	20'	7"	4	20'	7"	9	20'	7"	15	25'	6"	12	25'	7"	2	25'	7"	9	25'	8"	0
12 IN 12	21'	5"	6	21'	5"	12	21'	6"	2	21'	6"	7	26'	3"	4	26'	3"	11	26'	4"	2	26'	4"	9
13 IN 12	22'	4"	7	22'	4"	11	22'	5"	1	22'	5"	7	27'	0"	4	27'	0"	11	27'	1"	2	27'	1"	9
14 IN 12	23'	3"	11	23'	4"	1	23'	4"	7	23'	4"	13	27'	9"	11	27'	10"	2	27'	10"	9	27'	11"	1
15 IN 12	24'	3"	5	24'	3"	12	24'	4"	2	24'	4"	9	28'	7"	8	28'	8"	0	28'	8"	7	28'	8"	15
16 IN 12	25'	3"	5	25'	3"	12	25'	4"	3	25'	4"	9	29'	5"	12	29'	6"	4	29'	6"	11	29'	7"	3
17 IN 12	26'	3"	10	26'	4"	1	26'	4"	7	26'	4"	14	30'	4"	5	30'	4"	13	30'	5"	5	30'	5"	13
18 IN 12	27'	4"	2	27'	4"	9	27'	5"	0	27'	5"	7	31'	3"	3	31'	3"	11	31'	4"	4	31'	4"	12
19 IN 12	28'	4"	12	28'	5"	5	28'	5"	12	28'	6"	4	32'	2"	6	32'	2"	15	32'	3"	7	32'	4"	0
20 IN 12	29'	5"	12	29'	6"	5	29'	6"	11	29'	7"	3	33'	1"	13	33'	2"	6	33'	2"	15	33'	3"	7
21 IN 12	30'	6"	13	30'	7"	5	30'	7"	13	30'	8"	6	34'	1"	8	34'	2"	1	34'	2"	10	34'	3"	3
22 IN 12	31'	8"	1	31'	8"	10	31'	9"	2	31'	9"	10	35'	1"	6	35'	2"	0	35'	2"	9	35'	3"	2
23 IN 12	32'	9"	7	32'	10"	0	32'	10"	9	32'	11"	1	36'	1"	8	36'	2"	2	36'	2"	11	36'	3"	5
24 IN 12	33'	10"	15	33'	11"	8	34'	0"	1	34'	0"	10	37'	1"	13	37'	2"	7	37'	3"	1	37'	3"	10
25 IN 12	35'	0"	9	35'	1"	3	35'	1"	12	35'	2"	5	38'	2"	4	38'	2"	14	38'	3"	9	38'	4"	3

15 Foot 3 Inch Run — Common Rafter Lengths   15 Foot 3 Inch Run — Hip Or Valley Rafter Lengths

Run -	15' 3"	15' 3 1/4"	15' 3 1/2"	15' 3 3/4"	15' 3"	15' 3 1/4"	15' 3 1/2"	15' 3 3/4"
Pitch	Ft In 16th"	Ft In 16th"	Ft In 16th"	Ft In 16th"	Ft In 16th"	Ft In 16th"	Ft In 16th"	Ft In 16th"
1 IN 12	15' 3" 10	15' 3" 14	15' 4" 2	15' 4" 6	21' 7" 4	21' 7" 10	21' 7" 15	21' 8" 5
2 IN 12	15' 5" 8	15' 5" 12	15' 6" 0	15' 6" 5	21' 8" 9	21' 8" 15	21' 9" 5	21' 9" 11
2.5 IN 12	15' 6" 15	15' 7" 3	15' 7" 7	15' 7" 11	21' 9" 10	21' 9" 15	21' 10" 5	21' 10" 11
3 IN 12	15' 8" 10	15' 8" 14	15' 9" 2	15' 9" 6	21' 10" 13	21' 11" 3	21' 11" 9	21' 11" 14
3.5 IN 12	15' 10" 10	15' 10" 14	15' 11" 2	15' 11" 7	22' 0" 4	22' 0" 10	22' 1" 0	22' 1" 5
4 IN 12	16' 0" 14	16' 1" 3	16' 1" 7	16' 1" 11	22' 1" 14	22' 2" 4	22' 2" 10	22' 3" 0
4.5 IN 12	16' 3" 7	16' 3" 11	16' 4" 0	16' 4" 4	22' 3" 12	22' 4" 2	22' 4" 8	22' 4" 13
5 IN 12	16' 6" 4	16' 6" 8	16' 6" 13	16' 7" 1	22' 5" 13	22' 6" 3	22' 6" 9	22' 6" 14
5.5 IN 12	16' 9" 5	16' 9" 9	16' 9" 14	16' 10" 2	22' 8" 1	22' 8" 7	22' 8" 13	22' 9" 3
6 IN 12	17' 0" 10	17' 0" 14	17' 1" 3	17' 1" 7	22' 10" 8	22' 10" 14	22' 11" 4	22' 11" 10
6.5 IN 12	17' 4" 2	17' 4" 7	17' 4" 11	17' 5" 0	23' 1" 2	23' 1" 8	23' 1" 14	23' 2" 4
7 IN 12	17' 7" 14	17' 8" 2	17' 8" 7	17' 8" 12	23' 3" 15	23' 4" 4	23' 4" 11	23' 5" 2
8 IN 12	18' 3" 15	18' 4" 4	18' 4" 9	18' 4" 13	23' 10" 2	23' 10" 8	23' 10" 14	23' 11" 5
9 IN 12	19' 0" 12	19' 1" 1	19' 1" 6	19' 1" 11	24' 4" 15	24' 5" 5	24' 5" 12	24' 6" 2
10 IN 12	19' 10" 3	19' 10" 9	19' 10" 14	19' 11" 4	25' 0" 6	25' 0" 13	25' 1" 3	25' 1" 10
11 IN 12	20' 8" 4	20' 8" 9	20' 8" 15	20' 9" 4	25' 8" 7	25' 8" 13	25' 9" 4	25' 9" 11
12 IN 12	21' 6" 13	21' 7" 2	21' 7" 8	21' 7" 14	26' 4" 15	26' 5" 6	26' 5" 13	26' 6" 4
13 IN 12	22' 5" 13	22' 6" 3	22' 6" 9	22' 6" 14	27' 2" 0	27' 2" 7	27' 2" 14	27' 3" 6
14 IN 12	23' 5" 3	23' 5" 9	23' 5" 15	23' 6" 6	27' 11" 8	27' 11" 15	28' 0" 7	28' 0" 14
15 IN 12	24' 4" 15	24' 5" 5	24' 5" 12	24' 6" 2	28' 9" 6	28' 9" 14	28' 10" 6	28' 10" 13
16 IN 12	25' 5" 0	25' 5" 7	25' 5" 13	25' 6" 4	29' 7" 11	29' 8" 3	29' 8" 11	29' 9" 2
17 IN 12	26' 5" 5	26' 5" 12	26' 6" 3	26' 6" 10	30' 6" 5	30' 6" 13	30' 7" 5	30' 7" 13
18 IN 12	27' 5" 15	27' 6" 6	27' 6" 13	27' 7" 4	31' 5" 4	31' 5" 12	31' 6" 5	31' 6" 13
19 IN 12	28' 6" 11	28' 7" 3	28' 7" 10	28' 8" 2	32' 4" 8	32' 5" 1	32' 5" 9	32' 6" 1
20 IN 12	29' 7" 11	29' 8" 3	29' 8" 11	29' 9" 2	33' 4" 0	33' 4" 9	33' 5" 2	33' 5" 10
21 IN 12	30' 8" 14	30' 9" 6	30' 9" 14	30' 10" 6	34' 3" 12	34' 4" 5	34' 4" 14	34' 5" 7
22 IN 12	31' 10" 3	31' 10" 11	31' 11" 3	31' 11" 12	35' 3" 12	35' 4" 5	35' 4" 14	35' 5" 7
23 IN 12	32' 11" 10	33' 0" 3	33' 0" 11	33' 1" 4	36' 3" 14	36' 4" 8	36' 5" 1	36' 5" 11
24 IN 12	34' 1" 3	34' 1" 12	34' 2" 5	34' 2" 14	37' 4" 4	37' 4" 14	37' 5" 8	37' 6" 1
25 IN 12	35' 2" 14	35' 3" 8	35' 4" 1	35' 4" 10	38' 4" 13	38' 5" 7	38' 6" 1	38' 6" 11

15 Foot 4 Inch Run — Common Rafter Lengths   15 Foot 4 Inch Run — Hip Or Valley Rafter Lengths

Run -	15' 4"			15' 4 1/4"			15' 4 1/2"			15' 4 3/4"			15' 4"			15' 4 1/4"			15' 4 1/2"			15' 4 3/4"		
Pitch	Ft	In	16th"	Ft	In	16th"	Ft	In	16th"	Ft	In	16th"	Ft	In	16th"	Ft	In	16th"	Ft	In	16th"	Ft	In	16th"
1 IN 12	15'	4"	10	15'	4"	14	15'	5"	2	15'	5"	6	21'	8"	11	21'	9"	0	21'	9"	6	21'	9"	12
2 IN 12	15'	6"	9	15'	6"	13	15'	7"	1	15'	7"	5	21'	10"	0	21'	10"	6	21'	10"	12	21'	11"	1
2.5 IN 12	15'	7"	15	15'	8"	3	15'	8"	7	15'	8"	11	21'	11"	0	21'	11"	6	21'	11"	12	22'	0"	2
3 IN 12	15'	9"	11	15'	9"	15	15'	10"	3	15'	10"	7	22'	0"	4	22'	0"	10	22'	0"	15	22'	1"	5
3.5 IN 12	15'	11"	11	15'	11"	15	16'	0"	3	16'	0"	7	22'	1"	11	22'	2"	1	22'	2"	7	22'	2"	12
4 IN 12	16'	1"	15	16'	2"	3	16'	2"	8	16'	2"	12	22'	3"	6	22'	3"	11	22'	4"	1	22'	4"	7
4.5 IN 12	16'	4"	8	16'	4"	12	16'	5"	1	16'	5"	5	22'	5"	3	22'	5"	9	22'	5"	15	22'	6"	5
5 IN 12	16'	7"	5	16'	7"	10	16'	7"	14	16'	8"	2	22'	7"	4	22'	7"	10	22'	8"	0	22'	8"	6
5.5 IN 12	16'	10"	6	16'	10"	11	16'	10"	15	16'	11"	4	22'	9"	9	22'	9"	15	22'	10"	5	22'	10"	10
6 IN 12	17'	1"	11	17'	2"	0	17'	2"	4	17'	2"	9	23'	0"	0	23'	0"	6	23'	0"	12	23'	1"	2
6.5 IN 12	17'	5"	4	17'	5"	9	17'	5"	13	17'	6"	2	23'	2"	10	23'	3"	0	23'	3"	7	23'	3"	13
7 IN 12	17'	9"	0	17'	9"	5	17'	9"	10	17'	9"	14	23'	5"	8	23'	5"	14	23'	6"	4	23'	6"	10
8 IN 12	18'	5"	2	18'	5"	7	18'	5"	12	18'	6"	1	23'	11"	11	24'	0"	1	24'	0"	7	24'	0"	14
9 IN 12	19'	2"	0	19'	2"	5	19'	2"	10	19'	2"	15	24'	6"	9	24'	6"	15	24'	7"	6	24'	7"	12
10 IN 12	19'	11"	6	19'	11"	13	20'	0"	3	20'	0"	8	25'	2"	1	25'	2"	7	25'	2"	14	25'	3"	4
11 IN 12	20'	9"	10	20'	9"	15	20'	10"	5	20'	10"	10	25'	10"	2	25'	10"	8	25'	10"	15	25'	11"	6
12 IN 12	21'	8"	3	21'	8"	9	21'	8"	15	21'	9"	4	26'	6"	11	26'	7"	2	26'	7"	9	26'	8"	0
13 IN 12	22'	7"	4	22'	7"	10	22'	8"	0	22'	8"	6	27'	3"	13	27'	4"	4	27'	4"	11	27'	5"	2
14 IN 12	23'	6"	12	23'	7"	2	23'	7"	8	23'	7"	14	28'	1"	5	28'	1"	13	28'	2"	4	28'	2"	11
15 IN 12	24'	6"	9	24'	6"	15	24'	7"	6	24'	7"	12	28'	11"	5	28'	11"	12	29'	0"	4	29'	0"	11
16 IN 12	25'	6"	11	25'	7"	1	25'	7"	8	25'	7"	15	29'	9"	10	29'	10"	2	29'	10"	10	29'	11"	1
17 IN 12	26'	7"	1	26'	7"	8	26'	7"	15	26'	8"	6	30'	8"	5	30'	8"	13	30'	9"	5	30'	9"	13
18 IN 12	27'	7"	11	27'	8"	3	27'	8"	10	27'	9"	1	31'	7"	5	31'	7"	13	31'	8"	6	31'	8"	14
19 IN 12	28'	8"	9	28'	9"	1	28'	9"	8	28'	10"	0	32'	6"	10	32'	7"	2	32'	7"	11	32'	8"	3
20 IN 12	29'	9"	10	29'	10"	2	29'	10"	10	29'	11"	1	33'	6"	3	33'	6"	12	33'	7"	5	33'	7"	13
21 IN 12	30'	10"	14	30'	11"	6	30'	11"	14	31'	0"	6	34'	6"	0	34'	6"	9	34'	7"	2	34'	7"	11
22 IN 12	32'	0"	4	32'	0"	12	32'	1"	5	32'	1"	13	35'	6"	1	35'	6"	10	35'	7"	3	35'	7"	12
23 IN 12	33'	1"	12	33'	2"	5	33'	2"	14	33'	3"	6	36'	6"	4	36'	6"	14	36'	7"	7	36'	8"	1
24 IN 12	34'	3"	7	34'	4"	0	34'	4"	9	34'	5"	2	37'	6"	11	37'	7"	5	37'	7"	15	37'	8"	9
25 IN 12	35'	5"	3	35'	5"	13	35'	6"	6	35'	6"	15	38'	7"	5	38'	7"	15	38'	8"	9	38'	9"	3

15 Foot 5 Inch Run — Common Rafter Lengths   15 Foot 5 Inch Run — Hip Or Valley Rafter Lengths

Run -	15' 5"			15' 5 1/4"			15' 5 1/2"			15' 5 3/4"			15' 5"			15' 5 1/4"			15' 5 1/2"			15' 5 3/4"		
Pitch	Ft	In	16th"	Ft	In	16th"	Ft	In	16th"	Ft	In	16th"	Ft	In	16th"	Ft	In	16th"	Ft	In	16th"	Ft	In	16th"
1 IN 12	15'	5"	10	15'	5"	14	15'	6"	2	15'	6"	6	21'	10"	1	21'	10"	7	21'	10"	13	21'	11"	2
2 IN 12	15'	7"	9	15'	7"	13	15'	8"	1	15'	8"	5	21'	11"	7	21'	11"	13	22'	0"	2	22'	0"	8
2.5 IN 12	15'	9"	0	15'	9"	4	15'	9"	8	15'	9"	12	22'	0"	7	22'	0"	13	22'	1"	3	22'	1"	8
3 IN 12	15'	10"	11	15'	10"	15	15'	11"	3	15'	11"	7	22'	1"	11	22'	2"	1	22'	2"	6	22'	2"	12
3.5 IN 12	16'	0"	11	16'	1"	0	16'	1"	4	16'	1"	8	22'	3"	2	22'	3"	8	22'	3"	14	22'	4"	3
4 IN 12	16'	3"	0	16'	3"	4	16'	3"	9	16'	3"	13	22'	4"	13	22'	5"	3	22'	5"	8	22'	5"	14
4.5 IN 12	16'	5"	9	16'	5"	14	16'	6"	2	16'	6"	6	22'	6"	11	22'	7"	1	22'	7"	6	22'	7"	12
5 IN 12	16'	8"	7	16'	8"	11	16'	8"	15	16'	9"	4	22'	8"	12	22'	9"	2	22'	9"	8	22'	9"	14
5.5 IN 12	16'	11"	8	16'	11"	12	17'	0"	1	17'	0"	5	22'	11"	0	22'	11"	6	22'	11"	12	23'	0"	2
6 IN 12	17'	2"	13	17'	3"	2	17'	3"	6	17'	3"	11	23'	1"	8	23'	1"	14	23'	2"	4	23'	2"	10
6.5 IN 12	17'	6"	6	17'	6"	11	17'	6"	15	17'	7"	4	23'	4"	3	23'	4"	9	23'	4"	15	23'	5"	5
7 IN 12	17'	10"	3	17'	10"	7	17'	10"	12	17'	11"	1	23'	7"	0	23'	7"	6	23'	7"	12	23'	8"	3
8 IN 12	18'	6"	10	18'	6"	10	18'	6"	15	18'	7"	4	24'	1"	4	24'	1"	10	24'	2"	0	24'	2"	7
9 IN 12	19'	3"	4	19'	3"	9	19'	3"	14	19'	4"	3	24'	8"	2	24'	8"	9	24'	8"	15	24'	9"	6
10 IN 12	20'	0"	13	20'	1"	2	20'	1"	7	20'	1"	13	25'	3"	11	25'	4"	1	25'	4"	8	25'	4"	14
11 IN 12	20'	10"	15	20'	11"	5	20'	11"	10	21'	0"	0	25'	11"	13	26'	0"	3	26'	0"	10	26'	1"	1
12 IN 12	21'	9"	10	21'	10"	0	21'	10"	5	21'	10"	11	26'	8"	7	26'	8"	14	26'	9"	5	26'	9"	12
13 IN 12	22'	8"	12	22'	9"	2	22'	9"	8	22'	9"	14	27'	5"	9	27'	6"	0	27'	6"	7	27'	6"	15
14 IN 12	23'	8"	4	23'	8"	10	23'	9"	1	23'	9"	7	28'	3"	3	28'	3"	10	28'	4"	1	28'	4"	9
15 IN 12	24'	8"	2	24'	8"	9	24'	8"	15	24'	9"	6	29'	1"	3	29'	1"	10	29'	2"	2	29'	2"	10
16 IN 12	25'	8"	5	25'	8"	12	25'	9"	3	25'	9"	9	29'	11"	9	30'	0"	1	30'	0"	9	30'	1"	1
17 IN 12	26'	8"	13	26'	9"	4	26'	9"	11	26'	10"	2	30'	10"	5	30'	10"	13	30'	11"	5	30'	11"	13
18 IN 12	27'	9"	8	27'	9"	15	27'	10"	7	27'	10"	14	31'	9"	6	31'	9"	14	31'	10"	7	31'	10"	15
19 IN 12	28'	10"	7	28'	10"	15	28'	11"	6	28'	11"	14	32'	8"	12	32'	9"	4	32'	9"	13	32'	10"	5
20 IN 12	29'	11"	9	30'	0"	0	30'	0"	9	30'	1"	1	33'	8"	6	33'	8"	15	33'	9"	7	33'	10"	0
21 IN 12	31'	0"	14	31'	1"	6	31'	1"	14	31'	2"	6	34'	8"	4	34'	8"	15	34'	9"	6	34'	9"	15
22 IN 12	32'	2"	5	32'	2"	14	32'	3"	6	32'	3"	15	35'	8"	6	35'	8"	15	35'	9"	8	35'	10"	1
23 IN 12	33'	3"	15	33'	4"	8	33'	5"	0	33'	5"	9	36'	8"	11	36'	9"	4	36'	9"	14	36'	10"	7
24 IN 12	34'	5"	11	34'	6"	4	34'	6"	13	34'	7"	6	37'	9"	2	37'	9"	12	37'	10"	6	37'	11"	0
25 IN 12	35'	7"	8	35'	8"	2	35'	8"	11	35'	9"	4	38'	9"	13	38'	10"	7	38'	11"	1	38'	11"	11

15 Foot 6 Inch Run — Common Rafter Lengths   15 Foot 6 Inch Run — Hip Or Valley Rafter Lengths

Pitch	Common 15' 6"	15' 6 1/4"	15' 6 1/2"	15' 6 3/4"	Hip/Valley 15' 6"	15' 6 1/4"	15' 6 1/2"	15' 6 3/4"
1 IN 12	15' 6" 10	15' 6" 14	15' 7" 2	15' 7" 6	21' 11" 8	21' 11" 14	22' 0" 3	22' 0" 9
2 IN 12	15' 8" 9	15' 8" 13	15' 9" 1	15' 9" 5	22' 0" 14	22' 1" 4	22' 1" 9	22' 1" 15
2.5 IN 12	15' 10" 0	15' 10" 4	15' 10" 8	15' 10" 12	22' 1" 14	22' 2" 4	22' 2" 10	22' 2" 15
3 IN 12	15' 11" 12	16' 0" 0	16' 0" 4	16' 0" 8	22' 3" 2	22' 3" 8	22' 3" 13	22' 4" 3
3.5 IN 12	16' 1" 12	16' 2" 0	16' 2" 4	16' 2" 9	22' 4" 9	22' 4" 15	22' 5" 5	22' 5" 11
4 IN 12	16' 4" 1	16' 4" 5	16' 4" 9	16' 4" 14	22' 6" 4	22' 6" 10	22' 7" 0	22' 7" 6
4.5 IN 12	16' 6" 10	16' 6" 15	16' 7" 3	16' 7" 7	22' 8" 2	22' 8" 8	22' 8" 14	22' 9" 4
5 IN 12	16' 9" 8	16' 9" 12	16' 10" 1	16' 10" 5	22' 10" 4	22' 10" 9	22' 10" 15	22' 11" 5
5.5 IN 12	17' 0" 10	17' 0" 14	17' 1" 2	17' 1" 7	23' 0" 8	23' 0" 14	23' 1" 4	23' 1" 10
6 IN 12	17' 3" 15	17' 4" 4	17' 4" 8	17' 4" 13	23' 3" 0	23' 3" 6	23' 3" 12	23' 4" 2
6.5 IN 12	17' 7" 9	17' 7" 13	17' 8" 2	17' 8" 6	23' 5" 11	23' 6" 1	23' 6" 7	23' 6" 13
7 IN 12	17' 11" 5	17' 11" 10	17' 11" 15	18' 0" 3	23' 8" 9	23' 8" 15	23' 9" 5	23' 9" 11
8 IN 12	18' 7" 9	18' 7" 14	18' 8" 2	18' 8" 7	24' 2" 13	24' 3" 3	24' 3" 9	24' 4" 0
9 IN 12	19' 4" 8	19' 4" 13	19' 5" 2	19' 5" 7	24' 9" 12	24' 10" 2	24' 10" 9	24' 10" 15
10 IN 12	20' 2" 2	20' 2" 7	20' 2" 12	20' 3" 2	25' 5" 5	25' 5" 12	25' 6" 2	25' 6" 9
11 IN 12	21' 0" 5	21' 0" 11	21' 1" 0	21' 1" 5	26' 1" 7	26' 1" 14	26' 2" 5	26' 2" 12
12 IN 12	21' 11" 1	21' 11" 6	21' 11" 12	22' 0" 2	26' 10" 3	26' 10" 10	26' 11" 0	26' 11" 7
13 IN 12	22' 10" 4	22' 10" 9	22' 10" 15	22' 11" 5	27' 7" 6	27' 7" 13	27' 8" 4	27' 8" 11
14 IN 12	23' 9" 13	23' 10" 3	23' 10" 9	23' 10" 15	28' 5" 0	28' 5" 7	28' 5" 15	28' 6" 6
15 IN 12	24' 9" 12	24' 10" 2	24' 10" 9	24' 10" 15	29' 3" 1	29' 3" 9	29' 4" 0	29' 4" 8
16 IN 12	25' 10" 0	25' 10" 7	25' 10" 13	25' 11" 4	30' 1" 8	30' 2" 0	30' 2" 8	30' 3" 0
17 IN 12	26' 10" 9	26' 10" 15	26' 11" 6	26' 11" 13	31' 0" 5	31' 0" 13	31' 1" 5	31' 1" 13
18 IN 12	27' 11" 5	27' 11" 12	28' 0" 3	28' 0" 11	31' 11" 7	31' 11" 15	32' 0" 8	32' 1" 0
19 IN 12	29' 0" 5	29' 0" 13	29' 1" 4	29' 1" 12	32' 10" 14	32' 11" 6	32' 11" 15	33' 0" 7
20 IN 12	30' 1" 8	30' 2" 0	30' 2" 8	30' 3" 0	33' 10" 9	33' 11" 2	33' 11" 10	34' 0" 3
21 IN 12	31' 2" 14	31' 3" 6	31' 3" 14	31' 4" 7	34' 10" 8	34' 11" 1	34' 11" 10	35' 0" 3
22 IN 12	32' 4" 7	32' 4" 15	32' 5" 8	32' 6" 0	35' 10" 11	35' 11" 4	35' 11" 13	36' 0" 6
23 IN 12	33' 6" 2	33' 6" 10	33' 7" 3	33' 7" 12	36' 11" 1	36' 11" 10	37' 0" 4	37' 0" 13
24 IN 12	34' 7" 15	34' 8" 7	34' 9" 0	34' 9" 9	37' 11" 10	38' 0" 3	38' 0" 13	38' 1" 7
25 IN 12	35' 9" 13	35' 10" 6	35' 11" 0	35' 11" 9	39' 0" 6	39' 1" 0	39' 1" 10	39' 2" 4

15 Foot 7 Inch Run — Common Rafter Lengths | 15 Foot 7 Inch Run — Hip Or Valley Rafter Lengths

Run -	15' 7"	15' 7 1/4"	15' 7 1/2"	15' 7 3/4"	15' 7"	15' 7 1/4"	15' 7 1/2"	15' 7 3/4"
Pitch	Ft In 16th"	Ft In 16th"	Ft In 16th"	Ft In 16th"	Ft In 16th"	Ft In 16th"	Ft In 16th"	Ft In 16th"
1 IN 12	15' 7" 10	15' 7" 14	15' 8" 2	15' 8" 6	22' 0" 15	22' 1" 4	22' 1" 10	22' 2" 0
2 IN 12	15' 9" 9	15' 9" 13	15' 10" 1	15' 10" 5	22' 2" 5	22' 2" 10	22' 3" 0	22' 3" 6
2.5 IN 12	15' 11" 0	15' 11" 4	15' 11" 8	15' 11" 12	22' 3" 5	22' 3" 11	22' 4" 0	22' 4" 6
3 IN 12	16' 0" 12	16' 1" 0	16' 1" 4	16' 1" 8	22' 4" 9	22' 4" 15	22' 5" 4	22' 5" 10
3.5 IN 12	16' 2" 13	16' 3" 1	16' 3" 5	16' 3" 9	22' 6" 0	22' 6" 6	22' 6" 12	22' 7" 2
4 IN 12	16' 5" 2	16' 5" 6	16' 5" 10	16' 5" 14	22' 7" 11	22' 8" 1	22' 8" 7	22' 8" 13
4.5 IN 12	16' 7" 11	16' 8" 0	16' 8" 4	16' 8" 8	22' 9" 10	22' 9" 15	22' 10" 5	22' 10" 11
5 IN 12	16' 10" 9	16' 10" 14	16' 11" 2	16' 11" 6	22' 11" 11	23' 0" 1	23' 0" 7	23' 0" 13
5.5 IN 12	17' 1" 11	17' 2" 0	17' 2" 4	17' 2" 8	23' 2" 0	23' 2" 6	23' 2" 12	23' 3" 2
6 IN 12	17' 5" 1	17' 5" 6	17' 5" 10	17' 5" 15	23' 4" 8	23' 4" 14	23' 5" 4	23' 5" 10
6.5 IN 12	17' 8" 11	17' 8" 15	17' 9" 4	17' 9" 8	23' 7" 3	23' 7" 9	23' 7" 15	23' 8" 5
7 IN 12	18' 0" 8	18' 0" 12	18' 1" 1	18' 1" 6	23' 10" 1	23' 10" 7	23' 10" 13	23' 11" 4
8 IN 12	18' 8" 12	18' 9" 1	18' 9" 6	18' 9" 10	24' 4" 6	24' 4" 12	24' 5" 2	24' 5" 9
9 IN 12	19' 5" 12	19' 6" 1	19' 6" 6	19' 6" 11	24' 11" 6	24' 11" 12	25' 0" 2	25' 0" 9
10 IN 12	20' 3" 7	20' 3" 12	20' 4" 1	20' 4" 6	25' 6" 15	25' 7" 6	25' 7" 12	25' 8" 3
11 IN 12	21' 1" 11	21' 2" 0	21' 2" 6	21' 2" 11	26' 3" 2	26' 3" 9	26' 4" 0	26' 4" 7
12 IN 12	22' 0" 7	22' 0" 13	22' 1" 3	22' 1" 8	26' 11" 14	27' 0" 5	27' 0" 12	27' 1" 3
13 IN 12	22' 11" 11	23' 0" 1	23' 0" 7	23' 0" 13	27' 9" 2	27' 9" 9	27' 10" 0	27' 10" 8
14 IN 12	23' 11" 5	23' 11" 12	24' 0" 2	24' 0" 8	28' 6" 13	28' 7" 5	28' 7" 12	28' 8" 3
15 IN 12	24' 11" 6	24' 11" 12	25' 0" 2	25' 0" 9	29' 4" 15	29' 5" 7	29' 5" 14	29' 6" 6
16 IN 12	25' 11" 11	26' 0" 1	26' 0" 8	26' 0" 15	30' 3" 7	30' 3" 15	30' 4" 7	30' 4" 15
17 IN 12	27' 0" 4	27' 0" 11	27' 1" 2	27' 1" 9	31' 2" 5	31' 2" 13	31' 3" 5	31' 3" 13
18 IN 12	28' 1" 2	28' 1" 9	28' 2" 0	28' 2" 8	32' 1" 8	32' 2" 0	32' 2" 9	32' 3" 1
19 IN 12	29' 2" 3	29' 2" 11	29' 3" 2	29' 3" 10	33' 1" 0	33' 1" 8	33' 2" 1	33' 2" 9
20 IN 12	30' 3" 7	30' 3" 15	30' 4" 7	30' 4" 15	34' 0" 12	34' 1" 5	34' 1" 13	34' 2" 6
21 IN 12	31' 4" 15	31' 5" 7	31' 5" 15	31' 6" 7	35' 0" 12	35' 1" 5	35' 1" 14	35' 2" 7
22 IN 12	32' 6" 8	32' 7" 1	32' 7" 9	32' 8" 1	36' 1" 0	36' 1" 9	36' 2" 2	36' 2" 11
23 IN 12	33' 8" 4	33' 8" 13	33' 9" 6	33' 9" 14	37' 1" 7	37' 2" 0	37' 2" 10	37' 3" 3
24 IN 12	34' 10" 2	34' 10" 11	34' 11" 4	34' 11" 13	38' 2" 1	38' 2" 11	38' 3" 4	38' 3" 14
25 IN 12	36' 0" 2	36' 0" 11	36' 1" 5	36' 1" 14	39' 2" 14	39' 3" 8	39' 4" 2	39' 4" 12

15 Foot 8 Inch Run — Common Rafter Lengths   15 Foot 8 Inch Run — Hip Or Valley Rafter Lengths

Run - Pitch	15' 8"	15' 8 1/4"	15' 8 1/2"	15' 8 3/4"	15' 8"	15' 8 1/4"	15' 8 1/2"	15' 8 3/4"
	Ft In 16th"	Ft In 16th"	Ft In 16th"	Ft In 16th"	Ft In 16th"	Ft In 16th"	Ft In 16th"	Ft In 16th"
1 IN 12	15' 8" 10	15' 8" 14	15' 9" 2	15' 9" 6	22' 2" 5	22' 2" 11	22' 3" 1	22' 3" 6
2 IN 12	15' 10" 9	15' 10" 14	15' 11" 2	15' 11" 6	22' 3" 11	22' 4" 1	22' 4" 7	22' 4" 12
2.5 IN 12	16' 0" 1	16' 0" 5	16' 0" 9	16' 0" 13	22' 4" 12	22' 5" 2	22' 5" 7	22' 5" 13
3 IN 12	16' 1" 13	16' 2" 1	16' 2" 5	16' 2" 9	22' 6" 0	22' 6" 6	22' 6" 11	22' 7" 1
3.5 IN 12	16' 3" 13	16' 4" 2	16' 4" 6	16' 4" 10	22' 7" 7	22' 7" 13	22' 8" 3	22' 8" 9
4 IN 12	16' 6" 3	16' 6" 7	16' 6" 11	16' 6" 15	22' 9" 3	22' 9" 8	22' 9" 14	22' 10" 4
4.5 IN 12	16' 8" 13	16' 9" 1	16' 9" 5	16' 9" 9	22' 11" 1	22' 11" 7	22' 11" 13	23' 0" 3
5 IN 12	16' 11" 11	16' 11" 15	17' 0" 3	17' 0" 8	23' 1" 3	23' 1" 9	23' 1" 15	23' 2" 4
5.5 IN 12	17' 2" 13	17' 3" 1	17' 3" 6	17' 3" 10	23' 3" 8	23' 3" 14	23' 4" 4	23' 4" 10
6 IN 12	17' 6" 3	17' 6" 8	17' 6" 12	17' 7" 0	23' 6" 0	23' 6" 6	23' 6" 12	23' 7" 2
6.5 IN 12	17' 9" 13	17' 10" 1	17' 10" 6	17' 10" 11	23' 8" 11	23' 9" 1	23' 9" 7	23' 9" 13
7 IN 12	18' 1" 10	18' 1" 15	18' 2" 4	18' 2" 8	23' 11" 10	24' 0" 0	24' 0" 6	24' 0" 12
8 IN 12	18' 9" 15	18' 10" 4	18' 10" 9	18' 10" 14	24' 5" 15	24' 6" 5	24' 6" 11	24' 7" 2
9 IN 12	19' 7" 0	19' 7" 5	19' 7" 10	19' 7" 15	25' 0" 15	25' 1" 6	25' 1" 12	25' 2" 2
10 IN 12	20' 4" 12	20' 5" 1	20' 5" 6	20' 5" 11	25' 8" 10	25' 9" 0	25' 9" 7	25' 9" 13
11 IN 12	21' 3" 1	21' 3" 6	21' 3" 11	21' 4" 1	26' 4" 13	26' 5" 4	26' 5" 11	26' 6" 2
12 IN 12	22' 1" 14	22' 2" 4	22' 2" 9	22' 2" 15	27' 1" 10	27' 2" 1	27' 2" 8	27' 2" 15
13 IN 12	23' 1" 3	23' 1" 9	23' 1" 15	23' 2" 4	27' 10" 15	27' 11" 6	27' 11" 13	28' 0" 4
14 IN 12	24' 0" 14	24' 1" 4	24' 1" 10	24' 2" 1	28' 8" 11	28' 9" 2	28' 9" 9	28' 10" 1
15 IN 12	25' 0" 15	25' 1" 6	25' 1" 12	25' 2" 2	29' 6" 13	29' 7" 5	29' 7" 13	29' 8" 4
16 IN 12	26' 1" 5	26' 1" 12	26' 2" 3	26' 2" 9	30' 5" 7	30' 5" 14	30' 6" 6	30' 6" 14
17 IN 12	27' 2" 0	27' 2" 7	27' 2" 14	27' 3" 5	31' 4" 5	31' 4" 13	31' 5" 5	31' 5" 13
18 IN 12	28' 2" 15	28' 3" 6	28' 3" 13	28' 4" 4	32' 3" 9	32' 4" 1	32' 4" 10	32' 5" 2
19 IN 12	29' 4" 1	29' 4" 9	29' 5" 0	29' 5" 8	33' 3" 2	33' 3" 10	33' 4" 3	33' 4" 11
20 IN 12	30' 5" 7	30' 5" 14	30' 6" 6	30' 6" 14	34' 2" 15	34' 3" 8	34' 4" 3	34' 4" 9
21 IN 12	31' 6" 15	31' 7" 7	31' 7" 15	31' 8" 7	35' 3" 0	35' 3" 9	35' 4" 2	35' 4" 11
22 IN 12	32' 8" 10	32' 9" 2	32' 9" 10	32' 10" 3	36' 3" 5	36' 3" 14	36' 4" 7	36' 5" 1
23 IN 12	33' 10" 7	33' 11" 0	33' 11" 8	34' 0" 1	37' 3" 13	37' 4" 6	37' 5" 0	37' 5" 9
24 IN 12	35' 0" 6	35' 0" 15	35' 1" 8	35' 2" 1	38' 4" 8	38' 5" 2	38' 5" 12	38' 6" 5
25 IN 12	36' 2" 7	36' 3" 0	36' 3" 10	36' 4" 3	39' 5" 6	39' 6" 0	39' 6" 10	39' 7" 4

15 Foot 9 Inch Run — Common Rafter Lengths

Pitch	15' 9"	15' 9 1/4"	15' 9 1/2"	15' 9 3/4"
1 IN 12	15' 9" 10	15' 9" 14	15' 10" 3	15' 10" 7
2 IN 12	15' 11" 10	15' 11" 14	16' 0" 2	16' 0" 6
2.5 IN 12	16' 1" 1	16' 1" 5	16' 1" 9	16' 1" 13
3 IN 12	16' 2" 13	16' 3" 1	16' 3" 5	16' 3" 9
3.5 IN 12	16' 4" 14	16' 5" 2	16' 5" 6	16' 5" 11
4 IN 12	16' 7" 4	16' 7" 8	16' 7" 12	16' 8" 0
4.5 IN 12	16' 9" 14	16' 10" 2	16' 10" 6	16' 10" 10
5 IN 12	17' 0" 12	17' 1" 0	17' 1" 5	17' 1" 9
5.5 IN 12	17' 3" 14	17' 4" 3	17' 4" 7	17' 4" 12
6 IN 12	17' 7" 5	17' 7" 9	17' 7" 14	17' 8" 2
6.5 IN 12	17' 10" 15	17' 11" 4	17' 11" 8	17' 11" 13
7 IN 12	18' 2" 13	18' 3" 2	18' 3" 6	18' 3" 11
8 IN 12	18' 11" 2	18' 11" 7	18' 11" 12	19' 0" 1
9 IN 12	19' 8" 4	19' 8" 9	19' 8" 14	19' 9" 3
10 IN 12	20' 6" 0	20' 6" 6	20' 6" 11	20' 7" 0
11 IN 12	21' 4" 6	21' 4" 12	21' 5" 1	21' 5" 7
12 IN 12	22' 3" 5	22' 3" 10	22' 4" 0	22' 4" 6
13 IN 12	23' 2" 10	23' 3" 0	23' 3" 6	23' 3" 12
14 IN 12	24' 2" 7	24' 2" 13	24' 3" 3	24' 3" 9
15 IN 12	25' 2" 9	25' 2" 15	25' 3" 6	25' 3" 12
16 IN 12	26' 3" 0	26' 3" 7	26' 3" 13	26' 4" 4
17 IN 12	27' 3" 12	27' 4" 3	27' 4" 10	27' 5" 1
18 IN 12	28' 4" 12	28' 5" 3	28' 5" 10	28' 6" 1
19 IN 12	29' 5" 15	29' 6" 6	29' 6" 14	29' 7" 5
20 IN 12	30' 7" 6	30' 7" 13	30' 8" 5	30' 8" 13
21 IN 12	31' 8" 15	31' 9" 7	31' 9" 15	31' 10" 7
22 IN 12	32' 10" 11	32' 11" 3	32' 11" 12	33' 0" 4
23 IN 12	34' 0" 9	34' 1" 2	34' 1" 11	34' 2" 3
24 IN 12	35' 2" 10	35' 3" 3	35' 3" 12	35' 4" 5
25 IN 12	36' 4" 12	36' 5" 5	36' 5" 15	36' 6" 8

15 Foot 9 Inch Run — Hip Or Valley Rafter Lengths

Pitch	15' 9"	15' 9 1/4"	15' 9 1/2"	15' 9 3/4"
1 IN 12	22' 3" 12	22' 4" 2	22' 4" 7	22' 4" 13
2 IN 12	22' 5" 2	22' 5" 8	22' 5" 14	22' 6" 3
2.5 IN 12	22' 6" 3	22' 6" 8	22' 6" 14	22' 7" 4
3 IN 12	22' 7" 7	22' 7" 13	22' 8" 2	22' 8" 8
3.5 IN 12	22' 8" 15	22' 9" 4	22' 9" 10	22' 10" 0
4 IN 12	22' 10" 10	22' 11" 0	22' 11" 4	22' 11" 11
4.5 IN 12	23' 0" 8	23' 0" 14	23' 1" 4	23' 1" 10
5 IN 12	23' 2" 10	23' 3" 0	23' 3" 6	23' 3" 12
5.5 IN 12	23' 5" 0	23' 5" 6	23' 5" 11	23' 6" 1
6 IN 12	23' 7" 8	23' 7" 14	23' 8" 4	23' 8" 10
6.5 IN 12	23' 10" 4	23' 10" 10	23' 11" 0	23' 11" 6
7 IN 12	24' 1" 2	24' 1" 8	24' 1" 14	24' 2" 4
8 IN 12	24' 7" 8	24' 7" 14	24' 8" 4	24' 8" 11
9 IN 12	25' 2" 9	25' 2" 15	25' 3" 6	25' 3" 12
10 IN 12	25' 10" 4	25' 10" 10	25' 11" 1	25' 11" 8
11 IN 12	26' 6" 8	26' 6" 15	26' 7" 6	26' 7" 13
12 IN 12	27' 3" 6	27' 3" 13	27' 4" 4	27' 4" 11
13 IN 12	28' 0" 11	28' 1" 2	28' 1" 9	28' 2" 1
14 IN 12	28' 10" 8	28' 10" 15	28' 11" 7	28' 11" 14
15 IN 12	29' 8" 12	29' 9" 3	29' 9" 11	29' 10" 2
16 IN 12	30' 7" 6	30' 7" 13	30' 8" 5	30' 8" 13
17 IN 12	31' 6" 5	31' 6" 13	31' 7" 5	31' 7" 13
18 IN 12	32' 5" 10	32' 6" 2	32' 6" 11	32' 7" 3
19 IN 12	33' 5" 4	33' 5" 12	33' 6" 5	33' 6" 13
20 IN 12	34' 5" 2	34' 5" 11	34' 6" 3	34' 6" 12
21 IN 12	35' 5" 4	35' 5" 13	35' 6" 6	35' 6" 15
22 IN 12	36' 5" 10	36' 6" 3	36' 6" 12	36' 7" 6
23 IN 12	37' 6" 3	37' 6" 12	37' 7" 6	37' 8" 0
24 IN 12	38' 6" 15	38' 7" 9	38' 8" 3	38' 8" 13
25 IN 12	39' 7" 14	39' 8" 8	39' 9" 3	39' 9" 13

15 Foot 10 Inch Run — Common Rafter Lengths   15 Foot 10 Inch Run — Hip Or Valley Rafter Lengths

Run – Pitch	15'10" (Common)	15'10 1/4"	15'10 1/2"	15'10 3/4"	15'10" (Hip/Valley)	15'10 1/4"	15'10 1/2"	15'10 3/4"
	Ft In 16th"	Ft In 16th"	Ft In 16th"	Ft In 16th"	Ft In 16th"	Ft In 16th"	Ft In 16th"	Ft In 16th"
1 IN 12	15' 10" 11	15' 10" 15	15' 11" 3	15' 11" 7	22' 5" 3	22' 5" 8	22' 5" 14	22' 6" 4
2 IN 12	16' 0" 10	16' 0" 14	16' 1" 2	16' 1" 6	22' 6" 9	22' 6" 15	22' 7" 4	22' 7" 10
2.5 IN 12	16' 2" 1	16' 2" 5	16' 2" 9	16' 2" 14	22' 7" 10	22' 7" 15	22' 8" 5	22' 8" 11
3 IN 12	16' 3" 14	16' 4" 2	16' 4" 6	16' 4" 10	22' 8" 14	22' 9" 4	22' 9" 9	22' 9" 15
3.5 IN 12	16' 5" 15	16' 6" 3	16' 6" 7	16' 6" 11	22' 10" 6	22' 10" 11	22' 11" 1	22' 11" 7
4 IN 12	16' 8" 4	16' 8" 9	16' 8" 13	16' 9" 1	23' 0" 1	23' 0" 7	23' 0" 13	23' 1" 2
4.5 IN 12	16' 10" 15	16' 11" 3	16' 11" 7	16' 11" 12	23' 2" 0	23' 2" 6	23' 2" 11	23' 3" 1
5 IN 12	17' 1" 13	17' 2" 2	17' 2" 6	17' 2" 10	23' 4" 2	23' 4" 8	23' 4" 14	23' 5" 4
5.5 IN 12	17' 5" 0	17' 5" 4	17' 5" 9	17' 5" 13	23' 6" 7	23' 6" 13	23' 7" 3	23' 7" 9
6 IN 12	17' 8" 7	17' 8" 11	17' 9" 0	17' 9" 4	23' 9" 0	23' 9" 6	23' 9" 12	23' 10" 2
6.5 IN 12	18' 0" 1	18' 0" 6	18' 0" 10	18' 0" 15	23' 11" 12	24' 0" 2	24' 0" 8	24' 0" 14
7 IN 12	18' 3" 15	18' 4" 4	18' 4" 9	18' 4" 13	24' 2" 11	24' 3" 1	24' 3" 7	24' 3" 13
8 IN 12	19' 0" 6	19' 0" 10	19' 0" 15	19' 1" 4	24' 9" 1	24' 9" 7	24' 9" 13	24' 10" 4
9 IN 12	19' 9" 8	19' 9" 13	19' 10" 2	19' 10" 7	25' 4" 2	25' 4" 9	25' 4" 15	25' 5" 6
10 IN 12	20' 7" 5	20' 7" 10	20' 8" 0	20' 8" 5	25' 11" 14	26' 0" 5	26' 0" 11	26' 1" 2
11 IN 12	21' 5" 12	21' 6" 1	21' 6" 7	21' 6" 12	26' 8" 3	26' 8" 10	26' 9" 1	26' 9" 8
12 IN 12	22' 4" 11	22' 5" 1	22' 5" 7	22' 5" 12	27' 5" 1	27' 5" 8	27' 5" 15	27' 6" 6
13 IN 12	23' 4" 2	23' 4" 8	23' 4" 14	23' 5" 4	28' 2" 8	28' 2" 15	28' 3" 6	28' 3" 13
14 IN 12	24' 3" 15	24' 4" 5	24' 4" 12	24' 5" 2	29' 0" 1	29' 0" 13	29' 1" 4	29' 1" 11
15 IN 12	25' 4" 2	25' 4" 9	25' 4" 15	25' 5" 6	29' 10" 10	29' 11" 1	29' 11" 9	30' 0" 1
16 IN 12	26' 4" 11	26' 5" 1	26' 5" 8	26' 5" 15	30' 9" 5	30' 9" 12	30' 10" 4	30' 10" 12
17 IN 12	27' 5" 8	27' 5" 14	27' 6" 5	27' 6" 12	31' 8" 5	31' 8" 13	31' 9" 5	31' 9" 13
18 IN 12	28' 6" 8	28' 7" 0	28' 7" 7	28' 7" 14	32' 7" 11	32' 8" 3	32' 8" 12	32' 9" 4
19 IN 12	29' 7" 13	29' 8" 4	29' 8" 12	29' 9" 3	33' 7" 6	33' 7" 14	33' 8" 7	33' 8" 15
20 IN 12	30' 9" 5	30' 9" 12	30' 10" 4	30' 10" 12	34' 7" 5	34' 7" 14	34' 8" 6	34' 8" 15
21 IN 12	31' 10" 15	31' 11" 7	31' 11" 15	32' 0" 8	35' 7" 8	35' 8" 1	35' 8" 10	35' 9" 3
22 IN 12	33' 0" 13	33' 1" 5	33' 1" 13	33' 2" 6	36' 7" 15	36' 8" 8	36' 9" 1	36' 9" 11
23 IN 12	34' 2" 12	34' 3" 5	34' 3" 13	34' 4" 6	37' 8" 9	37' 9" 3	37' 9" 12	37' 10" 6
24 IN 12	35' 4" 14	35' 5" 7	35' 6" 0	35' 6" 8	38' 9" 6	38' 10" 0	38' 10" 10	38' 11" 4
25 IN 12	36' 7" 1	36' 7" 10	36' 8" 4	36' 8" 13	39' 10" 7	39' 11" 1	39' 11" 11	40' 0" 5

15 Foot 11 Inch Run — Common Rafter Lengths   15 Foot 11 Inch Run — Hip Or Valley Rafter Lengths

Run -	15'11"	15'11 1/4"	15'11 1/2"	15'11 3/4"	15'11"	15'11 1/4"	15'11 1/2"	15'11 3/4"
Pitch	Ft In 16th"	Ft In 16th"	Ft In 16th"	Ft In 16th"	Ft In 16th"	Ft In 16th"	Ft In 16th"	Ft In 16th"
1 IN 12	15' 11" 11	15' 11" 15	16' 0" 3	16' 0" 7	22' 6" 9	22' 6" 15	22' 7" 5	22' 7" 10
2 IN 12	16' 1" 10	16' 1" 14	16' 2" 2	16' 2" 6	22' 8" 0	22' 8" 5	22' 8" 11	22' 9" 1
2.5 IN 12	16' 3" 2	16' 3" 6	16' 3" 10	16' 3" 14	22' 9" 0	22' 9" 6	22' 9" 12	22' 10" 2
3 IN 12	16' 4" 14	16' 5" 2	16' 5" 6	16' 5" 10	22' 10" 5	22' 10" 11	22' 11" 0	22' 11" 6
3.5 IN 12	16' 6" 15	16' 7" 4	16' 7" 8	16' 7" 12	22' 11" 13	23' 0" 3	23' 0" 8	23' 0" 14
4 IN 12	16' 9" 5	16' 9" 10	16' 9" 14	16' 10" 2	23' 1" 8	23' 1" 14	23' 2" 4	23' 2" 9
4.5 IN 12	17' 0" 0	17' 0" 4	17' 0" 8	17' 0" 13	23' 3" 7	23' 3" 13	23' 4" 3	23' 4" 9
5 IN 12	17' 2" 15	17' 3" 3	17' 3" 7	17' 3" 12	23' 5" 10	23' 5" 15	23' 6" 5	23' 6" 11
5.5 IN 12	17' 6" 2	17' 6" 6	17' 6" 10	17' 6" 15	23' 7" 15	23' 8" 5	23' 8" 11	23' 9" 1
6 IN 12	17' 9" 9	17' 9" 13	17' 10" 2	17' 10" 6	23' 10" 8	23' 10" 14	23' 11" 4	23' 11" 10
6.5 IN 12	18' 1" 4	18' 1" 8	18' 1" 13	18' 2" 1	24' 1" 4	24' 1" 10	24' 2" 0	24' 2" 6
7 IN 12	18' 5" 2	18' 5" 7	18' 5" 11	18' 6" 0	24' 4" 3	24' 4" 9	24' 4" 15	24' 5" 5
8 IN 12	19' 1" 9	19' 1" 14	19' 2" 2	19' 2" 7	24' 10" 10	24' 11" 0	24' 11" 6	24' 11" 13
9 IN 12	19' 10" 12	19' 11" 1	19' 11" 6	19' 11" 11	25' 5" 12	25' 6" 2	25' 6" 9	25' 6" 15
10 IN 12	20' 8" 10	20' 8" 15	20' 9" 4	20' 9" 10	26' 1" 8	26' 1" 15	26' 2" 5	26' 2" 12
11 IN 12	21' 7" 2	21' 7" 7	21' 7" 13	21' 8" 2	26' 9" 14	26' 10" 5	26' 10" 12	26' 11" 3
12 IN 12	22' 6" 2	22' 6" 7	22' 6" 13	22' 7" 3	27' 6" 13	27' 7" 4	27' 7" 11	27' 8" 2
13 IN 12	23' 5" 10	23' 5" 15	23' 6" 5	23' 6" 11	28' 4" 4	28' 4" 11	28' 5" 2	28' 5" 10
14 IN 12	24' 5" 8	24' 5" 14	24' 6" 4	24' 6" 10	29' 2" 3	29' 2" 10	29' 3" 1	29' 3" 9
15 IN 12	25' 5" 12	25' 6" 2	25' 6" 9	25' 6" 15	30' 0" 8	30' 1" 0	30' 1" 7	30' 1" 15
16 IN 12	26' 6" 6	26' 6" 12	26' 7" 3	26' 7" 9	30' 11" 4	30' 11" 12	31' 0" 3	31' 0" 11
17 IN 12	27' 7" 3	27' 7" 10	27' 8" 1	27' 8" 8	31' 10" 5	31' 10" 13	31' 11" 5	31' 11" 13
18 IN 12	28' 8" 5	28' 8" 12	28' 9" 4	28' 9" 11	32' 9" 12	32' 10" 4	32' 10" 13	32' 11" 5
19 IN 12	29' 9" 11	29' 10" 2	29' 10" 10	29' 11" 1	33' 9" 8	33' 10" 0	33' 10" 9	33' 11" 1
20 IN 12	30' 11" 4	30' 11" 12	31' 0" 3	31' 0" 11	34' 9" 8	34' 10" 1	34' 10" 10	34' 11" 2
21 IN 12	32' 1" 0	32' 1" 8	32' 2" 0	32' 2" 8	35' 9" 12	35' 10" 5	35' 10" 14	35' 11" 7
22 IN 12	33' 2" 14	33' 3" 6	33' 3" 15	33' 4" 7	36' 10" 4	36' 10" 13	36' 11" 6	37' 0" 0
23 IN 12	34' 4" 15	34' 5" 7	34' 6" 0	34' 6" 9	37' 10" 15	37' 11" 9	38' 0" 2	38' 0" 12
24 IN 12	35' 7" 1	35' 7" 10	35' 8" 3	35' 8" 12	38' 11" 14	39' 0" 7	39' 1" 1	39' 1" 11
25 IN 12	36' 9" 6	36' 9" 15	36' 10" 9	36' 11" 2	40' 0" 15	40' 1" 9	40' 2" 3	40' 2" 13

16 Foot 0 Inch Run — Common Rafter Lengths

Pitch	16' 0" Ft	In	16th"	16' 0 1/4" Ft	In	16th"	16' 0 1/2" Ft	In	16th"	16' 0 3/4" Ft	In	16th"
1 IN 12	16'	0"	11	16'	0"	15	16'	1"	3	16'	1"	7
2 IN 12	16'	2"	10	16'	2"	14	16'	3"	2	16'	3"	7
2.5 IN 12	16'	4"	2	16'	4"	6	16'	4"	10	16'	4"	14
3 IN 12	16'	5"	15	16'	6"	3	16'	6"	7	16'	6"	11
3.5 IN 12	16'	8"	0	16'	8"	4	16'	8"	8	16'	8"	13
4 IN 12	16'	10"	6	16'	10"	10	16'	10"	15	16'	11"	3
4.5 IN 12	17'	1"	1	17'	1"	5	17'	1"	9	17'	1"	14
5 IN 12	17'	4"	0	17'	4"	4	17'	4"	9	17'	4"	13
5.5 IN 12	17'	7"	3	17'	7"	8	17'	7"	12	17'	8"	0
6 IN 12	17'	10"	11	17'	10"	15	17'	11"	4	17'	11"	8
6.5 IN 12	18'	2"	6	18'	2"	10	18'	2"	15	18'	3"	3
7 IN 12	18'	6"	4	18'	6"	9	18'	6"	14	18'	7"	2
8 IN 12	19'	2"	12	19'	3"	1	19'	3"	6	19'	3"	11
9 IN 12	20'	0"	0	20'	0"	5	20'	0"	10	20'	0"	15
10 IN 12	20'	9"	15	20'	10"	4	20'	10"	9	20'	10"	14
11 IN 12	21'	8"	7	21'	8"	13	21'	9"	2	21'	9"	8
12 IN 12	22'	7"	8	22'	7"	14	22'	8"	4	22'	8"	9
13 IN 12	23'	7"	1	23'	7"	7	23'	7"	13	23'	8"	3
14 IN 12	24'	7"	0	24'	7"	7	24'	7"	13	24'	8"	3
15 IN 12	25'	7"	6	25'	7"	12	25'	8"	2	25'	8"	9
16 IN 12	26'	8"	0	26'	8"	7	26'	8"	13	26'	9"	4
17 IN 12	27'	8"	15	27'	9"	6	27'	9"	13	27'	10"	4
18 IN 12	28'	10"	2	28'	10"	9	28'	11"	1	28'	11"	8
19 IN 12	29'	11"	9	30'	0"	0	30'	0"	8	30'	0"	15
20 IN 12	31'	1"	3	31'	1"	11	31'	2"	2	31'	2"	10
21 IN 12	32'	3"	0	32'	3"	8	32'	4"	0	32'	4"	8
22 IN 12	33'	4"	15	33'	5"	8	33'	6"	0	33'	6"	8
23 IN 12	34'	7"	1	34'	7"	10	34'	8"	3	34'	8"	11
24 IN 12	35'	9"	5	35'	9"	14	35'	10"	7	35'	11"	0
25 IN 12	36'	11"	11	37'	0"	4	37'	0"	14	37'	1"	7

16 Foot 0 Inch Run — Hip Or Valley Rafter Lengths

Pitch	16' 0" Ft	In	16th"	16' 0 1/4" Ft	In	16th"	16' 0 1/2" Ft	In	16th"	16' 0 3/4" Ft	In	16th"
1 IN 12	22'	8"	0	22'	8"	6	22'	8"	11	22'	9"	1
2 IN 12	22'	9"	7	22'	9"	12	22'	10"	2	22'	10"	8
2.5 IN 12	22'	10"	7	22'	10"	13	22'	11"	3	22'	11"	9
3 IN 12	22'	11"	12	23'	0"	2	23'	0"	7	23'	0"	13
3.5 IN 12	23'	1"	4	23'	1"	10	23'	1"	15	23'	2"	5
4 IN 12	23'	3"	0	23'	3"	5	23'	3"	11	23'	4"	1
4.5 IN 12	23'	4"	15	23'	5"	4	23'	5"	10	23'	6"	0
5 IN 12	23'	7"	1	23'	7"	7	23'	7"	13	23'	8"	3
5.5 IN 12	23'	9"	7	23'	9"	13	23'	10"	3	23'	10"	9
6 IN 12	24'	0"	0	24'	0"	6	24'	0"	12	24'	1"	2
6.5 IN 12	24'	2"	12	24'	3"	2	24'	3"	8	24'	3"	14
7 IN 12	24'	5"	12	24'	6"	2	24'	6"	8	24'	6"	14
8 IN 12	25'	0"	3	25'	0"	9	25'	0"	15	25'	1"	6
9 IN 12	25'	7"	6	25'	7"	12	25'	8"	2	25'	8"	9
10 IN 12	26'	3"	3	26'	3"	9	26'	4"	0	26'	4"	6
11 IN 12	26'	11"	9	27'	0"	0	27'	0"	7	27'	0"	14
12 IN 12	27'	8"	9	27'	9"	0	27'	9"	7	27'	9"	14
13 IN 12	28'	6"	1	28'	6"	8	28'	6"	15	28'	7"	6
14 IN 12	29'	4"	0	29'	4"	7	29'	4"	15	29'	5"	6
15 IN 12	30'	2"	6	30'	2"	14	30'	3"	5	30'	3"	13
16 IN 12	31'	1"	3	31'	1"	11	31'	2"	2	31'	2"	10
17 IN 12	32'	0"	5	32'	0"	13	32'	1"	5	32'	1"	13
18 IN 12	32'	11"	13	33'	0"	5	33'	0"	14	33'	1"	6
19 IN 12	33'	11"	10	34'	0"	2	34'	0"	11	34'	1"	3
20 IN 12	34'	11"	11	35'	0"	4	35'	0"	12	35'	1"	5
21 IN 12	36'	0"	0	36'	0"	9	36'	1"	2	36'	1"	11
22 IN 12	37'	0"	9	37'	1"	2	37'	1"	11	37'	2"	5
23 IN 12	38'	1"	5	38'	1"	15	38'	2"	8	38'	3"	2
24 IN 12	39'	2"	5	39'	2"	15	39'	3"	8	39'	4"	2
25 IN 12	40'	3"	7	40'	4"	1	40'	4"	11	40'	5"	5

Run -	16' 1"			16' 1 1/4"			16' 1 1/2"			16' 1 3/4"			16' 1"			16' 1 1/4"			16' 1 1/2"			16' 1 3/4"		
Pitch	Ft	In	16th"	Ft	In	16th"	Ft	In	16th"	Ft	In	16th"	Ft	In	16th"	Ft	In	16th"	Ft	In	16th"	Ft	In	16th"
1 IN 12	16'	1"	11	16'	1"	15	16'	2"	3	16'	2"	7	22'	9"	7	22'	9"	12	22'	10"	2	22'	10"	8
2 IN 12	16'	3"	11	16'	3"	15	16'	4"	3	16'	4"	7	22'	10"	13	22'	11"	3	22'	11"	9	22'	11"	14
2.5 IN 12	16'	5"	2	16'	5"	6	16'	5"	10	16'	5"	15	22'	11"	14	23'	0"	4	23'	0"	10	23'	0"	15
3 IN 12	16'	6"	15	16'	7"	3	16'	7"	7	16'	7"	11	23'	1"	3	23'	1"	9	23'	1"	14	23'	2"	4
3.5 IN 12	16'	9"	1	16'	9"	5	16'	9"	9	16'	9"	13	23'	2"	11	23'	3"	1	23'	3"	7	23'	3"	12
4 IN 12	16'	11"	7	16'	11"	11	16'	11"	15	17'	0"	4	23'	4"	7	23'	4"	13	23'	5"	2	23'	5"	8
4.5 IN 12	17'	2"	2	17'	2"	6	17'	2"	11	17'	2"	15	23'	6"	6	23'	6"	12	23'	7"	2	23'	7"	8
5 IN 12	17'	5"	1	17'	5"	6	17'	5"	10	17'	5"	14	23'	8"	9	23'	8"	15	23'	9"	4	23'	9"	10
5.5 IN 12	17'	8"	5	17'	8"	9	17'	8"	14	17'	9"	2	23'	10"	15	23'	11"	5	23'	11"	11	24'	0"	1
6 IN 12	17'	11"	12	18'	0"	1	18'	0"	5	18'	0"	10	24'	1"	8	24'	1"	14	24'	2"	4	24'	2"	10
6.5 IN 12	18'	3"	8	18'	3"	12	18'	4"	1	18'	4"	6	24'	4"	4	24'	4"	11	24'	5"	1	24'	5"	7
7 IN 12	18'	7"	7	18'	7"	12	18'	8"	0	18'	8"	5	24'	7"	4	24'	7"	10	24'	8"	0	24'	8"	6
8 IN 12	19'	3"	15	19'	4"	4	19'	4"	9	19'	4"	14	25'	1"	12	25'	2"	2	25'	2"	9	25'	2"	15
9 IN 12	20'	1"	4	20'	1"	9	20'	1"	14	20'	2"	3	25'	8"	15	25'	9"	6	25'	9"	12	25'	10"	2
10 IN 12	20'	11"	4	20'	11"	9	20'	11"	14	21'	0"	3	26'	4"	13	26'	5"	3	26'	5"	10	26'	6"	1
11 IN 12	21'	9"	13	21'	10"	3	21'	10"	8	21'	10"	13	27'	1"	4	27'	1"	11	27'	2"	2	27'	2"	8
12 IN 12	22'	8"	15	22'	9"	5	22'	9"	10	22'	10"	0	27'	10"	5	27'	10"	12	27'	11"	2	27'	11"	9
13 IN 12	23'	8"	9	23'	8"	15	23'	9"	4	23'	9"	10	28'	7"	13	28'	8"	4	28'	8"	11	28'	9"	3
14 IN 12	24'	8"	9	24'	8"	15	24'	9"	5	24'	9"	11	29'	5"	13	29'	6"	5	29'	6"	12	29'	7"	3
15 IN 12	25'	8"	15	25'	9"	6	25'	9"	12	25'	10"	2	30'	4"	4	30'	4"	12	30'	5"	4	30'	5"	11
16 IN 12	26'	9"	11	26'	10"	1	26'	10"	8	26'	10"	15	31'	3"	2	31'	3"	10	31'	4"	2	31'	4"	9
17 IN 12	27'	10"	11	27'	11"	2	27'	11"	9	28'	0"	0	32'	2"	5	32'	2"	13	32'	3"	5	32'	3"	13
18 IN 12	28'	11"	15	29'	0"	6	29'	0"	13	29'	1"	5	33'	1"	14	33'	2"	6	33'	2"	15	33'	3"	7
19 IN 12	30'	1"	7	30'	1"	14	30'	2"	6	30'	2"	13	34'	1"	12	34'	2"	4	34'	2"	13	34'	3"	5
20 IN 12	31'	3"	2	31'	3"	10	31'	4"	2	31'	4"	9	35'	1"	14	35'	2"	7	35'	2"	15	35'	3"	8
21 IN 12	32'	5"	0	32'	5"	8	32'	6"	0	32'	6"	8	36'	2"	4	36'	2"	13	36'	3"	6	36'	3"	15
22 IN 12	33'	7"	1	33'	7"	9	33'	8"	1	33'	8"	10	37'	2"	14	37'	3"	7	37'	4"	1	37'	4"	10
23 IN 12	34'	9"	4	34'	9"	12	34'	10"	5	34'	10"	14	38'	3"	11	38'	4"	5	38'	4"	14	38'	5"	8
24 IN 12	35'	11"	9	36'	0"	2	36'	0"	11	36'	1"	4	39'	4"	12	39'	5"	6	39'	6"	0	39'	6"	9
25 IN 12	37'	2"	0	37'	2"	9	37'	3"	3	37'	3"	12	40'	6"	0	40'	6"	10	40'	7"	4	40'	7"	14

Run -	16' 2"	16' 2 1/4"	16' 2 1/2"	16' 2 3/4"	16' 2"	16' 2 1/4"	16' 2 1/2"	16' 2 3/4"
Pitch	Ft In 16th"	Ft In 16th"	Ft In 16th"	Ft In 16th"	Ft In 16th"	Ft In 16th"	Ft In 16th"	Ft In 16th"
1 IN 12	16' 2" 11	16' 2" 15	16' 3" 3	16' 3" 7	22' 10" 13	22' 11" 3	22' 11" 9	22' 11" 14
2 IN 12	16' 4" 11	16' 4" 15	16' 5" 3	16' 5" 7	23' 0" 4	23' 0" 10	23' 0" 15	23' 1" 5
2.5 IN 12	16' 6" 3	16' 6" 7	16' 6" 11	16' 6" 15	23' 1" 5	23' 1" 11	23' 2" 1	23' 2" 6
3 IN 12	16' 8" 0	16' 8" 4	16' 8" 8	16' 8" 12	23' 2" 10	23' 3" 0	23' 3" 5	23' 3" 11
3.5 IN 12	16' 10" 1	16' 10" 6	16' 10" 10	16' 10" 14	23' 4" 2	23' 4" 8	23' 4" 14	23' 5" 3
4 IN 12	17' 0" 8	17' 0" 12	17' 1" 0	17' 1" 5	23' 5" 14	23' 6" 4	23' 6" 10	23' 6" 15
4.5 IN 12	17' 3" 3	17' 3" 7	17' 3" 12	17' 4" 0	23' 7" 13	23' 8" 3	23' 8" 9	23' 8" 15
5 IN 12	17' 6" 3	17' 6" 7	17' 6" 11	17' 7" 0	23' 10" 0	23' 10" 6	23' 10" 12	23' 11" 2
5.5 IN 12	17' 9" 6	17' 9" 11	17' 9" 15	17' 10" 4	24' 0" 7	24' 0" 12	24' 1" 2	24' 1" 8
6 IN 12	18' 0" 14	18' 1" 3	18' 1" 7	18' 1" 12	24' 3" 0	24' 3" 6	24' 3" 12	24' 4" 2
6.5 IN 12	18' 4" 10	18' 4" 15	18' 5" 3	18' 5" 8	24' 5" 13	24' 6" 3	24' 6" 9	24' 6" 15
7 IN 12	18' 8" 10	18' 8" 14	18' 9" 3	18' 9" 7	24' 8" 12	24' 9" 3	24' 9" 9	24' 9" 15
8 IN 12	19' 5" 3	19' 5" 7	19' 5" 12	19' 6" 1	25' 3" 5	25' 3" 11	25' 4" 2	25' 4" 8
9 IN 12	20' 2" 8	20' 2" 13	20' 3" 2	20' 3" 7	25' 10" 9	25' 10" 15	25' 11" 6	25' 11" 12
10 IN 12	21' 0" 9	21' 0" 14	21' 1" 3	21' 1" 8	26' 6" 7	26' 6" 14	26' 7" 4	26' 7" 11
11 IN 12	21' 11" 3	21' 11" 8	21' 11" 14	22' 0" 3	27' 2" 15	27' 3" 6	27' 3" 13	27' 4" 3
12 IN 12	22' 10" 6	22' 10" 11	22' 11" 1	22' 11" 7	28' 0" 0	28' 0" 7	28' 0" 14	28' 1" 5
13 IN 12	23' 10" 0	23' 10" 6	23' 10" 12	23' 11" 2	28' 9" 10	28' 10" 1	28' 10" 8	28' 10" 15
14 IN 12	24' 10" 2	24' 10" 8	24' 10" 14	24' 11" 4	29' 7" 11	29' 8" 2	29' 8" 9	29' 9" 1
15 IN 12	25' 10" 9	25' 10" 15	25' 11" 6	25' 11" 12	30' 6" 3	30' 6" 10	30' 7" 2	30' 7" 9
16 IN 12	26' 11" 5	26' 11" 12	27' 0" 3	27' 0" 9	31' 5" 1	31' 5" 9	31' 6" 1	31' 6" 8
17 IN 12	28' 0" 7	28' 0" 13	28' 1" 4	28' 1" 11	32' 4" 5	32' 4" 13	32' 5" 5	32' 5" 13
18 IN 12	29' 1" 12	29' 2" 3	29' 2" 10	29' 3" 1	33' 3" 15	33' 4" 7	33' 5" 0	33' 5" 8
19 IN 12	30' 3" 5	30' 3" 12	30' 4" 4	30' 4" 11	34' 3" 14	34' 4" 6	34' 4" 15	34' 5" 7
20 IN 12	31' 5" 1	31' 5" 9	31' 6" 1	31' 6" 8	35' 4" 1	35' 4" 10	35' 5" 2	35' 5" 11
21 IN 12	32' 7" 0	32' 7" 8	32' 8" 0	32' 8" 8	36' 4" 8	36' 5" 1	36' 5" 10	36' 6" 3
22 IN 12	33' 9" 2	33' 9" 11	33' 10" 3	33' 10" 11	37' 5" 3	37' 5" 12	37' 6" 6	37' 6" 15
23 IN 12	34' 11" 4	34' 11" 15	35' 0" 8	35' 1" 0	38' 6" 2	38' 6" 11	38' 7" 5	38' 7" 14
24 IN 12	36' 1" 13	36' 2" 6	36' 2" 15	36' 3" 8	39' 7" 3	39' 7" 13	39' 8" 7	39' 9" 1
25 IN 12	37' 4" 5	37' 4" 14	37' 5" 8	37' 6" 1	40' 8" 8	40' 9" 2	40' 9" 12	40' 10" 6

16 Foot 3 Inch Run — Common Rafter Lengths   16 Foot 3 Inch Run — Hip Or Valley Rafter Lengths

Run -	16' 3"	16' 3 1/4"	16' 3 1/2"	16' 3 3/4"	16' 3"	16' 3 1/4"	16' 3 1/2"	16' 3 3/4"
Pitch	Ft In 16th"	Ft In 16th"	Ft In 16th"	Ft In 16th"	Ft In 16th"	Ft In 16th"	Ft In 16th"	Ft In 16th"
1 IN 12	16' 3" 11	16' 3" 15	16' 4" 3	16' 4" 7	23' 0" 4	23' 0" 10	23' 0" 15	23' 1" 5
2 IN 12	16' 5" 11	16' 5" 15	16' 6" 3	16' 6" 7	23' 1" 11	23' 2" 1	23' 2" 6	23' 2" 12
2.5 IN 12	16' 7" 3	16' 7" 7	16' 7" 11	16' 7" 15	23' 2" 12	23' 3" 2	23' 3" 7	23' 3" 13
3 IN 12	16' 9" 0	16' 9" 4	16' 9" 8	16' 9" 12	23' 4" 1	23' 4" 7	23' 4" 12	23' 5" 2
3.5 IN 12	16' 11" 2	16' 11" 6	16' 11" 10	16' 11" 15	23' 5" 9	23' 5" 15	23' 6" 5	23' 6" 11
4 IN 12	17' 1" 9	17' 1" 13	17' 2" 1	17' 2" 5	23' 7" 5	23' 7" 11	23' 8" 1	23' 8" 7
4.5 IN 12	17' 4" 4	17' 4" 8	17' 4" 13	17' 5" 1	23' 9" 5	23' 9" 11	23' 10" 1	23' 10" 6
5 IN 12	17' 7" 4	17' 7" 8	17' 7" 13	17' 8" 1	23' 11" 8	23' 11" 14	24' 0" 4	24' 0" 10
5.5 IN 12	17' 10" 8	17' 10" 12	17' 11" 1	17' 11" 5	24' 1" 14	24' 2" 4	24' 2" 10	24' 3" 0
6 IN 12	18' 2" 0	18' 2" 5	18' 2" 9	18' 2" 14	24' 4" 8	24' 4" 14	24' 5" 4	24' 5" 10
6.5 IN 12	18' 5" 12	18' 6" 1	18' 6" 5	18' 6" 10	24' 7" 5	24' 7" 11	24' 8" 1	24' 8" 7
7 IN 12	18' 9" 12	18' 10" 1	18' 10" 5	18' 10" 10	24' 10" 5	24' 10" 11	24' 11" 1	24' 11" 7
8 IN 12	19' 6" 6	19' 6" 11	19' 6" 15	19' 7" 4	25' 4" 14	25' 5" 4	25' 5" 11	25' 6" 1
9 IN 12	20' 3" 12	20' 4" 1	20' 4" 6	20' 4" 11	26' 0" 2	26' 0" 8	26' 0" 15	26' 1" 6
10 IN 12	21' 1" 13	21' 2" 3	21' 2" 9	21' 2" 13	26' 8" 1	26' 8" 8	26' 8" 15	26' 9" 5
11 IN 12	22' 0" 8	22' 0" 14	22' 1" 3	22' 1" 9	27' 4" 10	27' 5" 1	27' 5" 8	27' 5" 14
12 IN 12	22' 11" 12	23' 0" 2	23' 0" 8	23' 0" 13	28' 1" 12	28' 2" 3	28' 2" 10	28' 3" 1
13 IN 12	23' 11" 8	23' 11" 14	24' 0" 4	24' 0" 10	28' 11" 6	28' 11" 13	29' 0" 4	29' 0" 12
14 IN 12	24' 11" 10	25' 0" 0	25' 0" 6	25' 0" 13	29' 9" 8	29' 9" 15	29' 10" 7	29' 10" 14
15 IN 12	26' 0" 2	26' 0" 9	26' 0" 15	26' 1" 6	30' 8" 1	30' 8" 8	30' 9" 0	30' 9" 8
16 IN 12	27' 1" 0	27' 1" 7	27' 1" 13	27' 2" 4	31' 7" 0	31' 7" 8	31' 8" 0	31' 8" 8
17 IN 12	28' 2" 2	28' 2" 9	28' 3" 0	28' 3" 7	32' 6" 5	32' 6" 13	32' 7" 5	32' 7" 13
18 IN 12	29' 3" 9	29' 4" 0	29' 4" 7	29' 4" 14	33' 6" 0	33' 6" 8	33' 7" 1	33' 7" 9
19 IN 12	30' 5" 3	30' 5" 10	30' 6" 2	30' 6" 9	34' 6" 0	34' 6" 8	34' 7" 1	34' 7" 9
20 IN 12	31' 7" 0	31' 7" 8	31' 8" 0	31' 8" 8	35' 6" 4	35' 6" 12	35' 7" 5	35' 7" 14
21 IN 12	32' 9" 1	32' 9" 9	32' 10" 1	32' 10" 9	36' 6" 12	36' 7" 5	36' 7" 14	36' 8" 7
22 IN 12	33' 11" 4	33' 11" 12	34' 0" 4	34' 0" 13	37' 7" 8	37' 8" 1	37' 8" 11	37' 9" 4
23 IN 12	35' 1" 9	35' 2" 2	35' 2" 10	35' 3" 3	38' 8" 8	38' 9" 1	38' 9" 11	38' 10" 4
24 IN 12	36' 4" 1	36' 4" 9	36' 5" 2	36' 5" 11	39' 9" 10	39' 10" 4	39' 10" 14	39' 11" 8
25 IN 12	37' 6" 10	37' 7" 3	37' 7" 13	37' 8" 6	40' 11" 0	40' 11" 10	41' 0" 4	41' 0" 14

16 Foot 4 Inch Run — Common Rafter Lengths   16 Foot 4 Inch Run — Hip Or Valley Rafter Lengths

Run -	16' 4"			16' 4 1/4"			16' 4 1/2"			16' 4 3/4"			16' 4"			16' 4 1/4"			16' 4 1/2"			16' 4 3/4"		
Pitch	Ft	In	16th"	Ft	In	16th"	Ft	In	16th"	Ft	In	16th"	Ft	In	16th"	Ft	In	16th"	Ft	In	16th"	Ft	In	16th"
1 IN 12	16'	4"	11	16'	4"	15	16'	5"	3	16'	5"	7	23'	1"	11	23'	2"	0	23'	2"	6	23'	2"	12
2 IN 12	16'	6"	11	16'	6"	15	16'	7"	3	16'	7"	7	23'	3"	2	23'	3"	7	23'	3"	13	23'	4"	3
2.5 IN 12	16'	8"	3	16'	8"	7	16'	8"	12	16'	9"	0	23'	4"	3	23'	4"	9	23'	4"	14	23'	5"	4
3 IN 12	16'	10"	1	16'	10"	5	16'	10"	9	16'	10"	13	23'	5"	8	23'	5"	13	23'	6"	3	23'	6"	9
3.5 IN 12	17'	0"	3	17'	0"	7	17'	0"	11	17'	0"	15	23'	7"	0	23'	7"	6	23'	7"	12	23'	8"	2
4 IN 12	17'	2"	10	17'	2"	14	17'	3"	2	17'	3"	6	23'	8"	13	23'	9"	2	23'	9"	8	23'	9"	14
4.5 IN 12	17'	5"	5	17'	5"	10	17'	5"	14	17'	6"	2	23'	10"	12	23'	11"	2	23'	11"	8	23'	11"	14
5 IN 12	17'	8"	5	17'	8"	10	17'	8"	14	17'	9"	2	24'	0"	15	24'	1"	5	24'	1"	11	24'	2"	1
5.5 IN 12	17'	11"	10	17'	11"	14	18'	0"	2	18'	0"	7	24'	3"	6	24'	3"	12	24'	4"	2	24'	4"	8
6 IN 12	18'	3"	2	18'	3"	7	18'	3"	11	18'	4"	0	24'	6"	0	24'	6"	6	24'	6"	12	24'	7"	2
6.5 IN 12	18'	6"	15	18'	7"	3	18'	7"	8	18'	7"	12	24'	8"	13	24'	9"	3	24'	9"	9	24'	9"	15
7 IN 12	18'	10"	15	18'	11"	3	18'	11"	8	18'	11"	12	24'	11"	13	25'	0"	4	25'	0"	10	25'	1"	0
8 IN 12	19'	7"	9	19'	7"	14	19'	8"	3	19'	8"	7	25'	6"	7	25'	6"	13	25'	7"	4	25'	7"	10
9 IN 12	20'	5"	0	20'	5"	5	20'	5"	10	20'	5"	15	26'	1"	12	26'	2"	2	26'	2"	9	26'	2"	15
10 IN 12	21'	3"	2	21'	3"	7	21'	3"	13	21'	4"	2	26'	9"	12	26'	10"	2	26'	10"	9	26'	10"	15
11 IN 12	22'	1"	14	22'	2"	4	22'	2"	9	22'	2"	14	27'	6"	5	27'	6"	12	27'	7"	3	27'	7"	9
12 IN 12	23'	1"	3	23'	1"	9	23'	1"	14	23'	2"	4	28'	3"	8	28'	3"	15	28'	4"	6	28'	4"	12
13 IN 12	24'	0"	15	24'	1"	5	24'	1"	11	24'	2"	1	29'	1"	3	29'	1"	10	29'	2"	1	29'	2"	8
14 IN 12	25'	1"	3	25'	1"	9	25'	1"	15	25'	2"	5	29'	11"	5	29'	11"	13	30'	0"	4	30'	0"	11
15 IN 12	26'	1"	12	26'	2"	2	26'	2"	9	26'	2"	15	30'	9"	15	30'	10"	7	30'	10"	14	30'	11"	6
16 IN 12	27'	2"	11	27'	3"	1	27'	3"	8	27'	3"	15	31'	8"	15	31'	9"	7	31'	9"	15	31'	10"	7
17 IN 12	28'	3"	14	28'	4"	5	28'	4"	12	28'	5"	3	32'	8"	5	32'	8"	13	32'	9"	5	32'	9"	13
18 IN 12	29'	5"	6	29'	5"	13	29'	6"	4	29'	6"	11	33'	8"	1	33'	8"	9	33'	9"	2	33'	9"	10
19 IN 12	30'	7"	1	30'	7"	8	30'	8"	0	30'	8"	7	34'	8"	2	34'	8"	10	34'	9"	3	34'	9"	11
20 IN 12	31'	8"	15	31'	9"	7	31'	9"	15	31'	10"	7	35'	8"	7	35'	8"	15	35'	9"	8	35'	10"	1
21 IN 12	32'	11"	1	32'	11"	9	33'	0"	1	33'	0"	9	36'	9"	0	36'	9"	9	36'	10"	2	36'	10"	11
22 IN 12	34'	1"	5	34'	1"	13	34'	2"	6	34'	2"	14	37'	9"	13	37'	10"	6	37'	11"	0	37'	11"	9
23 IN 12	35'	3"	12	35'	4"	4	35'	4"	13	35'	5"	6	38'	10"	14	38'	11"	7	39'	0"	1	39'	0"	10
24 IN 12	36'	6"	4	36'	6"	13	36'	7"	6	36'	7"	15	40'	0"	2	40'	0"	11	40'	1"	5	40'	1"	15
25 IN 12	37'	8"	15	37'	9"	8	37'	10"	1	37'	10"	11	41'	1"	8	41'	2"	2	41'	2"	13	41'	3"	7

16 Foot 5 Inch Run — Common Rafter Lengths   16 Foot 5 Inch Run — Hip Or Valley Rafter Lengths

Run -	16' 5"	16' 5 1/4"	16' 5 1/2"	16' 5 3/4"	16' 5"	16' 5 1/4"	16' 5 1/2"	16' 5 3/4"
Pitch	Ft In 16th"	Ft In 16th"	Ft In 16th"	Ft In 16th"	Ft In 16th"	Ft In 16th"	Ft In 16th"	Ft In 16th"
1 IN 12	16' 5" 11	16' 5" 15	16' 6" 3	16' 6" 7	23' 3" 1	23' 3" 7	23' 3" 13	23' 4" 2
2 IN 12	16' 7" 11	16' 8" 0	16' 8" 4	16' 8" 8	23' 4" 8	23' 4" 14	23' 5" 4	23' 5" 10
2.5 IN 12	16' 9" 4	16' 9" 8	16' 9" 12	16' 10" 0	23' 5" 10	23' 5" 15	23' 6" 5	23' 6" 11
3 IN 12	16' 11" 1	16' 11" 5	16' 11" 9	16' 11" 13	23' 6" 15	23' 7" 4	23' 7" 10	23' 8" 0
3.5 IN 12	17' 1" 3	17' 1" 8	17' 1" 12	17' 2" 0	23' 8" 7	23' 8" 13	23' 9" 3	23' 9" 9
4 IN 12	17' 3" 10	17' 3" 15	17' 4" 3	17' 4" 7	23' 10" 4	23' 10" 10	23' 10" 15	23' 11" 5
4.5 IN 12	17' 6" 6	17' 6" 11	17' 6" 15	17' 7" 3	24' 0" 4	24' 0" 10	24' 0" 15	24' 1" 5
5 IN 12	17' 9" 7	17' 9" 11	17' 9" 15	17' 10" 4	24' 2" 7	24' 2" 13	24' 3" 3	24' 3" 9
5.5 IN 12	18' 0" 11	18' 1" 0	18' 1" 4	18' 1" 8	24' 4" 14	24' 5" 4	24' 5" 10	24' 6" 0
6 IN 12	18' 4" 4	18' 4" 9	18' 4" 13	18' 5" 0	24' 7" 8	24' 7" 14	24' 8" 4	24' 8" 10
6.5 IN 12	18' 8" 1	18' 8" 5	18' 8" 10	18' 8" 14	24' 10" 5	24' 10" 11	24' 11" 1	24' 11" 8
7 IN 12	19' 0" 1	19' 0" 6	19' 0" 10	19' 0" 15	25' 1" 6	25' 1" 12	25' 2" 2	25' 2" 8
8 IN 12	19' 8" 12	19' 9" 1	19' 9" 6	19' 9" 11	25' 8" 0	25' 8" 6	25' 8" 13	25' 9" 3
9 IN 12	20' 6" 4	20' 6" 9	20' 6" 14	20' 7" 3	26' 3" 6	26' 3" 12	26' 4" 2	26' 4" 9
10 IN 12	21' 4" 7	21' 4" 12	21' 5" 1	21' 5" 7	26' 11" 6	26' 11" 12	27' 0" 3	27' 0" 10
11 IN 12	22' 3" 4	22' 3" 9	22' 3" 15	22' 4" 4	27' 8" 0	27' 8" 7	27' 8" 14	27' 9" 4
12 IN 12	23' 2" 10	23' 2" 15	23' 3" 5	23' 3" 11	28' 5" 3	28' 5" 10	28' 6" 1	28' 6" 8
13 IN 12	24' 2" 7	24' 2" 13	24' 3" 3	24' 3" 9	29' 2" 15	29' 3" 6	29' 3" 13	29' 4" 5
14 IN 12	25' 2" 11	25' 3" 1	25' 3" 8	25' 3" 14	30' 1" 3	30' 1" 10	30' 2" 1	30' 2" 9
15 IN 12	26' 3" 6	26' 3" 12	26' 4" 2	26' 4" 9	30' 11" 13	31' 0" 5	31' 0" 12	31' 1" 4
16 IN 12	27' 4" 5	27' 4" 12	27' 5" 3	27' 5" 9	31' 10" 14	31' 11" 6	31' 11" 14	32' 0" 6
17 IN 12	28' 5" 10	28' 6" 1	28' 6" 8	28' 6" 15	32' 10" 5	32' 10" 13	32' 11" 5	32' 11" 13
18 IN 12	29' 7" 2	29' 7" 10	29' 8" 1	29' 8" 8	33' 10" 2	33' 10" 10	33' 11" 3	33' 11" 11
19 IN 12	30' 8" 15	30' 9" 6	30' 9" 14	30' 10" 5	34' 10" 4	34' 10" 12	34' 11" 5	34' 11" 13
20 IN 12	31' 10" 14	31' 11" 6	31' 11" 14	32' 0" 6	35' 10" 10	35' 11" 2	35' 11" 11	36' 0" 4
21 IN 12	33' 1" 1	33' 1" 9	33' 2" 1	33' 2" 9	36' 11" 4	36' 11" 13	37' 0" 6	37' 0" 15
22 IN 12	34' 3" 6	34' 3" 15	34' 4" 7	34' 4" 15	38' 0" 2	38' 0" 11	38' 1" 5	38' 1" 14
23 IN 12	35' 5" 14	35' 6" 7	35' 6" 15	35' 7" 8	39' 1" 4	39' 1" 13	39' 2" 7	39' 3" 0
24 IN 12	36' 8" 8	36' 9" 1	36' 9" 10	36' 10" 3	40' 2" 9	40' 3" 3	40' 3" 12	40' 4" 6
25 IN 12	37' 11" 4	37' 11" 13	38' 0" 6	38' 1" 0	41' 4" 1	41' 4" 11	41' 5" 5	41' 5" 15

16 Foot 6 Inch Run — Common Rafter Lengths   16 Foot 6 Inch Run — Hip Or Valley Rafter Lengths

Run -	16' 6"	16' 6 1/4"	16' 6 1/2"	16' 6 3/4"	16' 6"	16' 6 1/4"	16' 6 1/2"	16' 6 3/4"
Pitch	Ft In 16th"	Ft In 16th"	Ft In 16th"	Ft In 16th"	Ft In 16th"	Ft In 16th"	Ft In 16th"	Ft In 16th"
1 IN 12	16' 6" 11	16' 6" 15	16' 7" 3	16' 7" 7	23' 4" 8	23' 4" 14	23' 5" 3	23' 5" 9
2 IN 12	16' 8" 12	16' 9" 0	16' 9" 4	16' 9" 8	23' 5" 15	23' 6" 5	23' 6" 11	23' 7" 0
2.5 IN 12	16' 10" 4	16' 10" 8	16' 10" 12	16' 11" 0	23' 7" 1	23' 7" 6	23' 7" 12	23' 8" 2
3 IN 12	17' 0" 1	17' 0" 6	17' 0" 10	17' 0" 14	23' 8" 6	23' 8" 11	23' 9" 1	23' 9" 7
3.5 IN 12	17' 2" 4	17' 2" 8	17' 2" 12	17' 3" 1	23' 9" 15	23' 10" 4	23' 10" 10	23' 11" 0
4 IN 12	17' 4" 11	17' 5" 0	17' 5" 4	17' 5" 8	23' 11" 11	24' 0" 1	24' 0" 7	24' 0" 12
4.5 IN 12	17' 7" 7	17' 7" 12	17' 8" 0	17' 8" 4	24' 1" 11	24' 2" 1	24' 2" 7	24' 2" 13
5 IN 12	17' 10" 8	17' 10" 12	17' 11" 1	17' 11" 5	24' 3" 15	24' 4" 5	24' 4" 10	24' 5" 0
5.5 IN 12	18' 1" 13	18' 2" 1	18' 2" 6	18' 2" 10	24' 6" 6	24' 6" 12	24' 7" 2	24' 7" 7
6 IN 12	18' 5" 6	18' 5" 10	18' 5" 15	18' 6" 3	24' 9" 0	24' 9" 6	24' 9" 12	24' 10" 2
6.5 IN 12	18' 9" 3	18' 9" 7	18' 9" 12	18' 10" 1	24' 11" 14	25' 0" 4	25' 0" 10	25' 1" 0
7 IN 12	19' 1" 4	19' 1" 8	19' 1" 13	19' 2" 1	25' 2" 14	25' 3" 5	25' 3" 11	25' 4" 1
8 IN 12	19' 9" 15	19' 10" 4	19' 10" 9	19' 10" 14	25' 9" 9	25' 9" 15	25' 10" 6	25' 10" 12
9 IN 12	20' 7" 8	20' 7" 13	20' 8" 2	20' 8" 7	26' 4" 15	26' 5" 6	26' 5" 12	26' 6" 2
10 IN 12	21' 5" 12	21' 6" 1	21' 6" 6	21' 6" 11	27' 1" 0	27' 1" 7	27' 1" 13	27' 2" 4
11 IN 12	22' 4" 10	22' 4" 15	22' 5" 4	22' 5" 10	27' 9" 11	27' 10" 2	27' 10" 9	27' 10" 15
12 IN 12	23' 4" 0	23' 4" 6	23' 4" 12	23' 5" 1	28' 6" 15	28' 7" 6	28' 7" 13	28' 8" 4
13 IN 12	24' 3" 15	24' 4" 5	24' 4" 10	24' 5" 0	29' 4" 12	29' 5" 3	29' 5" 10	29' 6" 1
14 IN 12	25' 4" 4	25' 4" 10	25' 5" 0	25' 5" 6	30' 3" 0	30' 3" 7	30' 3" 15	30' 4" 6
15 IN 12	26' 4" 15	26' 5" 6	26' 5" 12	26' 6" 2	31' 1" 11	31' 2" 3	31' 2" 11	31' 3" 2
16 IN 12	27' 6" 0	27' 6" 7	27' 6" 13	27' 7" 4	32' 0" 13	32' 1" 5	32' 1" 13	32' 2" 5
17 IN 12	28' 7" 5	28' 7" 12	28' 8" 3	28' 8" 10	33' 0" 5	33' 0" 14	33' 1" 6	33' 1" 14
18 IN 12	29' 8" 15	29' 9" 6	29' 9" 14	29' 10" 5	34' 0" 3	34' 0" 11	34' 1" 3	34' 1" 12
19 IN 12	30' 10" 13	30' 11" 4	30' 11" 12	31' 0" 3	35' 0" 6	35' 0" 14	35' 1" 7	35' 1" 15
20 IN 12	32' 0" 13	32' 1" 5	32' 1" 13	32' 2" 5	36' 0" 13	36' 1" 5	36' 1" 14	36' 2" 7
21 IN 12	33' 3" 1	33' 3" 9	33' 4" 1	33' 4" 9	37' 1" 8	37' 2" 1	37' 2" 10	37' 3" 3
22 IN 12	34' 5" 8	34' 6" 0	34' 6" 9	34' 7" 1	38' 2" 7	38' 3" 0	38' 3" 10	38' 4" 3
23 IN 12	35' 8" 1	35' 8" 9	35' 9" 2	35' 9" 11	39' 3" 10	39' 4" 3	39' 4" 13	39' 5" 7
24 IN 12	36' 10" 12	36' 11" 5	36' 11" 14	37' 0" 7	40' 5" 0	40' 5" 10	40' 6" 4	40' 6" 13
25 IN 12	38' 1" 9	38' 2" 2	38' 2" 11	38' 3" 5	41' 6" 9	41' 7" 3	41' 7" 13	41' 8" 7

16 Foot 7 Inch Run — Common Rafter Lengths   16 Foot 7 Inch Run — Hip Or Valley Rafter Lengths

Run -	16' 7"			16' 7 1/4"			16' 7 1/2"			16' 7 3/4"			16' 7"			16' 7 1/4"			16' 7 1/2"			16' 7 3/4"		
Pitch	Ft	In	16th"	Ft	In	16th"	Ft	In	16th"	Ft	In	16th"	Ft	In	16th"	Ft	In	16th"	Ft	In	16th"	Ft	In	16th"
1 IN 12	16'	7"	11	16'	7"	15	16'	8"	3	16'	8"	7	23'	5"	15	23'	6"	4	23'	6"	10	23'	7"	0
2 IN 12	16'	9"	12	16'	10"	0	16'	10"	4	16'	10"	8	23'	7"	6	23'	7"	12	23'	8"	1	23'	8"	7
2.5 IN 12	16'	11"	4	16'	11"	8	16'	11"	13	17'	0"	1	23'	8"	7	23'	8"	13	23'	9"	3	23'	9"	9
3 IN 12	17'	1"	2	17'	1"	6	17'	1"	10	17'	1"	14	23'	9"	13	23'	10"	2	23'	10"	8	23'	10"	14
3.5 IN 12	17'	3"	5	17'	3"	9	17'	3"	13	17'	4"	1	23'	11"	6	23'	11"	11	24'	0"	1	24'	0"	7
4 IN 12	17'	5"	12	17'	6"	0	17'	6"	5	17'	6"	9	24'	1"	2	24'	1"	8	24'	1"	14	24'	2"	4
4.5 IN 12	17'	8"	9	17'	8"	13	17'	9"	1	17'	9"	5	24'	3"	2	24'	3"	8	24'	3"	14	24'	4"	4
5 IN 12	17'	11"	9	17'	11"	14	18'	0"	2	18'	0"	6	24'	5"	6	24'	5"	12	24'	6"	2	24'	6"	8
5.5 IN 12	18'	2"	15	18'	3"	3	18'	3"	7	18'	3"	12	24'	7"	13	24'	8"	3	24'	8"	9	24'	8"	15
6 IN 12	18'	6"	8	18'	6"	12	18'	7"	1	18'	7"	5	24'	10"	8	24'	10"	14	24'	11"	4	24'	11"	10
6.5 IN 12	18'	10"	5	18'	10"	10	18'	10"	14	18'	11"	3	25'	1"	6	25'	1"	12	25'	2"	2	25'	2"	8
7 IN 12	19'	2"	6	19'	2"	11	19'	2"	15	19'	3"	4	25'	4"	7	25'	4"	13	25'	5"	3	25'	5"	9
8 IN 12	19'	11"	3	19'	11"	7	19'	11"	12	20'	0"	1	25'	11"	2	25'	11"	8	25'	11"	15	26'	0"	5
9 IN 12	20'	8"	12	20'	9"	1	20'	9"	6	20'	9"	11	26'	6"	9	26'	6"	15	26'	7"	6	26'	7"	12
10 IN 12	21'	7"	1	21'	7"	6	21'	7"	11	21'	8"	0	27'	2"	10	27'	3"	1	27'	3"	8	27'	3"	14
11 IN 12	22'	5"	15	22'	6"	5	22'	6"	10	22'	7"	0	27'	11"	6	27'	11"	13	28'	0"	4	28'	0"	10
12 IN 12	23'	5"	7	23'	5"	13	23'	6"	2	23'	6"	8	28'	8"	11	28'	9"	2	28'	9"	9	28'	10"	0
13 IN 12	24'	5"	6	24'	5"	12	24'	6"	2	24'	6"	8	29'	6"	8	29'	6"	15	29'	7"	6	29'	7"	14
14 IN 12	25'	5"	13	25'	6"	3	25'	6"	9	25'	6"	15	30'	4"	13	30'	5"	5	30'	5"	12	30'	6"	3
15 IN 12	26'	6"	9	26'	6"	15	26'	7"	6	26'	7"	12	31'	3"	10	31'	4"	1	31'	4"	9	31'	5"	0
16 IN 12	27'	7"	11	27'	8"	1	27'	8"	8	27'	8"	15	32'	2"	13	32'	3"	4	32'	3"	12	32'	4"	4
17 IN 12	28'	9"	1	28'	9"	8	28'	9"	15	28'	10"	6	33'	2"	6	33'	2"	14	33'	3"	6	33'	3"	14
18 IN 12	29'	10"	12	29'	11"	3	29'	11"	10	30'	0"	2	34'	2"	4	34'	2"	12	34'	3"	4	34'	3"	13
19 IN 12	31'	0"	11	31'	1"	2	31'	1"	10	31'	2"	1	35'	2"	7	35'	3"	0	35'	3"	8	35'	4"	1
20 IN 12	32'	2"	13	32'	3"	4	32'	3"	12	32'	4"	4	36'	3"	0	36'	3"	8	36'	4"	1	36'	4"	10
21 IN 12	33'	5"	2	33'	5"	10	33'	6"	2	33'	6"	10	37'	3"	12	37'	4"	5	37'	4"	14	37'	5"	7
22 IN 12	34'	7"	9	34'	8"	2	34'	8"	10	34'	9"	2	38'	4"	12	38'	5"	6	38'	5"	15	38'	6"	8
23 IN 12	35'	10"	3	35'	10"	12	35'	11"	5	35'	11"	13	39'	6"	0	39'	6"	10	39'	7"	3	39'	7"	13
24 IN 12	37'	1"	0	37'	1"	9	37'	2"	2	37'	2"	10	40'	7"	7	40'	8"	1	40'	8"	11	40'	9"	5
25 IN 12	38'	3"	14	38'	4"	7	38'	5"	0	38'	5"	10	41'	9"	1	41'	9"	11	41'	10"	5	41'	10"	15

16 Foot 8 Inch Run — Common Rafter Lengths   16 Foot 8 Inch Run — Hip Or Valley Rafter Lengths

Run -	16' 8"	16' 8 1/4"	16' 8 1/2"	16' 8 3/4"	16' 8"	16' 8 1/4"	16' 8 1/2"	16' 8 3/4"
Pitch	Ft In 16th"	Ft In 16th"	Ft In 16th"	Ft In 16th"	Ft In 16th"	Ft In 16th"	Ft In 16th"	Ft In 16th"
1 IN 12	16' 8" 11	16' 8" 15	16' 9" 3	16' 9" 7	23' 7" 5	23' 7" 11	23' 8" 1	23' 8" 6
2 IN 12	16' 10" 12	16' 11" 0	16' 11" 4	16' 11" 8	23' 8" 13	23' 9" 2	23' 9" 8	23' 9" 14
2.5 IN 12	17' 0" 5	17' 0" 9	17' 0" 13	17' 1" 1	23' 9" 14	23' 10" 4	23' 10" 10	23' 10" 15
3 IN 12	17' 2" 2	17' 2" 7	17' 2" 11	17' 2" 15	23' 11" 4	23' 11" 9	23' 11" 15	24' 0" 5
3.5 IN 12	17' 4" 5	17' 4" 10	17' 4" 14	17' 5" 2	24' 0" 13	24' 1" 3	24' 1" 8	24' 1" 14
4 IN 12	17' 6" 13	17' 7" 1	17' 7" 6	17' 7" 10	24' 2" 9	24' 2" 15	24' 3" 5	24' 3" 11
4.5 IN 12	17' 9" 10	17' 9" 14	17' 10" 2	17' 10" 6	24' 4" 4	24' 5" 0	24' 5" 6	24' 5" 11
5 IN 12	18' 0" 11	18' 0" 15	18' 1" 3	18' 1" 8	24' 6" 14	24' 7" 4	24' 7" 10	24' 8" 0
5.5 IN 12	18' 4" 0	18' 4" 5	18' 4" 9	18' 4" 13	24' 9" 5	24' 9" 11	24' 10" 1	24' 10" 7
6 IN 12	18' 7" 10	18' 7" 14	18' 8" 3	18' 8" 7	25' 0" 0	25' 0" 6	25' 0" 12	25' 1" 2
6.5 IN 12	18' 11" 7	18' 11" 12	19' 0" 0	19' 0" 5	25' 2" 14	25' 3" 4	25' 3" 10	25' 4" 0
7 IN 12	19' 3" 9	19' 3" 13	19' 4" 2	19' 4" 7	25' 5" 15	25' 6" 5	25' 6" 12	25' 7" 2
8 IN 12	20' 0" 6	20' 0" 11	20' 1" 0	20' 1" 4	26' 0" 11	26' 1" 1	26' 1" 8	26' 1" 14
9 IN 12	20' 10" 0	20' 10" 5	20' 10" 10	20' 10" 15	26' 8" 2	26' 8" 9	26' 8" 15	26' 9" 6
10 IN 12	21' 8" 5	21' 8" 11	21' 9" 0	21' 9" 5	27' 4" 5	27' 4" 11	27' 5" 2	27' 5" 8
11 IN 12	22' 7" 5	22' 7" 10	22' 8" 0	22' 8" 5	28' 1" 1	28' 1" 8	28' 1" 14	28' 2" 5
12 IN 12	23' 6" 13	23' 7" 3	23' 7" 9	23' 7" 14	28' 10" 7	28' 10" 13	28' 11" 4	28' 11" 11
13 IN 12	24' 6" 14	24' 7" 4	24' 7" 10	24' 8" 0	29' 8" 5	29' 8" 12	29' 9" 3	29' 9" 10
14 IN 12	25' 7" 5	25' 7" 11	25' 8" 1	25' 8" 8	30' 6" 11	30' 7" 2	30' 7" 9	30' 8" 1
15 IN 12	26' 8" 2	26' 8" 9	26' 8" 15	26' 9" 6	31' 5" 8	31' 5" 15	31' 6" 7	31' 6" 15
16 IN 12	27' 9" 5	27' 9" 12	27' 10" 3	27' 10" 9	32' 4" 12	32' 5" 3	32' 5" 11	32' 6" 3
17 IN 12	28' 10" 13	28' 11" 4	28' 11" 11	29' 0" 2	33' 4" 6	33' 4" 14	33' 5" 6	33' 5" 14
18 IN 12	30' 0" 9	30' 1" 0	30' 1" 7	30' 1" 15	34' 4" 5	34' 4" 13	34' 5" 5	34' 5" 14
19 IN 12	31' 2" 9	31' 3" 0	31' 3" 8	31' 3" 15	35' 4" 9	35' 5" 2	35' 5" 10	35' 6" 3
20 IN 12	32' 4" 12	32' 5" 3	32' 5" 11	32' 6" 3	36' 5" 3	36' 5" 11	36' 6" 4	36' 6" 13
21 IN 12	33' 7" 2	33' 7" 10	33' 8" 2	33' 8" 10	37' 6" 0	37' 6" 9	37' 7" 2	37' 7" 11
22 IN 12	34' 9" 11	34' 10" 3	34' 10" 11	34' 11" 4	38' 7" 1	38' 7" 11	38' 8" 4	38' 8" 13
23 IN 12	36' 0" 6	36' 0" 15	36' 1" 7	36' 2" 0	39' 8" 6	39' 9" 0	39' 9" 9	39' 10" 3
24 IN 12	37' 3" 3	37' 3" 12	37' 4" 5	37' 4" 14	40' 9" 14	40' 10" 8	40' 11" 2	40' 11" 12
25 IN 12	38' 6" 3	38' 6" 12	38' 7" 5	38' 7" 15	41' 11" 10	42' 0" 4	42' 0" 14	42' 1" 8

Run -	16' 9"	16' 9 1/4"	16' 9 1/2"	16' 9 3/4"	16' 9"	16' 9 1/4"	16' 9 1/2"	16' 9 3/4"
Pitch	Ft In 16th"	Ft In 16th"	Ft In 16th"	Ft In 16th"	Ft In 16th"	Ft In 16th"	Ft In 16th"	Ft In 16th"
1 IN 12	16' 9" 11	16' 9" 15	16' 10" 3	16' 10" 7	23' 8" 12	23' 9" 2	23' 9" 7	23' 9" 13
2 IN 12	16' 11" 12	17' 0" 0	17' 0" 4	17' 0" 9	23' 11" 5	23' 10" 4	23' 10" 9	23' 11" 5
2.5 IN 12	17' 1" 5	17' 1" 9	17' 1" 13	17' 2" 1	23' 11" 5	23' 11" 11	24' 0" 1	24' 0" 6
3 IN 12	17' 3" 3	17' 3" 7	17' 3" 11	17' 3" 15	24' 0" 11	24' 1" 0	24' 1" 6	24' 1" 12
3.5 IN 12	17' 5" 6	17' 5" 10	17' 5" 14	17' 6" 3	24' 2" 4	24' 2" 10	24' 2" 15	24' 3" 5
4 IN 12	17' 7" 14	17' 8" 2	17' 8" 6	17' 8" 11	24' 4" 1	24' 4" 7	24' 4" 12	24' 5" 2
4.5 IN 12	17' 10" 11	17' 10" 15	17' 11" 3	17' 11" 8	24' 6" 1	24' 6" 7	24' 6" 13	24' 7" 3
5 IN 12	18' 1" 5	18' 2" 0	18' 2" 5	18' 2" 9	24' 8" 5	24' 8" 11	24' 9" 1	24' 9" 7
5.5 IN 12	18' 5" 2	18' 5" 6	18' 5" 11	18' 5" 15	24' 10" 13	24' 11" 3	24' 11" 9	24' 11" 15
6 IN 12	18' 8" 12	18' 9" 0	18' 9" 5	18' 9" 9	25' 1" 8	25' 1" 14	25' 2" 4	25' 2" 10
6.5 IN 12	19' 0" 9	19' 0" 14	19' 1" 3	19' 1" 7	25' 4" 6	25' 4" 12	25' 5" 2	25' 5" 8
7 IN 12	19' 4" 11	19' 5" 0	19' 5" 4	19' 5" 9	25' 7" 8	25' 7" 14	25' 8" 4	25' 8" 10
8 IN 12	20' 1" 9	20' 1" 14	20' 2" 3	20' 2" 8	26' 2" 4	26' 2" 10	26' 3" 1	26' 3" 7
9 IN 12	20' 11" 9	20' 11" 9	20' 11" 14	21' 0" 3	26' 9" 12	26' 10" 3	26' 10" 9	26' 10" 15
10 IN 12	21' 9" 10	21' 10" 0	21' 10" 5	21' 10" 10	27' 5" 15	27' 6" 6	27' 6" 12	27' 7" 3
11 IN 12	22' 8" 11	22' 9" 0	22' 9" 6	22' 9" 11	28' 2" 12	28' 3" 3	28' 3" 9	28' 4" 0
12 IN 12	23' 8" 4	23' 8" 10	23' 8" 15	23' 9" 5	29' 0" 2	29' 0" 9	29' 1" 0	29' 1" 7
13 IN 12	24' 8" 5	24' 8" 11	24' 9" 1	24' 9" 7	29' 10" 1	29' 10" 8	29' 10" 15	29' 11" 7
14 IN 12	25' 8" 14	25' 9" 4	25' 9" 10	25' 10" 0	30' 8" 8	30' 8" 15	30' 9" 7	30' 9" 14
15 IN 12	26' 9" 12	26' 10" 3	26' 10" 9	26' 10" 15	31' 7" 6	31' 7" 14	31' 8" 5	31' 8" 13
16 IN 12	27' 11" 0	27' 11" 7	27' 11" 13	28' 0" 4	32' 6" 11	32' 7" 3	32' 7" 10	32' 8" 2
17 IN 12	29' 0" 9	29' 1" 0	29' 1" 7	29' 1" 14	33' 6" 6	33' 6" 14	33' 7" 6	33' 7" 14
18 IN 12	30' 2" 6	30' 2" 13	30' 3" 4	30' 3" 11	34' 6" 6	34' 6" 14	34' 7" 6	34' 7" 15
19 IN 12	31' 4" 7	31' 4" 14	31' 5" 6	31' 5" 13	35' 6" 11	35' 7" 4	35' 7" 12	35' 8" 5
20 IN 12	32' 6" 11	32' 7" 3	32' 7" 10	32' 8" 2	36' 7" 6	36' 7" 14	36' 8" 7	36' 9" 0
21 IN 12	33' 9" 2	33' 9" 10	33' 10" 2	33' 10" 10	37' 8" 4	37' 8" 13	37' 9" 6	37' 9" 15
22 IN 12	34' 11" 12	35' 0" 4	35' 0" 13	35' 1" 5	38' 9" 6	38' 10" 0	38' 10" 9	38' 11" 2
23 IN 12	36' 2" 2	36' 3" 1	36' 3" 10	36' 4" 2	39' 10" 12	39' 11" 6	39' 11" 15	40' 0" 9
24 IN 12	37' 5" 7	37' 6" 0	37' 6" 9	37' 7" 2	41' 0" 6	41' 0" 15	41' 1" 9	41' 2" 3
25 IN 12	38' 8" 8	38' 9" 1	38' 9" 10	38' 10" 4	42' 2" 2	42' 2" 12	42' 3" 6	42' 4" 0

16 Foot 10 Inch Run — Common Rafter Lengths   **16 Foot 10 Inch Run — Hip Or Valley Rafter Lengths**

Run -	16'10"	16'10 1/4"	16'10 1/2"	16'10 3/4"	16'10"	16'10 1/4"	16'10 1/2"	16'10 3/4"
Pitch	Ft In 16th"	Ft In 16th"	Ft In 16th"	Ft In 16th"	Ft In 16th"	Ft In 16th"	Ft In 16th"	Ft In 16th"
1 IN 12	16' 10" 11	16' 10" 15	16' 11" 3	16' 11" 7	23' 10" 3	23' 10" 8	23' 10" 14	23' 11" 4
2 IN 12	17' 0" 13	17' 1" 1	17' 1" 5	17' 1" 9	23' 11" 10	24' 0" 0	24' 0" 6	24' 0" 11
2.5 IN 12	17' 2" 5	17' 2" 9	17' 2" 14	17' 3" 2	24' 0" 12	24' 1" 2	24' 1" 8	24' 1" 13
3 IN 12	17' 4" 3	17' 4" 8	17' 4" 12	17' 5" 0	24' 2" 2	24' 2" 7	24' 2" 13	24' 3" 3
3.5 IN 12	17' 6" 7	17' 6" 11	17' 6" 15	17' 7" 3	24' 3" 11	24' 4" 1	24' 4" 6	24' 4" 12
4 IN 12	17' 8" 15	17' 9" 3	17' 9" 7	17' 9" 11	24' 5" 8	24' 5" 14	24' 6" 4	24' 6" 9
4.5 IN 12	17' 11" 12	18' 0" 0	18' 0" 4	18' 0" 9	24' 7" 9	24' 7" 15	24' 8" 4	24' 8" 10
5 IN 12	18' 2" 13	18' 3" 2	18' 3" 6	18' 3" 10	24' 9" 13	24' 10" 2	24' 10" 9	24' 10" 15
5.5 IN 12	18' 6" 3	18' 6" 8	18' 6" 12	18' 7" 1	25' 0" 5	25' 0" 11	25' 1" 1	25' 1" 7
6 IN 12	18' 9" 13	18' 10" 2	18' 10" 6	18' 10" 11	25' 3" 0	25' 3" 6	25' 3" 12	25' 4" 2
6.5 IN 12	19' 1" 12	19' 2" 0	19' 2" 5	19' 2" 9	25' 5" 15	25' 6" 5	25' 6" 11	25' 7" 1
7 IN 12	19' 5" 14	19' 6" 2	19' 6" 7	19' 6" 12	25' 9" 0	25' 9" 6	25' 9" 13	25' 10" 3
8 IN 12	20' 2" 12	20' 3" 1	20' 3" 6	20' 3" 11	26' 3" 13	26' 4" 3	26' 4" 10	26' 5" 0
9 IN 12	21' 0" 8	21' 0" 13	21' 1" 2	21' 1" 7	26' 11" 6	26' 11" 12	27' 0" 3	27' 0" 9
10 IN 12	21' 10" 15	21' 11" 4	21' 11" 10	21' 11" 15	27' 7" 9	27' 8" 0	27' 8" 6	27' 8" 13
11 IN 12	22' 10" 0	22' 10" 6	22' 10" 11	22' 11" 1	28' 4" 7	28' 4" 14	28' 5" 4	28' 5" 11
12 IN 12	23' 9" 11	23' 10" 0	23' 10" 6	23' 10" 12	29' 1" 14	29' 2" 5	29' 2" 12	29' 3" 3
13 IN 12	24' 9" 13	24' 10" 3	24' 10" 9	24' 10" 15	29' 11" 14	30' 0" 5	30' 0" 12	30' 1" 3
14 IN 12	25' 10" 6	25' 10" 12	25' 11" 3	25' 11" 9	30' 10" 5	30' 10" 13	30' 11" 4	30' 11" 11
15 IN 12	26' 11" 6	26' 11" 12	27' 0" 3	27' 0" 9	31' 9" 4	31' 9" 12	31' 10" 3	31' 10" 11
16 IN 12	28' 0" 11	28' 1" 1	28' 1" 8	28' 1" 15	32' 8" 10	32' 9" 2	32' 9" 9	32' 10" 1
17 IN 12	29' 2" 4	29' 2" 11	29' 3" 2	29' 3" 9	33' 8" 6	33' 8" 14	33' 9" 6	33' 9" 14
18 IN 12	30' 4" 3	30' 4" 10	30' 5" 1	30' 5" 8	34' 8" 7	34' 8" 15	34' 9" 7	34' 10" 0
19 IN 12	31' 6" 5	31' 6" 12	31' 7" 3	31' 7" 11	35' 8" 13	35' 9" 6	35' 9" 14	35' 10" 7
20 IN 12	32' 8" 10	32' 9" 2	32' 9" 9	32' 10" 1	36' 9" 9	36' 10" 1	36' 10" 10	36' 11" 3
21 IN 12	33' 11" 2	33' 11" 10	34' 0" 2	34' 0" 10	37' 10" 8	37' 11" 1	37' 11" 10	38' 0" 3
22 IN 12	35' 1" 13	35' 2" 6	35' 2" 14	35' 3" 7	38' 11" 11	39' 0" 5	39' 0" 14	39' 1" 7
23 IN 12	36' 4" 11	36' 5" 4	36' 5" 12	36' 6" 5	40' 1" 2	40' 1" 12	40' 2" 5	40' 2" 15
24 IN 12	37' 7" 11	37' 8" 4	37' 8" 13	37' 9" 6	41' 2" 13	41' 3" 7	41' 4" 0	41' 4" 10
25 IN 12	38' 10" 13	38' 11" 6	38' 11" 15	39' 0" 9	42' 4" 10	42' 5" 4	42' 5" 14	42' 6" 8

16 Foot 11 Inch Run — Common Rafter Lengths   16 Foot 11 Inch Run — Hip Or Valley Rafter Lengths

Run -	16'11" Ft In 16th"	16'11 1/4" Ft In 16th"	16'11 1/2" Ft In 16th"	16'11 3/4" Ft In 16th"	16'11" Ft In 16th"	16'11 1/4" Ft In 16th"	16'11 1/2" Ft In 16th"	16'11 3/4" Ft In 16th"
Pitch								
1 IN 12	16' 11" 11	16' 11" 15	17' 0" 3	17' 0" 7	23' 11" 9	23' 11" 15	24' 0" 5	24' 0" 10
2 IN 12	17' 1" 13	17' 2" 1	17' 2" 5	17' 2" 9	24' 1" 1	24' 1" 7	24' 1" 13	24' 2" 2
2.5 IN 12	17' 3" 6	17' 3" 10	17' 3" 14	17' 4" 2	24' 2" 3	24' 2" 9	24' 2" 14	24' 3" 4
3 IN 12	17' 5" 4	17' 5" 8	17' 5" 12	17' 6" 0	24' 3" 9	24' 3" 14	24' 4" 4	24' 4" 10
3.5 IN 12	17' 7" 7	17' 7" 12	17' 8" 0	17' 8" 4	24' 5" 2	24' 5" 8	24' 5" 14	24' 6" 3
4 IN 12	17' 10" 0	17' 10" 4	17' 10" 8	17' 10" 12	24' 6" 15	24' 7" 5	24' 7" 11	24' 8" 1
4.5 IN 12	18' 0" 13	18' 1" 1	18' 1" 5	18' 1" 10	24' 9" 0	24' 9" 6	24' 9" 12	24' 10" 2
5 IN 12	18' 3" 15	18' 4" 3	18' 4" 7	18' 4" 12	24' 11" 5	24' 11" 10	25' 0" 0	25' 0" 6
5.5 IN 12	18' 7" 5	18' 7" 9	18' 7" 14	18' 8" 2	25' 1" 13	25' 2" 3	25' 2" 8	25' 2" 14
6 IN 12	18' 10" 15	18' 11" 4	18' 11" 8	18' 11" 13	25' 4" 8	25' 4" 14	25' 5" 4	25' 5" 10
6.5 IN 12	19' 2" 14	19' 3" 2	19' 3" 7	19' 3" 12	25' 7" 7	25' 7" 13	25' 8" 3	25' 8" 9
7 IN 12	19' 7" 0	19' 7" 5	19' 7" 9	19' 7" 14	25' 10" 9	25' 10" 15	25' 11" 5	25' 11" 11
8 IN 12	20' 4" 4	20' 4" 4	20' 4" 9	20' 4" 14	26' 5" 6	26' 5" 12	26' 6" 3	26' 6" 9
9 IN 12	21' 1" 12	21' 2" 1	21' 2" 6	21' 2" 11	27' 0" 15	27' 1" 6	27' 1" 12	27' 2" 3
10 IN 12	22' 0" 4	22' 0" 9	22' 0" 14	22' 1" 4	27' 9" 4	27' 9" 10	27' 10" 1	27' 10" 7
11 IN 12	22' 11" 6	22' 11" 12	23' 0" 1	23' 0" 6	28' 6" 2	28' 6" 9	28' 6" 15	28' 7" 6
12 IN 12	23' 11" 1	23' 11" 7	23' 11" 13	24' 0" 2	29' 3" 10	29' 4" 1	29' 4" 8	29' 4" 14
13 IN 12	24' 11" 5	24' 11" 10	25' 0" 0	25' 0" 6	30' 1" 10	30' 2" 1	30' 2" 8	30' 3" 0
14 IN 12	25' 11" 15	26' 0" 4	26' 0" 11	26' 1" 1	31' 0" 3	31' 0" 10	31' 1" 1	31' 1" 9
15 IN 12	27' 0" 15	27' 1" 6	27' 1" 12	27' 2" 3	31' 11" 2	31' 11" 10	32' 0" 2	32' 0" 9
16 IN 12	28' 2" 5	28' 2" 12	28' 3" 3	28' 3" 9	32' 10" 9	32' 11" 1	32' 11" 9	33' 0" 0
17 IN 12	29' 4" 0	29' 4" 7	29' 4" 14	29' 5" 5	33' 10" 6	33' 10" 14	33' 11" 6	33' 11" 14
18 IN 12	30' 5" 15	30' 6" 7	30' 6" 14	30' 7" 5	34' 10" 8	34' 11" 0	34' 11" 8	35' 0" 1
19 IN 12	31' 8" 2	31' 8" 10	31' 9" 1	31' 9" 9	35' 10" 15	35' 11" 8	36' 0" 0	36' 0" 9
20 IN 12	32' 10" 9	32' 11" 1	32' 11" 9	33' 0" 0	36' 11" 12	37' 0" 4	37' 0" 13	37' 1" 6
21 IN 12	34' 1" 3	34' 1" 11	34' 2" 3	34' 2" 11	38' 0" 12	38' 1" 5	38' 1" 14	38' 2" 7
22 IN 12	35' 3" 15	35' 4" 7	35' 5" 0	35' 5" 8	39' 2" 0	39' 2" 10	39' 3" 3	39' 3" 12
23 IN 12	36' 6" 14	36' 7" 6	36' 7" 15	36' 8" 8	40' 3" 9	40' 4" 2	40' 4" 12	40' 5" 5
24 IN 12	37' 9" 15	37' 10" 8	37' 11" 1	37' 11" 10	41' 5" 4	41' 5" 14	41' 6" 8	41' 7" 1
25 IN 12	39' 1" 2	39' 1" 11	39' 2" 4	39' 2" 14	42' 7" 2	42' 7" 13	42' 8" 7	42' 9" 1

17 Foot 0 Inch Run — Common Rafter Lengths **17 Foot 0 Inch Run — Hip Or Valley Rafter Lengths**

Run -	17' 0"			17' 0 1/4"			17' 0 1/2"			17' 0 3/4"			17' 0"			17' 0 1/4"			17' 0 1/2"			17' 0 3/4"		
Pitch	Ft	In	16th"	Ft	In	16th"	Ft	In	16th"	Ft	In	16th"	Ft	In	16th"	Ft	In	16th"	Ft	In	16th"	Ft	In	16th"
1 IN 12	17'	0"	11	17'	0"	15	17'	1"	3	17'	1"	7	24'	1"	0	24'	1"	6	24'	1"	11	24'	2"	1
2 IN 12	17'	2"	13	17'	3"	1	17'	3"	5	17'	3"	9	24'	2"	0	24'	2"	8	24'	3"	1	24'	3"	9
2.5 IN 12	17'	4"	6	17'	4"	10	17'	4"	14	17'	5"	2	24'	3"	10	24'	4"	0	24'	4"	5	24'	4"	11
3 IN 12	17'	6"	4	17'	6"	9	17'	6"	13	17'	7"	1	24'	5"	0	24'	5"	5	24'	5"	11	24'	6"	1
3.5 IN 12	17'	8"	8	17'	8"	12	17'	9"	0	17'	9"	5	24'	6"	9	24'	6"	15	24'	7"	5	24'	7"	10
4 IN 12	17'	11"	1	17'	11"	5	17'	11"	9	17'	11"	13	24'	8"	6	24'	8"	12	24'	9"	2	24'	9"	8
4.5 IN 12	18'	1"	14	18'	2"	2	18'	2"	6	18'	2"	11	24'	10"	8	24'	10"	13	24'	11"	3	24'	11"	9
5 IN 12	18'	5"	0	18'	5"	4	18'	5"	9	18'	5"	13	25'	0"	0	25'	0"	12	25'	1"	2	25'	1"	8
5.5 IN 12	18'	8"	7	18'	8"	11	18'	8"	15	18'	9"	4	25'	3"	4	25'	3"	10	25'	4"	0	25'	4"	6
6 IN 12	19'	0"	1	19'	0"	6	19'	0"	10	19'	0"	15	25'	6"	0	25'	6"	6	25'	6"	12	25'	7"	2
6.5 IN 12	19'	4"	0	19'	4"	5	19'	4"	9	19'	4"	14	25'	8"	15	25'	9"	5	25'	9"	11	25'	10"	1
7 IN 12	19'	8"	3	19'	8"	7	19'	8"	12	19'	9"	1	26'	0"	1	26'	0"	7	26'	0"	13	26'	1"	4
8 IN 12	20'	5"	3	20'	5"	8	20'	5"	12	20'	6"	1	26'	6"	15	26'	7"	5	26'	7"	12	26'	8"	2
9 IN 12	21'	3"	0	21'	3"	5	21'	3"	10	21'	3"	15	27'	2"	9	27'	2"	15	27'	3"	6	27'	3"	12
10 IN 12	22'	1"	9	22'	1"	14	22'	2"	3	22'	2"	8	27'	10"	14	27'	11"	4	27'	11"	11	28'	0"	1
11 IN 12	23'	0"	12	23'	1"	1	23'	1"	7	23'	1"	12	28'	7"	13	28'	8"	4	28'	8"	10	28'	9"	1
12 IN 12	24'	0"	8	24'	0"	14	24'	1"	3	24'	1"	9	29'	5"	5	29'	5"	12	29'	6"	3	29'	6"	10
13 IN 12	25'	0"	12	25'	1"	2	25'	1"	8	25'	1"	14	30'	3"	7	30'	3"	14	30'	4"	5	30'	4"	12
14 IN 12	26'	1"	7	26'	1"	14	26'	2"	4	26'	2"	10	31'	2"	0	31'	2"	7	31'	2"	15	31'	3"	6
15 IN 12	27'	2"	9	27'	2"	15	27'	3"	6	27'	3"	12	32'	1"	1	32'	1"	8	32'	2"	0	32'	2"	7
16 IN 12	28'	4"	0	28'	4"	7	28'	4"	13	28'	5"	4	33'	0"	8	33'	1"	0	33'	1"	8	33'	1"	15
17 IN 12	29'	5"	12	29'	6"	3	29'	6"	10	29'	7"	1	34'	0"	6	34'	0"	14	34'	1"	6	34'	1"	14
18 IN 12	30'	7"	12	30'	8"	3	30'	8"	11	30'	9"	2	35'	0"	9	35'	1"	1	35'	1"	9	35'	2"	2
19 IN 12	31'	10"	0	31'	10"	8	31'	10"	15	31'	11"	7	36'	1"	1	36'	1"	10	36'	2"	2	36'	2"	11
20 IN 12	33'	0"	8	33'	1"	0	33'	1"	8	33'	1"	15	37'	1"	14	37'	2"	7	37'	3"	0	37'	3"	9
21 IN 12	34'	3"	3	34'	3"	11	34'	4"	3	34'	4"	11	38'	3"	0	38'	3"	9	38'	4"	2	38'	4"	11
22 IN 12	35'	6"	0	35'	6"	9	35'	7"	1	35'	7"	9	39'	4"	5	39'	4"	15	39'	5"	8	39'	6"	1
23 IN 12	36'	9"	0	36'	9"	9	36'	10"	2	36'	10"	10	40'	5"	15	40'	6"	8	40'	7"	2	40'	7"	11
24 IN 12	38'	0"	3	38'	0"	11	38'	1"	4	38'	1"	13	41'	7"	11	41'	8"	5	41'	8"	15	41'	9"	9
25 IN 12	39'	3"	7	39'	4"	0	39'	4"	9	39'	5"	3	42'	9"	11	42'	10"	5	42'	10"	15	42'	11"	9

17 Foot 1 Inch Run — Common Rafter Lengths   17 Foot 1 Inch Run — Hip Or Valley Rafter Lengths

Run -	Pitch	17' 1"	17' 1 1/4"	17' 1 1/2"	17' 1 3/4"	17' 1"	17' 1 1/4"	17' 1 1/2"	17' 1 3/4"
		Ft In 16th"	Ft In 16th"	Ft In 16th"	Ft In 16th"	Ft In 16th"	Ft In 16th"	Ft In 16th"	Ft In 16th"
1	IN 12	17' 1" 11	17' 1" 15	17' 2" 3	17' 2" 7	24' 2" 7	24' 2" 12	24' 3" 2	24' 3" 8
2	IN 12	17' 3" 13	17' 4" 1	17' 4" 5	17' 4" 9	24' 3" 15	24' 4" 4	24' 4" 10	24' 5" 0
2.5	IN 12	17' 5" 6	17' 5" 11	17' 5" 15	17' 6" 3	24' 5" 1	24' 5" 6	24' 5" 12	24' 6" 2
3	IN 12	17' 7" 5	17' 7" 9	17' 7" 13	17' 8" 1	24' 6" 7	24' 6" 12	24' 7" 2	24' 7" 8
3.5	IN 12	17' 9" 9	17' 9" 13	17' 10" 1	17' 10" 5	24' 8" 0	24' 8" 6	24' 8" 12	24' 9" 2
4	IN 12	18' 0" 1	18' 0" 6	18' 0" 10	18' 0" 14	24' 9" 14	24' 10" 4	24' 10" 9	24' 10" 15
4.5	IN 12	18' 2" 15	18' 3" 3	18' 3" 8	18' 3" 12	24' 11" 15	25' 0" 5	25' 0" 11	25' 1" 0
5	IN 12	18' 6" 1	18' 6" 6	18' 6" 10	18' 6" 14	25' 2" 4	25' 2" 10	25' 3" 0	25' 3" 5
5.5	IN 12	18' 9" 8	18' 9" 13	18' 10" 1	18' 10" 5	25' 4" 12	25' 5" 2	25' 5" 8	25' 5" 14
6	IN 12	19' 1" 3	19' 1" 8	19' 1" 12	19' 2" 1	25' 7" 8	25' 7" 14	25' 8" 4	25' 8" 10
6.5	IN 12	19' 5" 2	19' 5" 7	19' 5" 11	19' 6" 0	25' 10" 7	25' 10" 13	25' 11" 3	25' 11" 9
7	IN 12	19' 9" 5	19' 9" 10	19' 9" 15	19' 10" 3	26' 1" 10	26' 2" 0	26' 2" 6	26' 2" 12
8	IN 12	20' 6" 6	20' 6" 11	20' 7" 0	20' 7" 4	26' 8" 8	26' 8" 14	26' 9" 5	26' 9" 11
9	IN 12	21' 4" 4	21' 4" 9	21' 4" 14	21' 5" 3	27' 4" 3	27' 4" 9	27' 4" 15	27' 5" 6
10	IN 12	22' 2" 14	22' 3" 3	22' 3" 8	22' 3" 13	28' 0" 8	28' 0" 15	28' 1" 5	28' 1" 12
11	IN 12	23' 2" 2	23' 2" 7	23' 2" 12	23' 3" 2	28' 9" 8	28' 9" 15	28' 10" 5	28' 10" 12
12	IN 12	24' 1" 15	24' 2" 4	24' 2" 10	24' 3" 0	29' 7" 1	29' 7" 8	29' 7" 15	29' 8" 6
13	IN 12	25' 2" 4	25' 2" 10	25' 3" 0	25' 3" 5	30' 5" 3	30' 5" 10	30' 6" 1	30' 6" 9
14	IN 12	26' 3" 0	26' 3" 6	26' 3" 12	26' 4" 2	31' 3" 13	31' 4" 5	31' 4" 12	31' 5" 3
15	IN 12	27' 4" 3	27' 4" 9	27' 4" 15	27' 5" 6	32' 2" 15	32' 3" 6	32' 3" 14	32' 4" 6
16	IN 12	28' 5" 11	28' 6" 1	28' 6" 8	28' 6" 15	33' 2" 7	33' 2" 15	33' 3" 7	33' 3" 14
17	IN 12	29' 7" 8	29' 7" 15	29' 8" 6	29' 8" 13	34' 2" 6	34' 2" 14	34' 3" 6	34' 3" 14
18	IN 12	30' 9" 9	30' 10" 0	30' 10" 8	30' 10" 15	35' 2" 10	35' 3" 2	35' 3" 10	35' 4" 3
19	IN 12	31' 11" 14	32' 0" 6	32' 0" 13	32' 1" 5	36' 3" 3	36' 3" 12	36' 4" 4	36' 4" 13
20	IN 12	33' 2" 7	33' 2" 15	33' 3" 7	33' 3" 14	37' 4" 1	37' 4" 10	37' 5" 2	37' 5" 12
21	IN 12	34' 5" 3	34' 5" 11	34' 6" 3	34' 6" 11	38' 5" 4	38' 5" 13	38' 6" 6	38' 6" 15
22	IN 12	35' 8" 2	35' 8" 10	35' 9" 2	35' 9" 11	39' 6" 11	39' 7" 4	39' 7" 13	39' 8" 6
23	IN 12	36' 11" 1	36' 11" 12	37' 0" 4	37' 0" 13	40' 8" 8	40' 8" 14	40' 9" 8	40' 10" 1
24	IN 12	38' 2" 6	38' 2" 15	38' 3" 8	38' 4" 1	41' 10" 2	41' 10" 12	41' 11" 6	42' 0" 0
25	IN 12	39' 5" 12	39' 6" 5	39' 6" 14	39' 7" 7	43' 0" 3	43' 0" 13	43' 1" 7	43' 2" 1

17 Foot 2 Inch Run — Common Rafter Lengths   17 Foot 2 Inch Run — Hip Or Valley Rafter Lengths

Run -	17' 2"	17' 2 1/4"	17' 2 1/2"	17' 2 3/4"	17' 2"	17' 2 1/4"	17' 2 1/2"	17' 2 3/4"
Pitch	Ft In 16th"	Ft In 16th"	Ft In 16th"	Ft In 16th"	Ft In 16th"	Ft In 16th"	Ft In 16th"	Ft In 16th"
1 IN 12	17' 2" 11	17' 2" 15	17' 3" 3	17' 3" 7	24' 3" 13	24' 4" 3	24' 4" 9	24' 4" 14
2 IN 12	17' 4" 13	17' 5" 2	17' 5" 6	17' 5" 10	24' 5" 6	24' 5" 11	24' 6" 1	24' 6" 7
2.5 IN 12	17' 6" 7	17' 6" 11	17' 6" 15	17' 7" 3	24' 6" 8	24' 6" 13	24' 7" 3	24' 7" 9
3 IN 12	17' 8" 5	17' 8" 10	17' 8" 14	17' 9" 2	24' 7" 14	24' 8" 3	24' 8" 9	24' 8" 15
3.5 IN 12	17' 10" 9	17' 10" 14	17' 11" 2	17' 11" 6	24' 9" 7	24' 9" 13	24' 10" 3	24' 10" 9
4 IN 12	18' 1" 2	18' 1" 7	18' 1" 11	18' 1" 15	24' 11" 5	24' 11" 11	25' 0" 1	25' 0" 6
4.5 IN 12	18' 4" 0	18' 4" 4	18' 4" 9	18' 4" 13	25' 1" 6	25' 1" 12	25' 2" 2	25' 2" 8
5 IN 12	18' 7" 3	18' 7" 7	18' 7" 11	18' 8" 0	25' 3" 11	25' 4" 1	25' 4" 7	25' 4" 13
5.5 IN 12	18' 10" 10	18' 10" 14	18' 11" 3	18' 11" 7	25' 6" 4	25' 6" 10	25' 7" 0	25' 7" 6
6 IN 12	19' 2" 5	19' 2" 10	19' 2" 14	19' 3" 2	25' 9" 0	25' 9" 6	25' 9" 12	25' 10" 2
6.5 IN 12	19' 6" 4	19' 6" 9	19' 6" 14	19' 7" 2	25' 11" 15	26' 0" 6	26' 0" 12	26' 1" 2
7 IN 12	19' 10" 8	19' 10" 12	19' 11" 1	19' 11" 6	26' 3" 2	26' 3" 8	26' 3" 14	26' 4" 5
8 IN 12	20' 7" 9	20' 7" 14	20' 8" 3	20' 8" 8	26' 10" 1	26' 10" 7	26' 10" 14	26' 11" 4
9 IN 12	21' 5" 8	21' 5" 13	21' 6" 2	21' 6" 7	27' 5" 12	27' 6" 3	27' 6" 9	27' 6" 15
10 IN 12	22' 4" 2	22' 4" 8	22' 4" 13	22' 5" 2	28' 2" 2	28' 2" 9	28' 2" 15	28' 3" 6
11 IN 12	23' 3" 7	23' 3" 13	23' 4" 2	23' 4" 8	28' 11" 3	28' 11" 10	29' 0" 0	29' 0" 7
12 IN 12	24' 3" 5	24' 3" 11	24' 4" 1	24' 4" 6	29' 8" 13	29' 9" 4	29' 9" 11	29' 10" 2
13 IN 12	25' 3" 11	25' 4" 1	25' 4" 7	25' 4" 13	30' 7" 0	30' 7" 7	30' 7" 14	30' 8" 5
14 IN 12	26' 4" 9	26' 4" 15	26' 5" 5	26' 5" 11	31' 5" 11	31' 6" 2	31' 6" 9	31' 7" 1
15 IN 12	27' 5" 12	27' 6" 3	27' 6" 9	27' 6" 15	32' 4" 13	32' 5" 5	32' 5" 12	32' 6" 4
16 IN 12	28' 7" 5	28' 7" 12	28' 8" 3	28' 8" 9	33' 4" 6	33' 4" 14	33' 5" 6	33' 5" 14
17 IN 12	29' 9" 3	29' 9" 10	29' 10" 1	29' 10" 8	34' 4" 6	34' 4" 14	34' 5" 6	34' 5" 14
18 IN 12	30' 11" 6	30' 11" 13	31' 0" 4	31' 0" 12	35' 4" 11	35' 5" 3	35' 5" 11	35' 6" 4
19 IN 12	32' 1" 12	32' 2" 4	32' 2" 11	32' 3" 3	36' 5" 5	36' 5" 14	36' 6" 6	36' 6" 15
20 IN 12	33' 4" 6	33' 4" 14	33' 5" 6	33' 5" 14	37' 6" 4	37' 6" 13	37' 7" 6	37' 7" 15
21 IN 12	34' 7" 3	34' 7" 11	34' 8" 3	34' 8" 11	38' 7" 8	38' 8" 1	38' 8" 10	38' 9" 3
22 IN 12	35' 10" 3	35' 10" 11	35' 11" 4	35' 11" 12	39' 9" 0	39' 9" 9	39' 10" 2	39' 10" 11
23 IN 12	37' 1" 5	37' 1" 14	37' 2" 7	37' 2" 15	40' 10" 11	40' 11" 4	40' 11" 14	41' 0" 7
24 IN 12	38' 4" 10	38' 5" 3	38' 5" 12	38' 6" 5	42' 0" 10	42' 1" 3	42' 1" 13	42' 2" 7
25 IN 12	39' 8" 1	39' 8" 10	39' 9" 3	39' 9" 12	43' 2" 11	43' 3" 5	43' 3" 15	43' 4" 10

17 Foot 3 Inch Run — Common Rafter Lengths   17 Foot 3 Inch Run — Hip Or Valley Rafter Lengths

Run -	17' 3"			17' 3 1/4"			17' 3 1/2"			17' 3 3/4"			17' 3"			17' 3 1/4"			17' 3 1/2"			17' 3 3/4"		
Pitch	Ft	In	16th"	Ft	In	16th"	Ft	In	16th"	Ft	In	16th"	Ft	In	16th"	Ft	In	16th"	Ft	In	16th"	Ft	In	16th"
1 IN 12	17'	3"	11	17'	3"	15	17'	4"	4	17'	4"	8	24'	5"	4	24'	5"	10	24'	5"	15	24'	6"	5
2 IN 12	17'	5"	14	17'	6"	2	17'	6"	6	17'	6"	10	24'	6"	12	24'	7"	2	24'	7"	8	24'	7"	13
2.5 IN 12	17'	7"	7	17'	7"	11	17'	7"	15	17'	8"	3	24'	7"	14	24'	8"	4	24'	8"	10	24'	9"	0
3 IN 12	17'	9"	6	17'	9"	10	17'	9"	14	17'	10"	2	24'	9"	4	24'	9"	10	24'	10"	0	24'	10"	6
3.5 IN 12	17'	11"	10	17'	11"	14	18'	0"	2	18'	0"	7	24'	10"	14	24'	11"	4	24'	11"	10	25'	0"	0
4 IN 12	18'	2"	3	18'	2"	7	18'	2"	12	18'	3"	0	25'	0"	12	25'	1"	2	25'	1"	8	25'	1"	14
4.5 IN 12	18'	5"	1	18'	5"	5	18'	5"	10	18'	5"	14	25'	2"	14	25'	3"	4	25'	3"	9	25'	3"	15
5 IN 12	18'	8"	4	18'	8"	8	18'	8"	13	18'	9"	1	25'	5"	3	25'	5"	9	25'	5"	15	25'	6"	5
5.5 IN 12	18'	11"	11	19'	0"	0	19'	0"	4	19'	0"	9	25'	7"	12	25'	8"	2	25'	8"	8	25'	8"	14
6 IN 12	19'	3"	7	19'	3"	11	19'	4"	0	19'	4"	4	25'	10"	8	25'	10"	14	25'	11"	4	25'	11"	10
6.5 IN 12	19'	7"	7	19'	7"	11	19'	8"	0	19'	8"	4	26'	1"	8	26'	1"	14	26'	2"	4	26'	2"	10
7 IN 12	19'	11"	10	19'	11"	15	20'	0"	4	20'	0"	8	26'	4"	11	26'	5"	1	26'	5"	7	26'	5"	13
8 IN 12	20'	8"	13	20'	9"	1	20'	9"	6	20'	9"	11	26'	11"	10	27'	0"	0	27'	0"	7	27'	0"	13
9 IN 12	21'	6"	12	21'	7"	1	21'	7"	6	21'	7"	11	27'	7"	6	27'	7"	12	27'	8"	3	27'	8"	9
10 IN 12	22'	5"	7	22'	5"	12	22'	6"	2	22'	6"	7	28'	3"	13	28'	4"	3	28'	4"	10	28'	5"	0
11 IN 12	23'	4"	13	23'	5"	2	23'	5"	8	23'	5"	13	29'	0"	14	29'	1"	4	29'	1"	11	29'	2"	2
12 IN 12	24'	4"	12	24'	5"	2	24'	5"	7	24'	5"	13	29'	10"	9	29'	10"	15	29'	11"	6	29'	11"	13
13 IN 12	25'	5"	3	25'	5"	9	25'	5"	15	25'	6"	5	30'	8"	12	30'	9"	3	30'	9"	10	30'	10"	2
14 IN 12	26'	6"	1	26'	6"	7	26'	6"	13	26'	7"	4	31'	7"	8	31'	7"	15	31'	8"	7	31'	8"	14
15 IN 12	27'	7"	6	27'	7"	12	27'	8"	3	27'	8"	9	32'	6"	11	32'	7"	3	32'	7"	10	32'	8"	2
16 IN 12	28'	9"	0	28'	9"	7	28'	9"	13	28'	10"	4	33'	6"	5	33'	6"	13	33'	7"	5	33'	7"	13
17 IN 12	29'	10"	15	29'	11"	6	29'	11"	14	30'	0"	4	34'	6"	6	34'	6"	14	34'	7"	6	34'	7"	14
18 IN 12	31'	1"	3	31'	1"	10	31'	2"	1	31'	2"	8	35'	6"	12	35'	7"	4	35'	7"	12	35'	8"	5
19 IN 12	32'	3"	10	32'	4"	2	32'	4"	9	32'	5"	1	36'	7"	7	36'	8"	0	36'	8"	8	36'	9"	1
20 IN 12	33'	6"	5	33'	6"	13	33'	7"	5	33'	7"	13	37'	8"	7	37'	9"	0	37'	9"	9	37'	10"	2
21 IN 12	34'	9"	4	34'	9"	12	34'	10"	4	34'	10"	12	38'	9"	12	38'	10"	5	38'	10"	14	38'	11"	7
22 IN 12	36'	0"	5	36'	0"	13	36'	1"	5	36'	1"	14	39'	11"	5	39'	11"	14	40'	0"	7	40'	1"	0
23 IN 12	37'	3"	8	37'	4"	1	37'	4"	9	37'	5"	2	41'	1"	1	41'	1"	10	41'	2"	4	41'	2"	14
24 IN 12	38'	6"	14	38'	7"	7	38'	8"	0	38'	8"	9	42'	3"	1	42'	3"	11	42'	4"	4	42'	4"	14
25 IN 12	39'	10"	6	39'	10"	15	39'	11"	8	40'	0"	1	43'	5"	4	43'	5"	14	43'	6"	8	43'	7"	2

17 Foot 4 Inch Run — Common Rafter Lengths   17 Foot 4 Inch Run — Hip Or Valley Rafter Lengths

Run -	17' 4"	17' 4 1/4"	17' 4 1/2"	17' 4 3/4"	17' 4"	17' 4 1/4"	17' 4 1/2"	17' 4 3/4"
Pitch	Ft In 16th"	Ft In 16th"	Ft In 16th"	Ft In 16th"	Ft In 16th"	Ft In 16th"	Ft In 16th"	Ft In 16th"
1 IN 12	17' 4" 12	17' 5" 0	17' 5" 4	17' 5" 8	24' 6" 11	24' 7" 0	24' 7" 6	24' 7" 12
2 IN 12	17' 6" 14	17' 7" 2	17' 7" 6	17' 7" 10	24' 8" 3	24' 8" 9	24' 8" 14	24' 9" 4
2.5 IN 12	17' 8" 7	17' 8" 12	17' 9" 0	17' 9" 4	24' 9" 5	24' 9" 11	24' 10" 1	24' 10" 6
3 IN 12	17' 10" 6	17' 10" 11	17' 10" 15	17' 11" 3	24' 10" 11	24' 11" 1	24' 11" 7	24' 11" 13
3.5 IN 12	18' 0" 11	18' 0" 15	18' 1" 3	18' 1" 7	25' 0" 6	25' 0" 11	25' 1" 1	25' 1" 7
4 IN 12	18' 3" 4	18' 3" 8	18' 3" 12	18' 4" 1	25' 2" 3	25' 2" 9	25' 2" 15	25' 3" 5
4.5 IN 12	18' 6" 2	18' 6" 7	18' 6" 11	18' 6" 15	25' 4" 5	25' 4" 11	25' 5" 1	25' 5" 7
5 IN 12	18' 9" 5	18' 9" 10	18' 9" 14	18' 10" 2	25' 6" 11	25' 7" 0	25' 7" 6	25' 7" 12
5.5 IN 12	19' 0" 13	19' 1" 1	19' 1" 6	19' 1" 10	25' 9" 4	25' 9" 9	25' 9" 15	25' 10" 5
6 IN 12	19' 4" 9	19' 4" 13	19' 5" 2	19' 5" 6	26' 0" 0	26' 0" 6	26' 0" 12	26' 1" 2
6.5 IN 12	19' 8" 9	19' 8" 13	19' 9" 2	19' 9" 7	26' 3" 0	26' 3" 6	26' 3" 12	26' 4" 2
7 IN 12	20' 0" 13	20' 1" 1	20' 1" 6	20' 1" 11	26' 6" 3	26' 6" 9	26' 6" 15	26' 7" 6
8 IN 12	20' 10" 0	20' 10" 5	20' 10" 9	20' 10" 14	27' 1" 3	27' 1" 9	27' 2" 0	27' 2" 6
9 IN 12	21' 8" 0	21' 8" 5	21' 8" 10	21' 8" 15	27' 8" 15	27' 9" 6	27' 9" 12	27' 10" 3
10 IN 12	22' 6" 12	22' 7" 1	22' 7" 6	22' 7" 12	28' 5" 7	28' 5" 13	28' 6" 4	28' 6" 11
11 IN 12	23' 6" 3	23' 6" 8	23' 6" 14	23' 7" 3	29' 2" 9	29' 2" 15	29' 3" 6	29' 3" 13
12 IN 12	24' 6" 3	24' 6" 8	24' 6" 14	24' 7" 3	30' 0" 4	30' 0" 11	30' 1" 2	30' 1" 9
13 IN 12	25' 6" 11	25' 7" 0	25' 7" 6	25' 7" 12	30' 10" 9	30' 11" 0	30' 11" 7	30' 11" 14
14 IN 12	26' 7" 10	26' 8" 0	26' 8" 6	26' 8" 12	31' 9" 5	31' 9" 13	31' 10" 4	31' 10" 11
15 IN 12	27' 8" 15	27' 9" 6	27' 9" 12	27' 10" 3	32' 8" 9	32' 9" 1	32' 9" 9	32' 10" 0
16 IN 12	28' 10" 11	28' 11" 1	28' 11" 8	28' 11" 15	33' 8" 4	33' 8" 12	33' 9" 4	33' 9" 12
17 IN 12	30' 0" 11	30' 1" 2	30' 1" 9	30' 2" 0	34' 8" 6	34' 8" 14	34' 9" 6	34' 9" 14
18 IN 12	31' 3" 0	31' 3" 7	31' 3" 14	31' 4" 5	35' 8" 13	35' 9" 5	35' 9" 13	35' 10" 6
19 IN 12	32' 5" 8	32' 6" 0	32' 6" 7	32' 6" 15	36' 9" 9	36' 10" 2	36' 10" 10	36' 11" 3
20 IN 12	33' 8" 4	33' 8" 12	33' 9" 4	33' 9" 12	37' 10" 10	37' 11" 3	37' 11" 12	38' 0" 5
21 IN 12	34' 11" 4	34' 11" 12	35' 0" 4	35' 0" 12	39' 0" 0	39' 0" 9	39' 1" 2	39' 1" 11
22 IN 12	36' 2" 6	36' 2" 14	36' 3" 7	36' 3" 15	40' 1" 10	40' 2" 3	40' 2" 12	40' 3" 5
23 IN 12	37' 5" 11	37' 6" 3	37' 6" 12	37' 7" 5	41' 3" 7	41' 4" 1	41' 4" 10	41' 5" 4
24 IN 12	38' 9" 2	38' 9" 11	38' 10" 4	38' 10" 12	42' 5" 8	42' 6" 2	42' 6" 11	42' 7" 5
25 IN 12	40' 0" 11	40' 1" 4	40' 1" 13	40' 2" 6	43' 7" 12	43' 8" 6	43' 9" 0	43' 9" 10

17 Foot 5 Inch Run — Common Rafter Lengths   17 Foot 5 Inch Run — Hip Or Valley Rafter Lengths

Run – Pitch	Common 17' 5"	17' 5 1/4"	17' 5 1/2"	17' 5 3/4"	Hip/Valley 17' 5"	17' 5 1/4"	17' 5 1/2"	17' 5 3/4"
	Ft In 16th"	Ft In 16th"	Ft In 16th"	Ft In 16th"	Ft In 16th"	Ft In 16th"	Ft In 16th"	Ft In 16th"
1 IN 12	17' 5" 12	17' 6" 0	17' 6" 4	17' 6" 8	24' 8" 1	24' 8" 7	24' 8" 13	24' 9" 2
2 IN 12	17' 7" 14	17' 8" 2	17' 8" 6	17' 8" 10	24' 9" 10	24' 10" 0	24' 10" 5	24' 10" 11
2.5 IN 12	17' 9" 8	17' 9" 12	17' 10" 0	17' 10" 4	24' 10" 12	24' 11" 2	24' 11" 8	24' 11" 13
3 IN 12	17' 11" 7	17' 11" 11	17' 11" 15	18' 0" 3	25' 0" 2	25' 0" 8	25' 0" 14	25' 1" 4
3.5 IN 12	18' 1" 11	18' 2" 0	18' 2" 4	18' 2" 8	25' 1" 13	25' 2" 2	25' 2" 8	25' 2" 14
4 IN 12	18' 4" 5	18' 4" 9	18' 4" 13	18' 5" 2	25' 3" 11	25' 4" 1	25' 4" 6	25' 4" 12
4.5 IN 12	18' 7" 3	18' 7" 7	18' 7" 12	18' 8" 0	25' 5" 13	25' 6" 2	25' 6" 8	25' 6" 14
5 IN 12	18' 10" 7	18' 10" 11	18' 10" 15	18' 11" 4	25' 8" 2	25' 8" 8	25' 8" 14	25' 9" 4
5.5 IN 12	19' 1" 15	19' 2" 3	19' 2" 7	19' 2" 12	25' 10" 11	25' 11" 1	25' 11" 7	25' 11" 13
6 IN 12	19' 5" 11	19' 5" 15	19' 6" 4	19' 6" 8	26' 1" 8	26' 1" 14	26' 2" 4	26' 2" 10
6.5 IN 12	19' 9" 11	19' 10" 0	19' 10" 4	19' 10" 9	26' 4" 8	26' 4" 14	26' 5" 4	26' 5" 10
7 IN 12	20' 1" 15	20' 2" 4	20' 2" 9	20' 2" 13	26' 7" 12	26' 8" 2	26' 8" 8	26' 8" 14
8 IN 12	20' 11" 3	20' 11" 8	20' 11" 13	21' 0" 1	27' 2" 12	27' 3" 3	27' 3" 9	27' 3" 15
9 IN 12	21' 9" 4	21' 9" 9	21' 9" 14	21' 10" 3	27' 10" 9	27' 10" 15	27' 11" 5	27' 11" 12
10 IN 12	22' 8" 1	22' 8" 6	22' 8" 11	22' 9" 1	28' 7" 1	28' 7" 8	28' 7" 14	28' 8" 5
11 IN 12	23' 7" 8	23' 7" 14	23' 8" 3	23' 8" 9	29' 4" 4	29' 4" 10	29' 5" 1	29' 5" 8
12 IN 12	24' 7" 9	24' 7" 15	24' 8" 4	24' 8" 10	30' 2" 0	30' 2" 7	30' 2" 14	30' 3" 5
13 IN 12	25' 8" 2	25' 8" 8	25' 8" 14	25' 9" 4	31' 0" 5	31' 0" 12	31' 1" 3	31' 1" 11
14 IN 12	26' 9" 2	26' 9" 9	26' 9" 15	26' 10" 5	31' 11" 3	31' 11" 10	32' 0" 1	32' 0" 9
15 IN 12	27' 10" 9	27' 10" 15	27' 11" 6	27' 11" 12	32' 10" 8	32' 10" 15	32' 11" 7	32' 11" 14
16 IN 12	29' 0" 5	29' 0" 12	29' 1" 3	29' 1" 9	33' 10" 4	33' 10" 11	33' 11" 3	33' 11" 11
17 IN 12	30' 2" 7	30' 2" 14	30' 3" 5	30' 3" 11	34' 10" 6	34' 10" 14	34' 11" 6	34' 11" 14
18 IN 12	31' 4" 12	31' 5" 4	31' 5" 11	31' 6" 2	35' 10" 14	35' 11" 6	35' 11" 14	36' 0" 7
19 IN 12	32' 7" 6	32' 7" 14	32' 8" 5	32' 8" 13	36' 11" 11	37' 0" 4	37' 0" 12	37' 1" 5
20 IN 12	33' 10" 4	33' 10" 11	33' 11" 3	33' 11" 11	38' 0" 13	38' 1" 6	38' 1" 15	38' 2" 8
21 IN 12	35' 1" 4	35' 1" 12	35' 2" 4	35' 2" 12	39' 2" 4	39' 2" 13	39' 3" 6	39' 3" 15
22 IN 12	36' 4" 7	36' 5" 0	36' 5" 8	36' 6" 0	40' 3" 15	40' 4" 8	40' 5" 1	40' 5" 11
23 IN 12	37' 7" 13	37' 8" 6	37' 8" 15	37' 9" 7	41' 5" 13	41' 6" 7	41' 7" 0	41' 7" 10
24 IN 12	38' 11" 5	38' 11" 14	39' 0" 7	39' 1" 0	42' 7" 15	42' 8" 9	42' 9" 3	42' 9" 12
25 IN 12	40' 3" 0	40' 3" 9	40' 4" 2	40' 4" 11	43' 10" 4	43' 10" 14	43' 11" 8	44' 0" 2

17 Foot 6 Inch Run — Common Rafter Lengths   17 Foot 6 Inch Run — Hip Or Valley Rafter Lengths

Run -	17' 6"	17' 6 1/4"	17' 6 1/2"	17' 6 3/4"	17' 6"	17' 6 1/4"	17' 6 1/2"	17' 6 3/4"
Pitch	Ft In 16th"	Ft In 16th"	Ft In 16th"	Ft In 16th"	Ft In 16th"	Ft In 16th"	Ft In 16th"	Ft In 16th"
1 IN 12	17' 6" 12	17' 7" 0	17' 7" 4	17' 7" 8	24' 9" 8	24' 9" 14	24' 10" 3	24' 10" 9
2 IN 12	17' 8" 14	17' 9" 2	17' 9" 6	17' 9" 11	24' 11" 1	24' 11" 6	24' 11" 12	25' 0" 2
2.5 IN 12	17' 10" 8	17' 10" 12	17' 11" 0	17' 11" 4	25' 0" 3	25' 0" 9	25' 0" 14	25' 1" 4
3 IN 12	18' 0" 7	18' 0" 12	18' 1" 0	18' 1" 4	25' 1" 9	25' 1" 15	25' 2" 5	25' 2" 11
3.5 IN 12	18' 2" 12	18' 3" 0	18' 3" 4	18' 3" 9	25' 3" 4	25' 3" 10	25' 3" 15	25' 4" 5
4 IN 12	18' 5" 6	18' 5" 10	18' 5" 14	18' 6" 2	25' 5" 2	25' 5" 8	25' 5" 14	25' 6" 3
4.5 IN 12	18' 8" 4	18' 8" 9	18' 8" 13	18' 9" 1	25' 7" 4	25' 7" 10	25' 8" 0	25' 8" 6
5 IN 12	18' 11" 8	18' 11" 12	19' 0" 1	19' 0" 5	25' 9" 10	25' 10" 0	25' 10" 6	25' 10" 11
5.5 IN 12	19' 3" 0	19' 3" 5	19' 3" 9	19' 3" 13	26' 0" 3	26' 0" 9	26' 0" 15	26' 1" 5
6 IN 12	19' 6" 13	19' 7" 1	19' 7" 6	19' 7" 10	26' 3" 0	26' 3" 6	26' 3" 12	26' 4" 2
6.5 IN 12	19' 10" 13	19' 11" 2	19' 11" 6	19' 11" 11	26' 6" 0	26' 6" 6	26' 6" 12	26' 7" 3
7 IN 12	20' 3" 2	20' 3" 7	20' 3" 11	20' 4" 0	26' 9" 4	26' 9" 10	26' 10" 0	26' 10" 6
8 IN 12	21' 0" 6	21' 0" 11	21' 1" 0	21' 1" 5	27' 4" 5	27' 4" 12	27' 5" 2	27' 5" 8
9 IN 12	21' 10" 8	21' 10" 13	21' 11" 2	21' 11" 7	28' 0" 3	28' 0" 9	28' 0" 15	28' 1" 6
10 IN 12	22' 9" 6	22' 9" 11	22' 10" 0	22' 10" 5	28' 8" 11	28' 9" 2	28' 9" 8	28' 9" 15
11 IN 12	23' 8" 14	23' 9" 3	23' 9" 9	23' 9" 14	29' 5" 15	29' 6" 5	29' 6" 12	29' 7" 3
12 IN 12	24' 9" 0	24' 9" 5	24' 9" 11	24' 10" 1	30' 3" 12	30' 4" 3	30' 4" 10	30' 5" 0
13 IN 12	25' 9" 10	25' 10" 0	25' 10" 6	25' 10" 11	31' 2" 2	31' 2" 9	31' 3" 0	31' 3" 7
14 IN 12	26' 10" 11	26' 11" 1	26' 11" 7	26' 11" 13	32' 1" 0	32' 1" 7	32' 1" 15	32' 2" 6
15 IN 12	28' 0" 3	28' 0" 9	28' 0" 15	28' 1" 6	33' 0" 6	33' 0" 13	33' 1" 5	33' 1" 13
16 IN 12	29' 2" 0	29' 2" 7	29' 2" 13	29' 3" 4	34' 0" 3	34' 0" 10	34' 1" 2	34' 1" 10
17 IN 12	30' 4" 2	30' 4" 9	30' 5" 0	30' 5" 7	35' 0" 6	35' 0" 14	35' 1" 6	35' 1" 14
18 IN 12	31' 6" 9	31' 7" 1	31' 7" 8	31' 7" 15	36' 0" 15	36' 1" 7	36' 1" 15	36' 2" 8
19 IN 12	32' 9" 4	32' 9" 12	32' 10" 3	32' 10" 11	37' 1" 13	37' 2" 6	37' 2" 14	37' 3" 7
20 IN 12	34' 0" 3	34' 0" 10	34' 1" 2	34' 1" 10	38' 3" 0	38' 3" 9	38' 4" 2	38' 4" 11
21 IN 12	35' 3" 4	35' 3" 12	35' 4" 4	35' 4" 12	39' 4" 8	39' 5" 1	39' 5" 10	39' 6" 3
22 IN 12	36' 6" 9	36' 7" 1	36' 7" 9	36' 8" 2	40' 6" 4	40' 6" 13	40' 7" 6	40' 8" 0
23 IN 12	37' 10" 0	37' 10" 8	37' 11" 1	37' 11" 10	41' 8" 3	41' 8" 13	41' 9" 6	41' 10" 0
24 IN 12	39' 1" 9	39' 2" 2	39' 2" 11	39' 3" 4	42' 10" 6	42' 11" 0	42' 11" 10	43' 0" 4
25 IN 12	40' 5" 5	40' 5" 14	40' 6" 7	40' 7" 0	44' 0" 12	44' 1" 7	44' 2" 1	44' 2" 11

17 Foot 7 Inch Run — Common Rafter Lengths   17 Foot 7 Inch Run — Hip Or Valley Rafter Lengths

Run -	17' 7"			17' 7 1/4"			17' 7 1/2"			17' 7 3/4"			17' 7"			17' 7 1/4"			17' 7 1/2"			17' 7 3/4"		
Pitch	Ft	In	16th"	Ft	In	16th"	Ft	In	16th"	Ft	In	16th"	Ft	In	16th"	Ft	In	16th"	Ft	In	16th"	Ft	In	16th"
1 IN 12	17'	7"	12	17'	8"	0	17'	8"	4	17'	8"	8	24'	10"	15	24'	11"	4	24'	11"	10	25'	0"	0
2 IN 12	17'	9"	15	17'	10"	3	17'	10"	7	17'	10"	11	25'	0"	7	25'	0"	13	25'	1"	3	25'	1"	9
2.5 IN 12	17'	11"	8	17'	11"	13	18'	0"	1	18'	0"	5	25'	1"	10	25'	2"	0	25'	2"	5	25'	2"	11
3 IN 12	18'	1"	8	18'	1"	12	18'	2"	0	18'	2"	4	25'	3"	0	25'	3"	6	25'	3"	12	25'	4"	2
3.5 IN 12	18'	3"	13	18'	4"	1	18'	4"	5	18'	4"	9	25'	4"	11	25'	5"	1	25'	5"	6	25'	5"	12
4 IN 12	18'	6"	7	18'	6"	11	18'	6"	15	18'	7"	3	25'	6"	9	25'	6"	15	25'	7"	5	25'	7"	11
4.5 IN 12	18'	9"	6	18'	9"	10	18'	9"	14	18'	10"	2	25'	8"	11	25'	9"	1	25'	9"	7	25'	9"	13
5 IN 12	19'	0"	9	19'	0"	14	19'	1"	2	19'	1"	6	25'	11"	1	25'	11"	7	25'	11"	13	26'	0"	3
5.5 IN 12	19'	4"	2	19'	4"	6	19'	4"	11	19'	4"	15	26'	1"	11	26'	2"	1	26'	2"	7	26'	2"	13
6 IN 12	19'	7"	14	19'	8"	3	19'	8"	7	19'	8"	12	26'	4"	8	26'	4"	14	26'	5"	4	26'	5"	10
6.5 IN 12	19'	11"	15	20'	0"	4	20'	0"	9	20'	0"	13	26'	7"	9	26'	7"	15	26'	8"	5	26'	8"	11
7 IN 12	20'	4"	4	20'	4"	9	20'	4"	14	20'	5"	2	26'	10"	13	26'	11"	3	26'	11"	9	26'	11"	15
8 IN 12	21'	1"	9	21'	1"	14	21'	2"	3	21'	2"	8	27'	5"	14	27'	6"	5	27'	6"	11	27'	7"	1
9 IN 12	21'	11"	12	22'	0"	1	22'	0"	6	22'	0"	11	28'	1"	12	28'	2"	3	28'	2"	9	28'	2"	15
10 IN 12	22'	10"	11	22'	11"	0	22'	11"	5	22'	11"	10	28'	10"	6	28'	10"	12	28'	11"	3	28'	11"	9
11 IN 12	23'	10"	4	23'	10"	9	23'	10"	15	23'	11"	4	29'	7"	10	29'	8"	0	29'	8"	7	29'	8"	14
12 IN 12	24'	10"	6	24'	10"	12	24'	11"	2	24'	11"	7	30'	5"	7	30'	5"	14	30'	6"	5	30'	6"	12
13 IN 12	25'	11"	1	25'	11"	7	25'	11"	13	26'	0"	3	31'	3"	14	31'	4"	5	31'	4"	12	31'	5"	4
14 IN 12	27'	0"	4	27'	0"	10	27'	1"	0	27'	1"	6	32'	2"	13	32'	3"	5	32'	3"	12	32'	4"	3
15 IN 12	28'	1"	12	28'	2"	3	28'	2"	9	28'	2"	15	33'	2"	4	33'	2"	12	33'	3"	3	33'	3"	11
16 IN 12	29'	3"	11	29'	4"	1	29'	4"	8	29'	4"	15	34'	2"	2	34'	2"	10	34'	3"	1	34'	3"	9
17 IN 12	30'	5"	14	30'	6"	5	30'	6"	12	30'	7"	3	35'	2"	6	35'	2"	14	35'	3"	6	35'	3"	14
18 IN 12	31'	8"	6	31'	8"	13	31'	9"	5	31'	9"	12	36'	3"	0	36'	3"	8	36'	4"	0	36'	4"	9
19 IN 12	32'	11"	2	32'	11"	10	33'	0"	1	33'	0"	9	37'	3"	15	37'	4"	8	37'	5"	0	37'	5"	9
20 IN 12	34'	2"	2	34'	2"	10	34'	3"	1	34'	3"	9	38'	5"	3	38'	5"	12	38'	6"	5	38'	6"	14
21 IN 12	35'	5"	5	35'	5"	13	35'	6"	5	35'	6"	13	39'	6"	12	39'	7"	5	39'	7"	14	39'	8"	7
22 IN 12	36'	8"	12	36'	9"	3	36'	9"	11	36'	10"	3	40'	8"	9	40'	9"	2	40'	9"	11	40'	10"	5
23 IN 12	38'	0"	2	38'	0"	11	38'	1"	4	38'	1"	12	41'	10"	9	41'	11"	3	41'	11"	12	42'	0"	6
24 IN 12	39'	3"	13	39'	4"	6	39'	4"	15	39'	5"	8	43'	0"	13	43'	1"	7	43'	2"	1	43'	2"	11
25 IN 12	40'	7"	10	40'	8"	3	40'	8"	12	40'	9"	5	44'	3"	5	44'	3"	15	44'	4"	9	44'	5"	3

17 Foot 8 Inch Run — Common Rafter Lengths

Pitch	17' 8" Ft	In	16th"	17' 8 1/4" Ft	In	16th"	17' 8 1/2" Ft	In	16th"	17' 8 3/4" Ft	In	16th"
1 IN 12	17'	8"	12	17'	9"	0	17'	9"	4	17'	9"	8
2 IN 12	17'	10"	15	17'	11"	3	17'	11"	7	17'	11"	11
2.5 IN 12	18'	0"	9	18'	0"	13	18'	1"	1	18'	1"	5
3 IN 12	18'	2"	8	18'	2"	13	18'	3"	1	18'	3"	5
3.5 IN 12	18'	4"	13	18'	5"	2	18'	5"	6	18'	5"	10
4 IN 12	18'	7"	7	18'	7"	12	18'	8"	0	18'	8"	4
4.5 IN 12	18'	10"	7	18'	10"	11	18'	10"	15	18'	11"	3
5 IN 12	19'	1"	11	19'	1"	15	19'	2"	3	19'	2"	8
5.5 IN 12	19'	5"	3	19'	5"	8	19'	5"	12	19'	6"	1
6 IN 12	19'	9"	0	19'	9"	5	19'	9"	9	19'	9"	14
6.5 IN 12	20'	1"	2	20'	1"	6	20'	1"	11	20'	1"	15
7 IN 12	20'	5"	7	20'	5"	12	20'	6"	0	20'	6"	5
8 IN 12	21'	2"	13	21'	3"	1	21'	3"	6	21'	3"	11
9 IN 12	22'	1"	0	22'	1"	5	22'	1"	10	22'	1"	15
10 IN 12	22'	11"	15	23'	0"	5	23'	0"	10	23'	0"	15
11 IN 12	23'	11"	9	23'	11"	15	24'	0"	4	24'	0"	10
12 IN 12	24'	11"	13	25'	0"	3	25'	0"	8	25'	0"	14
13 IN 12	26'	0"	9	26'	0"	15	26'	1"	5	26'	1"	11
14 IN 12	27'	1"	12	27'	2"	2	27'	2"	8	27'	2"	15
15 IN 12	28'	3"	6	28'	3"	12	28'	4"	3	28'	4"	9
16 IN 12	29'	5"	5	29'	5"	12	29'	6"	3	29'	6"	9
17 IN 12	30'	7"	10	30'	8"	1	30'	8"	8	30'	8"	15
18 IN 12	31'	10"	3	31'	10"	10	31'	11"	1	31'	11"	9
19 IN 12	33'	1"	0	33'	1"	8	33'	1"	15	33'	2"	7
20 IN 12	34'	4"	1	34'	4"	9	34'	5"	0	34'	5"	8
21 IN 12	35'	7"	5	35'	7"	13	35'	8"	5	35'	8"	13
22 IN 12	36'	10"	12	36'	11"	4	36'	11"	12	37'	0"	5
23 IN 12	38'	2"	5	38'	2"	14	38'	3"	6	38'	3"	15
24 IN 12	39'	6"	1	39'	6"	10	39'	7"	3	39'	7"	12
25 IN 12	40'	9"	15	40'	10"	8	40'	11"	1	40'	11"	10

17 Foot 8 Inch Run — Hip Or Valley Rafter Lengths

Pitch	17' 8" Ft	In	16th"	17' 8 1/4" Ft	In	16th"	17' 8 1/2" Ft	In	16th"	17' 8 3/4" Ft	In	16th"
1 IN 12	25'	0"	5	25'	0"	11	25'	1"	1	25'	1"	6
2 IN 12	25'	1"	14	25'	2"	4	25'	2"	10	25'	2"	15
2.5 IN 12	25'	3"	1	25'	3"	7	25'	3"	12	25'	4"	2
3 IN 12	25'	4"	7	25'	4"	13	25'	5"	3	25'	5"	9
3.5 IN 12	25'	6"	2	25'	6"	8	25'	6"	14	25'	7"	3
4 IN 12	25'	8"	0	25'	8"	6	25'	8"	12	25'	9"	2
4.5 IN 12	25'	10"	3	25'	10"	9	25'	10"	14	25'	11"	4
5 IN 12	26'	0"	9	26'	0"	15	26'	1"	5	26'	1"	11
5.5 IN 12	26'	3"	3	26'	3"	9	26'	3"	15	26'	4"	4
6 IN 12	26'	6"	0	26'	6"	6	26'	6"	12	26'	7"	2
6.5 IN 12	26'	9"	1	26'	9"	7	26'	9"	13	26'	10"	3
7 IN 12	27'	0"	5	27'	0"	11	27'	1"	1	27'	1"	7
8 IN 12	27'	7"	7	27'	7"	14	27'	8"	4	27'	8"	10
9 IN 12	28'	3"	6	28'	3"	12	28'	4"	3	28'	4"	9
10 IN 12	29'	0"	0	29'	0"	6	29'	0"	13	29'	1"	4
11 IN 12	29'	9"	5	29'	9"	11	29'	10"	2	29'	10"	9
12 IN 12	30'	7"	3	30'	7"	10	30'	8"	1	30'	8"	8
13 IN 12	31'	5"	11	31'	6"	2	31'	6"	9	31'	7"	0
14 IN 12	32'	4"	11	32'	5"	2	32'	5"	9	32'	6"	1
15 IN 12	33'	4"	2	33'	4"	10	33'	5"	1	33'	5"	9
16 IN 12	34'	4"	1	34'	4"	9	34'	5"	0	34'	5"	8
17 IN 12	35'	4"	6	35'	4"	14	35'	5"	6	35'	5"	14
18 IN 12	36'	5"	1	36'	5"	9	36'	6"	1	36'	6"	10
19 IN 12	37'	6"	1	37'	6"	10	37'	7"	2	37'	7"	11
20 IN 12	38'	7"	6	38'	7"	15	38'	8"	8	38'	9"	1
21 IN 12	39'	9"	0	39'	9"	9	39'	10"	2	39'	10"	11
22 IN 12	40'	10"	14	40'	11"	7	41'	0"	0	41'	0"	10
23 IN 12	42'	1"	0	42'	1"	9	42'	2"	3	42'	2"	12
24 IN 12	43'	3"	5	43'	3"	14	43'	4"	8	43'	5"	2
25 IN 12	44'	5"	13	44'	6"	7	44'	7"	1	44'	7"	11

17 Foot 9 Inch Run — Common Rafter Lengths   17 Foot 9 Inch Run — Hip Or Valley Rafter Lengths

Run -	17' 9"	17' 9 1/4"	17' 9 1/2"	17' 9 3/4"	17' 9"	17' 9 1/4"	17' 9 1/2"	17' 9 3/4"
Pitch	Ft In 16th"	Ft In 16th"	Ft In 16th"	Ft In 16th"	Ft In 16th"	Ft In 16th"	Ft In 16th"	Ft In 16th"
1 IN 12	17' 9" 12	17' 10" 0	17' 10" 4	17' 10" 8	25' 1" 12	25' 2" 2	25' 2" 7	25' 2" 13
2 IN 12	17' 11" 15	18' 0" 3	18' 0" 7	18' 0" 11	25' 3" 5	25' 3" 11	25' 4" 0	25' 4" 6
2.5 IN 12	18' 1" 9	18' 1" 13	18' 2" 1	18' 2" 5	25' 4" 8	25' 4" 13	25' 5" 3	25' 5" 9
3 IN 12	18' 3" 9	18' 3" 13	18' 4" 1	18' 4" 5	25' 5" 14	25' 6" 4	25' 6" 10	25' 7" 0
3.5 IN 12	18' 5" 14	18' 6" 2	18' 6" 6	18' 6" 11	25' 7" 9	25' 7" 15	25' 8" 5	25' 8" 10
4 IN 12	18' 8" 8	18' 8" 13	18' 9" 1	18' 9" 5	25' 9" 8	25' 9" 14	25' 10" 3	25' 10" 9
4.5 IN 12	18' 11" 8	18' 11" 12	19' 0" 0	19' 0" 5	25' 11" 10	26' 0" 0	26' 0" 6	26' 0" 12
5 IN 12	19' 2" 12	19' 3" 0	19' 3" 5	19' 3" 9	26' 2" 0	26' 2" 6	26' 2" 12	26' 3" 2
5.5 IN 12	19' 6" 5	19' 6" 9	19' 6" 14	19' 7" 2	26' 4" 10	26' 5" 0	26' 5" 6	26' 5" 12
6 IN 12	19' 10" 2	19' 10" 7	19' 10" 11	19' 11" 0	26' 7" 8	26' 7" 14	26' 8" 4	26' 8" 10
6.5 IN 12	20' 2" 4	20' 2" 8	20' 2" 13	20' 3" 1	26' 10" 9	26' 10" 15	26' 11" 5	26' 11" 11
7 IN 12	20' 6" 9	20' 6" 14	20' 7" 3	20' 7" 7	27' 1" 14	27' 2" 4	27' 2" 10	27' 3" 0
8 IN 12	21' 4" 0	21' 4" 5	21' 4" 10	21' 4" 14	27' 9" 0	27' 9" 7	27' 9" 13	27' 10" 3
9 IN 12	22' 2" 4	22' 2" 9	22' 2" 14	22' 3" 3	28' 4" 15	28' 5" 6	28' 5" 12	28' 6" 2
10 IN 12	23' 1" 4	23' 1" 9	23' 1" 15	23' 2" 4	29' 1" 10	29' 2" 1	29' 2" 7	29' 2" 14
11 IN 12	24' 0" 15	24' 1" 5	24' 1" 10	24' 1" 15	29' 11" 0	29' 11" 6	29' 11" 13	30' 0" 4
12 IN 12	25' 1" 4	25' 1" 9	25' 1" 15	25' 2" 5	30' 8" 15	30' 9" 6	30' 9" 13	30' 10" 4
13 IN 12	26' 2" 0	26' 2" 6	26' 2" 12	26' 3" 2	31' 7" 7	31' 7" 14	31' 8" 5	31' 8" 13
14 IN 12	27' 3" 5	27' 3" 11	27' 4" 1	27' 4" 7	32' 6" 8	32' 6" 15	32' 7" 7	32' 7" 14
15 IN 12	28' 4" 15	28' 5" 6	28' 5" 12	28' 6" 3	33' 6" 0	33' 6" 8	33' 7" 0	33' 7" 7
16 IN 12	29' 7" 0	29' 7" 7	29' 7" 13	29' 8" 4	34' 6" 0	34' 6" 8	34' 7" 0	34' 7" 7
17 IN 12	30' 9" 6	30' 9" 13	30' 10" 4	30' 10" 10	35' 6" 6	35' 6" 14	35' 7" 6	35' 7" 14
18 IN 12	32' 0" 0	32' 0" 7	32' 0" 14	32' 1" 5	36' 7" 2	36' 7" 10	36' 8" 2	36' 8" 11
19 IN 12	33' 2" 14	33' 3" 6	33' 3" 13	33' 4" 5	37' 8" 3	37' 8" 12	37' 9" 4	37' 9" 13
20 IN 12	34' 6" 0	34' 6" 8	34' 7" 0	34' 7" 7	38' 9" 9	38' 10" 2	38' 10" 11	38' 11" 3
21 IN 12	35' 9" 6	35' 9" 13	35' 10" 4	35' 10" 13	39' 11" 4	39' 11" 13	40' 0" 6	40' 0" 15
22 IN 12	37' 0" 13	37' 1" 5	37' 1" 14	37' 2" 6	41' 1" 3	41' 1" 12	41' 2" 5	41' 2" 15
23 IN 12	38' 4" 8	38' 5" 0	38' 5" 9	38' 6" 2	42' 3" 6	42' 3" 15	42' 4" 9	42' 5" 2
24 IN 12	39' 8" 5	39' 8" 13	39' 9" 6	39' 9" 15	43' 5" 12	43' 6" 6	43' 6" 15	43' 7" 9
25 IN 12	41' 0" 4	41' 0" 13	41' 1" 6	41' 1" 15	44' 8" 5	44' 8" 15	44' 9" 9	44' 10" 4

17 Foot 10 Inch Run — Common Rafter Lengths   17 Foot 10 Inch Run — Hip Or Valley Rafter Lengths

Run -	17'10"			17'10 1/4"			17'10 1/2"			17'10 3/4"			17'10"			17'10 1/4"			17'10 1/2"			17'10 3/4"		
Pitch	Ft	In	16th"	Ft	In	16th"	Ft	In	16th"	Ft	In	16th"	Ft	In	16th"	Ft	In	16th"	Ft	In	16th"	Ft	In	16th"
1 IN 12	17'	10"	12	17'	11"	0	17'	11"	4	17'	11"	8	25'	3"	3	25'	3"	8	25'	3"	14	25'	4"	4
2 IN 12	18'	0"	15	18'	1"	3	18'	1"	7	18'	1"	11	25'	4"	12	25'	5"	1	25'	5"	7	25'	5"	13
2.5 IN 12	18'	2"	10	18'	2"	14	18'	3"	2	18'	3"	6	25'	5"	15	25'	6"	4	25'	6"	10	25'	7"	0
3 IN 12	18'	4"	9	18'	4"	14	18'	5"	2	18'	5"	6	25'	7"	5	25'	7"	11	25'	8"	1	25'	8"	7
3.5 IN 12	18'	6"	15	18'	7"	3	18'	7"	7	18'	7"	11	25'	9"	0	25'	9"	6	25'	9"	12	25'	10"	2
4 IN 12	18'	9"	9	18'	9"	13	18'	10"	2	18'	10"	6	25'	10"	15	25'	11"	5	25'	11"	11	26'	0"	0
4.5 IN 12	19'	0"	9	19'	0"	13	19'	1"	1	19'	1"	6	26'	1"	2	26'	1"	7	26'	1"	13	26'	2"	3
5 IN 12	19'	3"	13	19'	4"	2	19'	4"	6	19'	4"	10	26'	3"	8	26'	3"	14	26'	4"	4	26'	4"	10
5.5 IN 12	19'	7"	7	19'	7"	11	19'	7"	15	19'	8"	4	26'	6"	2	26'	6"	8	26'	6"	14	26'	7"	4
6 IN 12	19'	11"	4	19'	11"	9	19'	11"	13	20'	0"	2	26'	9"	0	26'	9"	6	26'	9"	12	26'	10"	2
6.5 IN 12	20'	3"	6	20'	3"	11	20'	3"	15	20'	4"	4	27'	0"	1	27'	0"	7	27'	0"	13	27'	1"	3
7 IN 12	20'	7"	12	20'	8"	1	20'	8"	5	20'	8"	10	27'	3"	6	27'	3"	12	27'	4"	2	27'	4"	8
8 IN 12	21'	5"	3	21'	5"	8	21'	5"	13	21'	6"	2	27'	10"	9	27'	11"	0	27'	11"	6	27'	11"	12
9 IN 12	22'	3"	8	22'	3"	13	22'	4"	2	22'	4"	7	28'	6"	9	28'	6"	15	28'	7"	6	28'	7"	12
10 IN 12	23'	2"	9	23'	2"	14	23'	3"	3	23'	3"	9	29'	3"	4	29'	3"	11	29'	4"	2	29'	4"	8
11 IN 12	24'	2"	5	24'	2"	10	24'	3"	0	24'	3"	5	30'	0"	11	30'	1"	1	30'	1"	8	30'	1"	15
12 IN 12	25'	2"	10	25'	3"	0	25'	3"	6	25'	3"	11	30'	10"	11	30'	11"	1	30'	11"	8	30'	11"	15
13 IN 12	26'	3"	8	26'	3"	14	26'	4"	4	26'	4"	10	31'	9"	4	31'	9"	11	31'	10"	2	31'	10"	9
14 IN 12	27'	4"	13	27'	5"	3	27'	5"	10	27'	6"	0	32'	8"	5	32'	8"	13	32'	9"	4	32'	9"	11
15 IN 12	28'	6"	9	28'	6"	15	28'	7"	6	28'	7"	12	33'	7"	15	33'	8"	6	33'	8"	14	33'	9"	5
16 IN 12	29'	8"	11	29'	9"	1	29'	9"	8	29'	9"	15	34'	7"	15	34'	8"	7	34'	8"	15	34'	9"	6
17 IN 12	30'	11"	1	30'	11"	8	30'	11"	15	31'	0"	6	35'	8"	6	35'	8"	14	35'	9"	6	35'	9"	14
18 IN 12	32'	1"	13	32'	2"	4	32'	2"	11	32'	3"	2	36'	9"	3	36'	9"	11	36'	10"	3	36'	10"	11
19 IN 12	33'	4"	12	33'	5"	4	33'	5"	11	33'	6"	3	37'	10"	5	37'	10"	13	37'	11"	6	37'	11"	14
20 IN 12	34'	7"	15	34'	8"	7	34'	8"	15	34'	9"	6	38'	11"	12	39'	0"	5	39'	0"	14	39'	1"	6
21 IN 12	35'	11"	5	35'	11"	13	36'	0"	5	36'	0"	13	40'	1"	8	40'	2"	1	40'	2"	10	40'	3"	3
22 IN 12	37'	2"	14	37'	3"	7	37'	3"	15	37'	4"	7	41'	3"	8	41'	4"	1	41'	4"	10	41'	5"	4
23 IN 12	38'	6"	10	38'	7"	3	38'	7"	11	38'	8"	4	42'	5"	12	42'	6"	5	42'	6"	15	42'	7"	8
24 IN 12	39'	10"	8	39'	11"	1	39'	11"	10	40'	0"	3	43'	8"	3	43'	8"	13	43'	9"	7	43'	10"	0
25 IN 12	41'	2"	9	41'	3"	2	41'	3"	11	41'	4"	4	44'	10"	14	44'	11"	8	45'	0"	2	45'	0"	12

17 Foot 11 Inch Run — Common Rafter Lengths   17 Foot 11 Inch Run — Hip Or Valley Rafter Lengths

Run -	17'11"	17'11 1/4"	17'11 1/2"	17'11 3/4"	17'11"	17'11 1/4"	17'11 1/2"	17'11 3/4"
Pitch	Ft In 16th"	Ft In 16th"	Ft In 16th"	Ft In 16th"	Ft In 16th"	Ft In 16th"	Ft In 16th"	Ft In 16th"
1 IN 12	17' 11" 12	18' 0" 4	18' 0" 8	18' 0" 12	25' 4" 9	25' 4" 15	25' 5" 5	25' 5" 10
2 IN 12	18' 1" 15	18' 2" 4	18' 2" 8	18' 2" 12	25' 6" 3	25' 6" 8	25' 6" 14	25' 7" 4
2.5 IN 12	18' 3" 10	18' 3" 14	18' 4" 2	18' 4" 6	25' 7" 5	25' 7" 11	25' 8" 1	25' 8" 7
3 IN 12	18' 5" 10	18' 5" 14	18' 6" 2	18' 6" 6	25' 8" 12	25' 9" 2	25' 9" 8	25' 9" 14
3.5 IN 12	18' 7" 15	18' 8" 4	18' 8" 8	18' 8" 12	25' 10" 7	25' 10" 13	25' 11" 3	25' 11" 9
4 IN 12	18' 10" 10	18' 10" 14	18' 11" 3	18' 11" 7	26' 0" 6	26' 0" 12	26' 1" 2	26' 1" 8
4.5 IN 12	19' 1" 10	19' 1" 14	19' 2" 2	19' 2" 7	26' 2" 9	26' 2" 15	26' 3" 5	26' 3" 11
5 IN 12	19' 4" 15	19' 5" 3	19' 5" 7	19' 5" 12	26' 5" 0	26' 5" 6	26' 5" 11	26' 6" 1
5.5 IN 12	19' 8" 8	19' 8" 13	19' 9" 1	19' 9" 5	26' 7" 10	26' 8" 0	26' 8" 6	26' 8" 12
6 IN 12	20' 0" 6	20' 0" 11	20' 0" 15	20' 1" 3	26' 10" 8	26' 10" 14	26' 11" 4	26' 11" 10
6.5 IN 12	20' 4" 8	20' 4" 13	20' 5" 1	20' 5" 6	27' 1" 10	27' 2" 0	27' 2" 6	27' 2" 12
7 IN 12	20' 8" 15	20' 9" 3	20' 9" 8	20' 9" 12	27' 4" 15	27' 5" 5	27' 5" 11	27' 6" 1
8 IN 12	21' 6" 6	21' 6" 11	21' 7" 0	21' 7" 5	28' 0" 2	28' 0" 9	28' 0" 15	28' 1" 5
9 IN 12	22' 4" 12	22' 5" 1	22' 5" 6	22' 5" 11	28' 8" 3	28' 8" 9	28' 8" 15	28' 9" 6
10 IN 12	23' 3" 14	23' 4" 3	23' 4" 8	23' 4" 13	29' 4" 15	29' 5" 5	29' 5" 12	29' 6" 2
11 IN 12	24' 3" 11	24' 4" 0	24' 4" 5	24' 4" 11	30' 2" 5	30' 2" 12	30' 3" 3	30' 3" 10
12 IN 12	25' 4" 1	25' 4" 7	25' 4" 12	25' 5" 2	31' 0" 6	31' 0" 13	31' 1" 4	31' 1" 11
13 IN 12	26' 5" 0	26' 5" 6	26' 5" 11	26' 6" 1	31' 11" 0	31' 11" 7	31' 11" 14	32' 0" 6
14 IN 12	27' 6" 6	27' 6" 12	27' 7" 2	27' 7" 8	32' 10" 3	32' 10" 10	32' 11" 1	32' 11" 9
15 IN 12	28' 8" 3	28' 8" 9	28' 8" 15	28' 9" 6	33' 9" 13	33' 10" 4	33' 10" 12	33' 11" 4
16 IN 12	29' 10" 5	29' 10" 12	29' 11" 3	29' 11" 9	34' 9" 14	34' 10" 6	34' 10" 14	34' 11" 5
17 IN 12	31' 0" 13	31' 1" 4	31' 1" 11	31' 2" 2	35' 10" 6	35' 10" 14	35' 11" 6	35' 11" 14
18 IN 12	32' 3" 10	32' 4" 1	32' 4" 8	32' 4" 15	36' 11" 4	36' 11" 12	37' 0" 4	37' 0" 12
19 IN 12	33' 6" 10	33' 7" 2	33' 7" 9	33' 8" 1	38' 0" 7	38' 0" 15	38' 1" 8	38' 2" 0
20 IN 12	34' 9" 14	34' 10" 6	34' 10" 14	34' 11" 5	39' 1" 15	39' 2" 8	39' 3" 1	39' 3" 9
21 IN 12	36' 1" 6	36' 1" 14	36' 2" 6	36' 2" 14	40' 3" 12	40' 4" 5	40' 4" 14	40' 5" 7
22 IN 12	37' 5" 0	37' 5" 8	37' 6" 1	37' 6" 9	41' 5" 13	41' 6" 5	41' 7" 0	41' 7" 9
23 IN 12	38' 8" 13	38' 9" 5	38' 9" 14	38' 10" 7	42' 8" 2	42' 8" 11	42' 9" 5	42' 9" 14
24 IN 12	40' 0" 12	40' 1" 5	40' 1" 14	40' 2" 7	43' 10" 10	43' 11" 4	43' 11" 14	44' 0" 8
25 IN 12	41' 4" 14	41' 5" 7	41' 6" 0	41' 6" 9	45' 1" 6	45' 2" 0	45' 2" 10	45' 3" 4

18 Foot 0 Inch Run — Common Rafter Lengths   18 Foot 0 Inch Run — Hip Or Valley Rafter Lengths

Run -	18' 0"	18' 0 1/4"	18' 0 1/2"	18' 0 3/4"	18' 0"	18' 0 1/4"	18' 0 1/2"	18' 0 3/4"
Pitch	Ft In 16th"	Ft In 16th"	Ft In 16th"	Ft In 16th"	Ft In 16th"	Ft In 16th"	Ft In 16th"	Ft In 16th"
1 IN 12	18' 0" 12	18' 1" 0	18' 1" 4	18' 1" 8	25' 6" 0	25' 6" 6	25' 6" 11	25' 7" 1
2 IN 12	18' 3" 0	18' 3" 4	18' 3" 8	18' 3" 12	25' 7" 9	25' 7" 15	25' 8" 5	25' 8" 10
2.5 IN 12	18' 4" 10	18' 4" 14	18' 5" 2	18' 5" 6	25' 8" 12	25' 9" 2	25' 9" 8	25' 9" 13
3 IN 12	18' 6" 10	18' 6" 14	18' 7" 3	18' 7" 7	25' 10" 3	25' 10" 9	25' 10" 15	25' 11" 5
3.5 IN 12	18' 9" 0	18' 9" 4	18' 9" 8	18' 9" 13	25' 11" 14	26' 0" 4	26' 0" 10	26' 1" 0
4 IN 12	18' 11" 11	18' 11" 15	19' 0" 3	19' 0" 8	26' 1" 13	26' 2" 3	26' 2" 9	26' 2" 15
4.5 IN 12	19' 2" 11	19' 2" 15	19' 3" 4	19' 3" 8	26' 4" 0	26' 4" 6	26' 4" 12	26' 5" 2
5 IN 12	19' 6" 0	19' 6" 4	19' 6" 9	19' 6" 13	26' 6" 2	26' 6" 13	26' 7" 3	26' 7" 9
5.5 IN 12	19' 9" 10	19' 9" 14	19' 10" 3	19' 10" 7	26' 9" 2	26' 9" 8	26' 9" 14	26' 10" 4
6 IN 12	20' 1" 8	20' 1" 12	20' 2" 1	20' 2" 5	27' 0" 0	27' 0" 6	27' 0" 12	27' 1" 2
6.5 IN 12	20' 5" 10	20' 5" 15	20' 6" 4	20' 6" 8	27' 3" 2	27' 3" 8	27' 3" 14	27' 4" 4
7 IN 12	20' 10" 1	20' 10" 6	20' 10" 10	20' 10" 15	27' 6" 7	27' 6" 13	27' 7" 3	27' 7" 9
8 IN 12	21' 7" 10	21' 7" 14	21' 8" 3	21' 8" 8	28' 1" 11	28' 2" 2	28' 2" 8	28' 2" 14
9 IN 12	22' 6" 0	22' 6" 5	22' 6" 10	22' 6" 15	28' 9" 12	28' 10" 3	28' 10" 9	28' 11" 0
10 IN 12	23' 5" 3	23' 5" 8	23' 5" 13	23' 6" 2	29' 6" 9	29' 7" 0	29' 7" 6	29' 7" 13
11 IN 12	24' 5" 0	24' 5" 6	24' 5" 11	24' 6" 1	30' 4" 0	30' 4" 7	30' 4" 14	30' 5" 5
12 IN 12	25' 5" 8	25' 5" 13	25' 6" 3	25' 6" 8	31' 2" 2	31' 2" 9	31' 3" 0	31' 3" 7
13 IN 12	26' 6" 7	26' 6" 13	26' 7" 3	26' 7" 9	32' 0" 13	32' 1" 4	32' 1" 11	32' 2" 2
14 IN 12	27' 7" 14	27' 8" 5	27' 8" 11	27' 9" 1	33' 0" 0	33' 0" 7	33' 0" 15	33' 1" 6
15 IN 12	28' 9" 12	28' 10" 3	28' 10" 9	28' 11" 0	33' 11" 11	34' 0" 3	34' 0" 10	34' 1" 2
16 IN 12	30' 0" 0	30' 0" 7	30' 0" 13	30' 1" 4	34' 11" 13	35' 0" 5	35' 0" 13	35' 1" 5
17 IN 12	31' 2" 9	31' 3" 0	31' 3" 7	31' 3" 14	36' 0" 6	36' 0" 14	36' 1" 6	36' 1" 14
18 IN 12	32' 5" 6	32' 5" 14	32' 6" 5	32' 6" 12	37' 1" 5	37' 1" 13	37' 2" 5	37' 2" 13
19 IN 12	33' 8" 8	33' 8" 15	33' 9" 7	33' 9" 14	38' 2" 9	38' 3" 1	38' 3" 10	38' 4" 2
20 IN 12	34' 11" 13	35' 0" 5	35' 0" 13	35' 1" 5	39' 4" 2	39' 4" 11	39' 5" 4	39' 5" 12
21 IN 12	36' 3" 6	36' 3" 14	36' 4" 6	36' 4" 14	40' 6" 0	40' 6" 9	40' 7" 2	40' 7" 11
22 IN 12	37' 7" 1	37' 7" 10	37' 8" 2	37' 8" 10	41' 8" 2	41' 8" 11	41' 9" 5	41' 9" 14
23 IN 12	38' 10" 15	38' 11" 8	39' 0" 1	39' 0" 9	42' 10" 8	42' 11" 1	42' 11" 11	43' 0" 5
24 IN 12	40' 3" 0	40' 3" 9	40' 4" 2	40' 4" 11	44' 1" 1	44' 1" 11	44' 2" 5	44' 2" 15
25 IN 12	41' 7" 2	41' 7" 12	41' 8" 5	41' 8" 14	45' 3" 14	45' 4" 8	45' 5" 2	45' 5" 12

18 Foot 1 Inch Run — Common Rafter Lengths / 18 Foot 1 Inch Run — Hip Or Valley Rafter Lengths

Run -	18' 1"	18' 1 1/4"	18' 1 1/2"	18' 1 3/4"	18' 1"	18' 1 1/4"	18' 1 1/2"	18' 1 3/4"
Pitch	Ft In 16th"	Ft In 16th"	Ft In 16th"	Ft In 16th"	Ft In 16th"	Ft In 16th"	Ft In 16th"	Ft In 16th"
1 IN 12	18' 1" 12	18' 2" 0	18' 2" 4	18' 2" 8	25' 7" 7	25' 7" 12	25' 8" 2	25' 8" 8
2 IN 12	18' 4" 0	18' 4" 4	18' 4" 8	18' 4" 12	25' 9" 0	25' 9" 6	25' 9" 12	25' 10" 1
2.5 IN 12	18' 5" 11	18' 5" 15	18' 6" 3	18' 6" 7	25' 10" 3	25' 10" 9	25' 10" 15	25' 11" 4
3 IN 12	18' 7" 11	18' 7" 15	18' 8" 3	18' 8" 7	25' 11" 10	26' 0" 0	26' 0" 6	26' 0" 12
3.5 IN 12	18' 10" 1	18' 10" 5	18' 10" 9	18' 10" 13	26' 1" 5	26' 1" 11	26' 2" 1	26' 2" 7
4 IN 12	19' 0" 12	19' 1" 0	19' 1" 4	19' 1" 8	26' 3" 5	26' 3" 11	26' 4" 0	26' 4" 6
4.5 IN 12	19' 3" 12	19' 4" 0	19' 4" 5	19' 4" 9	26' 5" 8	26' 5" 14	26' 6" 4	26' 6" 9
5 IN 12	19' 7" 1	19' 7" 6	19' 7" 10	19' 7" 14	26' 7" 15	26' 8" 5	26' 8" 11	26' 9" 1
5.5 IN 12	19' 10" 11	19' 11" 0	19' 11" 4	19' 11" 9	26' 10" 10	26' 11" 0	26' 11" 5	26' 11" 11
6 IN 12	20' 2" 10	20' 2" 14	20' 3" 3	20' 3" 7	27' 1" 8	27' 1" 14	27' 2" 4	27' 2" 10
6.5 IN 12	20' 6" 13	20' 7" 1	20' 7" 6	20' 7" 10	27' 4" 10	27' 5" 0	27' 5" 6	27' 5" 12
7 IN 12	20' 11" 4	20' 11" 8	20' 11" 13	21' 0" 1	27' 7" 15	27' 8" 6	27' 8" 12	27' 9" 2
8 IN 12	21' 8" 13	21' 9" 2	21' 9" 6	21' 9" 11	28' 3" 4	28' 3" 11	28' 4" 1	28' 4" 7
9 IN 12	22' 7" 4	22' 7" 9	22' 7" 14	22' 8" 3	28' 11" 6	28' 11" 12	29' 0" 3	29' 0" 9
10 IN 12	23' 6" 8	23' 6" 13	23' 7" 2	23' 7" 7	29' 8" 3	29' 8" 10	29' 9" 0	29' 9" 7
11 IN 12	24' 6" 6	24' 6" 11	24' 7" 1	24' 7" 6	30' 5" 11	30' 6" 2	30' 6" 9	30' 7" 0
12 IN 12	25' 6" 14	25' 7" 4	25' 7" 9	25' 7" 15	31' 3" 14	31' 4" 5	31' 4" 12	31' 5" 2
13 IN 12	26' 7" 15	26' 8" 5	26' 8" 11	26' 9" 1	32' 2" 9	32' 3" 0	32' 3" 7	32' 3" 15
14 IN 12	27' 9" 7	27' 9" 13	27' 10" 3	27' 10" 9	33' 1" 13	33' 2" 5	33' 2" 12	33' 3" 3
15 IN 12	28' 11" 6	28' 11" 12	29' 0" 3	29' 0" 9	34' 1" 9	34' 2" 1	34' 2" 8	34' 3" 0
16 IN 12	30' 1" 11	30' 2" 1	30' 2" 8	30' 2" 15	35' 1" 12	35' 2" 4	35' 2" 12	35' 3" 4
17 IN 12	31' 4" 5	31' 4" 12	31' 5" 3	31' 5" 9	36' 2" 6	36' 2" 14	36' 3" 6	36' 3" 14
18 IN 12	32' 7" 3	32' 7" 10	32' 8" 2	32' 8" 9	37' 3" 6	37' 3" 14	37' 4" 6	37' 4" 14
19 IN 12	33' 10" 6	33' 10" 13	33' 11" 5	33' 11" 12	38' 4" 11	38' 5" 3	38' 5" 12	38' 6" 4
20 IN 12	35' 1" 12	35' 2" 4	35' 2" 12	35' 3" 4	39' 6" 5	39' 6" 14	39' 7" 7	39' 7" 15
21 IN 12	36' 5" 6	36' 5" 14	36' 6" 6	36' 6" 14	40' 8" 4	40' 8" 15	40' 9" 6	40' 9" 15
22 IN 12	37' 9" 3	37' 9" 11	37' 10" 3	37' 10" 12	41' 10" 7	41' 11" 0	41' 11" 10	42' 0" 3
23 IN 12	39' 1" 2	39' 1" 11	39' 2" 3	39' 2" 12	43' 0" 14	43' 1" 8	43' 2" 1	43' 2" 11
24 IN 12	40' 5" 4	40' 5" 13	40' 6" 6	40' 6" 14	44' 3" 9	44' 4" 2	44' 4" 12	44' 5" 6
25 IN 12	41' 9" 7	41' 10" 1	41' 10" 10	41' 11" 3	45' 6" 6	45' 7" 1	45' 7" 11	45' 8" 5

18 Foot 2 Inch Run — Common Rafter Lengths / 18 Foot 2 Inch Run — Hip Or Valley Rafter Lengths

Run -	18' 2"			18' 2 1/4"			18' 2 1/2"			18' 2 3/4"			18' 2"			18' 2 1/4"			18' 2 1/2"			18' 2 3/4"		
Pitch	Ft	In	16th"	Ft	In	16th"	Ft	In	16th"	Ft	In	16th"	Ft	In	16th"	Ft	In	16th"	Ft	In	16th"	Ft	In	16th"
1 IN 12	18'	2"	12	18'	3"	0	18'	3"	4	18'	3"	8	25'	8"	13	25'	9"	3	25'	9"	9	25'	9"	14
2 IN 12	18'	5"	0	18'	5"	4	18'	5"	8	18'	5"	12	25'	10"	7	25'	10"	13	25'	11"	2	25'	11"	8
2.5 IN 12	18'	6"	11	18'	6"	15	18'	7"	3	18'	7"	7	25'	11"	10	26'	0"	0	26'	0"	5	26'	0"	11
3 IN 12	18'	8"	11	18'	8"	15	18'	9"	4	18'	9"	8	26'	1"	1	26'	1"	7	26'	1"	13	26'	2"	2
3.5 IN 12	18'	11"	1	18'	11"	6	18'	11"	10	18'	11"	14	26'	2"	13	26'	3"	2	26'	3"	8	26'	3"	14
4 IN 12	19'	1"	13	19'	2"	1	19'	2"	5	19'	2"	9	26'	4"	12	26'	5"	2	26'	5"	8	26'	5"	13
4.5 IN 12	19'	4"	13	19'	5"	1	19'	5"	6	19'	5"	10	26'	6"	15	26'	7"	5	26'	7"	11	26'	8"	1
5 IN 12	19'	8"	3	19'	8"	7	19'	8"	11	19'	9"	0	26'	9"	6	26'	9"	12	26'	10"	2	26'	10"	8
5.5 IN 12	19'	11"	13	20'	0"	1	20'	0"	6	20'	0"	10	27'	0"	1	27'	0"	7	27'	0"	13	27'	1"	3
6 IN 12	20'	3"	12	20'	4"	0	20'	4"	5	20'	4"	9	27'	3"	0	27'	3"	6	27'	3"	12	27'	4"	2
6.5 IN 12	20'	7"	15	20'	8"	3	20'	8"	8	20'	8"	12	27'	6"	2	27'	6"	8	27'	6"	14	27'	7"	4
7 IN 12	21'	0"	6	21'	0"	11	21'	0"	15	21'	1"	4	27'	9"	8	27'	9"	14	27'	10"	4	27'	10"	10
8 IN 12	21'	10"	0	21'	10"	5	21'	10"	10	21'	10"	14	28'	4"	13	28'	5"	4	28'	5"	10	28'	6"	0
9 IN 12	22'	8"	8	22'	8"	13	22'	9"	2	22'	9"	7	29'	1"	0	29'	1"	6	29'	1"	12	29'	2"	2
10 IN 12	23'	7"	12	23'	8"	2	23'	8"	7	23'	8"	12	29'	9"	13	29'	10"	4	29'	10"	11	29'	11"	1
11 IN 12	24'	7"	12	24'	8"	1	24'	8"	7	24'	8"	12	30'	7"	6	30'	7"	13	30'	8"	4	30'	8"	11
12 IN 12	25'	8"	5	25'	8"	10	25'	9"	0	25'	9"	6	31'	5"	9	31'	6"	0	31'	6"	7	31'	6"	14
13 IN 12	26'	9"	6	26'	9"	12	26'	10"	2	26'	10"	8	32'	4"	6	32'	4"	13	32'	5"	4	32'	5"	11
14 IN 12	27'	11"	0	27'	11"	6	27'	11"	12	28'	0"	2	33'	3"	11	33'	4"	2	33'	4"	9	33'	5"	1
15 IN 12	29'	1"	0	29'	1"	6	29'	1"	12	29'	2"	3	34'	3"	7	34'	3"	15	34'	4"	7	34'	4"	14
16 IN 12	30'	3"	5	30'	3"	12	30'	4"	3	30'	4"	9	35'	3"	11	35'	4"	3	35'	4"	11	35'	5"	3
17 IN 12	31'	6"	0	31'	6"	7	31'	6"	14	31'	7"	5	36'	4"	6	36'	4"	14	36'	5"	6	36'	5"	14
18 IN 12	32'	9"	0	32'	9"	7	32'	9"	15	32'	10"	6	37'	5"	7	37'	5"	15	37'	6"	7	37'	6"	15
19 IN 12	34'	0"	4	34'	0"	11	34'	1"	3	34'	1"	10	38'	6"	13	38'	7"	5	38'	7"	14	38'	8"	6
20 IN 12	35'	3"	11	35'	4"	3	35'	4"	11	35'	5"	3	39'	8"	8	39'	9"	1	39'	9"	10	39'	10"	2
21 IN 12	36'	7"	6	36'	7"	14	36'	8"	6	36'	8"	14	40'	10"	8	40'	11"	1	40'	11"	10	41'	0"	3
22 IN 12	37'	11"	4	37'	11"	12	38'	0"	5	38'	0"	13	42'	0"	12	42'	1"	5	42'	1"	15	42'	2"	8
23 IN 12	39'	3"	5	39'	3"	13	39'	4"	6	39'	4"	14	43'	3"	4	43'	3"	14	43'	4"	7	43'	5"	1
24 IN 12	40'	7"	7	40'	8"	0	40'	8"	9	40'	9"	2	44'	6"	0	44'	6"	10	44'	7"	3	44'	7"	13
25 IN 12	41'	11"	12	42'	0"	6	42'	0"	15	42'	1"	8	45'	8"	15	45'	9"	9	45'	10"	3	45'	10"	13

18 Foot 3 Inch Run — Common Rafter Lengths   18 Foot 3 Inch Run — Hip Or Valley Rafter Lengths

Run -	18' 3"			18' 3 1/4"			18' 3 1/2"			18' 3 3/4"			18' 3"			18' 3 1/4"			18' 3 1/2"			18' 3 3/4"		
Pitch	Ft	In	16th	Ft	In	16th	Ft	In	16th	Ft	In	16th	Ft	In	16th	Ft	In	16th	Ft	In	16th	Ft	In	16th
1 IN 12	18'	3"	12	18'	4"	0	18'	4"	4	18'	4"	8	25'	10"	4	25'	10"	10	25'	10"	15	25'	11"	5
2 IN 12	18'	6"	0	18'	6"	4	18'	6"	8	18'	6"	12	25'	11"	14	26'	0"	3	26'	0"	9	26'	0"	15
2.5 IN 12	18'	7"	11	18'	7"	15	18'	8"	3	18'	8"	7	26'	1"	1	26'	1"	7	26'	1"	12	26'	2"	2
3 IN 12	18'	9"	12	18'	10"	0	18'	10"	4	18'	10"	8	26'	2"	8	26'	2"	14	26'	3"	4	26'	3"	9
3.5 IN 12	19'	0"	2	19'	0"	6	19'	0"	10	19'	0"	15	26'	4"	4	26'	4"	9	26'	4"	15	26'	5"	5
4 IN 12	19'	2"	14	19'	3"	2	19'	3"	6	19'	3"	10	26'	6"	3	26'	6"	9	26'	6"	15	26'	7"	5
4.5 IN 12	19'	5"	14	19'	6"	3	19'	6"	7	19'	6"	11	26'	8"	7	26'	8"	13	26'	9"	2	26'	9"	8
5 IN 12	19'	9"	4	19'	9"	8	19'	9"	13	19'	10"	1	26'	10"	14	26'	11"	4	26'	11"	10	27'	0"	0
5.5 IN 12	20'	0"	15	20'	1"	3	20'	1"	7	20'	1"	12	27'	1"	9	27'	1"	15	27'	2"	5	27'	2"	11
6 IN 12	20'	4"	14	20'	5"	2	20'	5"	7	20'	5"	11	27'	4"	8	27'	4"	14	27'	5"	4	27'	5"	10
6.5 IN 12	20'	9"	1	20'	9"	6	20'	9"	10	20'	9"	15	27'	7"	10	27'	8"	1	27'	8"	7	27'	8"	13
7 IN 12	21'	1"	9	21'	1"	13	21'	2"	2	21'	2"	6	27'	11"	0	27'	11"	7	27'	11"	13	28'	0"	3
8 IN 12	21'	11"	3	21'	11"	8	21'	11"	13	22'	0"	2	28'	6"	6	28'	6"	13	28'	7"	3	28'	7"	9
9 IN 12	22'	9"	12	22'	10"	1	22'	10"	6	22'	10"	11	29'	2"	9	29'	3"	0	29'	3"	6	29'	3"	12
10 IN 12	23'	9"	1	23'	9"	6	23'	9"	12	23'	10"	1	29'	11"	8	29'	11"	14	30'	0"	5	30'	0"	11
11 IN 12	24'	9"	1	24'	9"	7	24'	9"	12	24'	10"	2	30'	9"	1	30'	9"	8	30'	9"	15	30'	10"	6
12 IN 12	25'	9"	11	25'	10"	1	25'	10"	7	25'	10"	12	31'	7"	5	31'	7"	12	31'	8"	3	31'	8"	10
13 IN 12	26'	10"	14	26'	11"	4	26'	11"	10	27'	0"	0	32'	6"	2	32'	6"	9	32'	7"	0	32'	7"	8
14 IN 12	28'	0"	8	28'	0"	14	28'	1"	5	28'	1"	11	33'	5"	8	33'	5"	15	33'	6"	7	33'	6"	14
15 IN 12	29'	2"	9	29'	3"	0	29'	3"	6	29'	3"	12	34'	5"	6	34'	5"	13	34'	6"	5	34'	6"	12
16 IN 12	30'	5"	0	30'	5"	7	30'	5"	13	30'	6"	4	35'	5"	11	35'	6"	2	35'	6"	10	35'	7"	2
17 IN 12	31'	7"	12	31'	8"	3	31'	8"	10	31'	9"	1	36'	6"	6	36'	6"	14	36'	7"	6	36'	7"	14
18 IN 12	32'	10"	13	32'	11"	4	32'	11"	11	33'	0"	3	37'	7"	8	37'	8"	0	37'	8"	8	37'	9"	0
19 IN 12	34'	2"	2	34'	2"	9	34'	3"	1	34'	3"	8	38'	8"	15	38'	9"	7	38'	10"	0	38'	10"	8
20 IN 12	35'	5"	11	35'	6"	2	35'	6"	10	35'	7"	2	39'	10"	11	39'	11"	4	39'	11"	13	40'	0"	5
21 IN 12	36'	9"	7	36'	9"	15	36'	10"	7	36'	10"	15	41'	0"	12	41'	1"	5	41'	1"	14	41'	2"	7
22 IN 12	38'	1"	5	38'	1"	14	38'	2"	6	38'	2"	15	42'	3"	1	42'	3"	10	42'	4"	4	42'	4"	13
23 IN 12	39'	5"	7	39'	6"	0	39'	6"	8	39'	7"	1	43'	5"	10	43'	6"	4	43'	6"	13	43'	7"	7
24 IN 12	40'	9"	11	40'	10"	4	40'	10"	13	40'	11"	6	44'	8"	7	44'	9"	1	44'	9"	11	44'	10"	4
25 IN 12	42'	2"	1	42'	2"	11	42'	3"	4	42'	3"	13	45'	11"	7	46'	0"	1	46'	0"	11	46'	1"	5

18 Foot 4 Inch Run — Common Rafter Lengths 18 Foot 4 Inch Run — Hip Or Valley Rafter Lengths

Run -	18' 4"			18' 4 1/4"			18' 4 1/2"			18' 4 3/4"			18' 4"			18' 4 1/4"			18' 4 1/2"			18' 4 3/4"		
Pitch	Ft	In	16th"	Ft	In	16th"	Ft	In	16th"	Ft	In	16th"	Ft	In	16th"	Ft	In	16th"	Ft	In	16th"	Ft	In	16th"
1 IN 12	18'	4"	12	18'	5"	0	18'	5"	4	18'	5"	8	25'	11"	11	26'	0"	0	26'	0"	6	26'	0"	12
2 IN 12	18'	7"	1	18'	7"	5	18'	7"	9	18'	7"	13	26'	1"	4	26'	1"	10	26'	2"	0	26'	2"	6
2.5 IN 12	18'	8"	12	18'	9"	0	18'	9"	4	18'	9"	8	26'	2"	8	26'	2"	13	26'	3"	3	26'	3"	9
3 IN 12	18'	10"	12	18'	11"	0	18'	11"	5	18'	11"	9	26'	3"	15	26'	4"	5	26'	4"	11	26'	5"	0
3.5 IN 12	19'	1"	3	19'	1"	7	19'	1"	11	19'	1"	15	26'	5"	11	26'	6"	1	26'	6"	6	26'	6"	12
4 IN 12	19'	3"	14	19'	4"	3	19'	4"	7	19'	4"	11	26'	7"	10	26'	8"	0	26'	8"	6	26'	8"	12
4.5 IN 12	19'	6"	15	19'	7"	4	19'	7"	8	19'	7"	12	26'	9"	14	26'	10"	4	26'	10"	10	26'	11"	0
5 IN 12	19'	10"	5	19'	10"	10	19'	10"	14	19'	11"	2	27'	0"	6	27'	0"	11	27'	1"	1	27'	1"	7
5.5 IN 12	20'	2"	0	20'	2"	5	20'	2"	9	20'	2"	13	27'	3"	1	27'	3"	7	27'	3"	13	27'	4"	3
6 IN 12	20'	5"	15	20'	6"	4	20'	6"	8	20'	6"	13	27'	6"	0	27'	6"	6	27'	6"	12	27'	7"	2
6.5 IN 12	20'	10"	3	20'	10"	8	20'	10"	12	20'	11"	1	27'	9"	3	27'	9"	9	27'	9"	15	27'	10"	5
7 IN 12	21'	2"	11	21'	3"	0	21'	3"	4	21'	3"	9	28'	0"	9	28'	0"	15	28'	1"	5	28'	1"	11
8 IN 12	22'	0"	7	22'	0"	11	22'	1"	0	22'	1"	5	28'	7"	15	28'	8"	6	28'	8"	12	28'	9"	2
9 IN 12	22'	11"	0	22'	11"	5	22'	11"	10	22'	11"	15	29'	4"	3	29'	4"	9	29'	5"	0	29'	5"	6
10 IN 12	23'	10"	6	23'	10"	11	23'	11"	0	23'	11"	6	30'	1"	2	30'	1"	9	30'	1"	15	30'	2"	6
11 IN 12	24'	10"	7	24'	10"	13	24'	11"	2	24'	11"	7	30'	10"	12	30'	11"	3	30'	11"	10	31'	0"	1
12 IN 12	25'	11"	2	25'	11"	8	25'	11"	13	26'	0"	3	31'	9"	1	31'	9"	8	31'	9"	15	31'	10"	6
13 IN 12	27'	0"	6	27'	0"	11	27'	1"	1	27'	1"	7	32'	7"	15	32'	8"	6	32'	8"	13	32'	9"	4
14 IN 12	28'	2"	1	28'	2"	7	28'	2"	13	28'	3"	3	33'	7"	5	33'	7"	13	33'	8"	4	33'	8"	11
15 IN 12	29'	4"	3	29'	4"	9	29'	5"	0	29'	5"	6	34'	7"	4	34'	7"	11	34'	8"	3	34'	8"	11
16 IN 12	30'	6"	11	30'	7"	1	30'	7"	8	30'	7"	15	35'	7"	10	35'	8"	1	35'	8"	9	35'	9"	1
17 IN 12	31'	9"	8	31'	9"	15	31'	10"	6	31'	10"	13	36'	8"	6	36'	8"	14	36'	9"	6	36'	9"	14
18 IN 12	33'	0"	10	33'	1"	1	33'	1"	8	33'	1"	15	37'	9"	9	37'	10"	1	37'	10"	9	37'	11"	1
19 IN 12	34'	4"	0	34'	4"	7	34'	4"	15	34'	5"	6	38'	11"	1	38'	11"	9	39'	0"	2	39'	0"	10
20 IN 12	35'	7"	10	35'	8"	1	35'	8"	9	35'	9"	1	40'	0"	14	40'	1"	7	40'	2"	0	40'	2"	8
21 IN 12	36'	11"	7	36'	11"	15	37'	0"	7	37'	0"	15	41'	3"	0	41'	3"	9	41'	4"	2	41'	4"	11
22 IN 12	38'	3"	7	38'	3"	15	38'	4"	8	38'	5"	0	42'	5"	6	42'	5"	15	42'	6"	9	42'	7"	2
23 IN 12	39'	7"	10	39'	8"	2	39'	8"	11	39'	9"	4	43'	8"	0	43'	8"	10	43'	9"	3	43'	9"	13
24 IN 12	40'	11"	15	41'	0"	8	41'	1"	1	41'	1"	10	44'	10"	14	44'	11"	8	45'	0"	2	45'	0"	12
25 IN 12	42'	4"	6	42'	5"	0	42'	5"	9	42'	6"	2	46'	1"	15	46'	2"	9	46'	3"	3	46'	3"	14

18 Foot 5 Inch Run — Common Rafter Lengths   18 Foot 5 Inch Run — Hip Or Valley Rafter Lengths

Run -	18' 5"	18' 5 1/4"	18' 5 1/2"	18' 5 3/4"	18' 5"	18' 5 1/4"	18' 5 1/2"	18' 5 3/4"
Pitch	Ft In 16th"	Ft In 16th"	Ft In 16th"	Ft In 16th"	Ft In 16th"	Ft In 16th"	Ft In 16th"	Ft In 16th"
1 IN 12	18' 5" 12	18' 6" 0	18' 6" 4	18' 6" 8	26' 1" 1	26' 1" 7	26' 1" 13	26' 2" 2
2 IN 12	18' 8" 1	18' 8" 5	18' 8" 9	18' 8" 13	26' 2" 11	26' 3" 1	26' 3" 7	26' 3" 12
2.5 IN 12	18' 9" 12	18' 10" 0	18' 10" 4	18' 10" 8	26' 3" 15	26' 4" 4	26' 4" 10	26' 5" 0
3 IN 12	18' 11" 13	19' 0" 1	19' 0" 5	19' 0" 9	26' 5" 6	26' 5" 12	26' 6" 2	26' 6" 7
3.5 IN 12	19' 2" 3	19' 2" 8	19' 2" 12	19' 3" 0	26' 7" 2	26' 7" 8	26' 7" 13	26' 8" 3
4 IN 12	19' 4" 15	19' 5" 3	19' 5" 8	19' 5" 12	26' 9" 2	26' 9" 8	26' 9" 13	26' 10" 3
4.5 IN 12	19' 8" 0	19' 8" 5	19' 8" 9	19' 8" 13	26' 11" 5	26' 11" 11	27' 0" 1	27' 0" 7
5 IN 12	19' 11" 7	19' 11" 11	19' 11" 15	20' 0" 4	27' 1" 13	27' 2" 3	27' 2" 9	27' 2" 15
5.5 IN 12	20' 3" 2	20' 3" 6	20' 3" 11	20' 3" 15	27' 4" 9	27' 4" 15	27' 5" 5	27' 5" 11
6 IN 12	20' 7" 1	20' 7" 6	20' 7" 10	20' 7" 15	27' 7" 8	27' 7" 14	27' 8" 4	27' 8" 10
6.5 IN 12	20' 11" 5	20' 11" 10	20' 11" 15	21' 0" 3	27' 10" 11	27' 11" 1	27' 11" 7	27' 11" 13
7 IN 12	21' 3" 14	21' 4" 2	21' 4" 7	21' 4" 12	28' 2" 1	28' 2" 7	28' 2" 14	28' 3" 4
8 IN 12	22' 1" 10	22' 1" 15	22' 2" 3	22' 2" 8	28' 9" 8	28' 9" 15	28' 10" 5	28' 10" 11
9 IN 12	23' 0" 4	23' 0" 9	23' 0" 14	23' 1" 3	29' 5" 12	29' 6" 3	29' 6" 9	29' 7" 0
10 IN 12	23' 11" 14	24' 0" 0	24' 0" 5	24' 0" 10	30' 2" 12	30' 3" 3	30' 3" 9	30' 4" 0
11 IN 12	24' 11" 13	25' 0" 2	25' 0" 8	25' 0" 13	31' 0" 7	31' 0" 14	31' 1" 5	31' 1" 11
12 IN 12	26' 0" 9	26' 0" 14	26' 1" 4	26' 1" 10	31' 10" 13	31' 11" 3	31' 11" 10	32' 0" 1
13 IN 12	27' 1" 13	27' 2" 3	27' 2" 9	27' 2" 15	32' 9" 11	32' 10" 2	32' 10" 10	32' 11" 1
14 IN 12	28' 3" 9	28' 4" 0	28' 4" 6	28' 4" 12	33' 9" 3	33' 9" 10	33' 10" 1	33' 10" 9
15 IN 12	29' 5" 12	29' 6" 3	29' 6" 9	29' 7" 0	34' 9" 2	34' 9" 10	34' 10" 1	34' 10" 9
16 IN 12	30' 8" 5	30' 8" 12	30' 9" 3	30' 9" 9	35' 9" 9	35' 10" 1	35' 10" 8	35' 11" 0
17 IN 12	31' 11" 4	31' 11" 11	32' 0" 1	32' 0" 8	36' 10" 6	36' 10" 14	36' 11" 6	36' 11" 14
18 IN 12	33' 2" 7	33' 2" 14	33' 3" 5	33' 3" 12	37' 11" 10	38' 0" 2	38' 0" 10	38' 1" 2
19 IN 12	34' 5" 14	34' 6" 5	34' 6" 13	34' 7" 4	39' 1" 3	39' 1" 11	39' 2" 4	39' 2" 12
20 IN 12	35' 9" 9	35' 10" 1	35' 10" 8	35' 11" 0	40' 3" 1	40' 3" 10	40' 4" 3	40' 4" 11
21 IN 12	37' 1" 7	37' 1" 15	37' 2" 7	37' 2" 15	41' 5" 4	41' 5" 13	41' 6" 6	41' 6" 15
22 IN 12	38' 5" 8	38' 6" 1	38' 6" 9	38' 7" 1	42' 7" 11	42' 8" 5	42' 8" 14	42' 9" 7
23 IN 12	39' 9" 12	39' 10" 5	39' 10" 14	39' 11" 6	43' 10" 7	43' 11" 0	43' 11" 10	44' 0" 3
24 IN 12	41' 2" 3	41' 2" 12	41' 3" 5	41' 3" 14	45' 1" 5	45' 1" 15	45' 2" 9	45' 3" 3
25 IN 12	42' 6" 11	42' 7" 5	42' 7" 14	42' 8" 7	46' 4" 8	46' 5" 2	46' 5" 12	46' 6" 6

18 Foot 6 Inch Run — Common Rafter Lengths   18 Foot 6 Inch Run — Hip Or Valley Rafter Lengths

Run –	18' 6"	18' 6 1/4"	18' 6 1/2"	18' 6 3/4"	18' 6"	18' 6 1/4"	18' 6 1/2"	18' 6 3/4"
Pitch	Ft In 16th"	Ft In 16th"	Ft In 16th"	Ft In 16th"	Ft In 16th"	Ft In 16th"	Ft In 16th"	Ft In 16th"
1 IN 12	18' 6" 12	18' 7" 0	18' 7" 4	18' 7" 8	26' 2" 8	26' 2" 14	26' 3" 3	26' 3" 9
2 IN 12	18' 9" 1	18' 9" 5	18' 9" 9	18' 9" 13	26' 4" 2	26' 4" 8	26' 4" 13	26' 5" 3
2.5 IN 12	18' 10" 12	18' 11" 0	18' 11" 4	18' 11" 9	26' 5" 6	26' 5" 11	26' 6" 1	26' 6" 7
3 IN 12	19' 0" 13	19' 1" 1	19' 1" 6	19' 1" 10	26' 6" 13	26' 7" 3	26' 7" 9	26' 7" 14
3.5 IN 12	19' 3" 4	19' 3" 8	19' 3" 12	19' 4" 1	26' 8" 9	26' 8" 15	26' 9" 5	26' 9" 10
4 IN 12	19' 6" 0	19' 6" 4	19' 6" 9	19' 6" 13	26' 10" 9	26' 10" 15	26' 11" 5	26' 11" 10
4.5 IN 12	19' 9" 2	19' 9" 6	19' 9" 10	19' 9" 14	27' 0" 13	27' 1" 3	27' 1" 9	27' 1" 14
5 IN 12	20' 0" 8	20' 0" 12	20' 1" 1	20' 1" 5	27' 3" 5	27' 3" 11	27' 4" 1	27' 4" 6
5.5 IN 12	20' 4" 3	20' 4" 8	20' 4" 12	20' 5" 1	27' 6" 1	27' 6" 6	27' 6" 12	27' 7" 2
6 IN 12	20' 8" 3	20' 8" 8	20' 8" 12	20' 9" 1	27' 9" 0	27' 9" 6	27' 9" 12	27' 10" 2
6.5 IN 12	21' 0" 8	21' 0" 12	21' 1" 1	21' 1" 5	28' 0" 3	28' 0" 9	28' 0" 15	28' 1" 5
7 IN 12	21' 5" 0	21' 5" 5	21' 5" 9	21' 5" 14	28' 3" 10	28' 4" 0	28' 4" 6	28' 4" 12
8 IN 12	22' 2" 13	22' 3" 2	22' 3" 7	22' 3" 11	28' 11" 1	28' 11" 8	28' 11" 14	29' 0" 4
9 IN 12	23' 1" 8	23' 1" 13	23' 2" 2	23' 2" 7	29' 7" 6	29' 7" 12	29' 8" 3	29' 8" 9
10 IN 12	24' 1" 0	24' 1" 5	24' 1" 10	24' 1" 15	30' 4" 7	30' 4" 13	30' 5" 4	30' 5" 10
11 IN 12	25' 1" 3	25' 1" 8	25' 1" 13	25' 2" 3	31' 2" 2	31' 2" 9	31' 3" 0	31' 3" 6
12 IN 12	26' 1" 15	26' 2" 5	26' 2" 11	26' 3" 0	32' 0" 8	32' 0" 15	32' 1" 6	32' 1" 13
13 IN 12	27' 3" 5	27' 3" 11	27' 4" 1	27' 4" 6	32' 11" 8	32' 11" 15	33' 0" 6	33' 0" 13
14 IN 12	28' 5" 2	28' 5" 8	28' 5" 14	28' 6" 4	33' 11" 0	33' 11" 7	33' 11" 15	34' 0" 6
15 IN 12	29' 7" 6	29' 7" 12	29' 8" 3	29' 8" 9	34' 11" 0	34' 11" 8	34' 11" 15	35' 0" 7
16 IN 12	30' 10" 0	30' 10" 7	30' 10" 13	30' 11" 4	35' 11" 8	36' 0" 0	36' 0" 7	36' 0" 15
17 IN 12	32' 0" 15	32' 1" 6	32' 1" 13	32' 2" 4	37' 0" 0	37' 0" 6	37' 1" 6	37' 1" 14
18 IN 12	33' 4" 3	33' 4" 11	33' 5" 2	33' 5" 9	38' 1" 11	38' 2" 3	38' 2" 11	38' 3" 3
19 IN 12	34' 7" 12	34' 8" 3	34' 8" 11	34' 9" 2	39' 3" 5	39' 3" 13	39' 4" 6	39' 4" 14
20 IN 12	35' 11" 8	36' 0" 0	36' 0" 7	36' 0" 15	40' 5" 4	40' 5" 13	40' 6" 5	40' 6" 14
21 IN 12	37' 3" 7	37' 3" 15	37' 4" 7	37' 4" 15	41' 7" 8	41' 8" 1	41' 8" 10	41' 9" 3
22 IN 12	38' 7" 10	38' 8" 2	38' 8" 10	38' 9" 3	42' 10" 0	42' 10" 10	42' 11" 3	42' 11" 12
23 IN 12	39' 11" 15	40' 0" 8	40' 1" 0	40' 1" 9	44' 0" 13	44' 1" 6	44' 2" 0	44' 2" 9
24 IN 12	41' 4" 7	41' 4" 15	41' 5" 8	41' 6" 1	45' 3" 13	45' 4" 6	45' 5" 0	45' 5" 10
25 IN 12	42' 9" 0	42' 9" 10	42' 10" 3	42' 10" 12	46' 7" 0	46' 7" 10	46' 8" 4	46' 8" 14

18 Foot 7 Inch Run — Common Rafter Lengths   18 Foot 7 Inch Run — Hip Or Valley Rafter Lengths

Run -	18' 7"	18' 7 1/4"	18' 7 1/2"	18' 7 3/4"	18' 7"	18' 7 1/4"	18' 7 1/2"	18' 7 3/4"
Pitch	Ft In 16th"	Ft In 16th"	Ft In 16th"	Ft In 16th"	Ft In 16th"	Ft In 16th"	Ft In 16th"	Ft In 16th"
1 IN 12	18' 7" 12	18' 8" 0	18' 8" 4	18' 8" 8	26' 3" 15	26' 4" 4	26' 4" 10	26' 5" 0
2 IN 12	18' 10" 1	18' 10" 5	18' 10" 9	18' 10" 13	26' 5" 9	26' 5" 15	26' 6" 4	26' 6" 10
2.5 IN 12	18' 11" 13	19' 0" 1	19' 0" 5	19' 0" 9	26' 6" 12	26' 7" 2	26' 7" 8	26' 7" 14
3 IN 12	19' 1" 14	19' 2" 2	19' 2" 6	19' 2" 10	26' 8" 4	26' 8" 10	26' 9" 0	26' 9" 5
3.5 IN 12	19' 4" 5	19' 4" 9	19' 4" 13	19' 5" 1	26' 10" 0	26' 10" 6	26' 10" 12	26' 11" 1
4 IN 12	19' 7" 1	19' 7" 5	19' 7" 9	19' 7" 14	27' 0" 0	27' 0" 6	27' 0" 12	27' 1" 2
4.5 IN 12	19' 10" 3	19' 10" 7	19' 10" 11	19' 10" 15	27' 2" 4	27' 2" 10	27' 3" 0	27' 3" 6
5 IN 12	20' 1" 9	20' 1" 14	20' 2" 2	20' 2" 6	27' 4" 12	27' 5" 2	27' 5" 8	27' 5" 14
5.5 IN 12	20' 5" 5	20' 5" 9	20' 5" 14	20' 6" 2	27' 7" 8	27' 7" 14	27' 8" 4	27' 8" 10
6 IN 12	20' 9" 5	20' 9" 10	20' 9" 14	20' 10" 3	27' 10" 8	27' 10" 14	27' 11" 4	27' 11" 10
6.5 IN 12	21' 1" 10	21' 1" 14	21' 2" 3	21' 2" 7	28' 1" 11	28' 2" 1	28' 2" 7	28' 2" 14
7 IN 12	21' 6" 3	21' 6" 7	21' 6" 12	21' 7" 1	28' 5" 2	28' 5" 8	28' 5" 15	28' 6" 5
8 IN 12	22' 4" 0	22' 4" 5	22' 4" 10	22' 4" 15	29' 0" 10	29' 1" 1	29' 1" 7	29' 1" 13
9 IN 12	23' 2" 12	23' 3" 1	23' 3" 6	23' 3" 11	29' 9" 0	29' 9" 6	29' 9" 12	29' 10" 3
10 IN 12	24' 2" 4	24' 2" 10	24' 2" 15	24' 3" 4	30' 6" 1	30' 6" 7	30' 6" 14	30' 7" 4
11 IN 12	25' 2" 8	25' 2" 14	25' 3" 3	25' 3" 9	31' 3" 13	31' 4" 4	31' 4" 11	31' 5" 1
12 IN 12	26' 3" 6	26' 3" 12	26' 4" 1	26' 4" 7	32' 2" 4	32' 2" 11	32' 3" 2	32' 3" 9
13 IN 12	27' 4" 12	27' 5" 2	27' 5" 8	27' 5" 14	33' 1" 4	33' 1" 11	33' 2" 3	33' 2" 10
14 IN 12	28' 6" 11	28' 7" 1	28' 7" 7	28' 7" 13	34' 0" 13	34' 1" 5	34' 1" 12	34' 2" 3
15 IN 12	29' 9" 0	29' 9" 6	29' 9" 12	29' 10" 3	35' 0" 14	35' 1" 6	35' 1" 14	35' 2" 5
16 IN 12	30' 11" 11	31' 0" 1	31' 0" 8	31' 0" 15	36' 1" 7	36' 1" 15	36' 2" 6	36' 2" 14
17 IN 12	32' 2" 1	32' 3" 2	32' 3" 9	32' 4" 0	37' 2" 6	37' 2" 14	37' 3" 6	37' 3" 14
18 IN 12	33' 6" 0	33' 6" 8	33' 6" 15	33' 7" 6	38' 3" 12	38' 4" 4	38' 4" 12	38' 5" 4
19 IN 12	34' 9" 10	34' 10" 1	34' 10" 9	34' 11" 0	39' 5" 7	39' 5" 15	39' 6" 8	39' 7" 0
20 IN 12	36' 1" 7	36' 1" 15	36' 2" 6	36' 2" 14	40' 7" 7	40' 8" 0	40' 8" 8	40' 9" 1
21 IN 12	37' 5" 8	37' 6" 0	37' 6" 8	37' 7" 0	41' 9" 12	41' 10" 5	41' 10" 14	41' 11" 7
22 IN 12	38' 9" 11	38' 10" 4	38' 10" 12	38' 11" 4	43' 0" 4	43' 0" 15	43' 1" 8	43' 2" 1
23 IN 12	40' 2" 1	40' 2" 10	40' 3" 3	40' 3" 11	44' 3" 3	44' 3" 12	44' 4" 6	44' 4" 15
24 IN 12	41' 6" 10	41' 7" 3	41' 7" 12	41' 8" 5	45' 6" 4	45' 6" 14	45' 7" 7	45' 8" 1
25 IN 12	42' 11" 5	42' 11" 15	43' 0" 8	43' 1" 1	46' 9" 8	46' 10" 2	46' 10" 12	46' 11" 6

18 Foot 8 Inch Run — Common Rafter Lengths   18 Foot 8 Inch Run — Hip Or Valley Rafter Lengths

Pitch	Run - 18' 8" (Common)	18' 8 1/4"	18' 8 1/2"	18' 8 3/4"	18' 8" (Hip/Valley)	18' 8 1/4"	18' 8 1/2"	18' 8 3/4"
	Ft In 16th"	Ft In 16th"	Ft In 16th"	Ft In 16th"	Ft In 16th"	Ft In 16th"	Ft In 16th"	Ft In 16th"
1 IN 12	18' 8" 12	18' 9" 0	18' 9" 4	18' 9" 8	26' 5" 5	26' 5" 11	26' 6" 1	26' 6" 6
2 IN 12	18' 11" 1	18' 11" 5	18' 11" 10	18' 11" 14	26' 7" 0	26' 7" 5	26' 7" 11	26' 8" 1
2.5 IN 12	19' 0" 13	19' 1" 1	19' 1" 5	19' 1" 9	26' 8" 3	26' 8" 9	26' 8" 15	26' 9" 4
3 IN 12	19' 2" 14	19' 3" 2	19' 3" 7	19' 3" 11	26' 9" 11	26' 10" 1	26' 10" 7	26' 10" 12
3.5 IN 12	19' 5" 5	19' 5" 10	19' 5" 14	19' 6" 2	26' 11" 7	26' 11" 13	27' 0" 3	27' 0" 9
4 IN 12	19' 8" 2	19' 8" 6	19' 8" 10	19' 8" 15	27' 1" 7	27' 1" 13	27' 2" 3	27' 2" 9
4.5 IN 12	19' 11" 4	19' 11" 8	19' 11" 12	20' 0" 1	27' 3" 12	27' 4" 2	27' 4" 7	27' 4" 13
5 IN 12	20' 2" 11	20' 2" 15	20' 3" 3	20' 3" 8	27' 6" 4	27' 6" 10	27' 7" 0	27' 7" 6
5.5 IN 12	20' 6" 7	20' 6" 11	20' 6" 15	20' 7" 4	27' 9" 0	27' 9" 6	27' 9" 12	27' 10" 2
6 IN 12	20' 10" 7	20' 10" 12	20' 11" 0	20' 11" 4	28' 0" 0	28' 0" 6	28' 0" 12	28' 1" 2
6.5 IN 12	21' 2" 12	21' 3" 1	21' 3" 5	21' 3" 10	28' 3" 4	28' 3" 10	28' 4" 0	28' 4" 6
7 IN 12	21' 7" 5	21' 7" 10	21' 7" 14	21' 8" 3	28' 6" 11	28' 7" 1	28' 7" 7	28' 7" 13
8 IN 12	22' 5" 3	22' 5" 8	22' 5" 13	22' 6" 2	29' 2" 3	29' 2" 10	29' 3" 0	29' 3" 6
9 IN 12	23' 4" 0	23' 4" 5	23' 4" 10	23' 4" 15	29' 10" 9	29' 11" 1	29' 11" 6	29' 11" 12
10 IN 12	24' 3" 9	24' 3" 15	24' 4" 4	24' 4" 9	30' 7" 11	30' 8" 2	30' 8" 8	30' 8" 15
11 IN 12	25' 3" 14	25' 4" 3	25' 4" 9	25' 4" 14	31' 5" 8	31' 5" 15	31' 6" 6	31' 6" 12
12 IN 12	26' 4" 13	26' 5" 2	26' 5" 8	26' 5" 14	32' 4" 0	32' 4" 7	32' 4" 14	32' 5" 4
13 IN 12	27' 6" 4	27' 6" 10	27' 7" 0	27' 7" 6	33' 3" 1	33' 3" 8	33' 3" 15	33' 4" 6
14 IN 12	28' 8" 3	28' 8" 9	28' 8" 15	28' 9" 6	34' 2" 11	34' 3" 2	34' 3" 9	34' 4" 1
15 IN 12	29' 10" 9	29' 11" 0	29' 11" 6	29' 11" 12	35' 2" 13	35' 3" 4	35' 3" 12	35' 4" 3
16 IN 12	31' 1" 5	31' 1" 12	31' 2" 3	31' 2" 9	36' 3" 6	36' 3" 14	36' 4" 6	36' 4" 13
17 IN 12	32' 4" 7	32' 4" 14	32' 5" 5	32' 5" 12	37' 4" 6	37' 4" 14	37' 5" 6	37' 5" 14
18 IN 12	33' 7" 13	33' 8" 4	33' 8" 12	33' 9" 3	38' 5" 13	38' 6" 5	38' 6" 13	38' 7" 5
19 IN 12	34' 11" 8	34' 11" 15	35' 0" 7	35' 0" 14	39' 7" 9	39' 8" 1	39' 8" 10	39' 9" 2
20 IN 12	36' 3" 6	36' 3" 14	36' 4" 6	36' 4" 13	40' 9" 10	40' 10" 3	40' 10" 11	40' 11" 4
21 IN 12	37' 7" 8	37' 8" 0	37' 8" 8	37' 9" 0	42' 0" 0	42' 0" 9	42' 1" 2	42' 1" 11
22 IN 12	38' 11" 13	39' 0" 5	39' 0" 13	39' 1" 6	43' 2" 10	43' 3" 2	43' 3" 13	43' 4" 6
23 IN 12	40' 4" 4	40' 4" 13	40' 5" 5	40' 5" 14	44' 5" 9	44' 6" 2	44' 6" 12	44' 7" 5
24 IN 12	41' 8" 14	41' 9" 7	41' 10" 0	41' 10" 9	45' 8" 11	45' 9" 5	45' 9" 15	45' 10" 8
25 IN 12	43' 1" 10	43' 2" 4	43' 2" 13	43' 3" 6	47' 0" 0	47' 0" 11	47' 1" 5	47' 1" 15

18 Foot 9 Inch Run — Common Rafter Lengths   **18 Foot 9 Inch Run — Hip Or Valley Rafter Lengths**

Run -		18' 9"			18' 9 1/4"			18' 9 1/2"			18' 9 3/4"			18' 9"			18' 9 1/4"			18' 9 1/2"			18' 9 3/4"	
Pitch		Ft	In	16th"	Ft	In	16th"	Ft	In	16th"	Ft	In	16th"	Ft	In	16th"	Ft	In	16th"	Ft	In	16th"	Ft	In	16th"
1	IN 12	18'	9"	12	18'	10"	0	18'	10"	5	18'	10"	9	26'	6"	12	26'	7"	2	26'	7"	7	26'	7"	13
2	IN 12	19'	0"	2	19'	0"	6	19'	0"	10	19'	0"	14	26'	8"	6	26'	8"	12	26'	9"	2	26'	9"	7
2.5	IN 12	19'	1"	13	19'	2"	1	19'	2"	5	19'	2"	10	26'	9"	10	26'	10"	0	26'	10"	6	26'	10"	11
3	IN 12	19'	3"	15	19'	4"	3	19'	4"	7	19'	4"	11	26'	11"	2	26'	11"	8	26'	11"	14	27'	0"	3
3.5	IN 12	19'	6"	6	19'	6"	10	19'	6"	14	19'	7"	3	27'	0"	14	27'	1"	4	27'	1"	10	27'	2"	0
4	IN 12	19'	9"	3	19'	9"	7	19'	9"	11	19'	9"	15	27'	2"	15	27'	3"	4	27'	3"	10	27'	4"	0
4.5	IN 12	20'	0"	5	20'	0"	9	20'	0"	13	20'	1"	2	27'	5"	3	27'	5"	9	27'	5"	15	27'	6"	5
5	IN 12	20'	3"	12	20'	4"	0	20'	4"	5	20'	4"	9	27'	7"	12	27'	8"	1	27'	8"	7	27'	8"	13
5.5	IN 12	20'	7"	7	20'	7"	13	20'	8"	1	20'	8"	5	27'	10"	8	27'	10"	14	27'	11"	4	27'	11"	10
6	IN 12	20'	11"	9	20'	11"	13	21'	0"	2	21'	0"	6	28'	1"	8	28'	1"	14	28'	2"	4	28'	2"	10
6.5	IN 12	21'	3"	14	21'	4"	3	21'	4"	7	21'	4"	12	28'	4"	12	28'	5"	2	28'	5"	8	28'	5"	14
7	IN 12	21'	8"	8	21'	8"	12	21'	9"	1	21'	9"	6	28'	8"	3	28'	8"	9	28'	9"	0	28'	9"	6
8	IN 12	22'	6"	7	22'	6"	11	22'	7"	0	22'	7"	5	29'	3"	12	29'	4"	3	29'	4"	9	29'	4"	15
9	IN 12	23'	5"	7	23'	5"	11	23'	5"	14	23'	6"	3	30'	0"	3	30'	0"	9	30'	1"	0	30'	1"	6
10	IN 12	24'	4"	14	24'	5"	3	24'	5"	9	24'	5"	14	30'	9"	5	30'	9"	12	30'	10"	2	30'	10"	9
11	IN 12	25'	5"	4	25'	5"	9	25'	5"	14	25'	6"	4	31'	7"	3	31'	7"	10	31'	8"	1	31'	8"	7
12	IN 12	26'	6"	3	26'	6"	9	26'	6"	14	26'	7"	4	32'	5"	11	32'	6"	2	32'	6"	9	32'	7"	0
13	IN 12	27'	7"	12	27'	8"	1	27'	8"	7	27'	8"	13	33'	4"	13	33'	5"	4	33'	5"	12	33'	6"	3
14	IN 12	28'	9"	12	28'	10"	2	28'	10"	8	28'	10"	14	34'	4"	8	34'	4"	15	34'	5"	7	34'	5"	14
15	IN 12	30'	0"	3	30'	0"	9	30'	1"	0	30'	1"	6	35'	4"	11	35'	5"	2	35'	5"	10	35'	6"	2
16	IN 12	31'	3"	0	31'	3"	7	31'	3"	13	31'	4"	4	36'	5"	5	36'	5"	13	36'	6"	5	36'	6"	12
17	IN 12	32'	6"	3	32'	6"	9	32'	7"	0	32'	7"	7	37'	6"	6	37'	6"	14	37'	7"	6	37'	7"	14
18	IN 12	33'	9"	10	33'	10"	1	33'	10"	8	33'	11"	0	38'	7"	14	38'	8"	6	38'	8"	14	38'	9"	6
19	IN 12	35'	1"	6	35'	1"	13	35'	2"	5	35'	2"	12	39'	9"	11	39'	10"	3	39'	10"	12	39'	11"	4
20	IN 12	36'	5"	5	36'	5"	13	36'	6"	5	36'	6"	12	40'	11"	13	41'	0"	6	41'	0"	14	41'	1"	7
21	IN 12	37'	9"	8	37'	10"	0	37'	10"	8	37'	11"	0	42'	2"	4	42'	2"	13	42'	3"	6	42'	3"	15
22	IN 12	39'	1"	14	39'	2"	6	39'	2"	15	39'	3"	7	43'	4"	15	43'	5"	9	43'	6"	2	43'	6"	11
23	IN 12	40'	6"	7	40'	6"	15	40'	7"	8	40'	8"	1	44'	7"	15	44'	8"	8	44'	9"	2	44'	9"	12
24	IN 12	41'	11"	2	41'	11"	11	42'	0"	4	42'	0"	13	45'	11"	2	45'	11"	12	46'	0"	6	46'	1"	0
25	IN 12	43'	3"	15	43'	4"	8	43'	5"	2	43'	5"	11	47'	2"	9	47'	3"	3	47'	3"	13	47'	4"	7

18 Foot 10 Inch Run — Common Rafter Lengths **18 Foot 10 Inch Run — Hip Or Valley Rafter Lengths**

Run -	18'10"			18'10 1/4"			18'10 1/2"			18'10 3/4"			18'10"			18'10 1/4"			18'10 1/2"			18'10 3/4"		
Pitch	Ft	In	16th	Ft	In	16th	Ft	In	16th	Ft	In	16th	Ft	In	16th	Ft	In	16th	Ft	In	16th	Ft	In	16th
1 IN 12	18'	10"	13	18'	11"	1	18'	11"	5	18'	11"	9	26'	8"	3	26'	8"	8	26'	8"	14	26'	9"	4
2 IN 12	19'	1"	2	19'	1"	6	19'	1"	10	19'	1"	14	26'	9"	13	26'	10"	3	26'	10"	9	26'	10"	14
2.5 IN 12	19'	2"	14	19'	3"	2	19'	3"	6	19'	3"	10	26'	11"	1	26'	11"	7	26'	11"	12	27'	0"	2
3 IN 12	19'	4"	15	19'	5"	3	19'	5"	8	19'	5"	12	27'	0"	9	27'	0"	15	27'	1"	5	27'	1"	10
3.5 IN 12	19'	7"	7	19'	7"	11	19'	7"	15	19'	8"	3	27'	2"	5	27'	2"	11	27'	3"	1	27'	3"	7
4 IN 12	19'	10"	4	19'	10"	8	19'	10"	12	19'	11"	0	27'	4"	6	27'	4"	12	27'	5"	2	27'	5"	7
4.5 IN 12	20'	1"	6	20'	1"	10	20'	1"	14	20'	2"	3	27'	6"	11	27'	7"	0	27'	7"	6	27'	7"	12
5 IN 12	20'	4"	13	20'	5"	2	20'	5"	6	20'	5"	10	27'	9"	3	27'	9"	9	27'	9"	15	27'	10"	5
5.5 IN 12	20'	8"	10	20'	8"	14	20'	9"	3	20'	9"	7	28'	0"	0	28'	0"	6	28'	0"	12	28'	1"	1
6 IN 12	21'	0"	11	21'	0"	15	21'	1"	4	21'	1"	8	28'	3"	0	28'	3"	6	28'	3"	12	28'	4"	2
6.5 IN 12	21'	5"	0	21'	5"	5	21'	5"	9	21'	5"	14	28'	6"	4	28'	6"	10	28'	7"	0	28'	7"	6
7 IN 12	21'	9"	10	21'	9"	15	21'	10"	4	21'	10"	8	28'	9"	12	28'	10"	2	28'	10"	8	28'	10"	14
8 IN 12	22'	7"	10	22'	7"	15	22'	8"	4	22'	8"	8	29'	5"	6	29'	5"	12	29'	6"	2	29'	6"	8
9 IN 12	23'	6"	8	23'	6"	13	23'	7"	2	23'	7"	7	30'	1"	12	30'	2"	3	30'	2"	9	30'	3"	0
10 IN 12	24'	6"	3	24'	6"	8	24'	6"	13	24'	7"	3	30'	11"	0	30'	11"	6	30'	11"	13	31'	0"	3
11 IN 12	25'	6"	9	25'	6"	15	25'	7"	4	25'	7"	10	31'	8"	14	31'	9"	5	31'	9"	12	31'	10"	2
12 IN 12	26'	7"	10	26'	7"	15	26'	8"	5	26'	8"	11	32'	7"	7	32'	7"	14	32'	8"	5	32'	8"	12
13 IN 12	27'	9"	3	27'	9"	9	27'	9"	15	27'	10"	5	33'	6"	10	33'	7"	1	33'	7"	8	33'	7"	15
14 IN 12	28'	11"	4	28'	11"	10	29'	0"	1	29'	0"	7	34'	6"	5	34'	6"	13	34'	7"	4	34'	7"	11
15 IN 12	30'	1"	12	30'	2"	3	30'	2"	9	30'	3"	0	35'	6"	9	35'	7"	1	35'	7"	8	35'	8"	0
16 IN 12	31'	4"	11	31'	5"	1	31'	5"	8	31'	5"	15	36'	7"	4	36'	7"	12	36'	8"	4	36'	8"	12
17 IN 12	32'	7"	14	32'	8"	5	32'	8"	12	32'	9"	3	37'	8"	4	37'	8"	14	37'	9"	4	37'	9"	14
18 IN 12	33'	11"	7	33'	11"	14	34'	0"	5	34'	0"	12	38'	9"	15	38'	10"	7	38'	10"	15	38'	11"	7
19 IN 12	35'	3"	4	35'	3"	11	35'	4"	3	35'	4"	10	39'	11"	13	40'	0"	5	40'	0"	14	40'	1"	6
20 IN 12	36'	7"	4	36'	7"	12	36'	8"	4	36'	8"	12	41'	2"	0	41'	2"	9	41'	3"	1	41'	3"	10
21 IN 12	37'	11"	8	38'	0"	0	38'	0"	8	38'	1"	0	42'	4"	8	42'	5"	1	42'	5"	10	42'	6"	3
22 IN 12	39'	3"	15	39'	4"	8	39'	5"	0	39'	5"	8	43'	7"	5	43'	7"	14	43'	8"	7	43'	9"	0
23 IN 12	40'	8"	9	40'	9"	2	40'	9"	11	40'	10"	3	44'	10"	5	44'	10"	15	44'	11"	8	45'	0"	2
24 IN 12	42'	1"	6	42'	1"	15	42'	2"	8	42'	3"	0	46'	1"	9	46'	2"	3	46'	2"	13	46'	3"	7
25 IN 12	43'	6"	4	43'	6"	13	43'	7"	7	43'	8"	0	47'	5"	1	47'	5"	11	47'	6"	5	47'	6"	15

18 Foot 11 Inch Run — Common Rafter Lengths   18 Foot 11 Inch Run — Hip Or Valley Rafter Lengths

Run -	18'11"			18'11 1/4"			18'11 1/2"			18'11 3/4"			18'11"			18'11 1/4"			18'11 1/2"			18'11 3/4"		
Pitch	Ft	In	16th	Ft	In	16th	Ft	In	16th	Ft	In	16th	Ft	In	16th	Ft	In	16th	Ft	In	16th	Ft	In	16th
1 IN 12	18'	11"	13	19'	0"	1	19'	0"	5	19'	0"	9	26'	9"	9	26'	9"	15	26'	10"	5	26'	10"	10
2 IN 12	19'	2"	2	19'	2"	6	19'	2"	10	19'	2"	14	26'	11"	4	26'	11"	10	26'	11"	15	27'	0"	5
2.5 IN 12	19'	3"	14	19'	4"	2	19'	4"	6	19'	4"	10	27'	0"	8	27'	0"	14	27'	1"	3	27'	1"	9
3 IN 12	19'	6"	0	19'	6"	4	19'	6"	8	19'	6"	12	27'	2"	0	27'	2"	6	27'	2"	12	27'	3"	1
3.5 IN 12	19'	8"	7	19'	8"	12	19'	9"	0	19'	9"	4	27'	3"	13	27'	4"	2	27'	4"	8	27'	4"	14
4 IN 12	19'	11"	4	19'	11"	9	19'	11"	13	20'	0"	1	27'	5"	13	27'	6"	3	27'	6"	9	27'	6"	15
4.5 IN 12	20'	2"	7	20'	2"	11	20'	3"	0	20'	3"	4	27'	8"	2	27'	8"	8	27'	8"	14	27'	9"	3
5 IN 12	20'	5"	15	20'	6"	3	20'	6"	7	20'	6"	12	27'	10"	11	27'	11"	1	27'	11"	7	27'	11"	12
5.5 IN 12	20'	9"	11	20'	10"	0	20'	10"	4	20'	10"	9	28'	1"	7	28'	1"	13	28'	2"	3	28'	2"	9
6 IN 12	21'	1"	13	21'	2"	1	21'	2"	6	21'	2"	10	28'	4"	8	28'	4"	14	28'	5"	4	28'	5"	10
6.5 IN 12	21'	6"	3	21'	6"	7	21'	6"	12	21'	7"	0	28'	7"	12	28'	8"	2	28'	8"	8	28'	8"	14
7 IN 12	21'	10"	13	21'	11"	1	21'	11"	6	21'	11"	11	28'	11"	4	28'	11"	10	29'	0"	0	29'	0"	7
8 IN 12	22'	8"	13	22'	9"	2	22'	9"	7	22'	9"	12	29'	6"	15	29'	7"	5	29'	7"	11	29'	8"	1
9 IN 12	23'	7"	0	23'	8"	1	23'	8"	6	23'	8"	11	30'	3"	6	30'	3"	12	30'	4"	3	30'	4"	9
10 IN 12	24'	7"	8	24'	7"	13	24'	8"	2	24'	8"	7	31'	0"	10	31'	1"	0	31'	1"	7	31'	1"	14
11 IN 12	25'	7"	15	25'	8"	4	25'	8"	10	25'	8"	15	31'	10"	9	31'	11"	0	31'	11"	7	31'	11"	13
12 IN 12	26'	9"	0	26'	9"	6	26'	9"	12	26'	10"	1	32'	9"	3	32'	9"	10	32'	10"	1	32'	10"	8
13 IN 12	27'	10"	11	27'	11"	1	27'	11"	7	27'	11"	12	33'	8"	6	33'	8"	13	33'	9"	5	33'	9"	12
14 IN 12	29'	0"	13	29'	1"	3	29'	1"	9	29'	1"	15	34'	8"	3	34'	8"	10	34'	9"	1	34'	9"	9
15 IN 12	30'	3"	6	30'	3"	12	30'	4"	3	30'	4"	9	35'	8"	7	35'	8"	15	35'	9"	6	35'	9"	14
16 IN 12	31'	6"	5	31'	6"	12	31'	7"	3	31'	7"	9	36'	9"	3	36'	9"	11	36'	10"	3	36'	10"	11
17 IN 12	32'	9"	10	32'	10"	1	32'	10"	8	32'	10"	15	37'	10"	6	37'	10"	14	37'	11"	6	37'	11"	14
18 IN 12	34'	1"	4	34'	1"	11	34'	2"	2	34'	2"	9	39'	0"	0	39'	0"	8	39'	1"	0	39'	1"	8
19 IN 12	35'	5"	2	35'	5"	9	35'	6"	1	35'	6"	8	40'	1"	15	40'	2"	7	40'	3"	0	40'	3"	8
20 IN 12	36'	9"	3	36'	9"	11	36'	10"	3	36'	10"	11	41'	4"	3	41'	4"	12	41'	5"	4	41'	5"	13
21 IN 12	38'	1"	9	38'	2"	1	38'	2"	9	38'	3"	1	42'	6"	12	42'	7"	5	42'	7"	14	42'	8"	7
22 IN 12	39'	6"	1	39'	6"	9	39'	7"	2	39'	7"	10	43'	9"	10	43'	10"	3	43'	10"	12	43'	11"	5
23 IN 12	40'	10"	10	40'	11"	1	40'	11"	11	41'	0"	6	45'	0"	11	45'	1"	5	45'	1"	14	45'	2"	8
24 IN 12	42'	3"	9	42'	4"	2	42'	4"	11	42'	5"	4	46'	4"	1	46'	4"	10	46'	5"	4	46'	5"	14
25 IN 12	43'	8"	9	43'	9"	2	43'	9"	12	43'	10"	5	47'	7"	9	47'	8"	3	47'	8"	13	47'	9"	8

19 Foot 0 Inch Run — Common Rafter Lengths | 19 Foot 0 Inch Run — Hip Or Valley Rafter Lengths

Run - Pitch	19' 0" (Ft In 16th")	19' 0 1/4" (Ft In 16th")	19' 0 1/2" (Ft In 16th")	19' 0 3/4" (Ft In 16th")	19' 0" (Ft In 16th")	19' 0 1/4" (Ft In 16th")	19' 0 1/2" (Ft In 16th")	19' 0 3/4" (Ft In 16th")
1 IN 12	19' 0" 13	19' 1" 1	19' 1" 5	19' 1" 9	26' 11" 0	26' 11" 6	26' 11" 11	27' 0" 1
2 IN 12	19' 3" 2	19' 3" 6	19' 3" 10	19' 3" 14	27' 0" 11	27' 1" 0	27' 1" 6	27' 1" 12
2.5 IN 12	19' 4" 14	19' 5" 2	19' 5" 6	19' 5" 11	27' 1" 15	27' 2" 4	27' 2" 10	27' 3" 0
3 IN 12	19' 7" 0	19' 7" 4	19' 7" 9	19' 7" 13	27' 3" 7	27' 3" 13	27' 4" 3	27' 4" 8
3.5 IN 12	19' 9" 8	19' 9" 12	19' 10" 0	19' 10" 5	27' 5" 4	27' 5" 9	27' 5" 15	27' 6" 5
4 IN 12	20' 0" 5	20' 0" 10	20' 0" 14	20' 1" 2	27' 7" 4	27' 7" 10	27' 8" 0	27' 8" 6
4.5 IN 12	20' 3" 8	20' 3" 12	20' 4" 1	20' 4" 5	27' 9" 9	27' 9" 15	27' 10" 5	27' 10" 11
5 IN 12	20' 7" 0	20' 7" 4	20' 7" 9	20' 7" 13	28' 0" 2	28' 0" 8	28' 0" 14	28' 1" 4
5.5 IN 12	20' 10" 13	20' 11" 1	20' 11" 6	20' 11" 10	28' 2" 15	28' 3" 5	28' 3" 11	28' 4" 1
6 IN 12	21' 2" 15	21' 3" 3	21' 3" 8	21' 3" 12	28' 6" 0	28' 6" 6	28' 6" 12	28' 7" 2
6.5 IN 12	21' 7" 5	21' 7" 9	21' 7" 14	21' 8" 2	28' 9" 5	28' 9" 11	28' 10" 1	28' 10" 7
7 IN 12	21' 11" 15	22' 0" 4	22' 0" 9	22' 0" 13	29' 0" 13	29' 1" 3	29' 1" 9	29' 1" 15
8 IN 12	22' 10" 0	22' 10" 5	22' 10" 10	22' 10" 15	29' 8" 8	29' 8" 14	29' 9" 4	29' 9" 10
9 IN 12	23' 9" 0	23' 9" 5	23' 9" 10	23' 9" 15	30' 5" 0	30' 5" 6	30' 5" 12	30' 6" 3
10 IN 12	24' 8" 13	24' 9" 2	24' 9" 7	24' 9" 12	31' 2" 4	31' 2" 11	31' 3" 1	31' 3" 8
11 IN 12	25' 9" 5	25' 9" 10	25' 10" 0	25' 10" 5	32' 0" 4	32' 0" 11	32' 1" 2	32' 1" 8
12 IN 12	26' 10" 7	26' 10" 13	26' 11" 2	26' 11" 8	32' 10" 15	32' 11" 5	32' 11" 12	33' 0" 3
13 IN 12	28' 0" 2	28' 0" 8	28' 0" 14	28' 1" 4	33' 10" 3	33' 10" 10	33' 11" 1	33' 11" 8
14 IN 12	29' 2" 5	29' 2" 12	29' 3" 2	29' 3" 8	34' 10" 0	34' 10" 7	34' 10" 15	34' 11" 6
15 IN 12	30' 5" 0	30' 5" 6	30' 5" 12	30' 6" 3	35' 10" 5	35' 10" 13	35' 11" 5	35' 11" 12
16 IN 12	31' 8" 0	31' 8" 7	31' 8" 13	31' 9" 4	36' 11" 2	36' 11" 10	37' 0" 2	37' 0" 10
17 IN 12	32' 11" 6	32' 11" 13	33' 0" 4	33' 0" 11	38' 0" 6	38' 0" 14	38' 1" 6	38' 1" 14
18 IN 12	34' 3" 1	34' 3" 8	34' 3" 15	34' 4" 6	39' 2" 1	39' 2" 9	39' 3" 1	39' 3" 9
19 IN 12	35' 7" 0	35' 7" 7	35' 7" 15	35' 8" 6	40' 4" 1	40' 4" 9	40' 5" 2	40' 5" 10
20 IN 12	36' 11" 2	36' 11" 10	37' 0" 2	37' 0" 10	41' 6" 6	41' 6" 15	41' 7" 7	41' 8" 0
21 IN 12	38' 3" 9	38' 4" 1	38' 4" 9	38' 5" 1	42' 9" 0	42' 9" 9	42' 10" 2	42' 10" 11
22 IN 12	39' 8" 2	39' 8" 11	39' 9" 3	39' 9" 11	43' 11" 15	44' 0" 8	44' 1" 1	44' 1" 10
23 IN 12	41' 0" 14	41' 1" 7	41' 2" 0	41' 2" 8	45' 3" 1	45' 3" 11	45' 4" 4	45' 4" 14
24 IN 12	42' 5" 13	42' 6" 6	42' 6" 15	42' 7" 8	46' 6" 8	46' 7" 2	46' 7" 11	46' 8" 5
25 IN 12	43' 10" 14	43' 11" 7	44' 0" 1	44' 0" 10	47' 10" 2	47' 10" 12	47' 11" 6	48' 0" 0

19 Foot 1 Inch Run — Common Rafter Lengths   19 Foot 1 Inch Run — Hip Or Valley Rafter Lengths

Run -	19' 1"			19' 1 1/4"			19' 1 1/2"			19' 1 3/4"			19' 1"			19' 1 1/4"			19' 1 1/2"			19' 1 3/4"		
Pitch	Ft	In	16th"	Ft	In	16th"	Ft	In	16th"	Ft	In	16th"	Ft	In	16th"	Ft	In	16th"	Ft	In	16th"	Ft	In	16th"
1 IN 12	19'	1"	13	19'	2"	1	19'	2"	5	19'	2"	9	27'	0"	7	27'	0"	12	27'	1"	2	27'	1"	8
2 IN 12	19'	4"	3	19'	4"	7	19'	4"	11	19'	4"	15	27'	2"	2	27'	2"	7	27'	2"	13	27'	3"	3
2.5 IN 12	19'	5"	15	19'	6"	3	19'	6"	7	19'	6"	11	27'	3"	6	27'	3"	11	27'	4"	1	27'	4"	7
3 IN 12	19'	8"	1	19'	8"	5	19'	8"	9	19'	8"	13	27'	4"	14	27'	5"	4	27'	5"	10	27'	5"	15
3.5 IN 12	19'	10"	9	19'	10"	13	19'	11"	1	19'	11"	5	27'	6"	11	27'	7"	1	27'	7"	6	27'	7"	12
4 IN 12	20'	1"	6	20'	1"	10	20'	1"	15	20'	2"	3	27'	8"	12	27'	9"	1	27'	9"	7	27'	9"	13
4.5 IN 12	20'	4"	9	20'	4"	13	20'	5"	2	20'	5"	6	27'	11"	1	27'	11"	7	27'	11"	13	28'	0"	2
5 IN 12	20'	8"	1	20'	8"	6	20'	8"	10	20'	8"	14	28'	1"	10	28'	2"	0	28'	2"	6	28'	2"	12
5.5 IN 12	20'	11"	15	21'	0"	3	21'	0"	7	21'	0"	12	28'	4"	7	28'	4"	13	28'	5"	3	28'	5"	9
6 IN 12	21'	4"	0	21'	4"	5	21'	4"	9	21'	4"	14	28'	7"	8	28'	7"	14	28'	8"	4	28'	8"	10
6.5 IN 12	21'	8"	7	21'	8"	12	21'	9"	0	21'	9"	5	28'	10"	13	28'	11"	3	28'	11"	9	28'	11"	15
7 IN 12	22'	1"	2	22'	1"	6	22'	1"	11	22'	2"	0	29'	2"	5	29'	2"	11	29'	3"	1	29'	3"	8
8 IN 12	22'	11"	4	22'	11"	8	22'	11"	13	23'	0"	2	29'	10"	1	29'	10"	7	29'	10"	13	29'	11"	3
9 IN 12	23'	10"	4	23'	10"	9	23'	10"	14	23'	11"	3	30'	6"	9	30'	7"	0	30'	7"	6	30'	7"	12
10 IN 12	24'	10"	1	24'	10"	7	24'	10"	12	24'	11"	1	31'	3"	14	31'	4"	5	31'	4"	12	31'	5"	2
11 IN 12	25'	10"	10	25'	11"	0	25'	11"	5	25'	11"	11	32'	1"	15	32'	2"	6	32'	2"	12	32'	3"	3
12 IN 12	26'	11"	14	27'	0"	3	27'	0"	9	27'	0"	15	33'	0"	10	33'	1"	1	33'	1"	8	33'	1"	15
13 IN 12	28'	1"	10	28'	2"	0	28'	2"	6	28'	2"	12	33'	11"	15	34'	0"	6	34'	0"	14	34'	1"	5
14 IN 12	29'	3"	14	29'	4"	4	29'	4"	10	29'	5"	1	34'	11"	13	35'	0"	5	35'	0"	12	35'	1"	3
15 IN 12	30'	6"	9	30'	7"	0	30'	7"	6	30'	7"	12	36'	0"	4	36'	0"	11	36'	1"	3	36'	1"	10
16 IN 12	31'	9"	11	31'	10"	1	31'	10"	8	31'	10"	15	37'	1"	2	37'	1"	9	37'	2"	1	37'	2"	9
17 IN 12	33'	1"	2	33'	1"	9	33'	1"	15	33'	2"	6	38'	2"	6	38'	2"	14	38'	3"	6	38'	3"	14
18 IN 12	34'	4"	13	34'	5"	5	34'	5"	12	34'	6"	3	39'	4"	2	39'	4"	10	39'	5"	2	39'	5"	10
19 IN 12	35'	8"	14	35'	9"	5	35'	9"	12	35'	10"	4	40'	6"	3	40'	6"	11	40'	7"	3	40'	7"	12
20 IN 12	37'	1"	2	37'	1"	9	37'	2"	1	37'	2"	9	41'	8"	9	41'	9"	2	41'	9"	10	41'	10"	3
21 IN 12	38'	5"	9	38'	6"	1	38'	6"	9	38'	7"	1	42'	11"	4	42'	11"	13	43'	0"	6	43'	0"	15
22 IN 12	39'	10"	4	39'	10"	12	39'	11"	4	39'	11"	13	44'	2"	4	44'	2"	13	44'	3"	6	44'	3"	15
23 IN 12	41'	3"	1	41'	3"	10	41'	4"	2	41'	4"	11	45'	5"	7	45'	6"	1	45'	6"	10	45'	7"	4
24 IN 12	42'	8"	1	42'	8"	10	42'	9"	3	42'	9"	12	46'	8"	15	46'	9"	9	46'	10"	3	46'	10"	12
25 IN 12	44'	1"	3	44'	1"	12	44'	2"	6	44'	2"	15	48'	0"	10	48'	1"	4	48'	1"	14	48'	2"	8

19 Foot 2 Inch Run — Common Rafter Lengths   19 Foot 2 Inch Run — Hip Or Valley Rafter Lengths

Run - Pitch	19' 2" (Ft In 16th")	19' 2 1/4" (Ft In 16th")	19' 2 1/2" (Ft In 16th")	19' 2 3/4" (Ft In 16th")	19' 2" (Ft In 16th")	19' 2 1/4" (Ft In 16th")	19' 2 1/2" (Ft In 16th")	19' 2 3/4" (Ft In 16th")
1 IN 12	19' 2" 13	19' 3" 1	19' 3" 5	19' 3" 9	27' 1" 13	27' 2" 3	27' 2" 9	27' 2" 14
2 IN 12	19' 5" 3	19' 5" 7	19' 5" 11	19' 5" 15	27' 3" 8	27' 3" 14	27' 4" 4	27' 4" 9
2.5 IN 12	19' 6" 15	19' 7" 3	19' 7" 7	19' 7" 11	27' 4" 12	27' 5" 2	27' 5" 8	27' 5" 14
3 IN 12	19' 9" 1	19' 9" 5	19' 9" 10	19' 9" 14	27' 6" 5	27' 6" 11	27' 7" 0	27' 7" 6
3.5 IN 12	19' 11" 9	19' 11" 14	20' 0" 2	20' 0" 6	27' 8" 2	27' 8" 8	27' 8" 13	27' 9" 3
4 IN 12	20' 2" 7	20' 2" 11	20' 2" 15	20' 3" 4	27' 10" 3	27' 10" 9	27' 10" 15	27' 11" 4
4.5 IN 12	20' 5" 10	20' 5" 15	20' 6" 3	20' 6" 7	28' 0" 8	28' 0" 14	28' 1" 4	28' 1" 10
5 IN 12	20' 9" 3	20' 9" 7	20' 9" 11	20' 10" 0	28' 3" 1	28' 3" 7	28' 3" 13	28' 4" 3
5.5 IN 12	21' 1" 0	21' 1" 5	21' 1" 9	21' 1" 13	28' 5" 15	28' 6" 5	28' 6" 11	28' 7" 1
6 IN 12	21' 5" 2	21' 5" 7	21' 5" 11	21' 6" 0	28' 9" 0	28' 9" 6	28' 9" 12	28' 10" 2
6.5 IN 12	21' 9" 9	21' 9" 14	21' 10" 2	21' 10" 7	29' 0" 5	29' 0" 11	29' 1" 1	29' 1" 7
7 IN 12	22' 2" 4	22' 2" 9	22' 2" 14	22' 3" 2	29' 3" 14	29' 4" 4	29' 4" 10	29' 5" 0
8 IN 12	23' 0" 7	23' 0" 12	23' 1" 0	23' 1" 5	29' 11" 10	30' 0" 0	30' 0" 6	30' 0" 12
9 IN 12	23' 11" 8	23' 11" 13	24' 0" 2	24' 0" 7	30' 8" 3	30' 8" 9	30' 9" 0	30' 9" 6
10 IN 12	24' 11" 6	24' 11" 11	25' 0" 1	25' 0" 6	31' 5" 9	31' 5" 15	31' 6" 6	31' 6" 12
11 IN 12	26' 0" 0	26' 0" 6	26' 0" 11	26' 1" 0	32' 3" 10	32' 4" 1	32' 4" 7	32' 4" 14
12 IN 12	27' 1" 4	27' 1" 10	27' 2" 0	27' 2" 5	33' 2" 6	33' 2" 13	33' 3" 4	33' 3" 11
13 IN 12	28' 3" 1	28' 3" 7	28' 3" 13	28' 4" 3	34' 1" 12	34' 2" 3	34' 2" 10	34' 3" 1
14 IN 12	29' 5" 7	29' 5" 13	29' 6" 3	29' 6" 9	35' 1" 11	35' 2" 2	35' 2" 9	35' 3" 1
15 IN 12	30' 8" 3	30' 8" 9	30' 9" 0	30' 9" 6	36' 2" 2	36' 2" 9	36' 3" 1	36' 3" 8
16 IN 12	31' 11" 5	31' 11" 12	32' 0" 3	32' 0" 9	37' 3" 1	37' 3" 8	37' 4" 0	37' 4" 8
17 IN 12	33' 2" 13	33' 3" 4	33' 3" 11	33' 4" 2	38' 4" 6	38' 4" 14	38' 5" 6	38' 5" 14
18 IN 12	34' 6" 10	34' 7" 1	34' 7" 9	34' 8" 0	39' 6" 3	39' 6" 11	39' 7" 3	39' 7" 11
19 IN 12	35' 10" 11	35' 11" 3	35' 11" 10	36' 0" 2	40' 8" 4	40' 8" 13	40' 9" 5	40' 9" 14
20 IN 12	37' 3" 1	37' 3" 8	37' 4" 0	37' 4" 8	41' 10" 12	41' 11" 5	41' 11" 13	42' 0" 6
21 IN 12	38' 7" 9	38' 8" 1	38' 8" 9	38' 9" 1	43' 1" 8	43' 2" 1	43' 2" 10	43' 3" 3
22 IN 12	40' 0" 5	40' 0" 13	40' 1" 6	40' 1" 14	44' 4" 9	44' 5" 2	44' 5" 11	44' 6" 4
23 IN 12	41' 5" 4	41' 5" 12	41' 6" 5	41' 6" 14	45' 7" 14	45' 8" 7	45' 9" 1	45' 9" 10
24 IN 12	42' 10" 5	42' 10" 14	42' 11" 7	43' 0" 0	46' 11" 6	47' 0" 0	47' 0" 10	47' 1" 4
25 IN 12	44' 3" 8	44' 4" 1	44' 4" 11	44' 5" 4	48' 3" 2	48' 3" 12	48' 4" 6	48' 5" 0

19 Foot 3 Inch Run — Common Rafter Lengths / 19 Foot 3 Inch Run — Hip Or Valley Rafter Lengths

Run -	19' 3"			19' 3 1/4"			19' 3 1/2"			19' 3 3/4"			19' 3"			19' 3 1/4"			19' 3 1/2"			19' 3 3/4"		
Pitch	Ft	In	16th"	Ft	In	16th"	Ft	In	16th"	Ft	In	16th"	Ft	In	16th"	Ft	In	16th"	Ft	In	16th"	Ft	In	16th"
1 IN 12	19'	3"	13	19'	4"	1	19'	4"	5	19'	4"	9	27'	3"	4	27'	3"	10	27'	3"	15	27'	4"	5
2 IN 12	19'	6"	3	19'	6"	7	19'	6"	11	19'	6"	15	27'	4"	15	27'	5"	5	27'	5"	10	27'	6"	0
2.5 IN 12	19'	7"	15	19'	8"	3	19'	8"	8	19'	8"	12	27'	6"	3	27'	6"	9	27'	6"	15	27'	7"	4
3 IN 12	19'	10"	2	19'	10"	6	19'	10"	10	19'	10"	14	27'	7"	12	27'	8"	2	27'	8"	7	27'	8"	13
3.5 IN 12	20'	0"	10	20'	0"	14	20'	1"	2	20'	1"	7	27'	9"	9	27'	9"	15	27'	10"	4	27'	10"	10
4 IN 12	20'	3"	8	20'	3"	12	20'	4"	0	20'	4"	5	27'	11"	10	28'	0"	0	28'	0"	6	28'	0"	12
4.5 IN 12	20'	6"	11	20'	7"	0	20'	7"	4	20'	7"	8	28'	2"	0	28'	2"	5	28'	2"	11	28'	3"	1
5 IN 12	20'	10"	4	20'	10"	8	20'	10"	13	20'	11"	1	28'	4"	9	28'	4"	15	28'	5"	5	28'	5"	11
5.5 IN 12	21'	2"	2	21'	2"	6	21'	2"	11	21'	2"	15	28'	7"	7	28'	7"	13	28'	8"	2	28'	8"	8
6 IN 12	21'	6"	4	21'	6"	9	21'	6"	13	21'	7"	2	28'	10"	8	28'	10"	14	28'	11"	4	28'	11"	10
6.5 IN 12	21'	10"	11	21'	11"	0	21'	11"	4	21'	11"	9	29'	1"	13	29'	2"	3	29'	2"	9	29'	2"	15
7 IN 12	22'	3"	7	22'	3"	12	22'	4"	0	22'	4"	5	29'	5"	6	29'	5"	12	29'	6"	2	29'	6"	8
8 IN 12	23'	1"	10	23'	1"	15	23'	2"	4	23'	2"	8	30'	1"	3	30'	1"	9	30'	1"	15	30'	2"	5
9 IN 12	24'	0"	12	24'	1"	1	24'	1"	6	24'	1"	11	30'	9"	12	30'	10"	3	30'	10"	9	30'	11"	0
10 IN 12	25'	0"	11	25'	1"	0	25'	1"	6	25'	1"	11	31'	7"	3	31'	7"	9	31'	8"	0	31'	8"	7
11 IN 12	26'	1"	6	26'	1"	11	26'	2"	1	26'	2"	6	32'	5"	5	32'	5"	12	32'	6"	2	32'	6"	9
12 IN 12	27'	2"	11	27'	3"	1	27'	3"	6	27'	3"	12	33'	4"	2	33'	4"	9	33'	5"	0	33'	5"	6
13 IN 12	28'	4"	9	28'	4"	15	28'	5"	5	28'	5"	11	34'	3"	8	34'	3"	15	34'	4"	7	34'	4"	14
14 IN 12	29'	6"	15	29'	7"	5	29'	7"	12	29'	8"	2	35'	3"	8	35'	3"	15	35'	4"	7	35'	4"	14
15 IN 12	30'	9"	12	30'	10"	3	30'	10"	9	30'	11"	0	36'	4"	0	36'	4"	8	36'	4"	15	36'	5"	7
16 IN 12	32'	1"	0	32'	1"	7	32'	1"	13	32'	2"	4	37'	5"	0	37'	5"	8	37'	5"	15	37'	6"	7
17 IN 12	33'	4"	9	33'	5"	0	33'	5"	7	33'	5"	14	38'	6"	6	38'	6"	14	38'	7"	6	38'	7"	14
18 IN 12	34'	8"	7	34'	8"	14	34'	9"	5	34'	9"	13	39'	8"	3	39'	8"	12	39'	9"	4	39'	9"	12
19 IN 12	36'	0"	9	36'	1"	1	36'	1"	8	36'	2"	0	40'	10"	6	40'	10"	15	40'	11"	7	41'	0"	0
20 IN 12	37'	5"	0	37'	5"	8	37'	5"	15	37'	6"	7	42'	0"	15	42'	1"	8	42'	2"	0	42'	2"	9
21 IN 12	38'	9"	10	38'	10"	2	38'	10"	10	38'	11"	2	43'	3"	12	43'	4"	5	43'	4"	14	43'	5"	7
22 IN 12	40'	2"	6	40'	2"	15	40'	3"	7	40'	4"	0	44'	6"	14	44'	7"	7	44'	8"	0	44'	8"	10
23 IN 12	41'	7"	6	41'	7"	15	41'	8"	8	41'	9"	0	45'	10"	4	45'	10"	13	45'	11"	7	46'	0"	0
24 IN 12	43'	0"	9	43'	1"	1	43'	1"	10	43'	2"	3	47'	1"	13	47'	2"	7	47'	3"	1	47'	3"	11
25 IN 12	44'	5"	13	44'	6"	6	44'	7"	0	44'	7"	9	48'	5"	10	48'	6"	5	48'	6"	15	48'	7"	9

Run -	19' 4"			19' 4 1/4"			19' 4 1/2"			19' 4 3/4"			19' 4"			19' 4 1/4"			19' 4 1/2"			19' 4 3/4"		
Pitch	Ft	In	16th"	Ft	In	16th"	Ft	In	16th"	Ft	In	16th"	Ft	In	16th"	Ft	In	16th"	Ft	In	16th"	Ft	In	16th"
1 IN 12	19'	4"	13	19'	5"	1	19'	5"	5	19'	5"	9	27'	4"	11	27'	5"	0	27'	5"	6	27'	5"	12
2 IN 12	19'	7"	3	19'	7"	7	19'	7"	11	19'	7"	15	27'	6"	6	27'	6"	12	27'	7"	1	27'	7"	7
2.5 IN 12	19'	9"	0	19'	9"	4	19'	9"	8	19'	9"	12	27'	7"	10	27'	8"	0	27'	8"	6	27'	8"	11
3 IN 12	19'	11"	2	19'	11"	6	19'	11"	10	19'	11"	15	27'	9"	3	27'	9"	9	27'	9"	14	27'	10"	4
3.5 IN 12	20'	1"	11	20'	1"	15	20'	2"	3	20'	2"	7	27'	11"	0	27'	11"	6	27'	11"	12	28'	0"	1
4 IN 12	20'	4"	9	20'	4"	13	20'	5"	1	20'	5"	5	28'	1"	1	28'	1"	7	28'	1"	13	28'	2"	3
4.5 IN 12	20'	7"	12	20'	8"	1	20'	8"	5	20'	8"	9	28'	3"	7	28'	3"	13	28'	4"	3	28'	4"	9
5 IN 12	20'	11"	5	20'	11"	10	20'	11"	14	21'	0"	2	28'	6"	1	28'	6"	7	28'	6"	12	28'	7"	2
5.5 IN 12	21'	3"	3	21'	3"	8	21'	3"	12	21'	4"	1	28'	8"	14	28'	9"	4	28'	9"	10	28'	10"	0
6 IN 12	21'	7"	6	21'	7"	11	21'	7"	15	21'	8"	4	29'	0"	0	29'	0"	6	29'	0"	12	29'	1"	2
6.5 IN 12	21'	11"	14	22'	0"	2	22'	0"	7	22'	0"	11	29'	3"	5	29'	3"	12	29'	4"	2	29'	4"	8
7 IN 12	22'	4"	9	22'	4"	14	22'	5"	3	22'	5"	7	29'	6"	15	29'	7"	5	29'	7"	11	29'	8"	1
8 IN 12	23'	2"	13	23'	3"	2	23'	3"	7	23'	3"	12	30'	2"	12	30'	3"	2	30'	3"	8	30'	3"	14
9 IN 12	24'	2"	0	24'	2"	5	24'	2"	10	24'	2"	15	30'	11"	6	30'	11"	13	31'	0"	3	31'	0"	9
10 IN 12	25'	2"	0	25'	2"	5	25'	2"	10	25'	3"	0	31'	8"	13	31'	9"	4	31'	9"	10	31'	10"	1
11 IN 12	26'	2"	12	26'	3"	1	26'	3"	6	26'	3"	12	32'	7"	0	32'	7"	7	32'	7"	13	32'	8"	4
12 IN 12	27'	4"	2	27'	4"	7	27'	4"	13	27'	5"	3	33'	5"	13	33'	6"	4	33'	6"	11	33'	7"	2
13 IN 12	28'	6"	1	28'	6"	7	28'	6"	12	28'	7"	2	34'	5"	5	34'	5"	12	34'	6"	3	34'	6"	10
14 IN 12	29'	8"	8	29'	8"	14	29'	9"	4	29'	9"	10	35'	5"	5	35'	5"	13	35'	6"	4	35'	6"	11
15 IN 12	30'	11"	6	30'	11"	13	31'	0"	3	31'	0"	9	36'	5"	14	36'	6"	6	36'	6"	13	36'	7"	5
16 IN 12	32'	2"	11	32'	3"	1	32'	3"	8	32'	3"	15	37'	6"	15	37'	7"	7	37'	7"	14	37'	8"	6
17 IN 12	33'	6"	5	33'	6"	12	33'	7"	3	33'	7"	10	38'	8"	6	38'	8"	14	38'	9"	6	38'	9"	14
18 IN 12	34'	10"	4	34'	10"	11	34'	11"	2	34'	11"	10	39'	10"	4	39'	10"	13	39'	11"	5	39'	11"	13
19 IN 12	36'	2"	7	36'	2"	15	36'	3"	6	36'	3"	14	41'	0"	8	41'	1"	1	41'	1"	9	41'	2"	2
20 IN 12	37'	6"	15	37'	7"	7	37'	7"	14	37'	8"	6	42'	3"	2	42'	3"	10	42'	4"	3	42'	4"	12
21 IN 12	38'	11"	10	39'	0"	2	39'	0"	10	39'	1"	2	43'	6"	0	43'	6"	9	43'	7"	2	43'	7"	11
22 IN 12	40'	4"	8	40'	5"	0	40'	5"	9	40'	6"	1	44'	9"	3	44'	9"	12	44'	10"	5	44'	10"	15
23 IN 12	41'	9"	9	41'	10"	1	41'	10"	10	41'	11"	3	46'	0"	10	46'	1"	3	46'	1"	13	46'	2"	6
24 IN 12	43'	2"	12	43'	3"	5	43'	3"	14	43'	4"	7	47'	4"	5	47'	4"	14	47'	5"	8	47'	6"	2
25 IN 12	44'	8"	2	44'	8"	11	44'	9"	5	44'	9"	14	48'	8"	3	48'	8"	13	48'	9"	7	48'	10"	1

19 Foot 5 Inch Run — Common Rafter Lengths

Run - Pitch	19' 5" Ft In 16th"	19' 5 1/4" Ft In 16th"	19' 5 1/2" Ft In 16th"	19' 5 3/4" Ft In 16th"
1 IN 12	19' 5" 13	19' 6" 1	19' 6" 5	19' 6" 9
2 IN 12	19' 8" 3	19' 8" 7	19' 8" 12	19' 9" 0
2.5 IN 12	19' 10" 0	19' 10" 4	19' 10" 8	19' 10" 12
3 IN 12	20' 0" 3	20' 0" 7	20' 0" 11	20' 0" 15
3.5 IN 12	20' 2" 11	20' 3" 0	20' 3" 4	20' 3" 8
4 IN 12	20' 5" 10	20' 5" 14	20' 6" 2	20' 6" 6
4.5 IN 12	20' 8" 14	20' 9" 2	20' 9" 6	20' 9" 10
5 IN 12	21' 0" 7	21' 0" 11	21' 0" 15	21' 1" 4
5.5 IN 12	21' 4" 4	21' 4" 9	21' 4" 14	21' 5" 2
6 IN 12	21' 8" 8	21' 8" 13	21' 9" 1	21' 9" 5
6.5 IN 12	22' 1" 0	22' 1" 4	22' 1" 9	22' 1" 13
7 IN 12	22' 5" 12	22' 6" 1	22' 6" 5	22' 6" 10
8 IN 12	23' 4" 0	23' 4" 5	23' 4" 10	23' 4" 15
9 IN 12	24' 3" 4	24' 3" 9	24' 3" 14	24' 4" 3
10 IN 12	25' 3" 5	25' 3" 10	25' 3" 15	25' 4" 4
11 IN 12	26' 4" 1	26' 4" 7	26' 4" 12	26' 5" 2
12 IN 12	27' 5" 8	27' 5" 14	27' 6" 4	27' 6" 9
13 IN 12	28' 7" 8	28' 7" 14	28' 8" 4	28' 8" 10
14 IN 12	29' 10" 0	29' 10" 7	29' 10" 13	29' 11" 3
15 IN 12	31' 1" 0	31' 1" 6	31' 1" 13	31' 2" 3
16 IN 12	32' 4" 5	32' 4" 12	32' 5" 3	32' 5" 9
17 IN 12	33' 8" 1	33' 8" 7	33' 8" 14	33' 9" 5
18 IN 12	35' 0" 1	35' 0" 8	35' 0" 15	35' 1" 6
19 IN 12	36' 4" 5	36' 4" 13	36' 5" 4	36' 5" 12
20 IN 12	37' 8" 14	37' 9" 6	37' 9" 13	37' 10" 5
21 IN 12	39' 1" 10	39' 2" 2	39' 2" 10	39' 3" 2
22 IN 12	40' 6" 9	40' 7" 2	40' 7" 10	40' 8" 2
23 IN 12	41' 11" 11	42' 0" 4	42' 0" 13	42' 1" 5
24 IN 12	43' 5" 0	43' 5" 9	43' 6" 2	43' 6" 11
25 IN 12	44' 10" 7	44' 11" 0	44' 11" 10	45' 0" 3

19 Foot 5 Inch Run — Hip Or Valley Rafter Lengths

Pitch	19' 5" Ft In 16th"	19' 5 1/4" Ft In 16th"	19' 5 1/2" Ft In 16th"	19' 5 3/4" Ft In 16th"
1 IN 12	27' 6" 1	27' 6" 7	27' 6" 13	27' 7" 2
2 IN 12	27' 7" 13	27' 8" 2	27' 8" 8	27' 8" 14
2.5 IN 12	27' 9" 1	27' 9" 7	27' 9" 13	27' 10" 2
3 IN 12	27' 10" 10	27' 11" 0	27' 11" 5	27' 11" 11
3.5 IN 12	28' 0" 7	28' 0" 13	28' 1" 3	28' 1" 8
4 IN 12	28' 2" 9	28' 2" 14	28' 3" 4	28' 3" 10
4.5 IN 12	28' 4" 14	28' 5" 4	28' 5" 10	28' 6" 0
5 IN 12	28' 7" 8	28' 7" 14	28' 8" 4	28' 8" 10
5.5 IN 12	28' 10" 6	28' 10" 12	28' 11" 2	28' 11" 8
6 IN 12	29' 1" 8	29' 1" 14	29' 2" 4	29' 2" 10
6.5 IN 12	29' 4" 14	29' 5" 4	29' 5" 10	29' 6" 0
7 IN 12	29' 8" 7	29' 8" 13	29' 9" 3	29' 9" 9
8 IN 12	30' 4" 5	30' 4" 11	30' 5" 1	30' 5" 7
9 IN 12	31' 1" 0	31' 1" 6	31' 1" 13	31' 2" 3
10 IN 12	31' 10" 7	31' 10" 14	31' 11" 5	31' 11" 11
11 IN 12	32' 8" 11	32' 9" 2	32' 9" 8	32' 9" 15
12 IN 12	33' 7" 9	33' 8" 0	33' 8" 7	33' 8" 14
13 IN 12	34' 7" 1	34' 7" 8	34' 8" 0	34' 8" 7
14 IN 12	35' 7" 3	35' 7" 10	35' 8" 1	35' 8" 9
15 IN 12	36' 7" 12	36' 8" 4	36' 8" 12	36' 9" 3
16 IN 12	37' 8" 14	37' 9" 6	37' 9" 13	37' 10" 5
17 IN 12	38' 10" 6	38' 10" 14	38' 11" 6	38' 11" 14
18 IN 12	40' 0" 5	40' 0" 14	40' 1" 6	40' 1" 14
19 IN 12	41' 2" 10	41' 3" 3	41' 3" 11	41' 4" 4
20 IN 12	42' 5" 5	42' 5" 13	42' 6" 6	42' 6" 15
21 IN 12	43' 8" 4	43' 8" 13	43' 9" 6	43' 9" 15
22 IN 12	44' 11" 8	45' 0" 1	45' 0" 10	45' 1" 4
23 IN 12	46' 3" 0	46' 3" 9	46' 4" 3	46' 4" 12
24 IN 12	47' 6" 12	47' 7" 5	47' 7" 15	47' 8" 9
25 IN 12	48' 10" 11	48' 11" 5	48' 11" 15	49' 0" 9

19 Foot 6 Inch Run — Common Rafter Lengths   19 Foot 6 Inch Run — Hip Or Valley Rafter Lengths

Run -	19' 6"	19' 6 1/4"	19' 6 1/2"	19' 6 3/4"	19' 6"	19' 6 1/4"	19' 6 1/2"	19' 6 3/4"
Pitch	Ft In 16th"	Ft In 16th"	Ft In 16th"	Ft In 16th"	Ft In 16th"	Ft In 16th"	Ft In 16th"	Ft In 16th"
1 IN 12	19' 6" 13	19' 7" 1	19' 7" 5	19' 7" 9	27' 7" 8	27' 7" 14	27' 8" 3	27' 8" 9
2 IN 12	19' 9" 4	19' 9" 8	19' 9" 12	19' 10" 0	27' 9" 3	27' 9" 9	27' 9" 15	27' 10" 5
2.5 IN 12	19' 11" 0	19' 11" 4	19' 11" 9	19' 11" 13	27' 10" 8	27' 10" 14	27' 11" 3	27' 11" 9
3 IN 12	20' 1" 3	20' 1" 7	20' 1" 11	20' 2" 0	28' 0" 1	28' 0" 7	28' 0" 12	28' 1" 2
3.5 IN 12	20' 3" 12	20' 4" 0	20' 4" 4	20' 4" 9	28' 1" 14	28' 2" 4	28' 2" 10	28' 3" 0
4 IN 12	20' 6" 11	20' 6" 15	20' 7" 3	20' 7" 7	28' 4" 0	28' 4" 6	28' 4" 12	28' 5" 1
4.5 IN 12	20' 9" 15	20' 10" 3	20' 10" 7	20' 10" 11	28' 6" 6	28' 6" 12	28' 7" 2	28' 7" 7
5 IN 12	21' 1" 8	21' 1" 12	21' 2" 1	21' 2" 5	28' 9" 0	28' 9" 6	28' 9" 12	28' 10" 2
5.5 IN 12	21' 5" 7	21' 5" 11	21' 5" 15	21' 6" 4	28' 11" 14	29' 0" 4	29' 0" 10	29' 1" 0
6 IN 12	21' 9" 10	21' 9" 14	21' 10" 3	21' 10" 7	29' 3" 0	29' 3" 6	29' 3" 12	29' 4" 2
6.5 IN 12	22' 2" 2	22' 2" 7	22' 2" 11	22' 3" 0	29' 6" 6	29' 6" 12	29' 7" 2	29' 7" 8
7 IN 12	22' 6" 14	22' 7" 3	22' 7" 8	22' 7" 12	29' 10" 0	29' 10" 6	29' 10" 12	29' 11" 2
8 IN 12	23' 5" 4	23' 5" 9	23' 5" 13	23' 6" 2	30' 5" 14	30' 6" 4	30' 6" 10	30' 7" 0
9 IN 12	24' 4" 8	24' 4" 13	24' 5" 2	24' 5" 7	31' 2" 9	31' 3" 0	31' 3" 6	31' 3" 13
10 IN 12	25' 4" 10	25' 4" 15	25' 5" 4	25' 5" 9	32' 0" 2	32' 0" 8	32' 0" 15	32' 1" 5
11 IN 12	26' 5" 7	26' 5" 12	26' 6" 2	26' 6" 7	32' 10" 6	32' 10" 13	32' 11" 3	32' 11" 10
12 IN 12	27' 6" 15	27' 7" 4	27' 7" 10	27' 8" 0	33' 9" 5	33' 9" 12	33' 10" 3	33' 10" 10
13 IN 12	28' 9" 0	28' 9" 6	28' 9" 12	28' 10" 2	34' 8" 14	34' 9" 5	34' 9" 12	34' 10" 3
14 IN 12	29' 11" 9	29' 11" 15	30' 0" 5	30' 0" 11	35' 9" 0	35' 9" 7	35' 9" 15	35' 10" 6
15 IN 12	31' 2" 9	31' 3" 0	31' 3" 6	31' 3" 13	36' 9" 11	36' 10" 2	36' 10" 10	36' 11" 1
16 IN 12	32' 6" 0	32' 6" 7	32' 6" 13	32' 7" 4	37' 10" 13	37' 11" 5	37' 11" 13	38' 0" 4
17 IN 12	33' 9" 12	33' 10" 3	33' 10" 10	33' 11" 1	39' 0" 6	39' 0" 15	39' 1" 7	39' 1" 15
18 IN 12	35' 1" 14	35' 2" 5	35' 2" 12	35' 3" 3	40' 2" 12	40' 2" 15	40' 3" 7	40' 3" 15
19 IN 12	36' 6" 3	36' 6" 11	36' 7" 2	36' 7" 10	41' 4" 12	41' 5" 5	41' 5" 13	41' 6" 6
20 IN 12	37' 10" 13	37' 11" 5	37' 11" 13	38' 0" 4	42' 7" 8	42' 8" 0	42' 8" 9	42' 9" 2
21 IN 12	39' 3" 10	39' 4" 2	39' 4" 10	39' 5" 2	43' 10" 8	43' 11" 1	43' 11" 10	44' 0" 3
22 IN 12	40' 8" 11	40' 9" 3	40' 9" 11	40' 10" 4	45' 1" 13	45' 2" 6	45' 2" 15	45' 3" 9
23 IN 12	42' 1" 14	42' 2" 7	42' 2" 15	42' 3" 8	46' 5" 6	46' 5" 15	46' 6" 9	46' 7" 3
24 IN 12	43' 7" 4	43' 7" 13	43' 8" 6	43' 8" 15	47' 9" 3	47' 9" 13	47' 10" 6	47' 11" 0
25 IN 12	45' 0" 12	45' 1" 5	45' 1" 15	45' 2" 8	49' 1" 3	49' 1" 13	49' 2" 8	49' 3" 2

19 Foot 7 Inch Run — Common Rafter Lengths   19 Foot 7 Inch Run — Hip Or Valley Rafter Lengths

Run -	19' 7"			19' 7 1/4"			19' 7 1/2"			19' 7 3/4"			19' 7"			19' 7 1/4"			19' 7 1/2"			19' 7 3/4"		
Pitch	Ft	In	16th"	Ft	In	16th"	Ft	In	16th"	Ft	In	16th"	Ft	In	16th"	Ft	In	16th"	Ft	In	16th"	Ft	In	16th"
1 IN 12	19'	7"	13	19'	8"	1	19'	8"	5	19'	8"	9	27'	8"	15	27'	9"	4	27'	9"	10	27'	10"	0
2 IN 12	19'	10"	4	19'	10"	8	19'	10"	12	19'	11"	0	27'	10"	10	27'	11"	0	27'	11"	6	27'	11"	11
2.5 IN 12	20'	0"	1	20'	0"	5	20'	0"	9	20'	0"	13	27'	11"	15	28'	0"	5	28'	0"	10	28'	1"	0
3 IN 12	20'	2"	4	20'	2"	8	20'	2"	12	20'	3"	0	28'	1"	7	28'	1"	14	28'	2"	3	28'	2"	9
3.5 IN 12	20'	4"	13	20'	5"	1	20'	5"	5	20'	5"	9	28'	3"	5	28'	3"	11	28'	4"	1	28'	4"	7
4 IN 12	20'	7"	11	20'	8"	0	20'	8"	4	20'	8"	8	28'	5"	7	28'	5"	13	28'	6"	3	28'	6"	9
4.5 IN 12	20'	11"	0	20'	11"	4	20'	11"	8	20'	11"	12	28'	7"	13	28'	8"	3	28'	8"	9	28'	8"	15
5 IN 12	21'	2"	9	21'	2"	14	21'	3"	2	21'	3"	6	28'	10"	7	28'	10"	13	28'	11"	3	28'	11"	9
5.5 IN 12	21'	6"	8	21'	6"	13	21'	7"	1	21'	7"	5	29'	1"	6	29'	1"	12	29'	2"	2	29'	2"	8
6 IN 12	21'	10"	12	21'	11"	0	21'	11"	5	21'	11"	9	29'	4"	8	29'	4"	14	29'	5"	4	29'	5"	10
6.5 IN 12	22'	3"	4	22'	3"	9	22'	3"	13	22'	4"	2	29'	7"	14	29'	8"	4	29'	8"	10	29'	9"	0
7 IN 12	22'	8"	1	22'	8"	6	22'	8"	10	22'	8"	15	29'	11"	6	29'	11"	14	30'	0"	4	30'	0"	10
8 IN 12	23'	6"	7	23'	6"	12	23'	7"	1	23'	7"	5	30'	7"	7	30'	7"	13	30'	8"	3	30'	8"	9
9 IN 12	24'	5"	12	24'	6"	1	24'	6"	6	24'	6"	11	31'	4"	3	31'	4"	9	31'	5"	0	31'	5"	6
10 IN 12	25'	5"	14	25'	6"	4	25'	6"	9	25'	6"	14	32'	1"	12	32'	2"	3	32'	2"	9	32'	3"	0
11 IN 12	26'	6"	13	26'	7"	2	26'	7"	8	26'	7"	13	33'	0"	1	33'	0"	8	33'	0"	14	33'	1"	5
12 IN 12	27'	8"	5	27'	8"	11	27'	9"	1	27'	9"	6	33'	11"	1	33'	11"	7	33'	11"	14	34'	0"	5
13 IN 12	28'	10"	7	28'	10"	13	28'	11"	3	28'	11"	9	34'	10"	10	34'	11"	1	34'	11"	9	35'	0"	0
14 IN 12	30'	1"	2	30'	1"	8	30'	1"	14	30'	2"	4	35'	10"	13	35'	11"	5	35'	11"	12	36'	0"	3
15 IN 12	31'	4"	3	31'	4"	9	31'	5"	0	31'	5"	6	36'	11"	9	37'	0"	0	37'	0"	8	37'	0"	15
16 IN 12	32'	7"	11	32'	8"	1	32'	8"	8	32'	8"	15	38'	0"	12	38'	1"	4	38'	1"	12	38'	2"	3
17 IN 12	33'	11"	8	33'	11"	15	34'	0"	6	34'	0"	13	39'	2"	7	39'	2"	15	39'	3"	7	39'	3"	15
18 IN 12	35'	3"	0	35'	4"	2	35'	4"	9	35'	5"	0	40'	4"	7	40'	5"	0	40'	5"	8	40'	6"	0
19 IN 12	36'	8"	1	36'	8"	9	36'	9"	0	36'	9"	8	41'	6"	14	41'	7"	7	41'	7"	15	41'	8"	8
20 IN 12	38'	0"	12	38'	1"	4	38'	1"	12	38'	2"	3	42'	9"	11	42'	10"	3	42'	10"	12	42'	11"	5
21 IN 12	39'	5"	11	39'	6"	3	39'	6"	11	39'	7"	3	44'	0"	12	44'	1"	5	44'	1"	14	44'	2"	7
22 IN 12	40'	10"	12	40'	11"	4	40'	11"	13	41'	0"	5	45'	4"	2	45'	4"	11	45'	5"	4	45'	5"	14
23 IN 12	42'	4"	1	42'	4"	9	42'	5"	2	42'	5"	11	46'	7"	12	46'	8"	6	46'	8"	15	46'	9"	9
24 IN 12	43'	9"	8	43'	10"	1	43'	10"	10	43'	11"	2	47'	11"	10	48'	0"	4	48'	0"	14	48'	1"	7
25 IN 12	45'	3"	1	45'	3"	10	45'	4"	3	45'	4"	13	49'	3"	12	49'	4"	6	49'	5"	0	49'	5"	10

19 Foot 8 Inch Run — Common Rafter Lengths   19 Foot 8 Inch Run — Hip Or Valley Rafter Lengths

Run -		19' 8"			19' 8 1/4"			19' 8 1/2"			19' 8 3/4"			19' 8"			19' 8 1/4"			19' 8 1/2"			19' 8 3/4"	
Pitch		Ft	In	16th"	Ft	In	16th"	Ft	In	16th"	Ft	In	16th"	Ft	In	16th"	Ft	In	16th"	Ft	In	16th"	Ft	In	16th"
1 IN 12		19'	8"	13	19'	9"	1	19'	9"	5	19'	9"	9	27'	10"	5	27'	10"	11	27'	11"	1	27'	11"	6
2 IN 12		19'	11"	4	19'	11"	8	19'	11"	12	20'	0"	0	28'	0"	1	28'	0"	7	28'	0"	12	28'	1"	2
2.5 IN 12		20'	1"	1	20'	1"	5	20'	1"	9	20'	1"	13	28'	1"	6	28'	1"	11	28'	2"	1	28'	2"	7
3 IN 12		20'	3"	4	20'	3"	8	20'	3"	12	20'	4"	1	28'	2"	15	28'	3"	5	28'	3"	10	28'	4"	0
3.5 IN 12		20'	5"	13	20'	6"	2	20'	6"	6	20'	6"	10	28'	4"	12	28'	5"	2	28'	5"	8	28'	5"	14
4 IN 12		20'	8"	12	20'	9"	0	20'	9"	5	20'	9"	9	28'	6"	14	28'	7"	4	28'	7"	10	28'	8"	0
4.5 IN 12		21'	0"	1	21'	0"	5	21'	0"	9	21'	0"	14	28'	9"	5	28'	9"	10	28'	10"	0	28'	10"	6
5 IN 12		21'	3"	11	21'	3"	15	21'	4"	3	21'	4"	8	28'	11"	15	29'	0"	5	29'	0"	11	29'	1"	1
5.5 IN 12		21'	7"	10	21'	7"	14	21'	8"	3	21'	8"	7	29'	2"	14	29'	3"	3	29'	3"	9	29'	3"	15
6 IN 12		21'	11"	14	22'	0"	2	22'	0"	7	22'	0"	11	29'	6"	0	29'	6"	6	29'	6"	12	29'	7"	2
6.5 IN 12		22'	4"	6	22'	4"	11	22'	4"	15	22'	5"	4	29'	9"	6	29'	9"	12	29'	10"	2	29'	10"	9
7 IN 12		22'	9"	3	22'	9"	8	22'	9"	13	22'	10"	1	30'	1"	1	30'	1"	7	30'	1"	13	30'	2"	3
8 IN 12		23'	7"	10	23'	7"	15	23'	8"	4	23'	8"	9	30'	9"	0	30'	9"	6	30'	9"	12	30'	10"	2
9 IN 12		24'	7"	0	24'	7"	5	24'	7"	10	24'	7"	15	31'	5"	13	31'	6"	3	31'	6"	9	31'	7"	0
10 IN 12		25'	7"	3	25'	7"	8	25'	7"	14	25'	8"	3	32'	3"	6	32'	3"	13	32'	4"	3	32'	4"	10
11 IN 12		26'	8"	2	26'	8"	8	26'	8"	13	26'	9"	3	33'	1"	12	33'	2"	2	33'	2"	9	33'	3"	0
12 IN 12		27'	9"	12	27'	10"	2	27'	10"	7	27'	10"	13	34'	0"	12	34'	0"	12	34'	1"	10	34'	2"	1
13 IN 12		28'	11"	15	29'	0"	5	29'	0"	11	29'	1"	1	35'	0"	7	35'	0"	14	35'	1"	5	35'	1"	12
14 IN 12		30'	2"	10	30'	3"	0	30'	3"	6	30'	3"	13	36'	0"	11	36'	1"	2	36'	1"	9	36'	2"	1
15 IN 12		31'	5"	13	31'	6"	3	31'	6"	9	31'	7"	0	37'	1"	7	37'	1"	15	37'	2"	6	37'	2"	14
16 IN 12		32'	9"	5	32'	9"	12	32'	10"	3	32'	10"	9	38'	2"	11	38'	3"	3	38'	3"	11	38'	4"	3
17 IN 12		34'	1"	4	34'	1"	11	34'	2"	2	34'	2"	9	39'	4"	7	39'	4"	15	39'	5"	7	39'	5"	15
18 IN 12		35'	5"	7	35'	5"	14	35'	6"	6	35'	6"	13	40'	6"	8	40'	7"	1	40'	7"	9	41'	8"	2
19 IN 12		36'	9"	15	36'	10"	7	36'	10"	14	36'	11"	6	41'	9"	0	41'	9"	9	41'	10"	1	41'	10"	10
20 IN 12		38'	2"	11	38'	3"	3	38'	3"	11	38'	4"	3	42'	11"	14	43'	0"	6	43'	0"	15	43'	1"	8
21 IN 12		39'	7"	11	39'	8"	3	39'	8"	11	39'	9"	3	44'	3"	0	44'	3"	9	44'	4"	2	44'	4"	11
22 IN 12		41'	0"	14	41'	1"	6	41'	1"	14	41'	2"	7	45'	6"	7	45'	7"	0	45'	7"	10	45'	8"	3
23 IN 12		42'	6"	3	42'	6"	12	42'	7"	4	42'	7"	13	46'	10"	2	46'	10"	12	46'	11"	5	46'	11"	15
24 IN 12		43'	11"	11	44'	0"	4	44'	0"	13	44'	1"	6	48'	2"	1	48'	2"	11	48'	3"	5	48'	3"	15
25 IN 12		45'	5"	6	45'	5"	15	45'	6"	8	45'	7"	2	49'	6"	4	49'	6"	14	49'	7"	8	49'	8"	2

19 Foot 9 Inch Run — Common Rafter Lengths

Run -	19' 9" Ft	In	16th"	19' 9 1/4" Ft	In	16th"	19' 9 1/2" Ft	In	16th"	19' 9 3/4" Ft	In	16th"
Pitch												
1 IN 12	19'	9"	13	19'	10"	1	19'	10"	5	19'	10"	9
2 IN 12	20'	0"	4	20'	0"	8	20'	0"	12	20'	1"	0
2.5 IN 12	20'	2"	1	20'	2"	6	20'	2"	10	20'	2"	14
3 IN 12	20'	4"	5	20'	4"	9	20'	4"	13	20'	5"	1
3.5 IN 12	20'	6"	14	20'	7"	2	20'	7"	6	20'	7"	11
4 IN 12	20'	9"	13	20'	10"	1	20'	10"	6	20'	10"	10
4.5 IN 12	21'	1"	2	21'	1"	6	21'	1"	10	21'	1"	15
5 IN 12	21'	4"	12	21'	5"	0	21'	5"	5	21'	5"	9
5.5 IN 12	21'	8"	11	21'	9"	0	21'	9"	4	21'	9"	9
6 IN 12	22'	1"	0	22'	1"	4	22'	1"	9	22'	1"	13
6.5 IN 12	22'	5"	9	22'	5"	11	22'	6"	2	22'	6"	6
7 IN 12	22'	10"	6	22'	10"	11	22'	10"	15	22'	11"	4
8 IN 12	23'	8"	13	23'	9"	2	23'	9"	7	23'	9"	12
9 IN 12	24'	8"	4	24'	8"	9	24'	8"	14	24'	9"	3
10 IN 12	25'	8"	0	25'	8"	13	25'	9"	2	25'	9"	8
11 IN 12	26'	9"	8	26'	9"	14	26'	10"	3	26'	10"	8
12 IN 12	27'	11"	3	27'	11"	8	27'	11"	14	28'	0"	3
13 IN 12	29'	1"	7	29'	1"	13	29'	2"	2	29'	2"	8
14 IN 12	30'	4"	3	30'	4"	9	30'	4"	15	30'	5"	5
15 IN 12	31'	7"	6	31'	7"	13	31'	8"	3	31'	8"	9
16 IN 12	32'	11"	0	32'	11"	7	32'	11"	13	33'	0"	4
17 IN 12	34'	3"	0	34'	3"	6	34'	3"	13	34'	4"	4
18 IN 12	35'	7"	4	35'	7"	11	35'	8"	3	35'	8"	10
19 IN 12	36'	11"	13	37'	0"	5	37'	0"	12	37'	1"	4
20 IN 12	38'	4"	10	38'	5"	2	38'	5"	10	38'	6"	2
21 IN 12	39'	9"	11	39'	10"	3	39'	10"	11	39'	11"	3
22 IN 12	41'	2"	15	41'	3"	7	41'	4"	0	41'	4"	8
23 IN 12	42'	8"	6	42'	8"	14	42'	9"	7	42'	10"	0
24 IN 12	44'	1"	15	44'	2"	8	44'	3"	1	44'	3"	10
25 IN 12	45'	7"	11	45'	8"	4	45'	8"	13	45'	9"	7

19 Foot 9 Inch Run — Hip Or Valley Rafter Lengths

Run -	19' 9" Ft	In	16th"	19' 9 1/4" Ft	In	16th"	19' 9 1/2" Ft	In	16th"	19' 9 3/4" Ft	In	16th"
Pitch												
1 IN 12	27'	11"	12	28'	0"	2	28'	0"	7	28'	0"	13
2 IN 12	28'	1"	8	28'	1"	14	28'	2"	3	28'	2"	9
2.5 IN 12	28'	2"	13	28'	3"	2	28'	3"	8	28'	3"	14
3 IN 12	28'	4"	6	28'	4"	12	28'	5"	1	28'	5"	7
3.5 IN 12	28'	6"	14	28'	6"	9	28'	6"	15	28'	7"	5
4 IN 12	28'	8"	6	28'	8"	11	28'	9"	1	28'	9"	7
4.5 IN 12	28'	10"	12	28'	11"	2	28'	11"	8	28'	11"	14
5 IN 12	29'	1"	7	29'	1"	13	29'	2"	2	29'	2"	8
5.5 IN 12	29'	4"	5	29'	4"	11	29'	5"	1	29'	5"	7
6 IN 12	29'	7"	8	29'	7"	14	29'	8"	4	29'	8"	10
6.5 IN 12	29'	10"	15	29'	11"	5	29'	11"	11	30'	0"	1
7 IN 12	30'	2"	9	30'	2"	15	30'	3"	5	30'	3"	11
8 IN 12	30'	10"	9	30'	10"	15	30'	11"	5	30'	11"	11
9 IN 12	31'	7"	6	31'	7"	13	31'	8"	3	31'	8"	9
10 IN 12	32'	5"	0	32'	5"	7	32'	5"	14	32'	6"	4
11 IN 12	33'	3"	7	33'	3"	13	33'	4"	4	33'	4"	11
12 IN 12	34'	2"	8	34'	2"	15	34'	3"	6	34'	3"	13
13 IN 12	35'	2"	3	35'	2"	10	35'	3"	2	35'	3"	9
14 IN 12	36'	2"	8	36'	2"	15	36'	3"	7	36'	3"	14
15 IN 12	37'	3"	5	37'	3"	13	37'	4"	4	37'	4"	12
16 IN 12	38'	4"	10	38'	5"	2	38'	5"	10	38'	6"	2
17 IN 12	39'	6"	7	39'	6"	15	39'	7"	7	39'	7"	15
18 IN 12	40'	8"	9	40'	9"	2	40'	9"	10	40'	10"	2
19 IN 12	41'	11"	2	41'	11"	11	42'	0"	3	42'	0"	12
20 IN 12	43'	2"	1	43'	2"	9	43'	3"	2	43'	3"	11
21 IN 12	44'	5"	4	44'	5"	13	44'	6"	6	44'	6"	15
22 IN 12	45'	8"	12	45'	9"	5	45'	9"	15	45'	10"	8
23 IN 12	47'	0"	8	47'	1"	2	47'	1"	11	47'	2"	5
24 IN 12	48'	4"	8	48'	5"	2	48'	5"	12	48'	6"	6
25 IN 12	49'	8"	12	49'	9"	6	49'	10"	0	49'	10"	10

19 Foot 10 Inch Run — Common Rafter Lengths   19 Foot 10 Inch Run — Hip Or Valley Rafter Lengths

Run -	19'10"	19'10 1/4"	19'10 1/2"	19'10 3/4"	19'10"	19'10 1/4"	19'10 1/2"	19'10 3/4"
Pitch	Ft In 16th"	Ft In 16th"	Ft In 16th"	Ft In 16th"	Ft In 16th"	Ft In 16th"	Ft In 16th"	Ft In 16th"
1 IN 12	19' 10" 13	19' 11" 1	19' 11" 5	19' 11" 9	28' 1" 3	28' 1" 8	28' 1" 14	28' 2" 4
2 IN 12	20' 1" 5	20' 1" 9	20' 1" 13	20' 2" 1	28' 2" 15	28' 3" 4	28' 3" 10	28' 4" 0
2.5 IN 12	20' 3" 2	20' 3" 6	20' 3" 10	20' 3" 14	28' 4" 3	28' 4" 9	28' 4" 15	28' 5" 5
3 IN 12	20' 5" 5	20' 5" 9	20' 5" 13	20' 6" 2	28' 5" 13	28' 6" 3	28' 6" 8	28' 6" 14
3.5 IN 12	20' 7" 15	20' 8" 3	20' 8" 7	20' 8" 11	28' 7" 11	28' 8" 0	28' 8" 6	28' 8" 12
4 IN 12	20' 10" 14	20' 11" 2	20' 11" 6	20' 11" 11	28' 9" 13	28' 10" 3	28' 10" 9	28' 10" 14
4.5 IN 12	21' 2" 3	21' 2" 7	21' 2" 11	21' 3" 0	29' 0" 3	29' 0" 9	29' 0" 15	29' 1" 5
5 IN 12	21' 5" 13	21' 6" 2	21' 6" 6	21' 6" 10	29' 2" 14	29' 3" 4	29' 3" 10	29' 4" 0
5.5 IN 12	21' 9" 13	21' 10" 1	21' 10" 6	21' 10" 10	29' 5" 13	29' 6" 3	29' 6" 9	29' 6" 15
6 IN 12	22' 2" 1	22' 2" 6	22' 2" 10	22' 2" 15	29' 9" 0	29' 9" 6	29' 9" 12	29' 10" 2
6.5 IN 12	22' 6" 11	22' 6" 15	22' 7" 4	22' 7" 8	30' 0" 7	30' 0" 13	30' 1" 3	30' 1" 9
7 IN 12	22' 11" 9	22' 11" 13	23' 0" 2	23' 0" 6	30' 4" 1	30' 4" 8	30' 4" 14	30' 5" 4
8 IN 12	23' 10" 1	23' 10" 5	23' 10" 10	23' 10" 15	31' 0" 2	31' 0" 8	31' 0" 14	31' 1" 4
9 IN 12	24' 9" 8	24' 9" 13	24' 10" 2	24' 10" 7	31' 9" 0	31' 9" 6	31' 9" 13	31' 10" 3
10 IN 12	25' 9" 13	25' 10" 2	25' 10" 7	25' 10" 13	32' 6" 11	32' 7" 1	32' 7" 8	32' 7" 14
11 IN 12	26' 10" 14	26' 11" 3	26' 11" 9	26' 11" 14	33' 5" 2	33' 5" 8	33' 5" 15	33' 6" 6
12 IN 12	28' 0" 9	28' 0" 15	28' 1" 5	28' 1" 10	34' 4" 4	34' 4" 11	34' 5" 2	34' 5" 8
13 IN 12	29' 2" 14	29' 3" 4	29' 3" 10	29' 4" 0	35' 4" 0	35' 4" 7	35' 4" 14	35' 5" 5
14 IN 12	30' 5" 11	30' 6" 1	30' 6" 8	30' 6" 14	36' 4" 5	36' 4" 13	36' 5" 4	36' 5" 11
15 IN 12	31' 9" 0	31' 9" 6	31' 9" 13	31' 10" 3	37' 5" 3	37' 5" 11	37' 6" 3	37' 6" 10
16 IN 12	33' 0" 11	33' 1" 1	33' 1" 8	33' 1" 15	38' 6" 9	38' 7" 1	38' 7" 9	38' 8" 1
17 IN 12	34' 4" 11	34' 5" 2	34' 5" 9	34' 6" 0	39' 8" 7	39' 8" 15	39' 9" 7	39' 9" 15
18 IN 12	35' 9" 1	35' 9" 8	35' 9" 15	35' 10" 7	40' 10" 10	40' 11" 3	40' 11" 11	41' 0" 3
19 IN 12	37' 1" 11	37' 2" 3	37' 2" 10	37' 3" 2	42' 1" 4	42' 1" 13	42' 2" 5	42' 2" 14
20 IN 12	38' 6" 9	38' 7" 1	38' 7" 9	38' 8" 1	43' 4" 4	43' 4" 12	43' 5" 5	43' 5" 14
21 IN 12	39' 11" 11	40' 0" 3	40' 0" 11	40' 1" 3	44' 7" 8	44' 8" 1	44' 8" 10	44' 9" 3
22 IN 12	41' 5" 0	41' 5" 9	41' 6" 1	41' 6" 9	45' 11" 1	45' 11" 10	46' 0" 4	46' 0" 13
23 IN 12	42' 10" 8	42' 11" 1	42' 11" 10	43' 0" 2	47' 2" 14	47' 3" 8	47' 4" 1	47' 4" 11
24 IN 12	44' 4" 3	44' 4" 12	44' 5" 5	44' 5" 14	48' 7" 0	48' 7" 9	48' 8" 3	48' 8" 13
25 IN 12	45' 10" 0	45' 10" 9	45' 11" 2	45' 11" 12	49' 11" 5	49' 11" 15	50' 0" 9	50' 1" 3

19 Foot 11 Inch Run — Common Rafter Lengths   19 Foot 11 Inch Run — Hip Or Valley Rafter Lengths

Run -	19'11"	19'11 1/4"	19'11 1/2"	19'11 3/4"	19'11"	19'11 1/4"	19'11 1/2"	19'11 3/4"
Pitch	Ft In 16th"	Ft In 16th"	Ft In 16th"	Ft In 16th"	Ft In 16th"	Ft In 16th"	Ft In 16th"	Ft In 16th"
1 IN 12	19' 11" 13	20' 0" 1	20' 0" 5	20' 0" 9	28' 2" 9	28' 2" 15	28' 3" 5	28' 3" 10
2 IN 12	20' 2" 5	20' 2" 9	20' 2" 13	20' 3" 1	28' 4" 5	28' 4" 11	28' 5" 1	28' 5" 6
2.5 IN 12	20' 4" 2	20' 4" 6	20' 4" 10	20' 4" 14	28' 5" 10	28' 6" 0	28' 6" 6	28' 6" 11
3 IN 12	20' 6" 6	20' 6" 10	20' 6" 14	20' 7" 2	28' 7" 4	28' 7" 10	28' 7" 15	28' 8" 5
3.5 IN 12	20' 8" 15	20' 9" 4	20' 9" 8	20' 9" 12	28' 9" 2	28' 9" 8	28' 9" 13	28' 10" 3
4 IN 12	20' 11" 15	21' 0" 3	21' 0" 7	21' 0" 11	28' 11" 4	28' 11" 10	29' 0" 0	29' 0" 6
4.5 IN 12	21' 3" 4	21' 3" 8	21' 3" 13	21' 4" 1	29' 1" 11	29' 2" 1	29' 2" 7	29' 2" 12
5 IN 12	21' 6" 15	21' 7" 3	21' 7" 7	21' 7" 12	29' 4" 6	29' 4" 12	29' 5" 2	29' 5" 7
5.5 IN 12	21' 10" 15	21' 11" 3	21' 11" 7	21' 11" 12	29' 7" 5	29' 7" 11	29' 8" 1	29' 8" 7
6 IN 12	22' 3" 3	22' 3" 8	22' 3" 12	22' 4" 1	29' 10" 8	29' 10" 14	29' 11" 4	29' 11" 10
6.5 IN 12	22' 7" 13	22' 8" 2	22' 8" 6	22' 8" 11	30' 1" 15	30' 2" 5	30' 2" 11	30' 3" 1
7 IN 12	23' 0" 11	23' 1" 0	23' 1" 4	23' 1" 9	30' 5" 10	30' 6" 0	30' 6" 6	30' 6" 12
8 IN 12	23' 11" 4	23' 11" 9	23' 11" 13	24' 0" 2	31' 1" 11	31' 2" 1	31' 2" 7	31' 2" 13
9 IN 12	24' 10" 12	24' 11" 1	24' 11" 6	24' 11" 11	31' 10" 9	31' 11" 0	31' 11" 6	31' 11" 13
10 IN 12	25' 11" 2	25' 11" 7	25' 11" 12	26' 0" 1	32' 8" 5	32' 8" 12	32' 9" 2	32' 9" 9
11 IN 12	27' 0" 4	27' 0" 9	27' 0" 14	27' 1" 4	33' 6" 13	33' 7" 3	33' 7" 10	33' 8" 1
12 IN 12	28' 2" 0	28' 2" 6	28' 2" 11	28' 3" 1	34' 5" 15	34' 6" 6	34' 6" 13	34' 7" 4
13 IN 12	29' 4" 6	29' 4" 12	29' 5" 2	29' 5" 7	35' 5" 12	35' 6" 3	35' 6" 11	35' 7" 2
14 IN 12	30' 7" 4	30' 7" 10	30' 8" 0	30' 8" 6	36' 6" 3	36' 6" 10	36' 7" 1	36' 7" 9
15 IN 12	31' 10" 9	31' 11" 0	31' 11" 6	31' 11" 13	37' 7" 2	37' 7" 9	37' 8" 1	37' 8" 8
16 IN 12	33' 2" 5	33' 2" 12	33' 3" 3	33' 3" 9	38' 8" 9	38' 9" 0	38' 9" 8	38' 10" 0
17 IN 12	34' 6" 7	34' 6" 14	34' 7" 5	34' 7" 12	39' 10" 7	39' 10" 15	39' 11" 7	39' 11" 15
18 IN 12	35' 10" 14	35' 11" 5	35' 11" 12	36' 0" 3	41' 0" 11	41' 1" 4	41' 1" 12	41' 2" 4
19 IN 12	37' 3" 9	37' 4" 1	37' 4" 8	37' 5" 0	42' 3" 9	42' 3" 15	42' 4" 7	42' 5" 0
20 IN 12	38' 8" 9	38' 9" 0	38' 9" 8	38' 10" 0	43' 6" 7	43' 6" 15	43' 7" 8	43' 8" 1
21 IN 12	40' 1" 12	40' 2" 4	40' 2" 12	40' 3" 4	44' 9" 12	44' 10" 5	44' 10" 14	44' 11" 7
22 IN 12	41' 7" 2	41' 7" 10	41' 8" 2	41' 8" 11	46' 1" 6	46' 1" 15	46' 2" 9	46' 3" 2
23 IN 12	43' 0" 11	43' 1" 4	43' 1" 12	43' 2" 5	47' 5" 5	47' 5" 14	47' 6" 8	47' 7" 1
24 IN 12	44' 6" 7	44' 7" 0	44' 7" 9	44' 8" 2	48' 9" 7	48' 10" 1	48' 10" 10	48' 11" 4
25 IN 12	46' 0" 5	46' 0" 14	46' 1" 7	46' 2" 1	50' 1" 13	50' 2" 7	50' 3" 1	50' 3" 11

20 Foot 0 Inch Run — Common Rafter Lengths   20 Foot 0 Inch Run — Hip Or Valley Rafter Lengths

Run -	20' 0"	20' 0 1/4"	20' 0 1/2"	20' 0 3/4"	20' 0"	20' 0 1/4"	20' 0 1/2"	20' 0 3/4"
Pitch	Ft In 16th"	Ft In 16th"	Ft In 16th"	Ft In 16th"	Ft In 16th"	Ft In 16th"	Ft In 16th"	Ft In 16th"
1 IN 12	20' 0" 13	20' 1" 1	20' 1" 5	20' 1" 9	28' 4" 0	28' 4" 6	28' 4" 11	28' 5" 1
2 IN 12	20' 3" 5	20' 3" 9	20' 3" 13	20' 4" 1	28' 5" 12	28' 6" 2	28' 6" 8	28' 6" 13
2.5 IN 12	20' 5" 2	20' 5" 7	20' 5" 11	20' 5" 15	28' 7" 1	28' 7" 7	28' 7" 13	28' 8" 2
3 IN 12	20' 7" 6	20' 7" 10	20' 7" 14	20' 8" 3	28' 8" 11	28' 9" 1	28' 9" 6	28' 9" 12
3.5 IN 12	20' 10" 0	20' 10" 4	20' 10" 8	20' 10" 13	28' 10" 9	28' 10" 15	28' 11" 4	28' 11" 10
4 IN 12	21' 1" 0	21' 1" 4	21' 1" 8	21' 1" 12	29' 0" 11	29' 1" 1	29' 1" 7	29' 1" 13
4.5 IN 12	21' 4" 5	21' 4" 9	21' 4" 14	21' 5" 2	29' 3" 2	29' 3" 8	29' 3" 14	29' 4" 4
5 IN 12	21' 8" 0	21' 8" 4	21' 8" 9	21' 8" 13	29' 5" 13	29' 6" 3	29' 6" 9	29' 6" 15
5.5 IN 12	22' 0" 0	22' 0" 5	22' 0" 9	22' 0" 13	29' 8" 13	29' 9" 3	29' 9" 9	29' 9" 14
6 IN 12	22' 4" 5	22' 4" 10	22' 4" 14	22' 5" 3	30' 0" 0	30' 0" 6	30' 0" 12	30' 1" 2
6.5 IN 12	22' 8" 15	22' 9" 4	22' 9" 8	22' 9" 13	30' 3" 7	30' 3" 13	30' 4" 3	30' 4" 9
7 IN 12	23' 1" 14	23' 2" 2	23' 2" 7	23' 2" 11	30' 7" 2	30' 7" 8	30' 7" 15	30' 8" 5
8 IN 12	24' 0" 7	24' 0" 12	24' 1" 1	24' 1" 6	31' 3" 4	31' 3" 10	31' 4" 0	31' 4" 6
9 IN 12	25' 0" 0	25' 0" 5	25' 0" 10	25' 0" 15	32' 0" 3	32' 0" 9	32' 1" 0	32' 1" 6
10 IN 12	26' 0" 7	26' 0" 12	26' 1" 1	26' 1" 6	32' 9" 15	32' 10" 6	32' 10" 12	32' 11" 3
11 IN 12	27' 1" 9	27' 1" 15	27' 2" 4	27' 2" 10	33' 8" 8	33' 8" 14	33' 9" 5	33' 9" 12
12 IN 12	28' 3" 7	28' 3" 12	28' 4" 2	28' 4" 8	34' 7" 11	34' 8" 2	34' 8" 9	34' 9" 0
13 IN 12	29' 5" 13	29' 6" 3	29' 6" 9	29' 6" 15	35' 7" 9	35' 8" 0	35' 8" 7	35' 8" 14
14 IN 12	30' 8" 13	30' 9" 3	30' 9" 9	30' 9" 15	36' 8" 0	36' 8" 7	36' 8" 15	36' 9" 6
15 IN 12	32' 0" 3	32' 0" 9	32' 1" 0	32' 1" 6	37' 9" 0	37' 9" 7	37' 9" 15	37' 10" 6
16 IN 12	33' 4" 0	33' 4" 7	33' 4" 13	33' 5" 4	38' 10" 8	38' 10" 15	38' 11" 7	38' 11" 15
17 IN 12	34' 8" 3	34' 8" 10	34' 9" 1	34' 9" 8	40' 0" 7	40' 0" 15	40' 1" 7	40' 1" 15
18 IN 12	36' 0" 11	36' 1" 2	36' 1" 9	36' 2" 0	41' 2" 12	41' 3" 5	41' 3" 13	41' 4" 5
19 IN 12	37' 5" 7	37' 5" 15	37' 6" 6	37' 6" 14	42' 5" 8	42' 6" 1	42' 6" 9	42' 7" 2
20 IN 12	38' 10" 8	38' 10" 15	38' 11" 7	38' 11" 15	43' 8" 10	43' 9" 2	43' 9" 11	43' 10" 4
21 IN 12	40' 3" 12	40' 4" 4	40' 4" 12	40' 5" 4	45' 0" 0	45' 0" 9	45' 1" 2	45' 1" 11
22 IN 12	41' 9" 3	41' 9" 12	41' 10" 4	41' 10" 12	46' 3" 11	46' 4" 4	46' 4" 14	46' 5" 7
23 IN 12	43' 2" 14	43' 3" 6	43' 3" 15	43' 4" 7	47' 7" 11	47' 8" 4	47' 8" 14	47' 9" 7
24 IN 12	44' 8" 11	44' 9" 3	44' 9" 12	44' 10" 5	48' 11" 14	49' 0" 8	49' 1" 2	49' 1" 11
25 IN 12	46' 2" 10	46' 3" 3	46' 3" 12	46' 4" 6	50' 4" 5	50' 4" 15	50' 5" 9	50' 6" 3

20 Foot 1 Inch Run — Common Rafter Lengths

Pitch	20' 1"	20' 1 1/4"	20' 1 1/2"	20' 1 3/4"
1 IN 12	20' 1" 13	20' 2" 1	20' 2" 5	20' 2" 9
2 IN 12	20' 4" 5	20' 4" 9	20' 4" 13	20' 5" 1
2.5 IN 12	20' 6" 3	20' 6" 7	20' 6" 11	20' 6" 15
3 IN 12	20' 8" 7	20' 8" 11	20' 8" 15	20' 9" 3
3.5 IN 12	20' 11"	20' 11" 5	20' 11" 9	20' 11" 13
4 IN 12	21' 2" 1	21' 2" 5	21' 2" 9	21' 2" 13
4.5 IN 12	21' 5" 6	21' 5" 10	21' 5" 15	21' 6" 3
5 IN 12	21' 9" 1	21' 9" 6	21' 9" 10	21' 9" 14
5.5 IN 12	22' 1" 2	22' 1" 6	22' 1" 11	22' 1" 15
6 IN 12	22' 5" 7	22' 5" 12	22' 6" 0	22' 6" 5
6.5 IN 12	22' 10" 1	22' 10" 6	22' 10" 10	22' 10" 15
7 IN 12	23' 3" 0	23' 3" 5	23' 3" 9	23' 3" 14
8 IN 12	24' 1" 10	24' 1" 15	24' 2" 4	24' 2" 9
9 IN 12	25' 1" 4	25' 1" 9	25' 1" 14	25' 2" 3
10 IN 12	26' 1" 11	26' 2" 1	26' 2" 6	26' 2" 11
11 IN 12	27' 2" 15	27' 3" 4	27' 3" 10	27' 3" 15
12 IN 12	28' 4" 13	28' 5" 3	28' 5" 9	28' 5" 14
13 IN 12	29' 7" 5	29' 7" 11	29' 8" 1	29' 8" 7
14 IN 12	30' 10" 5	30' 10" 11	30' 11" 1	30' 11" 8
15 IN 12	32' 1" 13	32' 2" 3	32' 2" 9	32' 3" 0
16 IN 12	33' 5" 11	33' 6" 1	33' 6" 8	33' 6" 15
17 IN 12	34' 9" 15	34' 10" 5	34' 10" 12	34' 11" 3
18 IN 12	36' 2" 8	36' 2" 15	36' 3" 6	36' 3" 13
19 IN 12	37' 7" 5	37' 7" 13	37' 8" 4	37' 8" 12
20 IN 12	39' 0" 7	39' 0" 14	39' 1" 6	39' 1" 14
21 IN 12	40' 5" 12	40' 6" 4	40' 6" 12	40' 7" 4
22 IN 12	41' 11" 5	41' 11" 13	42' 0" 5	42' 0" 14
23 IN 12	43' 5" 0	43' 5" 9	43' 6" 1	43' 6" 10
24 IN 12	44' 10" 14	44' 11" 7	45' 0" 0	45' 0" 9
25 IN 12	46' 4" 15	46' 5" 8	46' 6" 1	46' 6" 11

20 Foot 1 Inch Run — Hip Or Valley Rafter Lengths

Pitch	20' 1"	20' 1 1/4"	20' 1 1/2"	20' 1 3/4"
1 IN 12	28' 5" 7	28' 5" 12	28' 6" 2	28' 6" 8
2 IN 12	28' 7" 3	28' 7" 9	28' 7" 14	28' 8" 4
2.5 IN 12	28' 8" 8	28' 8" 14	28' 9" 3	28' 9" 9
3 IN 12	28' 10" 2	28' 10" 8	28' 10" 13	28' 11" 3
3.5 IN 12	29' 0" 0	29' 0" 6	29' 0" 12	29' 1" 1
4 IN 12	29' 2" 3	29' 2" 8	29' 2" 14	29' 3" 4
4.5 IN 12	29' 4" 10	29' 5" 0	29' 5" 5	29' 5" 11
5 IN 12	29' 7" 5	29' 7" 11	29' 8" 1	29' 8" 7
5.5 IN 12	29' 10" 4	29' 10" 10	29' 11" 0	29' 11" 6
6 IN 12	30' 1" 8	30' 1" 14	30' 2" 4	30' 2" 10
6.5 IN 12	30' 5" 0	30' 5" 6	30' 5" 12	30' 6" 2
7 IN 12	30' 8" 11	30' 9" 1	30' 9" 7	30' 9" 13
8 IN 12	31' 4" 13	31' 5" 3	31' 5" 9	31' 6" 0
9 IN 12	32' 1" 13	32' 2" 3	32' 2" 9	32' 3" 0
10 IN 12	32' 11" 10	33' 0" 0	33' 0" 7	33' 0" 13
11 IN 12	33' 10" 3	33' 10" 9	33' 11" 0	33' 11" 7
12 IN 12	34' 9" 7	34' 9" 14	34' 10" 5	34' 10" 12
13 IN 12	35' 9" 5	35' 9" 12	35' 10" 4	35' 10" 11
14 IN 12	36' 9" 13	36' 10" 5	36' 10" 12	36' 11" 3
15 IN 12	37' 10" 14	37' 11" 6	37' 11" 13	38' 0" 5
16 IN 12	39' 0" 7	39' 0" 14	39' 1" 6	39' 1" 14
17 IN 12	40' 2" 7	40' 2" 15	40' 3" 7	40' 3" 15
18 IN 12	41' 4" 13	41' 5" 6	41' 5" 14	41' 6" 6
19 IN 12	42' 7" 10	42' 8" 3	42' 8" 11	42' 9" 4
20 IN 12	43' 10" 12	43' 11" 5	43' 11" 14	44' 0" 7
21 IN 12	45' 2" 4	45' 2" 13	45' 3" 6	45' 3" 15
22 IN 12	46' 6" 0	46' 6" 9	46' 7" 3	46' 7" 12
23 IN 12	47' 10" 1	47' 10" 10	47' 11" 4	47' 11" 13
24 IN 12	49' 2" 5	49' 2" 15	49' 3" 9	49' 4" 3
25 IN 12	50' 6" 13	50' 7" 7	50' 8" 2	50' 8" 12

20 Foot 2 Inch Run — Common Rafter Lengths   20 Foot 2 Inch Run — Hip Or Valley Rafter Lengths

Run - Pitch	20' 2"	20' 2 1/4"	20' 2 1/2"	20' 2 3/4"	20' 2"	20' 2 1/4"	20' 2 1/2"	20' 2 3/4"
	Ft In 16th"	Ft In 16th"	Ft In 16th"	Ft In 16th"	Ft In 16th"	Ft In 16th"	Ft In 16th"	Ft In 16th"
1 IN 12	20' 2" 13	20' 3" 1	20' 3" 5	20' 3" 9	28' 6" 13	28' 7" 3	28' 7" 9	28' 7" 14
2 IN 12	20' 5" 5	20' 5" 9	20' 5" 14	20' 6" 2	28' 8" 10	28' 8" 15	28' 9" 5	28' 9" 11
2.5 IN 12	20' 7" 3	20' 7" 7	20' 7" 11	20' 7" 15	28' 9" 15	28' 10" 5	28' 10" 10	28' 11" 0
3 IN 12	20' 9" 7	20' 9" 11	20' 9" 15	20' 10" 4	28' 11" 9	28' 11" 14	29' 0" 4	29' 0" 10
3.5 IN 12	21' 0" 1	21' 0" 6	21' 0" 10	21' 0" 14	29' 1" 7	29' 1" 13	29' 2" 3	29' 2" 8
4 IN 12	21' 3" 1	21' 3" 6	21' 3" 10	21' 3" 14	29' 3" 10	29' 4" 0	29' 4" 6	29' 4" 11
4.5 IN 12	21' 6" 7	21' 6" 12	21' 7" 0	21' 7" 4	29' 6" 1	29' 6" 7	29' 6" 13	29' 7" 3
5 IN 12	21' 10" 3	21' 10" 7	21' 10" 11	21' 11" 0	29' 8" 13	29' 9" 2	29' 9" 8	29' 9" 14
5.5 IN 12	22' 2" 3	22' 2" 8	22' 2" 12	22' 3" 1	29' 11" 12	30' 0" 2	30' 0" 8	30' 0" 14
6 IN 12	22' 6" 9	22' 6" 13	22' 7" 2	22' 7" 6	30' 3" 0	30' 3" 6	30' 3" 12	30' 4" 2
6.5 IN 12	22' 11" 4	22' 11" 8	22' 11" 13	23' 0" 1	30' 6" 8	30' 6" 14	30' 7" 4	30' 7" 10
7 IN 12	23' 4" 3	23' 4" 7	23' 4" 12	23' 5" 1	30' 10" 3	30' 10" 9	30' 11" 0	30' 11" 6
8 IN 12	24' 2" 14	24' 3" 2	24' 3" 7	24' 3" 12	31' 6" 6	31' 6" 12	31' 7" 2	31' 7" 9
9 IN 12	25' 2" 8	25' 2" 13	25' 3" 2	25' 3" 7	32' 3" 6	32' 3" 13	32' 4" 3	32' 4" 9
10 IN 12	26' 3" 0	26' 3" 5	26' 3" 11	26' 4" 0	33' 1" 4	33' 1" 10	33' 2" 1	33' 2" 7
11 IN 12	27' 4" 5	27' 4" 10	27' 4" 15	27' 5" 5	33' 11" 14	34' 0" 4	34' 0" 11	34' 1" 2
12 IN 12	28' 6" 4	28' 6" 9	28' 6" 15	28' 7" 5	34' 11" 3	34' 11" 9	35' 0" 0	35' 0" 7
13 IN 12	29' 8" 13	29' 9" 2	29' 9" 8	29' 9" 14	35' 11" 2	35' 11" 9	36' 0" 0	36' 0" 7
14 IN 12	30' 11" 14	31' 0" 4	31' 0" 10	31' 1" 0	36' 11" 11	37' 0" 2	37' 0" 9	37' 1" 1
15 IN 12	32' 3" 6	32' 3" 13	32' 4" 3	32' 4" 9	38' 0" 12	38' 1" 4	38' 1" 11	38' 2" 3
16 IN 12	33' 7" 5	33' 7" 12	33' 8" 3	33' 8" 9	39' 2" 6	39' 2" 14	39' 3" 5	39' 3" 13
17 IN 12	34' 11" 10	35' 0" 1	35' 0" 8	35' 0" 15	40' 4" 7	40' 4" 15	40' 5" 7	40' 5" 15
18 IN 12	36' 4" 4	36' 4" 12	36' 5" 3	36' 5" 10	41' 6" 14	41' 7" 7	41' 7" 15	41' 8" 7
19 IN 12	37' 9" 3	37' 9" 11	37' 10" 2	37' 10" 10	42' 9" 12	42' 10" 5	42' 10" 13	42' 11" 6
20 IN 12	39' 2" 6	39' 2" 14	39' 3" 5	39' 3" 13	44' 0" 15	44' 1" 8	44' 2" 1	44' 2" 10
21 IN 12	40' 7" 12	40' 8" 4	40' 8" 12	40' 9" 4	45' 4" 8	45' 5" 1	45' 5" 10	45' 6" 3
22 IN 12	42' 1" 6	42' 1" 14	42' 2" 7	42' 2" 15	46' 8" 5	46' 8" 15	46' 9" 8	46' 10" 1
23 IN 12	43' 7" 3	43' 7" 11	43' 8" 4	43' 8" 13	48' 0" 7	48' 1" 0	48' 1" 10	48' 2" 3
24 IN 12	45' 1" 2	45' 1" 11	45' 2" 4	45' 2" 13	49' 4" 12	49' 5" 6	49' 6" 0	49' 6" 10
25 IN 12	46' 7" 4	46' 7" 13	46' 8" 6	46' 9" 0	50' .9" 6	50' 10" 0	50' 10" 10	50' 11" 4

20 Foot 3 Inch Run — Common Rafter Lengths

Run - Pitch	20' 3" (Ft In 16th")	20' 3 1/4" (Ft In 16th")	20' 3 1/2" (Ft In 16th")	20' 3 3/4" (Ft In 16th")
1 IN 12	20' 3" 13	20' 4" 1	20' 4" 6	20' 4" 10
2 IN 12	20' 6" 6	20' 6" 10	20' 6" 14	20' 7" 2
2.5 IN 12	20' 8" 3	20' 8" 8	20' 8" 12	20' 9" 0
3 IN 12	20' 10" 8	20' 10" 8	20' 11" 0	20' 11" 4
3.5 IN 12	21' 1" 2	21' 1" 6	21' 1" 11	21' 1" 15
4 IN 12	21' 4" 2	21' 4" 7	21' 4" 11	21' 4" 15
4.5 IN 12	21' 7" 8	21' 7" 13	21' 8" 1	21' 8" 5
5 IN 12	21' 11" 4	21' 11" 8	21' 11" 13	22' 0" 1
5.5 IN 12	22' 3" 5	22' 3" 9	22' 3" 14	22' 4" 2
6 IN 12	22' 7" 11	22' 7" 15	22' 8" 4	22' 8" 8
6.5 IN 12	23' 0" 6	23' 0" 10	23' 0" 15	23' 1" 3
7 IN 12	23' 5" 5	23' 5" 10	23' 5" 14	23' 6" 3
8 IN 12	24' 4" 1	24' 4" 6	24' 4" 10	24' 4" 15
9 IN 12	25' 3" 12	25' 4" 1	25' 4" 6	25' 4" 11
10 IN 12	26' 4" 5	26' 4" 10	26' 4" 15	26' 5" 5
11 IN 12	27' 5" 10	27' 6" 0	27' 6" 5	27' 6" 11
12 IN 12	28' 7" 10	28' 8" 0	28' 8" 6	28' 8" 11
13 IN 12	29' 10" 4	29' 10" 10	29' 11" 0	29' 11" 6
14 IN 12	31' 1" 6	31' 1" 12	31' 2" 3	31' 2" 9
15 IN 12	32' 5" 0	32' 5" 6	32' 5" 13	32' 6" 3
16 IN 12	33' 9" 0	33' 9" 7	33' 9" 13	33' 10" 4
17 IN 12	35' 1" 6	35' 1" 13	35' 2" 4	35' 2" 11
18 IN 12	36' 6" 1	36' 6" 8	36' 7" 0	36' 7" 7
19 IN 12	37' 11" 1	37' 11" 8	38' 0" 0	38' 0" 7
20 IN 12	39' 4" 5	39' 4" 13	39' 5" 4	39' 5" 12
21 IN 12	40' 9" 13	40' 10" 5	40' 10" 13	40' 11" 5
22 IN 12	42' 3" 7	42' 4" 0	42' 4" 8	42' 5" 0
23 IN 12	43' 9" 5	43' 9" 14	43' 10" 7	43' 10" 15
24 IN 12	45' 3" 6	45' 3" 15	45' 4" 8	45' 5" 1
25 IN 12	46' 9" 9	46' 10" 2	46' 10" 11	46' 11" 5

20 Foot 3 Inch Run — Hip Or Valley Rafter Lengths

Run - Pitch	20' 3" (Ft In 16th")	20' 3 1/4" (Ft In 16th")	20' 3 1/2" (Ft In 16th")	20' 3 3/4" (Ft In 16th")
1 IN 12	28' 8" 4	28' 8" 10	28' 8" 15	28' 9" 5
2 IN 12	28' 10" 1	28' 10" 6	28' 10" 12	28' 11" 2
2.5 IN 12	28' 11" 6	28' 11" 12	29' 0" 1	29' 0" 7
3 IN 12	29' 1" 0	29' 1" 5	29' 1" 11	29' 2" 1
3.5 IN 12	29' 2" 14	29' 3" 4	29' 3" 10	29' 4" 0
4 IN 12	29' 5" 1	29' 5" 7	29' 5" 13	29' 6" 3
4.5 IN 12	29' 7" 8	29' 7" 14	29' 8" 4	29' 8" 10
5 IN 12	29' 10" 4	29' 10" 10	29' 11" 0	29' 11" 6
5.5 IN 12	30' 1" 4	30' 1" 10	30' 2" 0	30' 2" 6
6 IN 12	30' 4" 8	30' 4" 14	30' 5" 4	30' 5" 10
6.5 IN 12	30' 8" 0	30' 8" 6	30' 8" 12	30' 9" 2
7 IN 12	30' 11" 12	31' 0" 2	31' 0" 8	31' 0" 14
8 IN 12	31' 7" 15	31' 8" 5	31' 8" 11	31' 9" 2
9 IN 12	32' 5" 0	32' 5" 6	32' 5" 13	32' 6" 3
10 IN 12	33' 2" 14	33' 3" 3	33' 3" 11	33' 4" 2
11 IN 12	34' 1" 8	34' 1" 15	34' 2" 6	34' 2" 13
12 IN 12	35' 0" 14	35' 1" 5	35' 1" 12	35' 2" 3
13 IN 12	36' 0" 14	36' 1" 5	36' 1" 13	36' 2" 4
14 IN 12	37' 1" 8	37' 1" 15	37' 2" 7	37' 2" 14
15 IN 12	38' 2" 10	38' 3" 2	38' 3" 10	38' 4" 1
16 IN 12	39' 4" 5	39' 4" 13	39' 5" 4	39' 5" 12
17 IN 12	40' 6" 7	40' 6" 15	40' 7" 7	40' 7" 15
18 IN 12	41' 8" 15	41' 9" 8	41' 10" 0	41' 10" 8
19 IN 12	42' 11" 14	43' 0" 7	43' 0" 15	43' 1" 8
20 IN 12	44' 3" 2	44' 3" 11	44' 4" 4	44' 4" 13
21 IN 12	45' 6" 12	45' 7" 5	45' 7" 14	45' 8" 7
22 IN 12	46' 10" 10	46' 11" 4	46' 11" 13	47' 0" 6
23 IN 12	48' 2" 13	48' 3" 6	48' 4" 0	48' 4" 10
24 IN 12	49' 7" 4	49' 7" 13	49' 8" 7	49' 9" 1
25 IN 12	50' 11" 14	51' 0" 8	51' 1" 2	51' 1" 12

20 Foot 4 Inch Run — Common Rafter Lengths   20 Foot 4 Inch Run — Hip Or Valley Rafter Lengths

Run -	20' 4"	20' 4 1/4"	20' 4 1/2"	20' 4 3/4"	20' 4"	20' 4 1/4"	20' 4 1/2"	20' 4 3/4"
Pitch	Ft In 16th"	Ft In 16th"	Ft In 16th"	Ft In 16th"	Ft In 16th"	Ft In 16th"	Ft In 16th"	Ft In 16th"
1 IN 12	20' 4" 14	20' 5" 2	20' 5" 6	20' 5" 10	28' 9" 11	28' 10" 0	28' 10" 6	28' 10" 12
2 IN 12	20' 7" 6	20' 7" 10	20' 7" 14	20' 8" 2	28' 11" 7	28' 11" 13	29' 0" 3	29' 0" 8
2.5 IN 12	20' 9" 4	20' 9" 8	20' 9" 12	20' 10" 0	29' 0" 13	29' 1" 2	29' 1" 8	29' 1" 14
3 IN 12	20' 11" 8	20' 11" 12	21' 0" 0	21' 0" 5	29' 2" 7	29' 2" 12	29' 3" 2	29' 3" 8
3.5 IN 12	21' 2" 3	21' 2" 7	21' 2" 11	21' 2" 15	29' 4" 5	29' 4" 11	29' 5" 1	29' 5" 7
4 IN 12	21' 5" 3	21' 5" 7	21' 5" 12	21' 6" 0	29' 6" 8	29' 6" 14	29' 7" 4	29' 7" 10
4.5 IN 12	21' 8" 9	21' 8" 14	21' 9" 2	21' 9" 6	29' 9" 0	29' 9" 6	29' 9" 12	29' 10" 1
5 IN 12	22' 0" 5	22' 0" 10	22' 0" 14	22' 1" 2	29' 11" 12	30' 0" 2	30' 0" 8	30' 0" 13
5.5 IN 12	22' 4" 7	22' 4" 11	22' 4" 15	22' 5" 4	30' 2" 12	30' 3" 2	30' 3" 8	30' 3" 14
6 IN 12	22' 8" 13	22' 9" 1	22' 9" 6	22' 9" 10	30' 6" 0	30' 6" 6	30' 6" 12	30' 7" 2
6.5 IN 12	23' 1" 8	23' 1" 12	23' 2" 1	23' 2" 6	30' 9" 8	30' 9" 14	30' 10" 4	30' 10" 10
7 IN 12	23' 6" 8	23' 6" 12	23' 7" 1	23' 7" 6	31' 1" 4	31' 1" 10	31' 2" 1	31' 2" 7
8 IN 12	24' 5" 0	24' 5" 5	24' 5" 10	24' 5" 15	31' 9" 8	31' 9" 14	31' 10" 4	31' 10" 11
9 IN 12	25' 5" 0	25' 5" 5	25' 5" 10	25' 5" 15	32' 6" 9	32' 7" 0	32' 7" 6	32' 7" 13
10 IN 12	26' 5" 10	26' 5" 15	26' 6" 4	26' 6" 9	33' 4" 8	33' 4" 15	33' 5" 5	33' 5" 12
11 IN 12	27' 7" 0	27' 7" 5	27' 7" 11	27' 8" 0	34' 3" 3	34' 3" 10	34' 4" 1	34' 4" 8
12 IN 12	28' 9" 1	28' 9" 7	28' 9" 12	28' 10" 2	35' 2" 10	35' 3" 1	35' 3" 8	35' 3" 15
13 IN 12	29' 11" 12	30' 0" 2	30' 0" 8	30' 0" 13	36' 2" 11	36' 3" 2	36' 3" 9	36' 4" 0
14 IN 12	31' 2" 15	31' 3" 5	31' 3" 11	31' 4" 1	37' 3" 5	37' 3" 13	37' 4" 4	37' 4" 11
15 IN 12	32' 6" 9	32' 7" 0	32' 7" 6	32' 7" 13	38' 4" 9	38' 5" 0	38' 5" 8	38' 5" 15
16 IN 12	33' 10" 11	33' 11" 1	33' 11" 8	33' 11" 15	39' 6" 4	39' 6" 12	39' 7" 4	39' 7" 11
17 IN 12	35' 3" 2	35' 3" 9	35' 4" 0	35' 4" 7	40' 8" 7	40' 8" 15	40' 9" 7	40' 9" 15
18 IN 12	36' 7" 14	36' 8" 5	36' 8" 12	36' 9" 4	41' 11" 0	41' 11" 9	42' 0" 1	42' 0" 9
19 IN 12	38' 0" 15	38' 1" 6	38' 1" 14	38' 2" 5	43' 2" 0	43' 2" 9	43' 3" 1	43' 3" 9
20 IN 12	39' 6" 4	39' 6" 12	39' 7" 4	39' 7" 11	44' 5" 5	44' 5" 14	44' 6" 7	44' 7" 0
21 IN 12	40' 11" 13	41' 0" 5	41' 0" 13	41' 1" 5	45' 9" 0	45' 9" 9	45' 10" 2	45' 10" 11
22 IN 12	42' 5" 9	42' 6" 1	42' 6" 10	42' 7" 2	47' 0" 15	47' 1" 9	47' 2" 2	47' 2" 11
23 IN 12	43' 11" 8	44' 0" 1	44' 0" 9	44' 1" 2	48' 5" 3	48' 5" 13	48' 6" 6	48' 7" 0
24 IN 12	45' 5" 10	45' 6" 3	45' 6" 11	45' 7" 4	49' 9" 11	49' 10" 5	49' 10" 14	49' 11" 8
25 IN 12	46' 11" 14	47' 0" 7	47' 1" 0	47' 1" 9	51' 2" 6	51' 3" 0	51' 3" 10	51' 4" 4

20 Foot 5 Inch Run — Common Rafter Lengths   20 Foot 5 Inch Run — Hip Or Valley Rafter Lengths

Run -	20' 5"	20' 5 1/4"	20' 5 1/2"	20' 5 3/4"	20' 5"	20' 5 1/4"	20' 5 1/2"	20' 5 3/4"
Pitch	Ft In 16th"	Ft In 16th"	Ft In 16th"	Ft In 16th"	Ft In 16th"	Ft In 16th"	Ft In 16th"	Ft In 16th"
1 IN 12	20' 5" 14	20' 6" 2	20' 6" 6	20' 6" 10	28' 11" 1	28' 11" 7	28' 11" 13	29' 0" 2
2 IN 12	20' 8" 6	20' 8" 10	20' 8" 14	20' 9" 2	29' 0" 14	29' 1" 4	29' 1" 9	29' 1" 15
2.5 IN 12	20' 10" 4	20' 10" 8	20' 10" 12	20' 11" 0	29' 2" 4	29' 2" 9	29' 2" 15	29' 3" 5
3 IN 12	21' 0" 9	21' 0" 13	21' 1" 1	21' 1" 5	29' 3" 14	29' 4" 3	29' 4" 9	29' 4" 15
3.5 IN 12	21' 3" 3	21' 3" 8	21' 3" 12	21' 4" 0	29' 5" 12	29' 6" 2	29' 6" 8	29' 6" 14
4 IN 12	21' 6" 4	21' 6" 8	21' 6" 12	21' 7" 1	29' 8" 0	29' 8" 5	29' 8" 11	29' 9" 1
4.5 IN 12	21' 9" 11	21' 9" 15	21' 10" 3	21' 10" 7	29' 10" 7	29' 10" 13	29' 11" 3	29' 11" 9
5 IN 12	22' 1" 7	22' 1" 11	22' 1" 15	22' 2" 4	30' 1" 3	30' 1" 9	30' 1" 15	30' 2" 5
5.5 IN 12	22' 5" 13	22' 5" 13	22' 6" 1	22' 6" 5	30' 4" 4	30' 4" 10	30' 4" 15	30' 5" 5
6 IN 12	22' 9" 15	22' 10" 3	22' 10" 8	22' 10" 12	30' 7" 8	30' 7" 14	30' 8" 4	30' 8" 10
6.5 IN 12	23' 2" 10	23' 2" 15	23' 3" 3	23' 3" 8	30' 11" 0	30' 11" 6	30' 11" 13	31' 0" 3
7 IN 12	23' 7" 10	23' 7" 15	23' 8" 3	23' 8" 8	31' 3" 3	31' 3" 3	31' 3" 9	31' 3" 15
8 IN 12	24' 6" 7	24' 6" 12	24' 7" 1	24' 7" 6	31' 11" 1	31' 11" 7	31' 11" 13	32' 0" 4
9 IN 12	25' 6" 4	25' 6" 9	25' 6" 14	25' 7" 3	32' 8" 3	32' 8" 9	32' 9" 0	32' 9" 6
10 IN 12	26' 6" 15	26' 7" 4	26' 7" 9	26' 7" 14	33' 6" 3	33' 6" 9	33' 7" 0	33' 7" 6
11 IN 12	27' 8" 6	27' 8" 11	27' 9" 1	27' 9" 6	34' 4" 14	34' 5" 5	34' 5" 12	34' 6" 3
12 IN 12	28' 10" 8	28' 10" 13	28' 11" 3	28' 11" 9	35' 4" 6	35' 4" 13	35' 5" 3	35' 5" 10
13 IN 12	30' 1" 3	30' 1" 9	30' 1" 15	30' 2" 5	36' 4" 7	36' 4" 14	36' 5" 6	36' 5" 13
14 IN 12	31' 4" 7	31' 4" 14	31' 5" 4	31' 5" 10	37' 5" 3	37' 5" 10	37' 6" 1	37' 6" 9
15 IN 12	32' 8" 3	32' 8" 9	32' 9" 0	32' 9" 6	38' 6" 7	38' 6" 14	38' 7" 6	38' 7" 13
16 IN 12	34' 0" 5	34' 0" 12	34' 1" 3	34' 1" 9	39' 8" 3	39' 8" 11	39' 9" 3	39' 9" 10
17 IN 12	35' 4" 13	35' 5" 4	35' 5" 11	35' 6" 2	40' 10" 7	40' 10" 15	40' 11" 7	40' 11" 15
18 IN 12	36' 9" 11	36' 10" 2	36' 10" 10	36' 11" 1	42' 1" 1	42' 1" 10	42' 2" 2	42' 2" 10
19 IN 12	38' 2" 13	38' 3" 4	38' 3" 12	38' 4" 3	43' 4" 2	43' 4" 10	43' 5" 3	43' 5" 11
20 IN 12	39' 8" 3	39' 8" 11	39' 9" 3	39' 9" 10	44' 7" 8	44' 8" 1	44' 8" 10	44' 9" 3
21 IN 12	41' 1" 13	41' 2" 5	41' 2" 13	41' 3" 5	45' 11" 4	45' 11" 13	46' 0" 6	46' 0" 15
22 IN 12	42' 7" 10	42' 8" 3	42' 8" 11	42' 9" 3	47' 3" 4	47' 3" 14	47' 4" 7	47' 5" 0
23 IN 12	44' 1" 10	44' 2" 3	44' 2" 12	44' 3" 4	48' 7" 9	48' 8" 3	48' 8" 12	48' 9" 6
24 IN 12	45' 7" 13	45' 8" 6	45' 8" 15	45' 9" 8	50' 0" 2	50' 0" 12	50' 1" 6	50' 1" 15
25 IN 12	47' 2" 3	47' 2" 12	47' 3" 5	47' 3" 14	51' 4" 15	51' 5" 9	51' 6" 3	51' 6" 13

20 Foot 6 Inch Run — Common Rafter Lengths   20 Foot 6 Inch Run — Hip Or Valley Rafter Lengths

Run -	20' 6"	20' 6 1/4"	20' 6 1/2"	20' 6 3/4"	20' 6"	20' 6 1/4"	20' 6 1/2"	20' 6 3/4"
Pitch	Ft In 16th"	Ft In 16th"	Ft In 16th"	Ft In 16th"	Ft In 16th"	Ft In 16th"	Ft In 16th"	Ft In 16th"
1 IN 12	20' 6" 14	20' 7" 2	20' 7" 6	20' 7" 10	29' 0" 8	29' 0" 14	29' 1" 3	29' 1" 9
2 IN 12	20' 9" 6	20' 9" 10	20' 9" 14	20' 10" 2	29' 2" 5	29' 2" 11	29' 3" 0	29' 3" 6
2.5 IN 12	20' 11" 5	20' 11" 9	20' 11" 13	21' 0" 1	29' 3" 10	29' 4" 0	29' 4" 6	29' 4" 12
3 IN 12	21' 1" 9	21' 1" 13	21' 2" 1	21' 2" 6	29' 5" 5	29' 5" 10	29' 6" 0	29' 6" 6
3.5 IN 12	21' 4" 4	21' 4" 8	21' 4" 12	21' 5" 1	29' 7" 3	29' 7" 9	29' 7" 15	29' 8" 5
4 IN 12	21' 7" 5	21' 7" 9	21' 7" 13	21' 8" 2	29' 9" 7	29' 9" 13	29' 10" 2	29' 10" 8
4.5 IN 12	21' 10" 12	21' 11" 0	21' 11" 4	21' 11" 8	29' 11" 15	30' 0" 5	30' 0" 10	30' 1" 0
5 IN 12	22' 2" 8	22' 2" 12	22' 3" 1	22' 3" 5	30' 2" 11	30' 3" 1	30' 3" 7	30' 3" 13
5.5 IN 12	22' 6" 10	22' 6" 14	22' 7" 3	22' 7" 7	30' 5" 11	30' 6" 1	30' 6" 7	30' 6" 13
6 IN 12	22' 11" 1	22' 11" 5	22' 11" 10	22' 11" 14	30' 9" 0	30' 9" 6	30' 9" 12	30' 10" 2
6.5 IN 12	23' 3" 12	23' 4" 1	23' 4" 5	23' 4" 10	31' 0" 9	31' 0" 15	31' 1" 5	31' 1" 11
7 IN 12	23' 8" 13	23' 9" 1	23' 9" 6	23' 9" 11	31' 4" 5	31' 4" 11	31' 5" 2	31' 5" 8
8 IN 12	24' 7" 10	24' 7" 15	24' 8" 4	24' 8" 9	32' 0" 10	32' 1" 0	32' 1" 6	32' 1" 13
9 IN 12	25' 7" 8	25' 7" 13	25' 8" 2	25' 8" 7	32' 9" 13	32' 10" 3	32' 10" 9	32' 11" 0
10 IN 12	26' 8" 4	26' 8" 9	26' 8" 14	26' 9" 3	33' 7" 13	33' 8" 3	33' 8" 10	33' 9" 1
11 IN 12	27' 9" 11	27' 10" 1	27' 10" 6	27' 10" 12	34' 6" 9	34' 7" 0	34' 7" 7	34' 7" 14
12 IN 12	28' 11" 14	29' 0" 4	29' 0" 10	29' 0" 15	35' 6" 1	35' 6" 8	35' 6" 15	35' 7" 6
13 IN 12	30' 2" 11	30' 3" 1	30' 3" 7	30' 3" 13	36' 6" 4	36' 6" 11	36' 7" 2	36' 7" 9
14 IN 12	31' 6" 0	31' 6" 6	31' 6" 12	31' 7" 2	37' 7" 0	37' 7" 7	37' 7" 15	37' 8" 6
15 IN 12	32' 9" 13	32' 10" 3	32' 10" 9	32' 11" 0	38' 8" 5	38' 8" 13	38' 9" 4	38' 9" 12
16 IN 12	34' 2" 0	34' 2" 7	34' 2" 13	34' 3" 4	39' 10" 2	39' 10" 10	39' 11" 2	39' 11" 10
17 IN 12	35' 6" 9	35' 7" 0	35' 7" 7	35' 7" 14	41' 0" 7	41' 0" 15	41' 1" 7	41' 1" 15
18 IN 12	36' 11" 8	36' 11" 15	37' 0" 6	37' 0" 13	42' 3" 2	42' 3" 11	42' 4" 3	42' 4" 11
19 IN 12	38' 4" 11	38' 5" 2	38' 5" 10	38' 6" 1	43' 6" 4	43' 6" 12	43' 7" 5	43' 7" 13
20 IN 12	39' 10" 2	39' 10" 10	39' 11" 2	39' 11" 10	44' 9" 11	44' 10" 4	44' 10" 13	44' 11" 6
21 IN 12	41' 3" 13	41' 4" 5	41' 4" 13	41' 5" 5	46' 1" 8	46' 2" 1	46' 2" 10	46' 3" 3
22 IN 12	42' 9" 12	42' 10" 4	42' 10" 12	42' 11" 5	47' 5" 9	47' 6" 3	47' 6" 12	47' 7" 5
23 IN 12	44' 3" 13	44' 4" 6	44' 4" 14	44' 5" 7	48' 9" 15	48' 10" 9	48' 11" 2	48' 11" 12
24 IN 12	45' 10" 1	45' 10" 10	45' 11" 3	45' 11" 12	50' 2" 9	50' 3" 3	50' 3" 13	50' 4" 7
25 IN 12	47' 4" 8	47' 5" 1	47' 5" 10	47' 6" 3	51' 7" 7	51' 8" 1	51' 8" 11	51' 9" 5

20 Foot 7 Inch Run — Common Rafter Lengths

Run -	20' 7"			20' 7 1/4"			20' 7 1/2"			20' 7 3/4"		
Pitch	Ft	In	16th"	Ft	In	16th"	Ft	In	16th"	Ft	In	16th"
1 IN 12	20'	7"	14	20'	8"	2	20'	8"	6	20'	8"	10
2 IN 12	20'	10"	7	20'	10"	11	20'	10"	15	20'	11"	3
2.5 IN 12	21'	0"	5	21'	0"	9	21'	0"	13	21'	1"	1
3 IN 12	21'	2"	10	21'	2"	14	21'	3"	2	21'	3"	6
3.5 IN 12	21'	5"	5	21'	5"	9	21'	5"	13	21'	6"	1
4 IN 12	21'	8"	6	21'	8"	10	21'	8"	14	21'	9"	2
4.5 IN 12	21'	11"	13	22'	0"	1	22'	0"	5	22'	0"	10
5 IN 12	22'	3"	9	22'	3"	14	22'	4"	2	22'	4"	6
5.5 IN 12	22'	7"	11	22'	8"	0	22'	8"	4	22'	8"	9
6 IN 12	23'	0"	2	23'	0"	7	23'	0"	11	23'	1"	0
6.5 IN 12	23'	4"	15	23'	5"	3	23'	5"	8	23'	5"	12
7 IN 12	23'	9"	15	23'	10"	4	23'	10"	9	23'	10"	13
8 IN 12	24'	8"	14	24'	9"	3	24'	9"	7	24'	9"	12
9 IN 12	25'	8"	12	25'	9"	1	25'	9"	6	25'	9"	11
10 IN 12	26'	9"	8	26'	9"	14	26'	10"	3	26'	10"	8
11 IN 12	27'	11"	1	27'	11"	7	27'	11"	12	28'	0"	1
12 IN 12	29'	1"	5	29'	1"	11	29'	2"	0	29'	2"	6
13 IN 12	30'	4"	3	30'	4"	8	30'	4"	14	30'	5"	4
14 IN 12	31'	7"	9	31'	7"	15	31'	8"	5	31'	8"	11
15 IN 12	32'	11"	6	32'	11"	13	33'	0"	3	33'	0"	9
16 IN 12	34'	3"	11	34'	4"	1	34'	4"	8	34'	4"	15
17 IN 12	35'	8"	5	35'	8"	12	35'	9"	3	35'	9"	10
18 IN 12	37'	1"	5	37'	1"	12	37'	2"	3	37'	2"	10
19 IN 12	38'	6"	9	38'	7"	0	38'	7"	8	38'	7"	15
20 IN 12	40'	0"	1	40'	0"	9	40'	1"	1	40'	1"	9
21 IN 12	41'	5"	14	41'	6"	6	41'	6"	14	41'	7"	6
22 IN 12	42'	11"	13	43'	0"	5	43'	0"	14	43'	1"	6
23 IN 12	44'	6"	0	44'	6"	8	44'	7"	1	44'	7"	10
24 IN 12	46'	0"	5	46'	0"	14	46'	1"	7	46'	2"	0
25 IN 12	47'	6"	13	47'	7"	6	47'	7"	15	47'	8"	8

20 Foot 7 Inch Run — Hip Or Valley Rafter Lengths

Run -	20' 7"			20' 7 1/4"			20' 7 1/2"			20' 7 3/4"		
Pitch	Ft	In	16th"	Ft	In	16th"	Ft	In	16th"	Ft	In	16th"
1 IN 12	29'	1"	15	29'	2"	4	29'	2"	10	29'	3"	0
2 IN 12	29'	3"	12	29'	4"	1	29'	4"	7	29'	4"	13
2.5 IN 12	29'	5"	1	29'	5"	7	29'	5"	13	29'	6"	2
3 IN 12	29'	6"	12	29'	7"	1	29'	7"	7	29'	7"	13
3.5 IN 12	29'	8"	11	29'	9"	0	29'	9"	6	29'	9"	12
4 IN 12	29'	10"	14	29'	11"	4	29'	11"	10	30'	0"	0
4.5 IN 12	30'	1"	6	30'	1"	12	30'	2"	2	30'	2"	8
5 IN 12	30'	4"	3	30'	4"	8	30'	4"	14	30'	5"	4
5.5 IN 12	30'	7"	3	30'	7"	9	30'	7"	15	30'	8"	5
6 IN 12	30'	10"	8	30'	10"	14	30'	11"	4	30'	11"	10
6.5 IN 12	31'	2"	1	31'	2"	7	31'	2"	13	31'	3"	3
7 IN 12	31'	5"	14	31'	6"	4	31'	6"	10	31'	7"	0
8 IN 12	32'	2"	3	32'	2"	9	32'	2"	15	32'	3"	6
9 IN 12	32'	11"	6	32'	11"	13	33'	0"	3	33'	0"	9
10 IN 12	33'	9"	7	33'	9"	14	33'	10"	4	33'	10"	11
11 IN 12	34'	8"	4	34'	8"	11	34'	9"	2	34'	9"	9
12 IN 12	35'	7"	13	35'	8"	4	35'	8"	11	35'	9"	2
13 IN 12	36'	8"	0	36'	8"	7	36'	8"	15	36'	9"	6
14 IN 12	37'	8"	13	37'	9"	5	37'	9"	12	37'	10"	3
15 IN 12	38'	10"	3	38'	10"	11	38'	11"	2	38'	11"	10
16 IN 12	40'	0"	1	40'	0"	9	40'	1"	1	40'	1"	9
17 IN 12	41'	2"	7	41'	2"	15	41'	3"	7	41'	3"	15
18 IN 12	42'	5"	3	42'	5"	12	42'	6"	4	42'	6"	12
19 IN 12	43'	8"	6	43'	8"	14	43'	9"	7	43'	9"	15
20 IN 12	44'	11"	14	45'	0"	7	45'	1"	0	45'	1"	9
21 IN 12	46'	3"	12	46'	4"	5	46'	4"	14	46'	5"	7
22 IN 12	47'	7"	14	47'	8"	8	47'	9"	1	47'	9"	10
23 IN 12	49'	0"	5	49'	0"	15	49'	1"	8	49'	2"	2
24 IN 12	50'	5"	0	50'	5"	10	50'	6"	4	50'	6"	14
25 IN 12	51'	9"	15	51'	10"	9	51'	11"	3	51'	11"	13

20 Foot 8 Inch Run — Common Rafter Lengths   20 Foot 8 Inch Run — Hip Or Valley Rafter Lengths

Run -	20' 8"	20' 8 1/4"	20' 8 1/2"	20' 8 3/4"	20' 8"	20' 8 1/4"	20' 8 1/2"	20' 8 3/4"
Pitch	Ft In 16th"	Ft In 16th"	Ft In 16th"	Ft In 16th"	Ft In 16th"	Ft In 16th"	Ft In 16th"	Ft In 16th"
1 IN 12	20' 8" 14	20' 9" 2	20' 9" 6	20' 9" 10	29' 3" 5	29' 3" 11	29' 4" 1	29' 4" 6
2 IN 12	20' 11" 7	20' 11" 11	20' 11" 15	21' 0" 3	29' 5" 2	29' 5" 8	29' 5" 14	29' 6" 4
2.5 IN 12	21' 1" 5	21' 1" 9	21' 1" 13	21' 2" 1	29' 6" 8	29' 6" 14	29' 7" 4	29' 7" 9
3 IN 12	21' 3" 10	21' 3" 14	21' 4" 2	21' 4" 6	29' 8" 3	29' 8" 8	29' 8" 14	29' 9" 4
3.5 IN 12	21' 6" 5	21' 6" 10	21' 6" 14	21' 7" 2	29' 10" 2	29' 10" 7	29' 10" 13	29' 11" 3
4 IN 12	21' 9" 7	21' 9" 11	21' 9" 15	21' 10" 3	30' 0" 5	30' 0" 11	30' 1" 1	30' 1" 7
4.5 IN 12	22' 0" 14	22' 1" 2	22' 1" 6	22' 1" 11	30' 2" 14	30' 3" 3	30' 3" 9	30' 3" 15
5 IN 12	22' 4" 11	22' 4" 15	22' 5" 3	22' 5" 8	30' 5" 10	30' 6" 0	30' 6" 6	30' 6" 12
5.5 IN 12	22' 8" 13	22' 9" 1	22' 9" 6	22' 9" 10	30' 8" 11	30' 9" 1	30' 9" 7	30' 9" 13
6 IN 12	23' 1" 4	23' 1" 9	23' 1" 13	23' 2" 2	31' 0" 0	31' 0" 6	31' 0" 12	31' 1" 2
6.5 IN 12	23' 6" 1	23' 6" 5	23' 6" 10	23' 6" 14	31' 3" 9	31' 3" 15	31' 4" 5	31' 4" 11
7 IN 12	23' 11" 2	23' 11" 6	23' 11" 11	24' 0" 0	31' 7" 6	31' 7" 12	31' 8" 2	31' 8" 9
8 IN 12	24' 10" 1	24' 10" 6	24' 10" 11	24' 10" 15	32' 3" 12	32' 4" 2	32' 4" 8	32' 4" 15
9 IN 12	25' 10" 0	25' 10" 5	25' 10" 10	25' 10" 15	33' 1" 0	33' 1" 6	33' 1" 13	33' 2" 3
10 IN 12	26' 10" 13	26' 11" 2	26' 11" 8	26' 11" 13	33' 11" 1	33' 11" 8	33' 11" 15	34' 0" 5
11 IN 12	28' 0" 7	28' 0" 12	28' 1" 2	28' 1" 7	34' 9" 15	34' 10" 6	34' 10" 13	34' 11" 4
12 IN 12	29' 2" 12	29' 3" 1	29' 3" 7	29' 3" 13	35' 9" 9	35' 10" 0	35' 10" 7	35' 10" 14
13 IN 12	30' 5" 10	30' 6" 0	30' 6" 6	30' 6" 12	36' 9" 13	36' 10" 4	36' 10" 11	36' 11" 2
14 IN 12	31' 9" 1	31' 9" 7	31' 9" 13	31' 10" 4	37' 10" 11	37' 11" 2	37' 11" 9	38' 0" 1
15 IN 12	33' 1" 0	33' 1" 6	33' 1" 13	33' 2" 3	39' 0" 1	39' 0" 9	39' 1" 1	39' 1" 8
16 IN 12	34' 5" 5	34' 5" 12	34' 6" 3	34' 6" 9	40' 2" 0	40' 2" 8	40' 3" 0	40' 3" 8
17 IN 12	35' 10" 1	35' 10" 8	35' 10" 15	35' 11" 6	41' 4" 7	41' 4" 15	41' 5" 7	41' 5" 15
18 IN 12	37' 3" 1	37' 3" 9	37' 4" 0	37' 4" 7	42' 7" 4	42' 7" 12	42' 8" 5	42' 8" 13
19 IN 12	38' 8" 7	38' 8" 14	38' 9" 6	38' 9" 13	43' 10" 8	43' 11" 0	43' 11" 9	44' 0" 1
20 IN 12	40' 2" 0	40' 2" 8	40' 3" 0	40' 3" 8	45' 2" 1	45' 2" 10	45' 3" 3	45' 3" 12
21 IN 12	41' 7" 14	41' 8" 6	41' 8" 14	41' 9" 6	46' 6" 0	46' 6" 9	46' 7" 2	46' 7" 11
22 IN 12	43' 1" 14	43' 2" 7	43' 2" 15	43' 3" 8	47' 10" 4	47' 10" 13	47' 11" 6	47' 11" 15
23 IN 12	44' 8" 2	44' 8" 11	44' 9" 4	44' 9" 12	49' 2" 12	49' 3" 5	49' 3" 15	49' 4" 8
24 IN 12	46' 2" 9	46' 3" 2	46' 3" 11	46' 4" 4	50' 7" 8	50' 8" 1	50' 8" 11	50' 9" 5
25 IN 12	47' 9" 2	47' 9" 11	47' 10" 4	47' 10" 13	52' 0" 7	52' 1" 1	52' 1" 12	52' 2" 6

20 Foot 9 Inch Run — Common Rafter Lengths   20 Foot 9 Inch Run — Hip Or Valley Rafter Lengths

Run -	Common 20' 9"	20' 9 1/4"	20' 9 1/2"	20' 9 3/4"	Hip 20' 9"	20' 9 1/4"	20' 9 1/2"	20' 9 3/4"
Pitch (Ft In 16th")	Ft In 16th"	Ft In 16th"	Ft In 16th"	Ft In 16th"	Ft In 16th"	Ft In 16th"	Ft In 16th"	Ft In 16th"
1 IN 12	20' 9" 14	20' 10" 2	20' 10" 6	20' 10" 10	29' 4" 12	29' 5" 2	29' 5" 7	29' 5" 13
2 IN 12	21' 0" 7	21' 0" 11	21' 0" 15	21' 1" 3	29' 6" 9	29' 6" 15	29' 7" 5	29' 7" 10
2.5 IN 12	21' 2" 6	21' 2" 10	21' 2" 14	21' 3" 2	29' 7" 15	29' 8" 5	29' 8" 10	29' 9" 0
3 IN 12	21' 4" 11	21' 4" 15	21' 5" 3	21' 5" 7	29' 9" 10	29' 9" 15	29' 10" 5	29' 10" 11
3.5 IN 12	21' 7" 6	21' 7" 10	21' 7" 14	21' 8" 3	29' 11" 9	29' 11" 15	30' 0" 4	30' 0" 10
4 IN 12	21' 10" 8	21' 10" 12	21' 11" 0	21' 11" 4	30' 1" 13	30' 2" 2	30' 2" 8	30' 2" 14
4.5 IN 12	22' 1" 15	22' 2" 3	22' 2" 7	22' 2" 12	30' 4" 5	30' 4" 11	30' 5" 1	30' 5" 6
5 IN 12	22' 5" 12	22' 6" 0	22' 6" 5	22' 6" 9	30' 7" 2	30' 7" 8	30' 7" 13	30' 8" 3
5.5 IN 12	22' 9" 15	22' 10" 3	22' 10" 7	22' 10" 12	30' 10" 3	30' 10" 9	30' 10" 15	30' 11" 5
6 IN 12	23' 2" 6	23' 2" 11	23' 2" 15	23' 3" 4	31' 1" 8	31' 1" 14	31' 2" 4	31' 2" 10
6.5 IN 12	23' 7" 3	23' 7" 7	23' 7" 12	23' 8" 1	31' 5" 1	31' 5" 7	31' 5" 13	31' 6" 4
7 IN 12	24' 0" 4	24' 0" 9	24' 0" 14	24' 1" 2	31' 8" 15	31' 9" 5	31' 9" 11	31' 10" 1
8 IN 12	24' 11" 4	24' 11" 9	24' 11" 14	25' 0" 3	32' 5" 5	32' 5" 11	32' 6" 1	32' 6" 8
9 IN 12	25' 11" 4	25' 11" 9	25' 11" 14	26' 0" 3	33' 2" 10	33' 3" 0	33' 3" 6	33' 3" 13
10 IN 12	27' 0" 2	27' 0" 7	27' 0" 12	27' 1" 2	34' 0" 12	34' 1" 2	34' 1" 9	34' 1" 15
11 IN 12	28' 1" 13	28' 2" 2	28' 2" 7	28' 2" 13	34' 11" 10	35' 0" 1	35' 0" 8	35' 0" 15
12 IN 12	29' 4" 2	29' 4" 8	29' 4" 14	29' 5" 3	35' 11" 4	35' 11" 11	36' 0" 2	36' 0" 9
13 IN 12	30' 7" 2	30' 7" 8	30' 7" 13	30' 8" 3	36' 11" 9	37' 0" 0	37' 0" 8	37' 0" 15
14 IN 12	31' 10" 10	31' 11" 0	31' 11" 6	31' 11" 12	38' 0" 8	38' 0" 15	38' 1" 7	38' 1" 14
15 IN 12	33' 2" 10	33' 3" 0	33' 3" 6	33' 3" 13	39' 2" 0	39' 2" 7	39' 2" 15	39' 3" 6
16 IN 12	34' 7" 0	34' 7" 7	34' 7" 13	34' 8" 4	40' 4" 0	40' 4" 7	40' 4" 15	40' 5" 7
17 IN 12	35' 11" 12	36' 0" 3	36' 0" 10	36' 1" 1	41' 6" 7	41' 6" 15	41' 7" 7	41' 7" 15
18 IN 12	37' 4" 14	37' 5" 5	37' 5" 13	37' 6" 4	42' 9" 5	42' 9" 13	42' 10" 6	42' 10" 14
19 IN 12	38' 10" 5	38' 10" 12	38' 11" 4	38' 11" 11	44' 0" 10	44' 1" 2	44' 1" 11	44' 2" 3
20 IN 12	40' 4" 0	40' 4" 7	40' 4" 15	40' 5" 7	45' 4" 4	45' 4" 13	45' 5" 6	45' 5" 15
21 IN 12	41' 9" 14	41' 10" 6	41' 10" 14	41' 11" 6	46' 8" 4	46' 8" 13	46' 9" 6	46' 9" 15
22 IN 12	43' 4" 0	43' 4" 8	43' 5" 1	43' 5" 9	48' 0" 9	48' 1" 2	48' 1" 11	48' 2" 4
23 IN 12	44' 10" 5	44' 10" 13	44' 11" 6	44' 11" 15	49' 5" 2	49' 5" 11	49' 6" 5	49' 6" 14
24 IN 12	46' 4" 12	46' 5" 5	46' 5" 14	46' 6" 7	50' 9" 15	50' 10" 9	50' 11" 2	50' 11" 12
25 IN 12	47' 11" 7	48' 0" 0	48' 0" 9	48' 1" 2	52' 3" 0	52' 3" 10	52' 4" 4	52' 4" 14

20 Foot 10 Inch Run — Common Rafter Lengths | 20 Foot 10 Inch Run — Hip Or Valley Rafter Lengths

Run -	20'10"			20'10 1/4"			20'10 1/2"			20'10 3/4"			20'10"			20'10 1/4"			20'10 1/2"			20'10 3/4"		
Pitch	Ft	In	16th"	Ft	In	16th"	Ft	In	16th"	Ft	In	16th"	Ft	In	16th"	Ft	In	16th"	Ft	In	16th"	Ft	In	16th"
1 IN 12	20'	10"	14	20'	11"	2	20'	11"	6	20'	11"	10	29'	6"	3	29'	6"	8	29'	6"	14	29'	7"	4
2 IN 12	21'	1"	7	21'	1"	11	21'	1"	15	21'	2"	3	29'	8"	0	29'	8"	6	29'	8"	11	29'	9"	1
2.5 IN 12	21'	3"	6	21'	3"	10	21'	3"	14	21'	4"	2	29'	9"	6	29'	9"	12	29'	10"	1	29'	10"	7
3 IN 12	21'	5"	11	21'	5"	15	21'	6"	3	21'	6"	7	29'	11"	1	29'	11"	6	29'	11"	12	30'	0"	2
3.5 IN 12	21'	8"	7	21'	8"	11	21'	8"	15	21'	9"	3	30'	1"	0	30'	1"	6	30'	1"	11	30'	2"	1
4 IN 12	21'	11"	8	21'	11"	13	22'	0"	1	22'	0"	5	30'	3"	4	30'	3"	10	30'	3"	15	30'	4"	5
4.5 IN 12	22'	3"	0	22'	3"	4	22'	3"	9	22'	3"	13	30'	5"	12	30'	6"	2	30'	6"	8	30'	6"	14
5 IN 12	22'	6"	13	22'	7"	2	22'	7"	6	22'	7"	10	30'	8"	9	30'	8"	15	30'	9"	5	30'	9"	11
5.5 IN 12	22'	11"	0	22'	11"	5	22'	11"	9	22'	11"	13	30'	11"	11	31'	0"	0	31'	0"	6	31'	0"	12
6 IN 12	23'	3"	8	23'	3"	13	23'	4"	1	23'	4"	6	31'	3"	0	31'	3"	6	31'	3"	12	31'	4"	2
6.5 IN 12	23'	8"	5	23'	8"	10	23'	8"	14	23'	9"	3	31'	6"	10	31'	7"	0	31'	7"	6	31'	7"	12
7 IN 12	24'	1"	7	24'	1"	11	24'	2"	0	24'	2"	5	31'	10"	7	31'	10"	13	31'	11"	3	31'	11"	10
8 IN 12	25'	0"	7	25'	0"	12	25'	1"	1	25'	1"	6	32'	6"	14	32'	7"	4	32'	7"	10	32'	8"	1
9 IN 12	26'	0"	8	26'	0"	13	26'	1"	2	26'	1"	7	33'	4"	3	33'	4"	10	33'	5"	0	33'	5"	6
10 IN 12	27'	1"	7	27'	1"	12	27'	2"	1	27'	2"	6	34'	2"	6	34'	2"	12	34'	3"	3	34'	3"	10
11 IN 12	28'	3"	2	28'	3"	8	28'	3"	13	28'	4"	3	35'	1"	5	35'	1"	12	35'	2"	3	35'	2"	9
12 IN 12	29'	5"	9	29'	5"	15	29'	6"	4	29'	6"	10	36'	1"	0	36'	1"	7	36'	1"	14	36'	2"	5
13 IN 12	30'	8"	9	30'	8"	15	30'	9"	5	30'	9"	11	37'	1"	6	37'	1"	13	37'	2"	4	37'	2"	11
14 IN 12	32'	0"	2	32'	0"	9	32'	0"	15	32'	1"	5	38'	2"	5	38'	2"	13	38'	3"	4	38'	3"	11
15 IN 12	33'	4"	3	33'	4"	10	33'	5"	0	33'	5"	6	39'	3"	14	39'	4"	5	39'	4"	13	39'	5"	4
16 IN 12	34'	8"	11	34'	9"	1	34'	9"	8	34'	9"	15	40'	5"	15	40'	6"	6	40'	6"	14	40'	7"	6
17 IN 12	36'	1"	8	36'	1"	15	36'	2"	6	36'	2"	13	41'	8"	7	41'	8"	15	41'	9"	7	41'	9"	15
18 IN 12	37'	6"	11	37'	7"	2	37'	7"	10	37'	8"	1	42'	11"	6	42'	11"	14	43'	0"	7	43'	0"	15
19 IN 12	39'	0"	3	39'	0"	10	39'	1"	2	39'	1"	9	44'	2"	12	44'	3"	4	44'	3"	13	44'	4"	5
20 IN 12	40'	5"	15	40'	6"	6	40'	6"	14	40'	7"	6	45'	6"	7	45'	7"	0	45'	7"	9	45'	8"	1
21 IN 12	41'	11"	14	42'	0"	6	42'	0"	14	42'	1"	6	46'	10"	8	46'	11"	1	46'	11"	10	47'	0"	3
22 IN 12	43'	6"	1	43'	6"	10	43'	7"	2	43'	7"	10	48'	2"	14	48'	3"	7	48'	4"	0	48'	4"	9
23 IN 12	45'	0"	7	45'	1"	0	45'	1"	9	45'	2"	1	49'	7"	8	49'	8"	1	49'	8"	11	49'	9"	4
24 IN 12	46'	7"	0	46'	7"	9	46'	8"	2	46'	8"	11	51'	0"	6	51'	1"	0	51'	1"	10	51'	2"	3
25 IN 12	48'	1"	12	48'	2"	5	48'	2"	14	48'	3"	7	52'	5"	8	52'	6"	2	52'	6"	12	52'	7"	6

20 Foot 11 Inch Run — Common Rafter Lengths   20 Foot 11 Inch Run — Hip Or Valley Rafter Lengths

Run -	20'11"			20'11 1/4"			20'11 1/2"			20'11 3/4"			20'11"			20'11 1/4"			20'11 1/2"			20'11 3/4"		
Pitch	Ft	In	16th"	Ft	In	16th"	Ft	In	16th"	Ft	In	16th"	Ft	In	16th"	Ft	In	16th"	Ft	In	16th"	Ft	In	16th"
1 IN 12	20'	11"	14	21'	0"	2	21'	0"	6	21'	0"	10	29'	7"	9	29'	7"	15	29'	8"	5	29'	8"	10
2 IN 12	21'	2"	7	21'	2"	11	21'	3"	0	21'	3"	4	29'	9"	7	29'	9"	12	29'	10"	2	29'	10"	8
2.5 IN 12	21'	4"	6	21'	4"	10	21'	4"	14	21'	5"	2	29'	10"	13	29'	11"	2	29'	11"	8	29'	11"	14
3 IN 12	21'	6"	12	21'	7"	0	21'	7"	4	21'	7"	8	30'	0"	7	30'	0"	13	30'	1"	3	30'	1"	9
3.5 IN 12	21'	9"	7	21'	9"	12	21'	10"	0	21'	10"	4	30'	2"	7	30'	2"	13	30'	3"	3	30'	3"	8
4 IN 12	22'	0"	9	22'	0"	13	22'	1"	2	22'	1"	6	30'	4"	11	30'	5"	1	30'	5"	7	30'	5"	13
4.5 IN 12	22'	4"	1	22'	4"	5	22'	4"	10	22'	4"	14	30'	7"	4	30'	7"	10	30'	7"	15	30'	8"	5
5 IN 12	22'	7"	15	22'	8"	3	22'	8"	7	22'	8"	12	30'	10"	1	30'	10"	7	30'	10"	13	30'	11"	3
5.5 IN 12	23'	0"	2	23'	0"	6	23'	0"	11	23'	0"	15	31'	1"	2	31'	1"	8	31'	1"	14	31'	2"	2
6 IN 12	23'	4"	10	23'	4"	14	23'	5"	3	23'	5"	7	31'	4"	8	31'	4"	14	31'	5"	4	31'	5"	10
6.5 IN 12	23'	9"	7	23'	9"	12	23'	10"	3	23'	10"	5	31'	8"	2	31'	8"	8	31'	8"	14	31'	9"	4
7 IN 12	24'	2"	9	24'	2"	14	24'	3"	3	24'	3"	7	32'	0"	0	32'	0"	6	32'	0"	12	32'	1"	2
8 IN 12	25'	1"	11	25'	1"	15	25'	2"	4	25'	2"	9	32'	8"	7	32'	8"	13	32'	9"	3	32'	9"	10
9 IN 12	26'	1"	12	26'	2"	1	26'	2"	6	26'	2"	11	33'	5"	13	33'	6"	3	33'	6"	10	33'	7"	0
10 IN 12	27'	2"	12	27'	3"	1	27'	3"	6	27'	3"	11	34'	4"	0	34'	4"	7	34'	4"	13	34'	5"	4
11 IN 12	28'	4"	8	28'	4"	13	28'	5"	3	28'	5"	8	35'	3"	0	35'	3"	7	35'	3"	14	35'	4"	4
12 IN 12	29'	6"	15	29'	7"	5	29'	7"	11	29'	8"	0	36'	2"	12	36'	3"	3	36'	3"	10	36'	4"	1
13 IN 12	30'	10"	1	30'	10"	7	30'	10"	13	30'	11"	3	37'	3"	2	37'	3"	9	37'	4"	1	37'	4"	8
14 IN 12	32'	1"	11	32'	2"	1	32'	2"	7	32'	2"	13	38'	4"	3	38'	4"	10	38'	5"	1	38'	5"	9
15 IN 12	33'	5"	13	33'	6"	3	33'	6"	10	33'	7"	0	39'	5"	12	39'	6"	4	39'	6"	11	39'	7"	3
16 IN 12	34'	10"	5	34'	10"	12	34'	11"	3	34'	11"	9	40'	7"	14	40'	8"	5	40'	8"	13	40'	9"	5
17 IN 12	36'	3"	4	36'	3"	11	36'	4"	2	36'	4"	9	41'	10"	7	41'	10"	15	41'	11"	7	41'	11"	15
18 IN 12	37'	8"	8	37'	8"	15	37'	9"	6	37'	9"	11	43'	1"	7	43'	1"	15	43'	2"	8	43'	3"	0
19 IN 12	39'	2"	1	39'	2"	8	39'	3"	0	39'	3"	7	44'	4"	14	44'	5"	6	44'	5"	15	44'	6"	7
20 IN 12	40'	7"	14	40'	8"	5	40'	8"	13	40'	9"	5	45'	8"	10	45'	9"	3	45'	9"	12	45'	10"	4
21 IN 12	42'	1"	15	42'	2"	7	42'	2"	15	42'	3"	7	47'	0"	12	47'	1"	5	47'	1"	14	47'	2"	7
22 IN 12	43'	8"	3	43'	8"	11	43'	9"	3	43'	9"	12	48'	5"	3	48'	5"	12	48'	6"	5	48'	6"	14
23 IN 12	45'	2"	10	45'	3"	3	45'	3"	11	45'	4"	4	49'	9"	14	49'	10"	7	49'	11"	1	49'	11"	15
24 IN 12	46'	9"	4	46'	9"	13	46'	10"	6	46'	10"	15	51'	2"	13	51'	3"	7	51'	4"	1	51'	4"	11
25 IN 12	48'	4"	1	48'	4"	10	48'	5"	3	48'	5"	12	52'	8"	0	52'	8"	10	52'	9"	4	52'	9"	14

21 Foot 0 Inch Run — Common Rafter Lengths | 21 Foot 0 Inch Run — Hip Or Valley Rafter Lengths

Run - Pitch	21' 0"	21' 0 1/4"	21' 0 1/2"	21' 0 3/4"	21' 0"	21' 0 1/4"	21' 0 1/2"	21' 0 3/4"
1 IN 12	21' 0" 14	21' 1" 2	21' 1" 6	21' 1" 10	29' 9" 0	29' 9" 6	29' 9" 11	29' 10" 1
2 IN 12	21' 3" 8	21' 3" 12	21' 4" 0	21' 4" 4	29' 10" 14	29' 11" 3	29' 11" 9	29' 11" 15
2.5 IN 12	21' 5" 7	21' 5" 11	21' 5" 15	21' 6" 3	30' 0" 4	30' 0" 9	30' 0" 15	30' 1" 5
3 IN 12	21' 7" 12	21' 8" 0	21' 8" 4	21' 8" 8	30' 1" 15	30' 2" 4	30' 2" 10	30' 3" 0
3.5 IN 12	21' 10" 8	21' 10" 12	21' 11" 0	21' 11" 5	30' 3" 14	30' 4" 4	30' 4" 4	30' 4" 15
4 IN 12	22' 1" 10	22' 1" 14	22' 2" 3	22' 2" 7	30' 6" 2	30' 6" 8	30' 6" 14	30' 7" 4
4.5 IN 12	22' 5" 2	22' 5" 6	22' 5" 11	22' 5" 15	30' 8" 11	30' 9" 1	30' 9" 7	30' 9" 13
5 IN 12	22' 9" 0	22' 9" 4	22' 9" 9	22' 9" 13	30' 11" 8	30' 11" 14	31' 0" 4	31' 0" 10
5.5 IN 12	23' 1" 3	23' 1" 8	23' 1" 12	23' 2" 1	31' 2" 10	31' 3" 0	31' 3" 6	31' 3" 12
6 IN 12	23' 5" 12	23' 6" 0	23' 6" 5	23' 6" 9	31' 6" 0	31' 6" 6	31' 6" 12	31' 7" 2
6.5 IN 12	23' 10" 10	23' 10" 14	23' 11" 3	23' 11" 7	31' 9" 10	31' 10" 0	31' 10" 6	31' 10" 12
7 IN 12	24' 3" 12	24' 4" 0	24' 4" 5	24' 4" 10	32' 1" 8	32' 1" 14	32' 2" 4	32' 2" 10
8 IN 12	25' 2" 14	25' 3" 3	25' 3" 7	25' 3" 12	32' 10" 0	32' 10" 6	32' 10" 12	32' 11" 3
9 IN 12	26' 3" 0	26' 3" 5	26' 3" 10	26' 3" 15	33' 7" 6	33' 7" 13	33' 8" 3	33' 8" 10
10 IN 12	27' 4" 0	27' 4" 6	27' 4" 11	27' 5" 0	34' 5" 10	34' 6" 1	34' 6" 8	34' 6" 14
11 IN 12	28' 5" 14	28' 6" 3	28' 6" 9	28' 6" 14	35' 4" 11	35' 5" 2	35' 5" 9	35' 5" 15
12 IN 12	29' 8" 6	29' 8" 12	29' 9" 1	29' 9" 7	36' 4" 8	36' 4" 15	36' 5" 5	36' 5" 12
13 IN 12	30' 11" 8	30' 11" 14	31' 0" 4	31' 0" 10	37' 4" 15	37' 5" 6	37' 5" 13	37' 6" 4
14 IN 12	32' 3" 4	32' 3" 10	32' 4" 0	32' 4" 6	38' 6" 0	38' 6" 7	38' 6" 15	38' 7" 6
15 IN 12	33' 7" 6	33' 7" 13	33' 8" 3	33' 8" 10	39' 7" 10	39' 8" 2	39' 8" 9	39' 9" 1
16 IN 12	35' 0" 0	35' 0" 7	35' 0" 13	35' 1" 4	40' 9" 13	40' 10" 5	40' 10" 12	40' 11" 4
17 IN 12	36' 5" 0	36' 5" 7	36' 5" 14	36' 6" 5	42' 0" 7	42' 0" 15	42' 1" 7	42' 1" 15
18 IN 12	37' 10" 5	37' 10" 12	37' 11" 3	37' 11" 10	43' 3" 0	43' 3" 8	43' 4" 9	43' 5" 1
19 IN 12	39' 3" 15	39' 4" 6	39' 4" 14	39' 5" 5	44' 7" 0	44' 7" 8	44' 8" 1	44' 8" 9
20 IN 12	40' 9" 13	40' 10" 5	40' 10" 12	40' 11" 4	45' 10" 13	45' 11" 6	45' 11" 15	46' 0" 7
21 IN 12	42' 3" 15	42' 4" 7	42' 4" 15	42' 5" 7	47' 3" 0	47' 3" 9	47' 4" 2	47' 4" 11
22 IN 12	43' 10" 4	43' 10" 12	43' 11" 5	43' 11" 13	48' 7" 8	48' 8" 1	48' 8" 10	48' 9" 4
23 IN 12	45' 4" 13	45' 5" 5	45' 5" 14	45' 6" 7	50' 0" 4	50' 0" 13	50' 1" 7	50' 2" 1
24 IN 12	46' 11" 8	47' 0" 1	47' 0" 10	47' 1" 3	51' 5" 4	51' 5" 14	51' 6" 8	51' 7" 2
25 IN 12	48' 6" 6	48' 6" 15	48' 7" 8	48' 8" 1	52' 10" 9	52' 11" 3	52' 11" 13	53' 0" 7

21 Foot 1 Inch Run — Common Rafter Lengths   21 Foot 1 Inch Run — Hip Or Valley Rafter Lengths

Run -	21' 1"			21' 1 1/4"			21' 1 1/2"			21' 1 3/4"			21' 1"			21' 1 1/4"			21' 1 1/2"			21' 1 3/4"		
Pitch	Ft	In	16th"	Ft	In	16th"	Ft	In	16th"	Ft	In	16th"	Ft	In	16th"	Ft	In	16th"	Ft	In	16th"	Ft	In	16th"
1 IN 12	21'	1"	14	21'	2"	2	21'	2"	6	21'	2"	10	29'	10"	7	29'	10"	12	29'	11"	2	29'	11"	8
2 IN 12	21'	4"	8	21'	4"	12	21'	5"	0	21'	5"	4	30'	0"	4	30'	0"	10	30'	1"	0	30'	1"	5
2.5 IN 12	21'	6"	7	21'	6"	11	21'	6"	15	21'	7"	3	30'	1"	11	30'	2"	0	30'	2"	6	30'	2"	12
3 IN 12	21'	8"	13	21'	9"	1	21'	9"	5	21'	9"	9	30'	3"	5	30'	3"	11	30'	4"	1	30'	4"	7
3.5 IN 12	21'	11"	9	21'	11"	13	22'	0"	1	22'	0"	5	30'	5"	5	30'	5"	11	30'	6"	1	30'	6"	7
4 IN 12	22'	2"	11	22'	2"	15	22'	3"	3	22'	3"	8	30'	7"	10	30'	7"	15	30'	8"	5	30'	8"	11
4.5 IN 12	22'	6"	3	22'	6"	8	22'	6"	12	22'	7"	0	30'	10"	3	30'	10"	8	30'	10"	14	30'	11"	4
5 IN 12	22'	10"	1	22'	10"	6	22'	10"	10	22'	10"	14	31'	1"	0	31'	1"	6	31'	1"	12	31'	2"	2
5.5 IN 12	23'	2"	5	23'	2"	9	23'	2"	14	23'	3"	2	31'	4"	2	31'	4"	8	31'	4"	14	31'	5"	4
6 IN 12	23'	6"	14	23'	7"	2	23'	7"	7	23'	7"	11	31'	7"	8	31'	7"	14	31'	8"	4	31'	8"	10
6.5 IN 12	23'	11"	12	24'	0"	0	24'	0"	5	24'	0"	9	31'	11"	2	31'	11"	8	31'	11"	14	32'	0"	4
7 IN 12	24'	4"	14	24'	5"	3	24'	5"	8	24'	5"	12	32'	3"	1	32'	3"	7	32'	3"	13	32'	4"	3
8 IN 12	25'	4"	1	25'	4"	6	25'	4"	11	25'	5"	0	32'	11"	9	32'	11"	15	33'	0"	5	33'	0"	12
9 IN 12	26'	4"	4	26'	4"	9	26'	4"	14	26'	5"	3	33'	9"	0	33'	9"	6	33'	9"	13	33'	10"	3
10 IN 12	27'	5"	5	27'	5"	11	27'	6"	0	27'	6"	5	34'	7"	5	34'	7"	11	34'	8"	2	34'	8"	8
11 IN 12	28'	7"	3	28'	7"	9	28'	7"	14	28'	8"	4	35'	6"	6	35'	6"	13	35'	7"	4	35'	7"	10
12 IN 12	29'	9"	13	29'	10"	2	29'	10"	8	29'	10"	14	36'	6"	3	36'	6"	10	36'	7"	1	36'	7"	8
13 IN 12	31'	1"	0	31'	1"	6	31'	1"	12	31'	2"	2	37'	6"	11	37'	7"	2	37'	7"	10	37'	8"	1
14 IN 12	32'	4"	12	32'	5"	2	32'	5"	8	32'	5"	15	38'	7"	13	38'	8"	5	38'	8"	12	38'	9"	3
15 IN 12	33'	9"	0	33'	9"	6	33'	9"	13	33'	10"	3	39'	9"	8	39'	10"	0	39'	10"	8	39'	10"	15
16 IN 12	35'	1"	11	35'	2"	1	35'	2"	8	35'	2"	15	40'	11"	12	41'	0"	4	41'	0"	11	41'	1"	3
17 IN 12	36'	6"	11	36'	7"	2	36'	7"	9	36'	8"	0	42'	2"	7	42'	2"	15	42'	3"	7	42'	3"	15
18 IN 12	38'	0"	2	38'	0"	9	38'	1"	0	38'	1"	7	43'	5"	9	43'	6"	1	43'	6"	10	43'	7"	2
19 IN 12	39'	5"	13	39'	6"	4	39'	6"	12	39'	7"	3	44'	9"	2	44'	9"	10	44'	10"	3	44'	10"	11
20 IN 12	40'	11"	12	41'	0"	4	41'	0"	11	41'	1"	3	46'	1"	0	46'	1"	9	46'	2"	2	46'	2"	10
21 IN 12	42'	5"	15	42'	6"	7	42'	6"	15	42'	7"	7	47'	5"	4	47'	5"	13	47'	6"	6	47'	6"	15
22 IN 12	44'	0"	6	44'	0"	14	44'	1"	6	44'	1"	15	48'	9"	13	48'	10"	6	48'	10"	15	48'	11"	9
23 IN 12	45'	6"	15	45'	7"	8	45'	8"	0	45'	8"	9	50'	2"	10	50'	3"	4	50'	3"	13	50'	4"	7
24 IN 12	47'	1"	12	47'	2"	5	47'	2"	13	47'	3"	6	51'	7"	12	51'	8"	5	51'	8"	15	51'	9"	9
25 IN 12	48'	8"	11	48'	9"	4	48'	9"	13	48'	10"	6	53'	1"	1	53'	1"	11	53'	2"	5	53'	2"	15

21 Foot 2 Inch Run — Common Rafter Lengths   21 Foot 2 Inch Run — Hip Or Valley Rafter Lengths

Run –	21' 2"	21' 2 1/4"	21' 2 1/2"	21' 2 3/4"	21' 2"	21' 2 1/4"	21' 2 1/2"	21' 2 3/4"
Pitch	Ft In 16th"	Ft In 16th"	Ft In 16th"	Ft In 16th"	Ft In 16th"	Ft In 16th"	Ft In 16th"	Ft In 16th"
1 IN 12	21' 2" 14	21' 3" 2	21' 3" 6	21' 3" 10	29' 11" 13	30' 0" 3	30' 0" 9	30' 0" 14
2 IN 12	21' 5" 8	21' 5" 12	21' 6" 0	21' 6" 4	30' 1" 11	30' 2" 1	30' 2" 7	30' 2" 12
2.5 IN 12	21' 7" 7	21' 7" 11	21' 7" 15	21' 8" 4	30' 3" 1	30' 3" 7	30' 3" 13	30' 4" 3
3 IN 12	21' 9" 13	21' 10" 1	21' 10" 5	21' 10" 9	30' 4" 12	30' 5" 2	30' 5" 8	30' 5" 14
3.5 IN 12	22' 0" 9	22' 0" 14	22' 1" 2	22' 1" 6	30' 6" 12	30' 7" 2	30' 7" 8	30' 7" 14
4 IN 12	22' 3" 12	22' 4" 0	22' 4" 4	22' 4" 8	30' 9" 1	30' 9" 7	30' 9" 12	30' 10" 2
4.5 IN 12	22' 7" 4	22' 7" 9	22' 7" 13	22' 8" 1	30' 11" 10	31' 0" 0	31' 0" 6	31' 0" 12
5 IN 12	22' 11" 3	22' 11" 7	22' 11" 11	23' 0" 0	31' 2" 8	31' 2" 14	31' 3" 3	31' 3" 9
5.5 IN 12	23' 3" 7	23' 3" 11	23' 3" 15	23' 4" 4	31' 5" 10	31' 6" 0	31' 6" 6	31' 6" 12
6 IN 12	23' 8" 0	23' 8" 4	23' 8" 9	23' 8" 13	31' 9" 0	31' 9" 6	31' 9" 12	31' 10" 2
6.5 IN 12	24' 0" 14	24' 1" 2	24' 1" 7	24' 1" 11	32' 0" 11	32' 1" 1	32' 1" 7	32' 1" 13
7 IN 12	24' 6" 1	24' 6" 6	24' 6" 10	24' 6" 15	32' 4" 9	32' 4" 15	32' 5" 5	32' 5" 11
8 IN 12	25' 5" 4	25' 5" 9	25' 5" 14	25' 6" 3	33' 1" 2	33' 1" 8	33' 1" 14	33' 2" 5
9 IN 12	26' 5" 8	26' 5" 13	26' 6" 2	26' 6" 7	33' 10" 10	33' 11" 0	33' 11" 6	33' 11" 13
10 IN 12	27' 6" 10	27' 6" 15	27' 7" 5	27' 7" 10	34' 8" 15	34' 9" 6	34' 9" 12	34' 10" 3
11 IN 12	28' 8" 9	28' 8" 15	28' 9" 4	28' 9" 9	35' 8" 1	35' 8" 8	35' 8" 15	35' 9" 5
12 IN 12	29' 11" 3	29' 11" 9	29' 11" 15	30' 0" 4	36' 7" 15	36' 8" 6	36' 8" 13	36' 9" 4
13 IN 12	31' 2" 8	31' 2" 14	31' 3" 3	31' 3" 9	37' 8" 8	37' 8" 15	37' 9" 6	37' 9" 13
14 IN 12	32' 6" 5	32' 6" 11	32' 7" 1	32' 7" 7	38' 9" 11	38' 10" 2	38' 10" 9	38' 11" 1
15 IN 12	33' 10" 10	33' 11" 0	33' 11" 6	33' 11" 13	39' 11" 7	39' 11" 14	40' 0" 6	40' 0" 13
16 IN 12	35' 3" 5	35' 3" 12	35' 4" 3	35' 4" 9	41' 1" 11	41' 2" 3	41' 2" 11	41' 3" 2
17 IN 12	36' 8" 7	36' 8" 14	36' 9" 5	36' 9" 12	42' 4" 7	42' 4" 15	42' 5" 7	42' 5" 15
18 IN 12	38' 1" 14	38' 2" 6	38' 2" 13	38' 3" 4	43' 7" 10	43' 8" 2	43' 8" 11	43' 9" 3
19 IN 12	39' 7" 11	39' 8" 2	39' 8" 10	39' 9" 1	44' 11" 4	44' 11" 12	45' 0" 5	45' 0" 13
20 IN 12	41' 1" 11	41' 2" 3	41' 2" 11	41' 3" 2	46' 3" 3	46' 3" 12	46' 4" 5	46' 4" 13
21 IN 12	42' 7" 15	42' 8" 7	42' 8" 15	42' 9" 7	47' 7" 8	47' 8" 1	47' 8" 10	47' 9" 3
22 IN 12	44' 2" 7	44' 2" 15	44' 3" 8	44' 4" 0	49' 0" 2	49' 0" 11	49' 1" 4	49' 1" 14
23 IN 12	45' 9" 2	45' 9" 10	45' 10" 3	45' 10" 12	50' 5" 0	50' 5" 10	50' 6" 3	50' 6" 13
24 IN 12	47' 3" 15	47' 4" 8	47' 5" 1	47' 5" 10	51' 10" 3	51' 10" 13	51' 11" 6	52' 0" 0
25 IN 12	48' 11" 0	48' 11" 9	49' 0" 2	49' 0" 11	53' 3" 9	53' 4" 3	53' 4" 13	53' 5" 7

21 Foot 3 Inch Run — Common Rafter Lengths   21 Foot 3 Inch Run — Hip Or Valley Rafter Lengths

Run - Pitch	21' 3" (Common)	21' 3 1/4"	21' 3 1/2"	21' 3 3/4"	21' 3" (Hip/Valley)	21' 3 1/4"	21' 3 1/2"	21' 3 3/4"
	Ft In 16th"	Ft In 16th"	Ft In 16th"	Ft In 16th"	Ft In 16th"	Ft In 16th"	Ft In 16th"	Ft In 16th"
1 IN 12	21' 3" 14	21' 4" 2	21' 4" 6	21' 4" 10	30' 1" 4	30' 1" 10	30' 1" 15	30' 2" 5
2 IN 12	21' 6" 8	21' 6" 12	21' 7" 0	21' 7" 4	30' 3" 2	30' 3" 8	30' 3" 13	30' 4" 3
2.5 IN 12	21' 8" 8	21' 8" 12	21' 9" 0	21' 9" 4	30' 4" 8	30' 4" 14	30' 5" 4	30' 5" 9
3 IN 12	21' 10" 14	21' 11" 2	21' 11" 6	21' 11" 10	30' 6" 3	30' 6" 9	30' 6" 15	30' 7" 5
3.5 IN 12	22' 1" 10	22' 1" 14	22' 2" 2	22' 2" 7	30' 8" 3	30' 8" 9	30' 8" 15	30' 9" 5
4 IN 12	22' 4" 13	22' 5" 1	22' 5" 5	22' 5" 9	30' 10" 8	30' 10" 14	30' 11" 4	30' 11" 10
4.5 IN 12	22' 8" 5	22' 8" 10	22' 8" 14	22' 9" 2	31' 1" 1	31' 1" 7	31' 1" 13	31' 2" 3
5 IN 12	23' 0" 4	23' 0" 8	23' 0" 13	23' 1" 1	31' 3" 15	31' 4" 5	31' 4" 11	31' 5" 1
5.5 IN 12	23' 4" 8	23' 4" 13	23' 5" 1	23' 5" 5	31' 7" 1	31' 7" 7	31' 7" 13	31' 8" 3
6 IN 12	23' 9" 2	23' 9" 6	23' 9" 11	23' 9" 15	31' 10" 8	31' 10" 14	31' 11" 4	31' 11" 10
6.5 IN 12	24' 2" 0	24' 2" 5	24' 2" 9	24' 2" 14	32' 2" 3	32' 2" 9	32' 2" 15	32' 3" 5
7 IN 12	24' 7" 3	24' 7" 8	24' 7" 13	24' 8" 1	32' 6" 2	32' 6" 8	32' 6" 14	32' 7" 4
8 IN 12	25' 6" 8	25' 6" 12	25' 7" 1	25' 7" 6	33' 2" 11	33' 3" 1	33' 3" 7	33' 3" 14
9 IN 12	26' 6" 12	26' 7" 1	26' 7" 6	26' 7" 11	34' 0" 3	34' 0" 10	34' 1" 0	34' 1" 6
10 IN 12	27' 7" 15	27' 8" 4	27' 8" 9	27' 8" 15	34' 10" 9	34' 11" 0	34' 11" 6	34' 11" 13
11 IN 12	28' 9" 15	28' 10" 4	28' 10" 10	28' 10" 15	35' 9" 12	35' 10" 3	35' 10" 10	35' 11" 0
12 IN 12	30' 0" 0	30' 1" 0	30' 1" 5	30' 1" 11	36' 9" 11	36' 10" 2	36' 10" 9	36' 11" 0
13 IN 12	31' 3" 15	31' 4" 5	31' 4" 11	31' 5" 1	37' 10" 4	37' 10" 11	37' 11" 3	37' 11" 10
14 IN 12	32' 7" 13	32' 8" 3	32' 8" 10	32' 9" 0	38' 11" 8	38' 11" 15	39' 0" 7	39' 0" 14
15 IN 12	34' 0" 3	34' 0" 10	34' 1" 0	34' 1" 6	40' 1" 5	40' 1" 12	40' 2" 4	40' 2" 11
16 IN 12	35' 5" 0	35' 5" 7	35' 5" 13	35' 6" 4	41' 3" 10	41' 4" 2	41' .4" 10	41' 5" 1
17 IN 12	36' 10" 3	36' 10" 10	36' 11" 1	36' 11" 8	42' 6" 7	42' 6" 15	42' 7" 7	42' 7" 15
18 IN 12	38' 3" 11	38' 4" 3	38' 4" 10	38' 5" 1	43' 9" 11	43' 10" 3	43' 10" 12	43' 11" 4
19 IN 12	39' 9" 9	39' 10" 0	39' 10" 8	39' 10" 15	45' 1" 6	45' 1" 14	45' 2" 7	45' 2" 15
20 IN 12	41' 3" 10	41' 4" 2	41' 4" 10	41' 5" 1	46' 5" 6	46' 5" 15	46' 6" 8	46' 7" 0
21 IN 12	42' 10" 0	42' 10" 8	42' 11" 0	42' 11" 8	47' 9" 12	47' 10" 5	47' 10" 14	47' 11" 7
22 IN 12	44' 4" 8	44' 5" 1	44' 5" 9	44' 6" 1	49' 2" 7	49' 3" 0	49' 3" 9	49' 4" 3
23 IN 12	45' 11" 4	45' 11" 13	46' 0" 6	46' 0" 14	50' 7" 6	50' 8" 0	50' 8" 9	50' 9" 3
24 IN 12	47' 6" 3	47' 6" 12	47' 7" 5	47' 7" 14	52' 0" 10	52' 1" 4	52' 1" 14	52' 2" 7
25 IN 12	49' 1" 4	49' 1" 14	49' 2" 7	49' 3" 0	53' 6" 1	53' 6" 11	53' 7" 6	53' 8" 0

Run - Pitch	Common 21' 4"	Common 21' 4 1/4"	Common 21' 4 1/2"	Common 21' 4 3/4"	Hip/Valley 21' 4"	Hip/Valley 21' 4 1/4"	Hip/Valley 21' 4 1/2"	Hip/Valley 21' 4 3/4"
	Ft In 16th"	Ft In 16th"	Ft In 16th"	Ft In 16th"	Ft In 16th"	Ft In 16th"	Ft In 16th"	Ft In 16th"
1 IN 12	21' 4" 14	21' 5" 2	21' 5" 6	21' 5" 10	30' 2" 11	30' 3" 0	30' 3" 6	30' 3" 12
2 IN 12	21' 7" 8	21' 7" 13	21' 8" 1	21' 8" 5	30' 4" 9	30' 4" 14	30' 5" 4	30' 5" 10
2.5 IN 12	21' 9" 8	21' 9" 12	21' 10" 0	21' 10" 4	30' 5" 15	30' 6" 5	30' 6" 11	30' 7" 0
3 IN 12	21' 11" 14	22' 0" 2	22' 0" 6	22' 0" 10	30' 7" 10	30' 8" 0	30' 8" 6	30' 7" 0
3.5 IN 12	22' 2" 11	22' 2" 15	22' 3" 3	22' 3" 7	30' 9" 11	30' 10" 0	30' 10" 6	30' 10" 12
4 IN 12	22' 5" 14	22' 6" 2	22' 6" 6	22' 6" 10	30' 11" 15	31' 0" 5	31' 0" 11	31' 1" 1
4.5 IN 12	22' 9" 7	22' 9" 11	22' 9" 15	22' 10" 3	31' 2" 9	31' 2" 15	31' 3" 5	31' 3" 10
5 IN 12	23' 1" 5	23' 1" 10	23' 1" 14	23' 2" 2	31' 5" 7	31' 5" 13	31' 6" 3	31' 6" 8
5.5 IN 12	23' 5" 10	23' 5" 14	23' 6" 3	23' 6" 7	31' 8" 9	31' 8" 15	31' 9" 5	31' 9" 11
6 IN 12	23' 10" 3	23' 10" 8	23' 10" 12	23' 11" 1	32' 0" 0	32' 0" 6	32' 0" 12	32' 1" 2
6.5 IN 12	24' 3" 2	24' 3" 7	24' 3" 11	24' 4" 0	32' 3" 11	32' 4" 1	32' 4" 7	32' 4" 13
7 IN 12	24' 8" 6	24' 8" 11	24' 8" 15	24' 9" 4	32' 7" 10	32' 8" 0	32' 8" 6	32' 8" 12
8 IN 12	25' 7" 11	25' 8" 0	25' 8" 4	25' 8" 9	33' 4" 4	33' 4" 10	33' 5" 0	33' 5" 7
9 IN 12	26' 8" 0	26' 8" 5	26' 8" 10	26' 8" 15	34' 1" 13	34' 2" 3	34' 2" 10	34' 3" 0
10 IN 12	27' 9" 4	27' 9" 9	27' 9" 14	27' 10" 3	35' 0" 3	35' 0" 10	35' 1" 1	35' 1" 7
11 IN 12	28' 11" 5	28' 11" 10	28' 11" 15	29' 0" 5	35' 11" 7	35' 11" 14	36' 0" 5	36' 0" 11
12 IN 12	30' 2" 1	30' 2" 6	30' 2" 12	30' 3" 2	36' 11" 6	36' 11" 13	37' 0" 4	37' 0" 11
13 IN 12	31' 5" 7	31' 5" 13	31' 6" 3	31' 6" 8	38' 0" 1	38' 0" 8	38' 0" 15	38' 1" 6
14 IN 12	32' 9" 6	32' 9" 12	32' 10" 2	32' 10" 8	39' 1" 5	39' 1" 13	39' 2" 4	39' 2" 11
15 IN 12	34' 1" 13	34' 2" 3	34' 2" 10	34' 3" 0	40' 3" 3	40' 3" 11	40' 4" 2	40' 4" 10
16 IN 12	35' 6" 11	35' 7" 1	35' 7" 8	35' 7" 15	41' 5" 9	41' 6" 1	41' 6" 9	41' 7" 1
17 IN 12	36' 11" 15	37' 0" 6	37' 0" 14	37' 1" 3	42' 8" 7	42' 8" 15	42' 9" 7	42' 9" 15
18 IN 12	38' 5" 8	38' 5" 15	38' 6" 7	38' 6" 14	43' 11" 12	44' 0" 4	44' 0" 13	44' 1" 5
19 IN 12	39' 11" 7	39' 11" 14	40' 0" 5	40' 0" 13	45' 3" 8	45' 4" 0	45' 4" 9	45' 5" 1
20 IN 12	41' 5" 9	41' 6" 1	41' 6" 9	41' 7" 1	46' 7" 9	46' 8" 2	46' 8" 11	46' 9" 3
21 IN 12	43' 0" 0	43' 0" 8	43' 1" 0	43' 1" 8	48' 0" 0	48' 0" 9	48' 1" 2	48' 1" 11
22 IN 12	44' 6" 10	44' 7" 2	44' 7" 10	44' 8" 3	49' 4" 12	49' 5" 5	49' 5" 14	49' 6" 8
23 IN 12	46' 1" 7	46' 2" 0	46' 2" 8	46' 3" 1	50' 9" 12	50' 10" 6	50' 10" 15	50' 11" 9
24 IN 12	47' 8" 7	47' 9" 0	47' 9" 9	47' 10" 2	52' 3" 1	52' 3" 11	52' 4" 5	52' 4" 15
25 IN 12	49' 3" 9	49' 4" 3	49' 4" 12	49' 5" 5	53' 8" 10	53' 9" 4	53' 9" 14	53' 10" 8

21 Foot 5 Inch Run — Common Rafter Lengths   21 Foot 5 Inch Run — Hip Or Valley Rafter Lengths

Run -	21' 5"	21' 5 1/4"	21' 5 1/2"	21' 5 3/4"	21' 5"	21' 5 1/4"	21' 5 1/2"	21' 5 3/4"
Pitch	Ft In 16th"	Ft In 16th"	Ft In 16th"	Ft In 16th"	Ft In 16th"	Ft In 16th"	Ft In 16th"	Ft In 16th"
1 IN 12	21' 5" 14	21' 6" 2	21' 6" 6	21' 6" 10	30' 4" 1	30' 4" 7	30' 4" 13	30' 5" 2
2 IN 12	21' 8" 9	21' 8" 13	21' 9" 1	21' 9" 5	30' 5" 15	30' 6" 5	30' 6" 11	30' 7" 1
2.5 IN 12	21' 10" 8	21' 10" 12	21' 11" 0	21' 11" 5	30' 7" 6	30' 7" 12	30' 8" 1	30' 8" 7
3 IN 12	22' 0" 15	22' 1" 3	22' 1" 7	22' 1" 11	30' 9" 1	30' 9" 7	30' 9" 13	30' 10" 3
3.5 IN 12	22' 3" 11	22' 4" 0	22' 4" 4	22' 4" 8	30' 11" 2	30' 11" 7	30' 11" 13	31' 0" 3
4 IN 12	22' 6" 14	22' 7" 3	22' 7" 7	22' 7" 11	31' 1" 7	31' 1" 12	31' 2" 2	31' 2" 8
4.5 IN 12	22' 10" 8	22' 10" 12	22' 11" 0	22' 11" 4	31' 4" 0	31' 4" 4	31' 4" 12	31' 5" 2
5 IN 12	23' 2" 7	23' 2" 11	23' 2" 15	23' 3" 4	31' 6" 14	31' 7" 4	31' 7" 10	31' 8" 0
5.5 IN 12	23' 6" 11	23' 7" 0	23' 7" 4	23' 7" 9	31' 10" 1	31' 10" 7	31' 10" 13	31' 11" 3
6 IN 12	23' 11" 5	23' 11" 10	23' 11" 14	24' 0" 3	32' 1" 8	32' 1" 14	32' 2" 4	32' 2" 10
6.5 IN 12	24' 4" 4	24' 4" 9	24' 4" 14	24' 5" 2	32' 5" 3	32' 5" 9	32' 5" 15	32' 6" 5
7 IN 12	24' 9" 8	24' 9" 13	24' 10" 2	24' 10" 6	32' 9" 3	32' 9" 9	32' 9" 15	32' 10" 5
8 IN 12	25' 8" 14	25' 9" 3	25' 9" 8	25' 9" 12	33' 5" 13	33' 6" 3	33' 6" 10	33' 7" 0
9 IN 12	26' 9" 4	26' 9" 9	26' 9" 14	26' 10" 3	34' 3" 6	34' 3" 13	34' 4" 3	34' 4" 10
10 IN 12	27' 10" 9	27' 10" 14	27' 11" 3	27' 11" 8	35' 1" 14	35' 2" 4	35' 2" 11	35' 3" 1
11 IN 12	29' 0" 10	29' 1" 0	29' 1" 5	29' 1" 10	36' 1" 2	36' 1" 9	36' 1" 15	36' 2" 6
12 IN 12	30' 3" 7	30' 3" 13	30' 4" 3	30' 4" 8	37' 1" 2	37' 1" 9	37' 2" 0	37' 2" 7
13 IN 12	31' 6" 14	31' 7" 4	31' 7" 10	31' 8" 0	38' 1" 13	38' 2" 5	38' 2" 12	38' 3" 3
14 IN 12	32' 10" 14	32' 11" 5	32' 11" 11	33' 0" 1	39' 3" 3	39' 3" 10	39' 4" 1	39' 4" 9
15 IN 12	34' 3" 6	34' 3" 13	34' 4" 3	34' 4" 10	40' 5" 1	40' 5" 9	40' 6" 0	40' 6" 8
16 IN 12	35' 8" 5	35' 8" 12	35' 9" 3	35' 9" 9	41' 7" 8	41' 8" 0	41' 8" 8	41' 9" 0
17 IN 12	37' 1" 10	37' 2" 1	37' 2" 8	37' 2" 15	42' 10" 7	42' 10" 15	42' 11" 7	42' 11" 15
18 IN 12	38' 7" 5	38' 7" 12	38' 8" 3	38' 8" 11	44' 1" 13	44' 2" 5	44' 2" 14	44' 3" 6
19 IN 12	40' 1" 4	40' 1" 12	40' 2" 3	40' 2" 11	45' 5" 10	45' 6" 2	45' 6" 11	45' 7" 3
20 IN 12	41' 7" 8	41' 8" 0	41' 8" 8	41' 9" 0	46' 9" 12	46' 10" 5	46' 10" 14	46' 11" 6
21 IN 12	43' 2" 0	43' 2" 8	43' 3" 0	43' 3" 8	48' 2" 2	48' 2" 13	48' 3" 6	48' 3" 15
22 IN 12	44' 8" 11	44' 9" 4	44' 9" 12	44' 10" 4	49' 7" 1	49' 7" 10	49' 8" 3	49' 8" 13
23 IN 12	46' 3" 10	46' 4" 2	46' 4" 11	46' 5" 3	51' 0" 3	51' 0" 12	51' 1" 6	51' 1" 15
24 IN 12	47' 10" 11	47' 11" 4	47' 11" 13	48' 0" 6	52' 5" 8	52' 6" 2	52' 6" 12	52' 7" 6
25 IN 12	49' 5" 14	49' 6" 8	49' 7" 1	49' 7" 10	53' 11" 2	53' 11" 12	54' 0" 6	54' 1" 0

21 Foot 6 Inch Run — Common Rafter Lengths   21 Foot 6 Inch Run — Hip Or Valley Rafter Lengths

Run -	21' 6"			21' 6 1/4"			21' 6 1/2"			21' 6 3/4"			21' 6"			21' 6 1/4"			21' 6 1/2"			21' 6 3/4"		
Pitch	Ft	In	16th"	Ft	In	16th"	Ft	In	16th"	Ft	In	16th"	Ft	In	16th"	Ft	In	16th"	Ft	In	16th"	Ft	In	16th"
1 IN 12	21'	6"	14	21'	7"	2	21'	7"	6	21'	7"	10	30'	5"	8	30'	5"	14	30'	6"	3	30'	6"	9
2 IN 12	21'	9"	9	21'	9"	13	21'	10"	1	21'	10"	5	30'	7"	6	30'	7"	12	30'	8"	2	30'	8"	7
2.5 IN 12	21'	11"	9	21'	11"	13	22'	0"	1	22'	0"	5	30'	8"	13	30'	9"	3	30'	9"	8	30'	9"	14
3 IN 12	22'	1"	15	22'	2"	3	22'	2"	7	22'	2"	11	30'	10"	8	30'	10"	14	30'	11"	4	30'	11"	10
3.5 IN 12	22'	4"	12	22'	5"	0	22'	5"	4	22'	5"	9	31'	0"	9	31'	0"	15	31'	1"	4	31'	1"	10
4 IN 12	22'	7"	15	22'	8"	4	22'	8"	8	22'	8"	12	31'	2"	14	31'	3"	4	31'	3"	9	31'	3"	15
4.5 IN 12	22'	11"	9	22'	11"	13	23'	0"	1	23'	0"	6	31'	5"	8	31'	5"	13	31'	6"	3	31'	6"	9
5 IN 12	23'	3"	8	23'	3"	12	23'	4"	1	23'	4"	5	31'	8"	6	31'	8"	12	31'	9"	2	31'	9"	8
5.5 IN 12	23'	7"	13	23'	8"	1	23'	8"	6	23'	8"	10	31'	11"	8	31'	11"	15	32'	0"	5	32'	0"	11
6 IN 12	24'	0"	7	24'	0"	12	24'	1"	0	24'	1"	5	32'	3"	0	32'	3"	6	32'	3"	12	32'	4"	2
6.5 IN 12	24'	5"	7	24'	5"	11	24'	6"	0	24'	6"	4	32'	6"	11	32'	7"	1	32'	7"	8	32'	7"	14
7 IN 12	24'	10"	11	24'	11"	0	24'	11"	4	24'	11"	9	32'	10"	11	32'	11"	1	32'	11"	7	32'	11"	13
8 IN 12	25'	10"	1	25'	10"	6	25'	10"	11	25'	11"	0	33'	7"	6	33'	7"	12	33'	8"	3	33'	8"	9
9 IN 12	26'	10"	8	26'	10"	13	26'	11"	2	26'	11"	7	34'	5"	0	34'	5"	6	34'	5"	13	34'	6"	3
10 IN 12	27'	11"	13	28'	0"	3	28'	0"	8	28'	0"	13	35'	3"	8	35'	3"	15	35'	4"	5	35'	4"	12
11 IN 12	29'	2"	0	29'	2"	5	29'	2"	11	29'	3"	0	36'	2"	13	36'	3"	4	36'	3"	10	36'	4"	1
12 IN 12	30'	4"	14	30'	5"	4	30'	5"	9	30'	5"	15	37'	2"	14	37'	3"	5	37'	3"	12	37'	4"	3
13 IN 12	31'	8"	6	31'	8"	12	31'	9"	2	31'	9"	8	38'	3"	10	38'	4"	1	38'	4"	8	38'	4"	15
14 IN 12	33'	0"	7	33'	0"	13	33'	1"	3	33'	1"	9	39'	5"	0	39'	5"	7	39'	5"	15	39'	6"	6
15 IN 12	34'	5"	0	34'	5"	6	34'	5"	13	34'	6"	3	40'	6"	15	40'	7"	7	40'	7"	15	40'	8"	6
16 IN 12	35'	10"	0	35'	10"	7	35'	10"	13	35'	11"	4	41'	9"	7	41'	9"	15	41'	10"	7	41'	10"	15
17 IN 12	37'	3"	6	37'	3"	13	37'	4"	4	37'	4"	11	43'	0"	7	43'	0"	15	43'	1"	7	43'	1"	15
18 IN 12	38'	9"	2	38'	9"	9	38'	10"	0	38'	10"	7	44'	3"	14	44'	4"	4	44'	4"	15	44'	5"	7
19 IN 12	40'	3"	2	40'	3"	10	40'	4"	1	40'	4"	9	45'	7"	12	45'	8"	4	45'	8"	13	45'	9"	5
20 IN 12	41'	9"	7	41'	9"	15	41'	10"	7	41'	10"	15	46'	11"	15	47'	0"	8	47'	1"	1	47'	1"	9
21 IN 12	43'	4"	4	43'	4"	8	43'	5"	0	43'	5"	8	48'	4"	8	48'	5"	1	48'	5"	10	48'	6"	3
22 IN 12	44'	10"	13	44'	11"	5	44'	11"	13	45'	0"	6	49'	9"	6	49'	9"	15	49'	10"	9	49'	11"	2
23 IN 12	46'	5"	12	46'	6"	5	46'	6"	13	46'	7"	6	51'	2"	9	51'	3"	2	51'	3"	12	51'	4"	5
24 IN 12	48'	0"	14	48'	1"	7	48'	2"	0	48'	2"	9	52'	7"	15	52'	8"	9	52'	9"	3	52'	9"	13
25 IN 12	49'	8"	3	49'	8"	13	49'	9"	6	49'	9"	15	54'	1"	10	54'	2"	4	54'	2"	14	54'	3"	8

21 Foot 7 Inch Run — Common Rafter Lengths   21 Foot 7 Inch Run — Hip Or Valley Rafter Lengths

Run -	21' 7"	21' 7 1/4"	21' 7 1/2"	21' 7 3/4"	21' 7"	21' 7 1/4"	21' 7 1/2"	21' 7 3/4"
Pitch	Ft In 16th"	Ft In 16th"	Ft In 16th"	Ft In 16th"	Ft In 16th"	Ft In 16th"	Ft In 16th"	Ft In 16th"
1 IN 12	21' 7" 14	21' 8" 2	21' 8" 6	21' 8" 10	30' 6" 15	30' 7" 4	30' 7" 10	30' 8" 0
2 IN 12	21' 10" 9	21' 10" 13	21' 11" 1	21' 11" 5	30' 8" 13	30' 9" 3	30' 9" 8	30' 9" 14
2.5 IN 12	22' 0" 9	22' 0" 13	22' 1" 1	22' 1" 5	30' 10" 4	30' 10" 10	30' 10" 15	30' 11" 5
3 IN 12	22' 3" 0	22' 3" 4	22' 3" 8	22' 3" 12	30' 11" 15	31' 0" 5	31' 0" 11	31' 1" 1
3.5 IN 12	22' 5" 13	22' 6" 1	22' 6" 5	22' 6" 9	31' 2" 0	31' 2" 6	31' 2" 11	31' 3" 1
4 IN 12	22' 9" 0	22' 9" 4	22' 9" 9	22' 9" 13	31' 4" 5	31' 4" 11	31' 5" 1	31' 5" 7
4.5 IN 12	23' 0" 10	23' 0" 14	23' 1" 2	23' 1" 7	31' 6" 15	31' 7" 5	31' 7" 11	31' 8" 1
5 IN 12	23' 4" 9	23' 4" 14	23' 5" 2	23' 5" 6	31' 9" 14	31' 10" 3	31' 10" 9	31' 10" 15
5.5 IN 12	23' 8" 15	23' 9" 3	23' 9" 7	23' 9" 12	32' 1" 1	32' 1" 7	32' 1" 12	32' 2" 2
6 IN 12	24' 1" 9	24' 1" 14	24' 2" 2	24' 2" 7	32' 4" 8	32' 4" 14	32' 5" 4	32' 5" 10
6.5 IN 12	24' 6" 9	24' 6" 13	24' 7" 2	24' 7" 7	32' 8" 4	32' 8" 10	32' 9" 0	32' 9" 6
7 IN 12	24' 11" 14	25' 0" 2	25' 0" 7	25' 0" 11	33' 0" 3	33' 0" 10	33' 1" 0	33' 1" 6
8 IN 12	25' 11" 4	25' 11" 9	25' 11" 14	26' 0" 3	33' 8" 15	33' 9" 5	33' 9" 12	33' 10" 2
9 IN 12	26' 11" 12	27' 0" 1	27' 0" 6	27' 0" 11	34' 6" 10	34' 7" 0	34' 7" 6	34' 7" 13
10 IN 12	28' 1" 2	28' 1" 7	28' 1" 13	28' 2" 2	35' 5" 2	35' 5" 9	35' 5" 15	35' 6" 6
11 IN 12	29' 3" 6	29' 3" 11	29' 4" 0	29' 4" 6	36' 4" 8	36' 4" 15	36' 5" 5	36' 5" 12
12 IN 12	30' 6" 5	30' 6" 10	30' 7" 0	30' 7" 5	37' 4" 10	37' 5" 1	37' 5" 7	37' 5" 14
13 IN 12	31' 9" 14	31' 10" 3	31' 10" 9	31' 10" 15	38' 5" 6	38' 5" 14	38' 6" 5	38' 6" 12
14 IN 12	33' 2" 0	33' 2" 6	33' 2" 12	33' 3" 2	39' 6" 13	39' 7" 5	39' 7" 12	39' 8" 3
15 IN 12	34' 6" 10	34' 7" 0	34' 7" 6	34' 7" 13	40' 8" 14	40' 9" 5	40' 9" 13	40' 10" 4
16 IN 12	35' 11" 11	36' 0" 1	36' 0" 8	36' 0" 15	41' 11" 6	41' 11" 14	42' 0" 6	42' 0" 14
17 IN 12	37' 5" 2	37' 5" 9	37' 6" 0	37' 6" 7	43' 2" 7	43' 2" 15	43' 3" 7	43' 3" 15
18 IN 12	38' 10" 15	38' 11" 6	38' 11" 13	39' 0" 4	44' 5" 15	44' 6" 7	44' 7" 0	44' 7" 8
19 IN 12	40' 5" 0	40' 5" 8	40' 5" 15	40' 6" 7	45' 9" 14	45' 10" 6	45' 10" 15	45' 11" 7
20 IN 12	41' 11" 6	41' 11" 14	42' 0" 6	42' 0" 14	47' 2" 2	47' 2" 11	47' 3" 3	47' 3" 12
21 IN 12	43' 6" 0	43' 6" 9	43' 7" 1	43' 7" 9	48' 6" 12	48' 7" 5	48' 7" 14	48' 8" 7
22 IN 12	45' 0" 14	45' 1" 6	45' 1" 15	45' 2" 7	49' 11" 11	50' 0" 4	50' 0" 14	50' 1" 7
23 IN 12	46' 7" 15	46' 8" 7	46' 9" 0	46' 9" 9	51' 4" 15	51' 5" 8	51' 6" 2	51' 6" 11
24 IN 12	48' 3" 2	48' 3" 11	48' 4" 4	48' 4" 13	52' 10" 7	52' 11" 0	52' 11" 10	53' 0" 4
25 IN 12	49' 10" 8	49' 11" 2	49' 11" 11	50' 0" 4	54' 4" 3	54' 4" 13	54' 5" 7	54' 6" 1

21 Foot 8 Inch Run — Common Rafter Lengths

Pitch	21' 8" Ft	In	16th"	21' 8 1/4" Ft	In	16th"	21' 8 1/2" Ft	In	16th"	21' 8 3/4" Ft	In	16th"
1 IN 12	21'	8"	14	21'	9"	2	21'	9"	6	21'	9"	10
2 IN 12	21'	11"	9	21'	11"	13	22'	0"	1	22'	0"	6
2.5 IN 12	22'	1"	9	22'	1"	13	22'	2"	1	22'	2"	6
3 IN 12	22'	4"	0	22'	4"	4	22'	4"	8	22'	4"	12
3.5 IN 12	22'	6"	13	22'	7"	2	22'	7"	6	22'	7"	10
4 IN 12	22'	10"	1	22'	10"	5	22'	10"	9	22'	10"	14
4.5 IN 12	23'	1"	11	23'	1"	15	23'	2"	3	23'	2"	8
5 IN 12	23'	5"	11	23'	5"	15	23'	6"	3	23'	6"	8
5.5 IN 12	23'	10"	0	23'	10"	5	23'	10"	9	23'	10"	13
6 IN 12	24'	2"	11	24'	2"	15	24'	3"	4	24'	3"	8
6.5 IN 12	24'	7"	11	24'	8"	0	24'	8"	4	24'	8"	9
7 IN 12	25'	1"	0	25'	1"	5	25'	1"	9	25'	1"	14
8 IN 12	26'	0"	8	26'	0"	13	26'	1"	1	26'	1"	6
9 IN 12	27'	1"	0	27'	1"	5	27'	1"	10	27'	1"	15
10 IN 12	28'	2"	7	28'	2"	12	28'	3"	2	28'	3"	7
11 IN 12	29'	4"	11	29'	5"	1	29'	5"	6	29'	5"	12
12 IN 12	30'	7"	11	30'	8"	1	30'	8"	6	30'	8"	12
13 IN 12	31'	11"	5	31'	11"	11	32'	0"	1	32'	0"	7
14 IN 12	33'	3"	8	33'	3"	14	33'	4"	5	33'	4"	11
15 IN 12	34'	8"	3	34'	8"	10	34'	9"	0	34'	9"	6
16 IN 12	36'	1"	5	36'	1"	12	36'	2"	3	36'	2"	9
17 IN 12	37'	6"	14	37'	7"	5	37'	7"	12	37'	8"	2
18 IN 12	39'	0"	12	39'	1"	3	39'	1"	10	39'	2"	1
19 IN 12	40'	6"	14	40'	7"	6	40'	7"	13	40'	8"	5
20 IN 12	42'	1"	6	42'	1"	13	42'	2"	5	42'	2"	13
21 IN 12	43'	8"	1	43'	8"	9	43'	9"	1	43'	9"	9
22 IN 12	45'	2"	15	45'	3"	8	45'	4"	0	45'	4"	9
23 IN 12	46'	10"	1	46'	10"	10	46'	11"	3	46'	11"	11
24 IN 12	48'	5"	6	48'	5"	15	48'	6"	8	48'	7"	1
25 IN 12	50'	0"	13	50'	1"	7	50'	2"	0	50'	2"	9

21 Foot 8 Inch Run — Hip Or Valley Rafter Lengths

Pitch	21' 8" Ft	In	16th"	21' 8 1/4" Ft	In	16th"	21' 8 1/2" Ft	In	16th"	21' 8 3/4" Ft	In	16th"
1 IN 12	30'	8"	5	30'	8"	11	30'	9"	1	30'	9"	6
2 IN 12	30'	10"	4	30'	10"	10	30'	10"	15	30'	11"	5
2.5 IN 12	30'	11"	11	31'	0"	0	31'	0"	6	31'	0"	12
3 IN 12	31'	1"	1	31'	1"	6	31'	1"	12	31'	2"	2
3.5 IN 12	31'	3"	7	31'	3"	13	31'	4"	2	31'	4"	8
4 IN 12	31'	5"	12	31'	6"	2	31'	6"	8	31'	6"	14
4.5 IN 12	31'	8"	6	31'	8"	12	31'	9"	2	31'	9"	8
5 IN 12	31'	11"	5	31'	11"	11	32'	0"	1	32'	0"	7
5.5 IN 12	32'	2"	8	32'	2"	14	32'	3"	4	32'	3"	10
6 IN 12	32'	6"	0	32'	6"	6	32'	6"	12	32'	7"	2
6.5 IN 12	32'	9"	12	32'	10"	2	32'	10"	8	32'	10"	14
7 IN 12	33'	1"	12	33'	2"	2	33'	2"	8	33'	2"	14
8 IN 12	33'	10"	8	33'	10"	14	33'	11"	5	33'	11"	11
9 IN 12	34'	8"	3	34'	8"	10	34'	9"	0	34'	9"	6
10 IN 12	35'	6"	13	35'	7"	4	35'	7"	10	35'	8"	0
11 IN 12	36'	6"	3	36'	6"	10	36'	7"	0	36'	7"	7
12 IN 12	37'	6"	5	37'	6"	12	37'	7"	3	37'	7"	10
13 IN 12	38'	7"	3	38'	7"	10	38'	8"	1	38'	8"	8
14 IN 12	39'	8"	11	39'	9"	2	39'	9"	9	39'	10"	1
15 IN 12	40'	10"	12	40'	11"	3	40'	11"	11	41'	0"	2
16 IN 12	42'	1"	6	42'	1"	13	42'	2"	5	42'	2"	13
17 IN 12	43'	4"	7	43'	4"	15	43'	5"	7	43'	5"	15
18 IN 12	44'	8"	0	44'	8"	8	44'	9"	1	44'	9"	9
19 IN 12	45'	11"	15	46'	0"	8	46'	1"	0	46'	1"	9
20 IN 12	47'	4"	5	47'	4"	14	47'	5"	6	47'	5"	15
21 IN 12	48'	9"	0	48'	9"	9	48'	10"	2	48'	10"	11
22 IN 12	50'	2"	0	50'	2"	9	50'	3"	3	50'	3"	12
23 IN 12	51'	7"	5	51'	7"	14	51'	8"	8	51'	9"	1
24 IN 12	53'	0"	14	53'	1"	8	53'	2"	1	53'	2"	11
25 IN 12	54'	6"	11	54'	7"	5	54'	7"	15	54'	8"	9

21 Foot 9 Inch Run — Common Rafter Lengths   21 Foot 9 Inch Run — Hip Or Valley Rafter Lengths

Run -	21' 9"	21' 9 1/4"	21' 9 1/2"	21' 9 3/4"	21' 9"	21' 9 1/4"	21' 9 1/2"	21' 9 3/4"
Pitch	Ft In 16th"	Ft In 16th"	Ft In 16th"	Ft In 16th"	Ft In 16th"	Ft In 16th"	Ft In 16th"	Ft In 16th"
1 IN 12	21' 9" 14	21' 10" 2	21' 10" 7	21' 10" 11	30' 9" 12	30' 10" 2	30' 10" 7	30' 10" 13
2 IN 12	22' 0" 10	22' 0" 14	22' 1" 2	22' 1" 6	30' 11" 11	31' 0" 0	31' 0" 6	31' 0" 12
2.5 IN 12	22' 2" 10	22' 2" 14	22' 3" 2	22' 3" 6	31' 1" 1	31' 1" 7	31' 1" 13	31' 2" 3
3 IN 12	22' 5" 1	22' 5" 5	22' 5" 9	22' 5" 13	31' 2" 13	31' 3" 3	31' 3" 9	31' 3" 15
3.5 IN 12	22' 7" 14	22' 8" 2	22' 8" 6	22' 8" 11	31' 4" 14	31' 5" 4	31' 5" 10	31' 5" 15
4 IN 12	22' 11" 2	22' 11" 6	22' 11" 10	22' 11" 15	31' 7" 4	31' 7" 9	31' 7" 15	31' 8" 5
4.5 IN 12	23' 2" 12	23' 3" 0	23' 3" 5	23' 3" 9	31' 9" 14	31' 10" 4	31' 10" 10	31' 10" 15
5 IN 12	23' 6" 12	23' 7" 0	23' 7" 5	23' 7" 9	32' 0" 13	32' 1" 3	32' 1" 9	32' 1" 14
5.5 IN 12	23' 11" 2	23' 11" 6	23' 11" 11	23' 11" 15	32' 4" 0	32' 4" 6	32' 4" 12	32' 5" 2
6 IN 12	24' 3" 13	24' 4" 1	24' 4" 6	24' 4" 10	32' 7" 8	32' 7" 14	32' 8" 4	32' 8" 10
6.5 IN 12	24' 8" 13	24' 9" 2	24' 9" 6	24' 9" 11	32' 11" 4	32' 11" 10	33' 0" 0	33' 0" 6
7 IN 12	25' 2" 3	25' 2" 7	25' 2" 12	25' 3" 0	33' 3" 4	33' 3" 11	33' 4" 1	33' 4" 7
8 IN 12	26' 1" 11	26' 2" 0	26' 2" 5	26' 2" 9	34' 0" 1	34' 0" 7	34' 0" 14	34' 1" 4
9 IN 12	27' 2" 4	27' 2" 9	27' 2" 14	27' 3" 3	34' 9" 13	34' 10" 3	34' 10" 10	34' 11" 0
10 IN 12	28' 3" 12	28' 4" 1	28' 4" 6	28' 4" 12	35' 8" 7	35' 8" 13	35' 9" 4	35' 9" 11
11 IN 12	29' 6" 1	29' 6" 6	29' 6" 12	29' 7" 1	36' 7" 14	36' 8" 5	36' 8" 11	36' 9" 2
12 IN 12	30' 9" 2	30' 9" 7	30' 9" 13	30' 10" 3	37' 8" 1	37' 8" 8	37' 8" 15	37' 9" 6
13 IN 12	32' 0" 13	32' 1" 3	32' 1" 9	32' 1" 14	38' 8" 15	38' 9" 7	38' 9" 14	38' 10" 5
14 IN 12	33' 5" 1	33' 5" 7	33' 5" 13	33' 6" 3	39' 10" 8	39' 10" 15	39' 11" 7	39' 11" 14
15 IN 12	34' 9" 13	34' 10" 3	34' 10" 10	34' 11" 0	41' 0" 10	41' 1" 2	41' 1" 9	41' 2" 1
16 IN 12	36' 3" 0	36' 3" 7	36' 3" 13	36' 4" 4	42' 3" 5	42' 3" 12	42' 4" 4	42' 4" 12
17 IN 12	37' 8" 9	37' 9" 0	37' 9" 7	37' 9" 14	43' 6" 7	43' 6" 15	43' 7" 7	43' 7" 15
18 IN 12	39' 2" 8	39' 3" 0	39' 3" 7	39' 3" 14	44' 10" 1	44' 10" 9	44' 11" 2	44' 11" 10
19 IN 12	40' 8" 12	40' 9" 4	40' 9" 11	40' 10" 3	46' 2" 1	46' 2" 10	46' 3" 2	46' 3" 11
20 IN 12	42' 3" 5	42' 3" 12	42' 4" 4	42' 4" 12	47' 6" 8	47' 7" 1	47' 7" 9	47' 8" 2
21 IN 12	43' 10" 1	43' 10" 9	43' 11" 1	43' 11" 9	48' 11" 4	48' 11" 13	49' 0" 6	49' 0" 15
22 IN 12	45' 5" 1	45' 5" 9	45' 6" 2	45' 6" 10	50' 4" 5	50' 4" 14	50' 5" 8	50' 6" 1
23 IN 12	47' 0" 4	47' 0" 13	47' 1" 5	47' 1" 14	51' 9" 11	51' 10" 4	51' 10" 14	51' 11" 8
24 IN 12	48' 7" 10	48' 8" 3	48' 8" 12	48' 9" 5	53' 3" 5	53' 3" 15	53' 4" 9	53' 5" 2
25 IN 12	50' 3" 2	50' 3" 12	50' 4" 5	50' 4" 14	54' 9" 3	54' 9" 13	54' 10" 7	54' 11" 1

21 Foot 10 Inch Run — Common Rafter Lengths   21 Foot 10 Inch Run — Hip Or Valley Rafter Lengths

Run -	21'10"	21'10 1/4"	21'10 1/2"	21'10 3/4"	21'10"	21'10 1/4"	21'10 1/2"	21'10 3/4"
Pitch	Ft In 16th"	Ft In 16th"	Ft In 16th"	Ft In 16th"	Ft In 16th"	Ft In 16th"	Ft In 16th"	Ft In 16th"
1 IN 12	21' 10" 15	21' 11" 3	21' 11" 7	21' 11" 11	30' 11" 3	30' 11" 8	30' 11" 14	31' 0" 4
2 IN 12	22' 1" 10	22' 1" 14	22' 2" 2	22' 2" 6	31' 1" 4	31' 1" 7	31' 1" 13	31' 2" 2
2.5 IN 12	22' 3" 10	22' 3" 14	22' 4" 2	22' 4" 6	31' 2" 8	31' 2" 14	31' 3" 4	31' 3" 10
3 IN 12	22' 6" 1	22' 6" 5	22' 6" 9	22' 6" 13	31' 4" 4	31' 4" 10	31' 5" 0	31' 5" 6
3.5 IN 12	22' 8" 15	22' 9" 3	22' 9" 7	22' 9" 11	31' 6" 5	31' 6" 11	31' 7" 1	31' 7" 6
4 IN 12	23' 0" 3	23' 0" 7	23' 0" 11	23' 0" 15	31' 8" 11	31' 9" 1	31' 9" 6	31' 9" 12
4.5 IN 12	23' 3" 13	23' 4" 1	23' 4" 6	23' 4" 10	31' 11" 5	31' 11" 11	32' 0" 1	32' 0" 7
5 IN 12	23' 7" 13	23' 8" 2	23' 8" 6	23' 8" 10	32' 2" 4	32' 2" 10	32' 3" 0	32' 3" 6
5.5 IN 12	24' 0" 3	24' 0" 8	24' 0" 12	24' 1" 1	32' 5" 8	32' 5" 14	32' 6" 4	32' 6" 10
6 IN 12	24' 4" 15	24' 5" 3	24' 5" 8	24' 5" 12	32' 9" 0	32' 9" 6	32' 9" 12	32' 10" 2
6.5 IN 12	24' 9" 15	24' 10" 4	24' 10" 9	24' 10" 13	33' 0" 12	33' 1" 2	33' 1" 8	33' 1" 15
7 IN 12	25' 3" 5	25' 3" 10	25' 3" 14	25' 4" 3	33' 4" 13	33' 5" 3	33' 5" 9	33' 5" 15
8 IN 12	26' 2" 14	26' 3" 3	26' 3" 8	26' 3" 13	34' 1" 10	34' 2" 0	34' 2" 7	34' 2" 13
9 IN 12	27' 3" 8	27' 3" 13	27' 4" 2	27' 4" 7	34' 11" 6	34' 11" 13	35' 0" 3	35' 0" 10
10 IN 12	28' 5" 1	28' 5" 6	28' 5" 11	28' 6" 0	35' 10" 1	35' 10" 8	35' 10" 14	35' 11" 5
11 IN 12	29' 7" 7	29' 7" 12	29' 8" 2	29' 8" 7	36' 9" 9	36' 10" 0	36' 10" 6	36' 10" 13
12 IN 12	30' 10" 8	30' 10" 14	30' 11" 4	30' 11" 9	37' 9" 13	37' 10" 4	37' 10" 11	37' 11" 2
13 IN 12	32' 2" 4	32' 2" 10	32' 3" 0	32' 3" 6	38' 10" 12	38' 11" 3	38' 11" 10	39' 0" 1
14 IN 12	33' 6" 9	33' 7" 0	33' 7" 6	33' 7" 12	40' 0" 5	40' 0" 13	40' 1" 4	40' 1" 11
15 IN 12	34' 11" 6	34' 11" 13	35' 0" 3	35' 0" 10	41' 2" 0	41' 3" 0	41' 3" 7	41' 3" 15
16 IN 12	36' 4" 11	36' 5" 1	36' 5" 8	36' 5" 15	42' 5" 4	42' 5" 12	42' 6" 3	42' 6" 11
17 IN 12	37' 10" 5	37' 10" 12	37' 11" 3	37' 11" 10	43' 8" 7	43' 8" 15	43' 9" 7	43' 9" 15
18 IN 12	39' 4" 5	39' 4" 12	39' 5" 4	39' 5" 11	45' 0" 2	45' 0" 10	45' 1" 3	45' 1" 11
19 IN 12	40' 10" 10	40' 11" 2	40' 11" 9	41' 0" 1	46' 4" 3	46' 4" 12	46' 5" 4	46' 5" 13
20 IN 12	42' 5" 4	42' 5" 12	42' 6" 3	42' 6" 11	47' 8" 11	47' 9" 4	47' 9" 12	47' 10" 5
21 IN 12	44' 0" 1	44' 0" 9	44' 1" 1	44' 1" 9	49' 1" 8	49' 2" 1	49' 2" 10	49' 3" 3
22 IN 12	45' 7" 2	45' 7" 11	45' 8" 3	45' 8" 11	50' 6" 10	50' 7" 3	50' 7" 13	50' 8" 6
23 IN 12	47' 2" 6	47' 2" 15	47' 3" 8	47' 4" 0	52' 0" 1	52' 0" 11	52' 1" 4	52' 1" 14
24 IN 12	48' 9" 14	48' 10" 7	48' 10" 15	48' 11" 8	53' 5" 12	53' 6" 6	53' 7" 0	53' 7" 10
25 IN 12	50' 5" 7	50' 6" 1	50' 6" 10	50' 7" 3	54' 11" 11	55' 0" 5	55' 1" 0	55' 1" 10

21 Foot 11 Inch Run — Common Rafter Lengths

Run - Pitch	21'11" Ft In 16th"	21'11 1/4" Ft In 16th"	21'11 1/2" Ft In 16th"	21'11 3/4" Ft In 16th"
1 IN 12	21' 11" 15	22' 0" 3	22' 0" 7	22' 0" 11
2 IN 12	22' 2" 10	22' 2" 14	22' 3" 2	22' 3" 6
2.5 IN 12	22' 4" 10	22' 4" 14	22' 5" 3	22' 5" 7
3 IN 12	22' 7" 2	22' 7" 6	22' 7" 10	22' 7" 14
3.5 IN 12	22' 9" 15	22' 10" 4	22' 10" 8	22' 10" 12
4 IN 12	23' 1" 4	23' 1" 8	23' 1" 12	23' 2" 0
4.5 IN 12	23' 4" 14	23' 5" 2	23' 5" 7	23' 5" 11
5 IN 12	23' 8" 5	23' 9" 3	23' 9" 7	23' 9" 12
5.5 IN 12	24' 1" 5	24' 1" 9	24' 1" 14	24' 2" 2
6 IN 12	24' 6" 1	24' 6" 5	24' 6" 10	24' 6" 14
6.5 IN 12	24' 11" 2	24' 11" 6	24' 11" 11	24' 11" 15
7 IN 12	25' 4" 8	25' 4" 12	25' 5" 1	25' 5" 6
8 IN 12	26' 4" 1	26' 4" 6	26' 4" 11	26' 5" 0
9 IN 12	27' 4" 12	27' 5" 1	27' 5" 6	27' 5" 11
10 IN 12	28' 6" 6	28' 6" 11	28' 7" 0	28' 7" 5
11 IN 12	29' 8" 12	29' 9" 2	29' 9" 7	29' 9" 13
12 IN 12	30' 11" 15	31' 0" 5	31' 0" 10	31' 1" 0
13 IN 12	32' 3" 12	32' 4" 2	32' 4" 8	32' 4" 14
14 IN 12	33' 8" 2	33' 8" 8	33' 8" 14	33' 9" 4
15 IN 12	35' 1" 0	35' 1" 6	35' 1" 13	35' 2" 3
16 IN 12	36' 6" 5	36' 6" 12	36' 7" 3	36' 7" 9
17 IN 12	38' 0" 1	38' 0" 8	38' 0" 15	38' 1" 6
18 IN 12	39' 6" 2	39' 6" 9	39' 7" 1	39' 7" 8
19 IN 12	41' 0" 8	41' 1" 0	41' 1" 7	41' 1" 15
20 IN 12	42' 7" 3	42' 7" 11	42' 8" 2	42' 8" 10
21 IN 12	44' 2" 1	44' 2" 10	44' 3" 2	44' 3" 10
22 IN 12	45' 9" 4	45' 9" 12	45' 10" 4	45' 10" 13
23 IN 12	47' 4" 9	47' 5" 2	47' 5" 10	47' 6" 3
24 IN 12	49' 0" 1	49' 0" 10	49' 1" 3	49' 1" 12
25 IN 12	50' 7" 12	50' 8" 6	50' 8" 15	50' 9" 8

21 Foot 11 Inch Run — Hip Or Valley Rafter Lengths

Run - Pitch	21'11" Ft In 16th"	21'11 1/4" Ft In 16th"	21'11 1/2" Ft In 16th"	21'11 3/4" Ft In 16th"
1 IN 12	31' 0" 9	31' 0" 15	31' 1" 5	31' 1" 10
2 IN 12	31' 2" 8	31' 2" 14	31' 3" 4	31' 3" 9
2.5 IN 12	31' 3" 15	31' 4" 5	31' 4" 11	31' 5" 0
3 IN 12	31' 5" 11	31' 6" 1	31' 6" 7	31' 6" 13
3.5 IN 12	31' 7" 12	31' 8" 2	31' 8" 8	31' 8" 14
4 IN 12	31' 10" 2	31' 10" 8	31' 10" 14	31' 11" 4
4.5 IN 12	32' 0" 10	32' 1" 3	32' 1" 8	32' 1" 14
5 IN 12	32' 3" 12	32' 4" 2	32' 4" 8	32' 4" 14
5.5 IN 12	32' 7" 0	32' 7" 6	32' 7" 12	32' 8" 2
6 IN 12	32' 10" 8	32' 10" 14	32' 11" 4	32' 11" 10
6.5 IN 12	33' 2" 5	33' 2" 11	33' 3" 1	33' 3" 7
7 IN 12	33' 6" 5	33' 6" 12	33' 7" 2	33' 7" 9
8 IN 12	34' 3" 3	34' 3" 9	34' 4" 0	34' 4" 6
9 IN 12	35' 1" 0	35' 1" 6	35' 1" 13	35' 2" 3
10 IN 12	35' 11" 11	36' 0" 2	36' 0" 8	36' 0" 15
11 IN 12	36' 11" 4	36' 11" 11	37' 0" 1	37' 0" 8
12 IN 12	37' 11" 8	37' 11" 15	38' 0" 6	38' 0" 13
13 IN 12	39' 0" 8	39' 1" 0	39' 1" 7	39' 1" 14
14 IN 12	40' 2" 3	40' 2" 10	40' 3" 1	40' 3" 9
15 IN 12	41' 4" 6	41' 4" 14	41' 5" 6	41' 5" 13
16 IN 12	42' 7" 3	42' 7" 11	42' 8" 2	42' 8" 10
17 IN 12	43' 10" 7	43' 10" 15	43' 11" 7	43' 11" 15
18 IN 12	45' 2" 3	45' 2" 11	45' 3" 4	45' 3" 12
19 IN 12	46' 6" 5	46' 6" 14	46' 7" 7	46' 7" 15
20 IN 12	47' 10" 14	47' 11" 7	47' 11" 15	48' 0" 8
21 IN 12	49' 3" 12	49' 4" 5	49' 4" 14	49' 5" 7
22 IN 12	50' 8" 15	50' 9" 8	50' 10" 2	50' 10" 11
23 IN 12	52' 2" 7	52' 3" 1	52' 3" 10	52' 4" 4
24 IN 12	53' 8" 3	53' 8" 13	53' 9" 7	53' 10" 1
25 IN 12	55' 2" 4	55' 2" 14	55' 3" 8	55' 4" 2

22 Foot 0 Inch Run — Common Rafter Lengths 22 Foot 0 Inch Run — Hip Or Valley Rafter Lengths

Run -	22' 0"			22' 0 1/4"			22' 0 1/2"			22' 0 3/4"			22' 0"			22' 0 1/4"			22' 0 1/2"			22' 0 3/4"		
Pitch	Ft	In	16th"	Ft	In	16th"	Ft	In	16th"	Ft	In	16th"	Ft	In	16th"	Ft	In	16th"	Ft	In	16th"	Ft	In	16th"
1 IN 12	22'	0"	15	22'	1"	3	22'	1"	7	22'	1"	11	31'	2"	0	31'	2"	6	31'	2"	11	31'	3"	1
2 IN 12	22'	3"	10	22'	3"	14	22'	4"	2	22'	4"	6	31'	3"	15	31'	4"	5	31'	4"	10	31'	5"	0
2.5 IN 12	22'	5"	11	22'	5"	15	22'	6"	3	22'	6"	7	31'	5"	6	31'	5"	12	31'	6"	2	31'	6"	7
3 IN 12	22'	8"	2	22'	8"	6	22'	8"	10	22'	8"	14	31'	7"	2	31'	7"	8	31'	7"	14	31'	8"	3
3.5 IN 12	22'	11"	0	22'	11"	4	22'	11"	8	22'	11"	13	31'	9"	3	31'	9"	9	31'	9"	15	31'	10"	5
4 IN 12	23'	2"	4	23'	2"	9	23'	2"	13	23'	3"	1	31'	11"	9	31'	11"	15	32'	0"	5	32'	0"	11
4.5 IN 12	23'	5"	15	23'	6"	4	23'	6"	8	23'	6"	12	32'	2"	4	32'	2"	10	32'	3"	0	32'	3"	6
5 IN 12	23'	10"	0	23'	10"	4	23'	10"	9	23'	10"	13	32'	5"	4	32'	5"	9	32'	5"	15	32'	6"	5
5.5 IN 12	24'	2"	7	24'	2"	11	24'	2"	15	24'	3"	4	32'	8"	8	32'	8"	13	32'	9"	3	32'	9"	9
6 IN 12	24'	7"	3	24'	7"	7	24'	7"	12	24'	8"	0	33'	0"	0	33'	0"	6	33'	0"	12	33'	1"	2
6.5 IN 12	25'	0"	4	25'	0"	8	25'	0"	13	25'	1"	2	33'	3"	13	33'	4"	3	33'	4"	9	33'	4"	15
7 IN 12	25'	5"	10	25'	5"	15	25'	6"	3	25'	6"	8	33'	7"	14	33'	8"	4	33'	8"	10	33'	9"	0
8 IN 12	26'	5"	5	26'	5"	9	26'	5"	14	26'	6"	3	34'	4"	12	34'	5"	2	34'	5"	9	34'	5"	15
9 IN 12	27'	6"	0	27'	6"	5	27'	6"	10	27'	6"	15	35'	2"	10	35'	3"	0	35'	3"	7	35'	3"	13
10 IN 12	28'	7"	10	28'	8"	0	28'	8"	5	28'	8"	10	36'	1"	6	36'	1"	12	36'	2"	3	36'	2"	9
11 IN 12	29'	10"	2	29'	10"	8	29'	10"	13	29'	11"	2	37'	0"	15	37'	1"	6	37'	1"	12	37'	2"	3
12 IN 12	31'	1"	6	31'	1"	11	31'	2"	1	31'	2"	7	38'	1"	4	38'	1"	11	38'	2"	2	38'	2"	9
13 IN 12	32'	5"	4	32'	5"	9	32'	5"	15	32'	6"	5	39'	2"	5	39'	2"	12	39'	3"	3	39'	3"	10
14 IN 12	33'	9"	11	33'	10"	1	33'	10"	7	33'	10"	13	40'	4"	0	40'	4"	7	40'	4"	15	40'	5"	6
15 IN 12	35'	2"	10	35'	3"	0	35'	3"	7	35'	3"	13	41'	6"	5	41'	6"	12	41'	7"	4	41'	7"	11
16 IN 12	36'	8"	0	36'	8"	7	36'	8"	13	36'	9"	4	42'	9"	2	42'	9"	10	42'	10"	2	42'	10"	9
17 IN 12	38'	1"	13	38'	2"	4	38'	2"	11	38'	3"	1	44'	0"	7	44'	0"	15	44'	1"	7	44'	1"	15
18 IN 12	39'	7"	15	39'	8"	6	39'	8"	13	39'	9"	5	45'	4"	4	45'	4"	12	45'	5"	4	45'	5"	13
19 IN 12	41'	2"	6	41'	2"	14	41'	3"	5	41'	3"	13	46'	8"	7	46'	9"	0	46'	9"	8	46'	10"	1
20 IN 12	42'	9"	2	42'	9"	10	42'	10"	2	42'	10"	9	48'	1"	1	48'	1"	10	48'	2"	2	48'	2"	11
21 IN 12	44'	4"	2	44'	4"	10	44'	5"	2	44'	5"	10	49'	6"	0	49'	6"	9	49'	7"	2	49'	7"	11
22 IN 12	45'	11"	5	45'	11"	13	46'	0"	6	46'	0"	14	50'	11"	4	50'	11"	14	51'	0"	7	51'	1"	0
23 IN 12	47'	6"	12	47'	7"	4	47'	7"	13	47'	8"	6	52'	4"	13	52'	5"	7	52'	6"	0	52'	6"	10
24 IN 12	49'	2"	5	49'	2"	14	49'	3"	7	49'	4"	0	53'	10"	11	53'	11"	4	53'	11"	14	54'	0"	8
25 IN 12	50'	10"	1	50'	10"	11	50'	11"	4	50'	11"	13	55'	4"	12	55'	5"	6	55'	6"	0	55'	6"	10

22 Foot 1 Inch Run — Common Rafter Lengths   22 Foot 1 Inch Run — Hip Or Valley Rafter Lengths

Run -	22' 1"	22' 1 1/4"	22' 1 1/2"	22' 1 3/4"	22' 1"	22' 1 1/4"	22' 1 1/2"	22' 1 3/4"
Pitch	Ft In 16th"	Ft In 16th"	Ft In 16th"	Ft In 16th"	Ft In 16th"	Ft In 16th"	Ft In 16th"	Ft In 16th"
1 IN 12	22' 1" 15	22' 2" 3	22' 2" 7	22' 2" 11	31' 3" 7	31' 3" 12	31' 4" 2	31' 4" 8
2 IN 12	22' 4" 10	22' 4" 15	22' 5" 3	22' 5" 7	31' 5" 6	31' 5" 11	31' 6" 1	31' 6" 7
2.5 IN 12	22' 6" 11	22' 6" 15	22' 7" 3	22' 7" 7	31' 6" 13	31' 7" 3	31' 7" 8	31' 7" 14
3 IN 12	22' 9" 2	22' 9" 7	22' 9" 11	22' 9" 15	31' 8" 9	31' 8" 15	31' 9" 5	31' 9" 10
3.5 IN 12	23' 0" 1	23' 0" 5	23' 0" 9	23' 0" 13	31' 10" 10	31' 11" 0	31' 11" 6	31' 11" 12
4 IN 12	23' 3" 5	23' 3" 10	23' 3" 14	23' 4" 2	32' 1" 1	32' 1" 6	32' 1" 12	32' 2" 2
4.5 IN 12	23' 7" 0	23' 7" 5	23' 7" 9	23' 7" 13	32' 3" 11	32' 4" 1	32' 4" 7	32' 4" 13
5 IN 12	23' 11" 1	23' 11" 6	23' 11" 10	23' 11" 14	32' 6" 11	32' 7" 1	32' 7" 7	32' 7" 13
5.5 IN 12	24' 3" 8	24' 3" 13	24' 4" 1	24' 4" 5	32' 9" 15	32' 10" 5	32' 10" 11	32' 11" 1
6 IN 12	24' 8" 4	24' 8" 9	24' 8" 13	24' 9" 2	33' 1" 8	33' 1" 14	33' 2" 4	33' 2" 10
6.5 IN 12	25' 1" 6	25' 1" 11	25' 1" 15	25' 2" 4	33' 5" 5	33' 5" 11	33' 6" 1	33' 6" 7
7 IN 12	25' 6" 13	25' 7" 1	25' 7" 6	25' 7" 11	33' 9" 6	33' 9" 12	33' 10" 3	33' 10" 9
8 IN 12	26' 6" 8	26' 6" 13	26' 7" 1	26' 7" 6	34' 6" 5	34' 6" 11	34' 7" 2	34' 7" 8
9 IN 12	27' 7" 4	27' 7" 9	27' 7" 14	27' 8" 3	35' 4" 4	35' 4" 10	35' 5" 0	35' 5" 7
10 IN 12	28' 8" 15	28' 9" 4	28' 9" 10	28' 9" 15	36' 3" 0	36' 3" 6	36' 3" 13	36' 4" 4
11 IN 12	29' 11" 8	29' 11" 13	30' 0" 3	30' 0" 8	37' 2" 10	37' 3" 0	37' 3" 7	37' 3" 14
12 IN 12	31' 2" 12	31' 3" 2	31' 3" 8	31' 3" 13	38' 3" 0	38' 3" 7	38' 3" 14	38' 4" 5
13 IN 12	32' 6" 11	32' 7" 1	32' 7" 7	32' 7" 13	39' 4" 1	39' 4" 9	39' 5" 0	39' 5" 7
14 IN 12	33' 11" 3	33' 11" 9	33' 11" 15	34' 0" 6	40' 5" 13	40' 6" 5	40' 6" 12	40' 7" 3
15 IN 12	35' 4" 3	35' 4" 10	35' 5" 0	35' 5" 7	41' 8" 3	41' 8" 10	41' 9" 2	41' 9" 9
16 IN 12	36' 9" 11	36' 10" 1	36' 10" 8	36' 10" 15	42' 11" 1	42' 11" 9	43' 0" 1	43' 0" 8
17 IN 12	38' 3" 8	38' 3" 15	38' 4" 6	38' 4" 13	44' 2" 7	44' 2" 15	44' 3" 7	44' 3" 15
18 IN 12	39' 9" 12	39' 10" 3	39' 10" 10	39' 11" 1	45' 6" 5	45' 6" 13	45' 7" 5	45' 7" 14
19 IN 12	41' 4" 4	41' 4" 12	41' 5" 3	41' 5" 11	46' 10" 9	46' 11" 2	46' 11" 10	47' 0" 3
20 IN 12	42' 11" 1	42' 11" 9	43' 0" 1	43' 0" 8	48' 3" 4	48' 3" 13	48' 4" 5	48' 4" 14
21 IN 12	44' 6" 2	44' 6" 10	44' 7" 2	44' 7" 10	49' 8" 4	49' 8" 13	49' 9" 6	49' 9" 15
22 IN 12	46' 1" 7	46' 1" 15	46' 2" 7	46' 3" 0	51' 1" 9	51' 2" 3	51' 2" 12	51' 3" 5
23 IN 12	47' 8" 14	47' 9" 7	47' 10" 0	47' 10" 8	52' 7" 3	52' 7" 13	52' 8" 6	52' 9" 0
24 IN 12	49' 4" 9	49' 5" 2	49' 5" 11	49' 6" 4	54' 1" 2	54' 1" 12	54' 2" 5	54' 2" 15
25 IN 12	51' 0" 6	51' 0" 15	51' 1" 9	51' 2" 2	55' 7" 4	55' 7" 14	55' 8" 8	55' 9" 2

22 Foot 2 Inch Run — Common Rafter Lengths   22 Foot 2 Inch Run — Hip Or Valley Rafter Lengths

Run -	22' 2"			22' 2 1/4"			22' 2 1/2"			22' 2 3/4"			22' 2"			22' 2 1/4"			22' 2 1/2"			22' 2 3/4"		
Pitch	Ft	In	16th"	Ft	In	16th"	Ft	In	16th"	Ft	In	16th"	Ft	In	16th"	Ft	In	16th"	Ft	In	16th"	Ft	In	16th"
1 IN 12	22'	2"	15	22'	3"	3	22'	3"	7	22'	3"	11	31'	4"	13	31'	5"	3	31'	5"	9	31'	5"	14
2 IN 12	22'	5"	11	22'	5"	15	22'	6"	3	22'	6"	7	31'	6"	13	31'	7"	2	31'	7"	8	31'	7"	14
2.5 IN 12	22'	7"	11	22'	7"	15	22'	8"	4	22'	8"	8	31'	8"	4	31'	8"	10	31'	8"	15	31'	9"	5
3 IN 12	22'	10"	3	22'	10"	7	22'	10"	11	22'	10"	15	31'	10"	0	31'	10"	6	31'	10"	12	31'	11"	1
3.5 IN 12	23'	1"	1	23'	1"	6	23'	1"	10	23'	1"	14	32'	0"	2	32'	0"	7	32'	0"	13	32'	1"	3
4 IN 12	23'	4"	6	23'	4"	10	23'	4"	15	23'	5"	3	32'	2"	8	32'	2"	14	32'	3"	3	32'	3"	9
4.5 IN 12	23'	8"	1	23'	8"	6	23'	8"	10	23'	8"	14	32'	5"	3	32'	5"	9	32'	5"	15	32'	6"	4
5 IN 12	24'	0"	3	24'	0"	7	24'	0"	11	24'	1"	0	32'	8"	3	32'	8"	9	32'	8"	14	32'	9"	4
5.5 IN 12	24'	4"	10	24'	4"	14	24'	5"	3	24'	5"	7	32'	11"	7	32'	11"	13	33'	0"	3	33'	0"	9
6 IN 12	24'	9"	6	24'	9"	11	24'	9"	15	24'	10"	4	33'	3"	0	33'	3"	6	33'	3"	12	33'	4"	2
6.5 IN 12	25'	2"	8	25'	2"	13	25'	3"	1	25'	3"	6	33'	6"	13	33'	7"	3	33'	7"	9	33'	7"	15
7 IN 12	25'	7"	15	25'	8"	4	25'	8"	8	25'	8"	13	33'	10"	15	33'	11"	5	33'	11"	11	34'	0"	1
8 IN 12	26'	7"	11	26'	8"	0	26'	8"	5	26'	8"	9	34'	7"	14	34'	8"	4	34'	8"	11	34'	9"	1
9 IN 12	27'	8"	8	27'	8"	13	27'	9"	2	27'	9"	7	35'	5"	13	35'	6"	3	35'	6"	10	35'	7"	0
10 IN 12	28'	10"	4	28'	10"	9	28'	10"	14	28'	11"	4	36'	4"	10	36'	5"	1	36'	5"	7	36'	5"	14
11 IN 12	30'	0"	14	30'	1"	3	30'	1"	8	30'	1"	14	37'	4"	5	37'	4"	11	37'	5"	2	37'	5"	9
12 IN 12	31'	4"	3	31'	4"	9	31'	4"	14	31'	5"	4	38'	4"	12	38'	5"	3	38'	5"	9	38'	6"	0
13 IN 12	32'	8"	3	32'	8"	9	32'	8"	14	32'	9"	4	39'	5"	14	39'	6"	5	39'	6"	12	39'	7"	3
14 IN 12	34'	0"	12	34'	1"	2	34'	1"	8	34'	1"	14	40'	7"	11	40'	8"	2	40'	8"	9	40'	9"	1
15 IN 12	35'	5"	13	35'	6"	3	35'	6"	10	35'	7"	0	41'	10"	1	41'	10"	9	41'	11"	0	41'	11"	8
16 IN 12	36'	11"	5	36'	11"	12	37'	0"	2	37'	0"	9	43'	1"	0	43'	1"	8	43'	2"	0	43'	2"	8
17 IN 12	38'	5"	4	38'	5"	11	38'	6"	2	38'	6"	9	44'	4"	7	44'	4"	15	44'	5"	7	44'	5"	15
18 IN 12	39'	11"	9	40'	0"	0	40'	0"	7	40'	0"	14	45'	8"	6	45'	8"	14	45'	9"	6	45'	9"	15
19 IN 12	41'	6"	2	41'	6"	10	41'	7"	1	41'	7"	9	47'	0"	11	47'	1"	4	47'	1"	12	47'	2"	5
20 IN 12	43'	1"	0	43'	1"	8	43'	2"	0	43'	2"	8	48'	5"	7	48'	6"	0	48'	6"	8	48'	7"	1
21 IN 12	44'	8"	2	44'	8"	10	44'	9"	2	44'	9"	10	49'	10"	8	49'	11"	1	49'	11"	10	50'	0"	3
22 IN 12	46'	3"	8	46'	4"	0	46'	4"	9	46'	5"	1	51'	3"	14	51'	4"	8	51'	5"	1	51'	5"	10
23 IN 12	47'	11"	1	47'	11"	9	48'	0"	2	48'	0"	11	52'	9"	10	52'	10"	3	52'	10"	13	52'	11"	6
24 IN 12	49'	6"	13	49'	7"	6	49'	7"	15	49'	8"	8	54'	3"	9	54'	4"	3	54'	4"	13	54'	5"	6
25 IN 12	51'	2"	11	51'	3"	4	51'	3"	14	51'	4"	7	55'	9"	13	55'	10"	7	55'	11"	1	55'	11"	11

22 Foot 3 Inch Run — Common Rafter Lengths   22 Foot 3 Inch Run — Hip Or Valley Rafter Lengths

	Run - 22' 3"	22' 3 1/4"	22' 3 1/2"	22' 3 3/4"	22' 3"	22' 3 1/4"	22' 3 1/2"	22' 3 3/4"
Pitch	Ft In 16th"	Ft In 16th"	Ft In 16th"	Ft In 16th"	Ft In 16th"	Ft In 16th"	Ft In 16th"	Ft In 16th"
1 IN 12	22' 3" 15	22' 4" 3	22' 4" 7	22' 4" 11	31' 6" 4	31' 6" 10	31' 6" 15	31' 7" 5
2 IN 12	22' 6" 11	22' 6" 15	22' 7" 3	22' 7" 7	31' 8" 3	31' 8" 9	31' 8" 15	31' 9" 4
2.5 IN 12	22' 8" 12	22' 9" 0	22' 9" 4	22' 9" 8	31' 9" 11	31' 10" 0	31' 10" 6	31' 10" 12
3 IN 12	22' 11" 3	22' 11" 8	22' 11" 12	23' 0" 0	31' 11" 7	31' 11" 13	32' 0" 3	32' 0" 8
3.5 IN 12	23' 2" 2	23' 2" 6	23' 2" 10	23' 2" 15	32' 1" 9	32' 1" 14	32' 2" 4	32' 2" 10
4 IN 12	23' 5" 7	23' 5" 11	23' 6" 0	23' 6" 4	32' 3" 15	32' 4" 5	32' 4" 11	32' 5" 1
4.5 IN 12	23' 9" 2	23' 9" 7	23' 9" 11	23' 9" 15	32' 6" 10	32' 7" 0	32' 7" 6	32' 7" 12
5 IN 12	24' 1" 4	24' 1" 8	24' 1" 13	24' 2" 1	32' 9" 10	32' 10" 0	32' 10" 6	32' 10" 12
5.5 IN 12	24' 5" 11	24' 6" 0	24' 6" 4	24' 6" 9	33' 0" 15	33' 1" 5	33' 1" 11	33' 2" 1
6 IN 12	24' 10" 8	24' 10" 13	24' 11" 1	24' 11" 6	33' 4" 8	33' 4" 14	33' 5" 4	33' 5" 10
6.5 IN 12	25' 3" 10	25' 3" 15	25' 4" 4	25' 4" 8	33' 8" 6	33' 8" 12	33' 9" 2	33' 9" 8
7 IN 12	25' 9" 2	25' 9" 6	25' 9" 11	25' 10" 0	34' 0" 7	34' 0" 13	34' 1" 4	34' 1" 10
8 IN 12	26' 8" 14	26' 9" 3	26' 9" 8	26' 9" 13	34' 9" 7	34' 9" 13	34' 10" 4	34' 10" 10
9 IN 12	27' 9" 12	27' 10" 1	27' 10" 6	27' 10" 11	35' 7" 7	35' 7" 13	35' 8" 3	35' 8" 10
10 IN 12	28' 11" 9	28' 11" 14	29' 0" 3	29' 0" 9	36' 6" 4	36' 6" 11	36' 7" 2	36' 7" 8
11 IN 12	30' 2" 3	30' 2" 9	30' 2" 14	30' 3" 4	37' 6" 0	37' 6" 6	37' 6" 13	37' 7" 4
12 IN 12	31' 5" 10	31' 5" 15	31' 6" 5	31' 6" 10	38' 6" 7	38' 6" 14	38' 7" 5	38' 7" 12
13 IN 12	32' 9" 10	32' 10" 0	32' 10" 6	32' 10" 12	39' 7" 10	39' 8" 2	39' 8" 9	39' 9" 0
14 IN 12	34' 2" 4	34' 2" 10	34' 3" 1	34' 3" 7	40' 9" 8	40' 9" 15	40' 10" 7	40' 10" 14
15 IN 12	35' 7" 7	35' 7" 13	35' 8" 3	35' 8" 10	41' 11" 15	42' 0" 7	42' 0" 14	42' 1" 6
16 IN 12	37' 1" 0	37' 1" 7	37' 1" 13	37' 2" 4	43' 2" 15	43' 3" 7	43' 3" 15	43' 4" 7
17 IN 12	38' 7" 0	38' 7" 7	38' 7" 14	38' 8" 5	44' 6" 7	44' 6" 15	44' 7" 7	44' 7" 15
18 IN 12	40' 1" 5	40' 1" 13	40' 2" 4	40' 2" 11	45' 10" 7	45' 10" 15	45' 11" 7	46' 0" 0
19 IN 12	41' 8" 0	41' 8" 8	41' 8" 15	41' 9" 7	47' 2" 13	47' 3" 6	47' 3" 14	47' 4" 7
20 IN 12	43' 2" 15	43' 3" 7	43' 3" 15	43' 4" 7	48' 7" 10	48' 8" 3	48' 8" 11	48' 9" 4
21 IN 12	44' 10" 2	44' 10" 11	44' 11" 3	44' 11" 11	50' 0" 12	50' 1" 5	50' 1" 14	50' 2" 7
22 IN 12	46' 5" 2	46' 6" 2	46' 6" 10	46' 7" 2	51' 6" 3	51' 6" 13	51' 7" 6	51' 7" 15
23 IN 12	48' 1" 3	48' 1" 12	48' 2" 5	48' 2" 13	53' 0" 0	53' 0" 9	53' 1" 3	53' 1" 12
24 IN 12	49' 9" 0	49' 9" 9	49' 10" 2	49' 10" 11	54' 6" 0	54' 6" 10	54' 7" 4	54' 7" 14
25 IN 12	51' 5" 0	51' 5" 9	51' 6" 3	51' 6" 12	56' 0" 5	56' 0" 15	56' 1" 9	56' 2" 3

22 Foot 4 Inch Run — Common Rafter Lengths · 22 Foot 4 Inch Run — Hip Or Valley Rafter Lengths

Run -	22' 4"	22' 4 1/4"	22' 4 1/2"	22' 4 3/4"	22' 4"	22' 4 1/4"	22' 4 1/2"	22' 4 3/4"
Pitch	Ft In 16th"	Ft In 16th"	Ft In 16th"	Ft In 16th"	Ft In 16th"	Ft In 16th"	Ft In 16th"	Ft In 16th"
1 IN 12	22' 4" 15	22' 5" 3	22' 5" 7	22' 5" 11	31' 7" 11	31' 8" 0	31' 8" 6	31' 8" 12
2 IN 12	22' 7" 11	22' 7" 15	22' 8" 3	22' 8" 7	31' 9" 10	31' 10" 0	31' 10" 6	31' 10" 11
2.5 IN 12	22' 9" 12	22' 10" 0	22' 10" 4	22' 10" 8	31' 11" 2	31' 11" 7	31' 11" 13	32' 0" 3
3 IN 12	23' 0" 4	23' 0" 8	23' 0" 12	23' 1" 0	32' 0" 14	32' 1" 4	32' 1" 10	32' 1" 15
3.5 IN 12	23' 3" 3	23' 3" 7	23' 3" 11	23' 3" 15	32' 3" 0	32' 3" 6	32' 3" 11	32' 4" 1
4 IN 12	23' 6" 8	23' 6" 12	23' 7" 0	23' 7" 5	32' 5" 6	32' 5" 12	32' 6" 2	32' 6" 8
4.5 IN 12	23' 10" 4	23' 10" 8	23' 10" 12	23' 11" 0	32' 8" 2	32' 8" 8	32' 8" 13	32' 9" 3
5 IN 12	24' 2" 5	24' 2" 10	24' 2" 14	24' 3" 2	32' 11" 2	32' 11" 8	32' 11" 14	33' 0" 4
5.5 IN 12	24' 6" 13	24' 7" 1	24' 7" 6	24' 7" 10	33' 2" 7	33' 2" 13	33' 3" 3	33' 3" 9
6 IN 12	24' 11" 10	24' 11" 15	25' 0" 3	25' 0" 8	33' 6" 0	33' 6" 6	33' 6" 12	33' 7" 2
6.5 IN 12	25' 4" 13	25' 5" 1	25' 5" 6	25' 5" 10	33' 9" 14	33' 10" 4	33' 10" 10	33' 11" 0
7 IN 12	25' 10" 4	25' 10" 9	25' 10" 13	25' 11" 2	34' 2" 0	34' 2" 6	34' 2" 12	34' 3" 2
8 IN 12	26' 10" 2	26' 10" 6	26' 10" 11	26' 11" 0	34' 11" 0	34' 11" 6	34' 11" 13	35' 0" 3
9 IN 12	27' 11" 0	27' 11" 5	27' 11" 10	27' 11" 15	35' 9" 0	35' 9" 7	35' 9" 13	35' 10" 3
10 IN 12	29' 0" 14	29' 1" 3	29' 1" 8	29' 1" 13	36' 7" 15	36' 8" 5	36' 8" 12	36' 9" 2
11 IN 12	30' 3" 9	30' 3" 14	30' 4" 4	30' 4" 9	37' 7" 11	37' 8" 1	37' 8" 8	37' 8" 15
12 IN 12	31' 7" 0	31' 7" 6	31' 7" 11	31' 8" 1	38' 8" 3	38' 8" 10	38' 9" 1	38' 9" 8
13 IN 12	32' 11" 2	32' 11" 8	32' 11" 14	33' 0" 4	39' 9" 7	39' 9" 14	39' 10" 5	39' 10" 12
14 IN 12	34' 3" 13	34' 4" 3	34' 4" 9	34' 4" 15	40' 11" 5	40' 11" 13	41' 0" 4	41' 0" 11
15 IN 12	35' 9" 0	35' 9" 7	35' 9" 13	35' 10" 3	42' 1" 13	42' 2" 5	42' 2" 13	42' 3" 4
16 IN 12	37' 2" 11	37' 3" 1	37' 3" 8	37' 3" 15	43' 4" 14	43' 5" 6	43' 5" 14	43' 6" 6
17 IN 12	38' 8" 12	38' 9" 3	38' 9" 9	38' 10" 0	44' 8" 7	44' 8" 15	44' 9" 7	44' 9" 15
18 IN 12	40' 3" 2	40' 3" 10	40' 4" 1	40' 4" 8	46' 0" 8	46' 1" 0	46' 1" 8	46' 2" 1
19 IN 12	41' 9" 14	41' 10" 6	41' 10" 13	41' 11" 5	47' 4" 15	47' 5" 8	47' 6" 0	47' 6" 9
20 IN 12	43' 4" 14	43' 5" 6	43' 5" 14	43' 6" 6	48' 9" 13	48' 10" 6	48' 10" 14	48' 11" 7
21 IN 12	45' 0" 3	45' 0" 11	45' 1" 3	45' 1" 11	50' 3" 0	50' 3" 9	50' 4" 2	50' 4" 11
22 IN 12	46' 7" 11	46' 8" 3	46' 8" 11	46' 9" 4	51' 8" 8	51' 9" 2	51' 9" 11	51' 10" 4
23 IN 12	48' 3" 6	48' 3" 15	48' 4" 7	48' 5" 0	53' 2" 6	53' 2" 15	53' 3" 9	53' 4" 2
24 IN 12	49' 11" 4	49' 11" 13	50' 0" 6	50' 0" 15	54' 8" 7	54' 9" 1	54' 9" 11	54' 10" 5
25 IN 12	51' 7" 5	51' 7" 14	51' 8" 8	51' 9" 1	56' 2" 13	56' 3" 7	56' 4" 1	56' 4" 11

22 Foot 5 Inch Run — Common Rafter Lengths

Run - Pitch	22' 5" Ft In 16th"	22' 5 1/4" Ft In 16th"	22' 5 1/2" Ft In 16th"	22' 5 3/4" Ft In 16th"
1 IN 12	22' 5" 15	22' 6" 3	22' 6" 7	22' 6" 11
2 IN 12	22' 8" 11	22' 8" 15	22' 9" 3	22' 9" 8
2.5 IN 12	22' 10" 12	22' 11" 0	22' 11" 5	22' 11" 9
3 IN 12	23' 1" 4	23' 1" 9	23' 1" 13	23' 2" 1
3.5 IN 12	23' 4" 3	23' 4" 8	23' 4" 12	23' 5" 0
4 IN 12	23' 7" 9	23' 7" 13	23' 8" 1	23' 8" 5
4.5 IN 12	23' 11" 5	23' 11" 9	23' 11" 13	24' 0" 1
5 IN 12	24' 3" 7	24' 3" 11	24' 3" 15	24' 4" 4
5.5 IN 12	24' 7" 15	24' 8" 3	24' 8" 7	24' 8" 12
6 IN 12	25' 0" 12	25' 1" 0	25' 1" 5	25' 1" 9
6.5 IN 12	25' 5" 15	25' 6" 3	25' 6" 8	25' 6" 12
7 IN 12	25' 11" 7	25' 11" 11	26' 0" 0	26' 0" 5
8 IN 12	26' 11" 5	26' 11" 10	26' 11" 14	27' 0" 3
9 IN 12	28' 0" 4	28' 0" 9	28' 0" 14	28' 1" 3
10 IN 12	29' 2" 3	29' 2" 8	29' 2" 13	29' 3" 2
11 IN 12	30' 4" 15	30' 5" 4	30' 5" 10	30' 5" 15
12 IN 12	31' 8" 7	31' 8" 12	31' 9" 2	31' 9" 8
13 IN 12	33' 0" 9	33' 0" 15	33' 1" 5	33' 1" 11
14 IN 12	34' 5" 10	34' 5" 12	34' 6" 2	34' 6" 8
15 IN 12	35' 10" 10	35' 11" 0	35' 11" 7	35' 11" 13
16 IN 12	37' 4" 5	37' 4" 12	37' 5" 3	37' 5" 9
17 IN 12	38' 10" 7	38' 10" 14	38' 11" 5	38' 11" 12
18 IN 12	40' 4" 15	40' 5" 6	40' 5" 14	40' 6" 5
19 IN 12	41' 11" 12	42' 0" 4	42' 0" 11	42' 1" 3
20 IN 12	43' 6" 13	43' 7" 5	43' 7" 13	43' 8" 5
21 IN 12	45' 2" 3	45' 2" 11	45' 3" 3	45' 3" 11
22 IN 12	46' 9" 12	46' 10" 5	46' 10" 13	46' 11" 5
23 IN 12	48' 5" 9	48' 6" 1	48' 6" 10	48' 7" 3
24 IN 12	50' 1" 8	50' 2" 1	50' 2" 10	50' 3" 3
25 IN 12	51' 9" 10	51' 10" 3	51' 10" 13	51' 11" 6

22 Foot 5 Inch Run — Hip Or Valley Rafter Lengths

Pitch	22' 5" Ft In 16th"	22' 5 1/4" Ft In 16th"	22' 5 1/2" Ft In 16th"	22' 5 3/4" Ft In 16th"
1 IN 12	31' 9" 1	31' 9" 7	31' 9" 13	31' 10" 2
2 IN 12	31' 11" 1	31' 11" 7	31' 11" 12	32' 0" 2
2.5 IN 12	32' 0" 8	32' 0" 14	32' 1" 4	32' 1" 10
3 IN 12	32' 2" 5	32' 2" 11	32' 3" 1	32' 3" 6
3.5 IN 12	32' 4" 7	32' 4" 13	32' 5" 2	32' 5" 8
4 IN 12	32' 6" 14	32' 7" 3	32' 7" 9	32' 7" 15
4.5 IN 12	32' 9" 9	32' 9" 15	32' 10" 5	32' 10" 11
5 IN 12	33' 0" 9	33' 0" 15	33' 1" 5	33' 1" 11
5.5 IN 12	33' 3" 14	33' 4" 4	33' 4" 10	33' 5" 0
6 IN 12	33' 7" 8	33' 7" 14	33' 8" 4	33' 8" 10
6.5 IN 12	33' 11" 6	33' 11" 12	34' 0" 2	34' 0" 8
7 IN 12	34' 3" 8	34' 3" 14	34' 4" 4	34' 4" 11
8 IN 12	35' 0" 9	35' 0" 15	35' 1" 6	35' 1" 12
9 IN 12	35' 10" 10	35' 11" 0	35' 11" 7	35' 11" 13
10 IN 12	36' 9" 9	36' 9" 15	36' 10" 6	36' 10" 13
11 IN 12	37' 9" 6	37' 9" 12	37' 10" 3	37' 10" 10
12 IN 12	38' 9" 15	38' 10" 6	38' 10" 13	38' 11" 4
13 IN 12	39' 11" 3	39' 11" 11	40' 0" 2	40' 0" 9
14 IN 12	41' 1" 3	41' 1" 10	41' 2" 1	41' 2" 9
15 IN 12	42' 3" 12	42' 4" 3	42' 4" 11	42' 5" 2
16 IN 12	43' 6" 13	43' 7" 5	43' 7" 13	43' 8" 5
17 IN 12	44' 10" 7	44' 10" 15	44' 11" 7	44' 11" 15
18 IN 12	46' 2" 9	46' 3" 1	46' 3" 9	46' 4" 2
19 IN 12	47' 7" 1	47' 7" 10	47' 8" 2	47' 8" 11
20 IN 12	49' 0" 0	49' 0" 8	49' 1" 1	49' 1" 10
21 IN 12	50' 5" 4	50' 5" 13	50' 6" 6	50' 6" 15
22 IN 12	51' 10" 14	51' 11" 7	52' 0" 0	52' 0" 9
23 IN 12	53' 4" 12	53' 5" 5	53' 5" 15	53' 6" 8
24 IN 12	54' 10" 15	54' 11" 8	55' 0" 2	55' 0" 12
25 IN 12	56' 5" 5	56' 6" 0	56' 6" 10	56' 7" 4

Run -	22' 6"			22' 6 1/4"			22' 6 1/2"			22' 6 3/4"			22' 6"			22' 6 1/4"			22' 6 1/2"			22' 6 3/4"		
Pitch	Ft	In	16th"	Ft	In	16th"	Ft	In	16th"	Ft	In	16th"	Ft	In	16th"	Ft	In	16th"	Ft	In	16th"	Ft	In	16th"
1 IN 12	22'	6"	15	22'	7"	3	22'	7"	7	22'	7"	11	31'	10"	8	31'	10"	14	31'	11"	3	31'	11"	9
2 IN 12	22'	9"	12	22'	10"	0	22'	10"	4	22'	10"	8	32'	0"	8	32'	0"	13	32'	1"	3	32'	1"	9
2.5 IN 12	22'	11"	13	23'	0"	1	23'	0"	5	23'	0"	9	32'	1"	15	32'	2"	5	32'	2"	11	32'	3"	0
3 IN 12	23'	2"	5	23'	2"	9	23'	2"	13	23'	3"	1	32'	3"	12	32'	4"	2	32'	4"	8	32'	4"	13
3.5 IN 12	23'	5"	4	23'	5"	8	23'	5"	12	23'	6"	1	32'	5"	14	32'	6"	4	32'	6"	10	32'	6"	15
4 IN 12	23'	8"	10	23'	8"	14	23'	9"	2	23'	9"	6	32'	8"	5	32'	8"	11	32'	9"	0	32'	9"	6
4.5 IN 12	24'	0"	6	24'	0"	10	24'	0"	14	24'	1"	3	32'	11"	1	32'	11"	6	32'	11"	12	33'	0"	2
5 IN 12	24'	4"	8	24'	4"	12	24'	5"	1	24'	5"	5	33'	2"	1	33'	2"	7	33'	2"	13	33'	3"	3
5.5 IN 12	24'	9"	0	24'	9"	5	24'	9"	9	24'	9"	13	33'	5"	6	33'	5"	12	33'	6"	2	33'	6"	8
6 IN 12	25'	1"	14	25'	2"	2	25'	2"	7	25'	2"	11	33'	9"	0	33'	9"	6	33'	9"	12	33'	10"	2
6.5 IN 12	25'	7"	1	25'	7"	6	25'	7"	10	25'	7"	15	34'	0"	14	34'	1"	4	34'	1"	10	34'	2"	0
7 IN 12	26'	0"	9	26'	0"	14	26'	1"	3	26'	1"	7	34'	5"	1	34'	5"	7	34'	5"	13	34'	6"	3
8 IN 12	27'	0"	8	27'	0"	13	27'	1"	2	27'	1"	6	35'	2"	2	35'	2"	8	35'	2"	15	35'	3"	5
9 IN 12	28'	1"	8	28'	1"	13	28'	2"	2	28'	2"	7	36'	0"	3	36'	0"	10	36'	1"	0	36'	1"	7
10 IN 12	29'	3"	7	29'	3"	13	29'	4"	2	29'	4"	7	36'	11"	3	36'	11"	10	37'	0"	0	37'	0"	7
11 IN 12	30'	6"	4	30'	6"	10	30'	6"	15	30'	7"	5	37'	11"	1	37'	11"	7	37'	11"	14	38'	0"	5
12 IN 12	31'	9"	13	31'	10"	3	31'	10"	9	31'	10"	14	38'	11"	10	39'	0"	1	39'	0"	8	39'	0"	15
13 IN 12	33'	2"	1	33'	2"	7	33'	2"	13	33'	3"	3	40'	1"	0	40'	1"	7	40'	1"	14	40'	2"	5
14 IN 12	34'	6"	14	34'	7"	4	34'	7"	10	34'	8"	1	41'	3"	0	41'	3"	7	41'	3"	15	41'	4"	6
15 IN 12	36'	0"	3	36'	0"	10	36'	1"	0	36'	1"	7	42'	5"	10	42'	6"	1	42'	6"	9	42'	7"	0
16 IN 12	37'	6"	0	37'	6"	7	37'	6"	13	37'	7"	4	43'	8"	13	43'	9"	4	43'	9"	12	43'	10"	4
17 IN 12	39'	0"	3	39'	0"	10	39'	1"	1	39'	1"	8	45'	0"	7	45'	1"	0	45'	1"	8	45'	2"	0
18 IN 12	40'	6"	12	40'	7"	3	40'	7"	10	40'	8"	2	46'	4"	10	46'	5"	2	46'	5"	10	46'	6"	3
19 IN 12	42'	1"	10	42'	2"	1	42'	2"	9	42'	3"	0	47'	9"	3	47'	9"	12	47'	10"	4	47'	10"	13
20 IN 12	43'	8"	13	43'	9"	4	43'	9"	12	43'	10"	4	49'	2"	3	49'	2"	11	49'	3"	4	49'	3"	13
21 IN 12	45'	4"	3	45'	4"	11	45'	5"	3	45'	5"	11	50'	7"	8	50'	8"	1	50'	8"	10	50'	9"	3
22 IN 12	46'	11"	14	47'	0"	6	47'	0"	14	47'	1"	7	52'	1"	3	52'	1"	12	52'	2"	5	52'	2"	14
23 IN 12	48'	7"	11	48'	8"	4	48'	8"	13	48'	9"	5	53'	7"	2	53'	7"	11	53'	8"	5	53'	8"	15
24 IN 12	50'	3"	12	50'	4"	5	50'	4"	14	50'	5"	7	55'	1"	6	55'	2"	0	55'	2"	9	55'	3"	3
25 IN 12	51'	11"	15	52'	0"	8	52'	1"	2	52'	1"	11	56'	7"	14	56'	8"	8	56'	9"	2	56'	9"	12

22 Foot 7 Inch Run — Common Rafter Lengths   22 Foot 7 Inch Run — Hip Or Valley Rafter Lengths

Run -	22' 7"	22' 7 1/4"	22' 7 1/2"	22' 7 3/4"	22' 7"	22' 7 1/4"	22' 7 1/2"	22' 7 3/4"
Pitch	Ft In 16th"	Ft In 16th"	Ft In 16th"	Ft In 16th"	Ft In 16th"	Ft In 16th"	Ft In 16th"	Ft In 16th"
1 IN 12	22' 7" 15	22' 8" 3	22' 8" 7	22' 8" 11	31' 11" 15	32' 0" 4	32' 0" 10	32' 1" 0
2 IN 12	22' 10" 12	22' 11" 0	22' 11" 4	22' 11" 8	32' 1" 14	32' 2" 4	32' 2" 10	32' 3" 0
2.5 IN 12	23' 0" 13	23' 1" 1	23' 1" 5	23' 1" 9	32' 3" 6	32' 3" 12	32' 4" 2	32' 4" 7
3 IN 12	23' 3" 5	23' 3" 10	23' 3" 14	23' 4" 2	32' 5" 3	32' 5" 9	32' 5" 15	32' 6" 4
3.5 IN 12	23' 6" 5	23' 6" 9	23' 6" 13	23' 7" 1	32' 7" 5	32' 7" 11	32' 8" 1	32' 8" 6
4 IN 12	23' 9" 11	23' 9" 15	23' 10" 3	23' 10" 7	32' 9" 12	32' 10" 2	32' 10" 8	32' 10" 13
4.5 IN 12	24' 1" 7	24' 1" 11	24' 1" 15	24' 2" 4	33' 0" 8	33' 0" 14	33' 1" 4	33' 1" 10
5 IN 12	24' 5" 9	24' 5" 14	24' 6" 2	24' 6" 6	33' 3" 9	33' 3" 15	33' 4" 4	33' 4" 10
5.5 IN 12	24' 10" 2	24' 10" 6	24' 10" 11	24' 10" 15	33' 6" 14	33' 7" 4	33' 7" 10	33' 8" 0
6 IN 12	25' 3" 0	25' 3" 4	25' 3" 9	25' 3" 13	33' 10" 8	33' 10" 14	33' 11" 4	33' 11" 10
6.5 IN 12	25' 8" 3	25' 8" 8	25' 8" 12	25' 9" 1	34' 2" 6	34' 2" 12	34' 3" 3	34' 3" 9
7 IN 12	26' 1" 12	26' 2" 0	26' 2" 5	26' 2" 10	34' 6" 9	34' 6" 15	34' 7" 5	34' 7" 12
8 IN 12	27' 1" 11	27' 2" 0	27' 2" 5	27' 2" 10	35' 3" 11	35' 4" 1	35' 4" 8	35' 4" 14
9 IN 12	28' 2" 12	28' 3" 1	28' 3" 6	28' 3" 11	36' 1" 13	36' 2" 3	36' 2" 10	36' 3" 0
10 IN 12	29' 4" 12	29' 5" 1	29' 5" 7	29' 5" 12	37' 0" 13	37' 1" 4	37' 1" 11	37' 2" 1
11 IN 12	30' 7" 10	30' 8" 0	30' 8" 5	30' 8" 10	38' 0" 12	38' 1" 2	38' 1" 9	38' 2" 0
12 IN 12	31' 11" 4	31' 11" 10	31' 11" 15	32' 0" 5	39' 1" 6	39' 1" 13	39' 2" 4	39' 2" 11
13 IN 12	33' 3" 9	33' 3" 15	33' 4" 4	33' 4" 10	40' 2" 12	40' 3" 4	40' 3" 11	40' 4" 2
14 IN 12	34' 8" 7	34' 8" 13	34' 9" 3	34' 9" 9	41' 4" 13	41' 5" 5	41' 5" 12	41' 6" 3
15 IN 12	36' 1" 13	36' 2" 3	36' 2" 10	36' 3" 0	42' 7" 8	42' 8" 0	42' 8" 7	42' 8" 15
16 IN 12	37' 7" 11	37' 8" 1	37' 8" 8	37' 8" 15	43' 10" 12	43' 11" 3	43' 11" 11	44' 0" 3
17 IN 12	39' 1" 15	39' 2" 6	39' 2" 13	39' 3" 4	45' 2" 8	45' 3" 0	45' 3" 8	45' 4" 0
18 IN 12	40' 8" 9	40' 9" 0	40' 9" 7	40' 9" 14	46' 6" 11	46' 7" 3	46' 7" 11	46' 8" 4
19 IN 12	42' 3" 8	42' 3" 15	42' 4" 7	42' 4" 14	47' 11" 5	47' 11" 14	48' 0" 6	48' 0" 15
20 IN 12	43' 10" 12	43' 11" 3	43' 11" 11	44' 0" 3	49' 4" 6	49' 4" 14	49' 5" 7	49' 6" 0
21 IN 12	45' 6" 3	45' 6" 12	45' 7" 4	45' 7" 12	50' 9" 12	50' 10" 5	50' 10" 14	50' 11" 7
22 IN 12	47' 1" 15	47' 2" 7	47' 3" 0	47' 3" 8	52' 3" 8	52' 4" 1	52' 4" 10	52' 5" 3
23 IN 12	48' 9" 14	48' 10" 6	48' 10" 15	48' 11" 8	53' 9" 8	53' 10" 2	53' 10" 11	53' 11" 5
24 IN 12	50' 6" 0	50' 6" 9	50' 7" 1	50' 7" 10	55' 3" 13	55' 4" 7	55' 5" 1	55' 5" 10
25 IN 12	52' 2" 4	52' 2" 13	52' 3" 7	52' 4" 0	56' 10" 6	56' 11" 0	56' 11" 10	57' 0" 4

22 Foot 8 Inch Run — Common Rafter Lengths   22 Foot 8 Inch Run — Hip Or Valley Rafter Lengths

Run -	22' 8"			22' 8 1/4"			22' 8 1/2"			22' 8 3/4"			22' 8"			22' 8 1/4"			22' 8 1/2"			22' 8 3/4"		
Pitch	Ft	In	16th"	Ft	In	16th"	Ft	In	16th"	Ft	In	16th"	Ft	In	16th"	Ft	In	16th"	Ft	In	16th"	Ft	In	16th"
1 IN 12	22'	8"	15	22'	9"	3	22'	9"	7	22'	9"	11	32'	1"	5	32'	1"	11	32'	2"	1	32'	2"	6
2 IN 12	22'	11"	12	23'	0"	0	23'	0"	4	23'	0"	8	32'	3"	5	32'	3"	11	32'	4"	1	32'	4"	6
2.5 IN 12	23'	1"	13	23'	2"	2	23'	2"	6	23'	2"	10	32'	4"	13	32'	5"	3	32'	5"	9	32'	5"	14
3 IN 12	23'	4"	6	23'	4"	10	23'	4"	14	23'	5"	2	32'	6"	10	32'	7"	0	32'	7"	6	32'	7"	11
3.5 IN 12	23'	7"	5	23'	7"	10	23'	7"	14	23'	8"	2	32'	8"	12	32'	9"	2	32'	9"	8	32'	9"	14
4 IN 12	23'	10"	11	23'	11"	0	23'	11"	4	23'	11"	8	32'	11"	3	32'	11"	9	32'	11"	15	33'	0"	5
4.5 IN 12	24'	2"	8	24'	2"	12	24'	3"	0	24'	3"	5	33'	1"	15	33'	2"	5	33'	2"	11	33'	3"	1
5 IN 12	24'	6"	11	24'	6"	15	24'	7"	3	24'	7"	8	33'	5"	0	33'	5"	6	33'	5"	12	33'	6"	2
5.5 IN 12	24'	11"	3	24'	11"	8	24'	11"	12	25'	0"	1	33'	8"	6	33'	8"	12	33'	9"	2	33'	9"	8
6 IN 12	25'	4"	2	25'	4"	6	25'	4"	11	25'	4"	15	34'	0"	0	34'	0"	6	34'	0"	12	34'	1"	2
6.5 IN 12	25'	9"	10	25'	9"	10	25'	9"	15	25'	10"	3	34'	3"	10	34'	4"	5	34'	4"	11	34'	5"	1
7 IN 12	26'	2"	14	26'	3"	3	26'	3"	8	26'	3"	12	34'	8"	2	34'	8"	8	34'	8"	14	34'	9"	4
8 IN 12	27'	2"	14	27'	3"	3	27'	3"	8	27'	3"	13	35'	5"	4	35'	5"	10	35'	6"	1	35'	6"	7
9 IN 12	28'	4"	0	28'	4"	5	28'	4"	10	28'	4"	15	36'	3"	7	36'	3"	13	36'	4"	3	36'	4"	10
10 IN 12	29'	6"	1	29'	6"	6	29'	6"	11	29'	7"	1	37'	2"	8	37'	2"	14	37'	3"	5	37'	3"	11
11 IN 12	30'	9"	0	30'	9"	5	30'	9"	11	30'	10"	0	38'	2"	6	38'	2"	13	38'	3"	4	38'	3"	11
12 IN 12	32'	0"	11	32'	1"	0	32'	1"	6	32'	1"	12	39'	3"	2	39'	3"	9	39'	4"	0	39'	4"	7
13 IN 12	33'	5"	0	33'	5"	6	33'	5"	12	33'	6"	2	40'	4"	9	40'	5"	0	40'	5"	7	40'	5"	14
14 IN 12	34'	9"	15	34'	10"	5	34'	10"	12	34'	11"	2	41'	6"	11	41'	7"	2	41'	7"	9	41'	8"	1
15 IN 12	36'	3"	7	36'	3"	13	36'	4"	3	36'	4"	10	42'	9"	6	42'	9"	14	42'	10"	5	42'	10"	13
16 IN 12	37'	9"	5	37'	9"	12	37'	10"	3	37'	10"	9	44'	0"	11	44'	1"	3	44'	1"	10	44'	2"	2
17 IN 12	39'	3"	11	39'	4"	2	39'	4"	8	39'	4"	15	45'	4"	8	45'	5"	0	45'	5"	8	45'	6"	0
18 IN 12	40'	10"	6	40'	10"	13	40'	11"	4	40'	11"	11	46'	8"	12	46'	9"	4	46'	9"	12	46'	10"	5
19 IN 12	42'	5"	6	42'	5"	13	42'	6"	5	42'	6"	12	48'	1"	7	48'	2"	0	48'	2"	8	48'	3"	1
20 IN 12	44'	0"	11	44'	1"	3	44'	1"	10	44'	2"	2	49'	6"	9	49'	7"	1	49'	7"	10	49'	8"	3
21 IN 12	45'	8"	4	45'	8"	12	45'	9"	4	45'	9"	12	51'	0"	0	51'	0"	9	51'	1"	2	51'	1"	11
22 IN 12	47'	4"	0	47'	4"	9	47'	5"	1	47'	5"	9	52'	5"	13	52'	6"	6	52'	6"	15	52'	7"	8
23 IN 12	49'	0"	0	49'	0"	9	49'	1"	2	49'	1"	10	53'	11"	14	54'	0"	8	54'	1"	1	54'	1"	11
24 IN 12	50'	8"	3	50'	8"	12	50'	9"	5	50'	9"	14	55'	6"	4	55'	6"	14	55'	7"	8	55'	8"	2
25 IN 12	52'	4"	9	52'	5"	2	52'	5"	12	52'	6"	5	57'	0"	14	57'	1"	8	57'	2"	2	57'	2"	13

22 Foot 9 Inch Run — Common Rafter Lengths   22 Foot 9 Inch Run — Hip Or Valley Rafter Lengths

Run -	22' 9"			22' 9 1/4"			22' 9 1/2"			22' 9 3/4"			22' 9"			22' 9 1/4"			22' 9 1/2"			22' 9 3/4"		
Pitch	Ft	In	16th"	Ft	In	16th"	Ft	In	16th"	Ft	In	16th"	Ft	In	16th"	Ft	In	16th"	Ft	In	16th"	Ft	In	16th"
1 IN 12	22'	9"	15	22'	10"	3	22'	10"	7	22'	10"	11	32'	2"	12	32'	3"	2	32'	3"	7	32'	3"	13
2 IN 12	23'	0"	12	23'	1"	0	23'	1"	4	23'	1"	8	32'	4"	12	32'	5"	2	32'	5"	7	32'	5"	13
2.5 IN 12	23'	2"	14	23'	3"	2	23'	3"	6	23'	3"	10	32'	6"	4	32'	6"	10	32'	6"	15	32'	7"	5
3 IN 12	23'	5"	6	23'	5"	11	23'	5"	15	23'	6"	3	32'	8"	1	32'	8"	7	32'	8"	13	32'	9"	2
3.5 IN 12	23'	8"	6	23'	8"	10	23'	8"	14	23'	9"	3	32'	10"	3	32'	10"	9	32'	10"	15	32'	11"	5
4 IN 12	23'	11"	12	24'	0"	0	24'	0"	5	24'	0"	9	33'	0"	11	33'	1"	0	33'	1"	6	33'	1"	12
4.5 IN 12	24'	3"	9	24'	3"	13	24'	4"	2	24'	4"	6	33'	3"	7	33'	3"	13	33'	4"	2	33'	4"	8
5 IN 12	24'	7"	12	24'	8"	0	24'	8"	5	24'	8"	9	33'	6"	8	33'	6"	14	33'	7"	4	33'	7"	10
5.5 IN 12	25'	0"	5	25'	0"	9	25'	0"	14	25'	1"	2	33'	9"	14	33'	10"	4	33'	10"	9	33'	10"	15
6 IN 12	25'	5"	6	25'	5"	8	25'	5"	13	25'	6"	1	34'	1"	8	34'	1"	14	34'	2"	4	34'	2"	10
6.5 IN 12	25'	10"	8	25'	10"	14	25'	11"	1	25'	11"	5	34'	5"	7	34'	5"	13	34'	6"	3	34'	6"	9
7 IN 12	26'	4"	1	26'	4"	5	26'	4"	10	26'	4"	15	34'	9"	10	34'	10"	0	34'	10"	6	34'	10"	13
8 IN 12	27'	4"	2	27'	4"	6	27'	4"	11	27'	5"	0	35'	6"	13	35'	7"	3	35'	7"	10	35'	8"	0
9 IN 12	28'	5"	4	28'	5"	9	28'	5"	14	28'	6"	3	36'	5"	0	36'	5"	7	36'	5"	13	36'	6"	3
10 IN 12	29'	7"	6	29'	7"	11	29'	8"	0	29'	8"	5	37'	4"	2	37'	4"	9	37'	4"	15	37'	5"	6
11 IN 12	30'	10"	5	30'	10"	11	30'	11"	0	30'	11"	6	38'	4"	1	38'	4"	8	38'	4"	15	38'	5"	6
12 IN 12	32'	2"	1	32'	2"	7	32'	2"	13	32'	3"	2	39'	4"	14	39'	5"	5	39'	5"	11	39'	6"	2
13 IN 12	33'	6"	8	33'	6"	14	33'	7"	4	33'	7"	10	40'	6"	5	40'	6"	13	40'	7"	4	40'	7"	11
14 IN 12	34'	11"	8	34'	11"	14	35'	0"	4	35'	0"	10	41'	8"	8	41'	8"	15	41'	9"	7	41'	9"	14
15 IN 12	36'	5"	0	36'	5"	7	36'	5"	13	36'	6"	3	42'	11"	4	42'	11"	12	43'	0"	4	43'	0"	11
16 IN 12	37'	11"	0	37'	11"	7	37'	11"	13	38'	0"	4	44'	2"	10	44'	3"	2	44'	3"	9	44'	4"	1
17 IN 12	39'	5"	6	39'	5"	13	39'	6"	4	39'	6"	11	45'	6"	8	45'	7"	0	45'	7"	8	45'	8"	0
18 IN 12	41'	0"	3	41'	0"	10	41'	1"	1	41'	1"	8	46'	10"	13	46'	11"	5	46'	11"	13	47'	0"	6
19 IN 12	42'	7"	4	42'	7"	11	42'	8"	3	42'	8"	10	48'	3"	9	48'	4"	2	48'	4"	10	48'	5"	3
20 IN 12	44'	2"	10	44'	3"	2	44'	3"	9	44'	4"	1	49'	8"	12	49'	9"	4	49'	9"	13	49'	10"	6
21 IN 12	45'	10"	4	45'	10"	12	45'	11"	4	45'	11"	12	51'	2"	4	51'	2"	13	51'	3"	6	51'	3"	15
22 IN 12	47'	6"	2	47'	6"	10	47'	7"	3	47'	7"	11	52'	8"	2	52'	8"	11	52'	9"	4	52'	9"	13
23 IN 12	49'	2"	3	49'	2"	12	49'	3"	4	49'	3"	13	54'	2"	4	54'	2"	14	54'	3"	7	54'	4"	1
24 IN 12	50'	10"	7	50'	11"	0	50'	11"	9	51'	0"	2	55'	8"	11	55'	9"	5	55'	9"	15	55'	10"	9
25 IN 12	52'	6"	14	52'	7"	7	52'	8"	1	52'	8"	10	57'	3"	7	57'	4"	1	57'	4"	11	57'	5"	5

22 Foot 10 Inch Run — Common Rafter Lengths   22 Foot 10 Inch Run — Hip Or Valley Rafter Lengths

Run -	22'10"	22'10 1/4"	22'10 1/2"	22'10 3/4"	22'10"	22'10 1/4"	22'10 1/2"	22'10 3/4"
Pitch	Ft In 16th"	Ft In 16th"	Ft In 16th"	Ft In 16th"	Ft In 16th"	Ft In 16th"	Ft In 16th"	Ft In 16th"
1 IN 12	22' 10" 15	22' 11" 3	22' 11" 7	22' 11" 11	32' 4" 3	32' 4" 8	32' 4" 14	32' 5" 4
2 IN 12	23' 1" 12	23' 2" 1	23' 2" 5	23' 2" 9	32' 6" 3	32' 6" 9	32' 6" 14	32' 7" 4
2.5 IN 12	23' 3" 14	23' 4" 2	23' 4" 6	23' 4" 10	32' 7" 11	32' 8" 1	32' 8" 6	32' 8" 12
3 IN 12	23' 6" 6	23' 6" 11	23' 6" 15	23' 7" 3	32' 9" 8	32' 9" 14	32' 10" 4	32' 10" 9
3.5 IN 12	23' 9" 7	23' 9" 11	23' 9" 15	23' 10" 3	32' 11" 10	33' 0" 0	33' 0" 6	33' 0" 12
4 IN 12	24' 0" 13	24' 1" 1	24' 1" 6	24' 1" 10	33' 2" 2	33' 2" 8	33' 2" 13	33' 3" 3
4.5 IN 12	24' 4" 10	24' 4" 14	24' 5" 3	24' 5" 7	33' 4" 14	33' 5" 4	33' 5" 10	33' 6" 0
5 IN 12	24' 8" 13	24' 9" 2	24' 9" 6	24' 9" 10	33' 7" 15	33' 8" 5	33' 8" 11	33' 9" 1
5.5 IN 12	25' 1" 7	25' 1" 11	25' 1" 15	25' 2" 4	33' 11" 5	33' 11" 11	34' 0" 1	34' 0" 7
6 IN 12	25' 6" 5	25' 6" 10	25' 6" 14	25' 7" 3	34' 3" 0	34' 3" 6	34' 3" 12	34' 4" 2
6.5 IN 12	25' 11" 10	25' 11" 14	26' 0" 3	26' 0" 7	34' 6" 15	34' 7" 5	34' 7" 11	34' 8" 1
7 IN 12	26' 5" 3	26' 5" 8	26' 5" 13	26' 6" 1	34' 11" 3	34' 11" 9	34' 11" 15	35' 0" 5
8 IN 12	27' 5" 5	27' 5" 10	27' 5" 15	27' 6" 3	35' 8" 6	35' 8" 13	35' 9" 3	35' 9" 9
9 IN 12	28' 6" 8	28' 6" 13	28' 7" 2	28' 7" 7	36' 6" 10	36' 7" 0	36' 7" 7	36' 7" 13
10 IN 12	29' 8" 11	29' 9" 0	29' 9" 5	29' 9" 10	37' 5" 12	37' 6" 3	37' 6" 9	37' 7" 0
11 IN 12	30' 11" 11	31' 0" 1	31' 0" 6	31' 0" 11	38' 5" 12	38' 6" 3	38' 6" 10	38' 7" 1
12 IN 12	32' 3" 8	32' 3" 14	32' 4" 3	32' 4" 9	39' 6" 9	39' 7" 0	39' 7" 7	39' 7" 14
13 IN 12	33' 7" 15	33' 8" 5	33' 8" 11	33' 9" 1	40' 8" 2	40' 8" 9	40' 9" 0	40' 9" 7
14 IN 12	35' 1" 0	35' 1" 7	35' 1" 13	35' 2" 3	41' 10" 5	41' 10" 13	41' 11" 4	41' 11" 11
15 IN 12	36' 6" 10	36' 7" 0	36' 7" 7	36' 7" 13	43' 1" 3	43' 1" 10	43' 2" 2	43' 2" 9
16 IN 12	38' 0" 11	38' 1" 1	38' 1" 8	38' 1" 15	44' 4" 9	44' 5" 1	44' 5" 9	44' 6" 0
17 IN 12	39' 7" 2	39' 7" 9	39' 8" 0	39' 8" 7	45' 8" 8	45' 9" 0	45' 9" 8	45' 10" 0
18 IN 12	41' 1" 15	41' 2" 7	41' 2" 14	41' 3" 5	47' 0" 14	47' 1" 6	47' 1" 14	47' 2" 7
19 IN 12	42' 9" 2	42' 9" 9	42' 10" 1	42' 10" 8	48' 5" 11	48' 6" 4	48' 6" 12	48' 7" 5
20 IN 12	44' 4" 9	44' 5" 1	44' 5" 9	44' 6" 0	49' 10" 15	49' 11" 7	50' 0" 0	50' 0" 9
21 IN 12	46' 0" 4	46' 0" 12	46' 1" 4	46' 1" 12	51' 4" 8	51' 5" 1	51' 5" 10	51' 6" 3
22 IN 12	47' 8" 3	47' 8" 12	47' 9" 4	47' 9" 12	52' 10" 7	52' 11" 0	52' 11" 9	53' 0" 3
23 IN 12	49' 4" 6	49' 4" 14	49' 5" 7	49' 6" 0	54' 4" 10	54' 5" 4	54' 5" 13	54' 6" 7
24 IN 12	51' 0" 11	51' 1" 4	51' 1" 13	51' 2" 6	55' 11" 3	55' 11" 12	56' 0" 6	56' 1" 0
25 IN 12	52' 9" 3	52' 9" 12	52' 10" 5	52' 10" 15	57' 5" 15	57' 6" 9	57' 7" 3	57' 7" 13

22 Foot 11 Inch Run — Common Rafter Lengths   22 Foot 11 Inch Run — Hip Or Valley Rafter Lengths

Run -	Pitch	22'11"	22'11 1/4"	22'11 1/2"	22'11 3/4"	22'11"	22'11 1/4"	22'11 1/2"	22'11 3/4"
		Ft In 16th"	Ft In 16th"	Ft In 16th"	Ft In 16th"	Ft In 16th"	Ft In 16th"	Ft In 16th"	Ft In 16th"
1	IN 12	22' 11" 15	23' 0" 3	23' 0" 7	23' 0" 11	32' 5" 9	32' 5" 15	32' 6" 5	32' 6" 10
2	IN 12	23' 2" 13	23' 3" 1	23' 3" 5	23' 3" 9	32' 7" 10	32' 7" 15	32' 8" 5	32' 8" 11
2.5	IN 12	23' 4" 14	23' 5" 3	23' 5" 7	23' 5" 11	32' 9" 2	32' 9" 7	32' 9" 13	32' 10" 3
3	IN 12	23' 7" 7	23' 7" 12	23' 8" 0	23' 8" 4	32' 10" 15	32' 11" 5	32' 11" 11	33' 0" 0
3.5	IN 12	23' 10" 7	23' 10" 12	23' 11" 0	23' 11" 4	33' 1" 1	33' 1" 7	33' 1" 13	33' 2" 3
4	IN 12	24' 1" 14	24' 2" 2	24' 2" 6	24' 2" 11	33' 3" 9	33' 3" 15	33' 4" 5	33' 4" 10
4.5	IN 12	24' 5" 11	24' 5" 15	24' 6" 4	24' 6" 8	33' 6" 6	33' 6" 11	33' 7" 1	33' 7" 7
5	IN 12	24' 9" 15	24' 10" 3	24' 10" 7	24' 10" 12	33' 9" 7	33' 9" 13	33' 10" 3	33' 10" 9
5.5	IN 12	25' 2" 2	25' 2" 13	25' 3" 1	25' 3" 5	34' 0" 13	34' 1" 3	34' 1" 9	34' 1" 15
6	IN 12	25' 7" 7	25' 7" 12	25' 8" 0	25' 8" 5	34' 4" 8	34' 4" 14	34' 5" 4	34' 5" 10
6.5	IN 12	26' 0" 12	26' 1" 1	26' 1" 5	26' 1" 10	34' 8" 7	34' 8" 13	34' 9" 3	34' 9" 10
7	IN 12	26' 6" 6	26' 6" 11	26' 6" 15	26' 7" 4	35' 0" 11	35' 1" 1	35' 1" 7	35' 1" 13
8	IN 12	27' 6" 8	27' 6" 13	27' 7" 2	27' 7" 7	35' 9" 15	35' 10" 6	35' 10" 12	35' 11" 2
9	IN 12	28' 7" 12	28' 8" 1	28' 8" 6	28' 8" 11	36' 8" 3	36' 8" 10	36' 9" 0	36' 9" 7
10	IN 12	29' 10" 0	29' 10" 5	29' 10" 10	29' 10" 15	37' 7" 6	37' 7" 13	37' 8" 4	37' 8" 10
11	IN 12	31' 1" 1	31' 1" 6	31' 1" 12	31' 2" 1	38' 7" 7	38' 7" 14	38' 8" 5	38' 8" 12
12	IN 12	32' 4" 15	32' 5" 4	32' 5" 10	32' 6" 0	39' 8" 5	39' 8" 12	39' 9" 3	39' 9" 10
13	IN 12	33' 9" 7	33' 9" 13	33' 10" 3	33' 10" 9	40' 9" 14	40' 10" 6	40' 10" 13	40' 11" 4
14	IN 12	35' 2" 9	35' 2" 15	35' 3" 5	35' 3" 11	42' 0" 3	42' 0" 10	42' 1" 1	42' 1" 9
15	IN 12	36' 8" 3	36' 8" 10	36' 9" 0	36' 9" 7	43' 3" 1	43' 3" 8	43' 4" 0	43' 4" 7
16	IN 12	38' 2" 5	38' 2" 12	38' 3" 3	38' 3" 9	44' 6" 8	44' 7" 0	44' 7" 8	44' 7" 15
17	IN 12	39' 8" 14	39' 9" 5	39' 9" 12	39' 10" 3	45' 10" 2	45' 11" 0	45' 11" 8	46' 0" 0
18	IN 12	41' 3" 12	41' 4" 3	41' 4" 11	41' 5" 2	47' 2" 15	47' 3" 7	47' 3" 15	47' 4" 8
19	IN 12	42' 11" 0	42' 11" 7	42' 11" 15	43' 0" 6	48' 7" 13	48' 8" 6	48' 8" 14	48' 9" 6
20	IN 12	44' 6" 8	44' 7" 0	44' 7" 8	44' 7" 15	50' 1" 2	50' 1" 10	50' 2" 3	50' 2" 12
21	IN 12	46' 2" 4	46' 2" 13	46' 3" 5	46' 3" 13	51' 6" 12	51' 7" 5	51' 7" 14	51' 8" 7
22	IN 12	47' 10" 5	47' 10" 13	47' 11" 5	47' 11" 14	53' 0" 12	53' 1" 5	53' 1" 14	53' 2" 8
23	IN 12	49' 6" 8	49' 7" 1	49' 7" 9	49' 8" 2	54' 7" 1	54' 7" 10	54' 8" 4	54' 8" 13
24	IN 12	51' 2" 15	51' 3" 8	51' 4" 1	51' 4" 10	56' 1" 10	56' 2" 4	56' 2" 13	56' 3" 7
25	IN 12	52' 11" 8	53' 0" 1	53' 0" 10	53' 1" 4	57' 8" 7	57' 9" 1	57' 9" 11	57' 10" 5

23 Foot 0 Inch Run — Common Rafter Lengths   23 Foot 0 Inch Run — Hip Or Valley Rafter Lengths

Run -	23' 0"			23' 0 1/4"			23' 0 1/2"			23' 0 3/4"			23' 0"			23' 0 1/4"			23' 0 1/2"			23' 0 3/4"		
Pitch	Ft	In	16th"	Ft	In	16th"	Ft	In	16th"	Ft	In	16th"	Ft	In	16th"	Ft	In	16th"	Ft	In	16th"	Ft	In	16th"
1 IN 12	23'	0"	15	23'	1"	3	23'	1"	7	23'	1"	11	32'	7"	0	32'	7"	6	32'	7"	11	32'	8"	1
2 IN 12	23'	3"	13	23'	4"	1	23'	4"	5	23'	4"	9	32'	9"	0	32'	9"	6	32'	9"	12	32'	10"	1
2.5 IN 12	23'	5"	15	23'	6"	3	23'	6"	7	23'	6"	11	32'	10"	9	32'	10"	14	32'	11"	4	32'	11"	10
3 IN 12	23'	8"	8	23'	8"	12	23'	9"	0	23'	9"	4	33'	0"	6	33'	0"	12	33'	1"	1	33'	1"	7
3.5 IN 12	23'	11"	8	23'	11"	12	24'	0"	0	24'	0"	5	33'	2"	9	33'	2"	14	33'	3"	4	33'	3"	10
4 IN 12	24'	2"	15	24'	3"	3	24'	3"	7	24'	3"	12	33'	5"	0	33'	5"	6	33'	5"	12	33'	6"	2
4.5 IN 12	24'	6"	12	24'	7"	1	24'	7"	5	24'	7"	9	33'	7"	13	33'	8"	3	33'	8"	9	33'	8"	15
5 IN 12	24'	11"	0	24'	11"	4	24'	11"	9	24'	11"	13	33'	10"	15	33'	11"	4	33'	11"	10	34'	0"	0
5.5 IN 12	25'	3"	10	25'	3"	14	25'	4"	3	25'	4"	7	34'	2"	5	34'	2"	11	34'	3"	1	34'	3"	7
6 IN 12	25'	8"	9	25'	8"	14	25'	9"	2	25'	9"	7	34'	6"	0	34'	6"	6	34'	6"	12	34'	7"	2
6.5 IN 12	26'	1"	14	26'	2"	3	26'	2"	7	26'	2"	12	34'	10"	0	34'	10"	6	34'	10"	12	34'	11"	2
7 IN 12	26'	7"	8	26'	7"	13	26'	8"	2	26'	8"	6	35'	2"	4	35'	2"	10	35'	3"	0	35'	3"	6
8 IN 12	27'	7"	11	27'	8"	0	27'	8"	5	27'	8"	10	35'	11"	8	35'	11"	15	36'	0"	5	36'	0"	11
9 IN 12	28'	9"	0	28'	9"	5	28'	9"	10	28'	9"	15	36'	9"	13	36'	10"	3	36'	10"	10	36'	11"	0
10 IN 12	29'	11"	4	29'	11"	10	29'	11"	15	30'	0"	4	37'	9"	1	37'	9"	7	37'	9"	14	37'	10"	4
11 IN 12	31'	2"	7	31'	2"	12	31'	3"	1	31'	3"	7	38'	9"	2	38'	9"	9	38'	10"	0	38'	10"	7
12 IN 12	32'	6"	5	32'	6"	11	32'	7"	0	32'	7"	6	39'	10"	1	39'	10"	8	39'	10"	15	39'	11"	6
13 IN 12	33'	10"	15	33'	11"	4	33'	11"	10	34'	0"	0	40'	11"	11	41'	0"	2	41'	0"	9	41'	1"	0
14 IN 12	35'	4"	2	35'	4"	8	35'	4"	14	35'	5"	4	42'	2"	0	42'	2"	7	42'	2"	15	42'	3"	6
15 IN 12	36'	9"	13	36'	10"	3	36'	10"	10	36'	11"	0	43'	4"	15	43'	5"	7	43'	5"	14	43'	6"	6
16 IN 12	38'	4"	0	38'	4"	7	38'	4"	13	38'	5"	4	44'	8"	7	44'	8"	15	44'	9"	7	44'	9"	14
17 IN 12	39'	10"	10	39'	11"	1	39'	11"	7	39'	11"	14	46'	0"	8	46'	1"	0	46'	1"	8	46'	2"	0
18 IN 12	41'	5"	9	41'	6"	0	41'	6"	7	41'	6"	15	47'	5"	0	47'	5"	8	47'	6"	0	47'	6"	9
19 IN 12	43'	0"	14	43'	1"	5	43'	1"	13	43'	2"	4	48'	9"	15	48'	10"	7	48'	11"	0	48'	11"	8
20 IN 12	44'	8"	7	44'	8"	15	44'	9"	7	44'	9"	14	50'	3"	5	50'	3"	13	50'	4"	6	50'	4"	15
21 IN 12	46'	4"	5	46'	4"	13	46'	5"	5	46'	5"	13	51'	9"	0	51'	9"	9	51'	10"	2	51'	10"	11
22 IN 12	48'	0"	6	48'	0"	14	48'	1"	7	48'	1"	15	53'	3"	1	53'	3"	10	53'	4"	3	53'	4"	13
23 IN 12	49'	8"	11	49'	9"	3	49'	9"	12	49'	10"	5	54'	9"	7	54'	10"	0	54'	10"	10	54'	11"	3
24 IN 12	51'	5"	2	51'	5"	11	51'	6"	4	51'	6"	13	56'	4"	1	56'	4"	11	56'	5"	5	56'	5"	14
25 IN 12	53'	1"	13	53'	2"	6	53'	2"	15	53'	3"	9	57'	10"	15	57'	11"	10	58'	0"	4	58'	0"	14

23 Foot 1 Inch Run — Common Rafter Lengths   23 Foot 1 Inch Run — Hip Or Valley Rafter Lengths

Run -	23' 1"	23' 1 1/4"	23' 1 1/2"	23' 1 3/4"	23' 1"	23' 1 1/4"	23' 1 1/2"	23' 1 3/4"
Pitch	Ft In 16th"	Ft In 16th"	Ft In 16th"	Ft In 16th"	Ft In 16th"	Ft In 16th"	Ft In 16th"	Ft In 16th"
1 IN 12	23' 1" 15	23' 2" 3	23' 2" 7	23' 2" 11	32' 8" 7	32' 8" 12	32' 9" 2	32' 9" 8
2 IN 12	23' 4" 13	23' 5" 1	23' 5" 5	23' 5" 9	32' 10" 7	32' 10" 13	32' 11" 3	32' 11" 8
2.5 IN 12	23' 6" 15	23' 7" 3	23' 7" 7	23' 7" 11	32' 11" 15	33' 0" 5	33' 0" 11	33' 1" 1
3 IN 12	23' 9" 8	23' 9" 13	23' 10" 1	23' 10" 5	33' 1" 13	33' 2" 3	33' 2" 8	33' 2" 14
3.5 IN 12	24' 0" 9	24' 0" 13	24' 1" 1	24' 1" 5	33' 4" 0	33' 4" 5	33' 4" 11	33' 5" 1
4 IN 12	24' 4" 0	24' 4" 4	24' 4" 8	24' 4" 12	33' 6" 8	33' 6" 13	33' 7" 3	33' 7" 9
4.5 IN 12	24' 7" 13	24' 8" 2	24' 8" 6	24' 8" 10	33' 9" 4	33' 9" 10	33' 10" 0	33' 10" 6
5 IN 12	25' 0" 1	25' 0" 6	25' 0" 10	25' 0" 14	34' 0" 6	34' 0" 12	34' 1" 2	34' 1" 8
5.5 IN 12	25' 4" 11	25' 5" 0	25' 5" 4	25' 5" 9	34' 3" 13	34' 4" 3	34' 4" 9	34' 4" 15
6 IN 12	25' 9" 11	25' 10" 0	25' 10" 4	25' 10" 9	34' 7" 8	34' 7" 14	34' 8" 4	34' 8" 10
6.5 IN 12	26' 3" 0	26' 3" 5	26' 3" 10	26' 3" 14	34' 11" 8	34' 11" 14	35' 0" 4	35' 0" 10
7 IN 12	26' 8" 11	26' 9" 0	26' 9" 4	26' 9" 9	35' 3" 12	35' 4" 2	35' 4" 8	35' 4" 14
8 IN 12	27' 8" 15	27' 9" 3	27' 9" 8	27' 9" 13	36' 1" 1	36' 1" 8	36' 1" 14	36' 2" 4
9 IN 12	28' 10" 4	28' 10" 9	28' 10" 14	28' 11" 3	36' 11" 7	36' 11" 13	37' 0" 3	37' 0" 10
10 IN 12	30' 0" 9	30' 0" 14	30' 1" 4	30' 1" 9	37' 10" 11	37' 11" 2	37' 11" 8	37' 11" 15
11 IN 12	31' 3" 12	31' 4" 2	31' 4" 7	31' 4" 13	38' 10" 13	38' 11" 4	38' 11" 11	39' 0" 2
12 IN 12	32' 7" 7	32' 8" 1	32' 8" 7	32' 8" 13	39' 11" 12	40' 0" 3	40' 0" 10	40' 1" 1
13 IN 12	34' 0" 6	34' 0" 12	34' 1" 2	34' 1" 8	41' 1" 7	41' 1" 15	41' 2" 6	41' 2" 13
14 IN 12	35' 5" 10	35' 6" 0	35' 6" 6	35' 6" 13	42' 3" 13	42' 4" 5	42' 4" 12	42' 5" 3
15 IN 12	36' 11" 7	36' 11" 13	37' 0" 3	37' 0" 10	43' 6" 13	43' 7" 5	43' 7" 12	43' 8" 4
16 IN 12	38' 5" 11	38' 6" 1	38' 6" 8	38' 6" 15	44' 10" 6	44' 10" 14	44' 11" 6	44' 11" 14
17 IN 12	40' 0" 5	40' 0" 12	40' 1" 3	40' 1" 10	46' 2" 8	46' 3" 0	46' 3" 8	46' 4" 0
18 IN 12	41' 7" 6	41' 7" 13	41' 8" 4	41' 8" 12	47' 7" 1	47' 7" 9	47' 8" 1	47' 8" 10
19 IN 12	43' 2" 12	43' 3" 3	43' 3" 11	43' 4" 2	49' 0" 1	49' 0" 9	49' 1" 2	49' 1" 10
20 IN 12	44' 10" 6	44' 10" 14	44' 11" 6	44' 11" 14	50' 5" 8	50' 6" 0	50' 6" 9	50' 7" 2
21 IN 12	46' 6" 5	46' 6" 13	46' 7" 5	46' 7" 13	51' 11" 4	51' 11" 13	52' 0" 6	52' 0" 15
22 IN 12	48' 2" 7	48' 3" 0	48' 3" 8	48' 4" 1	53' 5" 6	53' 5" 15	53' 6" 8	53' 7" 2
23 IN 12	49' 10" 13	49' 11" 6	49' 11" 15	50' 0" 7	54' 11" 13	55' 0" 6	55' 1" 0	55' 1" 9
24 IN 12	51' 7" 6	51' 7" 15	51' 8" 8	51' 9" 1	56' 6" 8	56' 7" 2	56' 7" 12	56' 8" 6
25 IN 12	53' 4" 2	53' 4" 11	53' 5" 4	53' 5" 14	58' 1" 8	58' 2" 2	58' 2" 12	58' 3" 6

23 Foot 2 Inch Run — Common Rafter Lengths   23 Foot 2 Inch Run — Hip Or Valley Rafter Lengths

Run -	23' 2"	23' 2 1/4"	23' 2 1/2"	23' 2 3/4"	23' 2"	23' 2 1/4"	23' 2 1/2"	23' 2 3/4"
Pitch	Ft In 16th"	Ft In 16th"	Ft In 16th"	Ft In 16th"	Ft In 16th"	Ft In 16th"	Ft In 16th"	Ft In 16th"
1 IN 12	23' 2" 15	23' 3" 3	23' 3" 7	23' 3" 11	32' 9" 13	32' 10" 3	32' 10" 9	32' 10" 14
2 IN 12	23' 5" 13	23' 6" 1	23' 6" 5	23' 6" 10	32' 11" 14	33' 0" 4	33' 0" 9	33' 0" 15
2.5 IN 12	23' 8" 0	23' 8" 4	23' 8" 8	23' 8" 12	33' 1" 6	33' 1" 12	33' 2" 2	33' 2" 7
3 IN 12	23' 10" 9	23' 10" 13	23' 11" 1	23' 11" 5	33' 3" 4	33' 3" 10	33' 3" 15	33' 4" 5
3.5 IN 12	24' 1" 9	24' 1" 14	24' 2" 2	24' 2" 6	33' 5" 7	33' 5" 13	33' 6" 2	33' 6" 8
4 IN 12	24' 5" 1	24' 5" 5	24' 5" 9	24' 5" 13	33' 7" 15	33' 8" 5	33' 8" 10	33' 9" 0
4.5 IN 12	24' 8" 14	24' 9" 3	24' 9" 7	24' 9" 11	33' 10" 12	33' 11" 2	33' 11" 8	33' 11" 13
5 IN 12	25' 1" 3	25' 1" 7	25' 1" 11	25' 2" 0	34' 1" 14	34' 2" 4	34' 2" 10	34' 2" 15
5.5 IN 12	25' 5" 13	25' 6" 1	25' 6" 6	25' 6" 10	34' 5" 5	34' 5" 10	34' 6" 0	34' 6" 6
6 IN 12	25' 10" 13	25' 11" 1	25' 11" 6	25' 11" 10	34' 9" 0	34' 9" 6	34' 9" 12	34' 10" 2
6.5 IN 12	26' 4" 3	26' 4" 7	26' 4" 12	26' 5" 0	35' 1" 0	35' 1" 6	35' 1" 12	35' 2" 2
7 IN 12	26' 9" 13	26' 10" 2	26' 10" 7	26' 10" 11	35' 5" 5	35' 5" 11	35' 6" 1	35' 6" 7
8 IN 12	27' 10" 2	27' 10" 7	27' 10" 11	27' 11" 0	36' 2" 10	36' 3" 1	36' 3" 7	36' 3" 13
9 IN 12	28' 11" 8	28' 11" 13	29' 0" 2	29' 0" 7	37' 1" 0	37' 1" 7	37' 1" 13	37' 2" 3
10 IN 12	30' 1" 14	30' 2" 3	30' 2" 8	30' 2" 14	38' 0" 5	38' 0" 12	38' 1" 2	38' 1" 9
11 IN 12	31' 5" 2	31' 5" 7	31' 5" 13	31' 6" 2	39' 0" 8	39' 0" 15	39' 1" 6	39' 1" 12
12 IN 12	32' 9" 2	32' 9" 8	32' 9" 14	32' 10" 3	40' 1" 8	40' 1" 15	40' 2" 6	40' 2" 13
13 IN 12	34' 1" 14	34' 2" 4	34' 2" 10	34' 2" 15	41' 3" 4	41' 3" 11	41' 4" 2	41' 4" 9
14 IN 12	35' 7" 3	35' 7" 9	35' 7" 15	35' 8" 5	42' 5" 11	42' 6" 2	42' 6" 9	42' 7" 1
15 IN 12	37' 1" 0	37' 1" 7	37' 1" 13	37' 2" 3	43' 8" 11	43' 9" 3	43' 9" 11	43' 10" 2
16 IN 12	38' 7" 5	38' 7" 12	38' 8" 3	38' 8" 9	45' 0" 5	45' 0" 13	45' 1" 5	45' 1" 13
17 IN 12	40' 2" 1	40' 2" 8	40' 2" 15	40' 3" 6	46' 4" 8	46' 5" 0	46' 5" 8	46' 6" 0
18 IN 12	41' 9" 2	41' 9" 10	41' 10" 1	41' 10" 8	47' 9" 2	47' 9" 10	47' 10" 2	47' 10" 11
19 IN 12	43' 4" 10	43' 5" 1	43' 5" 9	43' 6" 0	49' 2" 3	49' 2" 11	49' 3" 4	49' 3" 12
20 IN 12	45' 0" 5	45' 0" 13	45' 1" 5	45' 1" 13	50' 7" 10	50' 8" 3	50' 8" 12	50' 9" 5
21 IN 12	46' 8" 5	46' 8" 13	46' 9" 5	46' 9" 13	52' 1" 8	52' 2" 1	52' 2" 10	52' 3" 3
22 IN 12	48' 4" 9	48' 5" 1	48' 5" 10	48' 6" 2	53' 7" 11	53' 8" 4	53' 8" 13	53' 9" 7
23 IN 12	50' 1" 0	50' 1" 9	50' 2" 1	50' 2" 10	55' 2" 3	55' 2" 12	55' 3" 6	55' 3" 15
24 IN 12	51' 9" 10	51' 10" 3	51' 10" 12	51' 11" 5	56' 8" 15	56' 9" 9	56' 10" 3	56' 10" 13
25 IN 12	53' 6" 7	53' 7" 0	53' 7" 9	53' 8" 3	58' 4" 0	58' 4" 10	58' 5" 4	58' 5" 14

Run -	23' 3"	23' 3 1/4"	23' 3 1/2"	23' 3 3/4"	23' 3"	23' 3 1/4"	23' 3 1/2"	23' 3 3/4"
Pitch	Ft In 16th"	Ft In 16th"	Ft In 16th"	Ft In 16th"	Ft In 16th"	Ft In 16th"	Ft In 16th"	Ft In 16th"
1 IN 12	23' 3" 15	23' 4" 3	23' 4" 8	23' 4" 12	32' 11" 4	32' 11" 10	32' 11" 15	33' 0" 5
2 IN 12	23' 6" 14	23' 7" 2	23' 7" 6	23' 7" 10	33' 1" 5	33' 1" 10	33' 2" 0	33' 2" 6
2.5 IN 12	23' 9" 0	23' 9" 4	23' 9" 8	23' 9" 12	33' 2" 13	33' 3" 3	33' 3" 9	33' 3" 14
3 IN 12	23' 11" 9	23' 11" 14	24' 0" 2	24' 0" 6	33' 4" 11	33' 5" 1	33' 5" 6	33' 5" 12
3.5 IN 12	24' 2" 10	24' 2" 14	24' 3" 2	24' 3" 7	33' 6" 14	33' 7" 4	33' 7" 9	33' 7" 15
4 IN 12	24' 6" 1	24' 6" 6	24' 6" 10	24' 6" 14	33' 9" 6	33' 9" 12	33' 10" 2	33' 10" 7
4.5 IN 12	24' 10" 0	24' 10" 4	24' 10" 8	24' 10" 12	34' 0" 3	34' 0" 9	34' 0" 15	34' 1" 5
5 IN 12	25' 2" 4	25' 2" 8	25' 2" 13	25' 3" 1	34' 3" 5	34' 3" 11	34' 4" 1	34' 4" 7
5.5 IN 12	25' 6" 15	25' 7" 3	25' 7" 7	25' 7" 12	34' 6" 12	34' 7" 2	34' 7" 8	34' 7" 14
6 IN 12	25' 11" 15	26' 0" 3	26' 0" 8	26' 0" 12	34' 10" 8	34' 10" 14	34' 11" 4	34' 11" 10
6.5 IN 12	26' 5" 5	26' 5" 9	26' 5" 14	26' 6" 2	35' 2" 8	35' 2" 14	35' 3" 4	35' 3" 10
7 IN 12	26' 11" 0	26' 11" 5	26' 11" 9	26' 11" 14	35' 6" 13	35' 7" 3	35' 7" 9	35' 7" 15
8 IN 12	27' 11" 5	27' 11" 10	27' 11" 15	28' 0" 3	36' 4" 3	36' 4" 10	36' 5" 0	36' 5" 6
9 IN 12	29' 0" 12	29' 1" 1	29' 1" 6	29' 1" 11	37' 2" 10	37' 3" 0	37' 3" 7	37' 3" 13
10 IN 12	30' 3" 3	30' 3" 8	30' 3" 13	30' 4" 2	38' 2" 0	38' 2" 6	38' 2" 13	38' 3" 3
11 IN 12	31' 6" 8	31' 6" 13	31' 7" 3	31' 7" 8	39' 2" 3	39' 2" 10	39' 3" 1	39' 3" 7
12 IN 12	32' 10" 9	32' 10" 15	32' 11" 4	32' 11" 10	40' 3" 4	40' 3" 11	40' 4" 2	40' 4" 9
13 IN 12	34' 3" 5	34' 3" 11	34' 4" 1	34' 4" 7	41' 5" 0	41' 5" 8	41' 5" 15	41' 6" 6
14 IN 12	35' 8" 11	35' 9" 1	35' 9" 8	35' 9" 14	42' 7" 8	42' 7" 15	42' 8" 7	42' 8" 14
15 IN 12	37' 2" 10	37' 3" 0	37' 3" 7	37' 3" 13	43' 10" 10	43' 11" 1	43' 11" 9	44' 0" 0
16 IN 12	38' 9" 0	38' 9" 7	38' 9" 13	38' 10" 4	45' 2" 4	45' 2" 12	45' 3" 4	45' 3" 12
17 IN 12	40' 3" 13	40' 4" 4	40' 4" 11	40' 5" 2	46' 6" 8	46' 7" 0	46' 7" 8	46' 8" 0
18 IN 12	41' 11" 0	41' 11" 7	41' 11" 14	42' 0" 5	47' 11" 3	47' 11" 11	48' 0" 3	48' 0" 12
19 IN 12	43' 6" 8	43' 6" 15	43' 7" 7	43' 7" 14	49' 4" 5	49' 4" 13	49' 5" 6	49' 5" 14
20 IN 12	45' 2" 4	45' 2" 12	45' 3" 4	45' 3" 12	50' 9" 13	50' 10" 6	50' 10" 15	50' 11" 8
21 IN 12	46' 10" 5	46' 10" 14	46' 11" 6	46' 11" 14	52' 3" 12	52' 4" 5	52' 4" 14	52' 5" 7
22 IN 12	48' 6" 10	48' 7" 3	48' 7" 11	48' 8" 3	53' 10" 0	53' 10" 9	53' 11" 3	53' 11" 12
23 IN 12	50' 3" 3	50' 3" 11	50' 4" 4	50' 4" 12	55' 4" 9	55' 5" 2	55' 5" 12	55' 6" 6
24 IN 12	51' 11" 14	52' 0" 7	52' 1" 0	52' 1" 9	56' 11" 7	57' 0" 0	57' 0" 10	57' 1" 4
25 IN 12	53' 8" 12	53' 9" 5	53' 9" 14	53' 10" 8	58' 6" 8	58' 7" 2	58' 7" 12	58' 8" 7

23 Foot 4 Inch Run — Common Rafter Lengths   23 Foot 4 Inch Run — Hip Or Valley Rafter Lengths

Run -	23' 4"	23' 4 1/4"	23' 4 1/2"	23' 4 3/4"	23' 4"	23' 4 1/4"	23' 4 1/2"	23' 4 3/4"
Pitch	Ft In 16th"	Ft In 16th"	Ft In 16th"	Ft In 16th"	Ft In 16th"	Ft In 16th"	Ft In 16th"	Ft In 16th"
1 IN 12	23' 5" 0	23' 5" 4	23' 5" 8	23' 5" 12	33' 0" 11	33' 1" 0	33' 1" 6	33' 1" 12
2 IN 12	23' 7" 14	23' 8" 2	23' 8" 6	23' 8" 10	33' 2" 12	33' 3" 1	33' 3" 7	33' 3" 13
2.5 IN 12	23' 10" 0	23' 10" 4	23' 10" 8	23' 10" 12	33' 4" 4	33' 4" 10	33' 4" 15	33' 5" 5
3 IN 12	24' 0" 10	24' 0" 14	24' 1" 2	24' 1" 6	33' 6" 2	33' 6" 8	33' 6" 13	33' 7" 3
3.5 IN 12	24' 3" 11	24' 3" 15	24' 4" 3	24' 4" 7	33' 8" 5	33' 8" 11	33' 9" 1	33' 9" 6
4 IN 12	24' 7" 2	24' 7" 7	24' 7" 11	24' 7" 15	33' 10" 13	33' 11" 3	33' 11" 9	33' 11" 15
4.5 IN 12	24' 11" 1	24' 11" 5	24' 11" 9	24' 11" 13	34' 1" 11	34' 2" 0	34' 2" 6	34' 2" 12
5 IN 12	25' 3" 5	25' 3" 10	25' 3" 14	25' 4" 2	34' 4" 13	34' 5" 3	34' 5" 9	34' 5" 15
5.5 IN 12	25' 8" 0	25' 8" 5	25' 8" 9	25' 8" 13	34' 8" 4	34' 8" 10	34' 9" 0	34' 9" 6
6 IN 12	26' 1" 1	26' 1" 5	26' 1" 10	26' 1" 14	35' 0" 0	35' 0" 6	35' 0" 12	35' 1" 2
6.5 IN 12	26' 6" 7	26' 6" 12	26' 7" 0	26' 7" 5	35' 4" 1	35' 4" 7	35' 4" 13	35' 5" 3
7 IN 12	27' 0" 3	27' 0" 7	27' 0" 12	27' 1" 0	35' 8" 5	35' 8" 12	35' 9" 2	35' 9" 8
8 IN 12	28' 0" 8	28' 0" 13	28' 1" 2	28' 1" 7	36' 5" 12	36' 6" 3	36' 6" 9	36' 6" 15
9 IN 12	29' 2" 0	29' 2" 5	29' 2" 10	29' 2" 15	37' 4" 3	37' 4" 10	37' 5" 0	37' 5" 7
10 IN 12	30' 4" 8	30' 4" 13	30' 5" 2	30' 5" 7	38' 3" 10	38' 4" 0	38' 4" 7	38' 4" 14
11 IN 12	31' 7" 13	31' 8" 3	31' 8" 8	31' 8" 14	39' 3" 14	39' 4" 5	39' 4" 12	39' 5" 2
12 IN 12	33' 0" 0	33' 0" 5	33' 0" 11	33' 1" 1	40' 5" 0	40' 5" 7	40' 5" 13	40' 6" 4
13 IN 12	34' 4" 13	34' 5" 3	34' 5" 9	34' 5" 15	41' 6" 13	41' 7" 4	41' 7" 11	41' 8" 2
14 IN 12	35' 10" 4	35' 10" 10	35' 11" 0	35' 11" 6	42' 9" 5	42' 9" 13	42' 10" 4	42' 10" 11
15 IN 12	37' 4" 3	37' 4" 10	37' 5" 0	37' 5" 7	44' 0" 8	44' 0" 15	44' 1" 7	44' 1" 14
16 IN 12	38' 10" 11	38' 11" 1	38' 11" 8	38' 11" 15	45' 4" 4	45' 4" 11	45' 5" 3	45' 5" 11
17 IN 12	40' 5" 9	40' 5" 15	40' 6" 6	40' 6" 13	46' 8" 8	46' 9" 0	46' 9" 8	46' 10" 0
18 IN 12	42' 0" 12	42' 1" 4	42' 1" 11	42' 2" 2	48' 1" 4	48' 1" 12	48' 2" 4	48' 2" 12
19 IN 12	43' 8" 6	43' 8" 13	43' 9" 5	43' 9" 12	49' 6" 7	49' 6" 15	49' 7" 8	49' 8" 0
20 IN 12	45' 4" 4	45' 4" 11	45' 5" 3	45' 5" 11	51' 0" 0	51' 0" 9	51' 1" 2	51' 1" 11
21 IN 12	47' 0" 6	47' 0" 14	47' 1" 6	47' 1" 14	52' 6" 0	52' 6" 9	52' 7" 2	52' 7" 11
22 IN 12	48' 8" 12	48' 9" 4	48' 9" 12	48' 10" 5	54' 0" 5	54' 0" 14	54' 1" 8	54' 2" 1
23 IN 12	50' 5" 5	50' 5" 14	50' 6" 6	50' 6" 15	55' 6" 15	55' 7" 9	55' 8" 2	55' 8" 12
24 IN 12	52' 2" 2	52' 2" 11	52' 3" 3	52' 3" 12	57' 1" 14	57' 2" 8	57' 3" 1	57' 3" 11
25 IN 12	53' 11" 1	53' 11" 10	54' 0" 3	54' 0" 13	58' 9" 1	58' 9" 11	58' 10" 5	58' 10" 15

23 Foot 5 Inch Run — Common Rafter Lengths   23 Foot 5 Inch Run — Hip Or Valley Rafter Lengths

Run -	23' 5"			23' 5 1/4"			23' 5 1/2"			23' 5 3/4"			23' 5"			23' 5 1/4"			23' 5 1/2"			23' 5 3/4"		
Pitch	Ft	In	16th"	Ft	In	16th"	Ft	In	16th"	Ft	In	16th"	Ft	In	16th"	Ft	In	16th"	Ft	In	16th"	Ft	In	16th"
1 IN 12	23'	6"	0	23'	6"	4	23'	6"	8	23'	6"	12	33'	2"	1	33'	2"	7	33'	2"	13	33'	3"	2
2 IN 12	23'	8"	14	23'	9"	2	23'	9"	6	23'	9"	10	33'	4"	2	33'	4"	8	33'	4"	14	33'	5"	3
2.5 IN 12	23'	11"	1	23'	11"	5	23'	11"	9	23'	11"	13	33'	5"	11	33'	6"	1	33'	6"	6	33'	6"	12
3 IN 12	24'	1"	10	24'	1"	14	24'	2"	3	24'	2"	7	33'	7"	9	33'	7"	15	33'	8"	4	33'	8"	10
3.5 IN 12	24'	4"	11	24'	5"	0	24'	5"	4	24'	5"	8	33'	9"	12	33'	10"	2	33'	10"	8	33'	10"	13
4 IN 12	24'	8"	3	24'	8"	7	24'	8"	12	24'	9"	0	34'	0"	5	34'	0"	10	34'	1"	0	34'	1"	6
4.5 IN 12	25'	0"	2	25'	0"	6	25'	0"	10	25'	0"	15	34'	3"	2	34'	3"	8	34'	3"	14	34'	4"	4
5 IN 12	25'	4"	7	25'	4"	11	25'	4"	15	25'	5"	4	34'	6"	5	34'	6"	10	34'	7"	0	34'	7"	6
5.5 IN 12	25'	9"	2	25'	9"	6	25'	9"	11	25'	9"	15	34'	9"	12	34'	10"	2	34'	10"	8	34'	10"	14
6 IN 12	26'	2"	2	26'	2"	7	26'	2"	12	26'	3"	0	35'	1"	8	35'	1"	14	35'	2"	4	35'	2"	10
6.5 IN 12	26'	7"	9	26'	7"	14	26'	8"	2	26'	8"	7	35'	5"	9	35'	5"	15	35'	6"	5	35'	6"	11
7 IN 12	27'	1"	5	27'	1"	10	27'	1"	14	27'	2"	3	35'	9"	14	35'	10"	4	35'	10"	10	35'	11"	0
8 IN 12	28'	1"	12	28'	2"	0	28'	2"	5	28'	2"	10	36'	7"	5	36'	7"	12	36'	8"	2	36'	8"	8
9 IN 12	29'	3"	4	29'	3"	9	29'	3"	14	29'	4"	3	37'	5"	13	37'	6"	4	37'	6"	10	37'	7"	0
10 IN 12	30'	5"	12	30'	6"	2	30'	6"	7	30'	6"	12	38'	5"	4	38'	5"	11	38'	6"	1	38'	6"	8
11 IN 12	31'	9"	3	31'	9"	9	31'	9"	14	31'	10"	3	39'	5"	9	39'	6"	0	39'	6"	7	39'	6"	13
12 IN 12	33'	1"	6	33'	1"	12	33'	2"	2	33'	2"	7	40'	6"	11	40'	7"	2	40'	7"	9	40'	8"	0
13 IN 12	34'	6"	5	34'	6"	10	34'	7"	0	34'	7"	6	41'	8"	9	41'	9"	1	41'	9"	8	41'	9"	15
14 IN 12	35'	11"	13	36'	0"	3	36'	0"	9	36'	0"	15	42'	11"	3	42'	11"	10	43'	0"	1	43'	0"	9
15 IN 12	37'	5"	13	37'	6"	4	37'	6"	10	37'	7"	0	44'	2"	6	44'	2"	14	44'	3"	5	44'	3"	13
16 IN 12	39'	0"	5	39'	0"	12	39'	1"	3	39'	1"	9	45'	6"	3	45'	6"	10	45'	7"	2	45'	7"	10
17 IN 12	40'	7"	4	40'	7"	11	40'	8"	2	40'	8"	9	46'	10"	8	46'	11"	0	46'	11"	8	47'	0"	0
18 IN 12	42'	2"	9	42'	3"	0	42'	3"	8	42'	3"	15	48'	3"	5	48'	3"	13	48'	4"	5	48'	4"	13
19 IN 12	43'	10"	4	43'	10"	11	43'	11"	3	43'	11"	10	49'	8"	9	49'	9"	1	49'	9"	10	49'	10"	2
20 IN 12	45'	6"	3	45'	6"	10	45'	7"	2	45'	7"	10	51'	2"	3	51'	2"	12	51'	3"	5	51'	3"	14
21 IN 12	47'	2"	6	47'	2"	14	47'	3"	6	47'	3"	14	52'	8"	4	52'	8"	13	52'	9"	6	52'	9"	15
22 IN 12	48'	10"	13	48'	11"	5	48'	11"	14	49'	0"	6	54'	2"	10	54'	3"	3	54'	3"	13	54'	4"	6
23 IN 12	50'	7"	8	50'	8"	0	50'	8"	9	50'	9"	2	55'	9"	5	55'	9"	15	55'	10"	8	55'	11"	2
24 IN 12	52'	4"	5	52'	4"	14	52'	5"	7	52'	6"	0	57'	4"	5	57'	4"	15	57'	5"	9	57'	6"	2
25 IN 12	54'	1"	6	54'	1"	15	54'	2"	8	54'	3"	2	58'	11"	9	59'	0"	3	59'	0"	13	59'	1"	7

23 Foot 6 Inch Run — Common Rafter Lengths   23 Foot 6 Inch Run — Hip Or Valley Rafter Lengths

Run –	23' 6"	23' 6 1/4"	23' 6 1/2"	23' 6 3/4"	23' 6"	23' 6 1/4"	23' 6 1/2"	23' 6 3/4"
Pitch	Ft In 16th"	Ft In 16th"	Ft In 16th"	Ft In 16th"	Ft In 16th"	Ft In 16th"	Ft In 16th"	Ft In 16th"
1 IN 12	23' 7" 0	23' 7" 4	23' 7" 8	23' 7" 12	33' 3" 8	33' 3" 14	33' 4" 3	33' 4" 9
2 IN 12	23' 9" 14	23' 10" 2	23' 10" 6	23' 10" 10	33' 5" 9	33' 5" 15	33' 6" 4	33' 6" 10
2.5 IN 12	24' 0" 1	24' 0" 5	24' 0" 9	24' 0" 13	33' 7" 2	33' 7" 8	33' 7" 13	33' 8" 3
3 IN 12	24' 2" 11	24' 2" 15	24' 3" 3	24' 3" 7	33' 9" 0	33' 9" 6	33' 9" 11	33' 10" 1
3.5 IN 12	24' 5" 12	24' 6" 0	24' 6" 4	24' 6" 8	33' 11" 3	33' 11" 9	33' 11" 15	34' 0" 5
4 IN 12	24' 9" 4	24' 9" 8	24' 9" 12	24' 10" 1	34' 1" 12	34' 2" 2	34' 2" 7	34' 2" 13
4.5 IN 12	25' 1" 3	25' 1" 7	25' 1" 11	25' 2" 0	34' 4" 9	34' 4" 15	34' 5" 5	34' 5" 11
5 IN 12	25' 5" 8	25' 5" 12	25' 6" 1	25' 6" 5	34' 7" 12	34' 8" 2	34' 8" 8	34' 8" 14
5.5 IN 12	25' 10" 3	25' 10" 8	25' 10" 12	25' 11" 1	34' 11" 4	34' 11" 10	35' 0" 0	35' 0" 6
6 IN 12	26' 3" 5	26' 3" 9	26' 3" 14	26' 4" 2	35' 3" 0	35' 3" 6	35' 3" 12	35' 4" 2
6.5 IN 12	26' 8" 11	26' 9" 0	26' 9" 4	26' 9" 9	35' 7" 1	35' 7" 7	35' 7" 13	35' 8" 3
7 IN 12	27' 2" 8	27' 2" 12	27' 3" 1	27' 3" 5	35' 11" 6	35' 11" 13	36' 0" 3	36' 0" 9
8 IN 12	28' 2" 15	28' 3" 4	28' 3" 8	28' 3" 13	36' 8" 14	36' 9" 5	36' 9" 11	36' 10" 1
9 IN 12	29' 4" 8	29' 4" 13	29' 5" 2	29' 5" 7	37' 7" 7	37' 7" 13	37' 8" 4	37' 8" 10
10 IN 12	30' 7" 1	30' 7" 7	30' 7" 12	30' 8" 1	38' 6" 14	38' 7" 5	38' 7" 11	38' 8" 2
11 IN 12	31' 10" 9	31' 10" 14	31' 11" 4	31' 11" 9	39' 7" 4	39' 7" 11	39' 8" 2	39' 8" 8
12 IN 12	33' 2" 13	33' 3" 3	33' 3" 8	33' 3" 14	40' 8" 7	40' 8" 14	40' 9" 5	40' 9" 12
13 IN 12	34' 7" 12	34' 8" 2	34' 8" 8	34' 8" 14	41' 10" 6	41' 10" 13	41' 11" 4	41' 11" 11
14 IN 12	36' 1" 5	36' 1" 11	36' 2" 1	36' 2" 8	43' 1" 0	43' 1" 7	43' 1" 15	43' 2" 6
15 IN 12	37' 7" 7	37' 7" 13	37' 8" 4	37' 8" 10	44' 4" 0	44' 4" 12	44' 5" 3	44' 5" 11
16 IN 12	39' 2" 0	39' 2" 7	39' 2" 13	39' 3" 4	45' 8" 2	45' 8" 10	45' 9" 1	45' 9" 9
17 IN 12	40' 9" 0	40' 9" 7	40' 9" 14	40' 10" 5	47' 0" 8	47' 1" 0	47' 1" 8	47' 2" 0
18 IN 12	42' 4" 6	42' 4" 13	42' 5" 5	42' 5" 12	48' 5" 6	48' 5" 14	48' 6" 6	48' 6" 14
19 IN 12	44' 0" 2	44' 0" 9	44' 1" 1	44' 1" 8	49' 10" 11	49' 11" 3	49' 11" 12	50' 0" 4
20 IN 12	45' 8" 2	45' 8" 10	45' 9" 1	45' 9" 9	51' 4" 6	51' 4" 15	51' 5" 8	51' 6" 1
21 IN 12	47' 4" 6	47' 4" 14	47' 5" 6	47' 5" 14	52' 10" 8	52' 11" 1	52' 11" 10	53' 0" 3
22 IN 12	49' 0" 15	49' 1" 7	49' 1" 15	49' 2" 8	54' 4" 15	54' 5" 8	54' 6" 2	54' 6" 11
23 IN 12	50' 9" 10	50' 10" 3	50' 10" 12	50' 11" 4	55' 11" 11	56' 0" 5	56' 0" 14	56' 1" 8
24 IN 12	52' 6" 9	52' 7" 2	52' 7" 11	52' 8" 4	57' 6" 12	57' 7" 6	57' 8" 0	57' 8" 9
25 IN 12	54' 3" 11	54' 4" 4	54' 4" 13	54' 5" 7	59' 2" 1	59' 2" 11	59' 3" 5	59' 3" 15

23 Foot 7 Inch Run — Common Rafter Lengths   23 Foot 7 Inch Run — Hip Or Valley Rafter Lengths

Run - Pitch	Common 23'7"	Common 23'7 1/4"	Common 23'7 1/2"	Common 23'7 3/4"	Hip/Valley 23'7"	Hip/Valley 23'7 1/4"	Hip/Valley 23'7 1/2"	Hip/Valley 23'7 3/4"
1 IN 12	23' 8" 0	23' 8" 4	23' 8" 8	23' 8" 12	33' 4" 15	33' 5" 4	33' 5" 10	33' 6" 0
2 IN 12	23' 10" 14	23' 11" 3	23' 11" 7	23' 11" 11	33' 7" 0	33' 7" 6	33' 7" 11	33' 8" 1
2.5 IN 12	24' 1" 1	24' 1" 5	24' 1" 9	24' 1" 13	33' 8" 9	33' 8" 14	33' 9" 4	33' 9" 10
3 IN 12	24' 3" 11	24' 3" 15	24' 4" 4	24' 4" 8	33' 10" 7	33' 10" 13	33' 11" 2	33' 11" 8
3.5 IN 12	24' 6" 13	24' 7" 1	24' 7" 5	24' 7" 9	34' 0" 10	34' 1" 0	34' 1" 6	34' 1" 12
4 IN 12	24' 10" 5	24' 10" 9	24' 10" 13	24' 11" 2	34' 3" 3	34' 3" 9	34' 3" 15	34' 4" 4
4.5 IN 12	25' 2" 4	25' 2" 8	25' 2" 12	25' 3" 1	34' 6" 1	34' 6" 7	34' 6" 13	34' 7" 2
5 IN 12	25' 6" 9	25' 6" 14	25' 7" 2	25' 7" 6	34' 9" 4	34' 9" 10	34' 10" 0	34' 10" 5
5.5 IN 12	25' 11" 5	25' 11" 9	25' 11" 14	26' 0" 2	35' 0" 11	35' 1" 1	35' 1" 7	35' 1" 13
6 IN 12	26' 4" 6	26' 4" 11	26' 4" 15	26' 5" 4	35' 4" 8	35' 4" 14	35' 5" 4	35' 5" 10
6.5 IN 12	26' 9" 14	26' 10" 2	26' 10" 7	26' 10" 11	35' 8" 9	35' 8" 15	35' 9" 5	35' 9" 11
7 IN 12	27' 3" 10	27' 3" 15	27' 4" 3	27' 4" 8	36' 0" 15	36' 1" 5	36' 1" 11	36' 2" 1
8 IN 12	28' 4" 2	28' 4" 7	28' 4" 12	28' 5" 0	36' 10" 7	36' 10" 14	36' 11" 4	36' 11" 10
9 IN 12	29' 5" 12	29' 6" 1	29' 6" 6	29' 6" 11	37' 9" 0	37' 9" 7	37' 9" 13	37' 10" 4
10 IN 12	30' 8" 6	30' 8" 11	30' 9" 1	30' 9" 6	38' 8" 9	38' 8" 15	38' 9" 6	38' 9" 12
11 IN 12	31' 11" 15	32' 0" 4	32' 0" 9	32' 0" 15	39' 8" 15	39' 9" 6	39' 9" 13	39' 10" 3
12 IN 12	33' 4" 4	33' 4" 9	33' 4" 15	33' 5" 5	40' 10" 3	40' 10" 10	40' 11" 1	40' 11" 8
13 IN 12	34' 9" 4	34' 9" 10	34' 10" 0	34' 10" 5	42' 0" 2	42' 0" 10	42' 1" 1	42' 1" 8
14 IN 12	36' 2" 14	36' 3" 4	36' 3" 10	36' 4" 0	43' 2" 13	43' 3" 5	43' 3" 12	43' 4" 3
15 IN 12	37' 9" 0	37' 9" 7	37' 9" 13	37' 10" 4	44' 6" 2	44' 6" 10	44' 7" 2	44' 7" 9
16 IN 12	39' 3" 11	39' 4" 1	39' 4" 8	39' 4" 15	45' 10" 1	45' 10" 9	45' 11" 0	45' 11" 8
17 IN 12	40' 10" 12	40' 11" 3	40' 11" 10	41' 0" 1	47' 2" 8	47' 3" 0	47' 3" 8	47' 4" 0
18 IN 12	42' 6" 3	42' 6" 10	42' 7" 1	42' 7" 9	48' 7" 7	48' 7" 15	48' 8" 7	48' 8" 15
19 IN 12	44' 2" 0	44' 2" 7	44' 2" 14	44' 3" 6	50' 0" 13	50' 1" 5	50' 1" 14	50' 2" 6
20 IN 12	45' 10" 1	45' 10" 9	45' 11" 0	45' 11" 8	51' 6" 9	51' 7" 2	51' 7" 11	51' 8" 4
21 IN 12	47' 6" 6	47' 6" 15	47' 7" 7	47' 7" 15	53' 0" 12	53' 1" 3	53' 1" 14	53' 2" 7
22 IN 12	49' 3" 0	49' 3" 8	49' 4" 1	49' 4" 9	54' 7" 4	54' 7" 13	54' 8" 7	54' 9" 0
23 IN 12	50' 11" 13	51' 0" 6	51' 0" 14	51' 1" 7	56' 2" 1	56' 2" 11	56' 3" 4	56' 3" 14
24 IN 12	52' 8" 13	52' 9" 6	52' 9" 15	52' 10" 8	57' 9" 3	57' 9" 13	57' 10" 7	57' 11" 1
25 IN 12	54' 6" 0	54' 6" 9	54' 7" 2	54' 7" 12	59' 4" 9	59' 5" 4	59' 5" 14	59' 6" 8

23 Foot 8 Inch Run — Common Rafter Lengths   23 Foot 8 Inch Run — Hip Or Valley Rafter Lengths

Run -	23' 8"	23' 8 1/4"	23' 8 1/2"	23' 8 3/4"		23' 8"	23' 8 1/4"	23' 8 1/2"	23' 8 3/4"
Pitch	Ft In 16th"	Ft In 16th"	Ft In 16th"	Ft In 16th"		Ft In 16th"	Ft In 16th"	Ft In 16th"	Ft In 16th"
1 IN 12	23' 9" 0	23' 9" 4	23' 9" 8	23' 9" 12		33' 6" 5	33' 6" 11	33' 7" 1	33' 7" 6
2 IN 12	23' 11" 15	24' 0" 3	24' 0" 7	24' 0" 11		33' 8" 7	33' 8" 12	33' 9" 2	33' 9" 8
2.5 IN 12	24' 2" 2	24' 2" 6	24' 2" 10	24' 2" 14		33' 10" 0	33' 10" 5	33' 10" 11	33' 11" 1
3 IN 12	24' 4" 12	24' 5" 0	24' 5" 4	24' 5" 8		33' 11" 14	34' 0" 4	34' 0" 9	34' 0" 15
3.5 IN 12	24' 7" 13	24' 8" 2	24' 8" 6	24' 8" 10		34' 2" 1	34' 2" 7	34' 2" 13	34' 3" 3
4 IN 12	24' 11" 6	24' 11" 10	24' 11" 14	25' 0" 2		34' 4" 10	34' 5" 0	34' 5" 6	34' 5" 12
4.5 IN 12	25' 3" 5	25' 3" 9	25' 3" 14	25' 4" 2		34' 7" 8	34' 7" 14	34' 8" 4	34' 8" 10
5 IN 12	25' 7" 11	25' 7" 15	25' 8" 3	25' 8" 8		34' 10" 11	34' 11" 1	34' 11" 7	34' 11" 13
5.5 IN 12	26' 0" 7	26' 0" 11	26' 0" 15	26' 1" 4		35' 2" 3	35' 2" 9	35' 2" 15	35' 3" 5
6 IN 12	26' 5" 8	26' 5" 13	26' 6" 1	26' 6" 6		35' 6" 0	35' 6" 6	35' 6" 12	35' 7" 2
6.5 IN 12	26' 11" 0	26' 11" 4	26' 11" 9	26' 11" 13		35' 10" 1	35' 10" 7	35' 10" 14	35' 11" 4
7 IN 12	27' 4" 13	27' 5" 1	27' 5" 6	27' 5" 10		36' 2" 7	36' 2" 14	36' 3" 4	36' 3" 10
8 IN 12	28' 5" 5	28' 5" 10	28' 5" 15	28' 6" 4		37' 0" 0	37' 0" 7	37' 0" 13	37' 1" 3
9 IN 12	29' 7" 0	29' 7" 5	29' 7" 10	29' 7" 15		37' 10" 10	37' 11" 0	37' 11" 7	37' 11" 13
10 IN 12	30' 9" 11	30' 10" 0	30' 10" 5	30' 10" 11		38' 10" 3	38' 10" 9	38' 11" 0	38' 11" 7
11 IN 12	32' 1" 4	32' 1" 10	32' 1" 15	32' 2" 5		39' 10" 10	39' 11" 1	39' 11" 8	39' 11" 14
12 IN 12	33' 5" 10	33' 6" 0	33' 6" 6	33' 6" 11		40' 11" 14	41' 0" 5	41' 0" 12	41' 1" 3
13 IN 12	34' 10" 11	34' 11" 1	34' 11" 7	34' 11" 13		42' 1" 15	42' 2" 6	42' 2" 13	42' 3" 4
14 IN 12	36' 4" 6	36' 4" 12	36' 5" 3	36' 5" 9		43' 4" 11	43' 5" 2	43' 5" 9	43' 6" 1
15 IN 12	37' 10" 10	37' 11" 0	37' 11" 7	37' 11" 13		44' 8" 1	44' 8" 8	44' 9" 0	44' 9" 7
16 IN 12	39' 5" 5	39' 5" 12	39' 6" 3	39' 6" 9		46' 0" 0	46' 0" 8	46' 0" 15	46' 1" 7
17 IN 12	41' 0" 8	41' 0" 14	41' 1" 5	41' 1" 12		47' 4" 8	47' 5" 0	47' 5" 8	47' 6" 0
18 IN 12	42' 8" 0	42' 8" 7	42' 8" 14	42' 9" 5		48' 9" 8	48' 10" 0	48' 10" 8	48' 11" 0
19 IN 12	44' 3" 13	44' 4" 5	44' 4" 12	44' 5" 4		50' 2" 15	50' 3" 7	50' 4" 0	50' 4" 8
20 IN 12	46' 0" 0	46' 0" 8	46' 0" 15	46' 1" 7		51' 8" 12	51' 9" 5	51' 9" 14	51' 10" 7
21 IN 12	47' 8" 7	47' 8" 15	47' 9" 7	47' 9" 15		53' 3" 0	53' 3" 9	53' 4" 2	53' 4" 11
22 IN 12	49' 5" 1	49' 5" 10	49' 6" 2	49' 6" 10		54' 9" 9	54' 10" 2	54' 10" 12	54' 11" 5
23 IN 12	51' 1" 15	51' 2" 8	51' 3" 1	51' 3" 9		56' 4" 8	56' 5" 1	56' 5" 11	56' 6" 4
24 IN 12	52' 11" 1	52' 11" 10	53' 0" 3	53' 0" 12		57' 11" 10	58' 0" 4	58' 0" 14	58' 1" 8
25 IN 12	54' 8" 5	54' 8" 14	54' 9" 7	54' 10" 0		59' 7" 2	59' 7" 12	59' 8" 6	59' 9" 0

23 Foot 9 Inch Run — Common Rafter Lengths   23 Foot 9 Inch Run — Hip Or Valley Rafter Lengths

Run -	23' 9"	23' 9 1/4"	23' 9 1/2"	23' 9 3/4"	23' 9"	23' 9 1/4"	23' 9 1/2"	23' 9 3/4"
Pitch	Ft In 16th"	Ft In 16th"	Ft In 16th"	Ft In 16th"	Ft In 16th"	Ft In 16th"	Ft In 16th"	Ft In 16th"
1 IN 12	23' 10" 0	23' 10" 4	23' 10" 8	23' 10" 12	33' 7" 12	33' 8" 2	33' 8" 7	33' 8" 13
2 IN 12	24' 0" 15	24' 1" 3	24' 1" 7	24' 1" 11	33' 9" 13	33' 10" 3	33' 10" 9	33' 10" 15
2.5 IN 12	24' 3" 2	24' 3" 6	24' 3" 10	24' 3" 14	33' 11" 6	33' 11" 12	34' 0" 2	34' 0" 8
3 IN 12	24' 5" 12	24' 6" 0	24' 6" 5	24' 6" 9	34' 1" 5	34' 1" 11	34' 2" 2	34' 2" 6
3.5 IN 12	24' 8" 14	24' 9" 2	24' 9" 6	24' 9" 11	34' 3" 9	34' 3" 14	34' 4" 4	34' 4" 10
4 IN 12	25' 0" 7	25' 0" 11	25' 0" 15	25' 1" 3	34' 6" 2	34' 6" 7	34' 6" 13	34' 7" 3
4.5 IN 12	25' 4" 6	25' 4" 10	25' 4" 15	25' 5" 3	34' 9" 0	34' 9" 6	34' 9" 11	34' 10" 1
5 IN 12	25' 8" 12	25' 9" 0	25' 9" 5	25' 9" 9	35' 0" 3	35' 0" 9	35' 0" 15	35' 1" 5
5.5 IN 12	26' 1" 8	26' 1" 13	26' 2" 1	26' 2" 5	35' 3" 11	35' 4" 1	35' 4" 7	35' 4" 13
6 IN 12	26' 6" 10	26' 6" 15	26' 7" 3	26' 7" 8	35' 7" 8	35' 7" 14	35' 8" 4	35' 8" 10
6.5 IN 12	27' 0" 2	27' 0" 7	27' 0" 11	27' 1" 0	35' 11" 10	36' 0" 0	36' 0" 6	36' 0" 12
7 IN 12	27' 5" 15	27' 6" 4	27' 6" 8	27' 6" 13	36' 4" 0	36' 4" 6	36' 4" 12	36' 5" 2
8 IN 12	28' 6" 8	28' 6" 13	28' 7" 2	28' 7" 7	37' 1" 9	37' 2" 0	37' 2" 6	37' 2" 12
9 IN 12	29' 8" 4	29' 8" 9	29' 8" 14	29' 9" 3	38' 0" 4	38' 0" 10	38' 1" 0	38' 1" 7
10 IN 12	30' 11" 0	30' 11" 5	30' 11" 10	30' 11" 15	38' 11" 13	39' 0" 4	39' 0" 10	39' 1" 1
11 IN 12	32' 2" 10	32' 2" 15	32' 3" 5	32' 3" 10	40' 0" 5	40' 0" 12	40' 1" 3	40' 1" 9
12 IN 12	33' 7" 1	33' 7" 6	33' 7" 12	33' 8" 2	41' 1" 10	41' 2" 1	41' 2" 8	41' 2" 15
13 IN 12	35' 0" 3	35' 0" 9	35' 0" 15	35' 1" 5	42' 3" 11	42' 4" 3	42' 4" 10	42' 5" 1
14 IN 12	36' 5" 15	36' 6" 5	36' 6" 11	36' 7" 1	43' 6" 8	43' 6" 15	43' 7" 7	43' 7" 14
15 IN 12	38' 0" 4	38' 0" 10	38' 1" 0	38' 1" 7	44' 9" 15	44' 10" 6	44' 10" 14	44' 11" 5
16 IN 12	39' 7" 0	39' 7" 7	39' 7" 13	39' 8" 4	46' 1" 15	46' 2" 7	46' 2" 15	46' 3" 6
17 IN 12	41' 2" 3	41' 2" 10	41' 3" 1	41' 3" 8	47' 6" 8	47' 7" 0	47' 7" 8	47' 8" 0
18 IN 12	42' 9" 13	42' 10" 4	42' 10" 11	42' 11" 2	48' 11" 9	49' 0" 1	49' 0" 9	49' 1" 1
19 IN 12	44' 5" 11	44' 6" 3	44' 6" 10	44' 7" 2	50' 5" 1	50' 5" 9	50' 6" 2	50' 6" 10
20 IN 12	46' 1" 15	46' 2" 7	46' 2" 15	46' 3" 6	51' 10" 15	51' 11" 8	52' 0" 1	52' 0" 10
21 IN 12	47' 10" 7	47' 10" 15	47' 11" 7	47' 11" 15	53' 5" 4	53' 5" 13	53' 6" 6	53' 6" 15
22 IN 12	49' 7" 3	49' 7" 11	49' 8" 3	49' 8" 12	54' 11" 14	55' 0" 8	55' 1" 1	55' 1" 10
23 IN 12	51' 4" 2	51' 4" 11	51' 5" 3	51' 5" 12	56' 6" 14	56' 7" 7	56' 8" 1	56' 8" 10
24 IN 12	53' 1" 4	53' 1" 13	53' 2" 6	53' 2" 15	58' 2" 2	58' 2" 11	58' 3" 5	58' 3" 15
25 IN 12	54' 10" 10	54' 11" 3	54' 11" 12	55' 0" 5	59' 9" 10	59' 10" 4	59' 10" 14	59' 11" 8

23 Foot 10 Inch Run — Common Rafter Lengths   23 Foot 10 Inch Run — Hip Or Valley Rafter Lengths

Run -	23'10"			23'10 1/4"			23'10 1/2"			23'10 3/4"			23'10"			23'10 1/4"			23'10 1/2"			23'10 3/4"		
Pitch	Ft	In	16th"	Ft	In	16th"	Ft	In	16th"	Ft	In	16th"	Ft	In	16th"	Ft	In	16th"	Ft	In	16th"	Ft	In	16th"
1 IN 12	23'	11"	0	23'	11"	4	23'	11"	8	23'	11"	12	33'	9"	3	33'	9"	8	33'	9"	14	33'	10"	4
2 IN 12	24'	1"	15	24'	2"	3	24'	2"	7	24'	2"	11	33'	11"	4	33'	11"	10	34'	0"	0	34'	0"	5
2.5 IN 12	24'	4"	2	24'	4"	6	24'	4"	10	24'	4"	15	34'	0"	13	34'	1"	3	34'	1"	9	34'	1"	14
3 IN 12	24'	6"	13	24'	7"	1	24'	7"	5	24'	7"	9	34'	2"	12	34'	3"	2	34'	3"	7	34'	3"	13
3.5 IN 12	24'	9"	15	24'	10"	3	24'	10"	7	24'	10"	11	34'	5"	0	34'	5"	5	34'	5"	11	34'	6"	1
4 IN 12	25'	1"	8	25'	1"	12	25'	2"	0	25'	2"	4	34'	7"	9	34'	7"	15	34'	8"	4	34'	8"	10
4.5 IN 12	25'	5"	7	25'	5"	11	25'	6"	0	25'	6"	4	34'	10"	7	34'	10"	13	34'	11"	3	34'	11"	9
5 IN 12	25'	9"	13	25'	10"	2	25'	10"	6	25'	10"	10	35'	1"	10	35'	2"	0	35'	2"	6	35'	2"	12
5.5 IN 12	26'	2"	10	26'	2"	14	26'	3"	3	26'	3"	7	35'	5"	3	35'	5"	9	35'	5"	15	35'	6"	5
6 IN 12	26'	7"	12	26'	8"	1	26'	8"	5	26'	8"	10	35'	9"	0	35'	9"	6	35'	9"	12	35'	10"	2
6.5 IN 12	27'	1"	4	27'	1"	9	27'	1"	13	27'	2"	2	36'	1"	2	36'	1"	8	36'	1"	14	36'	2"	4
7 IN 12	27'	7"	2	27'	7"	6	27'	7"	11	27'	8"	0	36'	5"	8	36'	5"	14	36'	6"	5	36'	6"	11
8 IN 12	28'	7"	12	28'	8"	0	28'	8"	5	28'	8"	10	37'	3"	2	37'	3"	9	37'	3"	15	37'	4"	5
9 IN 12	29'	9"	8	29'	9"	13	29'	10"	2	29'	10"	7	38'	1"	13	38'	2"	4	38'	2"	10	38'	3"	0
10 IN 12	31'	0"	5	31'	0"	10	31'	0"	15	31'	1"	4	39'	1"	7	39'	1"	14	39'	2"	5	39'	2"	11
11 IN 12	32'	4"	0	32'	4"	5	32'	4"	11	32'	5"	0	40'	2"	0	40'	2"	7	40'	2"	13	40'	3"	4
12 IN 12	33'	8"	7	33'	8"	13	33'	9"	3	33'	9"	8	41'	3"	6	41'	3"	13	41'	4"	4	41'	4"	11
13 IN 12	35'	1"	10	35'	2"	0	35'	2"	6	35'	2"	12	42'	5"	8	42'	5"	15	42'	6"	6	42'	6"	13
14 IN 12	36'	7"	7	36'	7"	14	36'	8"	4	36'	8"	10	43'	8"	5	43'	8"	13	43'	9"	4	43'	9"	11
15 IN 12	38'	1"	13	38'	2"	4	38'	2"	10	38'	3"	0	44'	11"	13	45'	0"	5	45'	0"	12	45'	1"	4
16 IN 12	39'	8"	11	39'	9"	1	39'	9"	8	39'	9"	15	46'	3"	14	46'	4"	6	46'	4"	14	46'	5"	5
17 IN 12	41'	3"	15	41'	4"	6	41'	4"	13	41'	5"	4	47'	8"	8	47'	9"	0	47'	9"	8	47'	10"	0
18 IN 12	42'	11"	10	43'	0"	1	43'	0"	8	43'	0"	15	49'	1"	10	49'	2"	2	49'	2"	10	49'	3"	2
19 IN 12	44'	7"	9	44'	8"	1	44'	8"	8	44'	9"	0	50'	7"	3	50'	7"	11	50'	8"	4	50'	8"	12
20 IN 12	46'	3"	14	46'	4"	6	46'	4"	14	46'	5"	5	52'	1"	2	52'	1"	11	52'	2"	4	52'	2"	13
21 IN 12	48'	0"	7	48'	0"	15	48'	1"	7	48'	1"	15	53'	7"	8	53'	8"	1	53'	8"	10	53'	9"	3
22 IN 12	49'	9"	4	49'	9"	13	49'	10"	5	49'	10"	13	55'	2"	3	55'	2"	13	55'	3"	6	55'	3"	15
23 IN 12	51'	6"	5	51'	6"	13	51'	7"	6	51'	7"	15	56'	9"	4	56'	9"	13	56'	10"	7	56'	11"	0
24 IN 12	53'	3"	8	53'	4"	1	53'	4"	10	53'	5"	3	58'	4"	9	58'	5"	3	58'	5"	12	58'	6"	6
25 IN 12	55'	0"	15	55'	1"	8	55'	2"	1	55'	2"	10	60'	0"	2	60'	0"	12	60'	1"	6	60'	2"	1

Run -	23'11"	23'11 1/4"	23'11 1/2"	23'11 3/4"	23'11"	23'11 1/4"	23'11 1/2"	23'11 3/4"
Pitch	Ft In 16th"	Ft In 16th"	Ft In 16th"	Ft In 16th"	Ft In 16th"	Ft In 16th"	Ft In 16th"	Ft In 16th"
1 IN 12	24' 0" 0	24' 0" 4	24' 0" 8	24' 0" 12	33' 10" 9	33' 10" 15	33' 11" 5	33' 11" 10
2 IN 12	24' 2" 15	24' 3" 3	24' 3" 7	24' 3" 12	34' 0" 11	34' 1" 1	34' 1" 6	34' 1" 12
2.5 IN 12	24' 5" 3	24' 5" 7	24' 5" 11	24' 5" 15	34' 2" 4	34' 2" 10	34' 3" 0	34' 3" 5
3 IN 12	24' 7" 13	24' 8" 1	24' 8" 6	24' 8" 10	34' 4" 3	34' 4" 9	34' 4" 14	34' 5" 4
3.5 IN 12	24' 10" 15	24' 11" 4	24' 11" 8	24' 11" 12	34' 6" 7	34' 6" 13	34' 7" 2	34' 7" 8
4 IN 12	25' 2" 8	25' 2" 13	25' 3" 1	25' 3" 5	34' 9" 0	34' 9" 6	34' 9" 12	34' 10" 1
4.5 IN 12	25' 6" 8	25' 6" 13	25' 7" 1	25' 7" 5	34' 11" 14	35' 0" 4	35' 0" 10	35' 1" 0
5 IN 12	25' 10" 15	25' 11" 3	25' 11" 7	25' 11" 12	35' 3" 2	35' 3" 8	35' 3" 14	35' 4" 4
5.5 IN 12	26' 3" 11	26' 4" 0	26' 4" 4	26' 4" 9	35' 6" 11	35' 7" 1	35' 7" 6	35' 7" 12
6 IN 12	26' 8" 14	26' 9" 2	26' 9" 7	26' 9" 11	35' 10" 8	35' 10" 14	35' 11" 4	35' 11" 10
6.5 IN 12	27' 2" 6	27' 2" 11	27' 2" 15	27' 3" 4	36' 2" 10	36' 3" 0	36' 3" 6	36' 3" 12
7 IN 12	27' 8" 4	27' 8" 9	27' 8" 13	27' 9" 2	36' 7" 1	36' 7" 7	36' 7" 13	36' 8" 3
8 IN 12	28' 8" 15	28' 9" 4	28' 9" 9	28' 9" 13	37' 4" 11	37' 5" 2	37' 5" 8	37' 5" 14
9 IN 12	29' 10" 12	29' 11" 1	29' 11" 6	29' 11" 11	38' 3" 7	38' 3" 13	38' 4" 4	38' 4" 10
10 IN 12	31' 1" 9	31' 1" 15	31' 2" 4	31' 2" 9	39' 3" 2	39' 3" 8	39' 3" 15	39' 4" 5
11 IN 12	32' 5" 5	32' 5" 11	32' 6" 0	32' 6" 6	40' 3" 11	40' 4" 2	40' 4" 8	40' 4" 15
12 IN 12	33' 9" 14	33' 10" 4	33' 10" 9	33' 10" 15	41' 5" 2	41' 5" 9	41' 5" 15	41' 6" 6
13 IN 12	35' 3" 2	35' 3" 8	35' 3" 14	35' 4" 4	42' 7" 4	42' 7" 12	42' 8" 3	42' 8" 10
14 IN 12	36' 9" 0	36' 9" 6	36' 9" 12	36' 10" 2	43' 10" 3	43' 10" 10	43' 11" 1	43' 11" 9
15 IN 12	38' 3" 7	38' 3" 13	38' 4" 4	38' 4" 10	45' 1" 11	45' 2" 3	45' 2" 10	45' 3" 2
16 IN 12	39' 10" 5	39' 10" 12	39' 11" 3	39' 11" 9	46' 5" 13	46' 6" 5	46' 6" 13	46' 7" 5
17 IN 12	41' 5" 11	41' 6" 2	41' 6" 9	41' 7" 0	47' 10" 8	47' 11" 0	47' 11" 8	48' 0" 0
18 IN 12	43' 1" 6	43' 1" 14	43' 2" 5	43' 2" 12	49' 3" 11	49' 4" 3	49' 4" 11	49' 5" 3
19 IN 12	44' 9" 7	44' 9" 15	44' 10" 6	44' 10" 14	50' 9" 5	50' 9" 13	50' 10" 6	50' 10" 14
20 IN 12	46' 5" 13	46' 6" 5	46' 6" 13	46' 7" 5	52' 3" 5	52' 3" 14	52' 4" 7	52' 4" 15
21 IN 12	48' 2" 7	48' 3" 0	48' 3" 8	48' 4" 0	53' 9" 12	53' 10" 5	53' 10" 14	53' 11" 7
22 IN 12	49' 11" 6	49' 11" 14	50' 0" 6	50' 0" 15	55' 4" 8	55' 5" 2	55' 5" 11	55' 6" 4
23 IN 12	51' 8" 7	51' 9" 0	51' 9" 9	51' 10" 1	56' 11" 10	57' 0" 3	57' 0" 13	57' 1" 6
24 IN 12	53' 5" 12	53' 6" 5	53' 6" 14	53' 7" 7	58' 7" 0	58' 7" 10	58' 8" 4	58' 8" 13
25 IN 12	55' 3" 4	55' 3" 13	55' 4" 6	55' 4" 15	60' 2" 11	60' 3" 5	60' 3" 15	60' 4" 9

24 Foot 0 Inch Run — Common Rafter Lengths   24 Foot 0 Inch Run — Hip Or Valley Rafter Lengths

Run -	24' 0"			24' 0 1/4"			24' 0 1/2"			24' 0 3/4"			24' 0"			24' 0 1/4"			24' 0 1/2"			24' 0 3/4"		
Pitch	Ft	In	16th	Ft	In	16th	Ft	In	16th	Ft	In	16th	Ft	In	16th	Ft	In	16th	Ft	In	16th	Ft	In	16th
1 IN 12	24'	1"	0	24'	1"	4	24'	1"	8	24'	1"	12	34'	0"	0	34'	0"	6	34'	0"	11	34'	1"	1
2 IN 12	24'	4"	0	24'	4"	0	24'	4"	12	24'	4"	8	34'	2"	2	34'	2"	7	34'	2"	13	34'	3"	3
2.5 IN 12	24'	6"	3	24'	6"	7	24'	6"	11	24'	6"	15	34'	3"	11	34'	4"	1	34'	4"	6	34'	4"	12
3 IN 12	24'	8"	14	24'	9"	2	24'	9"	6	24'	9"	10	34'	5"	10	34'	5"	15	34'	6"	5	34'	6"	11
3.5 IN 12	25'	0"	0	25'	0"	4	25'	0"	8	25'	0"	13	34'	7"	14	34'	8"	4	34'	8"	9	34'	8"	15
4 IN 12	25'	3"	9	25'	3"	13	25'	4"	2	25'	4"	6	34'	10"	7	34'	10"	13	34'	11"	3	34'	11"	9
4.5 IN 12	25'	7"	0	25'	7"	14	25'	8"	2	25'	8"	6	35'	1"	6	35'	1"	12	35'	2"	2	35'	2"	7
5 IN 12	26'	0"	0	26'	0"	4	26'	0"	9	26'	0"	13	35'	4"	10	35'	5"	0	35'	5"	5	35'	5"	11
5.5 IN 12	26'	4"	13	26'	5"	1	26'	5"	6	26'	5"	10	35'	8"	2	35'	8"	8	35'	8"	14	35'	9"	4
6 IN 12	26'	10"	0	26'	10"	4	26'	10"	9	26'	10"	13	36'	0"	0	36'	0"	6	36'	0"	12	36'	1"	2
6.5 IN 12	27'	3"	9	27'	3"	13	27'	4"	2	27'	4"	6	36'	4"	2	36'	4"	8	36'	4"	14	36'	5"	5
7 IN 12	27'	9"	7	27'	9"	11	27'	10"	0	27'	10"	5	36'	8"	9	36'	8"	15	36'	9"	6	36'	9"	12
8 IN 12	28'	10"	2	28'	10"	7	28'	10"	12	28'	11"	1	37'	6"	4	37'	6"	11	37'	7"	1	37'	7"	7
9 IN 12	30'	0"	0	30'	0"	5	30'	0"	10	30'	0"	15	38'	5"	0	38'	5"	7	38'	5"	13	38'	6"	4
10 IN 12	31'	2"	14	31'	3"	3	31'	3"	9	31'	3"	14	39'	4"	12	39'	5"	2	39'	5"	9	39'	6"	0
11 IN 12	32'	6"	11	32'	7"	0	32'	7"	6	32'	7"	11	40'	5"	6	40'	5"	13	40'	6"	3	40'	6"	10
12 IN 12	33'	11"	5	33'	11"	10	34'	0"	0	34'	0"	6	41'	6"	13	41'	7"	4	41'	7"	11	41'	8"	2
13 IN 12	35'	4"	10	35'	5"	0	35'	5"	5	35'	5"	11	42'	9"	1	42'	9"	8	42'	9"	15	42'	10"	6
14 IN 12	36'	10"	9	36'	10"	15	36'	11"	5	36'	11"	11	44'	0"	0	44'	0"	7	44'	0"	15	44'	1"	6
15 IN 12	38'	5"	0	38'	5"	7	38'	5"	13	38'	6"	4	45'	3"	9	45'	4"	1	45'	4"	9	45'	5"	0
16 IN 12	40'	0"	0	40'	0"	7	40'	0"	13	40'	1"	4	46'	7"	12	46'	8"	4	46'	8"	12	46'	9"	4
17 IN 12	41'	7"	7	41'	7"	13	41'	8"	4	41'	8"	11	48'	0"	0	48'	1"	0	48'	1"	8	48'	2"	0
18 IN 12	43'	3"	3	43'	3"	10	43'	4"	2	43'	4"	9	49'	5"	12	49'	6"	4	49'	6"	12	49'	7"	4
19 IN 12	44'	11"	5	44'	11"	13	45'	0"	4	45'	0"	12	50'	11"	7	50'	11"	15	51'	0"	8	51'	1"	0
20 IN 12	46'	7"	12	46'	8"	4	46'	8"	12	46'	9"	4	52'	5"	8	52'	6"	1	52'	6"	10	52'	7"	2
21 IN 12	48'	4"	8	48'	5"	0	48'	5"	8	48'	6"	0	54'	0"	0	54'	0"	9	54'	1"	2	54'	1"	11
22 IN 12	50'	1"	7	50'	1"	15	50'	2"	7	50'	3"	0	55'	6"	13	55'	7"	7	55'	8"	0	55'	8"	9
23 IN 12	51'	10"	10	51'	11"	2	51'	11"	11	52'	0"	4	57'	2"	0	57'	2"	9	57'	3"	3	57'	3"	13
24 IN 12	53'	8"	0	53'	8"	9	53'	9"	2	53'	9"	11	58'	9"	7	58'	10"	1	58'	10"	11	58'	11"	5
25 IN 12	55'	5"	9	55'	6"	2	55'	6"	11	55'	7"	4	60'	5"	3	60'	5"	13	60'	6"	7	60'	7"	1

Run -		24' 1"		24' 1 1/4"		24' 1 1/2"		24' 1 3/4"		24' 1"		24' 1 1/4"		24' 1 1/2"		24' 1 3/4"	
Pitch		Ft	In 16th"	Ft	In 16th"	Ft	In 16th"	Ft	In 16th"	Ft	In 16th"	Ft	In 16th"	Ft	In 16th"	Ft	In 16th"
1	IN 12	24'	2" 0	24'	2" 4	24'	2" 8	24'	2" 12	34'	1" 7	34'	1" 12	34'	2" 2	34'	2" 8
2	IN 12	24'	5" 0	24'	5" 4	24'	5" 8	24'	5" 12	34'	3" 9	34'	3" 14	34'	4" 4	34'	4" 10
2.5	IN 12	24'	7" 3	24'	7" 7	24'	7" 11	24'	8" 0	34'	5" 2	34'	5" 8	34'	5" 13	34'	6" 3
3	IN 12	24'	9" 14	24'	10" 2	24'	10" 7	24'	10" 11	34'	7" 1	34'	7" 6	34'	7" 12	34'	8" 2
3.5	IN 12	25'	1" 1	25'	1" 5	25'	1" 9	25'	1" 13	34'	9" 5	34'	9" 11	34'	10" 1	34'	10" 6
4	IN 12	25'	4" 10	25'	4" 14	25'	5" 3	25'	5" 7	34'	11" 15	35'	0" 4	35'	0" 10	35'	1" 0
4.5	IN 12	25'	8" 10	25'	8" 15	25'	9" 3	25'	9" 7	35'	2" 13	35'	3" 3	35'	3" 9	35'	3" 15
5	IN 12	26'	1" 1	26'	1" 6	26'	1" 10	26'	1" 14	35'	6" 1	35'	6" 7	35'	6" 13	35'	7" 3
5.5	IN 12	26'	5" 15	26'	6" 2	26'	6" 7	26'	6" 12	35'	9" 10	35'	10" 0	35'	10" 6	35'	10" 12
6	IN 12	26'	11" 2	26'	11" 6	26'	11" 11	26'	11" 15	36'	1" 8	36'	1" 14	36'	2" 4	36'	2" 10
6.5	IN 12	27'	4" 11	27'	4" 15	27'	5" 4	27'	5" 8	36'	5" 11	36'	6" 1	36'	6" 7	36'	6" 13
7	IN 12	27'	10" 9	27'	10" 14	27'	11" 2	27'	11" 7	36'	10" 2	36'	10" 8	36'	10" 14	36'	11" 4
8	IN 12	28'	11" 5	28'	11" 10	28'	11" 15	29'	0" 4	37'	7" 13	37'	8" 4	37'	8" 10	37'	9" 0
9	IN 12	30'	1" 4	30'	1" 9	30'	1" 14	30'	2" 3	38'	6" 10	38'	7" 0	38'	7" 7	38'	7" 13
10	IN 12	31'	4" 3	31'	4" 8	31'	4" 14	31'	5" 3	39'	6" 6	39'	6" 13	39'	7" 3	39'	7" 10
11	IN 12	32'	8" 1	32'	8" 6	32'	8" 12	32'	9" 1	40'	7" 1	40'	7" 8	40'	7" 14	40'	8" 5
12	IN 12	34'	0" 11	34'	1" 1	34'	1" 7	34'	1" 12	41'	8" 9	41'	9" 0	41'	9" 7	41'	9" 14
13	IN 12	35'	6" 1	35'	6" 7	35'	6" 13	35'	7" 3	42'	10" 13	42'	11" 5	42'	11" 12	43'	0" 3
14	IN 12	37'	0" 1	37'	0" 7	37'	0" 13	37'	1" 4	44'	1" 13	44'	2" 5	44'	2" 12	44'	3" 3
15	IN 12	38'	6" 10	38'	7" 0	38'	7" 7	38'	7" 13	45'	5" 8	45'	5" 15	45'	6" 7	45'	6" 14
16	IN 12	40'	1" 11	40'	2" 1	40'	2" 8	40'	2" 15	46'	9" 11	46'	10" 3	46'	10" 11	46'	11" 3
17	IN 12	41'	9" 2	41'	9" 9	41'	10" 0	41'	10" 7	48'	2" 8	48'	3" 0	48'	3" 8	48'	4" 0
18	IN 12	43'	5" 0	43'	5" 7	43'	5" 14	43'	6" 6	49'	7" 13	49'	8" 5	49'	8" 13	49'	9" 5
19	IN 12	45'	1" 3	45'	1" 11	45'	2" 2	45'	2" 10	51'	1" 9	51'	2" 1	51'	2" 10	51'	3" 2
20	IN 12	46'	9" 11	46'	10" 3	46'	10" 11	46'	11" 3	52'	7" 11	52'	8" 4	52'	8" 13	52'	9" 5
21	IN 12	48'	6" 8	48'	7" 0	48'	7" 8	48'	8" 0	54'	2" 4	54'	2" 13	54'	3" 6	54'	3" 15
22	IN 12	50'	3" 8	50'	4" 1	50'	4" 9	50'	5" 1	55'	9" 2	55'	9" 12	55'	10" 5	55'	10" 14
23	IN 12	52'	0" 12	52'	1" 5	52'	1" 14	52'	2" 6	57'	4" 6	57'	5" 0	57'	5" 9	57'	6" 3
24	IN 12	53'	10" 4	53'	10" 13	53'	11" 5	53'	11" 14	58'	11" 14	59'	0" 8	59'	1" 2	59'	1" 12
25	IN 12	55'	7" 14	55'	8" 7	55'	9" 0	55'	9" 9	60'	7" 11	60'	8" 5	60'	8" 15	60'	9" 9

24 Foot 2 Inch Run — Common Rafter Lengths   24 Foot 2 Inch Run — Hip Or Valley Rafter Lengths

Run -	24' 2"	24' 2 1/4"	24' 2 1/2"	24' 2 3/4"	24' 2"	24' 2 1/4"	24' 2 1/2"	24' 2 3/4"
Pitch	Ft In 16th"	Ft In 16th"	Ft In 16th"	Ft In 16th"	Ft In 16th"	Ft In 16th"	Ft In 16th"	Ft In 16th"
1 IN 12	24' 3" 0	24' 3" 4	24' 3" 8	24' 3" 12	34' 2" 13	34' 3" 3	34' 3" 9	34' 3" 14
2 IN 12	24' 6" 0	24' 6" 0	24' 6" 8	24' 6" 12	34' 4" 15	34' 5" 5	34' 5" 11	34' 6" 0
2.5 IN 12	24' 8" 4	24' 8" 8	24' 8" 12	24' 9" 0	34' 6" 9	34' 6" 14	34' 7" 4	34' 7" 10
3 IN 12	24' 10" 15	24' 11" 3	24' 11" 7	24' 11" 11	34' 8" 8	34' 8" 13	34' 9" 3	34' 9" 9
3.5 IN 12	25' 2" 1	25' 2" 6	25' 2" 10	25' 2" 14	34' 10" 12	34' 11" 2	34' 11" 8	34' 11" 13
4 IN 12	25' 5" 11	25' 5" 15	25' 6" 3	25' 6" 8	35' 1" 6	35' 1" 12	35' 2" 1	35' 2" 7
4.5 IN 12	25' 9" 12	25' 10" 0	25' 10" 4	25' 10" 8	35' 4" 5	35' 4" 11	35' 5" 0	35' 5" 6
5 IN 12	26' 2" 3	26' 2" 7	26' 2" 11	26' 3" 0	35' 7" 9	35' 7" 15	35' 8" 5	35' 8" 11
5.5 IN 12	26' 7" 0	26' 7" 5	26' 7" 9	26' 7" 13	35' 11" 2	35' 11" 8	35' 11" 14	36' 0" 4
6 IN 12	27' 0" 4	27' 0" 8	27' 0" 13	27' 1" 1	36' 3" 0	36' 3" 6	36' 3" 12	36' 4" 2
6.5 IN 12	27' 5" 13	27' 6" 2	27' 6" 6	27' 6" 11	36' 7" 3	36' 7" 9	36' 7" 15	36' 8" 5
7 IN 12	27' 11" 12	28' 0" 0	28' 0" 5	28' 0" 10	36' 11" 10	37' 0" 0	37' 0" 6	37' 0" 13
8 IN 12	29' 0" 9	29' 0" 13	29' 1" 2	29' 1" 7	37' 9" 7	37' 9" 13	37' 10" 3	37' 10" 9
9 IN 12	30' 2" 8	30' 2" 8	30' 3" 2	30' 3" 7	38' 8" 4	38' 8" 10	38' 9" 0	38' 9" 7
10 IN 12	31' 5" 8	31' 5" 13	31' 6" 2	31' 6" 8	39' 8" 0	39' 8" 7	39' 8" 14	39' 9" 4
11 IN 12	32' 9" 6	32' 9" 12	32' 10" 1	32' 10" 7	40' 8" 12	40' 9" 3	40' 9" 9	40' 10" 0
12 IN 12	34' 2" 2	34' 2" 8	34' 2" 13	34' 3" 3	41' 10" 5	41' 10" 12	41' 11" 3	41' 11" 10
13 IN 12	35' 7" 9	35' 7" 15	35' 8" 5	35' 8" 11	43' 0" 10	43' 1" 1	43' 1" 8	43' 1" 15
14 IN 12	37' 1" 10	37' 2" 0	37' 2" 6	37' 2" 12	44' 3" 11	44' 4" 2	44' 4" 9	44' 5" 1
15 IN 12	38' 8" 4	38' 8" 10	38' 9" 0	38' 9" 7	45' 7" 6	45' 7" 13	45' 8" 5	45' 8" 12
16 IN 12	40' 3" 5	40' 3" 12	40' 4" 3	40' 4" 9	46' 11" 11	47' 0" 2	47' 0" 10	47' 1" 2
17 IN 12	41' 10" 14	41' 11" 5	41' 11" 12	42' 0" 3	48' 4" 8	48' 5" 0	48' 5" 8	48' 6" 0
18 IN 12	43' 6" 13	43' 7" 4	43' 7" 11	43' 8" 3	49' 9" 14	49' 10" 6	49' 10" 14	49' 11" 6
19 IN 12	45' 3" 1	45' 3" 9	45' 4" 0	45' 4" 8	51' 3" 11	51' 4" 3	51' 4" 12	51' 5" 4
20 IN 12	46' 11" 11	47' 0" 2	47' 0" 10	47' 1" 2	52' 9" 14	52' 10" 7	52' 11" 0	52' 11" 8
21 IN 12	48' 8" 8	48' 9" 0	48' 9" 8	48' 10" 0	54' 4" 8	54' 5" 1	54' 5" 10	54' 6" 3
22 IN 12	50' 5" 10	50' 6" 2	50' 6" 11	50' 7" 3	55' 11" 7	56' 0" 1	56' 0" 10	56' 1" 3
23 IN 12	52' 2" 15	52' 3" 8	52' 4" 0	52' 4" 9	57' 6" 12	57' 7" 6	57' 7" 15	57' 8" 9
24 IN 12	54' 0" 7	54' 1" 0	54' 1" 9	54' 2" 2	59' 2" 6	59' 2" 15	59' 3" 9	59' 4" 3
25 IN 12	55' 10" 3	55' 10" 12	55' 11" 5	55' 11" 14	60' 10" 3	60' 10" 14	60' 11" 8	61' 0" 2

24 Foot 3 Inch Run — Common Rafter Lengths   24 Foot 3 Inch Run — Hip Or Valley Rafter Lengths

Run - Pitch	24' 3"	24' 3 1/4"	24' 3 1/2"	24' 3 3/4"	24' 3"	24' 3 1/4"	24' 3 1/2"	24' 3 3/4"
	Ft In 16th	Ft In 16th	Ft In 16th	Ft In 16th	Ft In 16th	Ft In 16th	Ft In 16th	Ft In 16th
1 IN 12	24' 4" 0	24' 4" 4	24' 4" 8	24' 4" 12	34' 4" 4	34' 4" 10	34' 4" 15	34' 5" 5
2 IN 12	24' 7" 0	24' 7" 4	24' 7" 8	24' 7" 12	34' 6" 6	34' 6" 12	34' 7" 2	34' 7" 7
2.5 IN 12	24' 9" 4	24' 9" 8	24' 9" 12	24' 10" 0	34' 8" 0	34' 8" 5	34' 8" 11	34' 9" 1
3 IN 12	24' 11" 15	25' 0" 3	25' 0" 8	25' 0" 12	34' 9" 15	34' 10" 4	34' 10" 10	34' 11" 0
3.5 IN 12	25' 3" 2	25' 3" 6	25' 3" 10	25' 3" 15	35' 0" 3	35' 0" 9	35' 0" 15	35' 1" 4
4 IN 12	25' 6" 12	25' 7" 0	25' 7" 4	25' 7" 9	35' 2" 13	35' 3" 3	35' 3" 9	35' 3" 14
4.5 IN 12	25' 10" 13	25' 11" 1	25' 11" 5	25' 11" 9	35' 5" 12	35' 6" 2	35' 6" 8	35' 6" 14
5 IN 12	26' 3" 4	26' 3" 8	26' 3" 12	26' 4" 1	35' 9" 0	35' 9" 6	35' 9" 12	35' 10" 2
5.5 IN 12	26' 8" 2	26' 8" 6	26' 8" 11	26' 8" 15	36' 0" 0	36' 1" 0	36' 1" 6	36' 1" 12
6 IN 12	27' 1" 6	27' 1" 10	27' 1" 15	27' 2" 3	36' 4" 8	36' 4" 14	36' 5" 4	36' 5" 10
6.5 IN 12	27' 6" 15	27' 7" 4	27' 7" 8	27' 7" 13	36' 8" 11	36' 9" 1	36' 9" 7	36' 9" 13
7 IN 12	28' 0" 14	28' 1" 3	28' 1" 8	28' 1" 12	37' 1" 3	37' 1" 9	37' 1" 15	37' 2" 5
8 IN 12	29' 1" 12	29' 2" 1	29' 2" 5	29' 2" 10	37' 11" 0	37' 11" 6	37' 11" 12	38' 0" 2
9 IN 12	30' 3" 12	30' 4" 1	30' 4" 6	30' 4" 11	38' 9" 13	38' 10" 4	38' 10" 10	38' 11" 0
10 IN 12	31' 6" 13	31' 7" 2	31' 7" 7	31' 7" 12	39' 9" 11	39' 10" 1	39' 10" 8	39' 10" 14
11 IN 12	32' 10" 12	32' 11" 2	32' 11" 7	32' 11" 12	40' 10" 7	40' 10" 14	40' 11" 4	40' 11" 11
12 IN 12	34' 3" 9	34' 3" 14	34' 4" 4	34' 4" 10	42' 0" 0	42' 0" 7	42' 0" 14	42' 1" 5
13 IN 12	35' 9" 0	35' 9" 6	35' 9" 12	35' 10" 2	43' 2" 6	43' 2" 14	43' 3" 5	43' 3" 12
14 IN 12	37' 3" 2	37' 3" 9	37' 3" 15	37' 4" 5	44' 5" 8	44' 5" 15	44' 6" 7	44' 6" 14
15 IN 12	38' 9" 13	38' 10" 4	38' 10" 10	38' 11" 0	45' 9" 4	45' 9" 12	45' 10" 3	45' 10" 11
16 IN 12	40' 5" 0	40' 5" 7	40' 5" 13	40' 6" 4	47' 1" 10	47' 2" 1	47' 2" 9	47' 3" 1
17 IN 12	42' 0" 10	42' 1" 1	42' 1" 8	42' 1" 15	48' 6" 8	48' 7" 0	48' 7" 8	48' 8" 0
18 IN 12	43' 8" 10	43' 9" 1	43' 9" 8	43' 9" 15	49' 11" 15	50' 0" 7	50' 0" 15	50' 1" 7
19 IN 12	45' 4" 15	45' 5" 7	45' 5" 14	45' 6" 6	51' 5" 12	51' 6" 5	51' 6" 13	51' 7" 6
20 IN 12	47' 1" 10	47' 2" 1	47' 2" 9	47' 3" 1	53' 0" 1	53' 0" 10	53' 1" 3	53' 1" 11
21 IN 12	48' 10" 8	48' 11" 1	48' 11" 9	49' 0" 1	54' 6" 12	54' 7" 5	54' 7" 14	54' 8" 7
22 IN 12	50' 7" 11	50' 8" 4	50' 8" 12	50' 9" 4	56' 1" 13	56' 2" 6	56' 2" 15	56' 3" 8
23 IN 12	52' 5" 2	52' 5" 10	52' 6" 3	52' 6" 12	57' 9" 2	57' 9" 12	57' 10" 5	57' 10" 15
24 IN 12	54' 2" 11	54' 3" 4	54' 3" 13	54' 4" 6	59' 4" 13	59' 5" 7	59' 6" 0	59' 6" 10
25 IN 12	56' 0" 8	56' 1" 1	56' 1" 10	56' 2" 3	61' 0" 12	61' 1" 6	61' 2" 0	61' 2" 10

24 Foot 4 Inch Run — Common Rafter Lengths   24 Foot 4 Inch Run — Hip Or Valley Rafter Lengths

Run -	24' 4"			24' 4 1/4"			24' 4 1/2"			24' 4 3/4"			24' 4"			24' 4 1/4"			24' 4 1/2"			24' 4 3/4"		
Pitch	Ft	In	16th	Ft	In	16th	Ft	In	16th	Ft	In	16th	Ft	In	16th	Ft	In	16th	Ft	In	16th	Ft	In	16th
1 IN 12	24'	5"	0	24'	5"	4	24'	5"	8	24'	5"	12	34'	5"	11	34'	6"	0	34'	6"	6	34'	6"	12
2 IN 12	24'	8"	0	24'	8"	4	24'	8"	9	24'	8"	13	34'	7"	13	34'	8"	3	34'	8"	8	34'	8"	14
2.5 IN 12	24'	10"	4	24'	10"	8	24'	10"	12	24'	11"	1	34'	9"	7	34'	9"	12	34'	10"	2	34'	10"	8
3 IN 12	25'	1"	0	25'	1"	4	25'	1"	8	25'	1"	12	34'	11"	6	34'	11"	11	35'	0"	1	35'	0"	7
3.5 IN 12	25'	4"	3	25'	4"	7	25'	4"	11	25'	4"	15	35'	1"	10	35'	2"	0	35'	2"	6	35'	2"	12
4 IN 12	25'	7"	13	25'	8"	1	25'	8"	5	25'	8"	9	35'	4"	4	35'	4"	10	35'	5"	0	35'	5"	6
4.5 IN 12	25'	11"	14	26'	0"	2	26'	0"	6	26'	0"	11	35'	7"	4	35'	7"	9	35'	7"	15	35'	8"	5
5 IN 12	26'	4"	5	26'	4"	10	26'	4"	14	26'	5"	2	35'	10"	8	35'	10"	14	35'	11"	4	35'	11"	10
5.5 IN 12	26'	9"	3	26'	9"	8	26'	9"	12	26'	10"	1	36'	2"	2	36'	2"	7	36'	2"	13	36'	3"	3
6 IN 12	27'	2"	7	27'	2"	12	27'	3"	0	27'	3"	5	36'	6"	0	36'	6"	6	36'	6"	12	36'	7"	2
6.5 IN 12	27'	8"	1	27'	8"	6	27'	8"	10	27'	8"	15	36'	10"	3	36'	10"	9	36'	10"	15	36'	11"	5
7 IN 12	28'	2"	1	28'	2"	5	28'	2"	10	28'	2"	15	37'	2"	11	37'	3"	1	37'	3"	7	37'	3"	14
8 IN 12	29'	2"	15	29'	3"	4	29'	3"	9	29'	3"	13	38'	0"	9	38'	0"	15	38'	1"	5	38'	1"	11
9 IN 12	30'	5"	0	30'	5"	5	30'	5"	10	30'	5"	15	38'	11"	7	38'	11"	13	39'	0"	4	39'	0"	10
10 IN 12	31'	8"	2	31'	8"	7	31'	8"	12	31'	9"	1	39'	11"	5	39'	11"	12	40'	0"	2	40'	0"	9
11 IN 12	33'	0"	2	33'	0"	7	33'	0"	13	33'	1"	2	41'	0"	2	41'	0"	9	41'	0"	15	41'	1"	6
12 IN 12	34'	4"	15	34'	5"	5	34'	5"	11	34'	6"	0	42'	1"	12	42'	2"	3	42'	2"	10	42'	3"	1
13 IN 12	35'	10"	8	35'	10"	14	35'	11"	4	35'	11"	10	43'	4"	3	43'	4"	10	43'	5"	1	43'	5"	8
14 IN 12	37'	4"	11	37'	5"	1	37'	5"	8	37'	5"	13	44'	7"	5	44'	7"	13	44'	8"	4	44'	8"	11
15 IN 12	38'	11"	7	38'	11"	13	39'	0"	4	39'	0"	10	45'	11"	2	45'	11"	10	46'	0"	1	46'	0"	9
16 IN 12	40'	6"	11	40'	7"	1	40'	7"	8	40'	7"	15	47'	3"	9	47'	4"	1	47'	4"	8	47'	5"	0
17 IN 12	42'	2"	6	42'	2"	12	42'	3"	3	42'	3"	10	48'	8"	8	48'	9"	0	48'	9"	8	48'	10"	0
18 IN 12	43'	10"	7	43'	10"	14	43'	11"	5	43'	11"	12	50'	2"	0	50'	2"	8	50'	3"	0	50'	3"	8
19 IN 12	45'	6"	13	45'	7"	5	45'	7"	12	45'	8"	4	51'	7"	14	51'	8"	7	51'	8"	15	51'	9"	8
20 IN 12	47'	3"	9	47'	4"	1	47'	4"	8	47'	5"	0	53'	2"	4	53'	2"	13	53'	3"	6	53'	3"	14
21 IN 12	49'	0"	9	49'	1"	1	49'	1"	9	49'	2"	1	54'	9"	0	54'	9"	9	54'	10"	2	54'	10"	11
22 IN 12	50'	9"	13	50'	10"	5	50'	10"	13	50'	11"	6	56'	4"	2	56'	4"	11	56'	5"	4	56'	5"	13
23 IN 12	52'	7"	4	52'	7"	13	52'	8"	5	52'	8"	14	57'	11"	8	58'	0"	2	58'	0"	11	58'	1"	5
24 IN 12	54'	4"	15	54'	5"	8	54'	6"	1	54'	6"	10	59'	7"	4	59'	7"	14	59'	8"	8	59'	9"	1
25 IN 12	56'	2"	13	56'	3"	6	56'	3"	15	56'	4"	8	61'	3"	4	61'	3"	14	61'	4"	8	61'	5"	2

24 Foot 5 Inch Run — Common Rafter Lengths   24 Foot 5 Inch Run — Hip Or Valley Rafter Lengths

Run - Pitch	24' 5"	24' 5 1/4"	24' 5 1/2"	24' 5 3/4"	24' 5"	24' 5 1/4"	24' 5 1/2"	24' 5 3/4"
	Ft In 16th"	Ft In 16th"	Ft In 16th"	Ft In 16th"	Ft In 16th"	Ft In 16th"	Ft In 16th"	Ft In 16th"
1 IN 12	24' 6" 0	24' 6" 4	24' 6" 8	24' 6" 12	34' 7" 1	34' 7" 7	34' 7" 13	34' 8" 2
2 IN 12	24' 9" 1	24' 9" 5	24' 9" 9	24' 9" 13	34' 9" 4	34' 9" 9	34' 9" 15	34' 10" 5
2.5 IN 12	24' 11" 5	24' 11" 9	24' 11" 13	25' 0" 1	34' 10" 13	34' 11" 3	34' 11" 9	34' 11" 15
3 IN 12	25' 2" 0	25' 2" 4	25' 2" 9	25' 2" 13	35' 0" 13	35' 1" 2	35' 1" 8	35' 1" 14
3.5 IN 12	25' 5" 3	25' 5" 8	25' 5" 12	25' 6" 0	35' 3" 1	35' 3" 7	35' 3" 13	35' 4" 3
4 IN 12	25' 8" 14	25' 9" 2	25' 9" 6	25' 9" 10	35' 5" 12	35' 6" 1	35' 6" 7	35' 6" 13
4.5 IN 12	26' 0" 15	26' 1" 3	26' 1" 7	26' 1" 12	35' 8" 11	35' 9" 1	35' 9" 7	35' 9" 13
5 IN 12	26' 5" 7	26' 5" 11	26' 5" 15	26' 6" 4	36' 0" 0	36' 0" 5	36' 0" 11	36' 1" 1
5.5 IN 12	26' 10" 5	26' 10" 9	26' 10" 14	26' 11" 2	36' 3" 9	36' 3" 15	36' 4" 5	36' 4" 11
6 IN 12	27' 3" 9	27' 3" 14	27' 4" 2	27' 4" 7	36' 7" 8	36' 7" 14	36' 8" 4	36' 8" 10
6.5 IN 12	27' 9" 4	27' 9" 8	27' 9" 13	27' 10" 1	36' 11" 12	37' 0" 2	37' 0" 8	37' 0" 14
7 IN 12	28' 3" 3	28' 3" 8	28' 3" 13	28' 4" 1	37' 4" 4	37' 4" 10	37' 5" 0	37' 5" 6
8 IN 12	29' 4" 2	29' 4" 7	29' 4" 12	29' 5" 1	38' 2" 2	38' 2" 8	38' 2" 14	38' 3" 4
9 IN 12	30' 6" 4	30' 6" 9	30' 6" 14	30' 7" 3	39' 1" 0	39' 1" 7	39' 1" 13	39' 2" 4
10 IN 12	31' 9" 6	31' 9" 12	31' 10" 1	31' 10" 6	40' 0" 15	40' 1" 6	40' 1" 12	40' 2" 3
11 IN 12	33' 1" 8	33' 1" 13	33' 2" 2	33' 2" 8	41' 1" 13	41' 2" 3	41' 2" 10	41' 3" 1
12 IN 12	34' 6" 6	34' 6" 11	34' 7" 1	34' 7" 7	42' 3" 8	42' 3" 15	42' 4" 6	42' 4" 13
13 IN 12	36' 0" 0	36' 0" 5	36' 0" 11	36' 1" 1	43' 5" 15	43' 6" 7	43' 6" 14	43' 7" 5
14 IN 12	37' 6" 4	37' 6" 10	37' 7" 0	37' 7" 6	44' 9" 3	44' 9" 10	44' 10" 1	44' 10" 9
15 IN 12	39' 1" 0	39' 1" 7	39' 1" 13	39' 2" 4	46' 1" 0	46' 1" 8	46' 2" 0	46' 2" 7
16 IN 12	40' 8" 5	40' 8" 12	40' 9" 3	40' 9" 9	47' 5" 8	47' 6" 0	47' 6" 7	47' 6" 15
17 IN 12	42' 4" 1	42' 4" 8	42' 4" 15	42' 5" 6	48' 10" 8	48' 11" 0	48' 11" 8	49' 0" 0
18 IN 12	44' 0" 3	44' 0" 11	44' 1" 2	44' 1" 9	50' 4" 1	50' 4" 9	50' 5" 1	50' 5" 9
19 IN 12	45' 8" 11	45' 9" 3	45' 9" 10	45' 10" 2	51' 10" 0	51' 10" 9	51' 11" 1	51' 11" 10
20 IN 12	47' 5" 8	47' 6" 0	47' 6" 7	47' 6" 15	53' 4" 7	53' 5" 0	53' 5" 9	53' 6" 1
21 IN 12	49' 2" 9	49' 3" 1	49' 3" 9	49' 4" 1	54' 11" 4	54' 11" 13	55' 0" 6	55' 0" 15
22 IN 12	50' 11" 14	51' 0" 6	51' 0" 15	51' 1" 7	56' 6" 7	56' 7" 0	56' 7" 9	56' 8" 2
23 IN 12	52' 9" 7	52' 9" 15	52' 10" 8	52' 11" 1	58' 1" 15	58' 2" 8	58' 3" 2	58' 3" 11
24 IN 12	54' 7" 3	54' 7" 12	54' 8" 5	54' 8" 14	59' 9" 11	59' 10" 5	59' 10" 15	59' 11" 9
25 IN 12	56' 5" 2	56' 5" 11	56' 6" 4	56' 6" 13	61' 5" 12	61' 6" 6	61' 7" 0	61' 7" 11

Run -	24' 6"			24' 6 1/4"			24' 6 1/2"			24' 6 3/4"			24' 6"			24' 6 1/4"			24' 6 1/2"			24' 6 3/4"		
Pitch	Ft	In	16th"	Ft	In	16th"	Ft	In	16th"	Ft	In	16th"	Ft	In	16th"	Ft	In	16th"	Ft	In	16th"	Ft	In	16th"
1 IN 12	24'	7"	0	24'	7"	4	24'	7"	8	24'	7"	12	34'	8"	8	34'	8"	14	34'	9"	3	34'	9"	9
2 IN 12	24'	10"	1	24'	10"	5	24'	10"	9	24'	10"	13	34'	10"	10	34'	11"	0	34'	11"	6	34'	11"	12
2.5 IN 12	25'	0"	5	25'	0"	9	25'	0"	13	25'	1"	1	35'	0"	4	35'	0"	10	35'	1"	0	35'	1"	5
3 IN 12	25'	3"	1	25'	3"	5	25'	3"	9	25'	3"	13	35'	2"	4	35'	2"	9	35'	2"	15	35'	3"	5
3.5 IN 12	25'	6"	4	25'	6"	8	25'	6"	12	25'	7"	1	35'	4"	8	35'	4"	14	35'	5"	4	35'	5"	10
4 IN 12	25'	9"	14	25'	10"	3	25'	10"	7	25'	10"	11	35'	7"	3	35'	7"	9	35'	7"	14	35'	8"	4
4.5 IN 12	26'	2"	0	26'	2"	4	26'	2"	8	26'	2"	13	35'	10"	2	35'	10"	8	35'	10"	14	35'	11"	4
5 IN 12	26'	6"	8	26'	6"	12	26'	7"	1	26'	7"	5	36'	1"	7	36'	1"	13	36'	2"	3	36'	2"	9
5.5 IN 12	26'	11"	7	26'	11"	11	26'	11"	15	27'	0"	4	36'	5"	1	36'	5"	7	36'	5"	13	36'	6"	3
6 IN 12	27'	4"	11	27'	5"	0	27'	5"	4	27'	5"	9	36'	9"	0	36'	9"	6	36'	9"	12	36'	10"	2
6.5 IN 12	27'	10"	6	27'	10"	10	27'	10"	15	27'	11"	3	37'	1"	4	37'	1"	10	37'	2"	0	37'	2"	6
7 IN 12	28'	4"	6	28'	4"	10	28'	4"	15	28'	5"	4	37'	5"	12	37'	6"	2	37'	6"	8	37'	6"	15
8 IN 12	29'	5"	6	29'	5"	10	29'	5"	15	29'	6"	4	38'	3"	11	38'	4"	1	38'	4"	7	38'	4"	13
9 IN 12	30'	7"	8	30'	7"	13	30'	8"	2	30'	8"	7	39'	2"	10	39'	3"	0	39'	3"	7	39'	3"	13
10 IN 12	31'	10"	11	31'	11"	0	31'	11"	6	31'	11"	11	40'	2"	10	40'	3"	0	40'	3"	7	40'	3"	13
11 IN 12	33'	2"	13	33'	3"	3	33'	3"	8	33'	3"	14	41'	3"	8	41'	3"	14	41'	4"	5	41'	4"	12
12 IN 12	34'	7"	12	34'	8"	2	34'	8"	8	34'	8"	13	42'	5"	4	42'	5"	10	42'	6"	1	42'	6"	8
13 IN 12	36'	1"	7	36'	1"	13	36'	2"	3	36'	2"	9	43'	7"	12	43'	8"	3	43'	8"	10	43'	9"	1
14 IN 12	37'	7"	12	37'	8"	2	37'	8"	8	37'	8"	15	44'	11"	0	44'	11"	7	44'	11"	15	45'	0"	6
15 IN 12	39'	2"	10	39'	3"	0	39'	3"	7	39'	3"	13	46'	2"	15	46'	3"	6	46'	3"	14	46'	4"	5
16 IN 12	40'	10"	0	40'	10"	7	40'	10"	13	40'	11"	4	47'	7"	7	47'	7"	15	47'	8"	6	47'	8"	14
17 IN 12	42'	5"	13	42'	6"	4	42'	6"	11	42'	7"	2	49'	0"	8	49'	1"	0	49'	1"	8	49'	2"	0
18 IN 12	44'	2"	0	44'	2"	7	44'	2"	15	44'	3"	6	50'	6"	2	50'	6"	10	50'	7"	2	50'	7"	10
19 IN 12	45'	10"	9	45'	11"	1	45'	11"	8	46'	0"	0	52'	0"	2	52'	0"	11	52'	1"	3	52'	1"	12
20 IN 12	47'	7"	7	47'	7"	15	47'	8"	6	47'	8"	14	53'	6"	10	53'	7"	3	53'	7"	12	53'	8"	4
21 IN 12	49'	4"	9	49'	5"	1	49'	5"	9	49'	6"	1	55'	1"	8	55'	2"	1	55'	2"	10	55'	3"	3
22 IN 12	51'	1"	15	51'	2"	8	51'	3"	0	51'	3"	9	56'	8"	12	56'	9"	5	56'	9"	14	56'	10"	7
23 IN 12	52'	11"	9	53'	0"	2	53'	0"	11	53'	1"	3	58'	4"	5	58'	4"	14	58'	5"	8	58'	6"	1
24 IN 12	54'	9"	6	54'	9"	15	54'	10"	8	54'	11"	1	60'	0"	2	60'	0"	12	60'	1"	6	60'	2"	0
25 IN 12	56'	7"	6	56'	8"	0	56'	8"	9	56'	9"	2	61'	8"	5	61'	8"	15	61'	9"	9	61'	10"	3

24 Foot 7 Inch Run — Common Rafter Lengths   24 Foot 7 Inch Run — Hip Or Valley Rafter Lengths

Run -	Common 24' 7"	Common 24' 7 1/4"	Common 24' 7 1/2"	Common 24' 7 3/4"	Hip/Valley 24' 7"	Hip/Valley 24' 7 1/4"	Hip/Valley 24' 7 1/2"	Hip/Valley 24' 7 3/4"
Pitch	Ft In 16th"	Ft In 16th"	Ft In 16th"	Ft In 16th"	Ft In 16th"	Ft In 16th"	Ft In 16th"	Ft In 16th"
1 IN 12	24' 8" 0	24' 8" 4	24' 8" 8	24' 8" 12	34' 9" 15	34' 10" 4	34' 10" 10	34' 11" 0
2 IN 12	24' 11" 1	24' 11" 5	24' 11" 9	24' 11" 13	35' 0" 1	35' 0" 7	35' 0" 13	35' 1" 2
2.5 IN 12	25' 1" 5	25' 1" 9	25' 1" 14	25' 2" 2	35' 1" 11	35' 2" 1	35' 2" 7	35' 2" 12
3 IN 12	25' 4" 1	25' 4" 5	25' 4" 10	25' 4" 14	35' 3" 11	35' 4" 0	35' 4" 6	35' 4" 12
3.5 IN 12	25' 7" 5	25' 7" 9	25' 7" 13	25' 8" 1	35' 6" 0	35' 6" 5	35' 6" 11	35' 7" 1
4 IN 12	25' 10" 15	25' 11" 4	25' 11" 8	25' 11" 12	35' 8" 10	35' 9" 0	35' 9" 6	35' 9" 11
4.5 IN 12	26' 3" 1	26' 3" 5	26' 3" 10	26' 3" 14	35' 11" 10	36' 0" 0	36' 0" 5	36' 0" 11
5 IN 12	26' 7" 9	26' 7" 14	26' 8" 2	26' 8" 6	36' 2" 15	36' 3" 5	36' 3" 11	36' 4" 0
5.5 IN 12	27' 0" 13	27' 0" 13	27' 1" 1	27' 1" 5	36' 6" 9	36' 6" 15	36' 7" 5	36' 7" 11
6 IN 12	27' 5" 13	27' 6" 2	27' 6" 6	27' 6" 11	36' 10" 8	36' 10" 14	36' 11" 4	36' 11" 10
6.5 IN 12	27' 11" 8	27' 11" 13	28' 0" 1	28' 0" 6	37' 2" 12	37' 3" 2	37' 3" 8	37' 3" 14
7 IN 12	28' 5" 8	28' 5" 13	28' 6" 2	28' 6" 6	37' 7" 5	37' 7" 11	37' 8" 1	37' 8" 7
8 IN 12	29' 6" 9	29' 6" 14	29' 7" 2	29' 7" 7	38' 5" 4	38' 5" 10	38' 6" 0	38' 6" 6
9 IN 12	30' 8" 12	30' 9" 1	30' 9" 6	30' 9" 11	39' 4" 4	39' 4" 10	39' 5" 0	39' 5" 7
10 IN 12	32' 0" 0	32' 0" 5	32' 0" 10	32' 1" 0	40' 4" 4	40' 4" 10	40' 5" 1	40' 5" 7
11 IN 12	33' 4" 3	33' 4" 8	33' 4" 14	33' 5" 3	41' 5" 3	41' 5" 9	41' 6" 0	41' 6" 7
12 IN 12	34' 9" 3	34' 9" 9	34' 9" 14	34' 10" 4	42' 6" 15	42' 7" 6	42' 7" 13	42' 8" 4
13 IN 12	36' 2" 15	36' 3" 5	36' 3" 11	36' 4" 0	43' 9" 9	43' 10" 0	43' 10" 7	43' 10" 14
14 IN 12	37' 9" 5	37' 9" 11	37' 10" 1	37' 10" 7	45' 0" 13	45' 1" 5	45' 1" 12	45' 2" 3
15 IN 12	39' 4" 4	39' 4" 10	39' 5" 0	39' 5" 7	46' 4" 13	46' 5" 4	46' 5" 12	46' 6" 3
16 IN 12	40' 11" 11	41' 0" 1	41' 0" 8	41' 0" 15	47' 9" 6	47' 9" 14	47' 10" 6	47' 10" 13
17 IN 12	42' 7" 9	42' 8" 0	42' 8" 7	42' 8" 14	49' 2" 8	49' 3" 0	49' 3" 8	49' 4" 0
18 IN 12	44' 3" 13	44' 4" 4	44' 4" 12	44' 5" 3	50' 8" 3	50' 8" 11	50' 9" 3	50' 9" 11
19 IN 12	46' 0" 7	46' 0" 15	46' 1" 6	46' 1" 14	52' 2" 4	52' 2" 13	52' 3" 5	52' 3" 14
20 IN 12	47' 9" 6	47' 9" 14	47' 10" 6	47' 10" 13	53' 8" 13	53' 9" 6	53' 9" 15	53' 10" 7
21 IN 12	49' 6" 9	49' 7" 2	49' 7" 10	49' 8" 2	55' 3" 12	55' 4" 5	55' 4" 14	55' 5" 7
22 IN 12	51' 4" 1	51' 4" 9	51' 5" 2	51' 5" 10	56' 11" 1	56' 11" 10	57' 0" 3	57' 0" 13
23 IN 12	53' 1" 12	53' 2" 5	53' 2" 13	53' 3" 6	58' 6" 11	58' 7" 4	58' 7" 14	58' 8" 7
24 IN 12	54' 11" 10	55' 0" 3	55' 0" 12	55' 1" 5	60' 2" 10	60' 3" 3	60' 3" 13	60' 4" 7
25 IN 12	56' 9" 11	56' 10" 5	56' 10" 14	56' 11" 7	61' 10" 13	61' 11" 7	62' 0" 1	62' 0" 11

24 Foot 8 Inch Run — Common Rafter Lengths   24 Foot 8 Inch Run — Hip Or Valley Rafter Lengths

Run -	24' 8"			24' 8 1/4"			24' 8 1/2"			24' 8 3/4"			24' 8"			24' 8 1/4"			24' 8 1/2"			24' 8 3/4"		
Pitch	Ft	In	16th"	Ft	In	16th"	Ft	In	16th"	Ft	In	16th"	Ft	In	16th"	Ft	In	16th"	Ft	In	16th"	Ft	In	16th"
1 IN 12	24'	9"	0	24'	9"	4	24'	9"	8	24'	9"	12	34'	11"	5	34'	11"	11	35'	0"	1	35'	0"	6
2 IN 12	25'	0"	1	25'	0"	5	25'	0"	9	25'	0"	13	35'	1"	8	35'	1"	14	35'	2"	3	35'	2"	9
2.5 IN 12	25'	2"	6	25'	2"	10	25'	2"	14	25'	3"	2	35'	3"	2	35'	3"	8	35'	3"	13	35'	4"	3
3 IN 12	25'	5"	2	25'	5"	6	25'	5"	10	25'	5"	14	35'	5"	2	35'	5"	7	35'	5"	13	35'	6"	3
3.5 IN 12	25'	8"	5	25'	8"	10	25'	8"	14	25'	9"	2	35'	7"	7	35'	7"	12	35'	8"	2	35'	8"	8
4 IN 12	26'	0"	0	26'	0"	4	26'	0"	9	26'	0"	13	35'	10"	1	35'	10"	7	35'	10"	13	35'	11"	3
4.5 IN 12	26'	4"	2	26'	4"	6	26'	4"	11	26'	4"	15	36'	1"	1	36'	1"	7	36'	1"	13	36'	2"	3
5 IN 12	26'	8"	11	26'	8"	15	26'	9"	3	26'	9"	8	36'	4"	6	36'	4"	12	36'	5"	2	36'	5"	8
5.5 IN 12	27'	1"	10	27'	1"	14	27'	2"	3	27'	2"	7	36'	8"	1	36'	8"	7	36'	8"	13	36'	9"	3
6 IN 12	27'	6"	15	27'	7"	3	27'	7"	8	27'	7"	12	37'	0"	0	37'	0"	6	37'	0"	13	37'	1"	2
6.5 IN 12	28'	0"	10	28'	0"	15	28'	1"	3	28'	1"	8	37'	4"	4	37'	4"	10	37'	5"	0	37'	5"	6
7 IN 12	28'	6"	11	28'	7"	0	28'	7"	4	28'	7"	9	37'	8"	13	37'	9"	3	37'	9"	9	37'	9"	15
8 IN 12	29'	7"	12	29'	8"	1	29'	8"	6	29'	8"	10	38'	6"	13	38'	7"	3	38'	7"	9	38'	7"	15
9 IN 12	30'	10"	0	30'	10"	5	30'	10"	10	30'	10"	15	39'	5"	13	39'	6"	4	39'	6"	10	39'	7"	1
10 IN 12	32'	1"	5	32'	1"	10	32'	1"	15	32'	2"	5	40'	5"	14	40'	6"	5	40'	6"	11	40'	7"	2
11 IN 12	33'	5"	9	33'	5"	14	33'	6"	4	33'	6"	9	41'	6"	14	41'	7"	4	41'	7"	11	41'	8"	2
12 IN 12	34'	10"	10	34'	10"	15	34'	11"	5	34'	11"	11	42'	8"	11	42'	9"	2	42'	9"	9	42'	10"	0
13 IN 12	36'	4"	6	36'	4"	12	36'	5"	2	36'	5"	8	43'	11"	5	43'	11"	12	44'	0"	3	44'	0"	10
14 IN 12	37'	10"	13	37'	11"	3	37'	11"	10	38'	0"	0	45'	2"	11	45'	3"	2	45'	3"	9	45'	4"	1
15 IN 12	39'	5"	13	39'	6"	4	39'	6"	10	39'	7"	1	46'	6"	11	46'	7"	3	46'	7"	10	46'	8"	2
16 IN 12	41'	1"	5	41'	1"	12	41'	2"	3	41'	2"	9	47'	11"	5	47'	11"	13	48'	0"	5	48'	0"	12
17 IN 12	42'	9"	4	42'	9"	11	42'	10"	2	42'	10"	9	49'	4"	4	49'	5"	0	49'	5"	8	49'	6"	0
18 IN 12	44'	5"	10	44'	6"	1	44'	6"	8	44'	7"	0	50'	10"	4	50'	10"	12	50'	11"	4	50'	11"	12
19 IN 12	46'	2"	5	46'	2"	13	46'	3"	4	46'	3"	12	52'	4"	6	52'	4"	15	52'	5"	7	52'	6"	0
20 IN 12	47'	11"	5	47'	11"	13	48'	0"	5	48'	0"	12	53'	11"	0	53'	11"	9	54'	0"	1	54'	0"	10
21 IN 12	49'	8"	10	49'	9"	2	49'	9"	10	49'	10"	2	55'	6"	0	55'	6"	9	55'	7"	2	55'	7"	11
22 IN 12	51'	6"	2	51'	6"	11	51'	7"	3	51'	7"	11	57'	1"	6	57'	1"	15	57'	2"	8	57'	3"	2
23 IN 12	53'	3"	15	53'	4"	7	53'	5"	0	53'	5"	8	58'	9"	1	58'	9"	10	58'	10"	4	58'	10"	13
24 IN 12	55'	1"	14	55'	2"	7	55'	3"	0	55'	3"	9	60'	5"	1	60'	5"	11	60'	6"	4	60'	6"	14
25 IN 12	57'	0"	0	57'	0"	10	57'	1"	3	57'	1"	12	62'	1"	5	62'	1"	15	62'	2"	9	62'	3"	3

Run -	24' 9"			24' 9 1/4"			24' 9 1/2"			24' 9 3/4"			24' 9"			24' 9 1/4"			24' 9 1/2"			24' 9 3/4"		
Pitch	Ft	In	16th"	Ft	In	16th"	Ft	In	16th"	Ft	In	16th"	Ft	In	16th"	Ft	In	16th"	Ft	In	16th"	Ft	In	16th"
1 IN 12	24'	10"	0	24'	10"	4	24'	10"	8	24'	10"	13	35'	0"	12	35'	1"	2	35'	1"	7	35'	1"	13
2 IN 12	25'	1"	2	25'	1"	6	25'	1"	10	25'	1"	14	35'	2"	15	35'	3"	5	35'	3"	10	35'	4"	0
2.5 IN 12	25'	3"	6	25'	3"	10	25'	3"	14	25'	4"	2	35'	4"	9	35'	4"	15	35'	5"	4	35'	5"	10
3 IN 12	25'	6"	2	25'	6"	6	25'	6"	10	25'	6"	15	35'	6"	9	35'	6"	14	35'	7"	4	35'	7"	10
3.5 IN 12	25'	9"	6	25'	9"	10	25'	9"	14	25'	10"	3	35'	8"	14	35'	9"	4	35'	9"	9	35'	9"	15
4 IN 12	26'	1"	1	26'	1"	5	26'	1"	9	26'	1"	14	35'	11"	8	35'	11"	14	36'	0"	4	36'	0"	10
4.5 IN 12	26'	5"	3	26'	5"	7	26'	5"	12	26'	6"	0	36'	2"	9	36'	2"	14	36'	3"	4	36'	3"	10
5 IN 12	26'	9"	12	26'	10"	0	26'	10"	5	26'	10"	9	36'	5"	14	36'	6"	4	36'	6"	10	36'	7"	0
5.5 IN 12	27'	2"	11	27'	3"	0	27'	3"	4	27'	3"	9	36'	9"	8	36'	9"	14	36'	10"	4	36'	10"	10
6 IN 12	27'	8"	1	27'	8"	5	27'	8"	10	27'	8"	14	37'	1"	8	37'	1"	14	37'	2"	4	37'	2"	10
6.5 IN 12	28'	1"	12	28'	2"	1	28'	2"	5	28'	2"	10	37'	5"	12	37'	6"	2	37'	6"	9	37'	6"	15
7 IN 12	28'	7"	13	28'	8"	2	28'	8"	7	28'	8"	11	37'	10"	6	37'	10"	12	37'	11"	2	37'	11"	8
8 IN 12	29'	8"	15	29'	9"	4	29'	9"	9	29'	9"	14	38'	8"	6	38'	8"	12	38'	9"	2	38'	9"	8
9 IN 12	30'	11"	4	30'	11"	9	30'	11"	14	31'	0"	3	39'	7"	7	39'	7"	13	39'	8"	4	39'	8"	10
10 IN 12	32'	2"	10	32'	2"	15	32'	3"	4	32'	3"	9	40'	7"	8	40'	7"	15	40'	8"	5	40'	8"	12
11 IN 12	33'	6"	14	33'	7"	4	33'	7"	9	33'	7"	15	41'	8"	9	41'	8"	15	41'	9"	6	41'	9"	13
12 IN 12	35'	0"	0	35'	0"	6	35'	0"	12	35'	1"	1	42'	10"	7	42'	10"	14	42'	11"	5	42'	11"	11
13 IN 12	36'	5"	14	36'	6"	4	36'	6"	10	36'	7"	0	44'	1"	2	44'	1"	9	44'	2"	0	44'	2"	7
14 IN 12	38'	0"	6	38'	0"	12	38'	1"	2	38'	1"	8	45'	4"	8	45'	4"	15	45'	5"	7	45'	5"	14
15 IN 12	39'	7"	7	39'	7"	13	39'	8"	4	39'	8"	10	46'	8"	9	46'	9"	1	46'	9"	8	46'	10"	0
16 IN 12	41'	3"	0	41'	3"	7	41'	3"	13	41'	4"	4	48'	1"	4	48'	1"	12	48'	2"	4	48'	2"	12
17 IN 12	42'	11"	0	42'	11"	7	42'	11"	14	43'	0"	5	49'	6"	8	49'	7"	0	49'	7"	8	49'	8"	0
18 IN 12	44'	7"	7	44'	7"	14	44'	8"	5	44'	8"	12	51'	0"	4	51'	0"	13	51'	1"	5	51'	1"	13
19 IN 12	46'	4"	3	46'	4"	10	46'	5"	2	46'	5"	9	52'	6"	8	52'	7"	1	52'	7"	9	52'	8"	2
20 IN 12	48'	1"	4	48'	1"	12	48'	2"	4	48'	2"	12	54'	1"	3	54'	1"	12	54'	2"	4	54'	2"	13
21 IN 12	49'	10"	10	49'	11"	2	49'	11"	10	50'	0"	2	55'	8"	4	55'	8"	13	55'	9"	6	55'	9"	15
22 IN 12	51'	8"	4	51'	8"	12	51'	9"	4	51'	9"	13	57'	3"	11	57'	4"	4	57'	4"	13	57'	5"	7
23 IN 12	53'	6"	1	53'	6"	10	53'	7"	2	53'	7"	11	58'	11"	7	59'	0"	0	59'	0"	10	59'	1"	4
24 IN 12	55'	4"	2	55'	4"	11	55'	5"	4	55'	5"	13	60'	7"	8	60'	8"	2	60'	8"	12	60'	9"	5
25 IN 12	57'	2"	5	57'	2"	15	57'	3"	8	57'	4"	1	62'	3"	13	62'	4"	8	62'	5"	2	62'	5"	12

24 Foot 10 Inch Run — Common Rafter Lengths   24 Foot 10 Inch Run — Hip Or Valley Rafter Lengths

Run -	24'10"			24'10 1/4"			24'10 1/2"			24'10 3/4"			24'10"			24'10 1/4"			24'10 1/2"			24'10 3/4"		
Pitch	Ft	In	16th"	Ft	In	16th"	Ft	In	16th"	Ft	In	16th"	Ft	In	16th"	Ft	In	16th"	Ft	In	16th"	Ft	In	16th"
1 IN 12	24'	11"	1	24'	11"	5	24'	11"	9	24'	11"	13	35'	2"	3	35'	2"	8	35'	2"	14	35'	3"	4
2 IN 12	25'	2"	2	25'	2"	6	25'	2"	10	25'	2"	14	35'	4"	6	35'	4"	11	35'	5"	1	35'	5"	7
2.5 IN 12	25'	4"	6	25'	4"	10	25'	4"	15	25'	5"	3	35'	6"	0	35'	6"	5	35'	6"	11	35'	7"	1
3 IN 12	25'	7"	3	25'	7"	7	25'	7"	11	25'	7"	15	35'	8"	0	35'	8"	5	35'	8"	11	35'	9"	1
3.5 IN 12	25'	10"	7	25'	10"	11	25'	10"	15	25'	11"	3	35'	10"	5	35'	10"	11	35'	11"	0	35'	11"	6
4 IN 12	26'	2"	2	26'	2"	6	26'	2"	10	26'	2"	15	36'	1"	0	36'	1"	6	36'	1"	11	36'	2"	1
4.5 IN 12	26'	6"	4	26'	6"	8	26'	6"	13	26'	7"	1	36'	4"	0	36'	4"	6	36'	4"	12	36'	5"	2
5 IN 12	26'	10"	13	26'	11"	2	26'	11"	6	26'	11"	10	36'	7"	6	36'	7"	11	36'	8"	1	36'	8"	7
5.5 IN 12	27'	3"	13	27'	4"	1	27'	4"	6	27'	4"	10	36'	11"	0	36'	11"	6	36'	11"	12	37'	0"	2
6 IN 12	27'	9"	7	27'	9"	7	27'	9"	12	27'	10"	0	37'	3"	0	37'	3"	6	37'	3"	12	37'	4"	2
6.5 IN 12	28'	2"	15	28'	3"	3	28'	3"	8	28'	3"	12	37'	7"	5	37'	7"	11	37'	8"	1	37'	8"	7
7 IN 12	28'	9"	0	28'	9"	5	28'	9"	9	28'	9"	14	37'	11"	14	38'	0"	4	38'	0"	10	38'	1"	0
8 IN 12	29'	10"	2	29'	10"	7	29'	10"	12	29'	11"	1	38'	9"	15	38'	10"	5	38'	10"	11	38'	11"	1
9 IN 12	31'	0"	8	31'	0"	13	31'	1"	2	31'	1"	7	39'	9"	1	39'	9"	7	39'	9"	13	39'	10"	4
10 IN 12	32'	3"	15	32'	4"	4	32'	4"	9	32'	4"	14	40'	9"	3	40'	9"	9	40'	10"	0	40'	10"	6
11 IN 12	33'	8"	4	33'	8"	10	33'	8"	15	33'	9"	4	41'	10"	4	41'	10"	10	41'	11"	1	41'	11"	8
12 IN 12	35'	1"	7	35'	1"	13	35'	2"	2	35'	2"	8	43'	0"	2	43'	0"	9	43'	1"	0	43'	1"	7
13 IN 12	36'	7"	6	36'	7"	11	36'	8"	1	36'	8"	7	44'	2"	14	44'	3"	5	44'	3"	12	44'	4"	3
14 IN 12	38'	1"	14	38'	2"	5	38'	2"	11	38'	3"	1	45'	6"	5	45'	6"	13	45'	7"	4	45'	7"	11
15 IN 12	39'	9"	1	39'	9"	7	39'	9"	13	39'	10"	4	46'	10"	7	46'	10"	15	46'	11"	7	46'	11"	14
16 IN 12	41'	4"	11	41'	5"	1	41'	5"	8	41'	5"	15	48'	3"	3	48'	3"	11	48'	4"	3	48'	4"	11
17 IN 12	43'	0"	12	43'	1"	3	43'	1"	10	43'	2"	1	49'	8"	8	49'	9"	0	49'	9"	8	49'	10"	0
18 IN 12	44'	9"	4	44'	9"	11	44'	10"	2	44'	10"	9	51'	2"	5	51'	2"	14	51'	3"	6	51'	3"	14
19 IN 12	46'	6"	1	46'	6"	8	46'	7"	0	46'	7"	7	52'	8"	10	52'	9"	3	52'	9"	11	52'	10"	4
20 IN 12	48'	3"	3	48'	3"	11	48'	4"	3	48'	4"	11	54'	3"	6	54'	3"	15	54'	4"	7	54'	5"	0
21 IN 12	50'	0"	10	50'	1"	2	50'	1"	10	50'	2"	2	55'	10"	8	55'	11"	1	55'	11"	10	56'	0"	3
22 IN 12	51'	10"	5	51'	10"	13	51'	11"	6	51'	11"	14	57'	6"	0	57'	6"	9	57'	7"	2	57'	7"	12
23 IN 12	53'	8"	4	53'	8"	12	53'	9"	5	53'	9"	14	59'	1"	13	59'	2"	7	59'	3"	0	59'	3"	10
24 IN 12	55'	6"	6	55'	6"	15	55'	7"	7	55'	8"	0	60'	9"	15	60'	10"	9	60'	11"	3	60'	11"	13
25 IN 12	57'	4"	10	57'	5"	4	57'	5"	13	57'	6"	6	62'	6"	6	62'	7"	0	62'	7"	10	62'	8"	4

24 Foot 11 Inch Run — Common Rafter Lengths   24 Foot 11 Inch Run — Hip Or Valley Rafter Lengths

Run -		24'11"			24'11 1/4"			24'11 1/2"			24'11 3/4"			24'11"			24'11 1/4"			24'11 1/2"			24'11 3/4"	
Pitch		Ft	In	16th"	Ft	In	16th"	Ft	In	16th"	Ft	In	16th"	Ft	In	16th"	Ft	In	16th"	Ft	In	16th"	Ft	In	16th"
1 IN 12		25'	0"	1	25'	0"	5	25'	0"	9	25'	0"	13	35'	3"	9	35'	3"	15	35'	4"	5	35'	4"	10
2 IN 12		25'	3"	2	25'	3"	6	25'	3"	10	25'	3"	14	35'	5"	12	35'	6"	2	35'	6"	8	35'	6"	14
2.5 IN 12		25'	5"	7	25'	5"	11	25'	5"	15	25'	6"	3	35'	7"	7	35'	7"	12	35'	8"	2	35'	8"	8
3 IN 12		25'	8"	3	25'	8"	7	25'	8"	11	25'	9"	0	35'	9"	6	35'	9"	12	35'	10"	2	35'	10"	8
3.5 IN 12		25'	11"	7	25'	11"	12	26'	0"	0	26'	0"	4	35'	11"	12	36'	0"	2	36'	0"	8	36'	0"	13
4 IN 12		26'	3"	3	26'	3"	7	26'	3"	11	26'	3"	15	36'	2"	7	36'	2"	13	36'	3"	3	36'	3"	8
4.5 IN 12		26'	7"	5	26'	7"	10	26'	7"	14	26'	8"	2	36'	5"	7	36'	5"	13	36'	6"	3	36'	6"	9
5 IN 12		26'	11"	15	27'	0"	3	27'	0"	7	27'	0"	12	36'	8"	13	36'	9"	3	36'	9"	9	36'	9"	15
5.5 IN 12		27'	4"	15	27'	5"	3	27'	5"	7	27'	5"	12	37'	0"	8	37'	0"	14	37'	1"	4	37'	1"	10
6 IN 12		27'	10"	5	27'	10"	9	27'	10"	14	27'	11"	2	37'	4"	8	37'	4"	14	37'	5"	4	37'	5"	10
6.5 IN 12		28'	4"	1	28'	4"	5	28'	4"	10	28'	4"	14	37'	8"	13	37'	9"	3	37'	9"	9	37'	9"	15
7 IN 12		28'	10"	2	28'	10"	7	28'	10"	12	28'	11"	0	38'	1"	7	38'	1"	13	38'	2"	3	38'	2"	9
8 IN 12		29'	11"	6	29'	11"	10	29'	11"	15	30'	0"	4	38'	11"	8	38'	11"	14	39'	0"	4	39'	0"	10
9 IN 12		31'	1"	12	31'	2"	1	31'	2"	6	31'	2"	11	39'	10"	10	39'	11"	1	39'	11"	7	39'	11"	13
10 IN 12		32'	5"	3	32'	5"	9	32'	5"	14	32'	6"	3	40'	10"	13	40'	11"	3	40'	11"	10	41'	0"	1
11 IN 12		33'	9"	10	33'	9"	15	33'	10"	5	33'	10"	10	41'	11"	15	42'	0"	5	42'	0"	12	42'	1"	3
12 IN 12		35'	2"	14	35'	3"	3	35'	3"	9	35'	3"	15	43'	1"	14	43'	2"	5	43'	2"	12	43'	3"	3
13 IN 12		36'	8"	13	36'	9"	3	36'	9"	9	36'	9"	15	44'	4"	11	44'	5"	2	44'	5"	9	44'	6"	0
14 IN 12		38'	3"	7	38'	3"	13	38'	4"	3	38'	4"	9	45'	8"	3	45'	8"	10	45'	9"	1	45'	9"	9
15 IN 12		39'	10"	10	39'	11"	1	39'	11"	7	39'	11"	13	47'	0"	6	47'	0"	13	47'	1"	5	47'	1"	12
16 IN 12		41'	6"	5	41'	6"	12	41'	7"	3	41'	7"	9	48'	5"	2	48'	5"	10	48'	6"	2	48'	6"	10
17 IN 12		43'	2"	8	43'	2"	15	43'	3"	6	43'	3"	13	49'	10"	8	49'	11"	0	49'	11"	8	50'	0"	0
18 IN 12		44'	11"	0	44'	11"	8	44'	11"	15	45'	0"	6	51'	4"	6	51'	4"	15	51'	5"	7	51'	5"	15
19 IN 12		46'	7"	15	46'	8"	6	46'	8"	14	46'	9"	5	52'	10"	12	52'	11"	5	52'	11"	13	53'	0"	6
20 IN 12		48'	5"	2	48'	5"	10	48'	6"	2	48'	6"	10	54'	5"	9	54'	6"	2	54'	6"	10	54'	7"	3
21 IN 12		50'	2"	10	50'	3"	3	50'	3"	11	50'	4"	3	56'	0"	12	56'	1"	5	56'	1"	14	56'	2"	7
22 IN 12		52'	0"	7	52'	0"	15	52'	1"	7	52'	2"	0	57'	8"	5	57'	8"	14	57'	9"	7	57'	10"	1
23 IN 12		53'	10"	6	53'	10"	15	53'	11"	8	54'	0"	0	59'	4"	3	59'	4"	13	59'	5"	6	59'	6"	0
24 IN 12		55'	8"	9	55'	9"	2	55'	9"	11	55'	10"	4	61'	0"	6	61'	1"	0	61'	1"	10	61'	2"	4
25 IN 12		57'	6"	15	57'	7"	9	57'	8"	2	57'	8"	11	62'	8"	14	62'	9"	8	62'	10"	2	62'	10"	12

25 Foot 0 Inch Run — Common Rafter Lengths

Run - Pitch	25' 0" (Ft In 16th")	25' 0 1/4" (Ft In 16th")	25' 0 1/2" (Ft In 16th")	25' 0 3/4" (Ft In 16th")
1 IN 12	25' 1" 1	25' 1" 5	25' 1" 9	25' 1" 13
2 IN 12	25' 4" 2	25' 4" 6	25' 4" 10	25' 4" 14
2.5 IN 12	25' 6" 7	25' 6" 11	25' 6" 15	25' 7" 3
3 IN 12	25' 9" 4	25' 9" 8	25' 9" 12	25' 10" 0
3.5 IN 12	26' 0" 8	26' 0" 12	26' 1" 0	26' 1" 5
4 IN 12	26' 4" 4	26' 4" 8	26' 4" 12	26' 5" 0
4.5 IN 12	26' 8" 6	26' 8" 11	26' 8" 15	26' 9" 3
5 IN 12	27' 1" 0	27' 1" 4	27' 1" 9	27' 1" 13
5.5 IN 12	27' 6" 5	27' 6" 5	27' 6" 9	27' 6" 13
6 IN 12	27' 11" 7	27' 11" 11	28' 0" 0	28' 0" 4
6.5 IN 12	28' 5" 3	28' 5" 7	28' 5" 12	28' 6" 1
7 IN 12	28' 11" 5	28' 11" 10	28' 11" 14	29' 0" 3
8 IN 12	30' 0" 9	30' 0" 14	30' 1" 2	30' 1" 7
9 IN 12	31' 3" 0	31' 3" 5	31' 3" 10	31' 3" 15
10 IN 12	32' 6" 8	32' 6" 13	32' 7" 3	32' 7" 8
11 IN 12	33' 11" 5	33' 11" 10	33' 11" 15	34' 0" 0
12 IN 12	35' 4" 4	35' 4" 10	35' 5" 0	35' 5" 5
13 IN 12	36' 10" 5	36' 10" 11	36' 11" 1	36' 11" 6
14 IN 12	38' 5" 0	38' 5" 6	38' 5" 12	38' 6" 2
15 IN 12	40' 0" 4	40' 0" 10	40' 1" 1	40' 1" 7
16 IN 12	41' 8" 0	41' 8" 7	41' 8" 13	41' 9" 4
17 IN 12	43' 4" 3	43' 4" 10	43' 5" 1	43' 5" 8
18 IN 12	45' 0" 13	45' 1" 5	45' 1" 12	45' 2" 3
19 IN 12	46' 9" 13	46' 10" 4	46' 10" 12	46' 11" 3
20 IN 12	48' 7" 2	48' 7" 9	48' 8" 1	48' 8" 9
21 IN 12	50' 4" 11	50' 5" 3	50' 5" 11	50' 6" 3
22 IN 12	52' 2" 8	52' 3" 0	52' 3" 9	52' 4" 1
23 IN 12	54' 0" 9	54' 1" 2	54' 1" 10	54' 2" 3
24 IN 12	55' 10" 13	55' 11" 6	55' 11" 15	56' 0" 8
25 IN 12	57' 9" 4	57' 9" 14	57' 10" 7	57' 11" 0

25 Foot 0 Inch Run — Hip Or Valley Rafter Lengths

Run - Pitch	25' 0" (Ft In 16th")	25' 0 1/4" (Ft In 16th")	25' 0 1/2" (Ft In 16th")	25' 0 3/4" (Ft In 16th")
1 IN 12	35' 5" 0	35' 5" 6	35' 5" 11	35' 6" 1
2 IN 12	35' 7" 3	35' 7" 9	35' 7" 15	35' 8" 4
2.5 IN 12	35' 8" 13	35' 9" 3	35' 9" 9	35' 9" 15
3 IN 12	35' 10" 13	35' 11" 3	35' 11" 9	35' 11" 15
3.5 IN 12	36' 1" 3	36' 1" 9	36' 1" 15	36' 2" 4
4 IN 12	36' 3" 14	36' 4" 4	36' 4" 10	36' 5" 0
4.5 IN 12	36' 6" 15	36' 7" 5	36' 7" 11	36' 8" 0
5 IN 12	36' 10" 5	36' 10" 11	36' 11" 1	36' 11" 6
5.5 IN 12	37' 2" 0	37' 2" 6	37' 2" 12	37' 3" 2
6 IN 12	37' 6" 0	37' 6" 6	37' 6" 12	37' 7" 2
6.5 IN 12	37' 10" 5	37' 10" 11	37' 11" 1	37' 11" 7
7 IN 12	38' 2" 15	38' 3" 5	38' 3" 11	38' 4" 1
8 IN 12	39' 1" 1	39' 1" 7	39' 1" 13	39' 2" 3
9 IN 12	40' 0" 4	40' 0" 10	40' 1" 1	40' 1" 7
10 IN 12	41' 0" 7	41' 0" 14	41' 1" 4	41' 1" 11
11 IN 12	42' 1" 9	42' 2" 0	42' 2" 7	42' 2" 14
12 IN 12	43' 3" 10	43' 4" 1	43' 4" 8	43' 4" 15
13 IN 12	44' 6" 7	44' 6" 14	44' 7" 5	44' 7" 12
14 IN 12	45' 10" 0	45' 10" 7	45' 10" 15	45' 11" 6
15 IN 12	47' 2" 4	47' 2" 11	47' 3" 3	47' 3" 10
16 IN 12	48' 7" 2	48' 7" 9	48' 8" 1	48' 8" 9
17 IN 12	50' 0" 8	50' 1" 0	50' 1" 8	50' 2" 0
18 IN 12	51' 6" 7	51' 7" 0	51' 7" 8	51' 8" 0
19 IN 12	53' 0" 14	53' 1" 7	53' 1" 15	53' 2" 8
20 IN 12	54' 7" 12	54' 8" 5	54' 8" 13	54' 9" 6
21 IN 12	56' 3" 0	56' 3" 9	56' 4" 2	56' 4" 11
22 IN 12	57' 10" 10	57' 11" 3	57' 11" 12	58' 0" 6
23 IN 12	59' 6" 9	59' 7" 3	59' 7" 12	59' 8" 6
24 IN 12	61' 2" 14	61' 3" 7	61' 4" 1	61' 4" 11
25 IN 12	62' 11" 6	63' 0" 0	63' 0" 10	63' 1" 5

25 Foot 1 Inch Run — Common Rafter Lengths   25 Foot 1 Inch Run — Hip Or Valley Rafter Lengths

Run -		25' 1"			25' 1 1/4"			25' 1 1/2"			25' 1 3/4"			25' 1"			25' 1 1/4"			25' 1 1/2"			25' 1 3/4"	
Pitch		Ft	In	16th"	Ft	In	16th"	Ft	In	16th"	Ft	In	16th"	Ft	In	16th"	Ft	In	16th"	Ft	In	16th"	Ft	In	16th"
1	IN 12	25'	2"	1	25'	2"	5	25'	2"	9	25'	2"	13	35'	6"	7	35'	6"	12	35'	7"	2	35'	7"	8
2	IN 12	25'	5"	2	25'	5"	6	25'	5"	11	25'	5"	15	35'	8"	10	35'	9"	0	35'	9"	5	35'	9"	11
2.5	IN 12	25'	7"	7	25'	7"	11	25'	8"	0	25'	8"	4	35'	10"	4	35'	10"	10	35'	11"	0	35'	11"	6
3	IN 12	25'	10"	4	25'	10"	8	25'	10"	13	25'	11"	1	36'	0"	4	36'	0"	10	36'	1"	0	36'	1"	6
3.5	IN 12	26'	1"	9	26'	1"	13	26'	2"	1	26'	2"	5	36'	2"	10	36'	3"	0	36'	3"	6	36'	3"	12
4	IN 12	26'	5"	5	26'	5"	9	26'	5"	13	26'	6"	1	36'	5"	5	36'	5"	11	36'	6"	1	36'	6"	7
4.5	IN 12	26'	9"	7	26'	9"	12	26'	10"	0	26'	10"	4	36'	8"	6	36'	8"	12	36'	9"	2	36'	9"	8
5	IN 12	27'	2"	1	27'	2"	6	27'	2"	10	27'	2"	14	36'	11"	12	37'	0"	2	37'	0"	8	37'	0"	14
5.5	IN 12	27'	7"	2	27'	7"	6	27'	7"	11	27'	7"	15	37'	3"	8	37'	3"	14	37'	4"	4	37'	4"	9
6	IN 12	28'	0"	9	28'	0"	13	28'	1"	1	28'	1"	6	37'	7"	8	37'	7"	14	37'	8"	4	37'	8"	10
6.5	IN 12	28'	6"	5	28'	6"	10	28'	6"	14	28'	7"	3	37'	11"	13	38'	0"	3	38'	0"	9	38'	1"	0
7	IN 12	29'	0"	8	29'	0"	12	29'	1"	1	29'	1"	5	38'	4"	8	38'	4"	14	38'	5"	4	38'	5"	10
8	IN 12	30'	1"	12	30'	2"	1	30'	2"	6	30'	2"	11	39'	2"	10	39'	3"	0	39'	3"	6	39'	3"	12
9	IN 12	31'	4"	4	31'	4"	9	31'	4"	14	31'	5"	3	40'	1"	13	40'	2"	4	40'	2"	10	40'	3"	1
10	IN 12	32'	7"	13	32'	8"	2	32'	8"	7	32'	8"	13	41'	2"	1	41'	2"	8	41'	2"	14	41'	3"	5
11	IN 12	34'	0"	5	34'	0"	11	34'	1"	0	34'	1"	6	42'	3"	4	42'	3"	11	42'	4"	2	42'	4"	9
12	IN 12	35'	5"	11	35'	6"	1	35'	6"	6	35'	6"	12	43'	5"	6	43'	5"	12	43'	6"	3	43'	6"	10
13	IN 12	36'	11"	12	37'	0"	2	37'	0"	8	37'	0"	14	44'	8"	4	44'	8"	11	44'	9"	2	44'	9"	9
14	IN 12	38'	6"	8	38'	6"	14	38'	7"	5	38'	7"	11	45'	11"	13	46'	0"	5	46'	0"	12	46'	1"	3
15	IN 12	40'	1"	13	40'	2"	4	40'	2"	10	40'	3"	1	47'	4"	2	47'	4"	10	47'	5"	1	47'	5"	9
16	IN 12	41'	9"	11	41'	10"	1	41'	10"	8	41'	10"	15	48'	9"	1	48'	9"	8	48'	10"	0	48'	10"	8
17	IN 12	43'	5"	15	43'	6"	6	43'	6"	13	43'	7"	4	50'	2"	8	50'	3"	0	50'	3"	8	50'	4"	0
18	IN 12	45'	2"	10	45'	3"	1	45'	3"	9	45'	4"	0	51'	8"	8	51'	9"	1	51'	9"	9	51'	10"	1
19	IN 12	46'	11"	11	47'	0"	2	47'	0"	10	47'	1"	1	53'	3"	0	53'	3"	9	53'	4"	1	53'	4"	10
20	IN 12	48'	9"	1	48'	9"	8	48'	10"	0	48'	10"	8	54'	9"	15	54'	10"	8	54'	11"	0	54'	11"	9
21	IN 12	50'	6"	11	50'	7"	3	50'	7"	11	50'	8"	3	56'	5"	4	56'	5"	13	56'	6"	6	56'	6"	15
22	IN 12	52'	4"	9	52'	5"	2	52'	5"	10	52'	6"	2	58'	0"	15	58'	1"	8	58'	2"	2	58'	2"	11
23	IN 12	54'	2"	11	54'	3"	4	54'	3"	13	54'	4"	5	59'	8"	15	59'	9"	9	59'	10"	2	59'	10"	12
24	IN 12	56'	1"	1	56'	1"	10	56'	2"	3	56'	2"	12	61'	5"	5	61'	5"	15	61'	6"	8	61'	7"	2
25	IN 12	57'	11"	9	58'	0"	3	58'	0"	12	58'	1"	5	63'	1"	15	63'	2"	9	63'	3"	3	63'	3"	13

25 Foot 2 Inch Run — Common Rafter Lengths   25 Foot 2 Inch Run — Hip Or Valley Rafter Lengths

Run -	25' 2"	25' 2 1/4"	25' 2 1/2"	25' 2 3/4"	25' 2"	25' 2 1/4"	25' 2 1/2"	25' 2 3/4"
Pitch	Ft In 16th"	Ft In 16th"	Ft In 16th"	Ft In 16th"	Ft In 16th"	Ft In 16th"	Ft In 16th"	Ft In 16th"
1 IN 12	25' 3" 1	25' 3" 5	25' 3" 9	25' 3" 13	35' 7" 13	35' 8" 3	35' 8" 9	35' 8" 14
2 IN 12	25' 6" 3	25' 6" 7	25' 6" 11	25' 6" 15	35' 10" 1	35' 10" 6	35' 10" 12	35' 11" 2
2.5 IN 12	25' 8" 8	25' 8" 12	25' 9" 0	25' 9" 4	35' 11" 11	36' 0" 1	36' 0" 7	36' 0" 12
3 IN 12	25' 11" 5	25' 11" 9	25' 11" 13	26' 0" 1	36' 1" 11	36' 2" 1	36' 2" 7	36' 2" 13
3.5 IN 12	26' 2" 9	26' 2" 14	26' 3" 2	26' 3" 6	36' 4" 1	36' 4" 7	36' 4" 13	36' 5" 3
4 IN 12	26' 6" 5	26' 6" 10	26' 6" 14	26' 7" 2	36' 6" 13	36' 7" 3	36' 7" 8	36' 7" 14
4.5 IN 12	26' 10" 9	26' 10" 13	26' 11" 1	26' 11" 5	36' 9" 14	36' 10" 3	36' 10" 9	36' 10" 15
5 IN 12	27' 3" 3	27' 3" 7	27' 3" 11	27' 4" 0	37' 1" 4	37' 1" 10	37' 2" 0	37' 2" 6
5.5 IN 12	27' 8" 3	27' 8" 8	27' 8" 12	27' 9" 1	37' 4" 15	37' 5" 5	37' 5" 11	37' 6" 1
6 IN 12	28' 1" 10	28' 1" 15	28' 2" 3	28' 2" 8	37' 9" 0	37' 9" 6	37' 9" 12	37' 10" 2
6.5 IN 12	28' 7" 7	28' 7" 12	28' 8" 0	28' 8" 5	38' 1" 6	38' 1" 12	38' 2" 2	38' 2" 8
7 IN 12	29' 1" 10	29' 1" 15	29' 2" 3	29' 2" 8	38' 6" 0	38' 6" 6	38' 6" 12	38' 7" 2
8 IN 12	30' 2" 15	30' 3" 4	30' 3" 9	30' 3" 14	39' 4" 3	39' 4" 9	39' 4" 15	39' 5" 5
9 IN 12	31' 5" 8	31' 5" 13	31' 6" 2	31' 6" 7	40' 3" 7	40' 3" 13	40' 4" 4	40' 4" 10
10 IN 12	32' 9" 2	32' 9" 7	32' 9" 12	32' 10" 1	41' 3" 12	41' 4" 2	41' 4" 9	41' 4" 15
11 IN 12	34' 1" 11	34' 2" 0	34' 2" 6	34' 2" 11	42' 4" 15	42' 5" 6	42' 5" 13	42' 6" 4
12 IN 12	35' 7" 1	35' 7" 7	35' 7" 13	35' 8" 2	43' 7" 1	43' 7" 8	43' 7" 15	43' 8" 6
13 IN 12	37' 1" 4	37' 1" 10	37' 2" 0	37' 2" 6	44' 10" 0	44' 10" 7	44' 10" 14	44' 11" 5
14 IN 12	38' 8" 1	38' 8" 7	38' 8" 13	38' 9" 3	46' 1" 11	46' 2" 2	46' 2" 9	46' 3" 1
15 IN 12	40' 3" 7	40' 3" 13	40' 4" 4	40' 4" 10	47' 6" 0	47' 6" 8	47' 6" 15	47' 7" 7
16 IN 12	41' 11" 5	41' 11" 12	42' 0" 3	42' 0" 9	48' 11" 0	48' 11" 7	48' 11" 15	49' 0" 7
17 IN 12	43' 7" 11	43' 8" 2	43' 8" 9	43' 9" 0	50' 4" 8	50' 5" 0	50' 5" 8	50' 6" 0
18 IN 12	45' 4" 7	45' 4" 14	45' 5" 5	45' 5" 13	51' 10" 9	51' 11" 2	51' 11" 10	52' 0" 2
19 IN 12	47' 1" 9	47' 2" 0	47' 2" 8	47' 2" 15	53' 5" 2	53' 5" 11	53' 6" 3	53' 6" 12
20 IN 12	48' 11" 0	48' 11" 7	48' 11" 15	49' 0" 7	55' 0" 2	55' 0" 11	55' 1" 3	55' 1" 12
21 IN 12	50' 8" 11	50' 9" 3	50' 9" 11	50' 10" 3	56' 7" 8	56' 8" 1	56' 8" 10	56' 9" 3
22 IN 12	52' 6" 11	52' 7" 3	52' 7" 12	52' 8" 4	58' 3" 4	58' 3" 13	58' 4" 7	58' 5" 0
23 IN 12	54' 4" 14	54' 5" 7	54' 5" 15	54' 6" 8	59' 11" 6	59' 11" 15	60' 0" 9	60' 1" 2
24 IN 12	56' 3" 5	56' 3" 14	56' 4" 7	56' 5" 0	61' 7" 12	61' 8" 6	61' 9" 0	61' 9" 9
25 IN 12	58' 1" 14	58' 2" 8	58' 3" 1	58' 3" 10	63' 4" 7	63' 5" 1	63' 5" 11	63' 6" 5

25 Foot 3 Inch Run — Common Rafter Lengths   25 Foot 3 Inch Run — Hip Or Valley Rafter Lengths

Run -	25' 3"			25' 3 1/4"			25' 3 1/2"			25' 3 3/4"			25' 3"			25' 3 1/4"			25' 3 1/2"			25' 3 3/4"		
Pitch	Ft	In	16th"	Ft	In	16th"	Ft	In	16th"	Ft	In	16th"	Ft	In	16th"	Ft	In	16th"	Ft	In	16th"	Ft	In	16th"
1 IN 12	25'	4"	1	25'	4"	5	25'	4"	9	25'	4"	13	35'	9"	4	35'	9"	10	35'	9"	15	35'	10"	5
2 IN 12	25'	7"	3	25'	7"	7	25'	7"	11	25'	7"	15	35'	11"	8	35'	11"	13	36'	0"	3	36'	0"	9
2.5 IN 12	25'	9"	8	25'	9"	12	25'	10"	0	25'	10"	4	36'	1"	2	36'	1"	8	36'	1"	14	36'	2"	3
3 IN 12	26'	0"	5	26'	0"	9	26'	0"	13	26'	1"	2	36'	3"	2	36'	3"	8	36'	3"	14	36'	4"	4
3.5 IN 12	26'	3"	10	26'	3"	14	26'	4"	2	26'	4"	7	36'	5"	8	36'	5"	14	36'	6"	4	36'	6"	10
4 IN 12	26'	7"	6	26'	7"	10	26'	7"	15	26'	8"	3	36'	8"	4	36'	8"	10	36'	9"	0	36'	9"	5
4.5 IN 12	26'	11"	10	26'	11"	14	27'	0"	2	27'	0"	6	36'	11"	5	36'	11"	11	37'	0"	1	37'	0"	7
5 IN 12	27'	4"	4	27'	4"	8	27'	4"	13	27'	5"	1	37'	2"	11	37'	3"	1	37'	3"	7	37'	3"	13
5.5 IN 12	27'	9"	5	27'	9"	9	27'	9"	14	27'	10"	2	37'	6"	7	37'	6"	13	37'	7"	3	37'	7"	9
6 IN 12	28'	2"	12	28'	3"	1	28'	3"	5	28'	3"	10	37'	10"	8	37'	10"	14	37'	11"	4	37'	11"	10
6.5 IN 12	28'	8"	10	28'	8"	14	28'	9"	3	28'	9"	7	38'	2"	14	38'	3"	4	38'	3"	10	38'	4"	0
7 IN 12	29'	2"	13	29'	3"	1	29'	3"	6	29'	3"	10	38'	7"	8	38'	7"	15	38'	8"	5	38'	8"	11
8 IN 12	30'	4"	3	30'	4"	7	30'	4"	12	30'	5"	1	39'	5"	12	39'	6"	2	39'	6"	8	39'	6"	14
9 IN 12	31'	6"	12	31'	7"	1	31'	7"	6	31'	7"	11	40'	5"	1	40'	5"	7	40'	5"	13	40'	6"	4
10 IN 12	32'	10"	7	32'	10"	12	32'	11"	1	32'	11"	6	41'	5"	6	41'	5"	12	41'	6"	3	41'	6"	10
11 IN 12	34'	3"	1	34'	3"	6	34'	3"	11	34'	4"	1	42'	6"	10	42'	7"	1	42'	7"	8	42'	7"	15
12 IN 12	35'	8"	8	35'	8"	14	35'	9"	3	35'	9"	9	43'	8"	13	43'	9"	4	43'	9"	11	43'	10"	2
13 IN 12	37'	2"	11	37'	3"	1	37'	3"	7	37'	3"	13	44'	11"	13	45'	0"	4	45'	0"	11	45'	1"	2
14 IN 12	38'	9"	9	38'	10"	0	38'	10"	6	38'	10"	12	46'	3"	8	46'	3"	15	46'	4"	7	46'	4"	14
15 IN 12	40'	5"	1	40'	5"	7	40'	5"	13	40'	6"	4	47'	7"	14	47'	8"	6	47'	8"	13	47'	9"	5
16 IN 12	42'	1"	0	42'	1"	7	42'	1"	13	42'	2"	4	49'	0"	15	49'	1"	7	49'	1"	14	49'	2"	6
17 IN 12	43'	9"	7	43'	9"	14	43'	10"	5	43'	10"	12	50'	6"	8	50'	7"	0	50'	7"	8	50'	8"	0
18 IN 12	45'	6"	4	45'	6"	11	45'	7"	2	45'	7"	9	52'	0"	10	52'	1"	3	52'	1"	11	52'	2"	3
19 IN 12	47'	3"	7	47'	3"	14	47'	4"	6	47'	4"	13	53'	7"	4	53'	7"	13	53'	8"	5	53'	8"	14
20 IN 12	49'	0"	15	49'	1"	7	49'	1"	14	49'	2"	6	55'	2"	5	55'	2"	14	55'	3"	6	55'	3"	15
21 IN 12	50'	10"	11	50'	11"	4	50'	11"	12	51'	0"	4	56'	9"	12	56'	10"	5	56'	10"	14	56'	11"	7
22 IN 12	52'	8"	12	52'	9"	5	52'	9"	13	52'	10"	5	58'	5"	9	58'	6"	2	58'	6"	12	58'	7"	5
23 IN 12	54'	7"	1	54'	7"	9	54'	8"	2	54'	8"	11	60'	1"	12	60'	2"	5	60'	2"	15	60'	3"	8
24 IN 12	56'	5"	8	56'	6"	1	56'	6"	10	56'	7"	3	61'	10"	3	61'	10"	13	61'	11"	7	62'	0"	1
25 IN 12	58'	4"	3	58'	4"	13	58'	5"	6	58'	5"	15	63'	6"	15	63'	7"	9	63'	8"	3	63'	8"	13

25 Foot 4 Inch Run — Common Rafter Lengths 25 Foot 4 Inch Run — Hip Or Valley Rafter Lengths

Run -	25' 4"			25' 4 1/4"			25' 4 1/2"			25' 4 3/4"			25' 4"			25' 4 1/4"			25' 4 1/2"			25' 4 3/4"		
Pitch	Ft	In	16th"	Ft	In	16th"	Ft	In	16th"	Ft	In	16th"	Ft	In	16th"	Ft	In	16th"	Ft	In	16th"	Ft	In	16th"
1 IN 12	25'	5"	1	25'	5"	5	25'	5"	9	25'	5"	13	35'	10"	11	35'	11"	0	35'	11"	6	35'	11"	12
2 IN 12	25'	8"	3	25'	8"	7	25'	8"	11	25'	8"	15	36'	0"	14	36'	1"	4	36'	1"	10	36'	1"	15
2.5 IN 12	25'	10"	8	25'	10"	13	25'	11"	1	25'	11"	5	36'	2"	9	36'	2"	15	36'	3"	4	36'	3"	10
3 IN 12	26'	1"	6	26'	1"	10	26'	1"	14	26'	2"	2	36'	4"	9	36'	4"	15	36'	5"	5	36'	5"	11
3.5 IN 12	26'	4"	11	26'	4"	15	26'	5"	3	26'	5"	7	36'	7"	0	36'	7"	5	36'	7"	11	36'	8"	1
4 IN 12	26'	8"	7	26'	8"	11	26'	9"	0	26'	9"	4	36'	9"	11	36'	10"	1	36'	10"	7	36'	10"	13
4.5 IN 12	27'	0"	11	27'	0"	15	27'	1"	3	27'	1"	8	37'	0"	12	37'	1"	2	37'	1"	8	37'	1"	14
5 IN 12	27'	5"	5	27'	5"	10	27'	5"	14	27'	6"	2	37'	4"	3	37'	4"	9	37'	4"	15	37'	5"	5
5.5 IN 12	27'	10"	7	27'	10"	11	27'	10"	15	27'	11"	4	37'	7"	15	37'	8"	5	37'	8"	11	37'	9"	1
6 IN 12	28'	3"	14	28'	4"	3	28'	4"	7	28'	4"	12	38'	0"	0	38'	0"	6	38'	0"	12	38'	1"	2
6.5 IN 12	28'	9"	12	28'	10"	0	28'	10"	5	28'	10"	9	38'	4"	6	38'	4"	12	38'	5"	2	38'	5"	8
7 IN 12	29'	3"	15	29'	4"	4	29'	4"	8	29'	4"	13	38'	9"	1	38'	9"	7	38'	9"	13	38'	10"	3
8 IN 12	30'	5"	6	30'	5"	11	30'	5"	15	30'	6"	4	39'	7"	5	39'	7"	11	39'	8"	1	39'	8"	7
9 IN 12	31'	8"	0	31'	8"	5	31'	8"	10	31'	8"	15	40'	6"	10	40'	7"	1	40'	7"	7	40'	7"	13
10 IN 12	32'	11"	12	33'	0"	1	33'	0"	6	33'	0"	11	41'	7"	0	41'	7"	7	41'	7"	13	41'	8"	4
11 IN 12	34'	4"	6	34'	4"	12	34'	5"	1	34'	5"	7	42'	8"	5	42'	8"	12	42'	9"	3	42'	9"	10
12 IN 12	35'	9"	15	35'	10"	4	35'	10"	10	35'	11"	0	43'	10"	9	43'	11"	0	43'	11"	7	43'	11"	13
13 IN 12	37'	4"	3	37'	4"	9	37'	4"	15	37'	5"	5	45'	1"	9	45'	2"	0	45'	2"	7	45'	2"	14
14 IN 12	38'	11"	2	38'	11"	8	38'	11"	14	39'	0"	4	46'	5"	5	46'	5"	13	46'	6"	4	46'	6"	11
15 IN 12	40'	6"	10	40'	7"	1	40'	7"	7	40'	7"	13	47'	9"	13	47'	10"	4	47'	10"	12	47'	11"	3
16 IN 12	42'	2"	11	42'	3"	1	42'	3"	8	42'	3"	15	49'	2"	14	49'	3"	6	49'	3"	13	49'	4"	5
17 IN 12	43'	11"	2	43'	11"	9	44'	0"	0	44'	0"	7	50'	8"	8	50'	9"	0	50'	9"	8	50'	10"	0
18 IN 12	45'	8"	1	45'	8"	8	45'	8"	15	45'	9"	6	52'	2"	11	52'	3"	4	52'	3"	12	52'	4"	4
19 IN 12	47'	5"	5	47'	5"	12	47'	6"	4	47'	6"	11	53'	9"	6	53'	9"	15	53'	10"	7	53'	11"	0
20 IN 12	49'	2"	14	49'	3"	6	49'	3"	13	49'	4"	5	55'	4"	8	55'	5"	1	55'	5"	9	55'	6"	2
21 IN 12	51'	0"	12	51'	1"	4	51'	1"	12	51'	2"	4	57'	0"	0	57'	0"	9	57'	1"	2	57'	1"	11
22 IN 12	52'	10"	14	52'	11"	6	52'	11"	14	53'	0"	7	58'	7"	14	58'	8"	7	58'	9"	1	58'	9"	10
23 IN 12	54'	9"	3	54'	9"	12	54'	10"	5	54'	10"	13	60'	4"	2	60'	4"	11	60'	5"	5	60'	5"	14
24 IN 12	56'	7"	12	56'	8"	5	56'	8"	14	56'	9"	7	62'	0"	10	62'	1"	4	62'	1"	14	62'	2"	8
25 IN 12	58'	6"	8	58'	7"	1	58'	7"	11	58'	8"	4	63'	9"	8	63'	10"	2	63'	10"	12	63'	11"	6

25 Foot 5 Inch Run — Common Rafter Lengths   25 Foot 5 Inch Run — Hip Or Valley Rafter Lengths

Run -	25' 5"			25' 5 1/4"			25' 5 1/2"			25' 5 3/4"			25' 5"			25' 5 1/4"			25' 5 1/2"			25' 5 3/4"		
Pitch	Ft	In	16th"	Ft	In	16th"	Ft	In	16th"	Ft	In	16th"	Ft	In	16th"	Ft	In	16th"	Ft	In	16th"	Ft	In	16th"
1 IN 12	25'	6"	1	25'	6"	5	25'	6"	9	25'	6"	13	36'	0"	1	36'	0"	7	36'	0"	13	36'	1"	2
2 IN 12	25'	9"	3	25'	9"	7	25'	9"	11	25'	9"	15	36'	2"	5	36'	2"	11	36'	3"	1	36'	3"	6
2.5 IN 12	25'	11"	9	25'	11"	13	26'	0"	1	26'	0"	5	36'	4"	0	36'	4"	6	36'	4"	11	36'	5"	1
3 IN 12	26'	2"	6	26'	2"	10	26'	2"	14	26'	3"	3	36'	6"	0	36'	6"	6	36'	6"	12	36'	7"	2
3.5 IN 12	26'	5"	11	26'	6"	0	26'	6"	4	26'	6"	8	36'	8"	7	36'	8"	12	36'	9"	2	36'	9"	8
4 IN 12	26'	9"	8	26'	9"	12	26'	10"	0	26'	10"	5	36'	11"	2	36'	11"	8	36'	11"	14	37'	0"	4
4.5 IN 12	27'	1"	12	27'	2"	0	27'	2"	4	27'	2"	9	37'	2"	4	37'	2"	10	37'	3"	0	37'	3"	5
5 IN 12	27'	6"	7	27'	6"	11	27'	6"	15	27'	7"	4	37'	5"	11	37'	6"	1	37'	6"	6	37'	6"	12
5.5 IN 12	27'	11"	8	27'	11"	13	28'	0"	1	28'	0"	5	37'	9"	7	37'	9"	13	37'	10"	3	37'	10"	9
6 IN 12	28'	5"	0	28'	5"	4	28'	5"	9	28'	5"	13	38'	1"	8	38'	1"	14	38'	2"	4	38'	2"	10
6.5 IN 12	28'	10"	14	28'	11"	2	28'	11"	7	28'	11"	12	38'	5"	14	38'	6"	4	38'	6"	10	38'	7"	0
7 IN 12	29'	5"	2	29'	5"	6	29'	5"	11	29'	5"	15	38'	10"	9	38'	11"	0	38'	11"	6	38'	11"	12
8 IN 12	30'	6"	9	30'	6"	14	30'	7"	3	30'	7"	7	39'	8"	14	39'	9"	4	39'	9"	10	39'	10"	1
9 IN 12	31'	9"	4	31'	9"	9	31'	9"	14	31'	10"	3	40'	8"	4	40'	8"	10	40'	9"	1	40'	9"	7
10 IN 12	33'	1"	0	33'	1"	6	33'	1"	11	33'	2"	0	41'	8"	10	41'	9"	1	41'	9"	8	41'	9"	14
11 IN 12	34'	5"	12	34'	6"	1	34'	6"	7	34'	6"	12	42'	10"	0	42'	10"	7	42'	10"	14	42'	11"	5
12 IN 12	35'	11"	11	35'	11"	11	36'	0"	1	36'	0"	6	44'	0"	4	44'	0"	11	44'	1"	2	44'	1"	9
13 IN 12	37'	5"	11	37'	6"	1	37'	6"	6	37'	6"	12	45'	3"	6	45'	3"	13	45'	4"	4	45'	4"	11
14 IN 12	39'	0"	11	39'	1"	1	39'	1"	7	39'	1"	13	46'	7"	3	46'	7"	10	46'	8"	1	46'	8"	9
15 IN 12	40'	8"	4	40'	8"	10	40'	9"	1	40'	9"	7	47'	11"	11	48'	0"	2	48'	0"	10	48'	1"	1
16 IN 12	42'	4"	5	42'	4"	12	42'	5"	3	42'	5"	9	49'	4"	13	49'	5"	5	49'	5"	13	49'	6"	4
17 IN 12	44'	0"	14	44'	1"	5	44'	1"	12	44'	2"	3	50'	10"	8	50'	11"	0	50'	11"	8	51'	0"	0
18 IN 12	45'	9"	14	45'	10"	5	45'	10"	12	45'	11"	3	52'	4"	12	52'	5"	5	52'	5"	13	52'	6"	5
19 IN 12	47'	7"	3	47'	7"	10	47'	8"	2	47'	8"	9	53'	11"	8	54'	0"	1	54'	0"	9	54'	1"	2
20 IN 12	49'	4"	13	49'	5"	5	49'	5"	13	49'	6"	4	55'	6"	11	55'	7"	4	55'	7"	12	55'	8"	5
21 IN 12	51'	2"	12	51'	3"	4	51'	3"	12	51'	4"	4	57'	2"	4	57'	2"	13	57'	3"	6	57'	3"	15
22 IN 12	53'	0"	15	53'	1"	7	53'	2"	0	53'	2"	8	58'	10"	3	58'	10"	12	58'	11"	6	58'	11"	15
23 IN 12	54'	11"	6	54'	11"	14	55'	0"	7	55'	1"	0	60'	6"	8	60'	7"	1	60'	7"	11	60'	8"	4
24 IN 12	56'	10"	0	56'	10"	9	56'	11"	2	56'	11"	11	62'	3"	2	62'	3"	11	62'	4"	5	62'	4"	15
25 IN 12	58'	8"	13	58'	9"	6	58'	10"	0	58'	10"	9	64'	0"	0	64'	0"	10	64'	1"	4	64'	1"	14

25 Foot 6 Inch Run — Common Rafter Lengths

Pitch	25' 6" Ft	In	16th"	25' 6 1/4" Ft	In	16th"	25' 6 1/2" Ft	In	16th"	25' 6 3/4" Ft	In	16th"
1 IN 12	25'	7"	1	25'	7"	5	25'	7"	9	25'	7"	13
2 IN 12	25'	10"	4	25'	10"	8	25'	10"	12	25'	11"	0
2.5 IN 12	26'	0"	9	26'	0"	13	26'	1"	1	26'	1"	5
3 IN 12	26'	3"	7	26'	3"	11	26'	3"	15	26'	4"	3
3.5 IN 12	26'	6"	12	26'	7"	0	26'	7"	4	26'	7"	9
4 IN 12	26'	10"	9	26'	10"	13	26'	11"	1	26'	11"	5
4.5 IN 12	27'	2"	13	27'	3"	1	27'	3"	5	27'	3"	10
5 IN 12	27'	7"	8	27'	7"	12	27'	8"	1	27'	8"	5
5.5 IN 12	28'	0"	10	28'	0"	14	28'	1"	3	28'	1"	7
6 IN 12	28'	6"	2	28'	6"	6	28'	6"	11	28'	6"	15
6.5 IN 12	29'	0"	0	29'	0"	5	29'	0"	9	29'	0"	14
7 IN 12	29'	6"	4	29'	6"	9	29'	6"	13	29'	7"	2
8 IN 12	30'	7"	12	30'	8"	1	30'	8"	6	30'	8"	11
9 IN 12	31'	10"	8	31'	10"	13	31'	11"	2	31'	11"	7
10 IN 12	33'	2"	5	33'	2"	10	33'	3"	0	33'	3"	5
11 IN 12	34'	7"	2	34'	7"	7	34'	7"	13	34'	8"	2
12 IN 12	36'	0"	12	36'	1"	2	36'	1"	7	36'	1"	13
13 IN 12	37'	7"	2	37'	7"	8	37'	7"	14	37'	8"	4
14 IN 12	39'	2"	3	39'	2"	9	39'	2"	15	39'	3"	6
15 IN 12	40'	9"	13	40'	10"	4	40'	10"	10	40'	11"	1
16 IN 12	42'	6"	0	42'	6"	7	42'	6"	13	42'	7"	4
17 IN 12	44'	2"	10	44'	3"	1	44'	3"	8	44'	3"	15
18 IN 12	45'	11"	10	46'	0"	2	46'	0"	9	46'	1"	0
19 IN 12	47'	9"	1	47'	9"	8	47'	10"	0	47'	10"	7
20 IN 12	49'	6"	12	49'	7"	4	49'	7"	12	49'	8"	3
21 IN 12	51'	4"	12	51'	5"	4	51'	5"	12	51'	6"	4
22 IN 12	53'	3"	0	53'	3"	9	53'	4"	1	53'	4"	10
23 IN 12	55'	1"	8	55'	2"	1	55'	2"	10	55'	3"	2
24 IN 12	57'	0"	4	57'	0"	13	57'	1"	6	57'	1"	15
25 IN 12	58'	11"	2	58'	11"	11	59'	0"	5	59'	0"	14

25 Foot 6 Inch Run — Hip Or Valley Rafter Lengths

Pitch	25' 6" Ft	In	16th"	25' 6 1/4" Ft	In	16th"	25' 6 1/2" Ft	In	16th"	25' 6 3/4" Ft	In	16th"
1 IN 12	36'	1"	8	36'	1"	14	36'	2"	3	36'	2"	9
2 IN 12	36'	3"	12	36'	4"	2	36'	4"	7	36'	4"	13
2.5 IN 12	36'	5"	7	36'	5"	12	36'	6"	2	36'	6"	8
3 IN 12	36'	7"	7	36'	7"	13	36'	8"	3	36'	8"	9
3.5 IN 12	36'	9"	14	36'	10"	3	36'	10"	9	36'	10"	15
4 IN 12	37'	0"	10	37'	1"	0	37'	1"	5	37'	1"	11
4.5 IN 12	37'	3"	11	37'	4"	1	37'	4"	7	37'	4"	13
5 IN 12	37'	7"	2	37'	7"	8	37'	7"	14	37'	8"	4
5.5 IN 12	37'	10"	15	37'	11"	4	37'	11"	10	38'	0"	0
6 IN 12	38'	3"	0	38'	3"	6	38'	3"	12	38'	4"	2
6.5 IN 12	38'	7"	13	38'	7"	13	38'	8"	3	38'	8"	9
7 IN 12	39'	0"	2	39'	0"	8	39'	0"	14	39'	1"	4
8 IN 12	39'	10"	7	39'	10"	13	39'	11"	3	39'	11"	10
9 IN 12	40'	9"	13	40'	10"	4	40'	10"	10	40'	11"	1
10 IN 12	41'	10"	5	41'	10"	11	41'	11"	2	41'	11"	8
11 IN 12	42'	11"	11	43'	0"	2	43'	0"	9	43'	1"	0
12 IN 12	44'	2"	0	44'	2"	7	44'	2"	14	44'	3"	5
13 IN 12	45'	5"	2	45'	5"	9	45'	6"	0	45'	6"	6
14 IN 12	46'	9"	0	46'	9"	7	46'	9"	15	46'	10"	6
15 IN 12	48'	1"	9	48'	2"	1	48'	2"	8	48'	3"	0
16 IN 12	49'	6"	12	49'	7"	4	49'	7"	12	49'	8"	3
17 IN 12	51'	0"	8	51'	1"	1	51'	1"	9	51'	2"	1
18 IN 12	52'	6"	13	52'	7"	6	52'	7"	14	52'	8"	6
19 IN 12	54'	1"	10	54'	2"	2	54'	2"	10	54'	3"	3
20 IN 12	55'	8"	14	55'	9"	6	55'	9"	15	55'	10"	8
21 IN 12	57'	4"	8	57'	5"	1	57'	5"	10	57'	6"	3
22 IN 12	59'	0"	8	59'	1"	1	59'	1"	11	59'	2"	4
23 IN 12	60'	8"	14	60'	9"	7	60'	10"	1	60'	10"	11
24 IN 12	62'	5"	9	62'	6"	2	62'	6"	12	62'	7"	6
25 IN 12	64'	2"	8	64'	3"	2	64'	3"	12	64'	4"	6

Run -	25' 7"	25' 7 1/4"	25' 7 1/2"	25' 7 3/4"	25' 7"	25' 7 1/4"	25' 7 1/2"	25' 7 3/4"
Pitch	Ft In 16th"	Ft In 16th"	Ft In 16th"	Ft In 16th"	Ft In 16th"	Ft In 16th"	Ft In 16th"	Ft In 16th"
1 IN 12	25' 8" 1	25' 8" 5	25' 8" 9	25' 8" 13	36' 2" 15	36' 3" 4	36' 3" 10	36' 4" 0
2 IN 12	25' 11" 4	25' 11" 8	25' 11" 12	26' 0" 0	36' 5" 3	36' 5" 8	36' 5" 14	36' 6" 4
2.5 IN 12	26' 1" 9	26' 1" 14	26' 2" 2	26' 2" 6	36' 6" 14	36' 7" 3	36' 7" 9	36' 7" 15
3 IN 12	26' 4" 7	26' 4" 11	26' 4" 15	26' 5" 4	36' 8" 14	36' 9" 4	36' 9" 10	36' 10" 0
3.5 IN 12	26' 7" 13	26' 8" 1	26' 8" 5	26' 8" 9	36' 11" 5	36' 11" 11	37' 0" 0	37' 0" 6
4 IN 12	26' 11" 10	26' 11" 14	27' 0" 2	27' 0" 6	37' 2" 1	37' 2" 7	37' 2" 13	37' 3" 2
4.5 IN 12	27' 3" 14	27' 4" 2	27' 4" 7	27' 4" 11	37' 5" 3	37' 5" 9	37' 5" 14	37' 6" 4
5 IN 12	27' 8" 9	27' 8" 14	27' 9" 2	27' 9" 6	37' 8" 10	37' 9" 0	37' 9" 6	37' 9" 12
5.5 IN 12	28' 1" 11	28' 2" 0	28' 2" 4	28' 2" 9	38' 0" 4	38' 0" 12	38' 1" 2	38' 1" 8
6 IN 12	28' 7" 4	28' 7" 8	28' 7" 13	28' 8" 1	38' 4" 8	38' 4" 14	38' 5" 4	38' 5" 10
6.5 IN 12	29' 1" 2	29' 1" 7	29' 1" 11	29' 2" 0	38' 8" 15	38' 9" 5	38' 9" 11	38' 10" 1
7 IN 12	29' 7" 7	29' 7" 11	29' 8" 0	29' 8" 5	39' 1" 10	39' 2" 0	39' 2" 7	39' 2" 13
8 IN 12	30' 8" 15	30' 9" 4	30' 9" 9	30' 9" 14	40' 0" 0	40' 0" 6	40' 0" 12	40' 1" 3
9 IN 12	31' 11" 12	32' 0" 1	32' 0" 6	32' 0" 11	40' 11" 7	40' 11" 13	41' 0" 4	41' 0" 10
10 IN 12	33' 3" 10	33' 3" 15	33' 4" 4	33' 4" 10	41' 11" 15	42' 0" 5	42' 0" 12	42' 1" 3
11 IN 12	34' 8" 7	34' 8" 13	34' 9" 2	34' 9" 8	43' 1" 6	43' 1" 13	43' 2" 4	43' 2" 10
12 IN 12	36' 2" 3	36' 2" 8	36' 2" 14	36' 3" 4	44' 3" 12	44' 4" 3	44' 4" 10	44' 5" 1
13 IN 12	37' 8" 10	37' 9" 0	37' 9" 6	37' 9" 12	45' 6" 15	45' 7" 6	45' 7" 13	45' 8" 4
14 IN 12	39' 3" 12	39' 4" 2	39' 4" 8	39' 4" 14	46' 10" 13	46' 11" 5	46' 11" 12	47' 0" 3
15 IN 12	40' 11" 7	40' 11" 13	41' 0" 4	41' 0" 10	48' 3" 7	48' 3" 15	48' 4" 6	48' 4" 14
16 IN 12	42' 7" 11	42' 8" 1	42' 8" 8	42' 8" 15	49' 8" 11	49' 9" 3	49' 9" 11	49' 10" 3
17 IN 12	44' 4" 6	44' 4" 13	44' 5" 4	44' 5" 10	51' 2" 9	51' 3" 1	51' 3" 9	51' 4" 1
18 IN 12	46' 1" 7	46' 1" 14	46' 2" 6	46' 2" 13	52' 8" 14	52' 9" 7	52' 9" 15	52' 10" 7
19 IN 12	47' 10" 15	47' 11" 6	47' 11" 14	48' 0" 5	54' 3" 12	54' 4" 4	54' 4" 13	54' 5" 5
20 IN 12	49' 8" 11	49' 9" 3	49' 9" 11	49' 10" 3	55' 11" 1	55' 11" 9	56' 0" 2	56' 0" 11
21 IN 12	51' 6" 12	51' 7" 5	51' 7" 13	51' 8" 5	57' 6" 12	57' 7" 5	57' 7" 14	57' 8" 7
22 IN 12	53' 5" 2	53' 5" 10	53' 6" 3	53' 6" 11	59' 2" 13	59' 3" 7	59' 4" 0	59' 4" 9
23 IN 12	55' 3" 11	55' 4" 4	55' 4" 12	55' 5" 5	60' 11" 4	60' 11" 14	61' 0" 7	61' 1" 1
24 IN 12	57' 2" 8	57' 3" 1	57' 3" 9	57' 4" 2	62' 8" 0	62' 8" 10	62' 9" 3	62' 9" 13
25 IN 12	59' 1" 7	59' 2" 0	59' 2" 10	59' 3" 3	64' 5" 0	64' 5" 10	64' 6" 5	64' 6" 15

25 Foot 8 Inch Run — Common Rafter Lengths

Pitch	25' 8" Ft In 16th"	25' 8 1/4" Ft In 16th"	25' 8 1/2" Ft In 16th"	25' 8 3/4" Ft In 16th"
1 IN 12	25' 9" 1	25' 9" 5	25' 9" 9	25' 9" 13
2 IN 12	26' 0" 4	26' 0" 8	26' 0" 12	26' 1" 0
2.5 IN 12	26' 2" 10	26' 2" 14	26' 3" 2	26' 3" 6
3 IN 12	26' 5" 8	26' 5" 12	26' 6" 0	26' 6" 4
3.5 IN 12	26' 8" 13	26' 9" 2	26' 9" 6	26' 9" 10
4 IN 12	27' 0" 11	27' 0" 15	27' 1" 3	27' 1" 7
4.5 IN 12	27' 4" 15	27' 5" 3	27' 5" 8	27' 5" 12
5 IN 12	27' 9" 11	27' 9" 15	27' 10" 3	27' 10" 8
5.5 IN 12	28' 2" 13	28' 3" 1	28' 3" 6	28' 3" 10
6 IN 12	28' 8" 6	28' 8" 10	28' 8" 15	28' 9" 3
6.5 IN 12	29' 2" 5	29' 2" 9	29' 2" 14	29' 3" 2
7 IN 12	29' 8" 9	29' 8" 14	29' 9" 2	29' 9" 7
8 IN 12	30' 10" 3	30' 10" 8	30' 10" 12	30' 11" 1
9 IN 12	32' 1" 0	32' 1" 5	32' 1" 10	32' 1" 15
10 IN 12	33' 4" 15	33' 5" 4	33' 5" 9	33' 5" 14
11 IN 12	34' 9" 13	34' 10" 3	34' 10" 8	34' 10" 13
12 IN 12	36' 3" 9	36' 3" 15	36' 4" 5	36' 4" 10
13 IN 12	37' 10" 1	37' 10" 7	37' 10" 13	37' 11" 3
14 IN 12	39' 5" 4	39' 5" 10	39' 6" 1	39' 6" 7
15 IN 12	41' 1" 1	41' 1" 7	41' 1" 13	41' 2" 4
16 IN 12	42' 9" 5	42' 9" 12	42' 10" 3	42' 10" 9
17 IN 12	44' 6" 1	44' 6" 8	44' 6" 15	44' 7" 6
18 IN 12	46' 3" 4	46' 3" 11	46' 4" 3	46' 4" 10
19 IN 12	48' 0" 13	48' 1" 4	48' 1" 12	48' 2" 3
20 IN 12	49' 10" 10	49' 11" 2	49' 11" 10	50' 0" 2
21 IN 12	51' 8" 13	51' 9" 5	51' 9" 13	51' 10" 5
22 IN 12	53' 7" 3	53' 7" 12	53' 8" 4	53' 8" 12
23 IN 12	55' 5" 14	55' 6" 6	55' 6" 15	55' 7" 8
24 IN 12	57' 4" 11	57' 5" 4	57' 5" 13	57' 6" 8
25 IN 12	59' 3" 12	59' 4" 5	59' 4" 15	59' 5" 8

25 Foot 8 Inch Run — Hip Or Valley Rafter Lengths

Pitch	25' 8" Ft In 16th"	25' 8 1/4" Ft In 16th"	25' 8 1/2" Ft In 16th"	25' 8 3/4" Ft In 16th"
1 IN 12	36' 4" 5	36' 4" 11	36' 5" 1	36' 5" 6
2 IN 12	36' 6" 9	36' 6" 15	36' 7" 5	36' 7" 11
2.5 IN 12	36' 8" 4	36' 8" 10	36' 9" 0	36' 9" 6
3 IN 12	36' 10" 5	36' 10" 11	36' 11" 1	36' 11" 7
3.5 IN 12	37' 0" 12	37' 1" 2	37' 1" 7	37' 1" 13
4 IN 12	37' 3" 8	37' 3" 14	37' 4" 4	37' 4" 10
4.5 IN 12	37' 6" 10	37' 7" 0	37' 7" 6	37' 7" 12
5 IN 12	37' 10" 1	37' 10" 7	37' 10" 13	37' 11" 3
5.5 IN 12	38' 1" 14	38' 2" 4	38' 2" 10	38' 3" 0
6 IN 12	38' 6" 0	38' 6" 6	38' 6" 12	38' 7" 2
6.5 IN 12	38' 10" 7	38' 10" 13	38' 11" 3	38' 11" 9
7 IN 12	39' 3" 3	39' 3" 9	39' 3" 15	39' 4" 5
8 IN 12	40' 1" 9	40' 1" 15	40' 2" 5	40' 2" 12
9 IN 12	41' 1" 1	41' 1" 7	41' 1" 13	41' 2" 4
10 IN 12	42' 1" 9	42' 2" 0	42' 2" 6	42' 2" 13
11 IN 12	43' 3" 1	43' 3" 8	43' 3" 15	43' 4" 5
12 IN 12	44' 5" 8	44' 5" 14	44' 6" 5	44' 6" 12
13 IN 12	45' 8" 11	45' 9" 2	45' 9" 9	45' 10" 0
14 IN 12	47' 0" 11	47' 1" 2	47' 1" 9	47' 2" 1
15 IN 12	48' 5" 5	48' 5" 13	48' 6" 4	48' 6" 12
16 IN 12	49' 10" 10	49' 11" 2	49' 11" 10	50' 0" 2
17 IN 12	51' 4" 9	51' 5" 1	51' 5" 9	51' 6" 1
18 IN 12	52' 10" 15	52' 11" 8	53' 0" 0	53' 0" 8
19 IN 12	54' 5" 14	54' 6" 6	54' 6" 15	54' 7" 7
20 IN 12	56' 1" 4	56' 1" 12	56' 2" 5	56' 2" 14
21 IN 12	57' 9" 0	57' 9" 9	57' 10" 2	57' 10" 11
22 IN 12	59' 5" 2	59' 5" 12	59' 6" 5	59' 6" 14
23 IN 12	61' 1" 10	61' 2" 4	61' 2" 13	61' 3" 7
24 IN 12	62' 10" 7	62' 11" 1	62' 11" 11	63' 0" 4
25 IN 12	64' 7" 9	64' 8" 3	64' 8" 13	64' 9" 7

25 Foot 9 Inch Run — Common Rafter Lengths   25 Foot 9 Inch Run — Hip Or Valley Rafter Lengths

Run -	25' 9"			25' 9 1/4"			25' 9 1/2"			25' 9 3/4"			25' 9"			25' 9 1/4"			25' 9 1/2"			25' 9 3/4"		
Pitch	Ft	In	16th"	Ft	In	16th"	Ft	In	16th"	Ft	In	16th"	Ft	In	16th"	Ft	In	16th"	Ft	In	16th"	Ft	In	16th"
1 IN 12	25'	10"	1	25'	10"	5	25'	10"	9	25'	10"	13	36'	5"	12	36'	6"	2	36'	6"	7	36'	6"	13
2 IN 12	26'	1"	4	26'	1"	8	26'	1"	12	26'	2"	0	36'	8"	0	36'	8"	6	36'	8"	12	36'	9"	1
2.5 IN 12	26'	3"	10	26'	3"	14	26'	4"	2	26'	4"	6	36'	9"	11	36'	10"	1	36'	10"	7	36'	10"	12
3 IN 12	26'	6"	8	26'	6"	12	26'	7"	0	26'	7"	5	36'	11"	12	37'	0"	2	37'	0"	8	37'	0"	14
3.5 IN 12	26'	9"	14	26'	10"	2	26'	10"	6	26'	10"	11	37'	2"	3	37'	2"	9	37'	2"	15	37'	3"	4
4 IN 12	27'	1"	11	27'	2"	0	27'	2"	4	27'	2"	8	37'	4"	15	37'	5"	5	37'	5"	11	37'	6"	1
4.5 IN 12	27'	6"	0	27'	6"	4	27'	6"	9	27'	6"	13	37'	8"	2	37'	8"	7	37'	8"	13	37'	9"	3
5 IN 12	27'	10"	12	27'	11"	0	27'	11"	5	27'	11"	9	37'	11"	9	37'	11"	15	38'	0"	5	38'	0"	11
5.5 IN 12	28'	3"	15	28'	4"	3	28'	4"	7	28'	4"	12	38'	3"	6	38'	3"	12	38'	4"	2	38'	4"	8
6 IN 12	28'	9"	8	28'	9"	12	28'	10"	1	28'	10"	5	38'	7"	8	38'	7"	14	38'	8"	4	38'	8"	10
6.5 IN 12	29'	3"	7	29'	3"	11	29'	4"	0	29'	4"	4	38'	11"	15	39'	0"	5	39'	0"	11	39'	1"	1
7 IN 12	29'	9"	12	29'	10"	0	29'	10"	5	29'	10"	10	39'	4"	11	39'	5"	1	39'	5"	8	39'	5"	14
8 IN 12	30'	11"	6	30'	11"	11	31'	0"	0	31'	0"	4	40'	3"	2	40'	3"	8	40'	3"	14	40'	4"	5
9 IN 12	32'	2"	4	32'	2"	9	32'	2"	14	32'	3"	3	41'	2"	10	41'	3"	1	41'	3"	7	41'	3"	13
10 IN 12	33'	6"	4	33'	6"	9	33'	6"	14	33'	7"	3	42'	3"	3	42'	3"	10	42'	4"	1	42'	4"	7
11 IN 12	34'	11"	3	34'	11"	8	34'	11"	14	35'	0"	3	43'	4"	12	43'	5"	3	43'	5"	10	43'	6"	0
12 IN 12	36'	5"	0	36'	5"	6	36'	5"	11	36'	6"	1	44'	7"	3	44'	7"	10	44'	8"	1	44'	8"	8
13 IN 12	37'	11"	9	37'	11"	15	38'	0"	5	38'	0"	11	45'	10"	8	45'	10"	15	45'	11"	6	45'	11"	13
14 IN 12	39'	6"	13	39'	7"	3	39'	7"	9	39'	7"	15	47'	2"	8	47'	2"	15	47'	3"	7	47'	3"	14
15 IN 12	41'	2"	10	41'	3"	1	41'	3"	7	41'	3"	13	48'	7"	4	48'	7"	11	48'	8"	3	48'	8"	10
16 IN 12	42'	11"	0	42'	11"	7	42'	11"	13	43'	0"	4	50'	0"	9	50'	1"	1	50'	1"	9	50'	2"	1
17 IN 12	44'	7"	13	44'	8"	4	44'	8"	11	44'	9"	2	51'	6"	9	51'	7"	1	51'	7"	9	51'	8"	1
18 IN 12	46'	5"	1	46'	5"	8	46'	5"	15	46'	6"	7	53'	1"	0	53'	1"	9	53'	2"	1	53'	2"	9
19 IN 12	48'	2"	11	48'	3"	2	48'	3"	10	48'	4"	1	54'	8"	0	54'	8"	8	54'	9"	1	54'	9"	9
20 IN 12	50'	0"	9	50'	1"	1	50'	1"	9	50'	2"	1	56'	3"	7	56'	3"	15	56'	4"	8	56'	5"	1
21 IN 12	51'	10"	13	51'	11"	5	51'	11"	13	52'	0"	5	57'	11"	4	57'	11"	13	58'	0"	6	58'	0"	15
22 IN 12	53'	9"	5	53'	9"	13	53'	10"	5	53'	10"	14	59'	7"	7	59'	8"	1	59'	8"	10	59'	9"	3
23 IN 12	55'	8"	0	55'	8"	9	55'	9"	1	55'	9"	10	61'	4"	0	61'	4"	10	61'	5"	3	61'	5"	13
24 IN 12	57'	6"	15	57'	7"	8	57'	8"	1	57'	8"	10	63'	0"	14	63'	1"	8	63'	2"	2	63'	2"	12
25 IN 12	59'	6"	1	59'	6"	10	59'	7"	4	59'	7"	13	64'	10"	1	64'	10"	11	64'	11"	5	64'	11"	15

25 Foot 10 Inch Run — Common Rafter Lengths   25 Foot 10 Inch Run — Hip Or Valley Rafter Lengths

Run -	25'10"	25'10 1/4"	25'10 1/2"	25'10 3/4"	25'10"	25'10 1/4"	25'10 1/2"	25'10 3/4"
Pitch	Ft In 16th"	Ft In 16th"	Ft In 16th"	Ft In 16th"	Ft In 16th"	Ft In 16th"	Ft In 16th"	Ft In 16th"
1 IN 12	25' 11" 1	25' 11" 5	25' 11" 9	25' 11" 13	36' 7" 3	36' 7" 8	36' 7" 14	36' 8" 4
2 IN 12	26' 2" 4	26' 2" 8	26' 2" 13	26' 3" 1	36' 9" 7	36' 9" 13	36' 10" 2	36' 10" 8
2.5 IN 12	26' 4" 10	26' 4" 15	26' 5" 3	26' 5" 7	36' 11" 2	36' 11" 8	36' 11" 14	37' 0" 3
3 IN 12	26' 7" 9	26' 7" 13	26' 8" 1	26' 8" 5	37' 1" 3	37' 1" 9	37' 1" 15	37' 2" 4
3.5 IN 12	26' 10" 15	26' 11" 3	26' 11" 7	26' 11" 11	37' 3" 10	37' 4" 0	37' 4" 6	37' 4" 11
4 IN 12	27' 2" 12	27' 3" 1	27' 3" 5	27' 3" 9	37' 6" 7	37' 6" 13	37' 7" 2	37' 7" 8
4.5 IN 12	27' 7" 1	27' 7" 6	27' 7" 10	27' 7" 14	37' 9" 9	37' 9" 15	37' 10" 5	37' 10" 10
5 IN 12	27' 11" 13	28' 0" 2	28' 0" 6	28' 0" 10	38' 1" 1	38' 1" 7	38' 1" 12	38' 2" 2
5.5 IN 12	28' 5" 0	28' 5" 5	28' 5" 9	28' 5" 13	38' 4" 14	38' 5" 4	38' 5" 10	38' 6" 0
6 IN 12	28' 10" 9	28' 10" 14	28' 11" 2	28' 11" 7	38' 9" 0	38' 9" 6	38' 9" 12	38' 10" 2
6.5 IN 12	29' 4" 9	29' 4" 13	29' 5" 2	29' 5" 7	39' 1" 7	39' 1" 13	39' 2" 4	39' 2" 10
7 IN 12	29' 10" 14	29' 11" 3	29' 11" 7	29' 11" 12	39' 6" 4	39' 6" 10	39' 7" 0	39' 7" 6
8 IN 12	31' 0" 9	31' 0" 14	31' 1" 3	31' 1" 8	40' 4" 11	40' 5" 1	40' 5" 7	40' 5" 14
9 IN 12	32' 3" 8	32' 3" 13	32' 4" 2	32' 4" 7	41' 4" 4	41' 4" 10	41' 5" 1	41' 5" 7
10 IN 12	33' 7" 8	33' 7" 14	33' 8" 3	33' 8" 8	42' 4" 14	42' 5" 4	42' 5" 11	42' 6" 1
11 IN 12	35' 0" 9	35' 0" 14	35' 1" 3	35' 1" 9	43' 6" 7	43' 6" 14	43' 7" 5	43' 7" 11
12 IN 12	36' 6" 6	36' 6" 12	36' 7" 2	36' 7" 7	44' 8" 15	44' 9" 6	44' 9" 13	44' 10" 4
13 IN 12	38' 1" 1	38' 1" 7	38' 1" 12	38' 2" 2	46' 0" 4	46' 0" 11	46' 1" 2	46' 1" 9
14 IN 12	39' 8" 5	39' 8" 12	39' 9" 2	39' 9" 8	47' 4" 5	47' 4" 13	47' 5" 4	47' 5" 11
15 IN 12	41' 4" 4	41' 4" 10	41' 5" 1	41' 5" 7	48' 9" 2	48' 9" 9	48' 10" 1	48' 10" 8
16 IN 12	43' 0" 11	43' 1" 1	43' 1" 8	43' 1" 15	50' 2" 9	50' 3" 0	50' 3" 8	50' 4" 0
17 IN 12	44' 9" 9	44' 10" 0	44' 10" 7	44' 10" 14	51' 8" 9	51' 9" 1	51' 9" 9	51' 10" 1
18 IN 12	46' 6" 14	46' 7" 5	46' 7" 12	46' 8" 3	53' 3" 1	53' 3" 10	53' 4" 2	53' 4" 10
19 IN 12	48' 4" 9	48' 5" 0	48' 5" 7	48' 5" 15	54' 10" 2	54' 10" 10	54' 11" 3	54' 11" 11
20 IN 12	50' 2" 9	50' 3" 0	50' 3" 8	50' 4" 0	56' 5" 10	56' 6" 2	56' 6" 11	56' 7" 4
21 IN 12	52' 0" 11	52' 1" 5	52' 1" 13	52' 2" 5	58' 1" 8	58' 2" 1	58' 2" 10	58' 3" 3
22 IN 12	53' 11" 6	53' 11" 14	54' 0" 7	54' 0" 15	59' 9" 12	59' 10" 6	59' 10" 15	59' 11" 8
23 IN 12	55' 10" 3	55' 10" 11	55' 11" 4	55' 11" 13	61' 6" 6	61' 7" 0	61' 7" 9	61' 8" 3
24 IN 12	57' 9" 3	57' 9" 12	57' 10" 5	57' 10" 14	63' 3" 5	63' 3" 15	63' 4" 9	63' 5" 3
25 IN 12	59' 8" 6	59' 8" 15	59' 9" 9	59' 10" 2	65' 0" 9	65' 1" 3	65' 1" 13	65' 2" 7

25 Foot 11 Inch Run — Common Rafter Lengths   25 Foot 11 Inch Run — Hip Or Valley Rafter Lengths

Run - Pitch	25'11" (Common)	25'11 1/4"	25'11 1/2"	25'11 3/4"	25'11" (Hip/Valley)	25'11 1/4"	25'11 1/2"	25'11 3/4"
	Ft In 16th"	Ft In 16th"	Ft In 16th"	Ft In 16th"	Ft In 16th"	Ft In 16th"	Ft In 16th"	Ft In 16th"
1 IN 12	26' 0" 1	26' 0" 5	26' 0" 9	26' 0" 13	36' 8" 9	36' 8" 15	36' 9" 5	36' 9" 10
2 IN 12	26' 3" 5	26' 3" 9	26' 3" 13	26' 4" 1	36' 10" 14	36' 11" 4	36' 11" 9	36' 11" 15
2.5 IN 12	26' 5" 11	26' 5" 15	26' 6" 3	26' 6" 7	37' 0" 9	37' 0" 15	37' 1" 5	37' 1" 10
3 IN 12	26' 8" 9	26' 8" 13	26' 9" 1	26' 9" 6	37' 2" 10	37' 3" 0	37' 3" 6	37' 3" 11
3.5 IN 12	26' 11" 15	27' 0" 4	27' 0" 8	27' 0" 12	37' 5" 1	37' 5" 7	37' 5" 13	37' 6" 3
4 IN 12	27' 3" 13	27' 4" 1	27' 4" 6	27' 4" 10	37' 7" 14	37' 8" 4	37' 8" 10	37' 8" 15
4.5 IN 12	27' 8" 2	27' 8" 7	27' 8" 11	27' 8" 15	37' 11" 0	37' 11" 6	37' 11" 12	38' 0" 2
5 IN 12	28' 0" 15	28' 1" 3	28' 1" 7	28' 1" 12	38' 2" 8	38' 2" 14	38' 3" 4	38' 3" 10
5.5 IN 12	28' 6" 2	28' 6" 6	28' 6" 11	28' 6" 15	38' 6" 5	38' 6" 11	38' 7" 1	38' 7" 7
6 IN 12	28' 11" 11	29' 0" 0	29' 0" 4	29' 0" 9	38' 10" 8	38' 10" 14	38' 11" 4	38' 11" 10
6.5 IN 12	29' 5" 11	29' 6" 0	29' 6" 4	29' 6" 9	39' 3" 0	39' 3" 6	39' 3" 12	39' 4" 2
7 IN 12	30' 0" 1	30' 0" 5	30' 0" 10	30' 0" 15	39' 7" 12	39' 8" 2	39' 8" 9	39' 8" 15
8 IN 12	31' 1" 12	31' 2" 1	31' 2" 6	31' 2" 11	40' 6" 4	40' 6" 10	40' 7" 0	40' 7" 7
9 IN 12	32' 4" 12	32' 5" 1	32' 5" 6	32' 5" 11	41' 5" 13	41' 6" 4	41' 6" 10	41' 7" 1
10 IN 12	33' 8" 13	33' 9" 3	33' 9" 8	33' 9" 13	42' 6" 8	42' 6" 15	42' 7" 5	42' 7" 12
11 IN 12	35' 1" 14	35' 2" 4	35' 2" 9	35' 2" 15	43' 8" 2	43' 8" 9	43' 9" 0	43' 9" 6
12 IN 12	36' 7" 13	36' 8" 3	36' 8" 8	36' 8" 14	44' 10" 11	44' 11" 2	44' 11" 9	44' 11" 15
13 IN 12	38' 2" 8	38' 2" 14	38' 3" 4	38' 3" 10	46' 2" 1	46' 2" 8	46' 2" 15	46' 3" 6
14 IN 12	39' 9" 14	39' 10" 4	39' 10" 10	39' 11" 1	47' 6" 3	47' 6" 10	47' 7" 1	47' 7" 9
15 IN 12	41' 5" 13	41' 6" 4	41' 6" 10	41' 7" 1	48' 11" 0	48' 11" 8	48' 11" 15	49' 0" 7
16 IN 12	43' 2" 5	43' 2" 12	43' 3" 3	43' 3" 9	50' 4" 8	50' 4" 15	50' 5" 7	50' 5" 15
17 IN 12	44' 11" 5	44' 11" 12	45' 0" 3	45' 0" 9	51' 10" 9	51' 11" 1	51' 11" 9	52' 0" 1
18 IN 12	46' 8" 11	46' 9" 2	46' 9" 9	46' 10" 0	53' 5" 2	53' 5" 11	53' 6" 3	53' 6" 11
19 IN 12	48' 6" 6	48' 6" 14	48' 7" 5	48' 7" 13	55' 0" 4	55' 0" 12	55' 1" 5	55' 1" 13
20 IN 12	50' 4" 8	50' 4" 15	50' 5" 7	50' 5" 15	56' 7" 13	56' 8" 5	56' 8" 14	56' 9" 7
21 IN 12	52' 2" 13	52' 3" 6	52' 3" 14	52' 4" 6	58' 3" 12	58' 4" 5	58' 4" 14	58' 5" 7
22 IN 12	54' 1" 1	54' 2" 0	54' 2" 8	54' 3" 1	60' 0" 1	60' 0" 11	60' 1" 4	60' 1" 13
23 IN 12	56' 0" 5	56' 0" 14	56' 1" 7	56' 1" 15	61' 8" 13	61' 9" 6	61' 10" 0	61' 10" 9
24 IN 12	57' 11" 7	58' 0" 0	58' 0" 9	58' 1" 2	63' 5" 13	63' 6" 6	63' 7" 0	63' 7" 10
25 IN 12	59' 10" 11	59' 11" 4	59' 11" 14	60' 0" 7	65' 3" 2	65' 3" 12	65' 4" 6	65' 5" 0

26 Foot 0 Inch Run — Common Rafter Lengths   26 Foot 0 Inch Run — Hip Or Valley Rafter Lengths

Run -	26' 0"	26' 0 1/4"	26' 0 1/2"	26' 0 3/4"	26' 0"	26' 0 1/4"	26' 0 1/2"	26' 0 3/4"
Pitch	Ft In 16th"	Ft In 16th"	Ft In 16th"	Ft In 16th"	Ft In 16th"	Ft In 16th"	Ft In 16th"	Ft In 16th"
1 IN 12	26' 1" 1	26' 1" 5	26' 1" 9	26' 1" 13	36' 10" 0	36' 10" 6	36' 10" 11	36' 11" 1
2 IN 12	26' 4" 5	26' 4" 9	26' 4" 13	26' 5" 1	37' 0" 5	37' 0" 10	37' 1" 0	37' 1" 6
2.5 IN 12	26' 6" 11	26' 6" 15	26' 7" 3	26' 7" 7	37' 2" 0	37' 2" 6	37' 2" 11	37' 3" 1
3 IN 12	26' 9" 10	26' 9" 14	26' 10" 2	26' 10" 6	37' 4" 1	37' 4" 7	37' 4" 13	37' 5" 2
3.5 IN 12	27' 1" 0	27' 1" 4	27' 1" 8	27' 1" 13	37' 6" 8	37' 6" 14	37' 7" 4	37' 7" 10
4 IN 12	27' 4" 14	27' 5" 2	27' 5" 6	27' 5" 11	37' 9" 5	37' 9" 11	37' 10" 1	37' 10" 7
4.5 IN 12	27' 9" 3	27' 9" 8	27' 9" 12	27' 10" 0	38' 0" 8	38' 0" 14	38' 1" 3	38' 1" 9
5 IN 12	28' 2" 0	28' 2" 4	28' 2" 9	28' 2" 13	38' 4" 0	38' 4" 6	38' 4" 12	38' 5" 1
5.5 IN 12	28' 7" 3	28' 7" 8	28' 7" 12	28' 8" 1	38' 7" 13	38' 8" 3	38' 8" 9	38' 8" 15
6 IN 12	29' 0" 13	29' 1" 2	29' 1" 6	29' 1" 11	39' 0" 0	39' 0" 6	39' 0" 12	39' 1" 2
6.5 IN 12	29' 6" 13	29' 7" 2	29' 7" 6	29' 7" 11	39' 4" 8	39' 4" 14	39' 5" 4	39' 5" 10
7 IN 12	30' 1" 3	30' 1" 8	30' 1" 13	30' 2" 1	39' 9" 5	39' 9" 11	39' 10" 1	39' 10" 7
8 IN 12	31' 3" 0	31' 3" 4	31' 3" 9	31' 3" 14	40' 7" 13	40' 8" 3	40' 8" 9	40' 9" 0
9 IN 12	32' 6" 0	32' 6" 5	32' 6" 10	32' 6" 15	41' 7" 7	41' 7" 14	41' 8" 4	41' 8" 10
10 IN 12	33' 10" 2	33' 10" 7	33' 10" 13	33' 11" 2	42' 8" 2	42' 8" 9	42' 8" 15	42' 9" 6
11 IN 12	35' 3" 4	35' 3" 9	35' 3" 15	35' 4" 4	43' 9" 13	43' 10" 4	43' 10" 11	43' 11" 1
12 IN 12	36' 9" 4	36' 9" 9	36' 9" 15	36' 10" 5	45' 0" 6	45' 0" 13	45' 1" 4	45' 1" 11
13 IN 12	38' 4" 0	38' 4" 6	38' 4" 12	38' 5" 1	46' 3" 13	46' 4" 4	46' 4" 11	46' 5" 2
14 IN 12	39' 11" 7	39' 11" 13	40' 0" 3	40' 0" 9	47' 8" 0	47' 8" 7	47' 8" 15	47' 9" 6
15 IN 12	41' 7" 7	41' 7" 14	41' 8" 4	41' 8" 10	49' 0" 14	49' 1" 6	49' 1" 13	49' 2" 5
16 IN 12	43' 4" 0	43' 4" 7	43' 4" 13	43' 5" 4	50' 6" 7	50' 6" 14	50' 7" 6	50' 7" 14
17 IN 12	45' 1" 0	45' 1" 7	45' 1" 14	45' 2" 5	52' 0" 9	52' 1" 1	52' 1" 9	52' 2" 1
18 IN 12	46' 10" 7	46' 10" 15	46' 11" 6	46' 11" 13	53' 7" 3	53' 7" 12	53' 8" 4	53' 8" 12
19 IN 12	48' 8" 4	48' 8" 12	48' 9" 3	48' 9" 11	55' 2" 6	55' 2" 14	55' 3" 7	55' 3" 15
20 IN 12	50' 6" 7	50' 6" 14	50' 7" 6	50' 7" 14	56' 10" 0	56' 10" 8	56' 11" 1	56' 11" 10
21 IN 12	52' 4" 14	52' 5" 6	52' 5" 14	52' 6" 6	58' 6" 0	58' 6" 9	58' 7" 2	58' 7" 11
22 IN 12	54' 3" 9	54' 4" 1	54' 4" 10	54' 5" 2	60' 2" 7	60' 3" 0	60' 3" 9	60' 4" 2
23 IN 12	56' 2" 8	56' 3" 1	56' 3" 9	56' 4" 2	61' 11" 3	61' 11" 12	62' 0" 6	62' 0" 15
24 IN 12	58' 1" 10	58' 2" 3	58' 2" 12	58' 3" 5	63' 8" 4	63' 8" 14	63' 9" 7	63' 10" 1
25 IN 12	60' 1" 0	60' 1" 9	60' 2" 3	60' 2" 12	65' 5" 10	65' 6" 4	65' 6" 14	65' 7" 8

Jack Rafter Lengths

Length Of First Jack Rafter

At 1" Spacing on Center   At 2" Spacing On Center

Pitch	1"O.C.			1 1/4"O.C.			1 1/2"O.C.			1 3/4"O.C.			2"O.C.			2 1/4"O.C.			2 1/2"O.C.			2 3/4"O.C.		
	Ft	In	16th"	Ft	In	16th"	Ft	In	16th"	Ft	In	16th"	Ft	In	16th"	Ft	In	16th"	Ft	In	16th"	Ft	In	16th"
1 IN 12	0'	1"	0	0'	1"	4	0'	1"	8	0'	1"	12	0'	2"	0	0'	2"	4	0'	2"	8	0'	2"	12
2 IN 12	0'	1"	0	0'	1"	4	0'	1"	8	0'	1"	12	0'	2"	0	0'	2"	4	0'	2"	9	0'	2"	13
2.5 IN 12	0'	1"	0	0'	1"	4	0'	1"	9	0'	1"	13	0'	2"	1	0'	2"	5	0'	2"	9	0'	2"	13
3 IN 12	0'	1"	0	0'	1"	5	0'	1"	9	0'	1"	13	0'	2"	1	0'	2"	5	0'	2"	9	0'	2"	13
3.5 IN 12	0'	1"	1	0'	1"	5	0'	1"	9	0'	1"	13	0'	2"	1	0'	2"	6	0'	2"	10	0'	2"	14
4 IN 12	0'	1"	1	0'	1"	5	0'	1"	9	0'	1"	14	0'	2"	2	0'	2"	6	0'	2"	10	0'	2"	14
4.5 IN 12	0'	1"	1	0'	1"	5	0'	1"	10	0'	1"	14	0'	2"	2	0'	2"	6	0'	2"	11	0'	2"	15
5 IN 12	0'	1"	1	0'	1"	6	0'	1"	10	0'	1"	14	0'	2"	3	0'	2"	7	0'	2"	11	0'	3"	0
5.5 IN 12	0'	1"	2	0'	1"	6	0'	1"	10	0'	1"	15	0'	2"	3	0'	2"	8	0'	2"	12	0'	3"	0
6 IN 12	0'	1"	2	0'	1"	6	0'	1"	11	0'	1"	15	0'	2"	4	0'	2"	8	0'	2"	13	0'	3"	1
6.5 IN 12	0'	1"	2	0'	1"	7	0'	1"	11	0'	2"	0	0'	2"	4	0'	2"	9	0'	2"	13	0'	3"	2
7 IN 12	0'	1"	3	0'	1"	7	0'	1"	12	0'	2"	0	0'	2"	5	0'	2"	10	0'	2"	14	0'	3"	3
8 IN 12	0'	1"	3	0'	1"	8	0'	1"	13	0'	2"	2	0'	2"	6	0'	2"	11	0'	3"	0	0'	3"	5
9 IN 12	0'	1"	4	0'	1"	9	0'	1"	14	0'	2"	3	0'	2"	8	0'	2"	13	0'	3"	2	0'	3"	7
10 IN 12	0'	1"	5	0'	1"	10	0'	1"	15	0'	2"	4	0'	2"	10	0'	2"	15	0'	3"	4	0'	3"	9
11 IN 12	0'	1"	6	0'	1"	11	0'	2"	1	0'	2"	6	0'	2"	11	0'	3"	1	0'	3"	6	0'	3"	12
12 IN 12	0'	1"	7	0'	1"	12	0'	2"	2	0'	2"	8	0'	2"	13	0'	3"	3	0'	3"	9	0'	3"	14
13 IN 12	0'	1"	8	0'	1"	13	0'	2"	3	0'	2"	9	0'	2"	15	0'	3"	5	0'	3"	11	0'	4"	1
14 IN 12	0'	1"	9	0'	1"	15	0'	2"	5	0'	2"	11	0'	3"	1	0'	3"	7	0'	3"	13	0'	4"	4
15 IN 12	0'	1"	10	0'	2"	0	0'	2"	6	0'	2"	13	0'	3"	3	0'	3"	10	0'	4"	0	0'	4"	6
16 IN 12	0'	1"	11	0'	2"	1	0'	2"	8	0'	2"	15	0'	3"	5	0'	3"	12	0'	4"	3	0'	4"	9
17 IN 12	0'	1"	12	0'	2"	3	0'	2"	10	0'	3"	1	0'	3"	7	0'	3"	14	0'	4"	5	0'	4"	12
18 IN 12	0'	1"	13	0'	2"	4	0'	2"	11	0'	3"	2	0'	3"	10	0'	4"	1	0'	4"	8	0'	4"	15
19 IN 12	0'	1"	14	0'	2"	5	0'	2"	13	0'	3"	4	0'	3"	12	0'	4"	3	0'	4"	11	0'	5"	2
20 IN 12	0'	1"	15	0'	2"	7	0'	2"	15	0'	3"	6	0'	3"	14	0'	4"	6	0'	4"	14	0'	5"	6
21 IN 12	0'	2"	0	0'	2"	8	0'	3"	0	0'	3"	8	0'	4"	0	0'	4"	9	0'	5"	1	0'	5"	9
22 IN 12	0'	2"	1	0'	2"	10	0'	3"	2	0'	3"	10	0'	4"	3	0'	4"	11	0'	5"	4	0'	5"	12
23 IN 12	0'	2"	3	0'	2"	11	0'	3"	4	0'	3"	13	0'	4"	5	0'	4"	14	0'	5"	6	0'	5"	15
24 IN 12	0'	2"	4	0'	2"	13	0'	3"	6	0'	3"	15	0'	4"	8	0'	5"	0	0'	5"	9	0'	6"	2
25 IN 12	0'	2"	5	0'	2"	14	0'	3"	7	0'	4"	1	0'	4"	10	0'	5"	3	0'	5"	12	0'	6"	6

Length Of First Jack Rafter

	At 3" Spacing on Center				At 4" Spacing On Center			
	3"O.C.	3 1/4"O.C.	3 1/2"O.C.	3 3/4"O.C.	4"O.C.	4 1/4"O.C.	4 1/2"O.C.	4 3/4"O.C.
Pitch	Ft In 16th"	Ft In 16th"	Ft In 16th"	Ft In 16th"	Ft In 16th"	Ft In 16th"	Ft In 16th"	Ft In 16th"
1 IN 12	0' 3" 0	0' 3" 4	0' 3" 8	0' 3" 12	0' 4" 0	0' 4" 4	0' 4" 8	0' 4" 12
2 IN 12	0' 3" 1	0' 3" 5	0' 3" 9	0' 3" 13	0' 4" 1	0' 4" 5	0' 4" 9	0' 4" 13
2.5 IN 12	0' 3" 1	0' 3" 5	0' 3" 9	0' 3" 13	0' 4" 1	0' 4" 5	0' 4" 10	0' 4" 14
3 IN 12	0' 3" 1	0' 3" 6	0' 3" 10	0' 3" 14	0' 4" 2	0' 4" 6	0' 4" 10	0' 4" 14
3.5 IN 12	0' 3" 2	0' 3" 6	0' 3" 10	0' 3" 15	0' 4" 3	0' 4" 7	0' 4" 11	0' 4" 15
4 IN 12	0' 3" 3	0' 3" 7	0' 3" 11	0' 3" 15	0' 4" 3	0' 4" 8	0' 4" 12	0' 5" 0
4.5 IN 12	0' 3" 3	0' 3" 8	0' 3" 12	0' 4" 0	0' 4" 4	0' 4" 9	0' 4" 13	0' 5" 1
5 IN 12	0' 3" 4	0' 3" 8	0' 3" 13	0' 4" 1	0' 4" 5	0' 4" 10	0' 4" 14	0' 5" 2
5.5 IN 12	0' 3" 5	0' 3" 9	0' 3" 14	0' 4" 2	0' 4" 6	0' 4" 11	0' 4" 15	0' 5" 4
6 IN 12	0' 3" 6	0' 3" 10	0' 3" 15	0' 4" 3	0' 4" 8	0' 4" 12	0' 5" 0	0' 5" 5
6.5 IN 12	0' 3" 7	0' 3" 11	0' 4" 0	0' 4" 4	0' 4" 9	0' 4" 13	0' 5" 2	0' 5" 6
7 IN 12	0' 3" 8	0' 3" 12	0' 4" 1	0' 4" 5	0' 4" 10	0' 4" 15	0' 5" 3	0' 5" 8
8 IN 12	0' 3" 10	0' 3" 14	0' 4" 3	0' 4" 8	0' 4" 13	0' 5" 2	0' 5" 7	0' 5" 11
9 IN 12	0' 3" 12	0' 4" 1	0' 4" 6	0' 4" 11	0' 5" 0	0' 5" 5	0' 5" 10	0' 5" 15
10 IN 12	0' 3" 14	0' 4" 4	0' 4" 9	0' 4" 14	0' 5" 3	0' 5" 9	0' 5" 14	0' 6" 3
11 IN 12	0' 4" 1	0' 4" 7	0' 4" 12	0' 5" 1	0' 5" 7	0' 5" 12	0' 6" 2	0' 6" 7
12 IN 12	0' 4" 4	0' 4" 10	0' 4" 15	0' 5" 5	0' 5" 11	0' 6" 0	0' 6" 6	0' 6" 11
13 IN 12	0' 4" 7	0' 4" 13	0' 5" 3	0' 5" 8	0' 5" 14	0' 6" 4	0' 6" 10	0' 7" 0
14 IN 12	0' 4" 10	0' 5" 0	0' 5" 6	0' 5" 12	0' 6" 2	0' 6" 8	0' 6" 15	0' 7" 5
15 IN 12	0' 4" 13	0' 5" 3	0' 5" 10	0' 6" 0	0' 6" 6	0' 6" 13	0' 7" 3	0' 7" 10
16 IN 12	0' 5" 0	0' 5" 7	0' 5" 13	0' 6" 4	0' 6" 11	0' 7" 1	0' 7" 8	0' 7" 15
17 IN 12	0' 5" 3	0' 5" 10	0' 6" 1	0' 6" 8	0' 6" 15	0' 7" 6	0' 7" 13	0' 8" 4
18 IN 12	0' 5" 7	0' 5" 14	0' 6" 5	0' 6" 12	0' 7" 3	0' 7" 11	0' 8" 2	0' 8" 9
19 IN 12	0' 5" 10	0' 6" 1	0' 6" 9	0' 7" 0	0' 7" 7	0' 7" 15	0' 8" 7	0' 8" 14
20 IN 12	0' 5" 13	0' 6" 5	0' 6" 13	0' 7" 5	0' 7" 12	0' 8" 4	0' 8" 12	0' 9" 4
21 IN 12	0' 6" 1	0' 6" 9	0' 7" 1	0' 7" 9	0' 8" 1	0' 8" 9	0' 9" 1	0' 9" 9
22 IN 12	0' 6" 4	0' 6" 13	0' 7" 5	0' 7" 13	0' 8" 6	0' 8" 14	0' 9" 6	0' 9" 15
23 IN 12	0' 6" 8	0' 7" 0	0' 7" 9	0' 8" 2	0' 8" 10	0' 9" 3	0' 9" 12	0' 10" 4
24 IN 12	0' 6" 11	0' 7" 4	0' 7" 13	0' 8" 6	0' 8" 15	0' 9" 8	0' 10" 1	0' 10" 10
25 IN 12	0' 6" 15	0' 7" 8	0' 8" 1	0' 8" 11	0' 9" 4	0' 9" 13	0' 10" 6	0' 11" 0

Length Of First Jack Rafter

	At 5" Spacing on Center				At 6" Spacing On Center			
Pitch	5"O.C. Ft In 16th"	5 1/4"O.C. Ft In 16th"	5 1/2"O.C. Ft In 16th"	5 3/4"O.C. Ft In 16th"	6"O.C. Ft In 16th"	6 1/4"O.C. Ft In 16th"	6 1/2"O.C. Ft In 16th"	6 3/4"O.C. Ft In 16th"
1 IN 12	0' 5" 0	0' 5" 4	0' 5" 8	0' 5" 12	0' 6" 0	0' 6" 4	0' 6" 8	0' 6" 12
2 IN 12	0' 5" 1	0' 5" 5	0' 5" 9	0' 5" 13	0' 6" 1	0' 6" 5	0' 6" 9	0' 6" 13
2.5 IN 12	0' 5" 2	0' 5" 6	0' 5" 10	0' 5" 14	0' 6" 2	0' 6" 6	0' 6" 10	0' 6" 14
3 IN 12	0' 5" 2	0' 5" 7	0' 5" 11	0' 5" 15	0' 6" 3	0' 6" 7	0' 6" 11	0' 6" 15
3.5 IN 12	0' 5" 3	0' 5" 8	0' 5" 12	0' 6" 0	0' 6" 4	0' 6" 8	0' 6" 12	0' 7" 1
4 IN 12	0' 5" 4	0' 5" 9	0' 5" 13	0' 6" 1	0' 6" 5	0' 6" 9	0' 6" 14	0' 7" 2
4.5 IN 12	0' 5" 5	0' 5" 10	0' 5" 14	0' 6" 2	0' 6" 7	0' 6" 11	0' 6" 15	0' 7" 3
5 IN 12	0' 5" 7	0' 5" 11	0' 5" 15	0' 6" 4	0' 6" 8	0' 6" 12	0' 7" 1	0' 7" 5
5.5 IN 12	0' 5" 8	0' 5" 12	0' 6" 1	0' 6" 5	0' 6" 10	0' 6" 14	0' 7" 2	0' 7" 7
6 IN 12	0' 5" 9	0' 5" 14	0' 6" 2	0' 6" 7	0' 6" 11	0' 7" 0	0' 7" 4	0' 7" 9
6.5 IN 12	0' 5" 11	0' 6" 0	0' 6" 4	0' 6" 9	0' 6" 13	0' 7" 2	0' 7" 6	0' 7" 11
7 IN 12	0' 5" 13	0' 6" 1	0' 6" 6	0' 6" 11	0' 6" 15	0' 7" 4	0' 7" 8	0' 7" 13
8 IN 12	0' 6" 0	0' 6" 5	0' 6" 10	0' 6" 15	0' 7" 3	0' 7" 8	0' 7" 13	0' 8" 2
9 IN 12	0' 6" 4	0' 6" 9	0' 6" 14	0' 7" 3	0' 7" 8	0' 7" 13	0' 8" 2	0' 8" 7
10 IN 12	0' 6" 8	0' 6" 13	0' 7" 3	0' 7" 8	0' 7" 13	0' 8" 2	0' 8" 7	0' 8" 13
11 IN 12	0' 6" 13	0' 7" 2	0' 7" 7	0' 7" 13	0' 8" 2	0' 8" 8	0' 8" 13	0' 9" 3
12 IN 12	0' 7" 1	0' 7" 7	0' 7" 12	0' 8" 2	0' 8" 8	0' 8" 13	0' 9" 3	0' 9" 9
13 IN 12	0' 7" 6	0' 7" 12	0' 8" 2	0' 8" 8	0' 8" 14	0' 9" 3	0' 9" 9	0' 9" 15
14 IN 12	0' 7" 11	0' 8" 1	0' 8" 7	0' 8" 13	0' 9" 4	0' 9" 10	0' 10" 0	0' 10" 6
15 IN 12	0' 8" 0	0' 8" 6	0' 8" 13	0' 9" 3	0' 9" 10	0' 10" 0	0' 10" 6	0' 10" 13
16 IN 12	0' 8" 5	0' 8" 12	0' 9" 3	0' 9" 9	0' 10" 0	0' 10" 7	0' 10" 13	0' 11" 4
17 IN 12	0' 8" 11	0' 9" 2	0' 9" 9	0' 10" 0	0' 10" 6	0' 10" 13	0' 11" 4	0' 11" 11
18 IN 12	0' 9" 0	0' 9" 7	0' 9" 15	0' 10" 6	0' 10" 13	0' 11" 4	0' 11" 11	1' 0" 3
19 IN 12	0' 9" 6	0' 9" 13	0' 10" 5	0' 10" 12	0' 11" 4	0' 11" 11	1' 0" 3	1' 0" 10
20 IN 12	0' 9" 11	0' 10" 3	0' 10" 11	0' 11" 3	0' 11" 11	1' 0" 2	1' 0" 10	1' 1" 2
21 IN 12	0' 10" 2	0' 10" 9	0' 11" 1	0' 11" 9	1' 0" 1	1' 0" 10	1' 1" 2	1' 1" 10
22 IN 12	0' 10" 7	0' 10" 15	0' 11" 8	1' 0" 0	1' 0" 8	1' 1" 1	1' 1" 9	1' 2" 2
23 IN 12	0' 10" 13	0' 11" 6	0' 11" 14	1' 0" 7	1' 1" 0	1' 1" 8	1' 2" 1	1' 2" 9
24 IN 12	0' 11" 3	0' 11" 12	1' 0" 5	1' 0" 14	1' 1" 7	1' 2" 0	1' 2" 9	1' 3" 1
25 IN 12	0' 11" 9	1' 0" 2	1' 0" 11	1' 1" 5	1' 1" 14	1' 2" 7	1' 3" 0	1' 3" 10

Length Of First Jack Rafter

At 7" Spacing on Center   At 8" Spacing On Center

Pitch	7"O.C.			7 1/4"O.C.			7 1/2"O.C.			7 3/4"O.C.			8"O.C.			8 1/4"O.C.			8 1/2"O.C.			8 3/4"O.C.		
	Ft	In	16th"	Ft	In	16th"	Ft	In	16th"	Ft	In	16th"	Ft	In	16th"	Ft	In	16th"	Ft	In	16th"	Ft	In	16th"
1 IN 12	0'	7"	0	0'	7"	4	0'	7"	8	0'	7"	12	0'	8"	0	0'	8"	4	0'	8"	8	0'	8"	12
2 IN 12	0'	7"	2	0'	7"	6	0'	7"	10	0'	7"	14	0'	8"	2	0'	8"	6	0'	8"	10	0'	8"	14
2.5 IN 12	0'	7"	2	0'	7"	6	0'	7"	11	0'	7"	15	0'	8"	3	0'	8"	7	0'	8"	11	0'	8"	15
3 IN 12	0'	7"	3	0'	7"	8	0'	7"	12	0'	8"	0	0'	8"	4	0'	8"	8	0'	8"	12	0'	9"	0
3.5 IN 12	0'	7"	5	0'	7"	9	0'	7"	13	0'	8"	1	0'	8"	5	0'	8"	10	0'	8"	14	0'	9"	2
4 IN 12	0'	7"	6	0'	7"	10	0'	7"	14	0'	8"	3	0'	8"	7	0'	8"	11	0'	8"	15	0'	9"	4
4.5 IN 12	0'	7"	8	0'	7"	12	0'	8"	0	0'	8"	4	0'	8"	9	0'	8"	13	0'	9"	1	0'	9"	6
5 IN 12	0'	7"	9	0'	7"	14	0'	8"	2	0'	8"	6	0'	8"	11	0'	8"	15	0'	9"	3	0'	9"	8
5.5 IN 12	0'	7"	11	0'	8"	0	0'	8"	4	0'	8"	8	0'	8"	13	0'	9"	1	0'	9"	6	0'	9"	10
6 IN 12	0'	7"	13	0'	8"	2	0'	8"	6	0'	8"	11	0'	8"	15	0'	9"	4	0'	9"	8	0'	9"	13
6.5 IN 12	0'	7"	15	0'	8"	4	0'	8"	8	0'	8"	13	0'	9"	2	0'	9"	6	0'	9"	11	0'	9"	15
7 IN 12	0'	8"	2	0'	8"	6	0'	8"	11	0'	9"	0	0'	9"	4	0'	9"	9	0'	9"	13	0'	10"	2
8 IN 12	0'	8"	7	0'	8"	11	0'	9"	0	0'	9"	5	0'	9"	10	0'	9"	15	0'	10"	3	0'	10"	8
9 IN 12	0'	8"	12	0'	9"	1	0'	9"	6	0'	9"	11	0'	10"	0	0'	10"	5	0'	10"	10	0'	10"	15
10 IN 12	0'	9"	2	0'	9"	7	0'	9"	12	0'	10"	1	0'	10"	7	0'	10"	12	0'	11"	1	0'	11"	6
11 IN 12	0'	9"	8	0'	9"	13	0'	10"	3	0'	10"	8	0'	10"	14	0'	11"	3	0'	11"	8	0'	11"	14
12 IN 12	0'	9"	14	0'	10"	4	0'	10"	10	0'	10"	15	0'	11"	5	0'	11"	11	1'	0"	0	1'	0"	6
13 IN 12	0'	10"	5	0'	10"	11	0'	11"	1	0'	11"	7	0'	11"	13	1'	0"	3	1'	0"	9	1'	0"	14
14 IN 12	0'	10"	12	0'	11"	2	0'	11"	8	0'	11"	15	1'	0"	5	1'	0"	11	1'	1"	1	1'	1"	7
15 IN 12	0'	11"	3	0'	11"	10	1'	0"	0	1'	0"	6	1'	0"	13	1'	1"	3	1'	1"	10	1'	2"	0
16 IN 12	0'	11"	11	1'	0"	1	1'	0"	8	1'	0"	15	1'	1"	5	1'	1"	12	1'	2"	3	1'	2"	9
17 IN 12	1'	0"	2	1'	0"	9	1'	1"	0	1'	1"	7	1'	1"	14	1'	2"	5	1'	2"	12	1'	3"	3
18 IN 12	1'	0"	10	1'	1"	1	1'	1"	8	1'	2"	0	1'	2"	7	1'	2"	14	1'	3"	5	1'	3"	12
19 IN 12	1'	1"	2	1'	1"	9	1'	2"	1	1'	2"	8	1'	3"	0	1'	3"	7	1'	3"	15	1'	4"	6
20 IN 12	1'	1"	10	1'	2"	1	1'	2"	9	1'	3"	1	1'	3"	9	1'	4"	1	1'	4"	8	1'	5"	0
21 IN 12	1'	2"	2	1'	2"	10	1'	3"	2	1'	3"	10	1'	4"	2	1'	4"	10	1'	5"	2	1'	5"	10
22 IN 12	1'	2"	10	1'	3"	2	1'	3"	11	1'	4"	3	1'	4"	11	1'	5"	4	1'	5"	12	1'	6"	4
23 IN 12	1'	3"	2	1'	3"	11	1'	4"	3	1'	4"	12	1'	5"	5	1'	5"	13	1'	6"	6	1'	6"	15
24 IN 12	1'	3"	10	1'	4"	3	1'	4"	12	1'	5"	5	1'	5"	14	1'	6"	7	1'	7"	0	1'	7"	9
25 IN 12	1'	4"	3	1'	4"	12	1'	5"	5	1'	5"	15	1'	6"	8	1'	7"	1	1'	7"	10	1'	8"	4

Length Of First Jack Rafter

<table>
<tr><th></th><th colspan="12">At 9" Spacing on Center</th><th colspan="12">At 10" Spacing On Center</th></tr>
<tr><th></th><th colspan="3">9"O.C.</th><th colspan="3">9 1/4"O.C.</th><th colspan="3">9 1/2"O.C.</th><th colspan="3">9 3/4"O.C.</th><th colspan="3">10"O.C.</th><th colspan="3">10 1/4"O.C.</th><th colspan="3">10 1/2"O.C.</th><th colspan="3">10 3/4"O.C.</th></tr>
<tr><th>Pitch</th><th>Ft</th><th>In</th><th>16th"</th><th>Ft</th><th>In</th><th>16th"</th><th>Ft</th><th>In</th><th>16th"</th><th>Ft</th><th>In</th><th>16th"</th><th>Ft</th><th>In</th><th>16th"</th><th>Ft</th><th>In</th><th>16th"</th><th>Ft</th><th>In</th><th>16th"</th><th>Ft</th><th>In</th><th>16th"</th></tr>
<tr><td>1 IN 12</td><td>0'</td><td>9"</td><td>0</td><td>0'</td><td>9"</td><td>5</td><td>0'</td><td>9"</td><td>9</td><td>0'</td><td>9"</td><td>13</td><td>0'</td><td>10"</td><td>1</td><td>0'</td><td>10"</td><td>5</td><td>0'</td><td>10"</td><td>9</td><td>0'</td><td>10"</td><td>13</td></tr>
<tr><td>2 IN 12</td><td>0'</td><td>9"</td><td>2</td><td>0'</td><td>9"</td><td>6</td><td>0'</td><td>9"</td><td>10</td><td>0'</td><td>9"</td><td>14</td><td>0'</td><td>10"</td><td>2</td><td>0'</td><td>10"</td><td>6</td><td>0'</td><td>10"</td><td>10</td><td>0'</td><td>10"</td><td>14</td></tr>
<tr><td>2.5 IN 12</td><td>0'</td><td>9"</td><td>3</td><td>0'</td><td>9"</td><td>7</td><td>0'</td><td>9"</td><td>11</td><td>0'</td><td>9"</td><td>15</td><td>0'</td><td>10"</td><td>3</td><td>0'</td><td>10"</td><td>8</td><td>0'</td><td>10"</td><td>12</td><td>0'</td><td>11"</td><td>0</td></tr>
<tr><td>3 IN 12</td><td>0'</td><td>9"</td><td>4</td><td>0'</td><td>9"</td><td>9</td><td>0'</td><td>9"</td><td>13</td><td>0'</td><td>10"</td><td>1</td><td>0'</td><td>10"</td><td>5</td><td>0'</td><td>10"</td><td>9</td><td>0'</td><td>10"</td><td>13</td><td>0'</td><td>11"</td><td>1</td></tr>
<tr><td>3.5 IN 12</td><td>0'</td><td>9"</td><td>6</td><td>0'</td><td>9"</td><td>10</td><td>0'</td><td>9"</td><td>14</td><td>0'</td><td>10"</td><td>3</td><td>0'</td><td>10"</td><td>7</td><td>0'</td><td>10"</td><td>11</td><td>0'</td><td>10"</td><td>15</td><td>0'</td><td>11"</td><td>3</td></tr>
<tr><td>4 IN 12</td><td>0'</td><td>9"</td><td>8</td><td>0'</td><td>9"</td><td>12</td><td>0'</td><td>10"</td><td>0</td><td>0'</td><td>10"</td><td>4</td><td>0'</td><td>10"</td><td>9</td><td>0'</td><td>10"</td><td>13</td><td>0'</td><td>11"</td><td>1</td><td>0'</td><td>11"</td><td>5</td></tr>
<tr><td>4.5 IN 12</td><td>0'</td><td>9"</td><td>10</td><td>0'</td><td>9"</td><td>14</td><td>0'</td><td>10"</td><td>2</td><td>0'</td><td>10"</td><td>7</td><td>0'</td><td>10"</td><td>11</td><td>0'</td><td>10"</td><td>15</td><td>0'</td><td>11"</td><td>3</td><td>0'</td><td>11"</td><td>8</td></tr>
<tr><td>5 IN 12</td><td>0'</td><td>9"</td><td>12</td><td>0'</td><td>10"</td><td>0</td><td>0'</td><td>10"</td><td>5</td><td>0'</td><td>10"</td><td>9</td><td>0'</td><td>10"</td><td>13</td><td>0'</td><td>11"</td><td>2</td><td>0'</td><td>11"</td><td>6</td><td>0'</td><td>11"</td><td>10</td></tr>
<tr><td>5.5 IN 12</td><td>0'</td><td>9"</td><td>14</td><td>0'</td><td>10"</td><td>3</td><td>0'</td><td>10"</td><td>7</td><td>0'</td><td>10"</td><td>12</td><td>0'</td><td>11"</td><td>0</td><td>0'</td><td>11"</td><td>4</td><td>0'</td><td>11"</td><td>9</td><td>0'</td><td>11"</td><td>13</td></tr>
<tr><td>6 IN 12</td><td>0'</td><td>10"</td><td>1</td><td>0'</td><td>10"</td><td>5</td><td>0'</td><td>10"</td><td>10</td><td>0'</td><td>10"</td><td>14</td><td>0'</td><td>11"</td><td>3</td><td>0'</td><td>11"</td><td>7</td><td>0'</td><td>11"</td><td>12</td><td>1'</td><td>0"</td><td>0</td></tr>
<tr><td>6.5 IN 12</td><td>0'</td><td>10"</td><td>4</td><td>0'</td><td>10"</td><td>8</td><td>0'</td><td>10"</td><td>13</td><td>0'</td><td>11"</td><td>1</td><td>0'</td><td>11"</td><td>6</td><td>0'</td><td>11"</td><td>11</td><td>0'</td><td>11"</td><td>15</td><td>1'</td><td>0"</td><td>4</td></tr>
<tr><td>7 IN 12</td><td>0'</td><td>10"</td><td>7</td><td>0'</td><td>10"</td><td>11</td><td>0'</td><td>11"</td><td>0</td><td>0'</td><td>11"</td><td>5</td><td>0'</td><td>11"</td><td>9</td><td>0'</td><td>11"</td><td>14</td><td>1'</td><td>0"</td><td>2</td><td>1'</td><td>0"</td><td>7</td></tr>
<tr><td>8 IN 12</td><td>0'</td><td>10"</td><td>13</td><td>0'</td><td>11"</td><td>2</td><td>0'</td><td>11"</td><td>7</td><td>0'</td><td>11"</td><td>11</td><td>1'</td><td>0"</td><td>0</td><td>1'</td><td>0"</td><td>5</td><td>1'</td><td>0"</td><td>10</td><td>1'</td><td>0"</td><td>15</td></tr>
<tr><td>9 IN 12</td><td>0'</td><td>11"</td><td>4</td><td>0'</td><td>11"</td><td>9</td><td>0'</td><td>11"</td><td>14</td><td>1'</td><td>0"</td><td>3</td><td>1'</td><td>0"</td><td>8</td><td>1'</td><td>0"</td><td>13</td><td>1'</td><td>1"</td><td>2</td><td>1'</td><td>1"</td><td>7</td></tr>
<tr><td>10 IN 12</td><td>0'</td><td>11"</td><td>11</td><td>1'</td><td>0"</td><td>1</td><td>1'</td><td>0"</td><td>6</td><td>1'</td><td>0"</td><td>11</td><td>1'</td><td>1"</td><td>0</td><td>1'</td><td>1"</td><td>5</td><td>1'</td><td>1"</td><td>11</td><td>1'</td><td>2"</td><td>0</td></tr>
<tr><td>11 IN 12</td><td>1'</td><td>0"</td><td>3</td><td>1'</td><td>0"</td><td>9</td><td>1'</td><td>0"</td><td>14</td><td>1'</td><td>1"</td><td>4</td><td>1'</td><td>1"</td><td>9</td><td>1'</td><td>1"</td><td>14</td><td>1'</td><td>2"</td><td>4</td><td>1'</td><td>2"</td><td>9</td></tr>
<tr><td>12 IN 12</td><td>1'</td><td>0"</td><td>12</td><td>1'</td><td>1"</td><td>1</td><td>1'</td><td>1"</td><td>7</td><td>1'</td><td>1"</td><td>13</td><td>1'</td><td>2"</td><td>2</td><td>1'</td><td>2"</td><td>8</td><td>1'</td><td>2"</td><td>14</td><td>1'</td><td>3"</td><td>3</td></tr>
<tr><td>13 IN 12</td><td>1'</td><td>1"</td><td>4</td><td>1'</td><td>1"</td><td>10</td><td>1'</td><td>2"</td><td>0</td><td>1'</td><td>2"</td><td>6</td><td>1'</td><td>2"</td><td>12</td><td>1'</td><td>3"</td><td>2</td><td>1'</td><td>3"</td><td>8</td><td>1'</td><td>3"</td><td>14</td></tr>
<tr><td>14 IN 12</td><td>1'</td><td>1"</td><td>13</td><td>1'</td><td>2"</td><td>3</td><td>1'</td><td>2"</td><td>10</td><td>1'</td><td>3"</td><td>0</td><td>1'</td><td>3"</td><td>6</td><td>1'</td><td>3"</td><td>12</td><td>1'</td><td>4"</td><td>2</td><td>1'</td><td>4"</td><td>8</td></tr>
<tr><td>15 IN 12</td><td>1'</td><td>2"</td><td>7</td><td>1'</td><td>2"</td><td>13</td><td>1'</td><td>3"</td><td>3</td><td>1'</td><td>3"</td><td>10</td><td>1'</td><td>4"</td><td>0</td><td>1'</td><td>4"</td><td>7</td><td>1'</td><td>4"</td><td>13</td><td>1'</td><td>5"</td><td>3</td></tr>
<tr><td>16 IN 12</td><td>1'</td><td>3"</td><td>0</td><td>1'</td><td>3"</td><td>7</td><td>1'</td><td>3"</td><td>13</td><td>1'</td><td>4"</td><td>4</td><td>1'</td><td>4"</td><td>11</td><td>1'</td><td>5"</td><td>1</td><td>1'</td><td>5"</td><td>8</td><td>1'</td><td>5"</td><td>15</td></tr>
<tr><td>17 IN 12</td><td>1'</td><td>3"</td><td>10</td><td>1'</td><td>4"</td><td>1</td><td>1'</td><td>4"</td><td>8</td><td>1'</td><td>4"</td><td>15</td><td>1'</td><td>5"</td><td>5</td><td>1'</td><td>5"</td><td>12</td><td>1'</td><td>6"</td><td>3</td><td>1'</td><td>6"</td><td>10</td></tr>
<tr><td>18 IN 12</td><td>1'</td><td>4"</td><td>4</td><td>1'</td><td>4"</td><td>11</td><td>1'</td><td>5"</td><td>2</td><td>1'</td><td>5"</td><td>9</td><td>1'</td><td>6"</td><td>0</td><td>1'</td><td>6"</td><td>8</td><td>1'</td><td>6"</td><td>15</td><td>1'</td><td>7"</td><td>6</td></tr>
<tr><td>19 IN 12</td><td>1'</td><td>4"</td><td>14</td><td>1'</td><td>5"</td><td>5</td><td>1'</td><td>5"</td><td>13</td><td>1'</td><td>6"</td><td>4</td><td>1'</td><td>6"</td><td>12</td><td>1'</td><td>7"</td><td>3</td><td>1'</td><td>7"</td><td>11</td><td>1'</td><td>8"</td><td>2</td></tr>
<tr><td>20 IN 12</td><td>1'</td><td>5"</td><td>8</td><td>1'</td><td>6"</td><td>0</td><td>1'</td><td>6"</td><td>7</td><td>1'</td><td>6"</td><td>15</td><td>1'</td><td>7"</td><td>7</td><td>1'</td><td>7"</td><td>15</td><td>1'</td><td>8"</td><td>7</td><td>1'</td><td>8"</td><td>14</td></tr>
<tr><td>21 IN 12</td><td>1'</td><td>6"</td><td>2</td><td>1'</td><td>6"</td><td>10</td><td>1'</td><td>7"</td><td>2</td><td>1'</td><td>7"</td><td>10</td><td>1'</td><td>8"</td><td>2</td><td>1'</td><td>8"</td><td>11</td><td>1'</td><td>9"</td><td>3</td><td>1'</td><td>9"</td><td>11</td></tr>
<tr><td>22 IN 12</td><td>1'</td><td>6"</td><td>13</td><td>1'</td><td>7"</td><td>5</td><td>1'</td><td>7"</td><td>13</td><td>1'</td><td>8"</td><td>6</td><td>1'</td><td>8"</td><td>14</td><td>1'</td><td>9"</td><td>6</td><td>1'</td><td>9"</td><td>15</td><td>1'</td><td>10"</td><td>7</td></tr>
<tr><td>23 IN 12</td><td>1'</td><td>7"</td><td>7</td><td>1'</td><td>8"</td><td>0</td><td>1'</td><td>8"</td><td>9</td><td>1'</td><td>9"</td><td>1</td><td>1'</td><td>9"</td><td>10</td><td>1'</td><td>10"</td><td>3</td><td>1'</td><td>10"</td><td>11</td><td>1'</td><td>11"</td><td>4</td></tr>
<tr><td>24 IN 12</td><td>1'</td><td>8"</td><td>2</td><td>1'</td><td>8"</td><td>11</td><td>1'</td><td>9"</td><td>4</td><td>1'</td><td>9"</td><td>13</td><td>1'</td><td>10"</td><td>6</td><td>1'</td><td>10"</td><td>15</td><td>1'</td><td>11"</td><td>8</td><td>2'</td><td>0"</td><td>1</td></tr>
<tr><td>25 IN 12</td><td>1'</td><td>8"</td><td>13</td><td>1'</td><td>9"</td><td>6</td><td>1'</td><td>9"</td><td>15</td><td>1'</td><td>10"</td><td>9</td><td>1'</td><td>11"</td><td>2</td><td>1'</td><td>11"</td><td>11</td><td>2'</td><td>0"</td><td>4</td><td>2'</td><td>0"</td><td>13</td></tr>
</table>

Length Of First Jack Rafter

At 11" Spacing on Center   At 12" Spacing On Center

Pitch	11"O.C. Ft In 16th"	11 1/4"O.C. Ft In 16th"	11 1/2"O.C. Ft In 16th"	11 3/4"O.C. Ft In 16th"	12"O.C. Ft In 16th"	12 1/4"O.C. Ft In 16th"	12 1/2"O.C. Ft In 16th"	12 3/4"O.C. Ft In 16th"
1 IN 12	0' 11" 1	0' 11" 5	0' 11" 9	0' 11" 13	1' 0" 1	1' 0" 5	1' 0" 9	1' 0" 13
2 IN 12	0' 11" 2	0' 11" 6	0' 11" 11	0' 11" 15	1' 0" 3	1' 0" 7	1' 0" 11	1' 0" 15
2.5 IN 12	0' 11" 4	0' 11" 8	0' 11" 12	1' 0" 0	1' 0" 4	1' 0" 8	1' 0" 12	1' 1" 0
3 IN 12	0' 11" 5	0' 11" 10	0' 11" 14	1' 0" 2	1' 0" 6	1' 0" 10	1' 0" 14	1' 1" 2
3.5 IN 12	0' 11" 7	0' 11" 12	1' 0" 0	1' 0" 4	1' 0" 8	1' 0" 12	1' 1" 0	1' 1" 5
4 IN 12	0' 11" 10	0' 11" 14	1' 0" 2	1' 0" 6	1' 0" 10	1' 0" 15	1' 1" 3	1' 1" 7
4.5 IN 12	0' 11" 12	1' 0" 0	1' 0" 5	1' 0" 9	1' 0" 13	1' 1" 1	1' 1" 6	1' 1" 10
5 IN 12	0' 11" 15	1' 0" 3	1' 0" 7	1' 0" 12	1' 1" 0	1' 1" 4	1' 1" 9	1' 1" 13
5.5 IN 12	1' 0" 2	1' 0" 6	1' 0" 10	1' 0" 15	1' 1" 3	1' 1" 8	1' 1" 12	1' 2" 0
6 IN 12	1' 0" 5	1' 0" 9	1' 0" 14	1' 1" 2	1' 1" 7	1' 1" 11	1' 2" 0	1' 2" 4
6.5 IN 12	1' 0" 8	1' 0" 13	1' 1" 1	1' 1" 6	1' 1" 10	1' 1" 15	1' 2" 3	1' 2" 8
7 IN 12	1' 0" 12	1' 1" 0	1' 1" 5	1' 1" 10	1' 1" 14	1' 2" 3	1' 2" 8	1' 2" 12
8 IN 12	1' 1" 4	1' 1" 8	1' 1" 13	1' 2" 2	1' 2" 7	1' 2" 12	1' 3" 0	1' 3" 5
9 IN 12	1' 1" 12	1' 2" 1	1' 2" 6	1' 2" 11	1' 3" 0	1' 3" 5	1' 3" 10	1' 3" 15
10 IN 12	1' 2" 5	1' 2" 10	1' 3" 0	1' 3" 5	1' 3" 10	1' 3" 15	1' 4" 4	1' 4" 10
11 IN 12	1' 2" 15	1' 3" 4	1' 3" 10	1' 3" 15	1' 4" 4	1' 4" 10	1' 4" 15	1' 5" 5
12 IN 12	1' 3" 9	1' 3" 15	1' 4" 4	1' 4" 10	1' 5" 0	1' 5" 5	1' 5" 11	1' 6" 0
13 IN 12	1' 4" 3	1' 4" 9	1' 4" 15	1' 5" 5	1' 5" 11	1' 6" 1	1' 6" 7	1' 6" 13
14 IN 12	1' 4" 14	1' 5" 5	1' 5" 11	1' 6" 1	1' 6" 7	1' 6" 13	1' 7" 3	1' 7" 9
15 IN 12	1' 5" 10	1' 6" 0	1' 6" 7	1' 6" 13	1' 7" 3	1' 7" 10	1' 8" 0	1' 8" 7
16 IN 12	1' 6" 5	1' 6" 12	1' 7" 3	1' 7" 9	1' 8" 0	1' 8" 7	1' 8" 13	1' 9" 4
17 IN 12	1' 7" 1	1' 7" 8	1' 7" 15	1' 8" 6	1' 8" 13	1' 9" 4	1' 9" 11	1' 10" 2
18 IN 12	1' 7" 13	1' 8" 4	1' 8" 12	1' 9" 3	1' 9" 10	1' 10" 1	1' 10" 9	1' 11" 0
19 IN 12	1' 8" 10	1' 9" 1	1' 9" 9	1' 10" 0	1' 10" 8	1' 10" 15	1' 11" 7	1' 11" 14
20 IN 12	1' 9" 6	1' 9" 14	1' 10" 6	1' 10" 13	1' 11" 5	1' 11" 13	2' 0" 5	2' 0" 13
21 IN 12	1' 10" 3	1' 10" 11	1' 11" 3	1' 11" 11	2' 0" 3	2' 0" 11	2' 1" 3	2' 1" 11
22 IN 12	1' 11" 0	1' 11" 8	2' 0" 0	2' 0" 9	2' 1" 1	2' 1" 9	2' 2" 2	2' 2" 10
23 IN 12	1' 11" 12	2' 0" 5	2' 0" 14	2' 1" 6	2' 1" 15	2' 2" 8	2' 3" 0	2' 3" 9
24 IN 12	2' 0" 10	2' 1" 2	2' 1" 11	2' 2" 4	2' 2" 13	2' 3" 6	2' 3" 15	2' 4" 8
25 IN 12	2' 1" 7	2' 2" 0	2' 2" 9	2' 3" 2	2' 3" 12	2' 4" 5	2' 4" 14	2' 5" 7

Length Of First Jack Rafter

<table>
<tr><th colspan="4">At 13" Spacing on Center</th><th colspan="4">At 14" Spacing On Center</th></tr>
<tr><th colspan="4"></th><th colspan="4"></th></tr>
</table>

Pitch	13"O.C. Ft In 16th"	13 1/4"O.C. Ft In 16th"	13 1/2"O.C. Ft In 16th"	13 3/4"O.C. Ft In 16th"	14"O.C. Ft In 16th"	14 1/4"O.C. Ft In 16th"	14 1/2"O.C. Ft In 16th"	14 3/4"O.C. Ft In 16th"
1 IN 12	1' 1" 1	1' 1" 5	1' 1" 9	1' 1" 13	1' 2" 1	1' 2" 5	1' 2" 9	1' 2" 13
2 IN 12	1' 1" 3	1' 1" 7	1' 1" 11	1' 1" 15	1' 2" 3	1' 2" 7	1' 2" 11	1' 2" 15
2.5 IN 12	1' 1" 4	1' 1" 9	1' 1" 13	1' 2" 1	1' 2" 5	1' 2" 9	1' 2" 13	1' 3" 1
3 IN 12	1' 1" 6	1' 1" 11	1' 1" 15	1' 2" 3	1' 2" 7	1' 2" 11	1' 2" 15	1' 3" 3
3.5 IN 12	1' 1" 9	1' 1" 13	1' 2" 1	1' 2" 5	1' 2" 9	1' 2" 14	1' 3" 2	1' 3" 6
4 IN 12	1' 1" 11	1' 1" 15	1' 2" 4	1' 2" 8	1' 2" 12	1' 3" 0	1' 3" 5	1' 3" 9
4.5 IN 12	1' 1" 14	1' 2" 2	1' 2" 7	1' 2" 11	1' 2" 15	1' 3" 4	1' 3" 8	1' 3" 12
5 IN 12	1' 2" 1	1' 2" 6	1' 2" 10	1' 2" 14	1' 3" 3	1' 3" 7	1' 3" 11	1' 4" 0
5.5 IN 12	1' 2" 5	1' 2" 9	1' 2" 14	1' 3" 2	1' 3" 6	1' 3" 11	1' 3" 15	1' 4" 4
6 IN 12	1' 2" 9	1' 2" 13	1' 3" 1	1' 3" 6	1' 3" 10	1' 3" 15	1' 4" 3	1' 4" 8
6.5 IN 12	1' 2" 13	1' 3" 1	1' 3" 6	1' 3" 10	1' 3" 15	1' 4" 3	1' 4" 8	1' 4" 12
7 IN 12	1' 3" 1	1' 3" 5	1' 3" 10	1' 3" 15	1' 4" 3	1' 4" 8	1' 4" 13	1' 5" 1
8 IN 12	1' 3" 10	1' 3" 15	1' 4" 4	1' 4" 8	1' 4" 13	1' 5" 2	1' 5" 7	1' 5" 12
9 IN 12	1' 4" 4	1' 4" 9	1' 4" 14	1' 5" 3	1' 5" 8	1' 5" 13	1' 6" 2	1' 6" 7
10 IN 12	1' 4" 15	1' 5" 4	1' 5" 9	1' 5" 14	1' 6" 4	1' 6" 9	1' 6" 14	1' 7" 3
11 IN 12	1' 5" 10	1' 6" 0	1' 6" 5	1' 6" 10	1' 7" 0	1' 7" 5	1' 7" 11	1' 8" 0
12 IN 12	1' 6" 6	1' 6" 12	1' 7" 1	1' 7" 7	1' 7" 13	1' 8" 2	1' 8" 8	1' 8" 14
13 IN 12	1' 7" 3	1' 7" 9	1' 7" 14	1' 8" 4	1' 8" 10	1' 9" 0	1' 9" 6	1' 9" 12
14 IN 12	1' 8" 0	1' 8" 6	1' 8" 12	1' 9" 2	1' 9" 8	1' 9" 14	1' 10" 4	1' 10" 11
15 IN 12	1' 8" 13	1' 9" 3	1' 9" 10	1' 10" 0	1' 10" 7	1' 10" 13	1' 11" 3	1' 11" 10
16 IN 12	1' 9" 11	1' 10" 1	1' 10" 8	1' 10" 15	1' 11" 5	1' 11" 12	2' 0" 3	2' 0" 9
17 IN 12	1' 10" 9	1' 11" 0	1' 11" 7	1' 11" 13	2' 0" 4	2' 0" 11	2' 1" 2	2' 1" 9
18 IN 12	1' 11" 7	1' 11" 14	2' 0" 5	2' 0" 13	2' 1" 4	2' 1" 11	2' 2" 2	2' 2" 9
19 IN 12	2' 0" 6	2' 0" 13	2' 1" 4	2' 1" 12	2' 2" 3	2' 2" 11	2' 3" 2	2' 3" 10
20 IN 12	2' 1" 4	2' 1" 12	2' 2" 4	2' 2" 12	2' 3" 3	2' 3" 11	2' 4" 3	2' 4" 11
21 IN 12	2' 2" 3	2' 2" 11	2' 3" 3	2' 3" 11	2' 4" 3	2' 4" 12	2' 5" 4	2' 5" 12
22 IN 12	2' 3" 2	2' 3" 11	2' 4" 3	2' 4" 11	2' 5" 4	2' 5" 12	2' 6" 4	2' 6" 13
23 IN 12	2' 4" 2	2' 4" 10	2' 5" 3	2' 5" 12	2' 6" 4	2' 6" 13	2' 7" 6	2' 7" 14
24 IN 12	2' 5" 1	2' 5" 10	2' 6" 3	2' 6" 12	2' 7" 5	2' 7" 14	2' 8" 7	2' 9" 0
25 IN 12	2' 6" 1	2' 6" 10	2' 7" 3	2' 7" 12	2' 8" 6	2' 8" 15	2' 9" 8	2' 10" 1

Length Of First Jack Rafter

<table>
<tr><td></td><td colspan="12" align="center">At 15" Spacing on Center</td><td colspan="12" align="center">At 16" Spacing On Center</td></tr>
</table>

Pitch	15"O.C. Ft	In	16th"	15 1/4"O.C. Ft	In	16th"	15 1/2"O.C. Ft	In	16th"	15 3/4"O.C. Ft	In	16th"	16"O.C. Ft	In	16th"	16 1/4"O.C. Ft	In	16th"	16 1/2"O.C. Ft	In	16th"	16 3/4"O.C. Ft	In	16th"
1 IN 12	1'	3"	1	1'	3"	5	1'	3"	9	1'	3"	13	1'	4"	1	1'	4"	5	1'	4"	9	1'	4"	13
2 IN 12	1'	3"	3	1'	3"	7	1'	3"	11	1'	3"	15	1'	4"	4	1'	4"	8	1'	4"	12	1'	5"	0
2.5 IN 12	1'	3"	5	1'	3"	9	1'	3"	13	1'	4"	1	1'	4"	5	1'	4"	10	1'	4"	14	1'	5"	2
3 IN 12	1'	3"	7	1'	3"	12	1'	4"	0	1'	4"	4	1'	4"	8	1'	4"	12	1'	5"	0	1'	5"	4
3.5 IN 12	1'	3"	10	1'	3"	14	1'	4"	2	1'	4"	7	1'	4"	11	1'	4"	15	1'	5"	3	1'	5"	7
4 IN 12	1'	3"	13	1'	4"	1	1'	4"	5	1'	4"	10	1'	4"	14	1'	5"	2	1'	5"	6	1'	5"	10
4.5 IN 12	1'	4"	0	1'	4"	5	1'	4"	9	1'	4"	13	1'	5"	1	1'	5"	6	1'	5"	10	1'	5"	14
5 IN 12	1'	4"	4	1'	4"	8	1'	4"	13	1'	5"	1	1'	5"	5	1'	5"	10	1'	5"	14	1'	6"	2
5.5 IN 12	1'	4"	8	1'	4"	12	1'	5"	1	1'	5"	5	1'	5"	10	1'	5"	14	1'	6"	2	1'	6"	7
6 IN 12	1'	4"	12	1'	5"	1	1'	5"	5	1'	5"	10	1'	5"	14	1'	6"	3	1'	6"	7	1'	6"	12
6.5 IN 12	1'	5"	1	1'	5"	5	1'	5"	10	1'	5"	15	1'	6"	3	1'	6"	8	1'	6"	12	1'	7"	1
7 IN 12	1'	5"	6	1'	5"	10	1'	5"	15	1'	6"	4	1'	6"	8	1'	6"	13	1'	7"	2	1'	7"	6
8 IN 12	1'	6"	0	1'	6"	5	1'	6"	10	1'	6"	15	1'	7"	4	1'	7"	8	1'	7"	13	1'	8"	2
9 IN 12	1'	6"	12	1'	7"	1	1'	7"	6	1'	7"	11	1'	8"	0	1'	8"	5	1'	8"	10	1'	8"	15
10 IN 12	1'	7"	8	1'	7"	14	1'	8"	3	1'	8"	8	1'	8"	13	1'	9"	2	1'	9"	8	1'	9"	13
11 IN 12	1'	8"	6	1'	8"	11	1'	9"	0	1'	9"	6	1'	9"	11	1'	10"	1	1'	10"	6	1'	10"	12
12 IN 12	1'	9"	3	1'	9"	9	1'	9"	15	1'	10"	4	1'	10"	10	1'	11"	0	1'	11"	5	1'	11"	11
13 IN 12	1'	10"	2	1'	10"	8	1'	10"	14	1'	11"	4	1'	11"	9	1'	11"	15	2'	0"	5	2'	0"	11
14 IN 12	1'	11"	1	1'	11"	7	1'	11"	13	2'	0"	3	2'	0"	9	2'	1"	0	2'	1"	6	2'	1"	12
15 IN 12	2'	0"	0	2'	0"	7	2'	0"	13	2'	1"	3	2'	1"	10	2'	2"	0	2'	2"	7	2'	2"	13
16 IN 12	2'	1"	0	2'	1"	7	2'	1"	13	2'	2"	4	2'	2"	11	2'	3"	1	2'	3"	8	2'	3"	15
17 IN 12	2'	2"	0	2'	2"	7	2'	2"	14	2'	3"	5	2'	3"	12	2'	4"	3	2'	4"	10	2'	5"	1
18 IN 12	2'	3"	1	2'	3"	8	2'	3"	15	2'	4"	6	2'	4"	14	2'	5"	5	2'	5"	12	2'	6"	3
19 IN 12	2'	4"	1	2'	4"	9	2'	5"	0	2'	5"	8	2'	5"	15	2'	6"	7	2'	6"	14	2'	7"	6
20 IN 12	2'	5"	2	2'	5"	10	2'	6"	2	2'	6"	10	2'	7"	2	2'	7"	9	2'	8"	1	2'	8"	9
21 IN 12	2'	6"	4	2'	6"	12	2'	7"	4	2'	7"	12	2'	8"	4	2'	8"	12	2'	9"	4	2'	9"	12
22 IN 12	2'	7"	5	2'	7"	14	2'	8"	6	2'	8"	14	2'	9"	7	2'	9"	15	2'	10"	7	2'	11"	0
23 IN 12	2'	8"	7	2'	8"	15	2'	9"	8	2'	10"	1	2'	10"	9	2'	11"	2	2'	11"	11	3'	0"	3
24 IN 12	2'	9"	9	2'	10"	2	2'	10"	11	2'	11"	3	2'	11"	12	3'	0"	5	3'	0"	14	3'	1"	7
25 IN 12	2'	10"	11	2'	11"	4	2'	11"	13	3'	0"	6	3'	1"	0	3'	1"	9	3'	2"	2	3'	2"	11

Length Of First Jack Rafter

At 17" Spacing on Center   At 18" Spacing On Center

Pitch	17"O.C.			17 1/4"O.C.			17 1/2"O.C.			17 3/4"O.C.			18"O.C.			18 1/4"O.C.			18 1/2"O.C.			18 3/4"O.C.		
	Ft	In	16th"	Ft	In	16th"	Ft	In	16th"	Ft	In	16th"	Ft	In	16th"	Ft	In	16th"	Ft	In	16th"	Ft	In	16th"
1 IN 12	1'	5"	1	1'	5"	5	1'	5"	9	1'	5"	13	1'	6"	1	1'	6"	5	1'	6"	9	1'	6"	13
2 IN 12	1'	5"	4	1'	5"	8	1'	5"	12	1'	6"	0	1'	6"	4	1'	6"	8	1'	6"	12	1'	7"	0
2.5 IN 12	1'	5"	6	1'	5"	10	1'	5"	14	1'	6"	2	1'	6"	6	1'	6"	10	1'	6"	14	1'	7"	2
3 IN 12	1'	5"	8	1'	5"	12	1'	6"	1	1'	6"	5	1'	6"	9	1'	6"	13	1'	7"	1	1'	7"	5
3.5 IN 12	1'	5"	11	1'	6"	0	1'	6"	4	1'	6"	8	1'	6"	12	1'	7"	0	1'	7"	4	1'	7"	9
4 IN 12	1'	5"	15	1'	6"	3	1'	6"	7	1'	6"	11	1'	7"	0	1'	7"	4	1'	7"	8	1'	7"	12
4.5 IN 12	1'	6"	2	1'	6"	7	1'	6"	11	1'	6"	15	1'	7"	4	1'	7"	8	1'	7"	12	1'	8"	0
5 IN 12	1'	6"	7	1'	6"	11	1'	6"	15	1'	7"	4	1'	7"	8	1'	7"	12	1'	8"	1	1'	8"	5
5.5 IN 12	1'	6"	11	1'	7"	0	1'	7"	4	1'	7"	8	1'	7"	13	1'	8"	1	1'	8"	6	1'	8"	10
6 IN 12	1'	7"	0	1'	7"	5	1'	7"	9	1'	7"	14	1'	8"	2	1'	8"	6	1'	8"	11	1'	8"	15
6.5 IN 12	1'	7"	5	1'	7"	10	1'	7"	14	1'	8"	3	1'	8"	8	1'	8"	12	1'	9"	1	1'	9"	5
7 IN 12	1'	7"	11	1'	8"	0	1'	8"	4	1'	8"	9	1'	8"	13	1'	9"	2	1'	9"	7	1'	9"	11
8 IN 12	1'	8"	7	1'	8"	12	1'	9"	1	1'	9"	5	1'	9"	10	1'	9"	15	1'	10"	4	1'	10"	9
9 IN 12	1'	9"	4	1'	9"	9	1'	9"	14	1'	10"	3	1'	10"	8	1'	10"	13	1'	11"	2	1'	11"	7
10 IN 12	1'	10"	2	1'	10"	7	1'	10"	12	1'	11"	2	1'	11"	7	1'	11"	12	2'	0"	1	2'	0"	7
11 IN 12	1'	11"	1	1'	11"	6	1'	11"	12	2'	0"	1	2'	0"	7	2'	0"	12	2'	1"	2	2'	1"	7
12 IN 12	2'	0"	1	2'	0"	6	2'	0"	12	2'	1"	2	2'	1"	7	2'	1"	13	2'	2"	3	2'	2"	8
13 IN 12	2'	1"	1	2'	1"	7	2'	1"	13	2'	2"	3	2'	2"	9	2'	2"	15	2'	3"	4	2'	3"	10
14 IN 12	2'	2"	2	2'	2"	8	2'	2"	14	2'	3"	4	2'	3"	11	2'	4"	1	2'	4"	7	2'	4"	13
15 IN 12	2'	3"	3	2'	3"	10	2'	4"	0	2'	4"	7	2'	4"	13	2'	5"	3	2'	5"	10	2'	6"	0
16 IN 12	2'	4"	5	2'	4"	12	2'	5"	3	2'	5"	9	2'	6"	0	2'	6"	7	2'	6"	13	2'	7"	4
17 IN 12	2'	5"	8	2'	5"	15	2'	6"	6	2'	6"	12	2'	7"	3	2'	7"	10	2'	8"	1	2'	8"	8
18 IN 12	2'	6"	10	2'	7"	2	2'	7"	9	2'	8"	0	2'	8"	7	2'	8"	14	2'	9"	6	2'	9"	13
19 IN 12	2'	7"	13	2'	8"	5	2'	8"	12	2'	9"	4	2'	9"	11	2'	10"	3	2'	10"	10	2'	11"	2
20 IN 12	2'	9"	1	2'	9"	8	2'	10"	0	2'	10"	8	2'	11"	0	2'	11"	8	2'	11"	15	3'	0"	7
21 IN 12	2'	10"	4	2'	10"	12	2'	11"	4	2'	11"	12	3'	0"	4	3'	0"	13	3'	1"	5	3'	1"	13
22 IN 12	2'	11"	8	3'	0"	0	3'	0"	9	3'	1"	1	3'	1"	9	3'	2"	2	3'	2"	10	3'	3"	2
23 IN 12	3'	0"	12	3'	1"	5	3'	1"	13	3'	2"	6	3'	2"	15	3'	3"	7	3'	4"	0	3'	4"	9
24 IN 12	3'	2"	0	3'	2"	9	3'	3"	2	3'	3"	11	3'	4"	4	3'	4"	13	3'	5"	6	3'	5"	15
25 IN 12	3'	3"	5	3'	3"	14	3'	4"	7	3'	5"	0	3'	5"	10	3'	6"	3	3'	6"	12	3'	7"	5

Length Of First Jack Rafter

Pitch	19"O.C. Ft In 16th"	19 1/4"O.C. Ft In 16th"	19 1/2"O.C. Ft In 16th"	19 3/4"O.C. Ft In 16th"	20"O.C. Ft In 16th"	20 1/4"O.C. Ft In 16th"	20 1/2"O.C. Ft In 16th"	20 3/4"O.C. Ft In 16th"
1 IN 12	1' 7" 1	1' 7" 5	1' 7" 9	1' 7" 13	1' 8" 1	1' 8" 5	1' 8" 9	1' 8" 13
2 IN 12	1' 7" 4	1' 7" 8	1' 7" 12	1' 8" 0	1' 8" 4	1' 8" 8	1' 8" 13	1' 9" 1
2.5 IN 12	1' 7" 7	1' 7" 11	1' 7" 15	1' 8" 3	1' 8" 7	1' 8" 11	1' 8" 15	1' 9" 3
3 IN 12	1' 7" 9	1' 7" 13	1' 8" 2	1' 8" 6	1' 8" 10	1' 8" 14	1' 9" 2	1' 9" 6
3.5 IN 12	1' 7" 13	1' 8" 1	1' 8" 5	1' 8" 9	1' 8" 13	1' 9" 2	1' 9" 6	1' 9" 10
4 IN 12	1' 8" 0	1' 8" 5	1' 8" 9	1' 8" 13	1' 9" 1	1' 9" 6	1' 9" 10	1' 9" 14
4.5 IN 12	1' 8" 5	1' 8" 9	1' 8" 13	1' 9" 1	1' 9" 6	1' 9" 10	1' 9" 14	1' 10" 3
5 IN 12	1' 8" 9	1' 8" 14	1' 9" 2	1' 9" 6	1' 9" 11	1' 9" 15	1' 10" 3	1' 10" 8
5.5 IN 12	1' 8" 14	1' 9" 3	1' 9" 7	1' 9" 12	1' 10" 0	1' 10" 4	1' 10" 9	1' 10" 13
6 IN 12	1' 9" 4	1' 9" 8	1' 9" 13	1' 10" 1	1' 10" 6	1' 10" 10	1' 10" 15	1' 11" 3
6.5 IN 12	1' 9" 10	1' 9" 14	1' 10" 3	1' 10" 7	1' 10" 12	1' 11" 0	1' 11" 5	1' 11" 10
7 IN 12	1' 10" 0	1' 10" 5	1' 10" 9	1' 10" 14	1' 11" 2	1' 11" 7	1' 11" 12	2' 0" 0
8 IN 12	1' 10" 13	1' 11" 2	1' 11" 7	1' 11" 12	2' 0" 1	2' 0" 5	2' 0" 10	2' 0" 15
9 IN 12	1' 11" 12	2' 0" 1	2' 0" 6	2' 0" 11	2' 1" 0	2' 1" 5	2' 1" 10	2' 1" 15
10 IN 12	2' 0" 12	2' 1" 1	2' 1" 6	2' 1" 11	2' 2" 1	2' 2" 6	2' 2" 11	2' 3" 0
11 IN 12	2' 1" 12	2' 2" 2	2' 2" 7	2' 2" 13	2' 3" 2	2' 3" 8	2' 3" 13	2' 4" 2
12 IN 12	2' 2" 14	2' 3" 4	2' 3" 9	2' 3" 15	2' 4" 5	2' 4" 10	2' 5" 0	2' 5" 6
13 IN 12	2' 4" 0	2' 4" 6	2' 4" 12	2' 5" 2	2' 5" 8	2' 5" 14	2' 6" 4	2' 6" 9
14 IN 12	2' 5" 3	2' 5" 9	2' 5" 15	2' 6" 6	2' 6" 12	2' 7" 2	2' 7" 8	2' 7" 14
15 IN 12	2' 6" 7	2' 6" 13	2' 7" 3	2' 7" 10	2' 8" 0	2' 8" 7	2' 8" 13	2' 9" 3
16 IN 12	2' 7" 11	2' 8" 1	2' 8" 8	2' 8" 15	2' 9" 5	2' 9" 12	2' 10" 3	2' 10" 9
17 IN 12	2' 8" 15	2' 9" 6	2' 9" 13	2' 10" 4	2' 10" 11	2' 11" 2	2' 11" 9	3' 0" 0
18 IN 12	2' 10" 4	2' 10" 11	2' 11" 2	2' 11" 10	3' 0" 1	3' 0" 8	3' 0" 15	3' 1" 7
19 IN 12	2' 11" 9	3' 0" 1	3' 0" 8	3' 1" 0	3' 1" 7	3' 1" 15	3' 2" 6	3' 2" 14
20 IN 12	3' 0" 15	3' 1" 7	3' 1" 14	3' 2" 6	3' 2" 14	3' 3" 6	3' 3" 14	3' 4" 5
21 IN 12	3' 2" 5	3' 2" 13	3' 3" 5	3' 3" 13	3' 4" 5	3' 4" 13	3' 5" 5	3' 5" 13
22 IN 12	3' 3" 11	3' 4" 3	3' 4" 12	3' 5" 4	3' 5" 12	3' 6" 5	3' 6" 13	3' 7" 5
23 IN 12	3' 5" 1	3' 5" 10	3' 6" 2	3' 6" 11	3' 7" 4	3' 7" 12	3' 8" 5	3' 8" 14
24 IN 12	3' 6" 8	3' 7" 1	3' 7" 10	3' 8" 3	3' 8" 12	3' 9" 4	3' 9" 13	3' 10" 6
25 IN 12	3' 7" 15	3' 8" 8	3' 9" 1	3' 9" 10	3' 10" 3	3' 10" 13	3' 11" 6	3' 11" 15

Length Of First Jack Rafter

At 21" Spacing on Center   At 22" Spacing On Center

Pitch	21"O.C. Ft In 16th"	21 1/4"O.C. Ft In 16th"	21 1/2"O.C. Ft In 16th"	21 3/4"O.C. Ft In 16th"	22"O.C. Ft In 16th"	22 1/4"O.C. Ft In 16th"	22 1/2"O.C. Ft In 16th"	22 3/4"O.C. Ft In 16th"
1 IN 12	1' 9" 1	1' 9" 5	1' 9" 9	1' 9" 13	1' 10" 1	1' 10" 5	1' 10" 9	1' 10" 13
2 IN 12	1' 9" 5	1' 9" 9	1' 9" 13	1' 10" 1	1' 10" 5	1' 10" 9	1' 10" 13	1' 11" 1
2.5 IN 12	1' 9" 7	1' 9" 11	1' 9" 15	1' 10" 3	1' 10" 8	1' 10" 12	1' 11" 0	1' 11" 4
3 IN 12	1' 9" 10	1' 9" 14	1' 10" 3	1' 10" 7	1' 10" 11	1' 10" 15	1' 11" 3	1' 11" 7
3.5 IN 12	1' 9" 14	1' 10" 2	1' 10" 6	1' 10" 11	1' 10" 15	1' 11" 3	1' 11" 7	1' 11" 11
4 IN 12	1' 10" 2	1' 10" 6	1' 10" 11	1' 10" 15	1' 11" 3	1' 11" 7	1' 11" 11	2' 0" 0
4.5 IN 12	1' 10" 7	1' 10" 11	1' 10" 15	1' 11" 4	1' 11" 8	1' 11" 12	2' 0" 0	2' 0" 5
5 IN 12	1' 10" 12	1' 11" 0	1' 11" 5	1' 11" 9	1' 11" 13	2' 0" 2	2' 0" 6	2' 0" 10
5.5 IN 12	1' 11" 2	1' 11" 6	1' 11" 10	1' 11" 15	2' 0" 3	2' 0" 8	2' 0" 12	2' 1" 0
6 IN 12	1' 11" 8	1' 11" 12	2' 0" 1	2' 0" 5	2' 0" 10	2' 0" 14	2' 1" 2	2' 1" 7
6.5 IN 12	1' 11" 14	2' 0" 3	2' 0" 7	2' 0" 12	2' 1" 0	2' 1" 5	2' 1" 9	2' 1" 14
7 IN 12	2' 0" 5	2' 0" 10	2' 0" 14	2' 1" 3	2' 1" 8	2' 1" 12	2' 2" 1	2' 2" 5
8 IN 12	2' 1" 4	2' 1" 9	2' 1" 13	2' 2" 2	2' 2" 7	2' 2" 12	2' 3" 1	2' 3" 5
9 IN 12	2' 2" 4	2' 2" 9	2' 2" 14	2' 3" 3	2' 3" 8	2' 3" 13	2' 4" 2	2' 4" 7
10 IN 12	2' 3" 5	2' 3" 11	2' 4" 0	2' 4" 5	2' 4" 10	2' 4" 15	2' 5" 5	2' 5" 10
11 IN 12	2' 4" 8	2' 4" 13	2' 5" 3	2' 5" 8	2' 5" 14	2' 6" 3	2' 6" 8	2' 6" 14
12 IN 12	2' 5" 11	2' 6" 1	2' 6" 6	2' 6" 12	2' 7" 2	2' 7" 7	2' 7" 13	2' 8" 3
13 IN 12	2' 6" 15	2' 7" 5	2' 7" 11	2' 8" 1	2' 8" 7	2' 8" 13	2' 9" 3	2' 9" 9
14 IN 12	2' 8" 4	2' 8" 10	2' 9" 1	2' 9" 7	2' 9" 13	2' 10" 3	2' 10" 9	2' 10" 15
15 IN 12	2' 9" 10	2' 10" 0	2' 10" 7	2' 10" 13	2' 11" 3	2' 11" 10	3' 0" 0	3' 0" 7
16 IN 12	2' 11" 0	2' 11" 7	2' 11" 13	3' 0" 4	3' 0" 11	3' 1" 1	3' 1" 8	3' 1" 15
17 IN 12	3' 0" 7	3' 0" 14	3' 1" 5	3' 1" 11	3' 2" 2	3' 2" 9	3' 3" 0	3' 3" 7
18 IN 12	3' 1" 14	3' 2" 5	3' 2" 12	3' 3" 3	3' 3" 11	3' 4" 2	3' 4" 9	3' 5" 0
19 IN 12	3' 3" 5	3' 3" 13	3' 4" 4	3' 4" 12	3' 5" 3	3' 5" 11	3' 6" 2	3' 6" 10
20 IN 12	3' 4" 13	3' 5" 5	3' 5" 13	3' 6" 4	3' 6" 12	3' 7" 4	3' 7" 12	3' 8" 3
21 IN 12	3' 6" 5	3' 6" 13	3' 7" 5	3' 7" 13	3' 8" 5	3' 8" 14	3' 9" 6	3' 9" 14
22 IN 12	3' 7" 14	3' 8" 6	3' 8" 14	3' 9" 7	3' 9" 15	3' 10" 7	3' 11" 0	3' 11" 8
23 IN 12	3' 9" 6	3' 9" 15	3' 10" 8	3' 11" 0	3' 11" 9	4' 0" 2	4' 0" 10	4' 1" 3
24 IN 12	3' 10" 15	3' 11" 8	4' 0" 1	4' 0" 10	4' 1" 3	4' 1" 12	4' 2" 5	4' 2" 14
25 IN 12	4' 0" 8	4' 1" 2	4' 1" 11	4' 2" 4	4' 2" 13	4' 3" 7	4' 4" 0	4' 4" 9

Length Of First Jack Rafter

At 23" Spacing on Center   At 24" Spacing On Center

Pitch	23"O.C.	23 1/4"O.C.	23 1/2"O.C.	23 3/4"O.C.	24"O.C.	24 1/4"O.C.	24 1/2"O.C.	24 3/4"O.C.
	Ft In 16th"	Ft In 16th"	Ft In 16th"	Ft In 16th"	Ft In 16th"	Ft In 16th"	Ft In 16th"	Ft In 16th"
1 IN 12	1' 11" 1	1' 11" 5	1' 11" 9	1' 11" 13	2' 0" 1	2' 0" 5	2' 0" 9	2' 0" 13
2 IN 12	1' 11" 5	1' 11" 9	1' 11" 13	2' 0" 1	2' 0" 5	2' 0" 9	2' 0" 13	2' 1" 1
2.5 IN 12	1' 11" 8	1' 11" 12	2' 0" 0	2' 0" 4	2' 0" 8	2' 0" 12	2' 1" 0	2' 1" 5
3 IN 12	1' 11" 11	1' 11" 15	2' 0" 4	2' 0" 8	2' 0" 12	2' 1" 0	2' 1" 4	2' 1" 8
3.5 IN 12	1' 11" 15	2' 0" 4	2' 0" 8	2' 0" 12	2' 1" 0	2' 1" 4	2' 1" 8	2' 1" 13
4 IN 12	2' 0" 4	2' 0" 8	2' 0" 12	2' 1" 1	2' 1" 5	2' 1" 9	2' 1" 13	2' 2" 1
4.5 IN 12	2' 0" 9	2' 0" 13	2' 1" 2	2' 1" 6	2' 1" 10	2' 1" 14	2' 2" 3	2' 2" 7
5 IN 12	2' 0" 15	2' 1" 3	2' 1" 7	2' 1" 12	2' 2" 0	2' 2" 4	2' 2" 9	2' 2" 13
5.5 IN 12	2' 1" 5	2' 1" 9	2' 1" 14	2' 2" 2	2' 2" 6	2' 2" 11	2' 2" 15	2' 3" 4
6 IN 12	2' 1" 11	2' 2" 0	2' 2" 4	2' 2" 9	2' 2" 13	2' 3" 2	2' 3" 6	2' 3" 11
6.5 IN 12	2' 2" 3	2' 2" 7	2' 2" 12	2' 3" 0	2' 3" 5	2' 3" 9	2' 3" 14	2' 4" 2
7 IN 12	2' 2" 10	2' 2" 15	2' 3" 3	2' 3" 8	2' 3" 13	2' 4" 1	2' 4" 6	2' 4" 10
8 IN 12	2' 3" 10	2' 3" 15	2' 4" 4	2' 4" 9	2' 4" 14	2' 5" 2	2' 5" 7	2' 5" 12
9 IN 12	2' 4" 12	2' 5" 1	2' 5" 6	2' 5" 11	2' 6" 0	2' 6" 5	2' 6" 10	2' 6" 15
10 IN 12	2' 5" 15	2' 6" 4	2' 6" 9	2' 6" 15	2' 7" 4	2' 7" 9	2' 7" 14	2' 8" 3
11 IN 12	2' 7" 3	2' 7" 9	2' 7" 14	2' 8" 3	2' 8" 9	2' 8" 14	2' 9" 4	2' 9" 9
12 IN 12	2' 8" 8	2' 8" 14	2' 9" 4	2' 9" 9	2' 9" 15	2' 10" 5	2' 10" 10	2' 11" 0
13 IN 12	2' 9" 15	2' 10" 4	2' 10" 10	2' 11" 0	2' 11" 6	2' 11" 12	3' 0" 2	3' 0" 8
14 IN 12	2' 11" 5	2' 11" 12	3' 0" 2	3' 0" 8	3' 0" 14	3' 1" 4	3' 1" 10	3' 2" 0
15 IN 12	3' 0" 13	3' 1" 3	3' 1" 10	3' 2" 0	3' 2" 7	3' 2" 13	3' 3" 4	3' 3" 10
16 IN 12	3' 2" 5	3' 2" 12	3' 3" 3	3' 3" 9	3' 4" 0	3' 4" 7	3' 4" 13	3' 5" 4
17 IN 12	3' 3" 14	3' 4" 5	3' 4" 12	3' 5" 3	3' 5" 10	3' 6" 1	3' 6" 8	3' 6" 15
18 IN 12	3' 5" 7	3' 5" 15	3' 6" 6	3' 6" 13	3' 7" 4	3' 7" 11	3' 8" 3	3' 8" 10
19 IN 12	3' 7" 1	3' 7" 9	3' 8" 0	3' 8" 8	3' 8" 15	3' 9" 7	3' 9" 14	3' 10" 6
20 IN 12	3' 8" 11	3' 9" 3	3' 9" 11	3' 10" 3	3' 10" 10	3' 11" 2	3' 11" 10	4' 0" 2
21 IN 12	3' 10" 6	3' 10" 14	3' 11" 6	3' 11" 14	4' 0" 6	4' 0" 14	4' 1" 6	4' 1" 14
22 IN 12	4' 0" 1	4' 0" 9	4' 1" 1	4' 1" 10	4' 2" 2	4' 2" 10	4' 3" 3	4' 3" 11
23 IN 12	4' 1" 12	4' 2" 4	4' 2" 13	4' 3" 6	4' 3" 14	4' 4" 7	4' 4" 15	4' 5" 8
24 IN 12	4' 3" 7	4' 4" 0	4' 4" 9	4' 5" 2	4' 5" 11	4' 6" 4	4' 6" 13	4' 7" 5
25 IN 12	4' 5" 2	4' 5" 12	4' 6" 5	4' 6" 14	4' 7" 7	4' 8" 1	4' 8" 10	4' 9" 3

Length Of First Jack Rafter

	At 25" Spacing on Center				At 26" Spacing On Center			
	25"O.C.	25 1/4"O.C.	25 1/2"O.C.	25 3/4"O.C.	26"O.C.	26 1/4"O.C.	26 1/2"O.C.	26 3/4"O.C.
Pitch	Ft In 16th"	Ft In 16th"	Ft In 16th"	Ft In 16th"	Ft In 16th"	Ft In 16th"	Ft In 16th"	Ft In 16th"
1 IN 12	2' 1" 1	2' 1" 5	2' 1" 9	2' 1" 13	2' 2" 1	2' 2" 5	2' 2" 9	2' 2" 13
2 IN 12	2' 1" 6	2' 1" 10	2' 1" 14	2' 2" 2	2' 2" 6	2' 2" 10	2' 2" 14	2' 3" 2
2.5 IN 12	2' 1" 9	2' 1" 13	2' 2" 1	2' 2" 5	2' 2" 9	2' 2" 13	2' 3" 1	2' 3" 5
3 IN 12	2' 1" 12	2' 2" 0	2' 2" 5	2' 2" 9	2' 2" 13	2' 3" 1	2' 3" 5	2' 3" 9
3.5 IN 12	2' 2" 1	2' 2" 5	2' 2" 9	2' 2" 13	2' 3" 1	2' 3" 6	2' 3" 10	2' 3" 14
4 IN 12	2' 2" 6	2' 2" 10	2' 2" 14	2' 3" 2	2' 3" 7	2' 3" 11	2' 3" 15	2' 4" 3
4.5 IN 12	2' 2" 11	2' 2" 15	2' 3" 4	2' 3" 8	2' 3" 12	2' 4" 1	2' 4" 5	2' 4" 9
5 IN 12	2' 3" 1	2' 3" 6	2' 3" 10	2' 3" 14	2' 4" 3	2' 4" 7	2' 4" 11	2' 5" 0
5.5 IN 12	2' 3" 8	2' 3" 12	2' 4" 1	2' 4" 5	2' 4" 10	2' 4" 14	2' 5" 2	2' 5" 7
6 IN 12	2' 3" 15	2' 4" 4	2' 4" 8	2' 4" 13	2' 5" 1	2' 5" 6	2' 5" 10	2' 5" 15
6.5 IN 12	2' 4" 7	2' 4" 11	2' 5" 0	2' 5" 5	2' 5" 9	2' 5" 14	2' 6" 2	2' 6" 7
7 IN 12	2' 4" 15	2' 5" 4	2' 5" 8	2' 5" 13	2' 6" 2	2' 6" 6	2' 6" 11	2' 6" 15
8 IN 12	2' 6" 1	2' 6" 6	2' 6" 10	2' 6" 15	2' 7" 4	2' 7" 9	2' 7" 14	2' 8" 2
9 IN 12	2' 7" 4	2' 7" 9	2' 7" 14	2' 8" 3	2' 8" 8	2' 8" 13	2' 9" 2	2' 9" 7
10 IN 12	2' 8" 9	2' 8" 14	2' 9" 3	2' 9" 8	2' 9" 14	2' 10" 3	2' 10" 8	2' 10" 13
11 IN 12	2' 9" 15	2' 10" 4	2' 10" 9	2' 10" 15	2' 11" 4	2' 11" 10	2' 11" 15	3' 0" 5
12 IN 12	2' 11" 6	2' 11" 11	3' 0" 1	3' 0" 7	3' 0" 12	3' 1" 2	3' 1" 8	3' 1" 13
13 IN 12	3' 0" 14	3' 1" 4	3' 1" 10	3' 1" 15	3' 2" 5	3' 2" 11	3' 3" 1	3' 3" 7
14 IN 12	3' 2" 7	3' 2" 13	3' 3" 3	3' 3" 9	3' 3" 15	3' 4" 5	3' 4" 12	3' 5" 2
15 IN 12	3' 4" 0	3' 4" 7	3' 4" 13	3' 5" 4	3' 5" 10	3' 6" 0	3' 6" 7	3' 6" 13
16 IN 12	3' 5" 11	3' 6" 1	3' 6" 8	3' 6" 15	3' 7" 5	3' 7" 12	3' 8" 3	3' 8" 9
17 IN 12	3' 7" 6	3' 7" 13	3' 8" 3	3' 8" 10	3' 9" 1	3' 9" 8	3' 9" 15	3' 10" 6
18 IN 12	3' 9" 1	3' 9" 8	3' 10" 0	3' 10" 7	3' 10" 14	3' 11" 5	3' 11" 12	4' 0" 4
19 IN 12	3' 10" 13	3' 11" 5	3' 11" 12	4' 0" 4	4' 0" 11	4' 1" 3	4' 1" 10	4' 2" 2
20 IN 12	4' 0" 9	4' 1" 1	4' 1" 9	4' 2" 1	4' 2" 9	4' 3" 0	4' 3" 8	4' 4" 0
21 IN 12	4' 2" 6	4' 2" 14	4' 3" 6	4' 3" 14	4' 4" 6	4' 4" 15	4' 5" 7	4' 5" 15
22 IN 12	4' 4" 3	4' 4" 12	4' 5" 4	4' 5" 12	4' 6" 5	4' 6" 13	4' 7" 5	4' 7" 14
23 IN 12	4' 6" 1	4' 6" 9	4' 7" 2	4' 7" 11	4' 8" 3	4' 8" 12	4' 9" 5	4' 9" 13
24 IN 12	4' 7" 14	4' 8" 7	4' 9" 0	4' 9" 9	4' 10" 2	4' 10" 11	4' 11" 4	4' 11" 13
25 IN 12	4' 9" 12	4' 10" 6	4' 10" 15	4' 11" 8	5' 0" 1	5' 0" 11	5' 1" 4	5' 1" 13

Length Of First Jack Rafter

Pitch	27"O.C. Ft In 16th"	27 1/4"O.C. Ft In 16th"	27 1/2"O.C. Ft In 16th"	27 3/4"O.C. Ft In 16th"	28"O.C. Ft In 16th"	28 1/4"O.C. Ft In 16th"	28 1/2"O.C. Ft In 16th"	28 3/4"O.C. Ft In 16th"
1 IN 12	2' 3" 1	2' 3" 6	2' 3" 10	2' 3" 14	2' 4" 2	2' 4" 6	2' 4" 10	2' 4" 14
2 IN 12	2' 3" 6	2' 3" 10	2' 3" 14	2' 4" 2	2' 4" 6	2' 4" 10	2' 4" 14	2' 5" 2
2.5 IN 12	2' 3" 9	2' 3" 13	2' 4" 1	2' 4" 6	2' 4" 10	2' 4" 14	2' 5" 2	2' 5" 6
3 IN 12	2' 3" 13	2' 4" 1	2' 4" 6	2' 4" 10	2' 4" 14	2' 5" 2	2' 5" 6	2' 5" 10
3.5 IN 12	2' 4" 2	2' 4" 6	2' 4" 11	2' 4" 15	2' 5" 3	2' 5" 7	2' 5" 11	2' 5" 15
4 IN 12	2' 4" 7	2' 4" 12	2' 5" 0	2' 5" 4	2' 5" 8	2' 5" 12	2' 6" 1	2' 6" 5
4.5 IN 12	2' 4" 13	2' 5" 2	2' 5" 6	2' 5" 10	2' 5" 14	2' 6" 3	2' 6" 7	2' 6" 11
5 IN 12	2' 5" 4	2' 5" 8	2' 5" 13	2' 6" 1	2' 6" 5	2' 6" 10	2' 6" 14	2' 7" 2
5.5 IN 12	2' 5" 11	2' 6" 0	2' 6" 4	2' 6" 8	2' 6" 13	2' 7" 1	2' 7" 6	2' 7" 10
6 IN 12	2' 6" 3	2' 6" 7	2' 6" 12	2' 7" 0	2' 7" 5	2' 7" 9	2' 7" 14	2' 8" 2
6.5 IN 12	2' 6" 11	2' 7" 0	2' 7" 4	2' 7" 9	2' 7" 14	2' 8" 2	2' 8" 7	2' 8" 11
7 IN 12	2' 7" 4	2' 7" 9	2' 7" 13	2' 8" 2	2' 8" 7	2' 8" 11	2' 9" 0	2' 9" 5
8 IN 12	2' 8" 7	2' 8" 12	2' 9" 1	2' 9" 6	2' 9" 10	2' 9" 15	2' 10" 4	2' 10" 9
9 IN 12	2' 9" 12	2' 10" 1	2' 10" 6	2' 10" 11	2' 11" 0	2' 11" 5	2' 11" 10	2' 11" 15
10 IN 12	2' 11" 2	2' 11" 8	2' 11" 13	3' 0" 2	3' 0" 7	3' 0" 12	3' 1" 2	3' 1" 7
11 IN 12	3' 0" 10	3' 0" 15	3' 1" 5	3' 1" 10	3' 2" 0	3' 2" 5	3' 2" 11	3' 3" 0
12 IN 12	3' 2" 3	3' 2" 9	3' 2" 14	3' 3" 4	3' 3" 10	3' 3" 15	3' 4" 5	3' 4" 11
13 IN 12	3' 3" 13	3' 4" 3	3' 4" 9	3' 4" 15	3' 5" 4	3' 5" 10	3' 6" 0	3' 6" 6
14 IN 12	3' 5" 8	3' 5" 14	3' 6" 4	3' 6" 10	3' 7" 0	3' 7" 7	3' 7" 13	3' 8" 3
15 IN 12	3' 7" 4	3' 7" 10	3' 8" 0	3' 8" 7	3' 8" 13	3' 9" 4	3' 9" 10	3' 10" 0
16 IN 12	3' 9" 0	3' 9" 7	3' 9" 13	3' 10" 4	3' 10" 11	3' 11" 1	3' 11" 8	3' 11" 15
17 IN 12	3' 10" 13	3' 11" 4	3' 11" 11	4' 0" 2	4' 0" 9	4' 1" 0	4' 1" 7	4' 1" 14
18 IN 12	4' 0" 11	4' 1" 2	4' 1" 9	4' 2" 0	4' 2" 8	4' 2" 15	4' 3" 6	4' 3" 13
19 IN 12	4' 2" 9	4' 3" 0	4' 3" 8	4' 3" 15	4' 4" 7	4' 4" 14	4' 5" 6	4' 5" 13
20 IN 12	4' 4" 8	4' 4" 15	4' 5" 7	4' 5" 15	4' 6" 7	4' 6" 15	4' 7" 6	4' 7" 14
21 IN 12	4' 6" 7	4' 6" 15	4' 7" 7	4' 7" 15	4' 8" 7	4' 8" 15	4' 9" 7	4' 9" 15
22 IN 12	4' 8" 6	4' 8" 15	4' 9" 7	4' 9" 15	4' 10" 8	4' 11" 0	4' 11" 8	5' 0" 1
23 IN 12	4' 10" 6	4' 10" 15	4' 11" 7	5' 0" 0	5' 0" 9	5' 1" 1	5' 1" 10	5' 2" 2
24 IN 12	5' 0" 6	5' 0" 15	5' 1" 8	5' 2" 1	5' 2" 10	5' 3" 3	5' 3" 12	5' 4" 5
25 IN 12	5' 2" 6	5' 3" 0	5' 3" 9	5' 4" 2	5' 4" 11	5' 5" 5	5' 5" 14	5' 6" 7

Length Of First Jack Rafter

At 29" Spacing on Center   At 30" Spacing On Center

Pitch	29"O.C. Ft In 16th"	29 1/4"O.C. Ft In 16th"	29 1/2"O.C. Ft In 16th"	29 3/4"O.C. Ft In 16th"	30"O.C. Ft In 16th"	30 1/4"O.C. Ft In 16th"	30 1/2"O.C. Ft In 16th"	30 3/4"O.C. Ft In 16th"
1 IN 12	2' 5" 2	2' 5" 6	2' 5" 10	2' 5" 14	2' 6" 2	2' 6" 6	2' 6" 10	2' 6" 14
2 IN 12	2' 5" 6	2' 5" 10	2' 5" 15	2' 6" 3	2' 6" 7	2' 6" 11	2' 6" 15	2' 7" 3
2.5 IN 12	2' 5" 10	2' 5" 14	2' 6" 2	2' 6" 6	2' 6" 10	2' 6" 14	2' 7" 2	2' 7" 7
3 IN 12	2' 5" 14	2' 6" 2	2' 6" 7	2' 6" 11	2' 6" 15	2' 7" 3	2' 7" 7	2' 7" 11
3.5 IN 12	2' 6" 3	2' 6" 8	2' 6" 12	2' 7" 0	2' 7" 4	2' 7" 8	2' 7" 12	2' 8" 1
4 IN 12	2' 6" 9	2' 6" 13	2' 7" 2	2' 7" 6	2' 7" 10	2' 7" 14	2' 8" 2	2' 8" 7
4.5 IN 12	2' 7" 0	2' 7" 4	2' 7" 8	2' 7" 12	2' 8" 1	2' 8" 5	2' 8" 9	2' 8" 13
5 IN 12	2' 7" 7	2' 7" 11	2' 7" 15	2' 8" 4	2' 8" 8	2' 8" 12	2' 9" 1	2' 9" 5
5.5 IN 12	2' 7" 14	2' 8" 3	2' 8" 7	2' 8" 12	2' 9" 0	2' 9" 4	2' 9" 9	2' 9" 13
6 IN 12	2' 8" 7	2' 8" 11	2' 9" 0	2' 9" 4	2' 9" 9	2' 9" 13	2' 10" 2	2' 10" 6
6.5 IN 12	2' 9" 0	2' 9" 4	2' 9" 9	2' 9" 13	2' 10" 2	2' 10" 6	2' 10" 11	2' 11" 0
7 IN 12	2' 9" 9	2' 9" 14	2' 10" 2	2' 10" 7	2' 10" 12	2' 11" 0	2' 11" 5	2' 11" 10
8 IN 12	2' 10" 14	2' 11" 2	2' 11" 7	2' 11" 12	3' 0" 1	3' 0" 6	3' 0" 11	3' 0" 15
9 IN 12	3' 0" 4	3' 0" 9	3' 0" 14	3' 1" 3	3' 1" 8	3' 1" 13	3' 2" 2	3' 2" 7
10 IN 12	3' 1" 12	3' 2" 1	3' 2" 6	3' 2" 12	3' 3" 1	3' 3" 6	3' 3" 11	3' 4" 0
11 IN 12	3' 3" 5	3' 3" 11	3' 4" 0	3' 4" 6	3' 4" 11	3' 5" 1	3' 5" 6	3' 5" 11
12 IN 12	3' 5" 0	3' 5" 6	3' 5" 12	3' 6" 1	3' 6" 7	3' 6" 12	3' 7" 2	3' 7" 8
13 IN 12	3' 6" 12	3' 7" 2	3' 7" 8	3' 7" 14	3' 8" 4	3' 8" 10	3' 8" 15	3' 9" 5
14 IN 12	3' 8" 9	3' 8" 15	3' 9" 5	3' 9" 11	3' 10" 2	3' 10" 8	3' 10" 14	3' 11" 4
15 IN 12	3' 10" 7	3' 10" 13	3' 11" 4	3' 11" 10	4' 0" 0	4' 0" 7	4' 0" 13	4' 1" 4
16 IN 12	4' 0" 5	4' 0" 12	4' 1" 3	4' 1" 9	4' 2" 0	4' 2" 7	4' 2" 13	4' 3" 4
17 IN 12	4' 2" 5	4' 2" 12	4' 3" 2	4' 3" 9	4' 4" 0	4' 4" 7	4' 4" 14	4' 5" 5
18 IN 12	4' 4" 4	4' 4" 12	4' 5" 3	4' 5" 10	4' 6" 1	4' 6" 9	4' 7" 0	4' 7" 7
19 IN 12	4' 6" 5	4' 6" 12	4' 7" 4	4' 7" 11	4' 8" 3	4' 8" 10	4' 9" 2	4' 9" 9
20 IN 12	4' 8" 6	4' 8" 14	4' 9" 5	4' 9" 13	4' 10" 5	4' 10" 13	4' 11" 5	4' 11" 12
21 IN 12	4' 10" 7	4' 10" 15	4' 11" 7	4' 11" 15	5' 0" 7	5' 1" 0	5' 1" 8	5' 2" 0
22 IN 12	5' 0" 9	5' 1" 1	5' 1" 10	5' 2" 2	5' 2" 10	5' 3" 3	5' 3" 11	5' 4" 3
23 IN 12	5' 2" 11	5' 3" 4	5' 3" 12	5' 4" 5	5' 4" 14	5' 5" 6	5' 5" 15	5' 6" 8
24 IN 12	5' 4" 14	5' 5" 6	5' 5" 15	5' 6" 8	5' 7" 1	5' 7" 10	5' 8" 3	5' 8" 12
25 IN 12	5' 7" 0	5' 7" 10	5' 8" 3	5' 8" 12	5' 9" 5	5' 9" 14	5' 10" 8	5' 11" 1

Length Of First Jack Rafter

At 31" Spacing on Center · At 32" Spacing On Center

Pitch	31"O.C.	31 1/4"O.C.	31 1/2"O.C.	31 3/4"O.C.	32"O.C.	32 1/4"O.C.	32 1/2"O.C.	32 3/4"O.C.
	Ft In 16th"	Ft In 16th"	Ft In 16th"	Ft In 16th"	Ft In 16th"	Ft In 16th"	Ft In 16th"	Ft In 16th"
1 IN 12	2' 7" 2	2' 7" 6	2' 7" 10	2' 7" 14	2' 8" 2	2' 8" 6	2' 8" 10	2' 8" 14
2 IN 12	2' 7" 7	2' 7" 11	2' 7" 15	2' 8" 3	2' 8" 7	2' 8" 11	2' 8" 15	2' 9" 3
2.5 IN 12	2' 7" 11	2' 7" 15	2' 8" 3	2' 8" 7	2' 8" 11	2' 8" 15	2' 9" 3	2' 9" 7
3 IN 12	2' 7" 15	2' 8" 3	2' 8" 8	2' 8" 12	2' 9" 0	2' 9" 4	2' 9" 8	2' 9" 12
3.5 IN 12	2' 8" 5	2' 8" 9	2' 8" 13	2' 9" 1	2' 9" 5	2' 9" 10	2' 9" 14	2' 10" 2
4 IN 12	2' 8" 11	2' 8" 15	2' 9" 3	2' 9" 7	2' 9" 12	2' 10" 0	2' 10" 4	2' 10" 8
4.5 IN 12	2' 9" 2	2' 9" 6	2' 9" 10	2' 9" 15	2' 10" 3	2' 10" 7	2' 10" 11	2' 11" 0
5 IN 12	2' 9" 9	2' 9" 14	2' 10" 2	2' 10" 6	2' 10" 11	2' 10" 15	2' 11" 3	2' 11" 8
5.5 IN 12	2' 10" 2	2' 10" 6	2' 10" 10	2' 10" 15	2' 11" 3	2' 11" 8	2' 11" 12	3' 0" 0
6 IN 12	2' 10" 11	2' 10" 15	2' 11" 3	2' 11" 8	2' 11" 12	3' 0" 1	3' 0" 5	3' 0" 10
6.5 IN 12	2' 11" 4	2' 11" 9	2' 11" 13	3' 0" 2	3' 0" 6	3' 0" 11	3' 0" 15	3' 1" 4
7 IN 12	2' 11" 14	3' 0" 3	3' 0" 7	3' 0" 12	3' 1" 1	3' 1" 5	3' 1" 10	3' 1" 15
8 IN 12	3' 1" 4	3' 1" 9	3' 1" 14	3' 2" 3	3' 2" 7	3' 2" 12	3' 3" 1	3' 3" 6
9 IN 12	3' 2" 12	3' 3" 1	3' 3" 6	3' 3" 11	3' 4" 0	3' 4" 5	3' 4" 10	3' 4" 15
10 IN 12	3' 4" 6	3' 4" 11	3' 5" 0	3' 5" 5	3' 5" 10	3' 6" 0	3' 6" 5	3' 6" 10
11 IN 12	3' 6" 1	3' 6" 6	3' 6" 12	3' 7" 1	3' 7" 7	3' 7" 12	3' 8" 1	3' 8" 7
12 IN 12	3' 7" 13	3' 8" 3	3' 8" 9	3' 8" 14	3' 9" 4	3' 9" 10	3' 9" 15	3' 10" 5
13 IN 12	3' 9" 11	3' 10" 1	3' 10" 7	3' 10" 13	3' 11" 3	3' 11" 9	3' 11" 15	4' 0" 5
14 IN 12	3' 11" 10	4' 0" 0	4' 0" 6	4' 0" 13	4' 1" 3	4' 1" 9	4' 1" 15	4' 2" 5
15 IN 12	4' 1" 10	4' 2" 0	4' 2" 7	4' 2" 13	4' 3" 4	4' 3" 10	4' 4" 0	4' 4" 7
16 IN 12	4' 3" 11	4' 4" 1	4' 4" 8	4' 4" 15	4' 5" 5	4' 5" 12	4' 6" 3	4' 6" 9
17 IN 12	4' 5" 12	4' 6" 3	4' 6" 10	4' 7" 1	4' 7" 8	4' 7" 15	4' 8" 6	4' 8" 13
18 IN 12	4' 7" 14	4' 8" 5	4' 8" 13	4' 9" 4	4' 9" 11	4' 10" 2	4' 10" 9	4' 11" 1
19 IN 12	4' 10" 1	4' 10" 8	4' 11" 0	4' 11" 7	4' 11" 15	5' 0" 6	5' 0" 14	5' 1" 5
20 IN 12	5' 0" 4	5' 0" 12	5' 1" 4	5' 1" 11	5' 2" 3	5' 2" 11	5' 3" 3	5' 3" 10
21 IN 12	5' 2" 8	5' 3" 0	5' 3" 8	5' 4" 0	5' 4" 8	5' 5" 0	5' 5" 8	5' 6" 0
22 IN 12	5' 4" 12	5' 5" 4	5' 5" 13	5' 6" 5	5' 6" 13	5' 7" 6	5' 7" 14	5' 8" 6
23 IN 12	5' 7" 0	5' 7" 9	5' 8" 2	5' 8" 10	5' 9" 3	5' 9" 12	5' 10" 4	5' 10" 13
24 IN 12	5' 9" 5	5' 9" 14	5' 10" 7	5' 11" 0	5' 11" 9	6' 0" 2	6' 0" 11	6' 1" 4
25 IN 12	5' 11" 10	6' 0" 3	6' 0" 13	6' 1" 6	6' 1" 15	6' 2" 8	6' 3" 2	6' 3" 11

Length Of First Jack Rafter

<table>
<thead>
<tr><th rowspan="2">Pitch</th><th colspan="4">At 33" Spacing on Center</th><th colspan="4">At 34" Spacing On Center</th></tr>
<tr><th>33"O.C.
Ft In 16th"</th><th>33 1/4"O.C.
Ft In 16th"</th><th>33 1/2"O.C.
Ft In 16th"</th><th>33 3/4"O.C.
Ft In 16th"</th><th>34"O.C.
Ft In 16th"</th><th>34 1/4"O.C.
Ft In 16th"</th><th>34 1/2"O.C.
Ft In 16th"</th><th>34 3/4"O.C.
Ft In 16th"</th></tr>
</thead>
<tbody>
<tr><td>1 IN 12</td><td>2' 9" 2</td><td>2' 9" 6</td><td>2' 9" 10</td><td>2' 9" 14</td><td>2' 10" 2</td><td>2' 10" 6</td><td>2' 10" 10</td><td>2' 10" 14</td></tr>
<tr><td>2 IN 12</td><td>2' 9" 7</td><td>2' 9" 11</td><td>2' 9" 15</td><td>2' 10" 3</td><td>2' 10" 8</td><td>2' 10" 12</td><td>2' 11" 0</td><td>2' 11" 4</td></tr>
<tr><td>2.5 IN 12</td><td>2' 9" 11</td><td>2' 9" 15</td><td>2' 10" 4</td><td>2' 10" 8</td><td>2' 10" 12</td><td>2' 11" 0</td><td>2' 11" 4</td><td>2' 11" 8</td></tr>
<tr><td>3 IN 12</td><td>2' 10" 0</td><td>2' 10" 4</td><td>2' 10" 8</td><td>2' 10" 13</td><td>2' 11" 1</td><td>2' 11" 5</td><td>2' 11" 9</td><td>2' 11" 13</td></tr>
<tr><td>3.5 IN 12</td><td>2' 10" 6</td><td>2' 10" 10</td><td>2' 10" 14</td><td>2' 11" 3</td><td>2' 11" 7</td><td>2' 11" 11</td><td>2' 11" 15</td><td>3' 0" 3</td></tr>
<tr><td>4 IN 12</td><td>2' 10" 13</td><td>2' 11" 1</td><td>2' 11" 5</td><td>2' 11" 9</td><td>2' 11" 13</td><td>3' 0" 2</td><td>3' 0" 6</td><td>3' 0" 10</td></tr>
<tr><td>4.5 IN 12</td><td>2' 11" 4</td><td>2' 11" 8</td><td>2' 11" 12</td><td>3' 0" 1</td><td>3' 0" 5</td><td>3' 0" 9</td><td>3' 0" 14</td><td>3' 1" 2</td></tr>
<tr><td>5 IN 12</td><td>2' 11" 12</td><td>3' 0" 0</td><td>3' 0" 5</td><td>3' 0" 9</td><td>3' 0" 13</td><td>3' 1" 2</td><td>3' 1" 6</td><td>3' 1" 10</td></tr>
<tr><td>5.5 IN 12</td><td>3' 0" 5</td><td>3' 0" 9</td><td>3' 0" 14</td><td>3' 1" 2</td><td>3' 1" 6</td><td>3' 1" 11</td><td>3' 1" 15</td><td>3' 2" 4</td></tr>
<tr><td>6 IN 12</td><td>3' 0" 14</td><td>3' 1" 3</td><td>3' 1" 7</td><td>3' 1" 12</td><td>3' 2" 0</td><td>3' 2" 5</td><td>3' 2" 9</td><td>3' 2" 14</td></tr>
<tr><td>6.5 IN 12</td><td>3' 1" 8</td><td>3' 1" 13</td><td>3' 2" 2</td><td>3' 2" 6</td><td>3' 2" 11</td><td>3' 2" 15</td><td>3' 3" 4</td><td>3' 3" 8</td></tr>
<tr><td>7 IN 12</td><td>3' 2" 3</td><td>3' 2" 8</td><td>3' 2" 13</td><td>3' 3" 1</td><td>3' 3" 6</td><td>3' 3" 10</td><td>3' 3" 15</td><td>3' 4" 4</td></tr>
<tr><td>8 IN 12</td><td>3' 3" 11</td><td>3' 3" 15</td><td>3' 4" 4</td><td>3' 4" 9</td><td>3' 4" 14</td><td>3' 5" 3</td><td>3' 5" 7</td><td>3' 5" 12</td></tr>
<tr><td>9 IN 12</td><td>3' 5" 4</td><td>3' 5" 9</td><td>3' 5" 14</td><td>3' 6" 3</td><td>3' 6" 8</td><td>3' 6" 13</td><td>3' 7" 2</td><td>3' 7" 7</td></tr>
<tr><td>10 IN 12</td><td>3' 6" 15</td><td>3' 7" 5</td><td>3' 7" 10</td><td>3' 7" 15</td><td>3' 8" 4</td><td>3' 8" 9</td><td>3' 8" 15</td><td>3' 9" 4</td></tr>
<tr><td>11 IN 12</td><td>3' 8" 12</td><td>3' 9" 2</td><td>3' 9" 7</td><td>3' 9" 13</td><td>3' 10" 2</td><td>3' 10" 7</td><td>3' 10" 13</td><td>3' 11" 2</td></tr>
<tr><td>12 IN 12</td><td>3' 10" 11</td><td>3' 11" 0</td><td>3' 11" 6</td><td>3' 11" 12</td><td>4' 0" 1</td><td>4' 0" 7</td><td>4' 0" 13</td><td>4' 1" 2</td></tr>
<tr><td>13 IN 12</td><td>4' 0" 10</td><td>4' 1" 0</td><td>4' 1" 6</td><td>4' 1" 12</td><td>4' 2" 2</td><td>4' 2" 8</td><td>4' 2" 14</td><td>4' 3" 4</td></tr>
<tr><td>14 IN 12</td><td>4' 2" 11</td><td>4' 3" 1</td><td>4' 3" 8</td><td>4' 3" 14</td><td>4' 4" 4</td><td>4' 4" 10</td><td>4' 5" 0</td><td>4' 5" 6</td></tr>
<tr><td>15 IN 12</td><td>4' 4" 13</td><td>4' 5" 4</td><td>4' 5" 10</td><td>4' 6" 0</td><td>4' 6" 7</td><td>4' 6" 13</td><td>4' 7" 4</td><td>4' 7" 10</td></tr>
<tr><td>16 IN 12</td><td>4' 7" 0</td><td>4' 7" 7</td><td>4' 7" 13</td><td>4' 8" 4</td><td>4' 8" 11</td><td>4' 9" 1</td><td>4' 9" 8</td><td>4' 9" 15</td></tr>
<tr><td>17 IN 12</td><td>4' 9" 4</td><td>4' 9" 11</td><td>4' 10" 1</td><td>4' 10" 8</td><td>4' 10" 15</td><td>4' 11" 6</td><td>4' 11" 13</td><td>5' 0" 4</td></tr>
<tr><td>18 IN 12</td><td>4' 11" 8</td><td>4' 11" 15</td><td>5' 0" 6</td><td>5' 0" 13</td><td>5' 1" 5</td><td>5' 1" 12</td><td>5' 2" 3</td><td>5' 2" 10</td></tr>
<tr><td>19 IN 12</td><td>5' 1" 13</td><td>5' 2" 4</td><td>5' 2" 12</td><td>5' 3" 3</td><td>5' 3" 11</td><td>5' 4" 2</td><td>5' 4" 10</td><td>5' 5" 1</td></tr>
<tr><td>20 IN 12</td><td>5' 4" 2</td><td>5' 4" 10</td><td>5' 5" 2</td><td>5' 5" 10</td><td>5' 6" 1</td><td>5' 6" 9</td><td>5' 7" 1</td><td>5' 7" 9</td></tr>
<tr><td>21 IN 12</td><td>5' 6" 8</td><td>5' 7" 0</td><td>5' 7" 8</td><td>5' 8" 0</td><td>5' 8" 8</td><td>5' 9" 1</td><td>5' 9" 9</td><td>5' 10" 1</td></tr>
<tr><td>22 IN 12</td><td>5' 8" 15</td><td>5' 9" 7</td><td>5' 9" 15</td><td>5' 10" 8</td><td>5' 11" 0</td><td>5' 11" 8</td><td>6' 0" 1</td><td>6' 0" 9</td></tr>
<tr><td>23 IN 12</td><td>5' 11" 5</td><td>5' 11" 14</td><td>6' 0" 7</td><td>6' 0" 15</td><td>6' 1" 8</td><td>6' 2" 1</td><td>6' 2" 9</td><td>6' 3" 2</td></tr>
<tr><td>24 IN 12</td><td>6' 1" 13</td><td>6' 2" 6</td><td>6' 2" 15</td><td>6' 3" 7</td><td>6' 4" 0</td><td>6' 4" 9</td><td>6' 5" 2</td><td>6' 5" 11</td></tr>
<tr><td>25 IN 12</td><td>6' 4" 4</td><td>6' 4" 13</td><td>6' 5" 7</td><td>6' 6" 0</td><td>6' 6" 9</td><td>6' 7" 2</td><td>6' 7" 12</td><td>6' 8" 5</td></tr>
</tbody>
</table>

Length Of First Jack Rafter

<table>
<tr><th colspan="9">At 35" Spacing on Center</th><th colspan="8">At 36" Spacing On Center</th></tr>
<tr><th>Pitch</th><th colspan="2">35"O.C.</th><th colspan="2">35 1/4"O.C.</th><th colspan="2">35 1/2"O.C.</th><th colspan="2">35 3/4"O.C.</th><th colspan="2">36"O.C.</th><th colspan="2">36 1/4"O.C.</th><th colspan="2">36 1/2"O.C.</th><th colspan="2">36 3/4"O.C.</th></tr>
<tr><th></th><th>Ft</th><th>In 16th"</th><th>Ft</th><th>In 16th"</th><th>Ft</th><th>In 16th"</th><th>Ft</th><th>In 16th"</th><th>Ft</th><th>In 16th"</th><th>Ft</th><th>In 16th"</th><th>Ft</th><th>In 16th"</th><th>Ft</th><th>In 16th"</th></tr>
<tr><td>1 IN 12</td><td>2'</td><td>11" 2</td><td>2'</td><td>11" 6</td><td>2'</td><td>11" 10</td><td>2'</td><td>11" 14</td><td>3'</td><td>0" 2</td><td>3'</td><td>0" 6</td><td>3'</td><td>0" 10</td><td>3'</td><td>0" 14</td></tr>
<tr><td>2 IN 12</td><td>2'</td><td>11" 8</td><td>2'</td><td>11" 12</td><td>3'</td><td>0" 0</td><td>3'</td><td>0" 4</td><td>3'</td><td>0" 8</td><td>3'</td><td>0" 12</td><td>3'</td><td>1" 0</td><td>3'</td><td>1" 4</td></tr>
<tr><td>2.5 IN 12</td><td>2'</td><td>11" 12</td><td>3'</td><td>0" 0</td><td>3'</td><td>0" 4</td><td>3'</td><td>0" 8</td><td>3'</td><td>0" 12</td><td>3'</td><td>1" 0</td><td>3'</td><td>1" 5</td><td>3'</td><td>1" 9</td></tr>
<tr><td>3 IN 12</td><td>3'</td><td>0" 1</td><td>3'</td><td>0" 5</td><td>3'</td><td>0" 9</td><td>3'</td><td>0" 14</td><td>3'</td><td>1" 2</td><td>3'</td><td>1" 6</td><td>3'</td><td>1" 10</td><td>3'</td><td>1" 14</td></tr>
<tr><td>3.5 IN 12</td><td>3'</td><td>0" 7</td><td>3'</td><td>0" 12</td><td>3'</td><td>1" 0</td><td>3'</td><td>1" 4</td><td>3'</td><td>1" 8</td><td>3'</td><td>1" 12</td><td>3'</td><td>2" 0</td><td>3'</td><td>2" 5</td></tr>
<tr><td>4 IN 12</td><td>3'</td><td>0" 14</td><td>3'</td><td>1" 3</td><td>3'</td><td>1" 7</td><td>3'</td><td>1" 11</td><td>3'</td><td>1" 15</td><td>3'</td><td>2" 3</td><td>3'</td><td>2" 8</td><td>3'</td><td>2" 12</td></tr>
<tr><td>4.5 IN 12</td><td>3'</td><td>1" 6</td><td>3'</td><td>1" 10</td><td>3'</td><td>1" 15</td><td>3'</td><td>2" 3</td><td>3'</td><td>2" 7</td><td>3'</td><td>2" 11</td><td>3'</td><td>3" 0</td><td>3'</td><td>3" 4</td></tr>
<tr><td>5 IN 12</td><td>3'</td><td>1" 15</td><td>3'</td><td>2" 3</td><td>3'</td><td>2" 7</td><td>3'</td><td>2" 12</td><td>3'</td><td>3" 0</td><td>3'</td><td>3" 4</td><td>3'</td><td>3" 9</td><td>3'</td><td>3" 13</td></tr>
<tr><td>5.5 IN 12</td><td>3'</td><td>2" 8</td><td>3'</td><td>2" 12</td><td>3'</td><td>3" 1</td><td>3'</td><td>3" 5</td><td>3'</td><td>3" 10</td><td>3'</td><td>3" 14</td><td>3'</td><td>4" 2</td><td>3'</td><td>4" 7</td></tr>
<tr><td>6 IN 12</td><td>3'</td><td>3" 2</td><td>3'</td><td>3" 7</td><td>3'</td><td>3" 11</td><td>3'</td><td>4" 0</td><td>3'</td><td>4" 4</td><td>3'</td><td>4" 8</td><td>3'</td><td>4" 13</td><td>3'</td><td>5" 1</td></tr>
<tr><td>6.5 IN 12</td><td>3'</td><td>3" 13</td><td>3'</td><td>4" 1</td><td>3'</td><td>4" 6</td><td>3'</td><td>4" 11</td><td>3'</td><td>4" 15</td><td>3'</td><td>5" 4</td><td>3'</td><td>5" 8</td><td>3'</td><td>5" 13</td></tr>
<tr><td>7 IN 12</td><td>3'</td><td>4" 8</td><td>3'</td><td>4" 13</td><td>3'</td><td>5" 2</td><td>3'</td><td>5" 6</td><td>3'</td><td>5" 11</td><td>3'</td><td>5" 15</td><td>3'</td><td>6" 4</td><td>3'</td><td>6" 9</td></tr>
<tr><td>8 IN 12</td><td>3'</td><td>6" 1</td><td>3'</td><td>6" 6</td><td>3'</td><td>6" 11</td><td>3'</td><td>6" 15</td><td>3'</td><td>7" 4</td><td>3'</td><td>7" 9</td><td>3'</td><td>7" 14</td><td>3'</td><td>8" 3</td></tr>
<tr><td>9 IN 12</td><td>3'</td><td>7" 12</td><td>3'</td><td>8" 1</td><td>3'</td><td>8" 6</td><td>3'</td><td>8" 11</td><td>3'</td><td>9" 0</td><td>3'</td><td>9" 5</td><td>3'</td><td>9" 10</td><td>3'</td><td>9" 15</td></tr>
<tr><td>10 IN 12</td><td>3'</td><td>9" 9</td><td>3'</td><td>9" 14</td><td>3'</td><td>10" 3</td><td>3'</td><td>10" 9</td><td>3'</td><td>10" 14</td><td>3'</td><td>11" 3</td><td>3'</td><td>11" 8</td><td>3'</td><td>11" 13</td></tr>
<tr><td>11 IN 12</td><td>3'</td><td>11" 8</td><td>3'</td><td>11" 13</td><td>4'</td><td>0" 3</td><td>4'</td><td>0" 8</td><td>4'</td><td>0" 13</td><td>4'</td><td>1" 3</td><td>4'</td><td>1" 8</td><td>4'</td><td>1" 14</td></tr>
<tr><td>12 IN 12</td><td>4'</td><td>1" 8</td><td>4'</td><td>1" 14</td><td>4'</td><td>2" 3</td><td>4'</td><td>2" 9</td><td>4'</td><td>2" 15</td><td>4'</td><td>3" 4</td><td>4'</td><td>3" 10</td><td>4'</td><td>4" 0</td></tr>
<tr><td>13 IN 12</td><td>4'</td><td>3" 10</td><td>4'</td><td>4" 0</td><td>4'</td><td>4" 5</td><td>4'</td><td>4" 11</td><td>4'</td><td>5" 1</td><td>4'</td><td>5" 7</td><td>4'</td><td>5" 13</td><td>4'</td><td>6" 3</td></tr>
<tr><td>14 IN 12</td><td>4'</td><td>5" 12</td><td>4'</td><td>6" 3</td><td>4'</td><td>6" 9</td><td>4'</td><td>6" 15</td><td>4'</td><td>7" 5</td><td>4'</td><td>7" 11</td><td>4'</td><td>8" 1</td><td>4'</td><td>8" 8</td></tr>
<tr><td>15 IN 12</td><td>4'</td><td>8" 0</td><td>4'</td><td>8" 7</td><td>4'</td><td>8" 13</td><td>4'</td><td>9" 4</td><td>4'</td><td>9" 10</td><td>4'</td><td>10" 0</td><td>4'</td><td>10" 7</td><td>4'</td><td>10" 13</td></tr>
<tr><td>16 IN 12</td><td>4'</td><td>10" 5</td><td>4'</td><td>10" 12</td><td>4'</td><td>11" 3</td><td>4'</td><td>11" 9</td><td>5'</td><td>0" 0</td><td>5'</td><td>0" 7</td><td>5'</td><td>0" 13</td><td>5'</td><td>1" 4</td></tr>
<tr><td>17 IN 12</td><td>5'</td><td>0" 11</td><td>5'</td><td>1" 2</td><td>5'</td><td>1" 9</td><td>5'</td><td>2" 0</td><td>5'</td><td>2" 7</td><td>5'</td><td>2" 14</td><td>5'</td><td>3" 5</td><td>5'</td><td>3" 12</td></tr>
<tr><td>18 IN 12</td><td>5'</td><td>3" 2</td><td>5'</td><td>3" 9</td><td>5'</td><td>4" 0</td><td>5'</td><td>4" 7</td><td>5'</td><td>4" 14</td><td>5'</td><td>5" 6</td><td>5'</td><td>5" 13</td><td>5'</td><td>6" 4</td></tr>
<tr><td>19 IN 12</td><td>5'</td><td>5" 6</td><td>5'</td><td>6" 0</td><td>5'</td><td>6" 8</td><td>5'</td><td>6" 15</td><td>5'</td><td>7" 7</td><td>5'</td><td>7" 14</td><td>5'</td><td>8" 6</td><td>5'</td><td>8" 13</td></tr>
<tr><td>20 IN 12</td><td>5'</td><td>8" 0</td><td>5'</td><td>8" 8</td><td>5'</td><td>9" 0</td><td>5'</td><td>9" 8</td><td>5'</td><td>10" 0</td><td>5'</td><td>10" 7</td><td>5'</td><td>10" 15</td><td>5'</td><td>11" 7</td></tr>
<tr><td>21 IN 12</td><td>5'</td><td>10" 9</td><td>5'</td><td>11" 1</td><td>5'</td><td>11" 9</td><td>6'</td><td>0" 1</td><td>6'</td><td>0" 9</td><td>6'</td><td>1" 1</td><td>6'</td><td>1" 9</td><td>6'</td><td>2" 1</td></tr>
<tr><td>22 IN 12</td><td>6'</td><td>1" 1</td><td>6'</td><td>1" 10</td><td>6'</td><td>2" 2</td><td>6'</td><td>2" 11</td><td>6'</td><td>3" 3</td><td>6'</td><td>3" 11</td><td>6'</td><td>4" 4</td><td>6'</td><td>4" 12</td></tr>
<tr><td>23 IN 12</td><td>6'</td><td>3" 11</td><td>6'</td><td>4" 3</td><td>6'</td><td>4" 12</td><td>6'</td><td>5" 5</td><td>6'</td><td>5" 13</td><td>6'</td><td>6" 6</td><td>6'</td><td>6" 15</td><td>6'</td><td>7" 7</td></tr>
<tr><td>24 IN 12</td><td>6'</td><td>6" 4</td><td>6'</td><td>6" 13</td><td>6'</td><td>7" 6</td><td>6'</td><td>7" 15</td><td>6'</td><td>8" 8</td><td>6'</td><td>9" 1</td><td>6'</td><td>9" 10</td><td>6'</td><td>10" 3</td></tr>
<tr><td>25 IN 12</td><td>6'</td><td>8" 14</td><td>6'</td><td>9" 7</td><td>6'</td><td>10" 1</td><td>6'</td><td>10" 10</td><td>6'</td><td>11" 3</td><td>6'</td><td>11" 12</td><td>7'</td><td>0" 6</td><td>7'</td><td>0" 15</td></tr>
</table>

Length Of First Jack Rafter

At 37" Spacing on Center   At 38" Spacing On Center

Pitch	37"O.C. Ft In 16th"	37 1/4"O.C. Ft In 16th"	37 1/2"O.C. Ft In 16th"	37 3/4"O.C. Ft In 16th"	38"O.C. Ft In 16th"	38 1/4"O.C. Ft In 16th"	38 1/2"O.C. Ft In 16th"	38 3/4"O.C. Ft In 16th"
1 IN 12	3' 1" 2	3' 1" 6	3' 1" 10	3' 1" 14	3' 2" 2	3' 2" 6	3' 2" 10	3' 2" 14
2 IN 12	3' 1" 8	3' 1" 12	3' 2" 0	3' 2" 4	3' 2" 8	3' 2" 12	3' 3" 0	3' 3" 5
2.5 IN 12	3' 1" 13	3' 2" 1	3' 2" 5	3' 2" 9	3' 2" 13	3' 3" 1	3' 3" 5	3' 3" 9
3 IN 12	3' 2" 2	3' 2" 6	3' 2" 10	3' 2" 15	3' 3" 3	3' 3" 7	3' 3" 11	3' 3" 15
3.5 IN 12	3' 2" 9	3' 2" 13	3' 3" 1	3' 3" 5	3' 3" 9	3' 3" 14	3' 4" 2	3' 4" 6
4 IN 12	3' 3" 0	3' 3" 4	3' 3" 8	3' 3" 13	3' 4" 1	3' 4" 5	3' 4" 9	3' 4" 14
4.5 IN 12	3' 3" 8	3' 3" 13	3' 4" 1	3' 4" 5	3' 4" 9	3' 4" 14	3' 5" 2	3' 5" 6
5 IN 12	3' 4" 1	3' 4" 6	3' 4" 10	3' 4" 14	3' 5" 3	3' 5" 7	3' 5" 11	3' 6" 0
5.5 IN 12	3' 4" 11	3' 5" 0	3' 5" 4	3' 5" 8	3' 5" 13	3' 6" 1	3' 6" 6	3' 6" 10
6 IN 12	3' 5" 6	3' 5" 10	3' 5" 15	3' 6" 3	3' 6" 8	3' 6" 12	3' 7" 1	3' 7" 5
6.5 IN 12	3' 6" 1	3' 6" 6	3' 6" 10	3' 6" 15	3' 7" 3	3' 7" 8	3' 7" 13	3' 8" 1
7 IN 12	3' 6" 13	3' 7" 2	3' 7" 7	3' 7" 11	3' 8" 0	3' 8" 5	3' 8" 9	3' 8" 14
8 IN 12	3' 8" 7	3' 8" 12	3' 9" 1	3' 9" 6	3' 9" 11	3' 10" 0	3' 10" 4	3' 10" 9
9 IN 12	3' 10" 4	3' 10" 9	3' 10" 14	3' 11" 3	3' 11" 8	3' 11" 13	4' 0" 2	4' 0" 7
10 IN 12	4' 0" 3	4' 0" 8	4' 0" 13	4' 1" 2	4' 1" 7	4' 1" 13	4' 2" 2	4' 2" 7
11 IN 12	4' 2" 3	4' 2" 9	4' 2" 14	4' 3" 3	4' 3" 9	4' 3" 14	4' 4" 4	4' 4" 9
12 IN 12	4' 4" 5	4' 4" 11	4' 5" 1	4' 5" 6	4' 5" 12	4' 6" 1	4' 6" 7	4' 6" 13
13 IN 12	4' 6" 9	4' 6" 15	4' 7" 5	4' 7" 10	4' 8" 0	4' 8" 6	4' 8" 12	4' 9" 2
14 IN 12	4' 8" 14	4' 9" 4	4' 9" 10	4' 10" 0	4' 10" 6	4' 10" 12	4' 11" 3	4' 11" 9
15 IN 12	4' 11" 4	4' 11" 10	5' 0" 0	5' 0" 7	5' 0" 13	5' 1" 4	5' 1" 10	5' 2" 0
16 IN 12	5' 1" 11	5' 2" 1	5' 2" 8	5' 2" 15	5' 3" 5	5' 3" 12	5' 4" 3	5' 4" 9
17 IN 12	5' 4" 3	5' 4" 9	5' 5" 0	5' 5" 7	5' 5" 14	5' 6" 5	5' 6" 12	5' 7" 3
18 IN 12	5' 6" 11	5' 7" 2	5' 7" 10	5' 8" 1	5' 8" 8	5' 8" 15	5' 9" 7	5' 9" 14
19 IN 12	5' 9" 5	5' 9" 12	5' 10" 4	5' 10" 11	5' 11" 3	5' 11" 10	6' 0" 2	6' 0" 9
20 IN 12	5' 11" 15	6' 0" 6	6' 0" 14	6' 1" 6	6' 1" 14	6' 2" 6	6' 2" 13	6' 3" 5
21 IN 12	6' 2" 9	6' 3" 1	6' 3" 9	6' 4" 1	6' 4" 9	6' 5" 2	6' 5" 10	6' 6" 2
22 IN 12	6' 5" 4	6' 5" 13	6' 6" 5	6' 6" 13	6' 7" 6	6' 7" 14	6' 8" 6	6' 8" 15
23 IN 12	6' 8" 0	6' 8" 8	6' 9" 1	6' 9" 10	6' 10" 2	6' 10" 11	6' 11" 4	6' 11" 12
24 IN 12	6' 10" 12	6' 11" 5	6' 11" 14	7' 0" 7	7' 1" 0	7' 1" 8	7' 2" 1	7' 2" 10
25 IN 12	7' 1" 8	7' 2" 1	7' 2" 11	7' 3" 4	7' 3" 13	7' 4" 6	7' 5" 0	7' 5" 9

Length Of First Jack Rafter

At 39" Spacing on Center   At 40" Spacing On Center

Pitch	39"O.C. Ft In 16th"	39 1/4"O.C. Ft In 16th"	39 1/2"O.C. Ft In 16th"	39 3/4"O.C. Ft In 16th"	40"O.C. Ft In 16th"	40 1/4"O.C. Ft In 16th"	40 1/2"O.C. Ft In 16th"	40 3/4"O.C. Ft In 16th"
1 IN 12	3' 3" 2	3' 3" 6	3' 3" 10	3' 3" 14	3' 4" 2	3' 4" 6	3' 4" 10	3' 4" 14
2 IN 12	3' 3" 9	3' 3" 13	3' 4" 1	3' 4" 5	3' 4" 9	3' 4" 13	3' 5" 1	3' 5" 5
2.5 IN 12	3' 3" 13	3' 4" 1	3' 4" 6	3' 4" 10	3' 4" 14	3' 5" 2	3' 5" 6	3' 5" 10
3 IN 12	3' 4" 3	3' 4" 7	3' 4" 11	3' 5" 0	3' 5" 4	3' 5" 8	3' 5" 12	3' 6" 0
3.5 IN 12	3' 4" 10	3' 4" 14	3' 5" 2	3' 5" 7	3' 5" 11	3' 5" 15	3' 6" 3	3' 6" 7
4 IN 12	3' 5" 2	3' 5" 6	3' 5" 10	3' 5" 14	3' 6" 3	3' 6" 7	3' 6" 11	3' 6" 15
4.5 IN 12	3' 5" 10	3' 5" 15	3' 6" 3	3' 6" 7	3' 6" 12	3' 7" 0	3' 7" 4	3' 7" 8
5 IN 12	3' 6" 4	3' 6" 8	3' 6" 13	3' 7" 1	3' 7" 5	3' 7" 10	3' 7" 14	3' 8" 2
5.5 IN 12	3' 6" 14	3' 7" 3	3' 7" 7	3' 7" 12	3' 8" 0	3' 8" 4	3' 8" 9	3' 8" 13
6 IN 12	3' 7" 10	3' 7" 14	3' 8" 3	3' 8" 7	3' 8" 12	3' 9" 0	3' 9" 4	3' 9" 9
6.5 IN 12	3' 8" 6	3' 8" 10	3' 8" 15	3' 9" 3	3' 9" 8	3' 9" 12	3' 10" 1	3' 10" 6
7 IN 12	3' 9" 2	3' 9" 7	3' 9" 12	3' 10" 0	3' 10" 5	3' 10" 10	3' 10" 14	3' 11" 3
8 IN 12	3' 10" 14	3' 11" 3	3' 11" 8	3' 11" 12	4' 0" 1	4' 0" 6	4' 0" 11	4' 1" 0
9 IN 12	4' 0" 12	4' 1" 1	4' 1" 6	4' 1" 11	4' 2" 0	4' 2" 5	4' 2" 10	4' 2" 15
10 IN 12	4' 2" 12	4' 3" 1	4' 3" 7	4' 3" 12	4' 4" 1	4' 4" 6	4' 4" 12	4' 5" 1
11 IN 12	4' 4" 14	4' 5" 4	4' 5" 9	4' 5" 15	4' 6" 4	4' 6" 10	4' 6" 15	4' 7" 4
12 IN 12	4' 7" 2	4' 7" 8	4' 7" 14	4' 8" 3	4' 8" 9	4' 8" 15	4' 9" 4	4' 9" 10
13 IN 12	4' 9" 8	4' 9" 14	4' 10" 4	4' 10" 10	4' 11" 0	4' 11" 5	4' 11" 11	5' 0" 1
14 IN 12	4' 11" 15	5' 0" 5	5' 0" 11	5' 1" 1	5' 1" 7	5' 1" 14	5' 2" 4	5' 2" 10
15 IN 12	5' 2" 7	5' 2" 13	5' 3" 4	5' 3" 10	5' 4" 0	5' 4" 7	5' 4" 13	5' 5" 4
16 IN 12	5' 5" 0	5' 5" 7	5' 5" 13	5' 6" 4	5' 6" 11	5' 7" 1	5' 7" 8	5' 7" 15
17 IN 12	5' 7" 10	5' 8" 1	5' 8" 8	5' 8" 15	5' 9" 6	5' 9" 13	5' 10" 4	5' 10" 11
18 IN 12	5' 10" 5	5' 10" 12	5' 11" 3	5' 11" 11	6' 0" 2	6' 0" 9	6' 1" 0	6' 1" 7
19 IN 12	6' 1" 1	6' 1" 8	6' 2" 0	6' 2" 7	6' 2" 15	6' 3" 6	6' 3" 13	6' 4" 4
20 IN 12	6' 3" 13	6' 4" 5	6' 4" 12	6' 5" 4	6' 5" 12	6' 6" 4	6' 6" 11	6' 7" 3
21 IN 12	6' 6" 10	6' 7" 2	6' 7" 10	6' 8" 2	6' 8" 10	6' 9" 2	6' 9" 10	6' 10" 2
22 IN 12	6' 9" 7	6' 9" 15	6' 10" 8	6' 11" 0	6' 11" 9	7' 0" 1	7' 0" 9	7' 1" 2
23 IN 12	7' 0" 5	7' 0" 14	7' 1" 6	7' 1" 15	7' 2" 8	7' 3" 0	7' 3" 9	7' 4" 2
24 IN 12	7' 3" 3	7' 3" 12	7' 4" 5	7' 4" 14	7' 5" 7	7' 6" 0	7' 6" 9	7' 7" 2
25 IN 12	7' 6" 2	7' 6" 11	7' 7" 4	7' 7" 14	7' 8" 7	7' 9" 0	7' 9" 9	7' 10" 3

Length Of First Jack Rafter

At 41" Spacing on Center   At 42" Spacing On Center

Pitch	41"O.C.			41 1/4"O.C.			41 1/2"O.C.			41 3/4"O.C.			42"O.C.			42 1/4"O.C.			42 1/2"O.C.			42 3/4"O.C.		
	Ft	In	16th	Ft	In	16th	Ft	In	16th	Ft	In	16th	Ft	In	16th	Ft	In	16th	Ft	In	16th	Ft	In	16th
1 IN 12	3'	5"	2	3'	5"	6	3'	5"	10	3'	5"	14	3'	6"	2	3'	6"	6	3'	6"	10	3'	6"	14
2 IN 12	3'	5"	9	3'	5"	13	3'	6"	1	3'	6"	5	3'	6"	9	3'	6"	13	3'	7"	1	3'	7"	5
2.5 IN 12	3'	5"	14	3'	6"	2	3'	6"	6	3'	6"	10	3'	6"	14	3'	7"	3	3'	7"	7	3'	7"	11
3 IN 12	3'	6"	4	3'	6"	8	3'	6"	12	3'	7"	1	3'	7"	5	3'	7"	9	3'	7"	13	3'	8"	1
3.5 IN 12	3'	6"	11	3'	7"	0	3'	7"	4	3'	7"	8	3'	7"	12	3'	8"	0	3'	8"	4	3'	8"	9
4 IN 12	3'	7"	3	3'	7"	8	3'	7"	12	3'	8"	0	3'	8"	4	3'	8"	9	3'	8"	13	3'	9"	1
4.5 IN 12	3'	7"	13	3'	8"	1	3'	8"	5	3'	8"	9	3'	8"	14	3'	9"	2	3'	9"	6	3'	9"	11
5 IN 12	3'	8"	7	3'	8"	11	3'	8"	15	3'	9"	4	3'	9"	8	3'	9"	12	3'	10"	1	3'	10"	5
5.5 IN 12	3'	9"	2	3'	9"	6	3'	9"	10	3'	9"	15	3'	10"	3	3'	10"	8	3'	10"	12	3'	11"	0
6 IN 12	3'	9"	13	3'	10"	2	3'	10"	6	3'	10"	11	3'	10"	15	3'	11"	4	3'	11"	8	3'	11"	13
6.5 IN 12	3'	10"	10	3'	10"	15	3'	11"	3	3'	11"	8	3'	11"	12	4'	0"	1	4'	0"	5	4'	0"	10
7 IN 12	3'	11"	7	3'	11"	12	4'	0"	1	4'	0"	5	4'	0"	10	4'	0"	15	4'	1"	3	4'	1"	8
8 IN 12	4'	1"	4	4'	1"	9	4'	1"	14	4'	2"	3	4'	2"	8	4'	2"	12	4'	3"	1	4'	3"	6
9 IN 12	4'	3"	4	4'	3"	9	4'	3"	14	4'	4"	3	4'	4"	8	4'	4"	13	4'	5"	2	4'	5"	7
10 IN 12	4'	5"	6	4'	5"	11	4'	6"	0	4'	6"	6	4'	6"	11	4'	7"	0	4'	7"	5	4'	7"	10
11 IN 12	4'	7"	10	4'	7"	15	4'	8"	5	4'	8"	10	4'	9"	0	4'	9"	5	4'	9"	10	4'	10"	0
12 IN 12	4'	10"	0	4'	10"	5	4'	10"	11	4'	11"	1	4'	11"	6	4'	11"	12	5'	0"	2	5'	0"	7
13 IN 12	5'	0"	7	5'	0"	13	5'	1"	3	5'	1"	9	5'	1"	15	5'	2"	5	5'	2"	11	5'	3"	0
14 IN 12	5'	3"	0	5'	3"	6	5'	3"	12	5'	4"	2	5'	4"	9	5'	4"	15	5'	5"	5	5'	5"	11
15 IN 12	5'	5"	10	5'	6"	1	5'	6"	7	5'	6"	13	5'	7"	4	5'	7"	10	5'	8"	1	5'	8"	7
16 IN 12	5'	8"	5	5'	8"	12	5'	9"	3	5'	9"	9	5'	10"	0	5'	10"	7	5'	10"	13	5'	11"	4
17 IN 12	5'	11"	2	5'	11"	8	5'	11"	15	6'	0"	6	6'	0"	13	6'	1"	4	6'	1"	11	6'	2"	2
18 IN 12	6'	1"	15	6'	2"	6	6'	2"	13	6'	3"	4	6'	3"	11	6'	4"	3	6'	4"	10	6'	5"	1
19 IN 12	6'	4"	12	6'	5"	4	6'	5"	11	6'	6"	3	6'	6"	10	6'	7"	2	6'	7"	9	6'	8"	1
20 IN 12	6'	7"	11	6'	8"	3	6'	8"	11	6'	9"	2	6'	9"	10	6'	10"	2	6'	10"	10	6'	11"	1
21 IN 12	6'	10"	10	6'	11"	2	6'	11"	10	7'	0"	2	7'	0"	10	7'	1"	3	7'	1"	11	7'	2"	3
22 IN 12	7'	1"	10	7'	2"	2	7'	2"	11	7'	3"	3	7'	3"	11	7'	4"	4	7'	4"	12	7'	5"	4
23 IN 12	7'	4"	10	7'	5"	3	7'	5"	11	7'	6"	4	7'	6"	13	7'	7"	5	7'	7"	14	7'	8"	7
24 IN 12	7'	7"	11	7'	8"	4	7'	8"	13	7'	9"	6	7'	9"	15	7'	10"	8	7'	11"	1	7'	11"	9
25 IN 12	7'	10"	12	7'	11"	5	7'	11"	14	8'	0"	8	8'	1"	1	8'	1"	10	8'	2"	3	8'	2"	13

Length Of First Jack Rafter

Pitch	43"O.C. Ft In 16th"	43 1/4"O.C. Ft In 16th"	43 1/2"O.C. Ft In 16th"	43 3/4"O.C. Ft In 16th"	44"O.C. Ft In 16th"	44 1/4"O.C. Ft In 16th"	44 1/2"O.C. Ft In 16th"	44 3/4"O.C. Ft In 16th"
1 IN 12	3' 7" 2	3' 7" 6	3' 7" 10	3' 7" 14	3' 8" 2	3' 8" 6	3' 8" 10	3' 8" 14
2 IN 12	3' 7" 9	3' 7" 14	3' 8" 2	3' 8" 6	3' 8" 10	3' 8" 14	3' 9" 2	3' 9" 6
2.5 IN 12	3' 7" 15	3' 8" 3	3' 8" 7	3' 8" 11	3' 8" 15	3' 9" 3	3' 9" 7	3' 9" 11
3 IN 12	3' 8" 5	3' 8" 9	3' 8" 13	3' 9" 2	3' 9" 6	3' 9" 10	3' 9" 14	3' 10" 2
3.5 IN 12	3' 8" 13	3' 9" 1	3' 9" 5	3' 9" 9	3' 9" 13	3' 10" 2	3' 10" 6	3' 10" 10
4 IN 12	3' 9" 5	3' 9" 9	3' 9" 14	3' 10" 2	3' 10" 6	3' 10" 10	3' 10" 15	3' 11" 3
4.5 IN 12	3' 9" 15	3' 10" 3	3' 10" 7	3' 10" 12	3' 11" 0	3' 11" 4	3' 11" 8	3' 11" 13
5 IN 12	3' 10" 9	3' 10" 14	3' 11" 2	3' 11" 6	3' 11" 11	3' 11" 15	4' 0" 3	4' 0" 8
5.5 IN 12	3' 11" 5	3' 11" 9	3' 11" 14	4' 0" 2	4' 0" 6	4' 0" 11	4' 0" 15	4' 1" 4
6 IN 12	4' 0" 1	4' 0" 6	4' 0" 10	4' 0" 15	4' 1" 3	4' 1" 8	4' 1" 12	4' 2" 1
6.5 IN 12	4' 0" 14	4' 1" 3	4' 1" 8	4' 1" 12	4' 2" 1	4' 2" 5	4' 2" 10	4' 2" 14
7 IN 12	4' 1" 13	4' 2" 1	4' 2" 6	4' 2" 10	4' 2" 15	4' 3" 4	4' 3" 8	4' 3" 13
8 IN 12	4' 3" 11	4' 4" 0	4' 4" 4	4' 4" 9	4' 4" 14	4' 5" 3	4' 5" 8	4' 5" 13
9 IN 12	4' 5" 12	4' 6" 1	4' 6" 6	4' 6" 11	4' 7" 0	4' 7" 5	4' 7" 10	4' 7" 15
10 IN 12	4' 8" 0	4' 8" 5	4' 8" 10	4' 8" 15	4' 9" 4	4' 9" 10	4' 9" 15	4' 10" 4
11 IN 12	4' 10" 5	4' 10" 11	4' 11" 0	4' 11" 6	4' 11" 11	5' 0" 0	5' 0" 6	5' 0" 11
12 IN 12	5' 0" 13	5' 1" 3	5' 1" 8	5' 1" 14	5' 2" 4	5' 2" 9	5' 2" 15	5' 3" 5
13 IN 12	5' 3" 6	5' 3" 12	5' 4" 2	5' 4" 8	5' 4" 14	5' 5" 4	5' 5" 10	5' 6" 0
14 IN 12	5' 6" 1	5' 6" 7	5' 6" 13	5' 7" 4	5' 7" 10	5' 8" 0	5' 8" 6	5' 8" 12
15 IN 12	5' 8" 13	5' 9" 4	5' 9" 10	5' 10" 1	5' 10" 7	5' 10" 13	5' 11" 4	5' 11" 10
16 IN 12	5' 11" 11	6' 0" 1	6' 0" 8	6' 0" 15	6' 1" 5	6' 1" 12	6' 2" 3	6' 2" 9
17 IN 12	6' 2" 9	6' 3" 0	6' 3" 7	6' 3" 14	6' 4" 5	6' 4" 12	6' 5" 3	6' 5" 10
18 IN 12	6' 5" 8	6' 6" 0	6' 6" 7	6' 6" 14	6' 7" 5	6' 7" 12	6' 8" 4	6' 8" 11
19 IN 12	6' 8" 8	6' 9" 0	6' 9" 7	6' 9" 15	6' 10" 6	6' 10" 14	6' 11" 5	6' 11" 13
20 IN 12	6' 11" 9	7' 0" 1	7' 0" 9	7' 1" 1	7' 1" 8	7' 2" 0	7' 2" 8	7' 3" 0
21 IN 12	7' 2" 11	7' 3" 3	7' 3" 11	7' 4" 3	7' 4" 11	7' 5" 3	7' 5" 11	7' 6" 3
22 IN 12	7' 5" 13	7' 6" 5	7' 6" 13	7' 7" 6	7' 7" 14	7' 8" 7	7' 8" 15	7' 9" 7
23 IN 12	7' 8" 15	7' 9" 8	7' 10" 1	7' 10" 9	7' 11" 2	7' 11" 11	8' 0" 3	8' 0" 12
24 IN 12	8' 0" 2	8' 0" 11	8' 1" 4	8' 1" 13	8' 2" 6	8' 2" 15	8' 3" 8	8' 4" 1
25 IN 12	8' 3" 6	8' 3" 15	8' 4" 8	8' 5" 2	8' 5" 11	8' 6" 4	8' 6" 13	8' 7" 7

Length Of First Jack Rafter

At 45" Spacing on Center   At 46" Spacing On Center

Pitch	45"O.C. Ft In 16th"	45 1/4"O.C. Ft In 16th"	45 1/2"O.C. Ft In 16th"	45 3/4"O.C. Ft In 16th"	46"O.C. Ft In 16th"	46 1/4"O.C. Ft In 16th"	46 1/2"O.C. Ft In 16th"	46 3/4"O.C. Ft In 16th"
1 IN 12	3' 9" 2	3' 9" 7	3' 9" 11	3' 9" 15	3' 10" 3	3' 10" 7	3' 10" 11	3' 10" 15
2 IN 12	3' 9" 10	3' 9" 14	3' 10" 2	3' 10" 6	3' 10" 10	3' 10" 14	3' 11" 2	3' 11" 6
2.5 IN 12	3' 9" 15	3' 10" 4	3' 10" 8	3' 10" 12	3' 11" 0	3' 11" 4	3' 11" 8	3' 11" 12
3 IN 12	3' 10" 6	3' 10" 10	3' 10" 14	3' 11" 3	3' 11" 7	3' 11" 11	3' 11" 15	4' 0" 3
3.5 IN 12	3' 10" 14	3' 11" 2	3' 11" 6	3' 11" 11	3' 11" 15	4' 0" 3	4' 0" 7	4' 0" 11
4 IN 12	3' 11" 7	3' 11" 11	3' 11" 15	4' 0" 4	4' 0" 8	4' 0" 12	4' 1" 0	4' 1" 4
4.5 IN 12	4' 0" 1	4' 0" 5	4' 0" 10	4' 0" 14	4' 1" 2	4' 1" 6	4' 1" 11	4' 1" 15
5 IN 12	4' 0" 12	4' 1" 0	4' 1" 5	4' 1" 9	4' 1" 13	4' 2" 2	4' 2" 6	4' 2" 10
5.5 IN 12	4' 1" 8	4' 1" 12	4' 2" 1	4' 2" 5	4' 2" 10	4' 2" 14	4' 3" 2	4' 3" 7
6 IN 12	4' 2" 5	4' 2" 9	4' 2" 14	4' 3" 2	4' 3" 7	4' 3" 11	4' 4" 0	4' 4" 4
6.5 IN 12	4' 3" 3	4' 3" 7	4' 3" 12	4' 4" 0	4' 4" 5	4' 4" 10	4' 4" 14	4' 5" 3
7 IN 12	4' 4" 2	4' 4" 6	4' 4" 11	4' 4" 15	4' 5" 4	4' 5" 9	4' 5" 13	4' 6" 2
8 IN 12	4' 6" 1	4' 6" 6	4' 6" 11	4' 7" 0	4' 7" 5	4' 7" 9	4' 7" 14	4' 8" 3
9 IN 12	4' 8" 4	4' 8" 9	4' 8" 14	4' 9" 3	4' 9" 8	4' 9" 13	4' 10" 2	4' 10" 7
10 IN 12	4' 10" 9	4' 10" 14	4' 11" 4	4' 11" 9	4' 11" 14	5' 0" 3	5' 0" 8	5' 0" 14
11 IN 12	5' 1" 1	5' 1" 6	5' 1" 12	5' 2" 1	5' 2" 6	5' 2" 12	5' 3" 1	5' 3" 7
12 IN 12	5' 3" 10	5' 4" 0	5' 4" 6	5' 4" 11	5' 5" 1	5' 5" 7	5' 5" 12	5' 6" 2
13 IN 12	5' 6" 6	5' 6" 11	5' 7" 1	5' 7" 7	5' 7" 13	5' 8" 3	5' 8" 9	5' 8" 15
14 IN 12	5' 9" 2	5' 9" 8	5' 9" 15	5' 10" 5	5' 10" 11	5' 11" 1	5' 11" 7	5' 11" 13
15 IN 12	6' 0" 1	6' 0" 7	6' 0" 13	6' 1" 4	6' 1" 10	6' 2" 1	6' 2" 7	6' 2" 13
16 IN 12	6' 3" 0	6' 3" 7	6' 3" 13	6' 4" 4	6' 4" 11	6' 5" 1	6' 5" 8	6' 5" 15
17 IN 12	6' 6" 1	6' 6" 7	6' 6" 14	6' 7" 5	6' 7" 12	6' 8" 3	6' 8" 10	6' 9" 1
18 IN 12	6' 9" 2	6' 9" 9	6' 10" 0	6' 10" 8	6' 10" 15	6' 11" 6	6' 11" 13	7' 0" 4
19 IN 12	7' 0" 0	7' 0" 12	7' 1" 3	7' 1" 11	7' 2" 2	7' 2" 10	7' 3" 1	7' 3" 9
20 IN 12	7' 3" 7	7' 3" 15	7' 4" 7	7' 4" 15	7' 5" 7	7' 5" 14	7' 6" 6	7' 6" 14
21 IN 12	7' 6" 11	7' 7" 3	7' 7" 11	7' 8" 3	7' 8" 11	7' 9" 4	7' 9" 12	7' 10" 4
22 IN 12	7' 10" 0	7' 10" 8	7' 11" 0	7' 11" 9	8' 0" 1	8' 0" 9	8' 1" 2	8' 1" 10
23 IN 12	8' 1" 5	8' 1" 13	8' 2" 6	8' 2" 14	8' 3" 7	8' 4" 0	8' 4" 8	8' 5" 1
24 IN 12	8' 4" 10	8' 5" 3	8' 5" 12	8' 6" 5	8' 6" 14	8' 7" 7	8' 8" 0	8' 8" 9
25 IN 12	8' 8" 0	8' 8" 9	8' 9" 2	8' 9" 12	8' 10" 5	8' 10" 14	8' 11" 7	9' 0" 1

Length Of First Jack Rafter

At 47" Spacing on Center   At 48" Spacing On Center

Pitch	47"O.C.			47 1/4"O.C.			47 1/2"O.C.			47 3/4"O.C.			48"O.C.			48 1/4"O.C.			48 1/2"O.C.			48 3/4"O.C.		
	Ft	In	16th"	Ft	In	16th"	Ft	In	16th"	Ft	In	16th"	Ft	In	16th"	Ft	In	16th"	Ft	In	16th"	Ft	In	16th"
1 IN 12	3'	11"	3	3'	11"	7	3'	11"	11	3'	11"	15	4'	0"	3	4'	0"	7	4'	0"	11	4'	0"	15
2 IN 12	3'	11"	10	3'	11"	14	4'	0"	2	4'	0"	7	4'	0"	11	4'	0"	15	4'	1"	3	4'	1"	7
2.5 IN 12	4'	0"	0	4'	0"	4	4'	0"	8	4'	0"	12	4'	1"	0	4'	1"	5	4'	1"	9	4'	1"	13
3 IN 12	4'	0"	7	4'	0"	11	4'	0"	15	4'	1"	4	4'	1"	8	4'	1"	12	4'	2"	0	4'	2"	4
3.5 IN 12	4'	0"	15	4'	1"	4	4'	1"	8	4'	1"	12	4'	2"	0	4'	2"	4	4'	2"	8	4'	2"	13
4 IN 12	4'	1"	9	4'	1"	13	4'	2"	1	4'	2"	5	4'	2"	10	4'	2"	14	4'	3"	2	4'	3"	6
4.5 IN 12	4'	2"	3	4'	2"	7	4'	2"	12	4'	3"	0	4'	3"	4	4'	3"	8	4'	3"	13	4'	4"	1
5 IN 12	4'	2"	15	4'	3"	3	4'	3"	7	4'	3"	12	4'	4"	0	4'	4"	4	4'	4"	9	4'	4"	13
5.5 IN 12	4'	3"	11	4'	4"	0	4'	4"	4	4'	4"	8	4'	4"	13	4'	5"	1	4'	5"	6	4'	5"	10
6 IN 12	4'	4"	9	4'	4"	13	4'	5"	2	4'	5"	6	4'	5"	11	4'	5"	15	4'	6"	4	4'	6"	8
6.5 IN 12	4'	5"	7	4'	5"	12	4'	6"	0	4'	6"	5	4'	6"	9	4'	6"	14	4'	7"	3	4'	7"	7
7 IN 12	4'	6"	7	4'	6"	11	4'	7"	0	4'	7"	4	4'	7"	9	4'	7"	14	4'	8"	2	4'	8"	7
8 IN 12	4'	8"	8	4'	8"	13	4'	9"	1	4'	9"	6	4'	9"	11	4'	10"	0	4'	10"	5	4'	10"	9
9 IN 12	4'	10"	12	4'	11"	1	4'	11"	6	4'	11"	11	5'	0"	0	5'	0"	5	5'	0"	10	5'	0"	15
10 IN 12	5'	1"	3	5'	1"	8	5'	1"	13	5'	2"	3	5'	2"	8	5'	2"	13	5'	3"	2	5'	3"	7
11 IN 12	5'	3"	12	5'	4"	2	5'	4"	7	5'	4"	12	5'	5"	2	5'	5"	7	5'	5"	13	5'	6"	2
12 IN 12	5'	6"	7	5'	6"	13	5'	7"	3	5'	7"	8	5'	7"	14	5'	8"	4	5'	8"	9	5'	8"	15
13 IN 12	5'	9"	5	5'	9"	11	5'	10"	0	5'	10"	6	5'	10"	12	5'	11"	2	5'	11"	8	5'	11"	14
14 IN 12	6'	0"	4	6'	0"	10	6'	1"	0	6'	1"	6	6'	1"	12	6'	2"	2	6'	2"	8	6'	2"	15
15 IN 12	6'	3"	4	6'	3"	10	6'	4"	1	6'	4"	7	6'	4"	13	6'	5"	4	6'	5"	10	6'	6"	1
16 IN 12	6'	6"	5	6'	6"	12	6'	7"	3	6'	7"	9	6'	8"	0	6'	8"	7	6'	8"	13	6'	9"	4
17 IN 12	6'	9"	8	6'	9"	15	6'	10"	6	6'	10"	13	6'	11"	4	6'	11"	11	7'	0"	2	7'	0"	9
18 IN 12	7'	0"	12	7'	1"	3	7'	1"	10	7'	2"	1	7'	2"	9	7'	3"	0	7'	3"	7	7'	3"	14
19 IN 12	7'	4"	0	7'	4"	8	7'	4"	15	7'	5"	7	7'	5"	14	7'	6"	6	7'	6"	13	7'	7"	5
20 IN 12	7'	7"	6	7'	7"	13	7'	8"	5	7'	8"	13	7'	9"	5	7'	9"	12	7'	10"	4	7'	10"	12
21 IN 12	7'	10"	12	7'	11"	4	7'	11"	12	8'	0"	4	8'	0"	12	8'	1"	4	8'	1"	12	8'	2"	4
22 IN 12	8'	2"	2	8'	2"	11	8'	3"	3	8'	3"	11	8'	4"	4	8'	4"	12	8'	5"	5	8'	5"	13
23 IN 12	8'	5"	10	8'	6"	2	8'	6"	11	8'	7"	4	8'	7"	12	8'	8"	5	8'	8"	14	8'	9"	6
24 IN 12	8'	9"	2	8'	9"	10	8'	10"	3	8'	10"	12	8'	11"	5	8'	11"	14	9'	0"	7	9'	1"	0
25 IN 12	9'	0"	10	9'	1"	3	9'	1"	12	9'	2"	6	9'	2"	15	9'	3"	8	9'	4"	1	9'	4"	11

Length Of First Jack Rafter

<table>
<tr><td colspan="5" align="center">At 49" Spacing on Center</td><td colspan="4" align="center">At 50" Spacing On Center</td></tr>
<tr><td></td><td>49"O.C.</td><td>49 1/4"O.C.</td><td>49 1/2"O.C.</td><td>49 3/4"O.C.</td><td>50"O.C.</td><td>50 1/4"O.C.</td><td>50 1/2"O.C.</td><td>50 3/4"O.C.</td></tr>
<tr><td>Pitch</td><td>Ft In 16th"</td><td>Ft In 16th"</td><td>Ft In 16th"</td><td>Ft In 16th"</td><td>Ft In 16th"</td><td>Ft In 16th"</td><td>Ft In 16th"</td><td>Ft In 16th"</td></tr>
<tr><td>1 IN 12</td><td>4' 1" 3</td><td>4' 1" 7</td><td>4' 1" 11</td><td>4' 1" 15</td><td>4' 2" 3</td><td>4' 2" 7</td><td>4' 2" 11</td><td>4' 2" 15</td></tr>
<tr><td>2 IN 12</td><td>4' 1" 11</td><td>4' 1" 15</td><td>4' 2" 3</td><td>4' 2" 7</td><td>4' 2" 11</td><td>4' 2" 15</td><td>4' 3" 3</td><td>4' 3" 7</td></tr>
<tr><td>2.5 IN 12</td><td>4' 2" 1</td><td>4' 2" 5</td><td>4' 2" 9</td><td>4' 2" 13</td><td>4' 3" 1</td><td>4' 3" 5</td><td>4' 3" 9</td><td>4' 3" 13</td></tr>
<tr><td>3 IN 12</td><td>4' 2" 8</td><td>4' 2" 12</td><td>4' 3" 0</td><td>4' 3" 4</td><td>4' 3" 9</td><td>4' 3" 13</td><td>4' 4" 1</td><td>4' 4" 5</td></tr>
<tr><td>3.5 IN 12</td><td>4' 3" 1</td><td>4' 3" 5</td><td>4' 3" 9</td><td>4' 3" 13</td><td>4' 4" 1</td><td>4' 4" 6</td><td>4' 4" 10</td><td>4' 4" 14</td></tr>
<tr><td>4 IN 12</td><td>4' 3" 10</td><td>4' 3" 15</td><td>4' 4" 3</td><td>4' 4" 7</td><td>4' 4" 11</td><td>4' 4" 15</td><td>4' 5" 4</td><td>4' 5" 8</td></tr>
<tr><td>4.5 IN 12</td><td>4' 4" 5</td><td>4' 4" 10</td><td>4' 4" 14</td><td>4' 5" 2</td><td>4' 5" 6</td><td>4' 5" 11</td><td>4' 5" 15</td><td>4' 6" 3</td></tr>
<tr><td>5 IN 12</td><td>4' 5" 1</td><td>4' 5" 6</td><td>4' 5" 10</td><td>4' 5" 14</td><td>4' 6" 3</td><td>4' 6" 7</td><td>4' 6" 11</td><td>4' 7" 0</td></tr>
<tr><td>5.5 IN 12</td><td>4' 5" 14</td><td>4' 6" 3</td><td>4' 6" 7</td><td>4' 6" 12</td><td>4' 7" 0</td><td>4' 7" 4</td><td>4' 7" 9</td><td>4' 7" 13</td></tr>
<tr><td>6 IN 12</td><td>4' 6" 13</td><td>4' 7" 1</td><td>4' 7" 5</td><td>4' 7" 10</td><td>4' 7" 14</td><td>4' 8" 3</td><td>4' 8" 7</td><td>4' 8" 12</td></tr>
<tr><td>6.5 IN 12</td><td>4' 7" 12</td><td>4' 8" 0</td><td>4' 8" 5</td><td>4' 8" 9</td><td>4' 8" 14</td><td>4' 9" 2</td><td>4' 9" 7</td><td>4' 9" 11</td></tr>
<tr><td>7 IN 12</td><td>4' 8" 12</td><td>4' 9" 0</td><td>4' 9" 5</td><td>4' 9" 10</td><td>4' 9" 14</td><td>4' 10" 3</td><td>4' 10" 7</td><td>4' 10" 12</td></tr>
<tr><td>8 IN 12</td><td>4' 10" 14</td><td>4' 11" 3</td><td>4' 11" 8</td><td>4' 11" 13</td><td>5' 0" 1</td><td>5' 0" 6</td><td>5' 0" 11</td><td>5' 1" 0</td></tr>
<tr><td>9 IN 12</td><td>5' 1" 4</td><td>5' 1" 9</td><td>5' 1" 14</td><td>5' 2" 3</td><td>5' 2" 8</td><td>5' 2" 13</td><td>5' 3" 2</td><td>5' 3" 7</td></tr>
<tr><td>10 IN 12</td><td>5' 3" 13</td><td>5' 4" 2</td><td>5' 4" 7</td><td>5' 4" 12</td><td>5' 5" 1</td><td>5' 5" 7</td><td>5' 5" 12</td><td>5' 6" 1</td></tr>
<tr><td>11 IN 12</td><td>5' 6" 8</td><td>5' 6" 13</td><td>5' 7" 2</td><td>5' 7" 8</td><td>5' 7" 13</td><td>5' 8" 3</td><td>5' 8" 8</td><td>5' 8" 14</td></tr>
<tr><td>12 IN 12</td><td>5' 9" 5</td><td>5' 9" 10</td><td>5' 10" 0</td><td>5' 10" 6</td><td>5' 10" 11</td><td>5' 11" 1</td><td>5' 11" 7</td><td>5' 11" 12</td></tr>
<tr><td>13 IN 12</td><td>6' 0" 0</td><td>6' 0" 10</td><td>6' 1" 0</td><td>6' 1" 6</td><td>6' 1" 11</td><td>6' 2" 1</td><td>6' 2" 7</td><td>6' 2" 13</td></tr>
<tr><td>14 IN 12</td><td>6' 3" 5</td><td>6' 3" 11</td><td>6' 4" 1</td><td>6' 4" 7</td><td>6' 4" 13</td><td>6' 5" 3</td><td>6' 5" 10</td><td>6' 6" 0</td></tr>
<tr><td>15 IN 12</td><td>6' 6" 7</td><td>6' 6" 13</td><td>6' 7" 4</td><td>6' 7" 10</td><td>6' 8" 1</td><td>6' 8" 7</td><td>6' 8" 13</td><td>6' 9" 4</td></tr>
<tr><td>16 IN 12</td><td>6' 9" 11</td><td>6' 10" 1</td><td>6' 10" 8</td><td>6' 10" 15</td><td>6' 11" 5</td><td>6' 11" 12</td><td>7' 0" 3</td><td>7' 0" 9</td></tr>
<tr><td>17 IN 12</td><td>7' 0" 15</td><td>7' 1" 6</td><td>7' 1" 13</td><td>7' 2" 4</td><td>7' 2" 11</td><td>7' 3" 2</td><td>7' 3" 9</td><td>7' 4" 0</td></tr>
<tr><td>18 IN 12</td><td>7' 4" 5</td><td>7' 4" 13</td><td>7' 5" 4</td><td>7' 5" 11</td><td>7' 6" 2</td><td>7' 6" 9</td><td>7' 7" 1</td><td>7' 7" 8</td></tr>
<tr><td>19 IN 12</td><td>7' 7" 12</td><td>7' 8" 4</td><td>7' 8" 11</td><td>7' 9" 3</td><td>7' 9" 10</td><td>7' 10" 2</td><td>7' 10" 9</td><td>7' 11" 1</td></tr>
<tr><td>20 IN 12</td><td>7' 11" 4</td><td>7' 11" 12</td><td>8' 0" 4</td><td>8' 0" 11</td><td>8' 1" 3</td><td>8' 1" 11</td><td>8' 2" 2</td><td>8' 2" 10</td></tr>
<tr><td>21 IN 12</td><td>8' 2" 12</td><td>8' 3" 4</td><td>8' 3" 12</td><td>8' 4" 4</td><td>8' 4" 12</td><td>8' 5" 5</td><td>8' 5" 13</td><td>8' 6" 5</td></tr>
<tr><td>22 IN 12</td><td>8' 6" 5</td><td>8' 6" 14</td><td>8' 7" 6</td><td>8' 7" 14</td><td>8' 8" 7</td><td>8' 8" 15</td><td>8' 9" 7</td><td>8' 10" 0</td></tr>
<tr><td>23 IN 12</td><td>8' 9" 15</td><td>8' 10" 8</td><td>8' 11" 0</td><td>8' 11" 9</td><td>9' 0" 1</td><td>9' 0" 10</td><td>9' 1" 3</td><td>9' 1" 11</td></tr>
<tr><td>24 IN 12</td><td>9' 1" 9</td><td>9' 2" 2</td><td>9' 2" 11</td><td>9' 3" 4</td><td>9' 3" 13</td><td>9' 4" 6</td><td>9' 4" 15</td><td>9' 5" 8</td></tr>
<tr><td>25 IN 12</td><td>9' 5" 4</td><td>9' 5" 13</td><td>9' 6" 6</td><td>9' 6" 15</td><td>9' 7" 9</td><td>9' 8" 2</td><td>9' 8" 11</td><td>9' 9" 4</td></tr>
</table>

Other Practical References

Rough Carpentry

All rough carpentry is covered in detail: sills, girders, columns, joists, sheathing, ceiling, roof and wall framing, roof trusses, dormers, bay windows, furring and grounds, stairs and insulation. Many of the 24 chapters explain practical code approved methods for saving lumber and time without sacrificing quality. Chapters on columns, headers, rafters, joists and girders show how to use simple engineering principles to select the right lumber dimension for whatever species and grade you are using. **288 pages, 8½ x 11, $17.00**

Carpentry in Commercial Construction

Covers forming, framing, exteriors, interior finish and cabinet installation in commercial buildings: designing and building concrete forms, selecting lumber dimensions, grades and species for the design load, what you should know when installing materials selected for their fire rating or sound transmission characteristics, and how to plan and organize the job to improve production. Loaded with illustrations, tables, charts and diagrams. **272 pages, 5½ x 8½, $19.00**

Roofers Handbook

The journeyman roofer's complete guide to wood and asphalt shingle application on both new construction and reroofing jobs: How professional roofers make smooth tie-ins on any job, the right way to cover valleys and ridges, how to handle and prevent leaks, how to set up and run your own roofing business and sell your services as a professional roofer. Over 250 illustrations and hundreds of trade tips. **192 pages, 8½ x 11, $14.00**

Finish Carpentry

The time-saving methods and proven shortcuts you need to do first class finish work on any job: cornices and rakes, gutters and downspouts, wood shingle roofing, asphalt, asbestos and built-up roofing, prefabricated windows, door bucks and frames, door trim, siding, wallboard, lath and plaster, stairs and railings, cabinets, joinery, and wood flooring. **192 pages, 8½ x 11, $15.25**

National Construction Estimator

Current building costs in dollars and cents for residential, commercial and industrial construction. Prices for every commonly used building material, and the proper labor cost associated with installation of the material. Everything figured out to give you the "in place" cost in seconds. Many time-saving rules of thumb, waste and coverage factors and estimating tables are included. **544 pages, 8½ x 11, $19.50. Revised annually.**

Contractor's Guide to the Building Code Rev.

This completely revised edition explains in plain English exactly what the Uniform Building Code requires and shows how to design and construct residential and light commercial buildings that will pass inspection the first time. Suggests how to work with the inspector to minimize construction costs, what common building short cuts are likely to be cited, and where exceptions are granted. **544 pages, 5½ x 8½, $24.25**

Paint Contractor's Manual

How to start and run a profitable paint contracting company: getting set up and organized to handle volume work, avoiding the mistakes most painters make, getting top production from your crews and the most value from your advertising dollar. Shows how to estimate all prep and painting. Loaded with manhour estimates, sample forms, contracts, charts, tables and examples you can use. **224 pages, 8½ x 11, $19.25**

Video: Stair Framing

Shows how to use a calculator to figure the rise and run of each step, the height of each riser, the number of treads, and the tread depth. Then watch how to take these measurements to construct an actual set of stairs. You'll see how to mark and cut your carriages, treads, and risers, and install a stairway that fits your calculations for the perfect set of stairs. **60 minutes, VHS, $24.75**

Stair Builders Handbook

If you know the floor to floor rise, this handbook will give you everything else: the number and dimension of treads and risers, the total run, the correct well hole opening, the angle of incline, the quantity of materials and settings for your framing square for over 3,500 code approved rise and run combinations—several for every 1/8 inch interval from a 3 foot to a 12 foot floor to floor rise. **416 pages, 8½ x 5½, $15.50**

Carpentry Estimating

Simple, clear instructions show you how to take off quantities and figure costs for all rough and finish carpentry. Shows how much overhead and profit to include, how to convert piece prices to MBF prices or linear foot prices, and how to use the tables included to quickly estimate manhours. All carpentry is covered: floor joists, exterior and interior walls and finishes, ceiling joists and rafters, stairs, trim, windows, doors, and much more. Includes sample forms, checklists, and the author's factor worksheets to save you time and help prevent errors. **320 pages, 8½ x 11, $25.50**

Roof Framing

Frame any type of roof in common use today, even if you've never framed a roof before. Shows how to use a pocket calculator to figure any common, hip, valley, and jack rafter length in seconds. Over 400 illustrations take you through every measurement and every cut on each type of roof: gable, hip, Dutch, Tudor, gambrel, shed, gazebo and more. **480 pages, 5½ x 8½, $22.00**

Carpentry Layout

Explains the easy way to figure: Cuts for stair carriages, treads and risers. Lengths for common, hip and jack rafters. Spacing for joists, studs, rafters and pickets. Layout for rake and bearing walls. Shows how to set foundation corner stakes — even for a complex home on a hillside. Practical examples show how to use a hand-held calculator as a powerful layout tool. Written in simple language any carpenter can understand. **240 pages, 5½ x 8½, $16.25**

Carpentry for Residential Construction

How to do professional quality carpentry work in homes and apartments. Illustrated instructions show you everything from setting batter boards to framing floors and walls, installing floor, wall and roof sheathing, and applying roofing. Covers finish carpentry, also: How to install each type of cornice, frieze, lookout, ledger, fascia and soffit; how to hang windows and doors; how to install siding, drywall and trim. Each job description includes the tools and materials needed, the estimated manhours required, and a step-by-step guide to each part of the task. **400 pages, 5½ x 8½, $19.75**

Wood Frame House Construction

From the layout of the outer walls, excavation and formwork, to finish carpentry, and painting, every step of construction is covered in detail with clear illustrations and explanations. Everything the builder needs to know about framing, roofing, siding, insulation and vapor barrier, interior finishing, floor coverings, and stairs ... complete step by step "how to" information on what goes into building a frame house. **240 pages, 8½ x 11, $14.25. Revised edition.**

Spec Builder's Guide

Explains how to plan and build a home, control your construction costs, and then sell the house at a price that earns a decent return on the time and money you've invested. Includes professional tips to ensure success as a spec builder: how government statistics help you judge the housing market, cutting costs at every opportunity without sacrificing quality, and taking advantage of construction cycles. Every chapter includes checklists, diagrams, charts, figures, and estimating tables. **448 pages, 8½ x 11, $27.00**

Mail This No Risk Card Today

☐ **Please send me the books checked for 10 days free examination. At the end of that time I will pay in full plus postage (& 6% tax in Calif.) or return the books postpaid and owe nothing.**

☐ **Enclosed is my full payment or Visa, MasterCard or American Express Card number. Please rush me the books without charging for postage.**

Craftsman Book Company
6058 Corte Del Cedro
P. O. Box 6500
Carlsbad, CA 92008

☐ 19.75 Bookkeeping For Builders
☐ 17.25 Builder's Guide to Accounting Revised
☐ 25.50 Carpentry Estimating
☐ 16.25 Carpentry Layout
☐ 26.00 Const. Estimating Ref. Data
☐ 24.25 Contractor's Guide to the Building Code Rev.
☐ 16.75 Contractor's Survival Manual
☐ 15.75 Cost Records for Const. Estimating
☐ 17.00 Estimating Home Building Costs
☐ 24.75 Handbook of Const. Contracting Vol. 1
☐ 24.75 Handbook of Const. Contracting Vol. 2
☐ 14.75 Handbook of Modern Electrical Wiring
☐ 19.75 Manual of Professional Remodeling
☐ 19.50 National Construction Estimator
☐ 19.25 Paint Contractor's Manual
☐ 22.00 Roof Framing
☐ 14.00 Roofers Handbook
☐ 17.00 Rough Carpentry
☐ 21.00 Running Your Remodeling Business
☐ 27.00 Spec Builder's Guide
☐ 15.50 Stair Builder's Handbook
☐ 24.75 Video: Stair Framing
☐ 15.75 Rafter Length Manual   **RLM card**

In a Hurry?
We accept phone orders charged to your Visa, MasterCard or American Express
Call 1-800-829-8123

Name _____

Company _____

Address _____

City   State   Zip

Total Enclosed _____ (In California add 6% tax) If you prefer, use your

☐ Visa or ☐ MasterCard   Card # _____

Expiration date _____ Initial _____

BUSINESS REPLY MAIL

FIRST CLASS MAIL   PERMIT NO.271   CARLSBAD, CA

POSTAGE WILL BE PAID BY ADDRESSEE

Craftsman Book Company
6058 Corte Del Cedro
P. O. Box 6500
Carlsbad, CA   92008

NO POSTAGE
NECESSARY
IF MAILED
IN THE
UNITED STATES